Handbook of Research on

T-Scan:

컴퓨터 교합분석기술의 응용

Computerized Occlusal Analysis Technology Applications in Dental Medicine

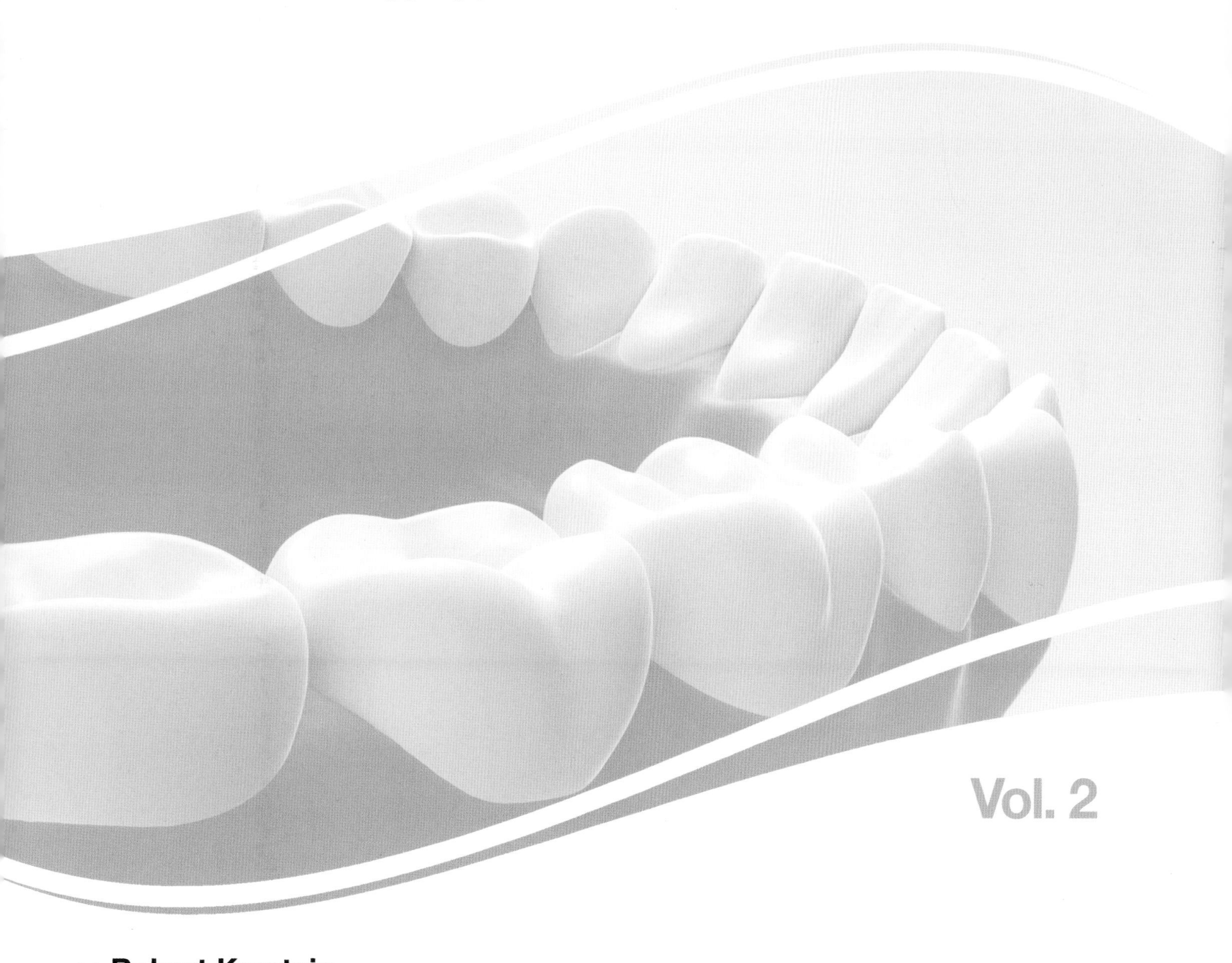

Vol. 2

저자 **Robert Kerstein**
역자 **정도민, 안효원** 감수 **김성훈**

T-Scan:
컴퓨터 교합분석기술의 응용 Vol. 2

첫째판 1쇄 인쇄 | 2018년 1월 10일
첫째판 1쇄 발행 | 2018년 1월 20일

지 은 이	Robert B. Kerstein, DMD
옮 긴 이	정도민, 안효원
감 수	김성훈
발 행 인	장주연
출판기획	김도성
편집디자인	박은정
표지디자인	김재욱
발 행 처	군자출판사(주)
	등록 제 4-139호(1991. 6. 24)
	본사 (10881) **파주출판단지** 경기도 파주시 회동길 338(서패동 474-1)
	전화 (031) 943-1888　　팩스 (031) 955-9545
	홈페이지 | www.koonja.co.kr

* 파본은 교환하여 드립니다.
* 검인은 저자와의 합의 하에 생략합니다.

ISBN 979-11-5955-264-9
979-11-5955-259-5 (세트)

정가 100,000원
180,000원 (세트)

T-Scan:
컴퓨터 교합분석기술의 응용
Computerized Occlusal Analysis Technology Applications in Dental Medicine

Vol. 2

저자 및 감수

Robert B. Kerstein, DMD

Former clinical professor at Tufts University School of Dental Medicine, USA
& Private Dental Practice Limited to Prosthodontics and Computerized
Occlusal Analysis, USA

Editorial Advisory Board

List of Reviewers

Nick Yiannios, Private Practice, Rogers, Arkansas, USA
Rob Anselmi, McGill University, Canada & Tekscan, Inc. Boston, Massachusetts, USA

도움을 주신 분들

List of Contributors

Anselmi, Robert / *McGill University, Canada*

Becker, DDS, FAGD, Ray M. / *International Certifying and Interpretation Instructor of the Total BioPAK System, Private Practice, USA*

Cohen, DDS, MS, PhD, Nicolas / *Private Practice, France & University of Paris, France*

Cohen-Levy, DDS, MS, PhD, Julia / *Private Practice, France*

Coleman, DDS, Thomas A. / *Private Practice, USA*

Droter, DDS, John R. / *The Pankey Institute, USA*

Kerstein, DMD, Robert B. / *Former Clinical Professor at Tufts University School of Dental Medicine, USA & Private Dental Practice Limited to Prosthodontics and Computerized Occlusal Analysis, USA*

Kim, DDS, MS, PhD, Jinhwan / *Seoul National University, South Korea & Oneday Dental Clinic, South Korea & Theodental Ltd., South Korea*

Koirala, Sushil / *Thammasat University, Thailand & Vedic Institute of Smile Aesthetics (VISA), Nepal*

Koos, Bernd / *University Medical Center Schleswig-Holstein, Germany*

Qadeer, BDS, MSD, Sarah / *Thammasat University, Rangsit Campus, Thailand*

Radke, BM, MBA, John C. / *BioResearch Associates, USA*

Sierpińska, Teresa / *Medical University of Bialystok, Poland*

Solow, DDS, Roger / *The Pankey Institute, USA*

Stevens, DDS, Christopher J. / *Private Practice, USA*

Supple, DMD, Robert C. / *Private Practice, USA*

Westersund, DDS, Curtis / *ICCMO, Canada*

Yiannios, DDS, Nick / *Private Practice, USA*

목 차

목 차

SECTION 05 T-Scan 기술의 진화

교합 스플린트는 치아를 보호하고, 구강안면 통증을 완화시키며, 시뮬레이션된 교합 수정에 대한 환자의 반응을 사전 조사하기 위해 사용된다. 이번 장은 치료상의 교합을 입증하기 위해 T-Scan 분석을 적용하는 적절한 교합 스플린트 제작의 개요를 설명한다. T-Scan은 스플린트 교합 체계의 정제를 유도하는 객관적인 상대적 교합력과 타이밍 데이터를 제공한다. 그러므로, 이번 장에서는 T-Scan과 교합지를 사용하여 교합 스플린트 접촉 양상을 조절하는 것에 대해 설명할 것이다. 또한 교합 간섭과 저작근 기능 이상 사이에 존재하는 관계 유무에 관한 논쟁을 다룰 것이다. 저자는 관계가 없다고 주장하는 연구에서, 교합 측정이 결여되고 존재하는 관계를 부인할 만한 과학적 근거가 부족하다고 제안한다. 마지막으로, 교합 스플린트와 자연치 모두를 이용한 TMD 치료 연구에 T-Scan을 포함하여, 연구자들이 임상의들을 위해 이런 논쟁을 해결해야 한다고 권고한다.

교합 분석은 치아의 접촉면에 의해 발생하는 힘을 검사하고 진단하는 것이다. 임상의는 마운팅된 진단 모형과 T-Scan 교합 분석 시스템을 이용하여 환자 치열에 대한 불리한 힘의 역할을 이해할 수 있다. 이런 모형은 CR로 마운팅되어 환자의 개폐축 상하악 관계와 치아 접촉 결손을 복제해야 한다. T-Scan은 CR, MIP, 측방 편심위에 존재하는 치아 접촉의 위치를 기록할 뿐만 아니라, 모든 접촉의 타이밍과 상대적인 힘을 포착한다. 기록된 치아 접촉 데이터는 2D, 3D ForceView로 신속하게 전시되어, 실제적으로 구내 치료에 사용될 수 있다. 이런 양식은 임상적 상태에 의존하여 각각 혹은 동시에 사용될 수 있다. 이번 장에서는 마운팅된 진단 모형과 T-Scan으로 CR 조기 접촉을 식별하는 임상적 기술, 장점, 논리적 근거에 대해 논의한다.

목 차

Curtis Westersund, DDS / ICCMO, 캐나다

저작근 과활성은 TMD 환자에서 기능 장애 증상을 악화시키고 영구화하는 중요 인자로 간주되고 있다. 기능 장애 환자에서 자주 보고되는 다양한 증상을 감소시키거나 해소하고자 하는 많은 치료 양식이 치의학에서 발달하였다. 이런 방법 중 한가지는 초저주파수(Ultra Low Frequency, ULF)로 알려진 경피 전기 신경 자극(Transcutaneous Electrical Nerve Stimulation, TENS)으로, 5번, 7번 뇌신경의 원심성 운동 섬유에 전기 자극을 적용하여 저작근을 완화하기 위해 사용된다. TENS는 통증 상실과 환자 진정을 가져오며, 약화된 근육 생리를 회복하고, 근육의 휴식 길이를 증가시킬 수 있다. 또한 TENS는 폐구 시 본의 아닌 근 수축을 유도함으로써 근신경적 상하악 관계 구축을 돕는다. 이번 장에서는 TENS를 TMD의 치료 양식으로 논의하고, TENS를 이용하여 근신경적 상하악 관계를 구축하는 방법을 설명하고, 가철성 피개 레진 보조 장치를 측정성 및 생리적으로 균형잡기 위해 TENS와 T-Scan 컴퓨터 교합 분석 시스템을 조합하여 사용한 임상 증례 보고를 소개한다.

Nicolas Cohen, DDS, MS, PhD / 개인 의원, France & University of Paris, France

이번 장은 치주 질환 진행에서의 교합 역할에 관하여 진행 중인 논쟁을 다룬다. 교합력은 치주 부착 소실의 개시에 대한 인자가 아닌 것으로 간주되고 있다. 그러나, 교합 분석을 위해 입증된 측정 장치나 수량화 방법이 없었기 때문에, 치주 질환과 교합 사이의 관계에 관한 혼동이 과학적 공동체 내에 여전히 존재한다. T-Scan 교합 측정 기술의 발달로 치주 질환의 교합 역할에 대한 과학적 의견이 변할 수 있다. 이번 장에서는 T-Scan 8 시스템이 조직 소실과 교합 문제를 가지는 환자의 치료를 돕는 방법을 설명한다. 특히, 치주 질환의 주요 위험 인자가 조절된 후에, T-Scan으로 교합을 조정하면 염증 감소, probing depth 감소, 골 높이 안정의 치료 결과가 향상된다.

목 차

SECTION 06 컴퓨터 교합 분석에 기반한 새로운 교합 개념

이번 장은 T-Scan 컴퓨터 교합 분석 시스템으로 기록된 디지털 교합력 분포 양상(DOFDP)의 많은 임상 적용에 대해 설명한다. 교합과 이개 동안 힘이 악궁 주변으로 진행하면서 COF 궤도에 의해 만들어지는 운동이 이 양상을 창출할 것이다. 반복적인 교합 접촉 데이터는 치아가 서로서로 교합할 때 수용하는 힘 분포 위치를 보여준다. 이런 힘 분포 양상은 방사선 사진, 임상 사진, 치아와 지지 조직에 대해 임상 검사 동안 발견되는 구내의 약화된 치아 형태와 연관성을 가진다. 더욱이, 그것은 동작 범위, 기능 범위, 머리와 목의 자세에 직접적으로 영향을 미친다. 이번 장에서는 임상 증례를 이용하여 구강악계의 구조적 손상과 비정상적인 교합력 분포의 반복적인 양상 사이의 상관 관계를 설명한다. T-Scan 기술은 과다한 미세외상 교합력의 손상 부위를 분리하여 임상의가 정확하고 조직적이며 입증된 교합 진단을 내릴 수 있게 돕는다.

이번 장은 T-Scan 기술에 근거한 힘 마무리 개념을 소개한다. 증례 마무리 동안, 심미적인 구성 요소는 임상적으로 평가되며, 환자와 임상의의 주관적 분석에 의해 결정된다. 대신에, 증례의 교합력 구성 요소는 볼 수 없고 부작용이 만성적으로 되기 전까지 드러나지 않는다. 힘 구성 요소가 적절하게 다루어지지 않으면, 임상의는 교합력 장애(Occlusal Force Disorder, OFD) 합병 증상을 직면할 수 있다. 종종, 임상의는 심미적 마무리에 집중하고 교합력 마무리에는 비중을 낮게 두어, 교합 조정을 주관적인 교합지 자국 해석과 환자의 주관적인 "느낌"에 의존한다. 교합지는 교합력과 타이밍의 좋지 않은 지표이기 때문에, T-Scan 기술은 교합 증례 마무리를 현저하게 향상시킬 수 있다. 이번 장에서는 모든 증례에서 교합력 조화의 성취를 간소화하기 위해, 힘 마무리 개념을 전통적인 증례 마무리와 통합하는 방법을 상세히 한다.

펴내는 말

종종, 우리는 감성과 지성을 요구하는 정보가 필요한 결정에 직면하게 된다. 뿐만 아니라, 전문적인 치의학적 결정은 임상의로 하여금 환자들에게 행하는 진료의 질을 약화시키는 않아야 하며, 많은 술자들이 적절하게 보호하고 지휘할 수 있게 한다. 전문적인 결단, 객관적인 지적 연구, 감성적 정보로 구성된 의사-결정의 3요소를 통하여, 치의학은 임상의와 연구가 모두에게 대중을 보호하고, 치과적 질환 연구를 발전시키고, 환자에게 적용할 수 있는 치료법을 향상시킬 수 있는 기술을 발달시키고 진보하도록 요구하고 있다. 디지털 치과(Digital Dentistry) 시대에서, 이런 기술적인 진보는 보다 나은 치료 성과, 좀 더 편안한 환자, 더 건강한 치과 공동체로 이끌고 있다.

치의학의 범주 안에서, 통상적인 프로토콜과 치료법으로 받아들여졌던 믿음에 대해 의문을 가지는 혁신자들이 있었다. 이런 의문은 종종 사멸되기도 했지만, 한편으로는 참신한 새로운 이론과 결과를 이끌어내어 환자의 불편감을 야기하는 상태에 대해 더 잘 이해하고 치료할 수 있게 되기도 하였다. 가끔 이런 혁신자는 기존의 방법을 재조정하여 컴퓨터를 이용한 새로운 접근을 수용하기도 하였다. 예를 들어, 왁스업하여 만든 보철물이 잘 받아들여지고 있는 보철 분야에서, CAD/CAM의 출현은 상부구조의 예술적인 창조물을 현대화하였고 크라운은 컴퓨터에 의해 제작되고 있다. 또 다른 경우에서, 기존의 재료를 개조하거나 과학적 진보로 가능해진 새로운 재료를 창조하여, 더 안전하고 예견 가능한 치료를 환자에게 제공한다. 이런 혁신의 일례로 골 형태형성 단백질(Bone Morphologic Protein, BMP) 복제가 있다. 골이식에 이 재료를 사용함으로써 이식된 골의 예견성이 증가하였고 이식부위로의 성공적인 임플란트 골유착을 촉진하게 된다.

아직, 지난 20년 동안 가장 흥미로운 혁신자들은 임상의들로 하여금 측정 가능한 데이터 정보를 통합하여 환자의 상태를 설명할 수 있게 하는 어려운 기술과 연관되어 있다. 이런 기술은 임상의의 인지를 향상시키고, 치료 성과를 향상시키고, 장기간 안정성이나 환자의 상태 변화를 감시할 수 있다. Robert Kerstein 박사는 환자의 현존 교합 체계를 양적으로 평가하고 질적으로 설명하기 위해 최소 3차원 측정을 이용하는 객관적인 기술을 발달시키기 위해 광범위하게 연구한 혁신자이다. 일단 T-Scan 컴퓨터 교합 분석 시스템(Tekscan, Inc., S. Boston, MA, USA)으로 교합 체계를 규정하면, 측정된 데이터를 이용하여 환자를 치료할 수 있고, 적절하게 시행되면 교합 적응이 눈에 띄게 향상되고, 치아의 구조적 상해와 마모가 최소화되고, 구강악계 내부의 통증이 감소된다. 다른 생물 측정 기술과 유사하게, 임상의들은 주어진 시점에서 T-Scan 기술을 이용하여 환자에게 자신의 교합 체계 상태를 교육하거나, 기존의 교합 체계 상황에 의존하여 제작되는 미래의 보철 수복물이 미치게 될 교합 건강이나 온당치 못한 퇴행성 변화를 식별할 수 있다. 이런 방법으로, T-Scan을 이용한 교합 측정은 진단학적으로 진행되거나 일어날 위험성을 예견하고, 보조적으로 선택된 치료 성과가 예견가능하고 최선인지를 확실하게 할 수 있다.

최근 100년 동안, 인간의 기능에 대한 의문들이 "교합학"으로 알려진 집중적인 치의학 과목의 발달을 이끌었다. 교합학은 치아, 악관절, 상악, 하악이 모두 연관된 분야이다. 이 책에서는 치의학 세계에 널리 퍼져있는 손상된 믿음과 가치에 대항하는 지난 30년 간의 초기 시도에 대해 제시한다. 이것은 이런 믿음을 뒷받침하는 교합에 대한 어떠한 측정도 없이 교두감합 혹은 기능 중인 치아, 교합지 자국, 왁스 바이트에 대한 시각적인 검사로 믿을만한 저작 기능을 설명할 수 있다는 (그릇된) 생각의 결과이다. 이런 전통적인 개념은 비성공적으로 적용되고 있다; 임상의와 연구자들이 교합 접촉의 질과 힘의 양에 연

펴내는 말

관된 의문에 대한 답을 찾고자 할 때, T-Scan 기술을 통해 저장된 형식으로 답을 쉽게 얻고, 임상의는 명확하게 판단된 문제성 교합 접촉력을 보고, 분석하고, 목표하는 정확한 치료 결정을 시행할 수 있게 된다.

교합에 관한 대부분의 연구에서, 교합 이론을 측정하고 증명할 수 있는 유일한 도구는 교합 접촉을 인기한 교합지 자국뿐이다. 30년 전, 힘, 시간 순서, 지속 시간의 관점에서 각각의 교합 접촉 잉크 자국을 식별하는 측정법을 제공하기 위해 T-Scan Ⅰ 시스템이 소개되었다. 이 혁명은 치의학에 있어서 교합을 이해하는 지적인 방법뿐만 아니라 환자에게 교합 치료가 시행될 때 임상의를 지원하는 정교한 디지털 방법을 제공하였다.

치의학에서 현대의 기술 시대 동안, 교합 과학이 이 책을 만든 공동 연구자들에 의해 서서히 깨어나고 있다. 이런 자각은 실제적으로 혁명이라는 것이 저자의 의견이다. 과학에서든 정부 정책에서든 생각 변화가 진행되는 다른 혁명과 마찬가지로, 여기에도 리더가 있다. 이 교합 혁명에서, 리더는 Robert Kerstein 박사라고 본인은 생각한다. 1989년 이후로, 본인은 Kerstein 박사가 T-Scan 데이터를 이용하여 지속적으로 많은 동료들의 연구를 검토하고 이전에 답을 찾지 못한 많은 교합 의문에 대한 답을 발표했다고 생각한다. 더욱이, 그는 광범위한 T-Scan 시행에 필요한 그들 자신의 영역 내에서 지지받는 전세계에 걸친 많은 저자에 의해 대표되는 다원화된 학문 그룹에 영향을 미쳤다. 이 저자들은 모두 교합의 정확한 측정이 진단과 치료의 중요한 발달이 되고, 환자와 임상의 모두에게 다방면으로 이익이라고 인식하는 자신의 분야를 가지고 있는 전문가이다.

이 최초의 컴퓨터 교합 분석 교과서는 역사적인 것이고 교합 측정을 일반적인 치과 개념으로 자리매김시키려는 치의학적 요구에 대한 선물이다. 본인은 다가오는 10년 내에 T-Scan이 일반적인 치과계에서 일상적으로 사용되는 기초적인 기술이 되기를 희망한다.

이 책의 독자들이 세부적인 내용들을 즐기고 기록하며 의문점과 관심사, 앞으로의 출판에 대한 생각을 제안하여 T-Scan으로 알려진 중요 교합 측정 혁신에 대한 연구를 계속 전진시킬 수 있기를 바란다.

Paul Mitsch
Augusta Family Dentistry, 미국

Paul Mitsch는 미조리주 세인트 루이스의 워싱턴 대학에서 1977년 DMD 학위를 받았다. 1979년 캔자스주 오거스타에서 Augusta Family Dentistry를 인수하였다. 2005년, 지역 치과의사들에 의해 제작, 간행되고 버틀러와 세지윅 카운티에 배포되는 Dental Impact를 창간하였다. 2008년, American Family Dentistry Training Center를 설립하였다. AFD Training Center는 치과 산업 종사자의 교육을 돕기 위해 창설되었다. 기술을 연마하고 보다 높은 수준의 손기술을 원하는 사람들에게 치과 분야에서 숙련된 전문가의 수업과 세미나를 제공하는 것이 그의 미션이었다. Mitsch 박사는 미국내의 치과에서 최신 기술의 이행을 강의하고 있다. 또한, Academy for General Dentistry, Academy for Dentistry International, International Congress of Oral Implantologist의 회원으로 있으며, American Academy of Craniofacial Pain에서 특별회원으로 있다. 또한, BioResearch, Inc.에서 마스터십을 이수하였다.

서 문

컴퓨터 교합 분석이라는 주제는 1984년에 시작하여 30년 동안 발전하여, 많은 치의학 학문에서 T-Scan 기술을 활용한 많은 임상 및 연구적 응용이 발달하였다. 치과 환자에 대한 T-Scan의 임상적 활용은 백 년 넘게 사용된 전통적이고 비-디지털 교합 인기 방법을 뛰어넘는 주요한 진단 및 치료 진보를 보여 준다. T-Scan이 개시될 때까지 임상의에 의해 주관적으로 해석되었던 일상적인 치과 진료에, 컴퓨터 교합 분석은 교합력과 교합 시기 측정을 도입하였다. T-Scan의 상대적인 교합력과 교합 시기 측정 능력 덕분에, 연구에 이 데이터를 응용하면 교합 고안의 최종 정밀성이 절대적으로 향상된다. 이렇듯, 컴퓨터 교합 분석의 분야는 치과 교합의 과학 및 실행을 포함할 뿐만 아니라 고정성 및 가철성 보철, 임플란트-지지 보철, 치주, 교정, 심미 치과, 치아 민감성, 악관절 장애, 하악 정형, 신체 자세와 균형을 아우른다.

오늘날, 컴퓨터 교합 분석 기술은, 치과의사가 임상에서 흔하게 관찰되고 종종 직면하게 되며 디지털 교합 측정의 도움없이 치료하고 싶어하는 (가끔은 투쟁하는) 교합 문제에 대한 해답을 제공한다. 전통적인 교합 지표를 능가하는 T-Scan의 명백한 우월성에도 불가하고, 현재의 T-Scan 기술은 여전히 학문적인 승인과 치과 환자들에게 전반적인 임상 응용을 얻는데 상당한 어려움을 직면하고 있다. 논문 발표를 통해 T-Scan 방법 자체가 믿을 수 있고 재현가능하고 정확하다는 것이 증명되었다고 할지라도, 일상적으로 사용되고 실제적으로 교합력과 교합시기를 측정할 수 없는 전통적이고 비-디지털적인 교합 지표 때문에 치의학은 T-Scan 기술을 다소 간과하고 있다. 증거-바탕의 치의학 시대에서, 교합 모형, 왁스 바이트, 실리콘 바이트, 교합지 등으로 교합력 수준을 파악할 수 있다고 여전히 광범위하게 믿어지고 있다. 전통적인 교합 지표의 그 어느 것도 교합력을 과학적으로 측정할 수 없고 지속적인 교합력 수준 평가를 재생산하거나 교합 접촉 시기 및 순서를 측정하고 파악할 수 없다는 것이 증명되었음에도, 이런 비과학적인 믿음이 T-Scan의 필요성을 가로막고 있다.

이 "*T-Scan: 컴퓨터 교합분석기술의 응용*"은 컴퓨터 교합 분석 분야라는 영역과 범위에서 현대의 치의학을 설명하기 위해 고안된 포괄적인 편찬물이다. 기대하는 독자는 보철, 임플란트-지지 보철, 치주, 교정, 악관절 장애 등의 많은 분야 내에서 치의학 교육자와 연구가, 치과 대학 교합 프로그램 관리자, 재학 중인 치과 대학생, 박사 후 프로그램 관리자, 졸업생 등의 치과 건강 제공자들이다. 또한, 환자에게 이 기술을 사용하는 치과의사에게 고용된 치위생사와 어시스트도 이 책을 읽어 포괄적인 환자 검사에 한 구성원이 되어야 할 것이다.

아주 명백하게, 저자는 매일매일의 치과 치료에서 교합 문제를 치료하는 치과 임상의를 겨냥하고 있다. 이 책을 읽음으로써, 임상의는 교합 치료에 T-Scan 응용 원리를 적용하고 여기에 묘사된 교합 개념을 평가하게 될 것이다. T-Scan에 근거한 치료 과정에 과학적 기반을 제공하기 위해 특별한 노력이 수행되어서, 이 책을 임상적 가이드로 활용하는 임상의들이 주관보다는 증거를 바탕으로 접근하여 교합 문제를 치료하도록 배우게 될 것이다.

이 책이 치과 교합 분야의 연구자들에게 특별하게 방향을 제시하는 것은 아니지만, T-Scan 기술의 상대적인 교합력과 시기-순서 측정 능력은 연구 환경에서 교합 기능에 이상적인 증거를 제공할 수 있게 한다. 연구가들은 그들 자신의 T-Scan 교합 기능 연구를 고안하거나 현존의 혹은 앞서 출판된 T-Scan 연구를 모사하기에 앞서 이 책을 통해 적당한 T-Scan 사용 기술을 습득하기 바란다. 이런 방법으로, 미래의 T-Scan 연구자들은 적절한 T-Scan 데이터 세트를 이용하는 방법을 더 잘 이해할 수 있을 것이고, 이로 인해 같은 연구자들이 적절한 T-Scan 사용 지식 부족으로 인한 빈약한 T-Scan 기술을 이용하는 것보다 훨씬 더 신뢰할 수 있는 T-Scan을 바탕으로 한 미래의 연구로 제공되는 결과가 나오게 것이다.

ORGANIZATION OF THE BOOK 이 책의 구성

이 책은 6개의 부로 나누어져 있다.

제1부, "T-Scan 기술의 진화"에서는 T-Scan 시스템을 1984년의 초기 도입부터 현재까지의 역사를 소개한다. 1장은 4개의 T-Scan 시스템 버전을 자세히 소개하고 중요한 시스템 정확도에 영감을 준 과학 연구들과 각각의 버전 발달에 포함된 재현가능성의 향상을 설명한다.

2장은 상업적으로 다양하게 이용할 수 있고, 흔하게 채택되는 전통적인 비-디지털 교합 지표와 T-Scan 기술을 상대적인 교합력 측정 능력, 과다 교합력 발견 능력, 시기-순서 측정과 보고 능력의 보유 여부에 대해 비교한다. 추가적으로, 이 장의 부분은 임상의의 주관적인 해석에 의한 *침습적인 치료를 최소화*하는 기술인 T-Scan에 비해서, 비-디지털 전통적인 교합 지표와 연관된 임상의의 *주관적인 해석*이 잠재적으로 *최대 침습적*이라는 사실에 할애한다.

3장에서는 T-Scan 교합 측정 방법의 정확도와 신뢰도를 입증하고, 기록 센서와 시스템의 힘 생산 보고 일관성을 재현하는 능력을 평가하고, 또한 환자의 교두감합 동안 교합력의 시기-의존적인 본성을 이야기한다. 이 장은 특별하게 T-Scan 기록법의 재현 가능성을 설명하고, 그 신뢰성과 정확성을 측정한다.

제2부, "T-Scan 8 시스템"에서는 T-Scan 기술의 현재 버전에 대해 전반적으로 소개한다. T-Scan 8은 사용자가 사용 방법 학습을 최소화하도록 도와주는 임상 표시를 단순화하기 위해서 데스크탑 그래픽을 수정하였다. 4장은, 이 책 전반에 걸쳐 제공되는 많은 T-Scan 이미지에 대한 *독자 가이드*가 될 것이다. 독자는 이 장의 이미지와 많은 T-Scan 8 소프트웨어의 특성의 능력을 묘사하기 위한 이미지 설명을 참조하게 될 것이다. 여기에서는 T-Scan의 교합력과 타이밍 소프트웨어 특성이 표현되고 분석되는 방법과 교합 특성을 독자에게 제공한다. 이 장의 마지막 부분은 T-Scan 임상의가 능력있는 사용자가 되기 위해 효율적으로 갖추어야 할 T-Scan 전문 지식과 필요한 임상 사용 기술의 세가지 학습 부분을 자세히 설명한다.

제3부, "일상적 치과 진료에 보완적 T-Scan 시스템의 임상적 사용 기술"은, T-Scan 시스템의 임상적 사용을 촉진하고 보완하는 다른 디지털 치과 기술을 소개하는 장들을 포함한다. 각 장은 이런 보완적 기술과 T-Scan 기술을 같이 사용하는 방법을 보여주는 적어도 한가지의 임상 증례를 포함한다. 5장은 저작 기능의 객관적이고 생물-생리적 측정을 제공하는 몇 가지 다른 치과 기술(T-Scan 시스템에 추가하여)인 표면 근전도(EMG), 자석-기반 3D Electrognathography, 악관절 진동 분석(JVA)에 대해 논의한다. 또한 환자 검사와 치료 결과 평가 동안 생체 계측 측정을 포함해야 하는 필요성도 다룬다.

6장은 JVA 기술이 TMJ 내에 발생하는 병적 변화를 측정하는 방법을 자세히 묘사한다. TMJ 구조 내에 존재하는 다양한 병적 상태를 대표하는 TMJ 진동 포착에 대해 설명한다.

7장은 교합-근육 장애 환자의 치료에서 T-Scan 8/BioEMG 동기화 시스템의 임상적 활용을 설명한다. 저작근 과활성과

서 문

교합-근육 장애 종합 증상을 유도하는 연장된 편심위 교합면 마찰에 대한 신경구조 및 생리를 묘사한다. 또한, *이개 시간 감소(Disclusion Time Reduction, DTR)*라고 알려진 매우 치료적이고 빠른 증거-바탕 T-Scan 교합 치료에 대해 상세하게 설명한다. DTR은 장치나 교정 장치를 사용하지 않고 환자 자신의 신경생리 내에서 탁월한 치료 효과를 가져오기 때문에, 환자와 임상의 모두에게 상당한 TMD 치료 발전을 제공하게 된다.

제4부, "교합 외상과 컴퓨터 교합 분석"에서, 교합 굴곡, 굴곡파절 형성, 교합 마모에 의한 교합 미세외상, 상아질 지각과민증의 중요성을 묘사한다. 각 장은 T-Scan 기술이 교합 미세외상 측면을 파악하고 치료하는 데 도움이 되는 방법을 설명한다. 8장은 치아 지각과민증에 대한 많은 다양한 이론과 주장되는 원인을 설명하고, 새로운 잠재적 교합 원인 용어인 마찰성 치아 지각과민증(Frictional Dental Hypersensitivity, FDH)을 소개한다. FDH의 성공적인 치료는 DTR 치료를 받은 환자의 치료 전후 상아질 지각과민증 변화를 평가하는 예비 연구를 통해 설명된다.

9장은 공기 지표법을 T-Scan 시스템과 같이 사용하여, 치경부 상아질 지각과민증(CDH)의 임상적 증상을 파악, 진단, 치료하는 것에 대해 논의한다. 공기 지표화는 T-Scan 시스템으로 포착되는 CDH 치아의 교합력 및 타이밍 일탈과 상호 관련성을 찾을 수 있는 CDH의 다양한 정도를 수량화한다.

마지막으로, 10장은 교합 마모의 수많은 원인을 소개하고, 중증의 치아 마모의 임상적 중요성을 상세히 하며, 중증 치아 마모의 보철적 기능 회복(rehabilitation)을 자세히 설명한다. 여기에서 T-Scan 8/BioEMG 동기화 시스템에 의해 치료되고 유지될 때 교합 마모가 성공적으로 최소화될 수 있음을 설명한다.

제5부, "컴퓨터 교합 분석의 임상 적용"은, 임상적 시나리오의 넓은 범위에서 T-Scan 사용을 설명한다. 11장에서 18장까지 다양한 치의학 교육 내에서 컴퓨터-유도 교합 치료를 제공하는 임상의에게 컴퓨터 교합 분석을 제의하여 얻은 진단, 치료, 유지 단계의 장점을 논의한다. 모든 장에서 각각 설명된 교육에서 사용될 수 있는 T-Scan 사용법의 임상적 증례를 포함한다.

11장은 종종 교정 치료 결과가 시각적으로 이상적으로 "보임"에도 불구하고 이상적인 치아 접촉이나 이상적인 교합력 관계를 이루지 못하는, 고정성 장치 교합 치료의 술식을 마치고 치료 후 교합 종말점 평가의 증례에서 T-Scan의 역할을 설명한다.

12장은 굳건한 임플란트 교합에서 T-Scan으로 골유착 파괴나 임플란트 수복 재료의 부분 파절을 최소화하는 타이밍 순서 조정을 통해 과다한 교합력을 조절하는 방법을 다룬다. T-Scan의 치아 타이밍 소프트웨어를 자세히 설명하여, 독자가 자연치와 임플란트가 혼재하는 악궁에서 시간-지연 원리를 적절하게 시행하는 방법을 이해할 수 있게 한다.

13장은 occlusal splint의 제작 방법과 장치의 힘 분산 특성을 크게 향상시키기 위해 T-Scan 측정과 교합지 자국을 병행하는 것을 설명한다. 교합 간섭과 저작근 기능 이상 사이의 관계의 실재 혹은 결여에 관한 논란을 다루면서, 관계의 실재에 반대하는 연구가 교합을 측정하지 않았기 때문에 존재하는 연관성을 부정할 과학적 근거가 부족하다고 제안한다.

14장은 CR 이론을 강조하고, 교합기에 장착된 진단 모형이나 양수 조작으로 수행한 T-Scan 시스템을 사용하여 CR 조기 접촉을 확인하는 임상적 기술, 장점, 이론을 논의한다.

15장은 장기간 동안 직접적으로 이익이 되는 필요한 치료 술식을 환자가 받아들이도록 유도하는 환자의 교육 전략에서 T-Scan 그래픽의 힘 데이터를 사용하는 방법을 살펴본다. 최적의 치아 건강을 구축하는 4단계 및 효과적인 교육과 학습이 필요한 단계와 일상적으로 사용되는 다양한 학습과 교육 스타일에 대한 개요를 설명하고, 특성, 기능, 이득이 되는 기술을 사용하는 방법을 설명한다.

16장은 디지털 인상으로 제작한 CAD/CAM 보철물의 삽입을 향상시키기 위한 T-Scan 사용법을 도해함으로써 심미 치과의 구성 요소로서의 교합을 논의한다. 위치적으로 불안정한 접착성 수복물은 제자리에 합착하기 전에 교합 접촉 평가를 위한 시적을 할 수 없다. 부적절한 시적은 교합 공간 오류를 악화시키나, T-Scan 시스템을 사용하여 예견성 있게 조절할 수 있다.

17장은 근신경 상하악 관계를 수립하는 TMD 증상에 대한 치료로 무통법, 환자 진정을 사용하는 TENS에 대해 논의한다. 폐구 시 근신경 보조 장치의 교합 구축에 의한 교합 접촉을 T-Scan으로 기록하여, TENS가 폐구의 불수의적 근육성 수축을 유도하는 방법을 설명한다.

마지막으로, 18장에서 장기간 논란이 되고 있는 치주 질환 진행에서의 교합의 역할에 대한 과학적 증거를 제시한다. 교합력은 치주 질환을 개시하거나 가속화하지 않는 것으로 항상 간주되고 있다. 이번 장에서는 이런 연구에 교합을 수량화한 측정 장치가 포함되지 않아 치주 질환과 교합력 사이의 관계에 관한 혼동을 일으킨다고 제안한다. T-Scan이 치주 치료 결과를 향상시키고 유지기간 동안 치주 질환을 조절할 수 있음을 설명한다.

제6부, "컴퓨터 교합 분석에 근거한 새로운 교합 개념"에서, 측정된 T-Scan 데이터 세트에 근거한 새로운 교합 변수 개념을 치의학에 소개한다.

19장은 디지털 교합력 분포 양상(Digital Occlusal Force Distribution Patterns, DOFDP)이란 용어를 통해, 교합력이 힘의 반복적인 양상을 통해 교합에 전달되는 방법에 관한 이론을 제시한다. 장기간 임상적 관찰로, 악궁 내 DOFDP 위치는 교합, 치아, 치주조직, TMJ 건강의 구조적 적응 변화와 일치한다는 것을 알 수 있다. 좋지 않은 교합력 분포가 야기할 수 있는 치아 조직 손상을 도해한 많은 임상 증례를 사용하여, 알려진 6개의 DOFDP를 자세하게 묘사한다.

끝으로, 20장에서 *힘 마무리(Force Finishing)* 개념과 최소한의 침습적이고, 심미적인 수복 재건 증례에 사용하는 프로토콜을 설명한다. 회복된 치열의 힘 구성 요소가 적절하게 다루어지지 않으면, 교합력 장애의 증상과 징후로 저작계 붕괴가 야기될 수 있다. 현재의 치과 술식에서, 임상의가 심미적 결과에 집중하고 교합력 마무리가 낮은 비중을 차지하게 될 때, 디지털 힘 마무리 방법으로 예견성 있고 반복적으로 얻을 수 있는 교합력 조화를 얻을 수 있다.

이 책의 모든 장은 많은 치의학 학문 분야의 하나인 T-Scan 기술을 수년간 면밀하게 작업한 경험이 있는 국제적인 전문가로부터 기증받은 것이다. 모든 장은 다양한 임상 사진과 해당 상황을 설명하는 동반하는 디지털 교합 데이터 이미지를 수록한다. 추가적으로, 각 장마다 *주요 용어 및 정의*의 해설 목록을 포함하여, 각 장의 초점을 설명한다.

많은 장에서 현대 교합 개념상 논란이 지속되고 있는 두 가지의 흔한 주제를 깊이 있게 다룬다. 첫째, 오늘날 가장 널리 토의되는 교합 논의는 교합 기능이 TMD 발달의 원인 역할을 하느냐에 관한 것이다. 교합이 TMD 원인 인자가 아니라는

서 문

의견을 밝힌 치과의사에게 반박하기 위해, 이 책의 저자들은 독자에게, T-Scan 시스템에 의한 교합력 측정이 발달하기 전에 TMD에서 교합의 역할을 완성한 연구들은 뚜렷한 결점이 있다고 제안한다:

- 연구자들은 수량화하는 방법으로 교합력을 측정하는 능력이 없었기 때문에, 자신들이 실제적으로 치료한 교합 문제에 대해 알지 못한다.
- 연구 프로토콜 내에서 치료로서의 비측정성 교합 조정을 이용함으로써 만들어진 교합에 향상(혹은 악화)가 있는지 알 수 없다.
- 연구자들은 치아들의 교합 기능을 수량화할 수 없기 때문에 진단하고 치료하는 동안 교합과 TMD 상태에 대해 적절하게 분류할 수 없다.

연구자들이 교합 정확성을 판단하기 위해 시도했던 기술은 환자의 구내 상태에 대한 시각적 평가와 정적인 치과 재료의 관찰이었다. 하지만, 비-디지털 교합 지표를 연구에 사용했기 때문에 이런 시각적 평가는 완전히 주관적이다.

비측정의 개념은 교합 과학을 괴롭히는 두 번째 논의 쟁점을 직접적으로 야기한다. 현재의 치료 기준은 임상의가 힘을 측정할 능력이 없는 정적인 교합 지표를 사용함으로써, 교합력을 측정하는 실제적인 방법은 그들의 관점이 된다. 교합지 자국의 임상 주관적 해석이나 shim stock hold라는 오류를 유발하기 쉬운 기술에 추가하여, 오늘날 교합의 치료 기준은 교합지 자국을 임상적으로 추측하여 교합력 내용물을 제안하는 비-과학적인 방법을 허가한다. 이런 기준은 시대에 뒤떨어지고 추측하는 면이 있기 때문에 비-최소적으로 침입적이며, *비-디지털 교합 지표가 교합력을 측정할 수 있다고 설명하는 연구 발표가 없기* 때문에 과학적으로 증명되지 않는다. 그러므로, 치과 환자의 이익을 위해, 이런 기준은 과학을 기반으로 하고 임상적 추측을 완전히 배제한 측정성 방법을 포함하도록 변화되어야 한다.

마지막으로, 이 책의 저자들은 모두 TMD 환자의 진단과 치료를 도울 뿐만 아니라, 보철 재료의 수명, 임플란트 존속, 새로운 교합에 대한 신속한 환자 적응을 보장하는 교합 재건에 적용할 수 있는 대단히 흥미롭고 새로운 컴퓨터-기반 *측정성* 교합 개념을 설명한다. 이런 측정성 치료 접근은 지난 30년간 수행된 연구 발표에서 유효하고 치료적인 것으로 증명되었고, 상대적 교합력과 교합 접촉 타이밍을 측정할 수 있는 T-Scan의 능력 때문에 오늘의 치과 환자에게 적용할 수 있게 되었다.

이 책을 다듬으면서, 본인은 내 자신과 다른 저자들에게 좋은 참고 자료와 과학적으로 견실한 모음집을 만들었다. 1984년 이후로 T-Scan 기술이 시작되고 발전하면서 많은 기술자들, 저자들, 연구자들을 통해, 과거에 진정한 측정이 없었던 치과 교합의 영역에 측정적이고 과학적인 방법과 정확한 종말점 기준을 가져왔다.

결론적으로, 이 책 안에, T-Scan 기술 자체에 대한 과학적으로 근거한 정보가 다양하고 포괄적인 범위로 이전에-출판된 적이-없는 방대한 양으로 포함될 것이다. 페이지마다 의심할 여지 없이 세계적인 사용자로부터 향상된 T-Scan 기술 시행으로 인도할 것이고, 컴퓨터 교합 분석의 진화된 영역의 보다 나은 이해로 이끌 것이다. T-Scan 기술로 사용할 수 있는 방법을 자세히 설명하여 컴퓨터 교합 분석이 환자와 임상의에게 제공하는 장점에 대해 많은 임상의, 연구자, 학생들에게 가르쳐주게 될 것이다. 가장 중요한 것은, 책 안에 담겨있는 정보를 보급하여, 치과 교합의 임상 실행 기준이 *주관적*에서 *객관적*으로 향상될 것이다.

매우 열심히 작업해 준 Editorial Advisory Board 회원, 모든 검토자, 그리고 자신의 치과 영역 내에서 T-Scan 응용에 대한 내용 저술을 허락해 준 뛰어난 저자들과, T-Scan 기술과 임상 적용에 관한 이 책을 즐기고 있을 독자에게 감사드린다. 편집자로서 나의 바람은 이 책이 컴퓨터 치과 교합 영역의 지식을 위해서 훌륭한 참고 자료가 필요한 학생들과, 임상 시행이나 연구 시도에서 T-Scan 기술의 적절한 사용을 위한 더 나은 이해를 위해 분명하고 간결하며 자세한 정보가 필요한 임상의와 연구가에게 유용한 도구가 되길 바란다.

Robert B. Kerstein, 치의학박사
미국, 터프트 대학교 치과 대학 임상 교수 역임
보철과, 컴퓨터 교합 분석 전문
2014년 8월 15일

감사의 글

이 책의 전개 과정에 연관되었던 모든 사람의 도움에 진심으로 감사를 표합니다. 그들의 지지가 없었다면, 이번 기획은 만족스럽게 완성되지 못했을 것입니다.

무엇보다도, Tekscan의 하드웨어와 소프트웨어 기술자, 예술과 그래픽 팀, 판매 팀, 나와 긴밀하게 작업하고 30년의 진화(1984년에 시작)의 과정 동안 끊임없이 나를 지원해준 Tekscan의 모든 매니저들에게 깊은 감사와 사의를 드립니다. T-Scan 기술의 수행 능력을 향상시키고, 개선하고, 진보시켜준 Steve Jacobs씨와 Charles Malacaria씨에게 특별한 감사를 표현하고 싶습니다. 그들은 지속적인 진화와 발전을 독려하여, T-Scan이 치과 교합의 영역 내에서 교합력과 타이밍 측정을 포함하는 필요성에 가장 잘 부합할 수 있게 되었습니다.

또한, Brent Thompson씨에게 이 편집된 책을 제작하게 해준 초기 저술 기회를 만들어준 점에 대해 감사드립니다. 치과의사가 아님에도 불구하고, T-Scan 기술에 대한 그의 장기간 지치지 않는 참가는 치의학에서 T-Scan이 중요성을 얻는 데 큰 역할을 해주었습니다. 아울러, John Radke에게 공동 편찬한 다수의 T-Scan/BioEMG 연구에 포함된 많은 통계 분석을 해주신 것과 이 책의 완성에 대한 편집을 지원해 주신 것에 대해 감사드립니다.

또한, T-Scan 기술의 어얼리 어댑터에게도 큰 은혜를 입었습니다. 그들은 매일의 교합 진료라는 중요한 부분에서 일상적으로 T-Scan을 근거로 한 교합 원리를 이용한 임상의들입니다. 초기 이용자들은 그들의 공부 모임들, 교육 프로그램, 현장의 임상적 연수 코스를 통해 교합학이 전진하는 데 도움이 주었고, 이를 통해 보다 많은 사람에게 T-Scan 기술을 노출할 수 있었습니다.

또한, 편집 자문 위원회와 검토 위원들에게 진정한 감사를 표현하고 싶습니다. 오랜 검토 과정 동안, 이 임상의들은 저자들과 저에게 건설적으로 비평하고 필요한 주제를 제안함으로써 확실하게 책의 모든 내용들을 향상시켰습니다.

책 제안에서부터 최종 출간의 전 과정 동안 귀중한 도움을 준 IGI Global의 편찬팀에 특별한 감사를 드립니다. 특히, 책을 만드는 모든 단계에서 제가 드린 모든 질문에 대답해준 Erin O'Dea씨에게 개인적인 감사를 표합니다.

책을 집필하는 동안 무한한 사랑, 지지, 응원을 보내준 나의 부인, Kym에게 고마움을 표시합니다. 밤낮으로 그녀 (그리고 애완견) 옆에서 몇 시간씩 앉아서 컴퓨터로 조용히 글을 쓰는 동안에도 그녀의 인내심은 결코 흔들리지 않았습니다.

마지막으로, 모든 장의 저자들에게 그들의 훌륭한 과학적 및 임상적인 공헌에 대해 감사를 표합니다. 저는 각 저자들에게 저와 힘을 합쳐 T-Scan 컴퓨터 교합 분석 기술에 전념한 첫 번째 책을 창간한 그들의 의지에 대해 영원한 빚을 진 것입니다.

Robert B. Kerstein, DMD
미국, 터프트 대학교 치과 대학 임상 교수 역임
보철과, 컴퓨터 교합 분석 전문
2014년 7월 15일

역자 소개

역자

정도민

- 경희대학교 치과대학 졸업
- 경희대학교 치의학 석사
- 전) 국립중앙의료원 치과 과장
- Saint Louis University 교정과 방문 연구원
- R. G. "Wick" Alexander,
- The Alexander Discipline, Volume 3: Unusual and Difficult Cases 역자
- 국립중앙의료원 치과 Faculty.

안효원

- 서울대학교 치과대학 졸업
- 서울대학교 대학원 치의학과 치과교정학 전공, 석사, 박사 학위 취득
- 서울대학교 치과병원 인턴 및 교정과 전공의 수료
- 경희대학교 치과병원 교정과 전임의
- 현) 경희대학교 치과대학, 치의학전문대학원 조교수
  대한구순구개열학회 재무이사
  대한치과교정학회 편집위원, 전문의위원회 위원, 기획위원

감수

김성훈

- 경희대학교 치과대학 졸업
- 경희대학교 치의학 석사
- 서울대학교 치의학 박사
- 경희대학교 치과대학 교정과 교수
- University of California SanFrancisco(UCSF) 교정과, Saint Louis University 교정과 외래교수
- National Hospital of Odontology and Stomatology in HCMC, Vietnam 교정과 외래교수
- 경희대학교 치과대학 교정학교실 주임교수 및 치과병원 교정과 과장

역자 서문

환자의 교합의 안정성을 유지하거나 때로는 새로운 교합을 창조 해야 하는 치과의사로서 최종 교합의 목표를 어디에 두어야 하는지에 대한 고민이 계속될수록 그 한계를 절감할 때가 많습니다. Angle Class I 구치 관계, 이상적인 전치부 수직, 수평피개의 달성, 측방 운동 시 견치 유도 교합 확보 등 기존에 정립된 이론에 맞추어 교합을 완성하였어도 일부 환자는 원인을 찾기 어려운 교합의 불편감에 시달리는 것을 경험할 수 있었습니다.

임상가에게 익숙한 기존의 교합 평가 방식은 비정량적이며, 인기된 교합점의 크기가 교합력에 비례하지 않는다는 한계가 있습니다. 따라서 상당 부분 환자의 주관적인 느낌에 의존해서 교합을 조정할 수 밖에 없습니다. 본 저서 "T-Scan: 컴퓨터 교합분석기술의 응용 I, II권"에서 소개하는 T-Scan 시스템은 비정량적, 비디지털 교합 분석의 한계를 극복할 수 있는 새로운 대안으로 생각됩니다. 특히 개별치아 및 악궁별로 시간에 따른 동적 교합의 정밀 평가가 가능함으로써, 과도한 힘이 집중되는 특정 치아를 효과적으로 배제할 수 있으며, 이를 개선하였을 때의 변화되는 양상 또한 실시간으로 확인할 수 있습니다.

이는 임상의에게 난제로 생각되었던 원인이 분명하지 않았던 만성 턱관절 질환, 근육장애, 과민성 치아, 외상성 교합에 의해 야기된 치주질환, CO-CR discrepancy에 의한 기능 부조화, 치아 마모, 지속되는 보철물 파절 등의 개선에 큰 기여를 할 수 있을 것으로 기대됩니다. 또한 기존 치료방법에 불신을 갖고 있는 환자들도 이러한 시각적 도구를 이용하여, 자신의 상태를 잘 인지하게 되고, 치료에 대한 동의를 높일 수 있으며, 치료로 개선된 부분을 보다 잘 받아들일 수 있을 것으로 생각됩니다.

특히 T-Scan 시스템은 악관절의 퇴행성 질환이나 내장증을 평가하는 Joint vibration analysis (JVA), 안면 및 저작 근육의 활성을 평가하는 근전도 (Electromyography, EMG), 하악 운동 범위와 저작 패턴을 평가하는 Jaw Tracker (JT) 등 다양한 도구와 함께 운용될 수 있습니다. 이는 근육 및 악관절과 조화를 이루는 3차원적 교합을 달성하게 함으로써, 악기능의 효과적인 회복에 기여할 것입니다.

임상에서 매일매일 부딪치는 교합과 관련된 여러 이슈를 극복하는데 이 역서를 통해 조금이나마 도움이 되기를 바랍니다. 또한 교정 및 보철 치료의 최종 목표를 달성하는데 유용한 도구로 자리매김하기를 기대해 봅니다.

정도민, 안효원, 김성훈

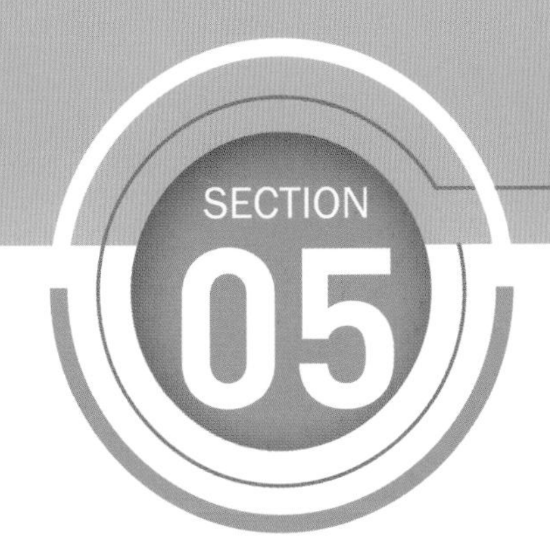

컴퓨터 교합 분석의 임상 적용

교정에서 T-Scan 이용

Julia Cohen-Levy, DDS, MS, PhD
개인 의원, 프랑스

초록

이번 장은 교정치료에서의 T-Scan 이용을 살펴보고, 교정치료를 받은 대상자와 치료받지 않은 대상자의 통상 T-Scan 기록을 살펴보며, 증례-마무리 과정에서의 T-Scan 사용을 설명한다. 교정 장치 제거 후 치아가 치주 조직 내에서 자유롭게 이동할 수 있기 때문에, "정착"으로 인한 교합 변화가 발생한다. 치료 후 시각적으로 "완벽한" Angle의 Class Ⅰ 관계라고 할지라도, 종종 이상적인 교합 접촉이 치아 이동만으로 얻어지지 않는다. 최적의 최종-결과 교합 접촉 양상을 형성하기 위해, 고정식 장치 제거 후 동시적이고 균등한 접촉 수립은 T-Scan 데이터를 이용하여 달성할 수 있다. 증례 마무리 동안, 소프트웨어의 힘 분포 및 타이밍 지표(2D 및 3D ForceView, 치아 및 악궁 당 힘 비율, 힘 중심(COF), 교합 및 이개 시간)가 이상적인 교합력 분포 달성에 도움을 줄 수 있다. 악교정 수술을 동반한 설측 교정 장치로 치료한 몇 가지 증례보고를 통하여 동적 치료와 유지 기간 동안 T-Scan을 사용한 경우를 주목하고자 한다.

도입

치아 교합은 악궁의 다양한 단계를 거치면서 기능적 및 유전적 영향 하에 점진적으로 발달하고, 특히 TMJ와 저작근에 대한 여러 가지 적응을 거치게 된다.

교정의사가 복잡한 부정교합을 다룰 때, 모든 치아 접촉을 바꾸어 새로운 교합 균형의 위치를 수립하게 되고 이러한 기능적 통합에 대한 책임을 지게 된다. 교정의사는 합병증을 충분히 인지하고, 그들이 믿는 치료 교합 개념에 상관없이 각 증례의 최종 교합의 질에 대한 특별한 주의를 기울인다.

교정 치료의 완성에서 모든 치아가 동시적으로 접촉하고 균등한 힘 강도를 보여, 동등하고 대칭적인 저작력 분산을 구축해야 한다는 것은 모두가 동의하는 부분이다. 전치부가 구치부보다 하중을 약간 적게 받아야 한다고 권장된다 (Roth, 1970; Dawson, 2006).

보철이나 치주와 같은 다른 치의학 분야와 마찬가지로, 교정에서 교합질의 평가가 다음을 이용한 교합 접촉의 시각적 검사로 대부분 이루어지고 있다:

- 치아 석고 모형의 교두감합.
- 교합지 자국에 대한 주관적 해석.
- 환자의 "느낌" 반응 경청.

대안적으로, 연구 조사에서 종종 사용되는 시간-소모적인 교합 지표 기법이 설명되었다. 이런 대안적인 교합 지표법은:

- 높은 유동성의 인상 재료의 인기 관찰.
- 압력 감응 왁스 내의 정적인 힘 분포 분석 – Dental Prescale 50H(Fuji Photo Film Corporation, Tokyo, Japan) 및 분석 도구(Occluzer TM FPD703, Fuji Photo Film Corporation, Tokyo, Japan).

환자가 위의 정적 치과 재료 지표에 인기한 후, 힘 데이터를 회수하고 분석하기 위해 후속 컴퓨터 과정을 시행한다. 불행하게도, 이들의 힘 분포를 표현하는 효용성은 완전한 데이터 회수에 필요한 상당한 진료 시간 때문에, 그 매력을 잃게 된다. 더욱이, 이런 기술들 중 그 어느 것도 임상의에게 접촉 "타이밍"에 관한 정보를 주지 못한다. 또한, 최대 교두감합(MIP)까지 첫 번째 접촉의 위치 및 그 후의 접촉 순서나 MIP에서의 접촉 분포에 관한 사항을 제공하지 않는다. 그러므로, 이 방법은, 임상의가 교정 치료 후 교합 접촉 결과의 '동시성' 혹은 '타이밍'을 적절하게 평가하기 위해 필요한 도구로 활용될 수 없다.

교정 최종-결과의 교합 기능

교정 치료 완성과 구축된 최종-결과 교합 기능에 관해 몇 가지 질문을 제기할 수 있다.

- 교정의사는 이상적인 위치로 달성된 치아-대-치아 관계를 통해 측정 가능한 균형 잡힌 교합을 충분히 얻었다고 가정할 수 있을까?
- 장치를 제거한 후, 교합 접촉에 의한 정착과정(settling)을 통해 전체적인 교합력 균형이 저절로 향상될까?
- 치료 전의 치아 비대칭이 교정적으로 수정되면, 치료 후 치아의 교합력 분포가 대칭적으로 이루어질까?

T-Scan Ⅲ(T-Scan Ⅲ 버전 7, Tekscan Inc., S. Boston, MA, USA)는 교정의사가 활용할 수 있는 교합 분석 시스템으로, 폐구 동안 첫 번째 치아 접촉부터 MIP에 이르기까지의 교합 접촉 과정 내내 기능적으로 변화하는 접촉력 분포를 실시간으로 기록하고, 전방 혹은 측방 편심위에서 일어나는 구치부 교합면의 마찰성 연루의 지속 시간을 수량화한다. 이렇게 매우 상세한 교합 분석을 0.01초 간격으로, 혹은 터보 모드에서 0.003초 간격으로 재생할 수 있다.

이번 장에서는 먼저 교합 기준 및 교정-후 기능적 교합에 관한 문헌을 고찰할 것이다. 그리고, MIP로 인도하고 역동적인 하악 편심위 기능 및 이개 시간 내에서 상세화되는 폐구 접촉에 대한 힘 분포 지표(2D 및 3D ForceView; 치아, 반-악궁, 4분악의 힘 비율; COF 궤도 경로와 최종 위치의 대칭성)를 강조하면서, 교정에서의 T-Scan Ⅲ 시스템의 임상적 사용을 설명할 것이다. T-Scan Ⅲ를 이용한 컴퓨터-지원 교정 증례 마무리 및 follow-up 프로토콜을 증례 연구로 설명하고, 교정-후 교합 접촉 양상 최종-결과의 질을 향상시키는 최고의 방법에 대해 논의한다.

제1부: 배경

교정에서 교합 마무리

American Board of Orthodontists에 의하면(Casko, Vaden, Kokich, Damone, James, Cangialosi, Riolo, Owens, & Bills, 1998; Dykhouse, Moffitt, Grubb, Greco, English, Briss, Jamieson, Kastrop, & Owens, 2006), 교합 마무리 질은 절단연과 변연 융선의 적절한 배열, 각 치아의 협설측 경사, 교합 관계(Angle's Class Ⅰ이 이상적인 것으로 간주), 수평피개, 교합 접촉에 대해 석고 모형을 시각적으로 평가하여 이루어질 수 있다. 인접면 접촉은 완전한 공간 폐쇄로 긴밀해야 한다.

Class Ⅰ은 상악에 대한 하악의 정상적인 전-후방 관계로 생각된다. Angle의 분류에 따르면(Angle, 1899), 이상적으로 상악 제1대구치의 근심협측 교두가 하악 제1대구치의 근심 교두와 협측-중앙 교두 사이의 협측 구(groove) 내로 교합하여야 한다(그림 1a). Andrews는 이상적인 교합을 얻기 위한 다른 "열쇠"를 추가하였는데, 상악 제1대구치 치관이 근심으로 경사되어 상악 제1대구치 원심협측 교두가 하악 제2대구치의 근심 교두와 밀접하게 접촉하여 위치한다고 하였다(Andrews, 1972)(그림 1b).

1969년, Ricketts는 상악 제2소구치 위치의 중요성에 대해 강조하였다(Ricketts, 1969). 또한, 하악의 자유로운 편심위 운동을 허용하기 위해서, 양(+)의 토크값을 얻을 수 있는 견치의 특별한 각도를 권고하였다. 추가적으로, Class Ⅰ 환자에 대한 이상적인 접촉 분포로, MIP에서 반-악궁

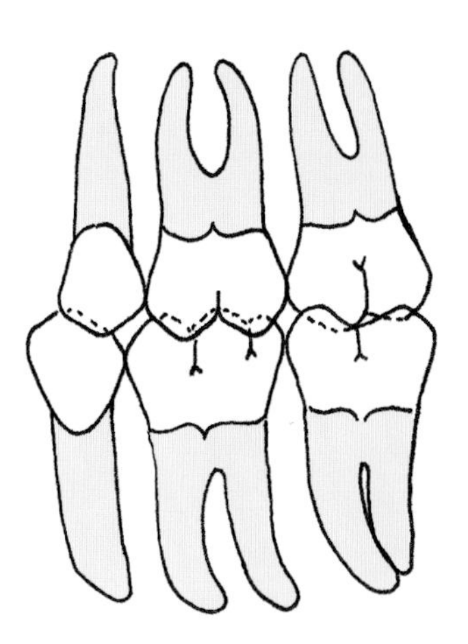

그림 1a Angle에 따른 이상적인 'Class Ⅰ' 대구치 관계

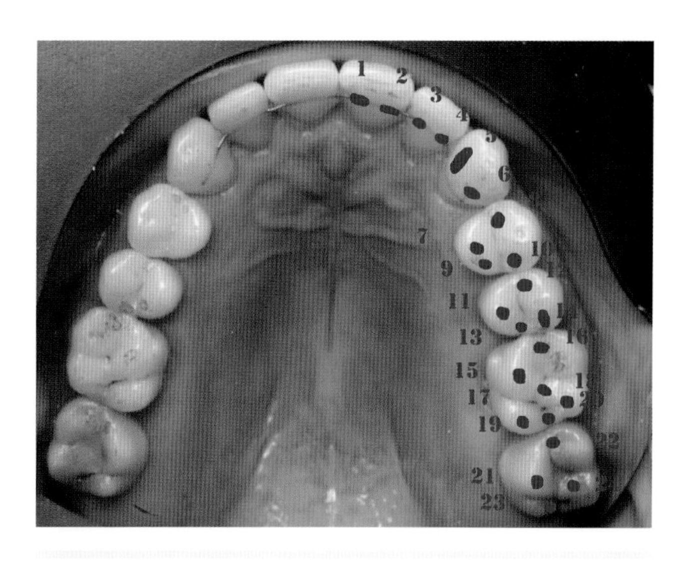

그림 2a Ricketts가 설명한 비발치의 Class Ⅰ 교합에서 얻어지는 이상적인 상악 교합. 파란색의 교합지 자국과 진청색의 이상적인 접촉을 비교하여 실제적인 접촉을 확인할 수 있다. 이상적인 것보다 적은 교합지 자국이 보인다

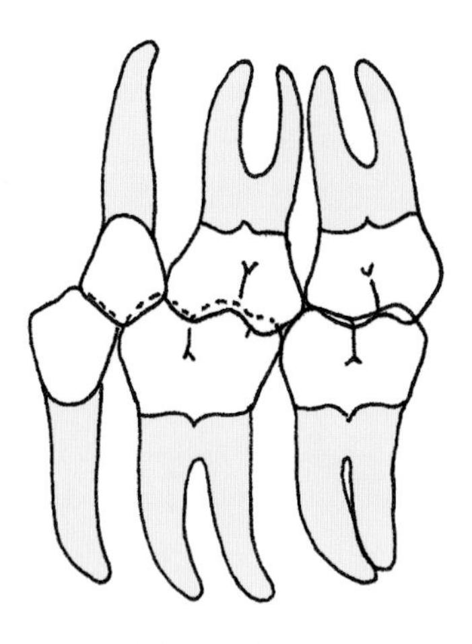

그림 1b Andrews에 따른 이상적인 'Class Ⅰ' 대구치 관계, 상악 제1대구치 치관의 근심 경사가 권고된다

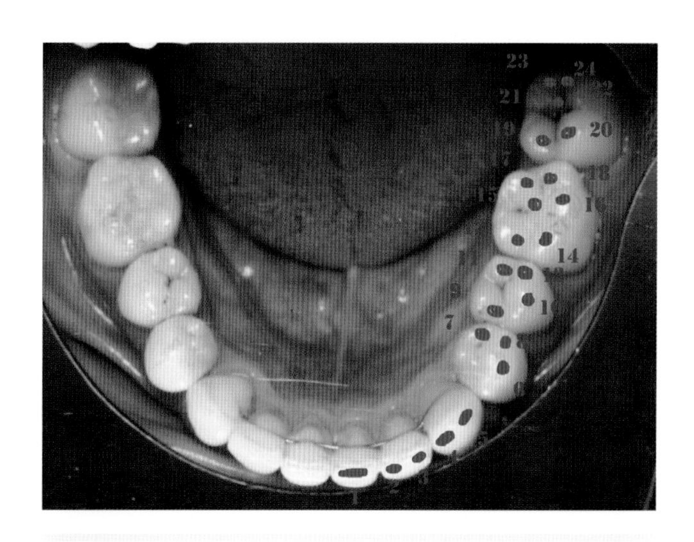

그림 2b Ricketts가 설명한 비발치의 Class Ⅰ 교합에서 얻어지는 이상적인 하악 교합. 빨간색의 교합지 자국과 진적색의 이상적인 접촉을 비교하여 실제적인 접촉을 확인할 수 있다. 이상적인 것보다 적은 교합지 자국이 보인다

당 이론적으로 "24개의 점" 교합을 가져야 한다고 설명하였다. 이렇게 제안된 이상적인 접촉 양상에서 "중심 점" 접촉은, 상악 구치부의 설측 교두첨, 하악 구치부의 협측 교두첨이 구치부의 중심와 내부 및 변연 융선 상에 위치하고, 하악 전치부 절단연이 상악 전치부의 설측면에 접촉하여 형성된다(그림 2a, 2b). 사랑니가 존재하면, 최대 30개의 교합 접촉점을 얻을 수 있다. 그리고, 제1소구치가 교정으로 발거되면, 21개의 접촉점이 구축될 수 있다.

반대로, Tweed와 Merrifield(Tweed & Merrifield, 1986)는 edgewise 교정 치료의 마지막 단계에서, 과수정(overcorrection) 개념으로 약간의 후방 개방-교합을 남기도록 하였다. 이런 후방 "개방 교합"은 직접적인 힘 역학을 적용하는 레벨링 단계에서 상악 제1, 2대구치에 적용되는 와이어에 순차적인 tip back을 부여함으로써 형성된다. 장치 제거 시, 제2대구치와 제1대구치 원심 교두의 이개를 특징으로 하는 "과도기적 교합(Transitional occlusion)"이 남게 된다(그림 3). 이 배열은 저작근이 악궁-중앙 부위에 놓이는 기본적인 저작 테이블(chewing table)에 강력한 힘을 발휘하는 것을 허용하기 위해서 제안되었다(Klonz, 1996). 교정 장치 제거 후 따라오는 "denture recovery" 단계 동안, 주변의 근육과

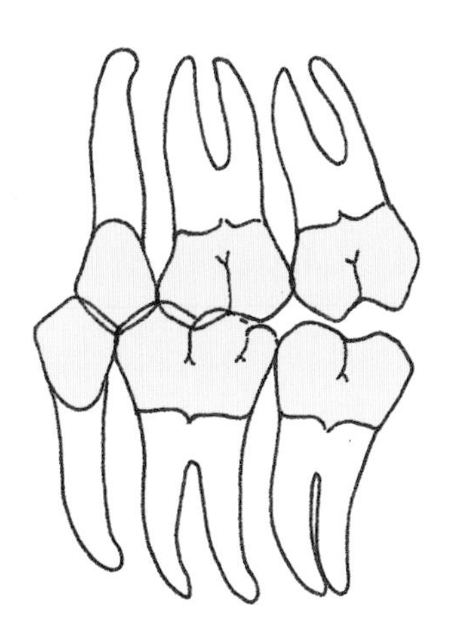

그림 3 Edgewise 교합 치료의 완성 시기에 상악 대구치에 순차적인 tip-back을 부여하여 약간의 후방 개방-교합을 만든다

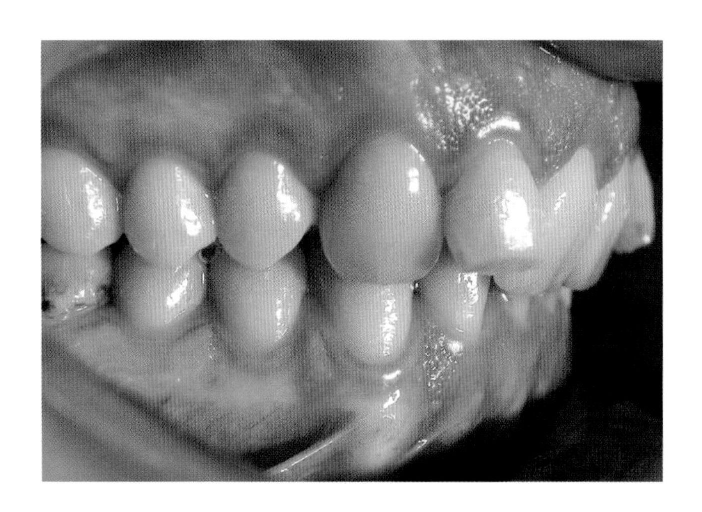

그림 4a MIP에서 상악 절치의 뚜렷한 음의 토크

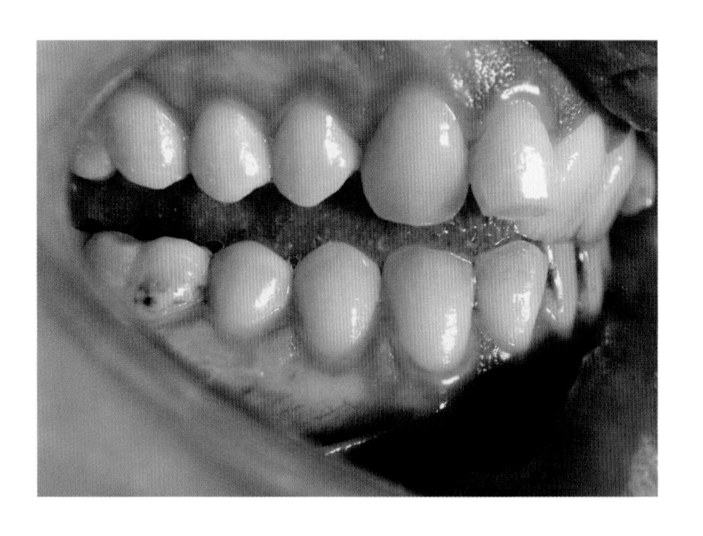

그림 4b 상악 절치의 음의 토크값이 하악 전방 운동시 개구량에 영향을 준다. 음의 토크값과 평평한 하악 Curve of Spee로 상당한 구치 이개가 발생한다

치주조직의 압력으로 인해 비-접촉성 치아가 자발적으로 이상적인 접촉을 이루게 된다고 주장되었다.

교정학에서 straight wire appliance의 발달로, 많은 저자들이 적절한 경사와 토크값을 위해 개개 치아에 대한 자신들만의 브라켓 선택을 제안하였다. 사용하는 장치의 유형에 따라 상당한 차이가 있는데, 특히 상악 전치부에 대해서 그러하다. 다양한 학자에 의해 추천되는 상악 견치에 대한 3가지 권고 사항은 아래와 같다:

- Andrews(Andrews, 1989)와 Roth(Roth, 1970)에 의하면, 견치는 구개측으로 경사져야 한다(각각 −7°와 −2°의 음의 토크값).
- MBT™ straight−wire technique 사용을 폭넓게 설명하는 McLaughlin, Bennett, Trevisi(McLaughlin, Bennett, Trevisi, 2001)에 의하면, 견치는 0°의 토크값으로 직선적이어야 한다.
- Ricketts(Ricketts, 1978)와 Hilgers(Hilgers, 1987)에 의하면, 견치는 +7°의 양의 토크값을 가지고 협측으로 경사져야 한다.

부정교합 유형이나 안모 양상과 관련하여, 대부분의 저자들은 절치 토크값에 어느 정도의 가변성을 주장한다. 몇 가지 선-조정(pre−adjusted) 브라켓 세트는 다양한 치료 요구를 위해 다른 수준의 토크를 부여하며 만들어졌다.

상악 설측면의 경사가 하악 치아를 유도하기 때문에, 선택한 교정 장치 디자인은 전방 유도 형태에 중요한 영향을 미치게 될 것이다. 상악 절치와 견치 토크는 수평피개 및 수직피개의 측정값과 함께 전방 및 측방 운동 동안 발생하는 하악의 수직적 개구량에 직접적으로 영향을 미친다. 1980년대 초반 Slavicek은 하악의 자유로운 운동을 제한하는 하악의 원심위를 피하기 위해서 전방 유도가 너무 가파르면 안 된다고 하였다(Slavicek, 1982, 1988).

사용하는 교정 장치의 차이와 환자 교합 형태의 다양성에도 불구하고, 대부분의 저자들은 교정 치료 완성으로 나타나야 하는 '이상적인' 기능 교합을 대표하는 교합 체계를 갖고 있다. 교정학에서 훌륭한 정적 교합 획득은, 시상면 divergence가 과도하거나, 상당한 치아-크기 부조화의 경우

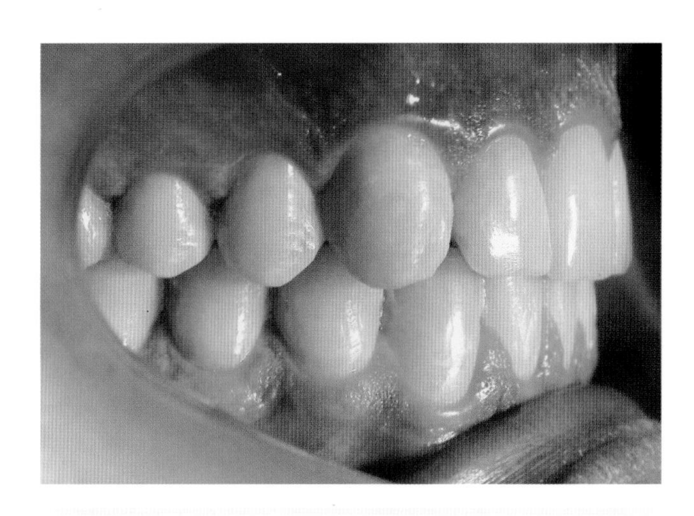

그림 5a MIP에서 상악 절치의 뚜렷한 양의 토크

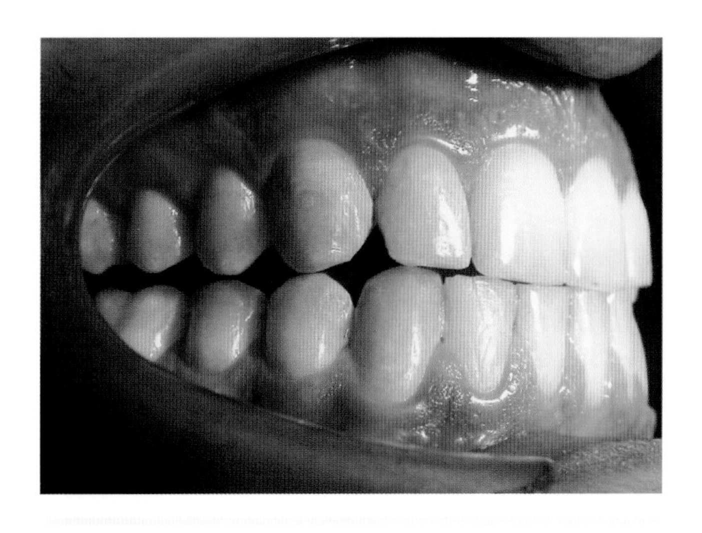

그림 5b 상악 절치의 양의 토크값이 하악 전방 운동시 개구량에 영향을 준다. 평평한 하악 curve of Spee와 음의 토크값이 결합한 증례와 비교해서, 양의 토크값의 경우 적은 구치부 이개가 발생한다

를 제외하고, 균형잡힌 기능 교합의 달성을 의미한다. 추가적으로, 교정으로 얻어진 훌륭한 정적인 교합은 외측방 및 전방 운동 또한 적절하게 기능해야 한다. 그렇기는 하지만, 이런 가정이 최종 접촉의 시각적 검사에서 형성되었음에도 불구하고, 일부 저자들은 모든 증례에서 그러하지 않다고 제안했다(King, 2010; Morton & Pancherz, 2009).

교정 증례-마무리에서 컴퓨터 교합 분석이 필요할까?

이상적인 Angle의 Class Ⅰ 결과 획득은 균형 교합을 보장할까?

기능적인 교합 균형을 획득하기 위해, 몇 가지의 교합 기능 특징을 달성해야 한다(Timm, Herremans, & As, 1976; Morton & Pancherz, 2009; Clark & Evans, 1998, 2001):

- 후퇴된 접촉 위치(Retruded Contact Position, RCP)에서 교합 접촉이 양측성, 대칭적으로 발생한다.
- RCP와 교두간 접촉 위치(Intercuspal Contact Position, ICP)가 일치하거나, 두 위치 사이에 1mm 이하의 짧은 활주(slide)가 존재한다.
- 하악 측방 운동 동안, 작업측 접촉이 견치에 의해 제한되거나(견치 보호) 후방 연장되어, 하나 혹은 여러 개의 인접 구치부를 포함(그룹 기능)한다.
- 그룹 기능하는 치아는 전방 및 과두 유도와 정교하게 조화되어야 한다.
- 측방 운동 동안 비-작업측의 대합하는 구치부 사이에 접촉이 없어야 한다.

37명의 환자를 대상으로 시행한 치료 후 치아 모형 분석에서, 교정 장치 제거 후 모형을 즉시 평가하였는데, 대부분의 환자는 RCP로의 초기 폐구에 편측성 접촉만이 존재하였고, RCP와 ICP 사이에 활주를 보였다. 또한 치료 종결 시 대부분에서 대합하는 제2대구치의 비-작업측 접촉을 보였다(Clark & Evans, 1998). 230명을 대상으로 한 유사한 연구에서도, 비-작업측 접촉이 30%에서 나타났으며, 20%에서 전방 운동 시 후방 접촉이, 18%에서 RCP-ICP 조기 접촉이 발견되었다(Milosevic & Samuels, 2000).

장치 유형과 교정의사의 경험이 다양한 교정 최종-결과를 확보하는 데 영향을 끼치는 결정적인 인자로 여겨진다. 교합 리본(8 micron 두께)을 이용한 최근 연구에서, *edgewise appliance*로 치료된 환자가 Class Ⅰ 견치와 대구지 관계로 완성되었음에도 불구하고 이상적인 기능 교합 접촉을 보이지 않는다고 하였다. 그러나, *straight-wire appliance*로 교정 치료를 받은 대부분의 환자에서 상호 보호 교합(mutually protected occlusion)을 더 잘 보인다고 하였다(Akhoundi, Hashem, & Noroozi, 2009).

교합의 '정착' 시간으로 접촉이 자발적으로 향상되는가?

정착, 혹은 기능 교합 복귀는 치아의 생리적 맹출 과정과 유사하고, 교정 장치에 의해 스트레스를 받던 치아가 해방되면서 발생하는 적응 현상으로 간주된다. 교정 마무리 과정과 유지 기간 동안, 정착으로 교합 접촉이 향상될 수 있는 위치에서 정착이 고려되어야 할 것이다. 일부 저자들은 "이상적인" 기능 교합 목표를 성취하기 위해 동적 교정 치료를 연장하기 보다는, 유지를 중단한 후 기능 교합 관계를 관찰할 것을 제안한다(Clark & Evans, 2001). 하지만, 교정 치료 후에 우리 몸이 자발적으로 교합을 향상시킨다는 명확한 증거가 발표되었는가?

Lyotard의 연구는 청소년 군에서 브라켓 교정 치료 후 유지 장치를 전혀 사용하지 않음으로 발생하는 단기간 교합 변화를 처음으로 양적으로 평가하였다(Lyotard, Hans, Nelson, & Valiathan, 2010). 이 연구는 협설측 경사와 변연융선 높이에 대한 개선이 관찰되었으나, 수평피개와 불규칙 지수(irregularity index)는 악화되는 경향을 보인다고 하였다. 그 결과, 유지 장치 사용을 권고한다고 하였다. 그렇기는 하지만, 선택한 유지 장치(전치부 고정성 유지 장치, Hawley plate, 완전 혹은 부분 피개의 열성형 스플린트)가 허용하는 상대적인 수직적 치아 이동의 정도에 따라, 유지장치 종류가 잠정적으로 교합에 영향을 미칠 수 있다(Başçiftçi, Uysal, Sari, & Inan, 2007; Aslan, Dinçer, Salmanli, & Qasem, 2013; Hoybjerg, Currier, & Kadioglu, 2013).

이와 반대로, 정착 과정을 분석한 다른 연구는 역동적 교합 접촉 내에서 자발적인 개선을 발견하지 못했다고 하였다(Dinçer, Meral, & Tümer, 2003). 유지 기간 동안 CO에서 접촉의 수가 현저하게 증가함에도 불구하고, 접촉의 위치에 대해서 큰 차이는 관찰되지 않았다. 좀 더 최근의 연구에서, 저자들은 디본딩 시에 대상자의 절반에 가까운 수가(44.3%) 불만족스러운 기능 교합을 보이고, 대상자의 34.7%에서 2년의 유지 후에도 여전한 전방과 측방 편심위에서 간섭을 나타내고, MIP와 CR 사이에 2mm 이상의 부조화를 보인다고 하였다. 증례의 72.3%에서 교정 브라켓 제거 시 관찰되었던 교합 상태와 비교하여, 20%의 환자만이 향상되었고, 10%는 악화되었다(Morton & Pancherz, 2009).

결론적으로, 정착 과정이 존재하는 것으로 보이나, 그 결과는 예상할 수 없다(Greco, English, Briss, Jamieson, Kastrop, Castelein, DeLeon, Dugoni, & Chung, 2010). 접촉 수 증가는 장치 제거 후 3개월 넘게 계속 진전되어 21개월까지 연장될 수 있다(Gazit & Lieberman, 1985; Razdolsky, Sadowsky, & BeGole, 1989). 대부분의 저자들은 적절한 역동적 평가가 이루어지기 전에 교정 치료가 종결되어서는 안 된다는 데에 동의한다. 또한, 정착으로 인한 가장 중요한 교합 변화가 주로 교정 장치 제거 첫 2개월 간 발생하기 때문에, 6개월의 관찰 기간이 지난 후 교합 조정을 수행해야 한다고 권고한다(Bauer, Behrent, Olivier, & Buschang, 2010).

T-Scan III 시스템으로 '시각적으로 완벽한' 접촉 분포 평가

최근 몇 년간, ICP와 측방 운동에 존재하는 교정 후 접촉을 평가하기 위해, T-Scan Ⅲ 컴퓨터 교합 분석 시스템(Tekscan, Inc., S. Boston, MA, USA) 기록을 이용한 연구가 있었다. 정상 교합을 가진 대조군과 14명의 청소년을 비교한 임상적 edgewise 치료법 연구에서, 두 그룹간 후방 치아의 접촉면에 차이점을 발견하지 못했다(An, Wang, & Bai, 2009). 그러나, 치료받지 않은 대조군에 비해 치료된 그룹에서 COF가 더 전방에 위치하여 edgewise 치료 후 전치부가 교합력을 더 받는다는 것을 발견하였다. 이 결과는 edgewise 치료로 폐구 시 제2대구치에 의도적인 이개가 존재하는 Tweed의 '회복 단계 중간 교합'이 생성되거나(그림 3), 치아 이동의 절치 견인 단계 동안 상악 절치 토크 조절 부족으로 전치부에 하중이 증가된다는 것을 암시한다.

교정 치료 후 12개월 기간 동안 발생한 교합 변화에 관한 한 연구에서, 시간의 흐름에 따라 전체적인 역동적 교합이 개선되고, 전방 및 좌우 편심위 운동 동안 이개 시간(DT)이 현저하게 감소한다고 하였다(He, Li, Gao, & An, 2010). 그들은 대상을 "무-간섭 그룹"과 "간섭 그룹"의 두 그룹으로 나누고, "교합 간섭의 존재는 자가-개선 과정에 영향을 미치고, 비정상적 하악 운동과 같은 구강악계의 치료-후 장애의 기회를 증가시킨다"고 결론지었다.

정상 교합을 가진 청년 대조군과 비교한 다른 역동적 교합의 교정 치료 후 연구에서, 교정 환자는 후방 교합 간섭의 발현 빈도가 높고, 대부분 제2대구치에 위치하여 DT 또한 길어지게 된다고 하였다($p<0.01$)(An, Wang, & Bai, 2011).

어린 시절에 이미 교정 치료를 받은 치과 대학생(청년) 샘플에서, Le는 많은 수의 조기 접촉이 제2대구치 부위에 주로 위치한다는 것을 발견하였다(Le, 2013). 이것은 제2대구치가 완전하게 맹출하기 전에 교정 치료가 완성되었거나, 이런 치아가 임상적으로 접근하기 어렵기 때문에 선-조정 교정 브라켓이나 튜브가 정확하게 합착되지 못하여 3

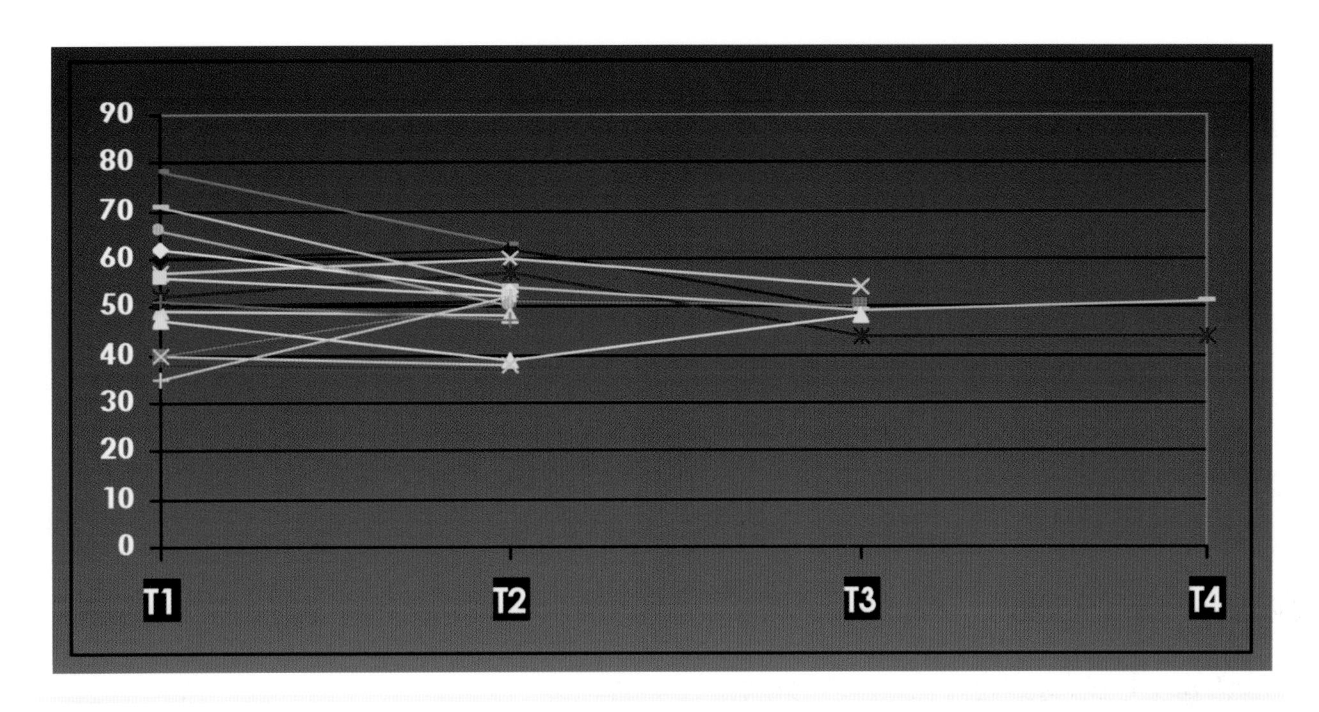

그림 6 좌측 세로축의 범위가 0-100%인 힘 그래프로, 성인 증례에서 관찰되는 2년간의 정착 기간 동안 우측 반악궁의 힘 지지 비율을 보여준다. 각 선은 다른 환자를 나타낸다. 가로축은 유지 기간으로, T1=교정 장치 제거 후 1개월, T2=6개월 경과, T3=1년 경과, T4=2년 경과이다. 일반적으로 T2, T3에서 양측이 균형을 이루면서 약 50%에 달하는 평형으로 접근하고 있다. T2 이후에 T-Scan Ⅲ를 기록한 환자는 소수이지만, 그들은 거의 50%의 평형을 유지하고 있다

차원적으로 취약한 치아 위치 조절을 야기했기 때문이라고 제안하였다.

남아있는 성장 가능성이 없기 때문에 적응력이 감소되었다고 알려진 성인 환자를 대상으로 행해진 연구에서, 저자들은 유지 기간 동안 접촉 위치의 변화 없이 접촉면이 증가하는 것을 발견하였다(Cohen-Levy & Cohen, 2011). 더욱이, 대부분의 대상자가 정착 과정 동안, 시간이 경과하면서 양측에서 지지되는 힘의 50%를 향한 경향을 보이며 전체적인 대칭성 향상을 보여주었다(그림 6). 그러나, 일부 환자는 현저한 기능 비대칭성을 보였는데, 주요 기능 이상 증상을 수반하지 않는 좌우측 반-악궁의 힘 불균형을 보였다(그림 7).

MIP에서 기록된 교합력 분포의 비대칭 가능성에 대해, 한 일본팀이 T-Scan Ⅱ 시스템(Tekscan Inc., S. Boston, MA, USA)을 사용하여 이미 설명하였다(Mizui, Nabeshima, Tosa, Tanaka, & Kawazoe, 1994). 저자들은 TMD가 있는 환자들(n = 5)과 무증상의 대조군(n = 60) 사이에 차이가 있다고 서술하였다. 대조군에서는, 접촉의 지속 시간과 분포가 대칭적이고 COF가 제1대구치 주변에 모여있었다. TMD 그룹에서는, 접촉력과 분포가 비대칭적이고, COF가 다양한 위치에서 나타났다. 이 연구는 방법론적으로 많은 결함을 가지고 있었기 때문에(적은 대상자 수, 그룹의 무작위화 및 그들의 익명 유지 실패, 대상자를 포함/배제하는 인자의 불분명한 정의), 학문적으로 큰 영향력을 가지지는 못했다. 그러나, 다른 연구에서도 유사한 결과가 발견되었고, 더 최근의 T-Scan 연구는 대조군과 비교했을 때, TMD 환자가 현저하게 높은 조기 접촉의 빈도(연구 대상자의 반; 32명 중 16명)와 교합력 분포에 더 큰 양측 비대칭성을 보인다고 보고하였다(Wang & Yin, 2012).

제2부

교정 증례-마무리와 유지 동안 불균형한 정적인 교합 치료

교합 접촉 분포 평가

교합 접촉 평가를 위해 선택된 하악 기준점은 MIP이다. 최대의 치아 교두 접촉이 일반적인 저작 기능의 근본적인 열쇠이다. 모든 치아 연루가 하악의 독특하고 정교한 재현성

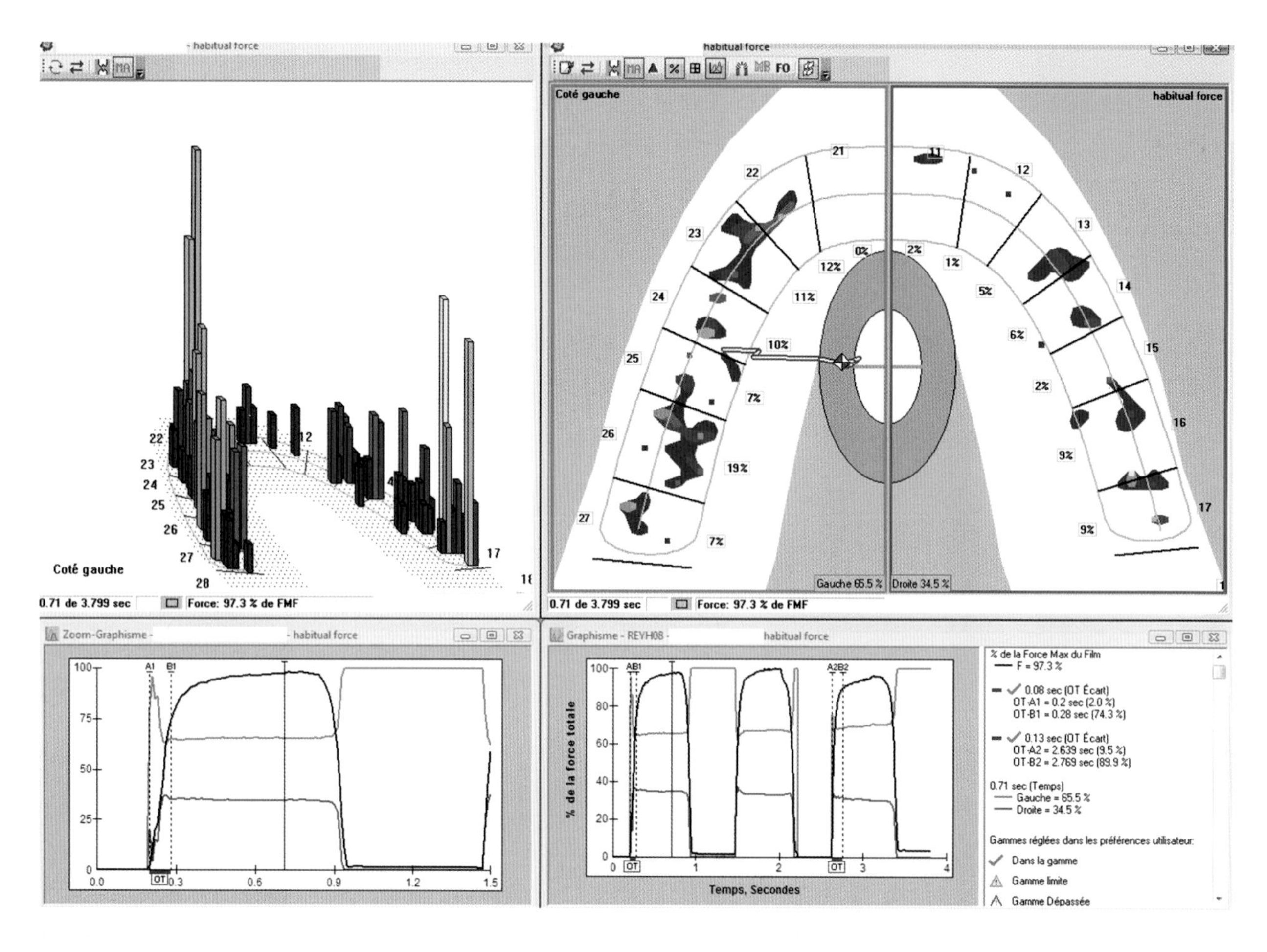

그림 7 교정 장치 제거 12개월 후 성인 환자의 T-Scan III 기록으로 반악궁 사이에 우측 34.5%-좌측 65.5%의 현저한 힘 불균형을 보이고 있다. 교정 결과에 따른 이 커다란 힘의 불균형은 대칭적인 Class I 관계에서 얻은 기록이다

위치를 유도하여, 환자는 하악이 치아의 안팎으로 운동할 수 있도록 단순하고 반복적인 근육 수축 체계를 만들어낸다. MIP로 거상근이 활동적으로 수축하는 동안, 치열궁 내의 양측성으로 고르게 분포된 치아 접촉으로 하악이 중앙화되고 안정화되어야 한다.

교정의사의 관점에서, MIP에서의 교합력이 악궁에 걸쳐 불균등하게 분포하면 치아 이동이 대부분 발생할 것이다.

T-Scan III 기록을 이용한 양적인 교합 평가

교합력이 증가하면서 접촉 수, 접촉 부위, 압력 변화도가 점차적으로 증가하기 때문에, 접촉을 분석할 때 교합력 크기를 아는 것이 절대적으로 필요하다(Kumagai, Suzuki, Hamada, Sondang, Fujitani, & Nikawa, 1999). 교정 후 접촉 위치나 부위를 초기에 교합지로 분석하기 보다는, 환자 교합의 "질"은 T-Scan으로 먼저 분석될 수 있다(Throckmorton, Rasmussen, & Caloss, 2009). T-Scan 센서로 적절하고 확고하며 반복적인 교두감합을 기록한 후에만, 실제적인 교합 접촉이 고찰되어야 한다.

- 우선, 센서의 감도를 개별 환자의 교합력에 맞추어 조정해야 한다. 이렇게 하면, T-Scan은 과다한 접촉에 의해 포화되지 않고 매우 가벼운 접촉도 포착할 수 있다. MIP의 2D, 3D ForceView에서 분홍색 막대는 1개나 2개 정도만 나타나는 것이 바람직하다.
- 분석에 유용한 T-Scan 데이터를 얻기 위해서, 환자는 센서를 물고 반복적으로 교합하여 신뢰성있게 교합하는 방법을 이해해야 한다. 그러나, 테스트 전 환자의 개구 반복을 제한하는 것이 중요한데, 실제적인 분석용 T-Scan 데이터 기록 전에 환자의 근육계가 피로를 느낄 수 있기 때문이다. 임상 술식에서, 환자가 MIP로 연속 3회 자가-폐구를 수행하여, 센서의 지속적인 부하가 재현되

는지 확인하는 것이 추천된다.

- 시간 경과에 따라 센서에 가해지는 교합 접촉력의 질적인 평가로 변화하는 교합력 뿐만 아니라, 동반되는 근육 기능의 기능적 강도도 설명할 수 있다.

총 힘 선

T-Scan Ⅲ의 힘 vs. 시간 그래프에서 흑색으로 보이는 총 힘 선은 2D, 3D ForceView 창의 하방에 위치하는데(그림 8), 환자가 센서를 물고 MIP로 교합하여 치아를 단단히 유지하려고 노력할 때 발생하는 총 힘의 변화하는 양을 나타낸다. 총 힘 선의 모양을 관찰하면, 환자가 최대 힘에 빠르게 도달하는지 그리고 최대 힘 수준에서 안정적인 근육 수축을 유지할 수 있는지 알 수 있다.

T-Scan 2D ForceView가 우측(적색)과 좌측(녹색)의 반-악궁 혹은 4분악으로 분할되면서, 그래프(그림 8)의 다른 유색선은 악궁의 다른 부위를 나타낸다. 환자가 자가-교두감합하는 동안, 여러 유색선과 총 힘 선 모두는 첫 번째 접촉에서 시작하여 증가하는 교합력의 초기 단계와 그 후의 MIP에 도달하면서 정체 단계를 향해 증가하고, 이 후 환자가 MIP 밖으로 치아를 개구하면서 힘 단계가 감소한다.

그림 8에서, 1번째 폐구에서는 총 힘의 38% 밖에 이르지 못하는 불완전한 모습을 보인다. 이것이 교합 분석에 사용되어서는 안 되고, 다음 3회의 폐구는 유사한 부하 양상을 보여서 진단용으로 사용할 수 있을 것이다. 소프트웨어에 의해 (A–B 수직선 사이로) 측정되는 교합 시간(OT)은 첫 번째 접촉부터 정적인 교두감합에 이를 때까지를 측정하기 때문에, 하악 폐구 접촉 체계뿐만 아니라 환자의 센서를 무는 능력에 의해서도 직접적인 영향을 받게 된다. 이 증례에서, 3, 4번째 폐구의 재현성이 좋기 때문에 환자의 실질적인 OT를 대표한다고 할 수 있다.

그림 9는 다른 환자의 상악 안면 수술 몇 주 후 기록으로, 교합력 부하 양상은 매우 불규칙적이나, 환자가 교두감합을 반복하면서 일부 같은 특성을 보여준다(그림 8에서 보여지는 것처럼). 이것은 수술 후 치유 동안의 근육 약화로 인한 것으로 판단되고, 환자는 추후에 교합 기록 검사를 다시 받아야 할 것이다. 환자의 수술 후 하악 불편감이 자발적으로 감소하지 않는다면, 초기 관찰 기간 후 물리 치료를 처방해야 한다.

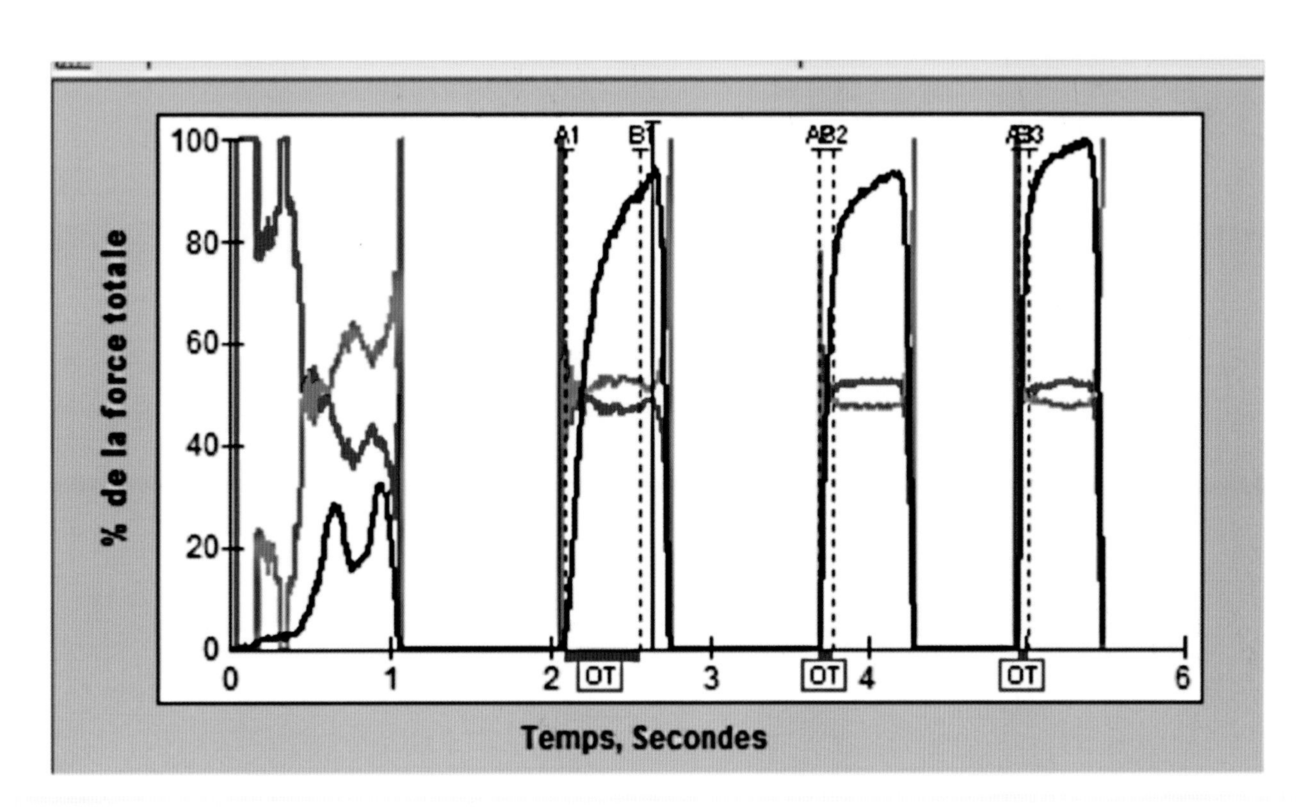

그림 8 힘 vs. 시간 그래프 내에 나타난 총 힘 선(흑색), 좌측(녹색), 우측(적색) 힘 선으로 무증상의 Class Ⅰ 환자가 시행한 연속 4회의 자가-교두감합을 보여준다. 이 증례에서, 3, 4번째 폐구가 잘 재현되었고 분석되어야 한다

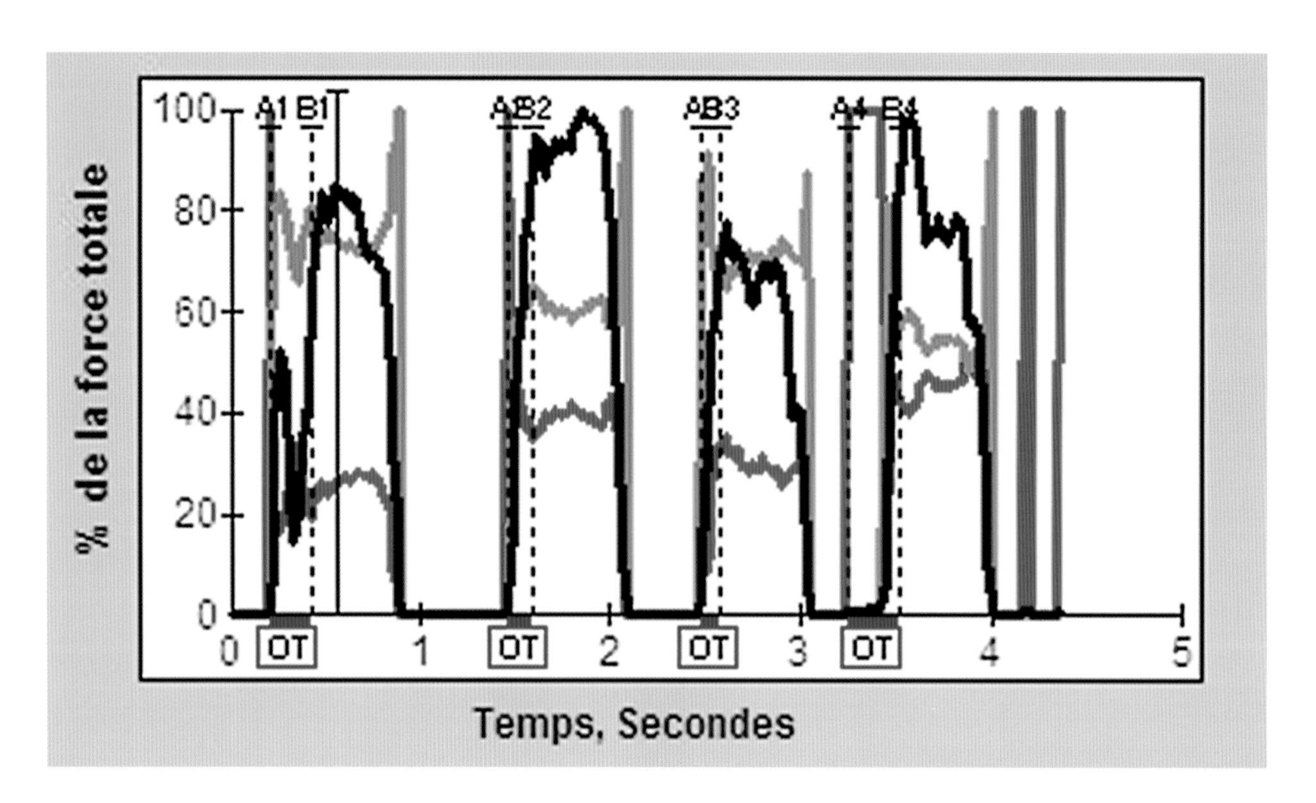

그림 9 힘 vs. 시간 그래프 내에 나타난 총 힘 선(흑색), 좌측(녹색), 우측(적색) 힘 선으로, 안면 하악 비대칭 수술을 받은 환자가 시행한 연속 4회의 자가-교두감합을 보여준다. 4회의 교두감합이 모두 불규칙하여 치유 과정을 더 거친 후에야 반복성의 교두감합을 할 수 있게 될 것이다

총 힘 선의 형태 내에서 제공되는 데이터 외에도 저작근의 좀 더 정확한 기능 분석을 획득하기 위해, 여러 문헌에서 설명된 것처럼 T-Scan 시스템을 표면 근전도와 동기화하였다(T-Scan/BioEMG; Tekscan Inc., S. Boston, MA, USA; Bioresearch Assoc., Milwaukee, WI, USA)(Kerstein, 2004; Kerstein & Radke, 2006, 2012). 2개의 교합/근육 분석 시스템의 동시 기록을 이용하여, 술자는 폐구와 편심위 운동의 정교한 특정 순간에 발생하는 교합 접촉과 특정 EMG 변화의 연관성을 객관적으로 파악하게 된다. 이런 동기화된 시스템을 교정 치료에 이용하여 마무리 과정을 정제하고 장기간 교합 안정성을 도모할 수 있다(Mahony, 2005).

3D ForceView 막대, 2D 교합 ForceView, 치아 당 힘 비율

상호 보호 교합(mutually protective occlusion)의 원리는 MIP에서 절치의 가벼운 접촉(0.0005" 교합하방)(Roth, 1970)과 구치부의 더 강력한 접촉을 포함한다. 이렇게 하여 무거운 교합 하중이 구치부의 장축을 따라 지지받게 된다. 전방 및 측방 운동 동안에만 절치와 견치가 하중의 대부분을 감당하여 신속하고 즉각적인 구치부 이개를 형성해야 한다. 정상 교합에서 제1, 2대구치가 대부분의 상대적 힘을 받고, 소구치는 평균 대구치의 절반 정도의 힘을 받을 것으로 예상된다(Le, 2013). 치료받지 않은 환자의 T-Scan 기록에서 종종 발견되는 것과 같은 악궁 전방 부분의 약한 접촉은 비-이상적인 교합 마무리의 징후가 아니고, 측절치는 교두감합 동안 가끔 접촉을 이루기 어렵기도 하다.

청소년과 청년을 치료하는 경우, 자연치의 형태는 마모나 보철물이 적어서 거의 완벽하게 온전하다. 이런 교정 치료 참여자는 치료 종결 시에 주요한 치아 부조화의 존재(Peg Lateralis 혹은 소구치 저형성에 의한 공간 형성, 치아무형성, 비대칭성 발치 프로토콜로 인한 양측 치아 개수의 차이)를 제외하고는 이상적인 교합 접촉을 얻을 수 있다.

성인을 치료할 때, 환자가 마모와나 기존 부정교합에 적응된 충전재 혹은 보철물을 보유하고 있을 수 있기 때문에, 상황은 좀 달라진다. 그 결과, 치아가 이동하면서, 치료 전 교합면 형태가 새로운 치아 위치와 교합적으로 어울리지 않을 수 있다.

그림 10a-10c는 Class Ⅱ Division 2 부정교합으로 치료

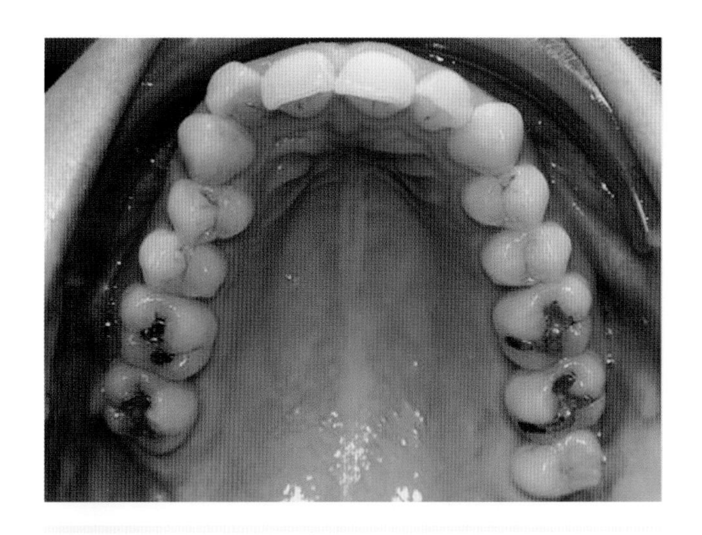

그림 10a 치료 전 상악 악궁의 교합면

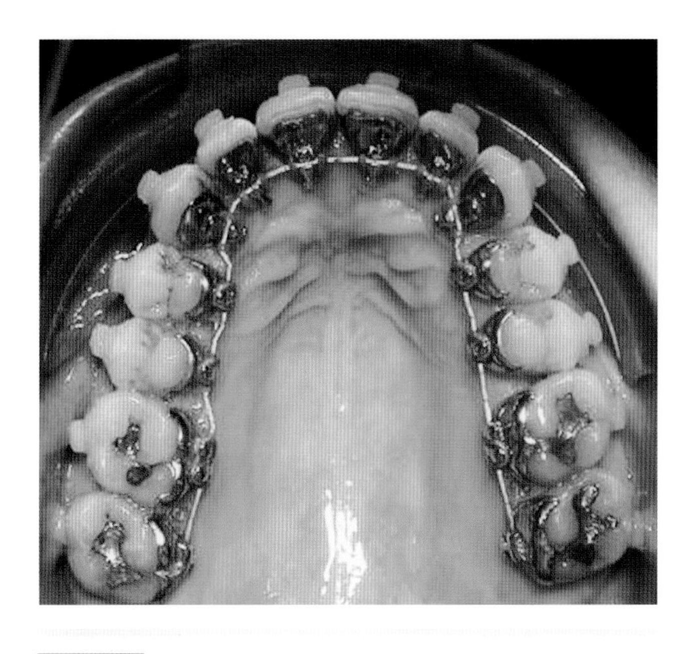

그림 10b 설측 교정 장치가 장착된 교합면

를 받은 성인 여성 환자로, 브라켓을 제거하고 전방 설측 유지 장치를 합착하였다(그림 10c). T-Scan 기록에서, 교합력의 대부분을 대구치부에서 주로 담당하였고, 소구치에서 약하게 나타났으며, 좌측보다는 우측에서 더 강력하게 형성되었다(그림 11a). 총 힘의 41%가 #17번과 #47번 치아에 집중되었다. 이런 초기 분포로 약간의 전방 개방 교합이 상악 설측 브라켓과 이를 대체한 유지 장치의 두께 차이로 발생하였음을 알 수 있다. 이런 이유로, 견치에 나타난 교합지 자국은 위양성 표시이다(그림 10c).

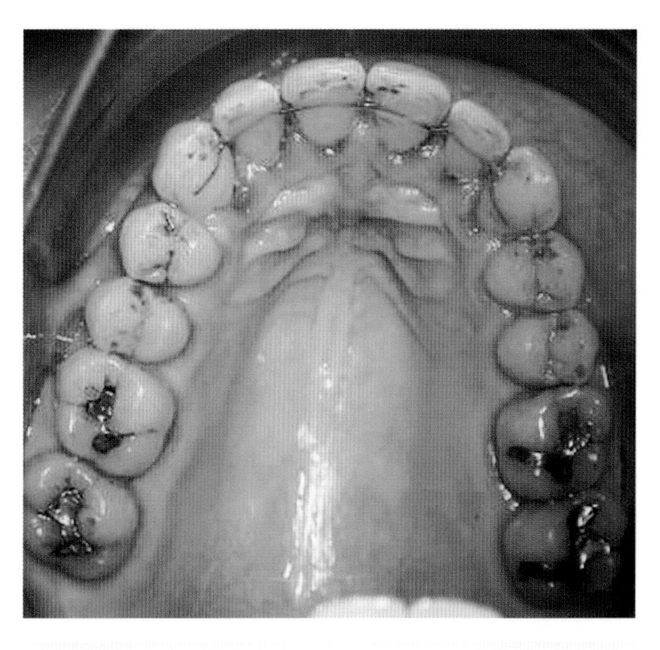

그림 10c 장치 제거 후 설측 유지 장치가 상악 전치부에 합착되었다. 교합지 자국이 대구치부에 있고, #25번와 13번 치아에 약한 자국이 보인다. 절치부 자국은 위양성으로 overbite와 overjet 공간에서 교합지가 접히면서 만들어졌다

3개월 follow-up 내원에서, 환자는 좌우 대구치부 접촉이 불균등하게 느껴진다고 하였다. 이런 "불균등"은 교합지 자국으로는 확인할 수 없었다(그림 10c에 나타난 상악궁 사진 참조). 그러나, T-Scan으로 확인해 본 결과 교정-후 생리적 정출에도 불구하고, 상하악 전치가 약한 교합력으로 접촉되었고 우측 교합이 여전히 총 접촉력의 66%를 담당하고 있었다(그림 11b). 이것은 디본딩 때와 마찬가지로, COF가 우측 반-악궁에 치우쳐 있음으로 확인할 수 있다(그림 11a).

6개월 follow-up 검사에서, #17번 치아의 아말감을 재성형하여 디본딩 후 단일 치아에 의해 지탱되었던 강한 힘 접촉을 경감시켰다(2D ForceView 힘 추적이 아말감 수복물 교합면 부분의 모양을 정확하게 따른다)(그림 11c). 환자가 교합이 좀 더 균등하다고 느꼈을 때, 이상적인 힘 분포에 도달하지 않은 상태로 수정 조정을 중단하였다. 이 증례에서, 유지 자체로 50%의 양측성 균형을 이루지는 못했고, 6개월에 힘 불균형이 우측 62.6%-좌측 37.4%로 크게 나타났다. T-Scan을 이용하면 환자가 모니터 색상-그래프의 변화로 인해 스크린 상에 나타나는 개선을 따를 수 있는 장점이 있다.

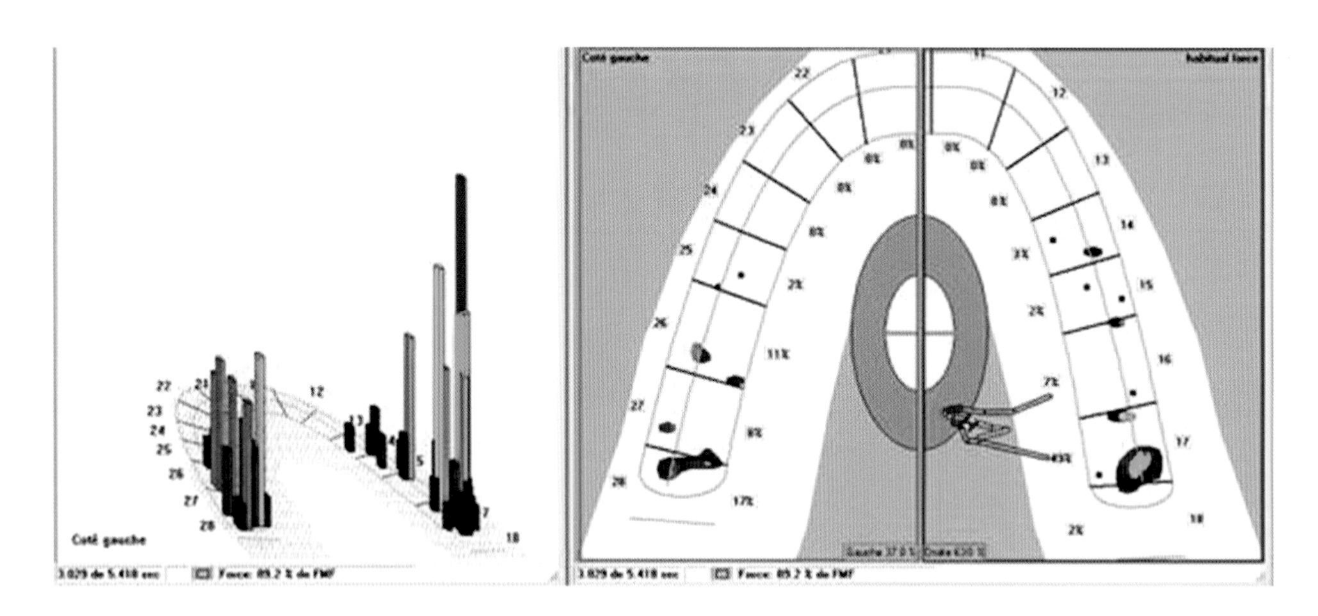

그림 11a 장치 제거 후 T-Scan III 기록으로 구치부 접촉만 존재하고 전치 교합 접촉은 보이지 않는다. COF 궤도의 위치로 후방 우측으로 과다하게 치우친 과부하를 확인할 수 있다

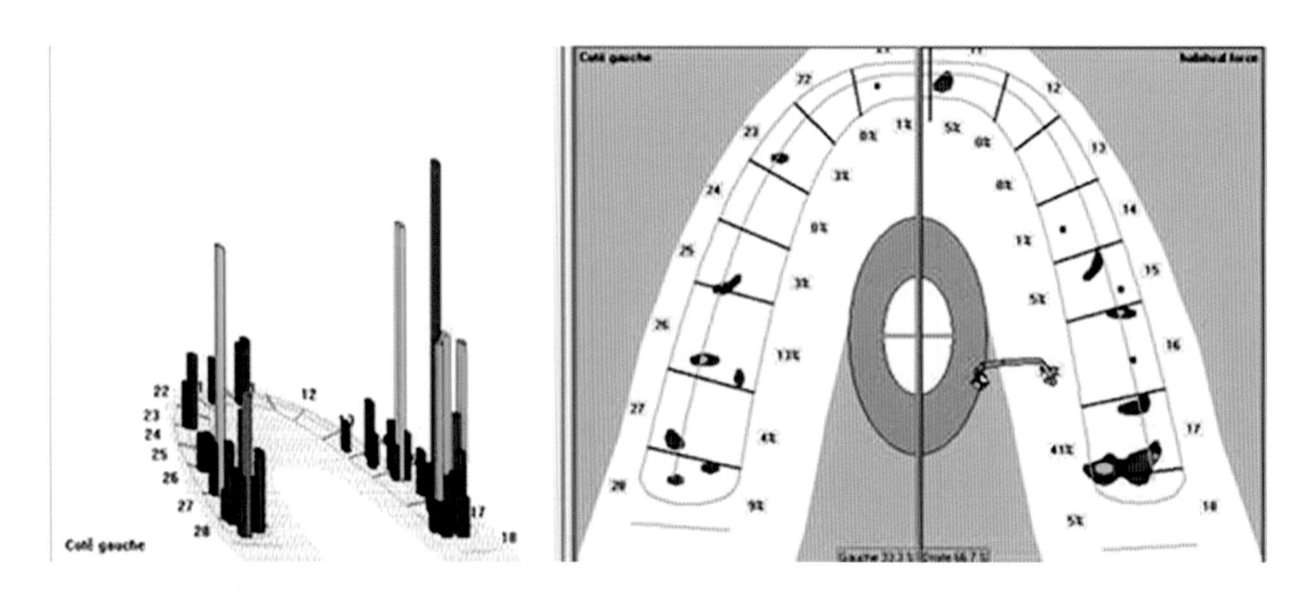

그림 11b 유지 기간 3개월 T-Scan으로 새로운 교합 접촉이 전방부에 약하게 생겨 약간의 정착이 일어났음을 확인할 수 있다

힘 중심(COF)

2D ForceView 내에서, 적색과 백색 다이아몬드-모양 아이콘은 COF의 위치를 의미하고, 붙어있는 적색선 궤도는 교합력 데이터를 기록하는 시간이 경과하는 동안 발생하는 COF의 움직임을 설명한다. COF는 T-Scan 기록 내에서 어느 주어진 순간에 교합하는 모든 치아 접촉력의 총 합계이다. 그러므로, 이것은 하악 위치의 지표가 아니다; 교합력이 접촉하는 모든 치아로부터 모두 모이는 위치를 설명하지만, 상악에 대한 하악의 상대적 위치를 설명하지는 않는다.

MIP에서 만들어지는 기록에서, 이상적으로, COF 아이콘 및 궤도는 중앙 시상면 2D ForceView 축을 따라(이것은 거의-균등한-좌-우 힘 분포를 의미한다) 접촉 치아 분포의 가운데 내에 위치해야 한다.

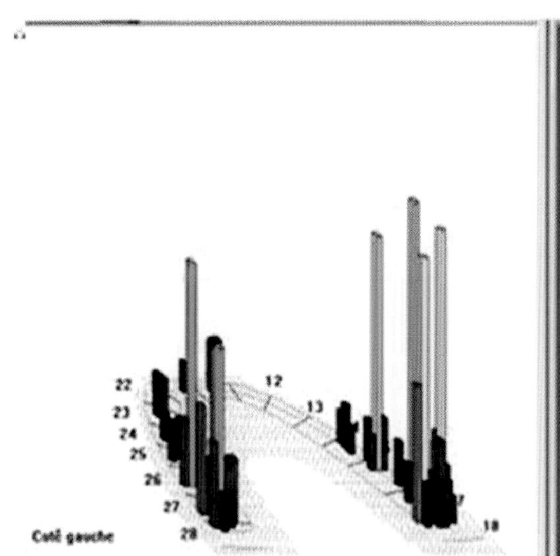
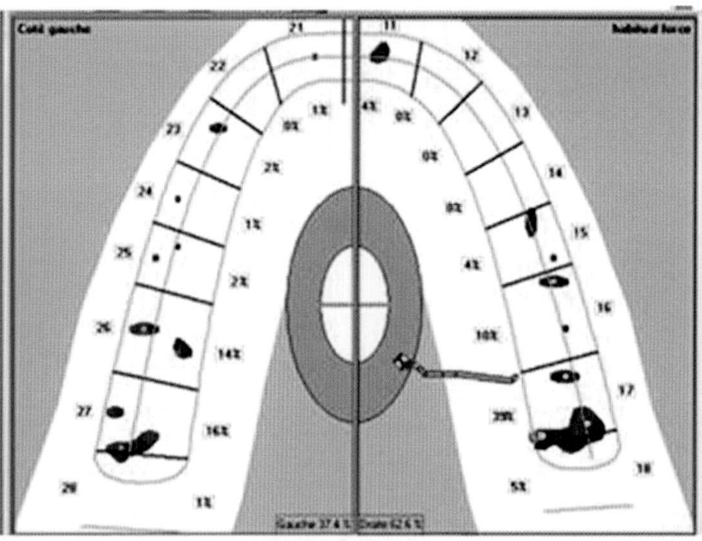

그림 11c 6개월 follow-up 검사로, #17번 치아의 교합면 아말감의 모양을 다듬어 센 힘을 감소시켰으나 이상적인 전체 균형은 얻을 수 없었다. 유지 6개월에 50%의 양측성 균형은 얻지 못하였고, 우측 62.6%-좌측 37.4%의 불균형을 기록하였다

이런 "교합력 합계"가 기능적 교합 균형의 지표로 작용한다는 과학적 근거가 있는데, 이것은 몇 개의 연구팀이 각기 다른 연구법을 사용하여 유사한 전체적 결과를 얻음으로써 확인되었다:

- 1980년대 초반, 두 편의 연구는 Class Ⅰ 피험자가 24파운드(10.9kg)의 하중으로 치아를 CR로 물었을 때 하악의 생리적 평형점을 결정하였다. 전자 기구를 사용하여 평형점을 측정하였는데, 중앙-시상면에 근접한 하악 제1대구치의 근심 1/3내에 놓인다고 하였다(Tradowsky & Dworkin, 1982; Tradowsky & Kubicek, 1981).
- Dental Prescale System™을 이용한 다른 그룹은 COF가 연구 대상자의 인종, 성별, 나이에 의해 영향을 받지 않는다고 하였다. 자연치를 모두 가지고 있는 대상자에서 COF가 약간 더 후방으로 위치하여 상악 제1대구치의 중앙 내에 놓인다고 하였다(Shinogaya, Bakke, Thomsen, Sodeyama, & Matsumoto, 2001).
- 중국 T-Scan 연구는 정상적으로 온전한 치열을 가지고 있는 123명을 대상으로 연구하였는데, 교두감합 위치에서 최대 교합력으로 물었을 때 피험자의 98.4%에서 COF가 후방부에 위치한다고 하였다. 교두감합 위치에서 최대 힘으로 교합하였을 때 좌우 반-악궁 사이에 관찰되는 교합 접촉 사이에 통계적으로 유의성 있는 차이는 없었다(Hu, Cheng, Zheng, Zheng, & Ma, 2006).
- Maness는 정상적인 교합(n=93)에서 양측성 균형에 대한 성향이 있고, COF가 제1대구치 부위에 위치한다고 하였다(Maness & Podoloff, 1989).

그림 12는 T-Scan Ⅲ 데이터로, 교정 장치 제거 직후(그림 12a)와 24개월 후(그림 12b)로 동일한 기록 감도를 사용하였다. 시간 경과에 따른 COF의 위치 변화를 보여주는데, 중앙화되면서 제2소구치와 제1대구치 근처로 이상적으로 위치하게 되었다. 새로운 COF 위치는 약간의 정착기를 거친 후 보다 나은 평형이 나타났음을 보여준다(그림 12b). 2년의 정착 후 첫 번째 치아 접촉부터 MIP까지의 변화하는 총 힘 합계 내력을 따라가는 COF 궤도의 길이가 감소하였고, COF 타겟(2D ForceView 내의 회색 및 흰색 타원형)을 넘어가지 않으며, COF 아이콘이 COF 타겟의 중앙 근처에 위치한다. 정착으로 인해, 힘 분포가 우측 48.5%-좌측 51.5%로 향상되었다.

결론적으로, COF는 파악된 교합력 균형 이상을 시각적인 방법으로 제공한다. 이것은 교정 치료로 인해 접촉 균형 및 힘 균형이 이루어졌는지에 대한 질문에 즉각적인 대답을 제공한다. 이상적으로, COF 아이콘은 중앙 시상축에서, 대략 제1대구치와 소구치 부위의 선상에 위치해야 한다

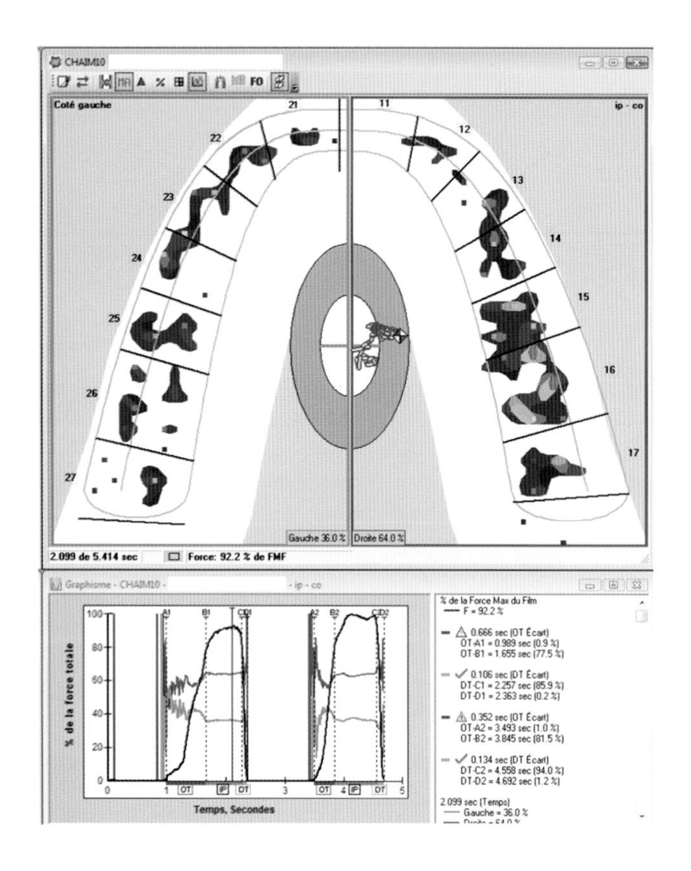

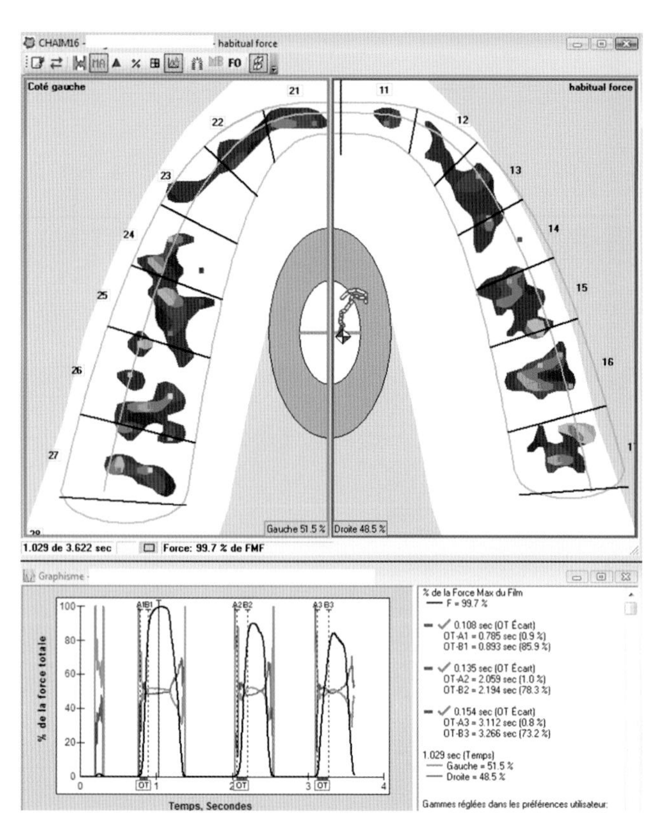

그림 12a 장치 제거 당일, COF가 우측으로 편향되고 궤도가 중앙에 위치하지 않은 비대칭성 교합력 분포(우측 64%-좌측 36%)가 보인다

그림 12b 정착 수개월 후, 양측성 접촉 대칭성 및 반-악궁 힘 균등(우측 48.5%-좌측 51.5%)이 향상되면서 COF가 거의-완벽하게 중앙에 위치한다

(사랑니 및/혹은 소구치의 존재 여부에 따라 달라짐)고 제안되었다.

교정 치료 완성 시 COF 위치 개선

COF의 치료-후 불균형은 마무리 과정 동안 몇 가지 방법을 통해 개선될 수 있다:

- 교합 접촉이 약한 반-악궁에 vertical elastic 사용(그림 13a-13c).
- 교합 접촉이 약한 반-악궁에 교합력 강화를 위한 레진 수복물 합착(특히 수복된 치아 혹은 저형성 치아의 경우)(그림 14).
- 전방 혹은 측방 tongue thrust 없이 양측성 저작 연습과 연하 연습을 수행하는 훈련으로 구성된 기능적 훈련 처방.

어떤 힘들은 치료-전 위치로 치아를 되돌리는 경향이 있기 때문에, 물리 치료는 초기 부정교합에 적응된 대뇌피질 기억 흔적(cortical engram)을 재구성하는 데 도움이 된다. 측방 혀밀기가 지속되면 교합이 편측성으로 열릴 수 있다. 전치부 수평피개가 전방 혀내밀기와 결합되면 동일한 개방 교합 문제가 발생할 수 있다.

그림 14a-14d는 Parry-Romberg 반안면 발육부전 증후군 환자로, 골격, 근육, 치열궁을 포함하는 상당히 강력한 안면 비대칭을 보인다. 그림 14a는 술전 파노라마 사진으로 골격성 비대칭과 하악 좌측 소구치 부위의 치근 저발육을 볼 수 있고, 그림 14b는 환자의 술전 좌측 사진이다.

치료는 상하악에 대한 수술, 교정(그림 14c), 물리 치료, 왜곡된 안면 구조의 균형을 잡기 위한 피하 지방 이식 시행으로 이루어졌다. 교정 치료는 상악에 (각 치아의 설측면에 개별 주조된) 설측 맞춤형 고정식 장치를, 하악에 협측 세라믹 브라켓을 이용한 혼합형 고정식 장치를 적용하고, 치료 시작 시 치근이 거의 발육되지 않은 일부 치아의 소실 가능성을 고지하였다. 악교정 수술과 교정 치료를 완성한 후, 레진을 이용하여 양측성의 대칭적 접촉을 획득하였다(그림 14d).

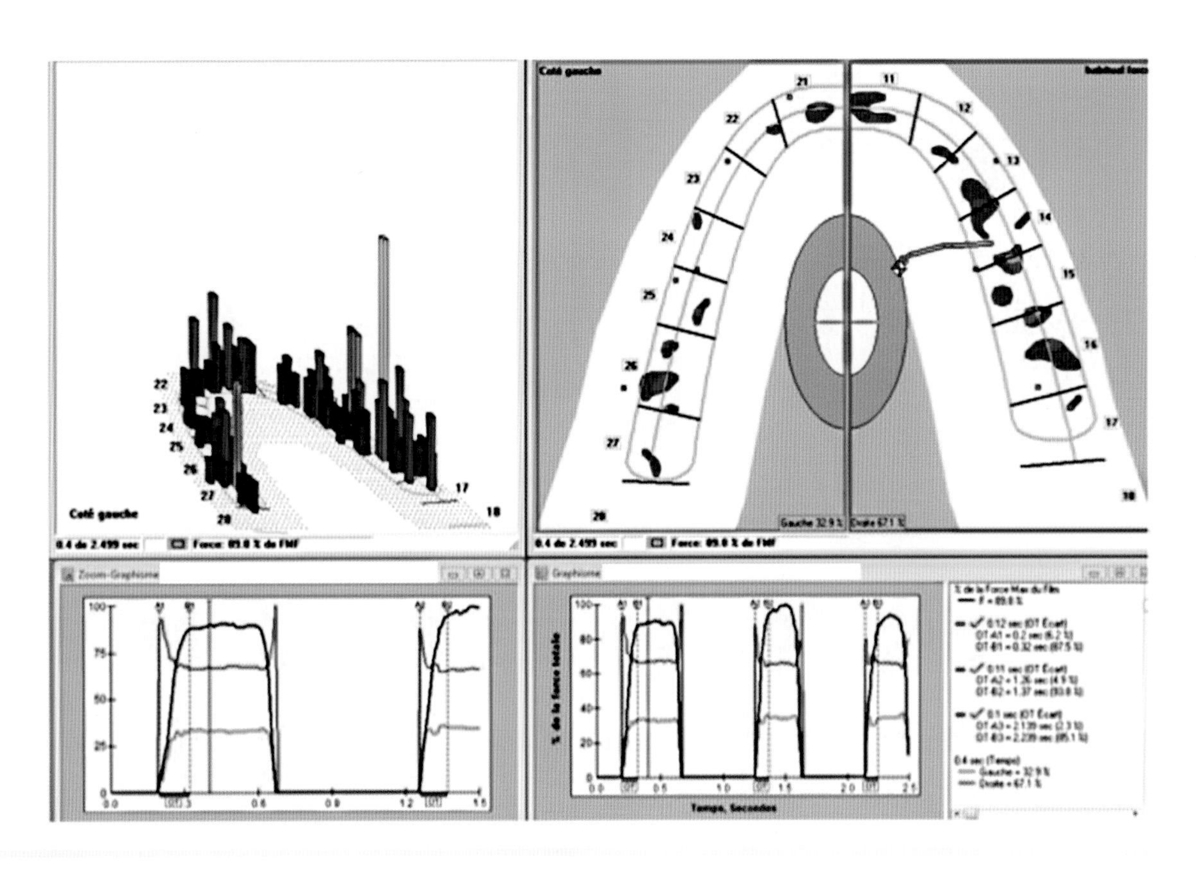

그림 13a 이 증례에서, 교합지 자국에서는 비대칭성이 보이지 않으나, T-Scan III 기록에 의하면 교정 후 교합이 매우 비대칭적(우측 67%-좌측 33%)으로 환자는 교합 불편감을 호소하였다

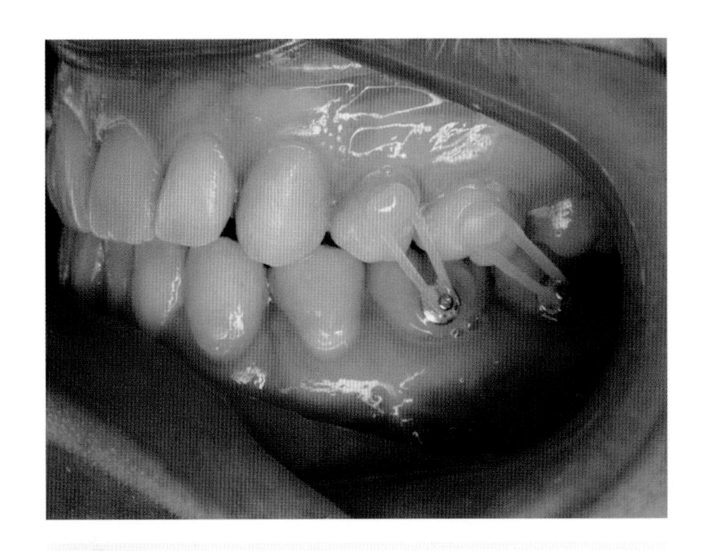

그림 13b 좌측 교합 접촉 향상을 위해 좌측에만 상-하악 고무줄을 협측 버튼에 걸었다

그림 15a와 15b는 장치 제거 당시(그림 15a)와 교정 치료 2년 후(그림 15b)의 악궁-간 접촉점 분포를 설명하는 것이다. 디본딩 시 교합력이 매우 불균형하여 교합력의 80%가 환자 우측에 집중되고 있다. 발육부전 소구치에 레진을 추가하여 악궁-간 접촉을 이루고 균형을 향상시켰다. 유지 2년에, 유령 치근을 가진 치아도 여전히 위치하고 있고, 무시해도 될 정도의 동요도를 보였다. 환자에게 임플란트 치료가 급하다고 설명하였으나, 현재까지 공간이 유지되고 치조골도 보존되고 있다. 교합 부하가 전 악궁에 걸쳐 더 균형잡히고 균등해지고는 있지만, 악궁-간 접촉은 여전히 우측이 지배적이다(그림 15b). 환자의 근육계에 대한 증후군의 지대한 영향력을 고려해봤을 때, 대칭적인 치아 형태에 따르는 거의 대칭적인 교합 기능을 획득하는 것이 명백하게 매우 중요하다.

치아가 있는 경우 저작 시 주로 사용하는 좌우 방향은, 교두간 위치에 존재하는 교합력의 측방 비대칭성 및 교합 접촉 부위 비대칭성과 연관되고, 주로 사용하는 손 방향과는 무관하다는 발표가 있었다(Martinez-Gomis, Lujan-Climent, Palau, Bizar, Salsench, & Peraire, 2009). 그러므로, 저작 시 양쪽을 사용할 필요성에 대한 교육과 물리 치료를 시행하는 것이 좀 더 균형 잡힌 힘 분포를 얻는 데 도

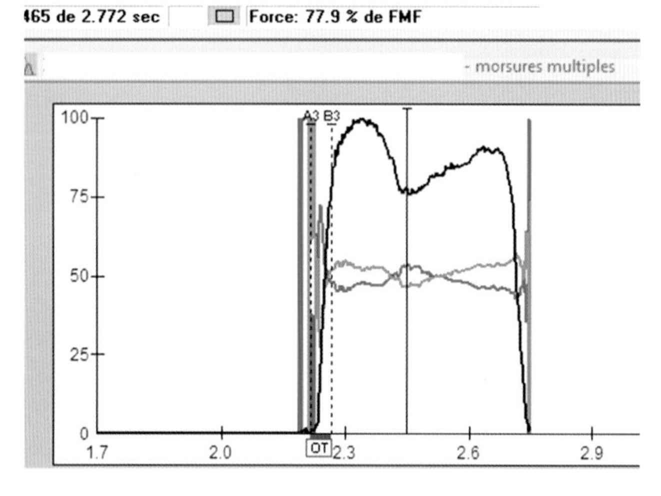

그림 13c 고무줄 사용 2개월 후 전체적인 교합 균형과 힘 균등성이 향상되었다

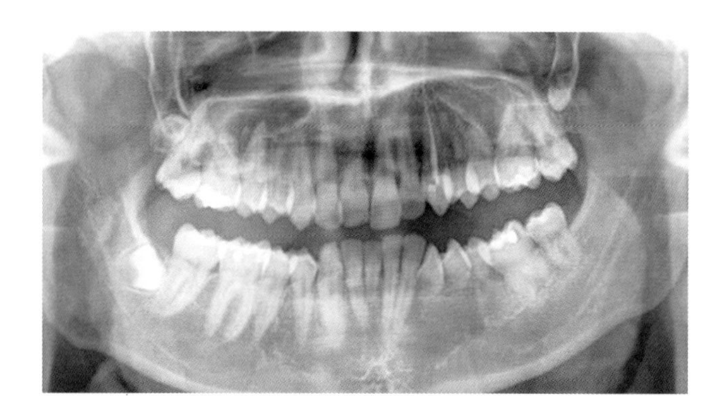

그림 14a 파노라마 사진으로 비대칭적인 하악골과 하악 좌측 소구치부의 "유령 치근"이 보인다

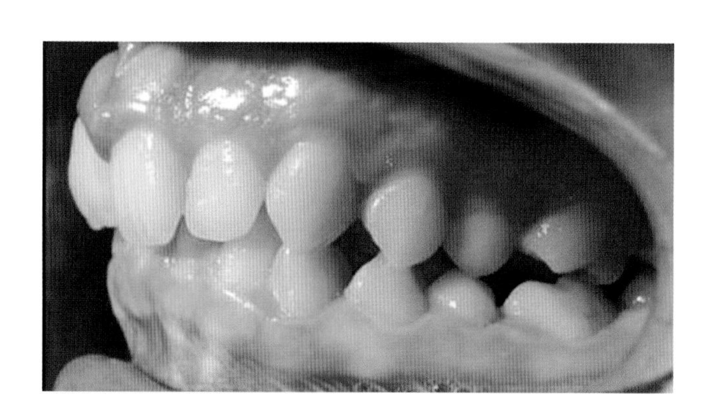

그림 14b 치료-전 환자의 좌측 임상 사진

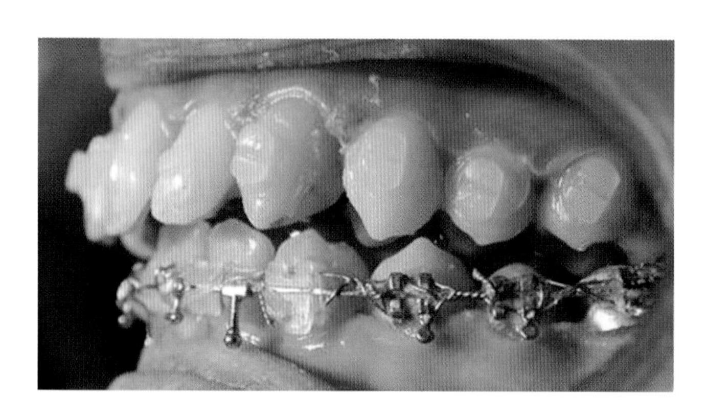

그림 14c 교정 치료 중인 환자 좌측

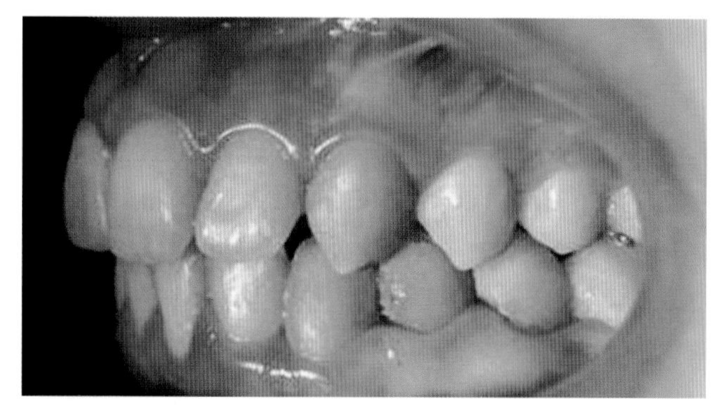

그림 14d 유지 기간 동안의 환자 좌측으로, 작은 발육부전 치아 교합면에 레진을 합착하였다

움이 될 것이다. 이렇게 하면 증상이 있는 TMD 환자나 골격성 및 치성 비대칭의 경우에서도 균형 잡힌 근육 기능과 병행해서 기능하게 될 것이다.

교합 영상 및 교합 시간을 이용한 접촉 시간 동시성 평가

T-Scan Ⅲ 시스템이 제공하는 강력한 도구는 재생하는 능력으로, 0.003초 간격으로(터보 모드에서) 접촉 순서 발생

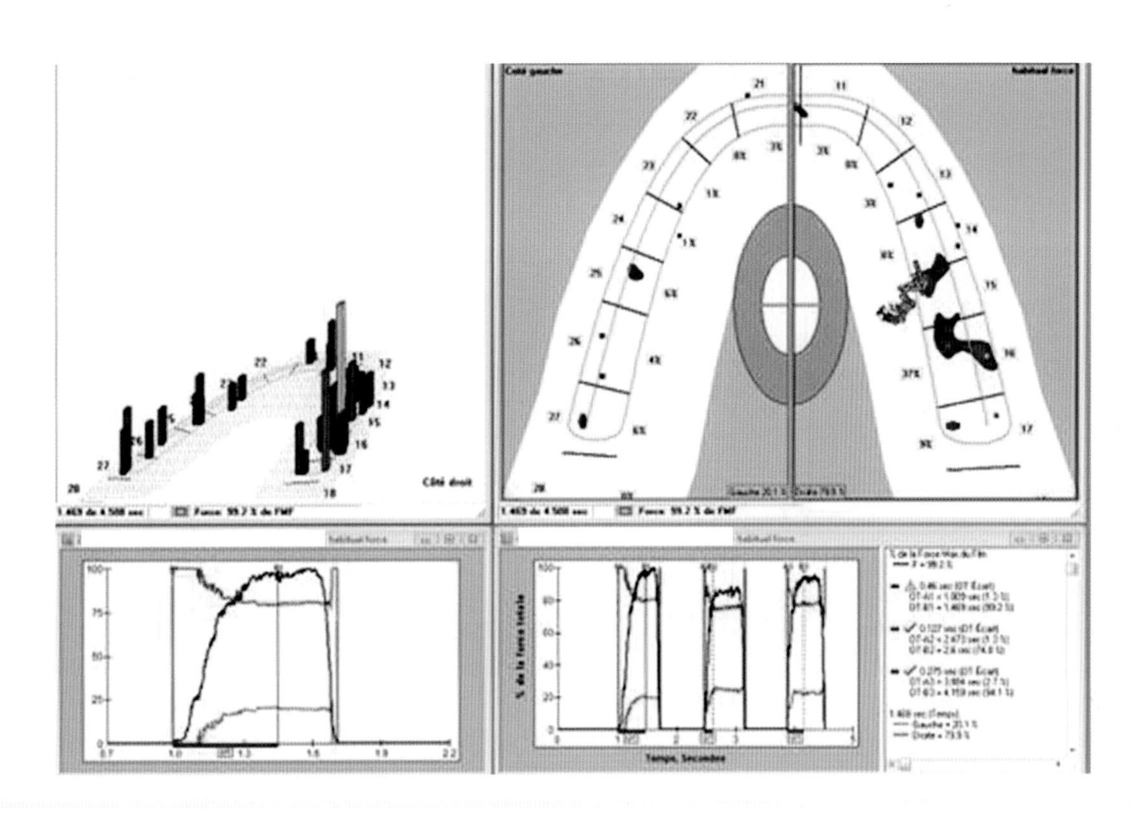

그림 15a 장치 제거 후 T-Scan 기록으로 교합력의 80%가 환자 우측에 집중된다

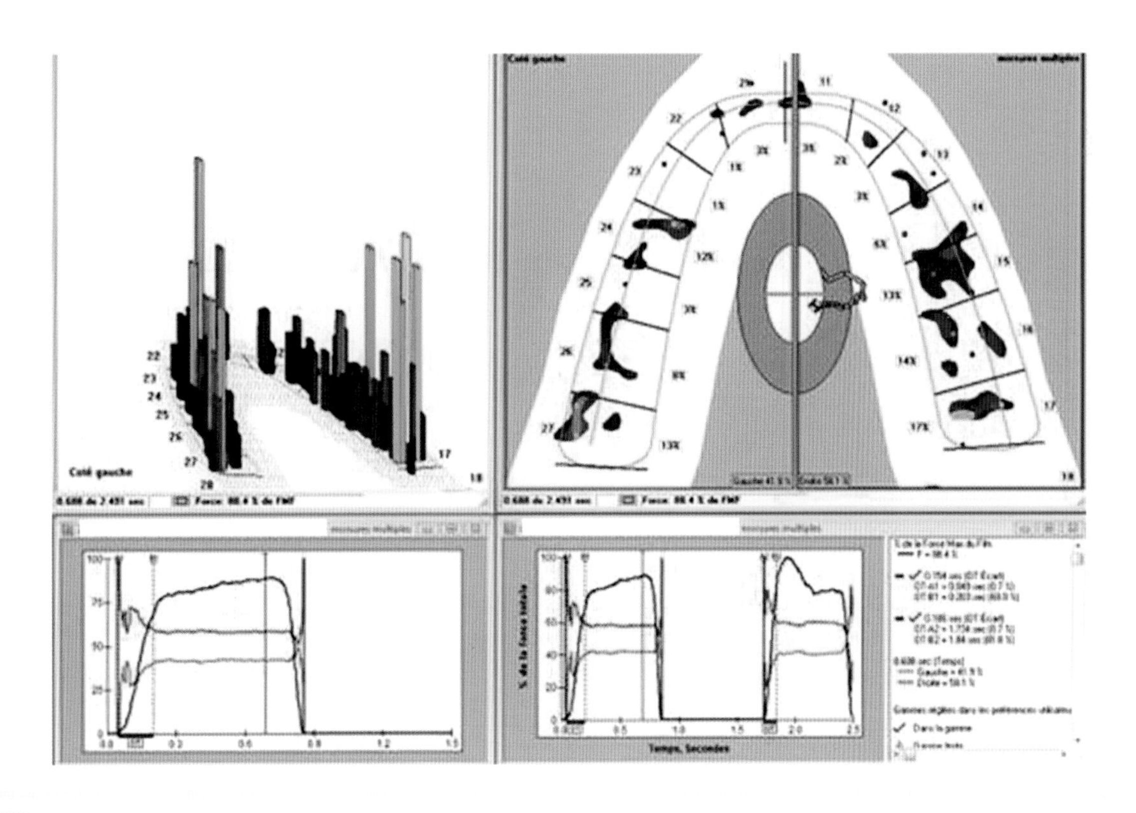

그림 15b 레진 합착과 물리 치료 후 T-Scan 기록으로, 디본딩 때(그림 15a)보다 전체적인 교합 균형이 향상되었고 교합 접촉이 현저하게 증가하였다

의 "영상"을 보여준다. 이런 능력으로 교두감합의 전 과정 동안 각 접촉이 얼마나 빨리, 얼마나 중요하게 발생하는지에 대한 정교한 정보를 주게 된다. 술자는 시간 선을 따라 가거나 힘 비율 값(25%, 50%, 75%, 100%)을 선택하여 첫 번째 접촉부터 완전한 교두감합까지의 접촉 발생을 확인하고, 2D 및 3D ForceView의 막대 높이와 힘 크기 색상의 범위가 의미하는 접촉 강도를 관찰하여 접촉 대칭성을 확인할 수 있다.

임상 사진(그림 16a–16c)과 T–Scan 데이터(그림 17a–17d)에 제시된 다음의 증례 보고에서, 1mm^{2}의 정밀한 교합 접촉보다 적은 매우 작은 변화가 전체적인 접촉 대칭성의 중요한 원인일 수 있다는 것을 분명하게 입증한다.

T–Scan 기록 내에서 100% 지점만을 측정하는 초기 T–Scan 평가는 폐구 동안 발생하는 더 빠르고 중요한 불균등한 힘 순간을 놓칠 수 있다. 이런 증례는 그림 17a에서 볼 수 있는데, 총 힘의 98.2%에서 악궁 내의 접촉이 균등해 보이지만, T–Scan 데이터는 전체적인 힘이 좌측에 편중된 것을 보여준다. 그러나, 영상을 총 힘의 50–75%로 재생하면(그림 17b), 좌측의 일부 접촉력이 우측보다 먼저 더 높게 상승한다. 하악 좌측 제1대구치 중앙와에 위치한 새로운 레진 수복물을 조정한 후, 총 힘의 50–60%에서 분석한 결과 힘 막대가 균등한 높이로 나타났다(그림 17c). 이후 총 힘 75%에서(그림 17d), COF가 좀 더 중앙화되고 거의 균등한 힘 막대 높이가 양측성으로 보인다.

교합 시간(OT)은 첫 번째 접촉부터 *MIP에 선행하는* 정적인 교두감합까지 경과하는 시간으로 정의된다. 이상적으로, OT는 짧고 지속 시간이 0.2초를 넘어서는 안 된다(Kerstein & Grundset, 2001). 이 측정값은 접촉 시간 동시성의 시간–기반 지표지만, 개별 치아–대–치아 접촉의 힘 강도 균일성을 설명하는 것은 아니다.

불균형한 역동적 교합 처치

T–Scan의 중요하고 유용한 특성은 하악 편심위 운동 동안 존재하는 교합력을 실시간으로 측정하는 능력으로, 종종 치아 모형을 교합기에 마운팅할 필요가 없어진다. 교합기 마운팅은 편심위 기능 정보를 확보하기 위한 전통적인 방법으로 보철 치료에서는 "황금 기준"이지만, 내원할 때마다 치아 위치가 변하는 교정 치료 중에 적용하기에는 시간–소비적인 방법이다. 이런 이유로, 전통적인 방법으로 측방 편

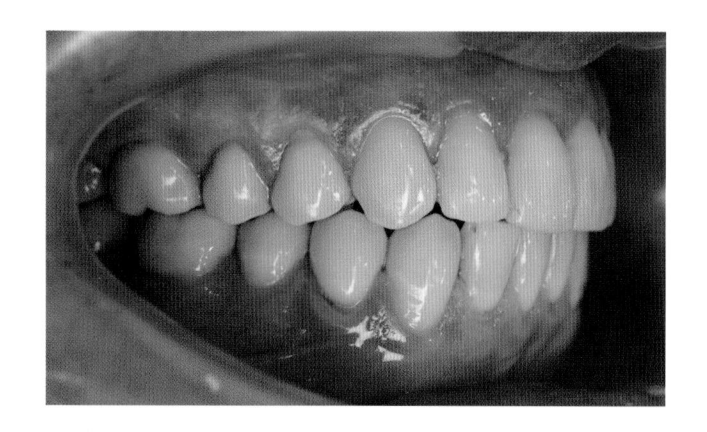
그림 16a Class Ⅰ 관계를 가진 자연치 완전 세트의 우측방 모습

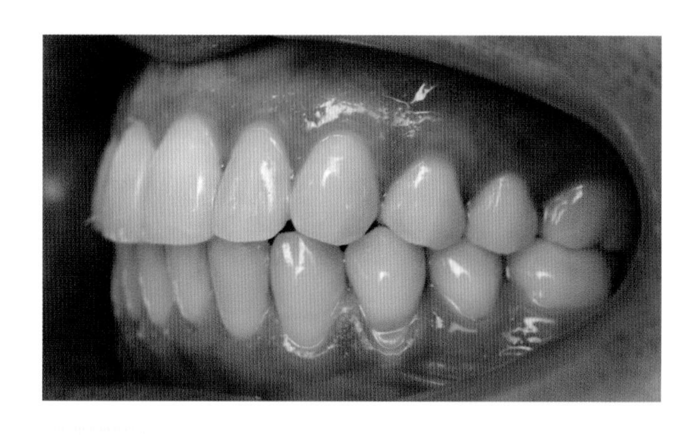
그림 16b Class Ⅰ 관계를 가진 자연치 완전 세트의 좌측방 모습

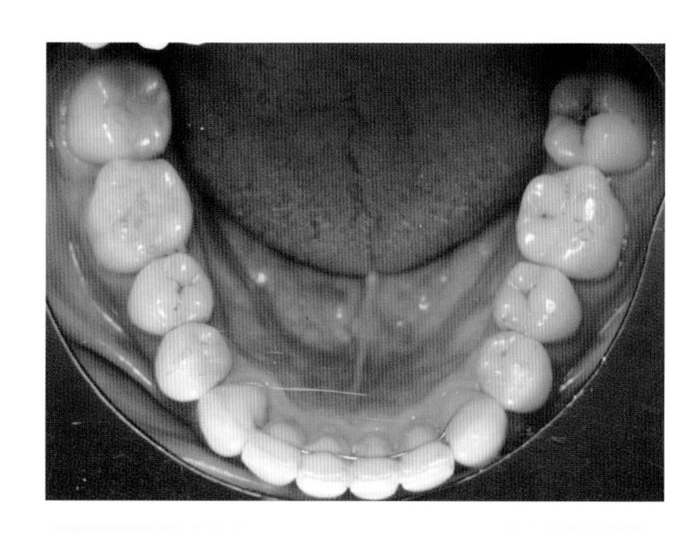
그림 16c 하악 교합면 모습으로 부분적인 레진 수복이 #19(36)번 치아에 있다

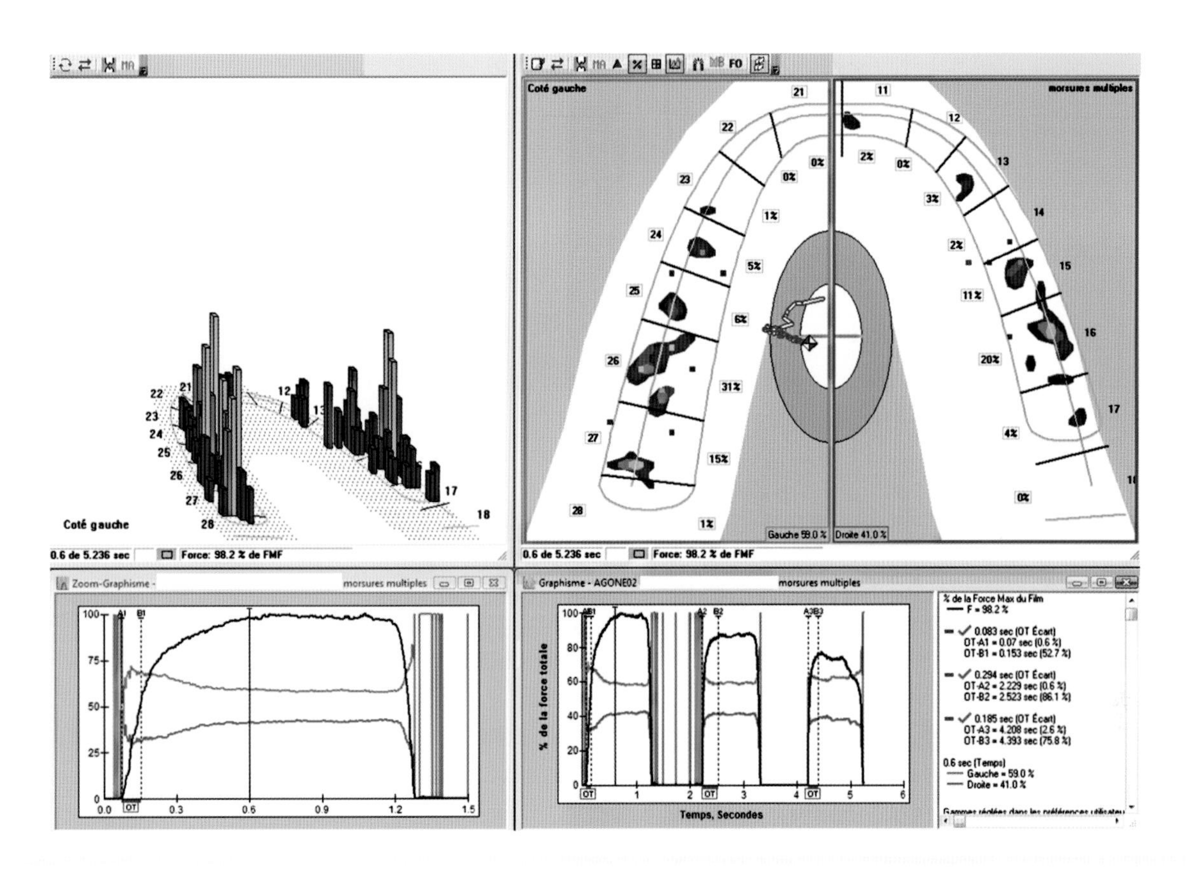

그림 17a 교정 치료 완료 시 100%의 총 힘을 볼 수 있는데, 접촉이 균등해 보인다. 그러나, 임상의가 T-Scan 기록으로 100%라고만 평가한다면, 환자의 초기 불균등 힘 순간을 놓치게 될 것이다

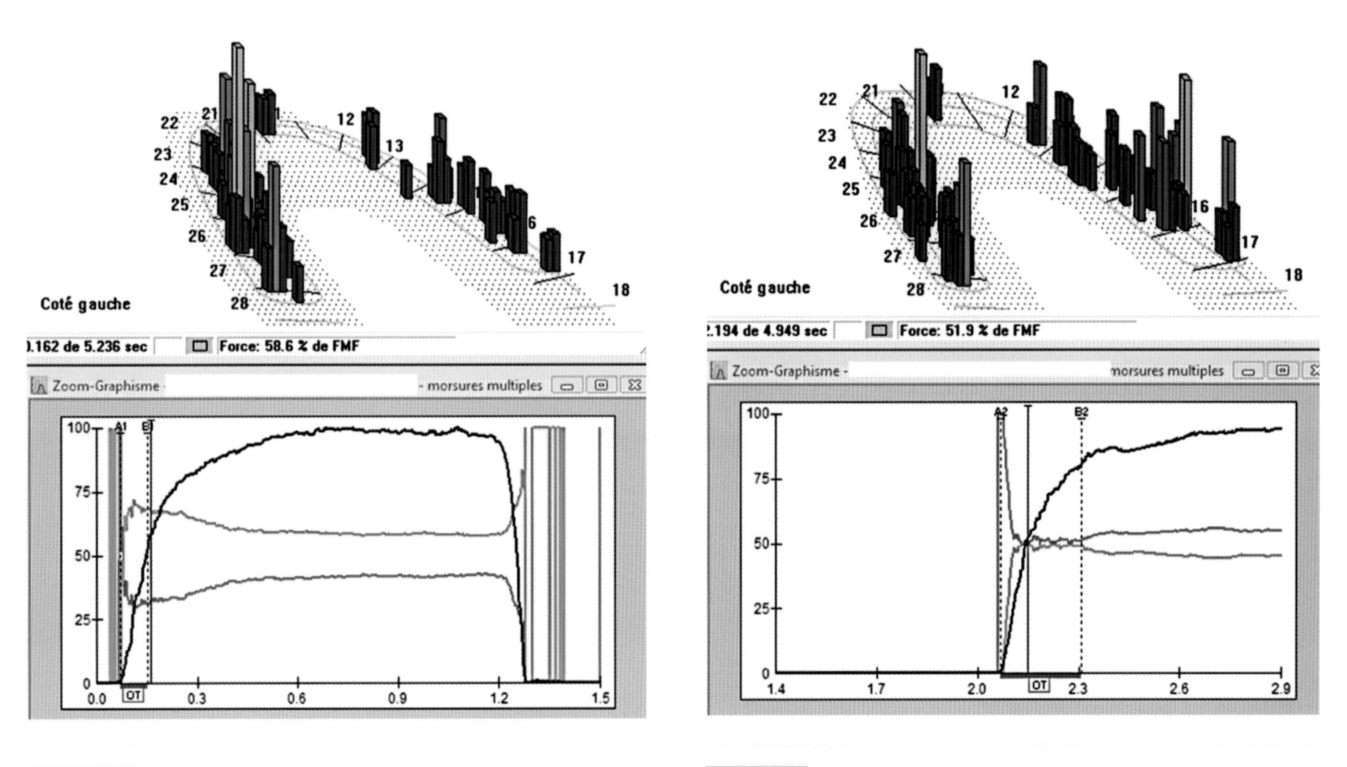

그림 17b T-Scan Ⅲ 데이터가 총 힘의 60%를 기록하였다. 접촉은 균등하게 분포되었으나, 좌측에서 먼저 나타나기 때문에 좌측 막대 높이가 더 높아져있다

그림 17c #19(36)번 대구치에 존재하는 강력한 레진에 대해 선택적 조정을 시행한 후, T-Scan Ⅲ 데이터가 총 힘의 50%를 나타낸다

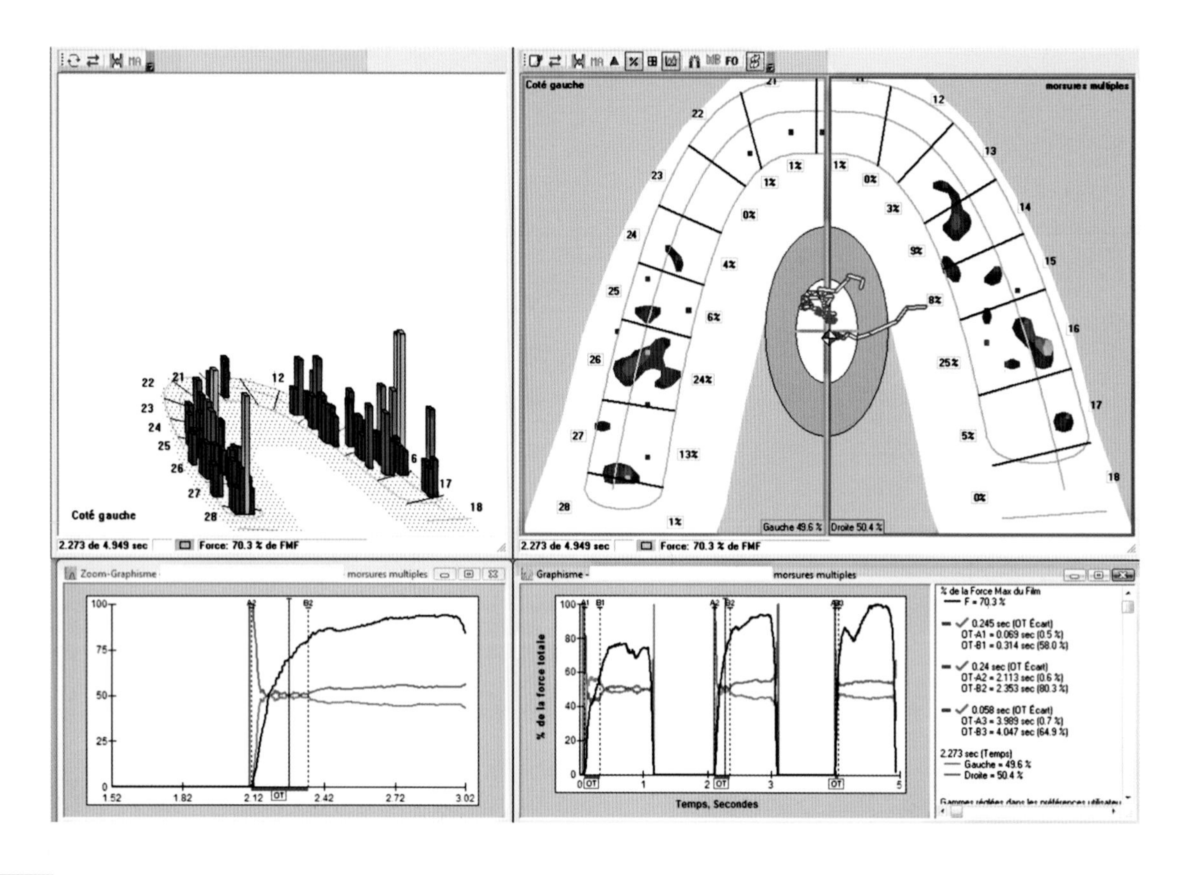

그림 17d 총 힘의 75%를 보여주는 동일한 T-Scan 기록. COF가 중앙화되었고, 막대 높이가 악궁의 양측에서 거의 균등하다

심위 기능을 평가하기 위해서, 모든 치료 세션마다 환자의 새로운 인상 채득 모형이 있어야 한다.

교정 레벨링이 완성되면, 마무리 과정 동안 T-Scan Ⅲ를 이용하여 편심위 운동을 평가하여, 종종 상악 제1, 2대구치에서 발견되는 전방, 작업측, 비-작업측 간섭 위치를 포착한다.

수평피개 감소나 공간 폐쇄 동안, 교합 평면이 시계방향으로 회전하면서 상악 절치의 토크가 소실되기 쉬운데, 이로 인해 잠재적으로 가파른 전방 유도가 형성된다. 구개 확장이 시행되는 경우, 구치부의 치관이 협측으로 회전하여 구개측 교두가 내려올 수 있다(과다한 협측 토크). 이런 치아 이동 역학을 사용할 때는, 전방 운동의 구치부 간섭을 주의 깊게 관찰해야만 한다. 이 단계에서, full-size archwire를 이용하여 마무리하면서 추가적으로 전방 토크를 수정할 수 있고, 이렇게 하여 구치부 교합 조정의 필요성을 감소시킨다.

선-조정 교정 장치를 이용한 토크 조절과 발현의 어려움은 가장 긴 치근을 가진 상악 견치에서 흔하게 나타난다. Slavicek의 기능적 각도는 측방 편심위 동안 반드시 확인되어야 하는데(Slavicek, 1982, 1988), 이 각도가 발치 증례에서는 너무 가파르고 측방 악궁 확장의 경우에서는 너무 얕기 때문이다.

교합 시간(OT)과 유사하게, 이개 시간(DT) 측정(좌측, 우측, 전방)은 환자 편심위 운동 기록으로 결정된다. DT는 "환자가 교두감합에서 나와 절치 및/혹은 견치만 접촉한 상태로 완전하게 구치부가 이개되는데 필요한 경과 시간"으로 정의된다(Kerstein & Wright, 1991). 그 값이 0.5초 이하여야, 치주 자극이 감소되고 저작근 수축이 적어진다(Kerstein & Wright, 1991; Kerstein, 1993; Kerstein & Radke, 2012). DT에 대한 더 자세한 정보는 제1권 7장에 나와있다.

Class Ⅱ 절충 치료와 같은 특별한 증례에서 T-Scan Ⅲ 분석이 유용하다. 상악 소구치 발거가 (하악 소구치 발거 없이) 선택된 Angle의 Class Ⅱ 관계에서 상악 제1대구치의 중요한 간섭이 자주 발생된다. 이런 대구치의 과다한 협측 토크와 원심 회전이 교정 치료로 구축되면, 중심 폐구 간섭이 근심설측 교두에서 종종 발견된다(Nangia & Darendeliler, 2001; Lejoyeux E., 1983).

앞서 제시된 모든 T-Scan 기록은 임상의에 의한 하악 조작 없이 이루어졌다. 가능한, 자연스러운 하악 운동에 대한 어떠한 의원성 개입 없이 교합력의 자유로운 표현을 찾는 것이 목표이다. 그러나, 궁극적인 개폐축(CR)과 편의적인 습관성 교합(MIP) 사이에 하악 폐구 경로에 존재하는 간섭을 찾기 위해, 술자는 하악의 약한 진폭에 대한 부드러운 조작 압력으로 환자의 첫 번째 접촉 "느낌"을 찾아야 한다. T-Scan Ⅲ는 이런 종류의 접촉을 판단하기 위해 CR Mode로 특별하게 사용될 수 있고, CR 모드는 비-CR 모드보다 약한 교합 접촉 압력 값을 기록하도록 고안되었다.

접촉 감각에 집중하여 발생하는 다양한 연속적 하악 운동에서, T-Scan 컴퓨터 교합 분석 시스템은 사용하기 쉽고, 폐구 사이에 기록 센서를 삽입하고 제거할 필요가 없다. 기록이 완성된 후에만 환자 결과의 반복적 특징이 결정될 수 있다. 그러나, T-Scan을 사용할 때 교합지 사용을 완전히 배제할 수 없는데, T-Scan 소프트웨어가 문제성 접촉을 포착하면 교합지를 이용하여 치료해야 할 교합 접촉을 치아에 효과적으로 시각화할 수 있기 때문이다.

제3부: 특이 임상 상황

설측 교정

앞서 제시한 교정치료 시 정상 수치는 설측 교정에서 진단 목적 및 치료-전 셋업을 구축하기 위한 가이드로 사용된다. 상하악 모형을 교합기에 장착하고 왁스 모형 내에서 스톤 치아를 이동하여 Andrews' Key(Andrews, 1972)에 따라 이상적이고 맞춤화된 악궁-형태를 만든다(그림 18a-18c). 이렇게 하여 교정의사는 Bolton의 치아-크기 부조화(Bolton, 1958)를 쉽게 볼 수 있고, 인접면 법랑질 삭제(stripping)가 치료 계획에 필요한지를 판단할 수 있다.

그러나, 치료 목표가 달성되고 마지막 full size archwire가 구내에 장착되면, 이론상 이상적으로 보임에도 불구하고 교합 접촉이 항상 완벽히 평가될 수 있는 것은 아니다. 설측 교정 동안 브라켓의 구개측 위치가 완전 교두감합으로의 폐구 경로를 방해하여, 구치부 교합을 제한하고 전방 개방 교합을 초래할 수 있다(그림 19a). 설측 장치가 제거되고 환자가 충분하게 교두감합할 수 있을 때에만, 최종 설측

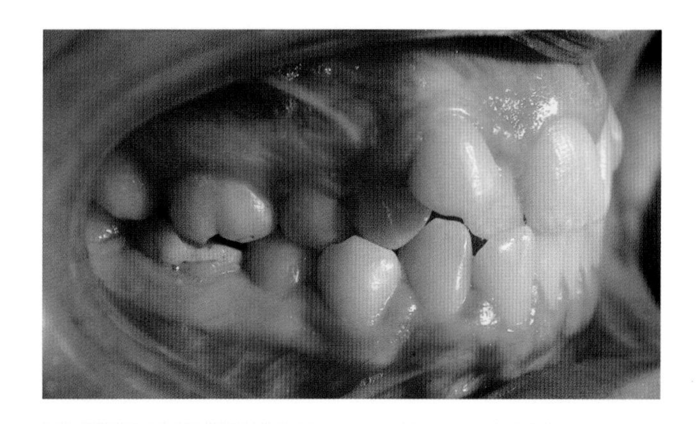

그림 18a 치료-전 우측 임상 사진, 상악 crowding, 측방 cross-bite, 하악 대구치 발육 부전이 보인다

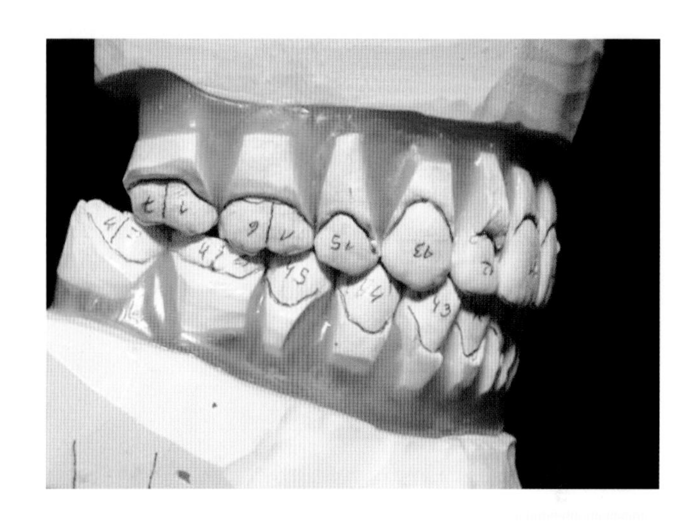

그림 18b 상악 제1소구치를 제거한 왁스 셋업으로 상악 악궁이 팽창되고 하악 악궁에 인접면 법랑질 stripping이 시행되었다

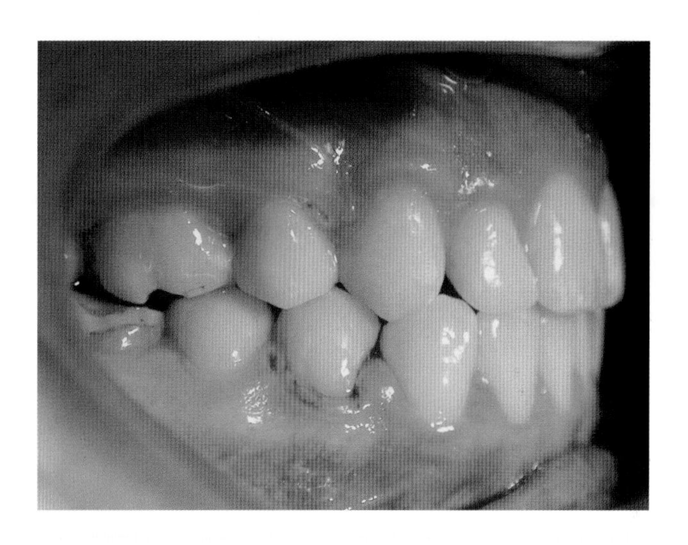

그림 18c 교정 치료 완성 시 우측 임상 사진

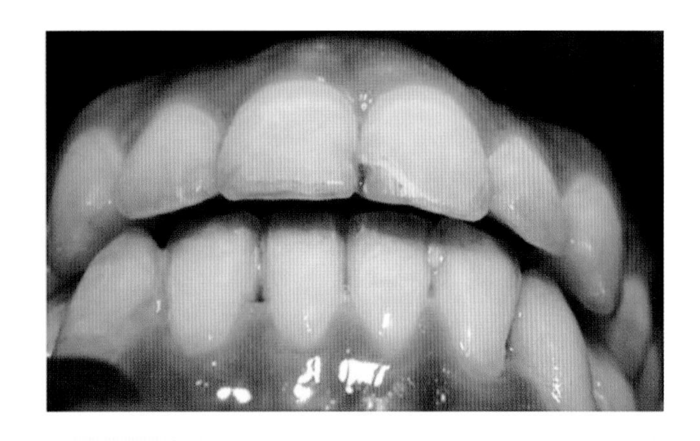

그림 19a 교정이 거의 완성될 무렵, 설측 브라켓이 완전한 전방 교두감합을 방해할 수 있다(약간의 overjet이 보인다)

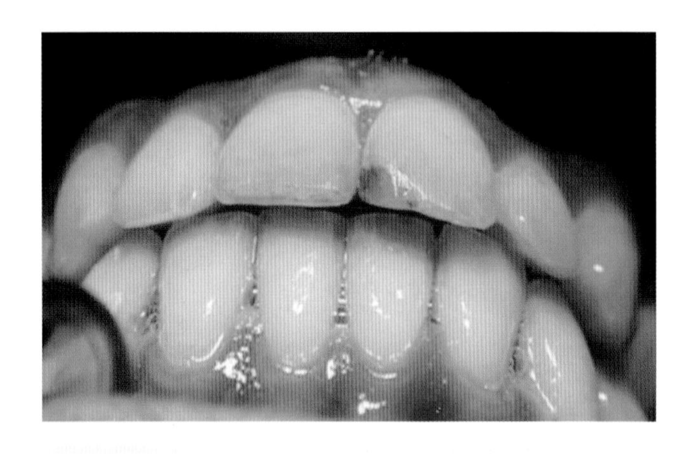

그림 19b 설측 장치 제거 직후, 환자는 완전하게 폐구하여 전후방 모두에서 교두감합할 수 있다

교정 치료 결과가 T-Scan에 의해 평가될 수 있다(그림 19b).

정적 교합 균형이 설측 교정-후 유지 단계 동안 변할 수 있다는 것을 보여주는 2개의 연구가 있었다(Cohen-Levy & Cohen, 2011, 2012). 대부분의 증례 분석에서, 좌, 우측 교합력 분포의 상대적인 균형을 향상시키는 방향으로의 일반적인 추세가 관찰되었다. 그러나 일부 증례에서는, 불균등이 유지되고, 분명한 비-개선, 비대칭적인 접촉 분포가 관찰되었다. 저자들은 개선되지 않은 교합 불균형은 혀내밀기가 존재한다는 신호가 될 수 있고, 이로 인해 생리적인 치아 정출을 훼방하여 균등한 치아 접촉 형성을 방해한다고 하였다.

또한 불균형한 교합은 파악되지 않은 근육이나 관절 요소로 인해 더 쉽게 재발될 수 있다고 하였고(de Freitas 등, 2007), 비대칭성 접촉은 두개하악 기능장애의 발현과 연관될 수 있다고 하였다(Mizui, Nabeshima, Tosa, Tanaka, & Kawazoe, 1994; Wang & Yin, 2012). 현재까지 수행된 연구에서 기존의 기능적 비대칭 존재가 교정 치료 시작 전에 통계적으로 평가되지 않았기 때문에, 이런 결과의 임상적 중요성에 대한 판단은 유보되고 있다. 그럼에도 불구하고, 이런 모든 연구는 교합 균형과 정교한 접촉의 질은 단지 치아 이동으로만 쉽게 얻어질 수 없다고 하였고, 따라서 교정 치료 후 교합 균형 확보가 최종적으로 필요하다.

수술을 동반한 교정 치료

악안면 수술은 치열궁, TMJ 해부학적 관계를 바꿀 수 있는 근육 삽입을 변경함으로써 저작계의 기하학을 극적으로 바꿔놓는다. T-Scan Ⅲ는 수술-후 교합력 변화를 추적하고, 수술-후 교합 조정의 필요성을 평가하며, 수술로 인한 비정상적인 교합력 분포를 조절하기 위한 이상적인 도구이다.

정상적인 저작력이 악안면 수술 후 변한다는 것을 이해해야 한다.

- **교합력 크기와 교합 접촉 면적 모두가 악교정 수술에 의해 영향을 받는다.**

양측성 SSRO에서, 교합력과 교합 접촉 면적이 술후 2-3개월 내에 술전 수준으로 회복된다(Harada, Watanabe, Ohkura, & Enemoto, 2000). 초기에, 교합력 크기와 접촉 면적이 느리게 증가하지만, 수술 후 6개월에는 술전 크기를 초과하게 된다. 한 연구에서는, 교합력이 술후 12개월에 대조군과 거의 유사한 수준으로 회복된다고 하였다(Nagai 등, 2001). 또 다른 연구에서는, 교합력이 꾸준하게 증가하여, 2-3년 후에 정상적 크기에 도달한다고 하였다(Ellis 등, 1996).

- **술전 수직적 양상이 교합력 크기에 영향을 미친다.**

최대 이악물기, 저작, 연하 동안, 장안모(높은 하악각) 환자는 단안모 환자에 비해서 감소된 교합력을 보인다(Proffit, Fields, & Nixon, 1983). 장안모 양상은 하악 거상근의 정상적인 길이를 확보하기 어렵기 때문이라고 추측된다. 단안모 환자는 장안모 환자에 비해 EMG 측두근 활성이 상당히 높게 측정된다(Custodio 등, 2011).

두개안면 크기도 교합력 비대칭에 역할을 하는데, 장안모 환자는 교합력 측방 비대칭을 보인다(Gomes 등, 2011). 비대칭과 대칭적 골격 형태 이상을 비교해보면, 교합력 균형은 관찰된 하악 골격 비대칭이 나타나는 쪽으로 편향된다(Goto 등, 2008).

- 하악 골격 형태이상을 수정해도 기능장애는 수정되지 않을 수 있다.

교정과 수술을 동반한 치료로 저작 양상이 현저하게 변화하지 않는데(Ueki 등, 2005), 이것은 주요한 형태 이상이 수정된다 해도 환자는 이전에 획득한 구강 기능 운동을 유지한다는 것을 의미한다. 이전의 비대칭적 안면 골격은 연관된 장기간의 비대칭적 근육 기능과 함께 환자의 편측성 저작 습관이 발달하도록 고무할 수 있다. 같은 방법으로, 전방 반대교합이 있는 하악 전돌 환자에게 수술적으로 정상적인 전방 유도 조절을 구축한다 해도, 골격과 치아가 정상적인 전방 치아 악궁간 관계를 가짐에도 불구하고 자연스럽게 기능하지 않을 수 있다. 무-반응 수술 환자의 기능성 저작 향상을 서서히 유도하기 위한 방법으로, Class Ⅲ 환자에게 악안면 수술을 시행한 후 반대의 저작 싸이클을 학습시키는 것이 추천된다(Piancino, Frongia, Dalessandri, Bracco, & Ramieri, 2013).

이런 유형의 환자에서 T-Scan 기록을 평가하는 복잡성을 설명하기 위해, 그림 20a-20d에서 악안면 수술로 "완벽하게 시각적으로 보이는" Class Ⅰ 교합을 구축한 증례를 통해 확인하고자 한다. 치료-전 비대칭성의 높은 하악각 상태(그림 20a)가 수술적으로 치료되었다. 그 후 교정 마무리 동안, 수직적 고무줄을 6주간 양측성으로 사용하여, 적절한 하악 치유를 도모하였다(그림 20b). 디본딩 시, 교합은 정상

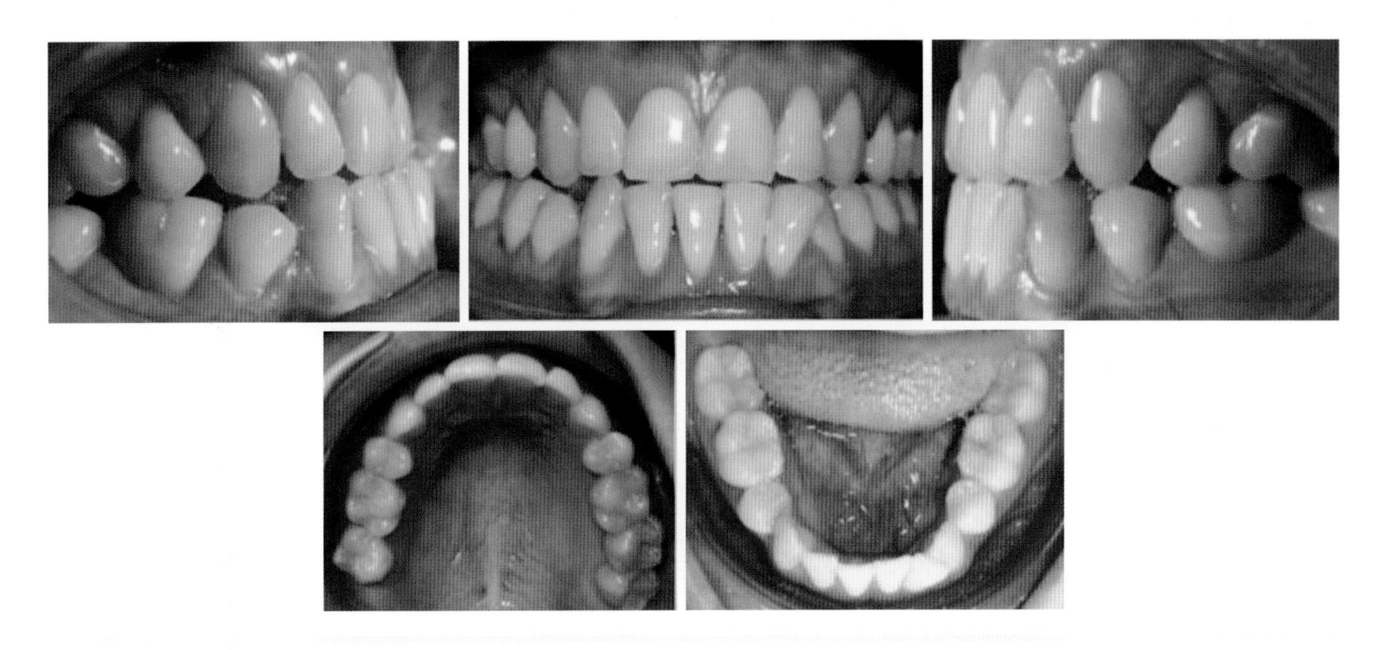

그림 20a 비대칭적인 높은 각의 Class Ⅲ 수술 증례, 치료-전

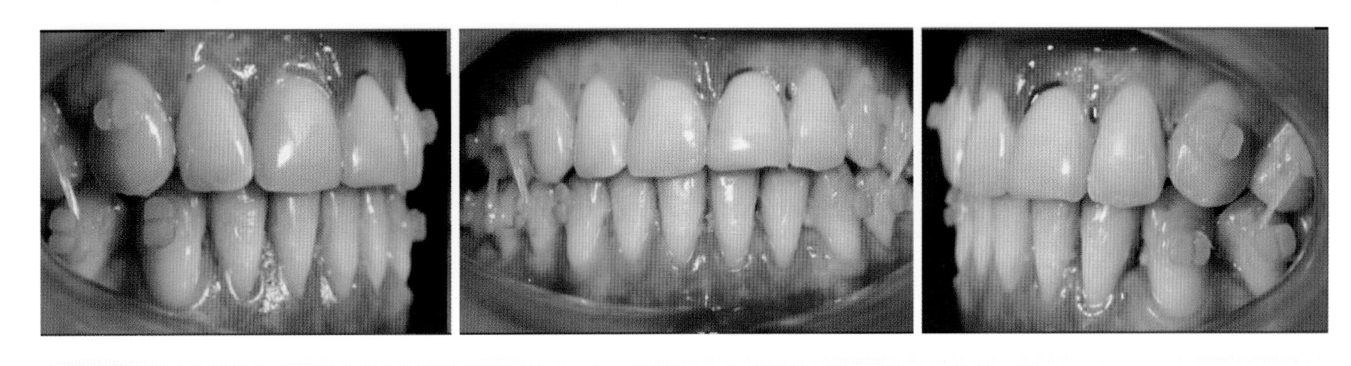

그림 20b 수술-후 수직적 고무줄을 양측성으로 적용, 하악의 치유 도모(설측 맞춤형 장치 사용)

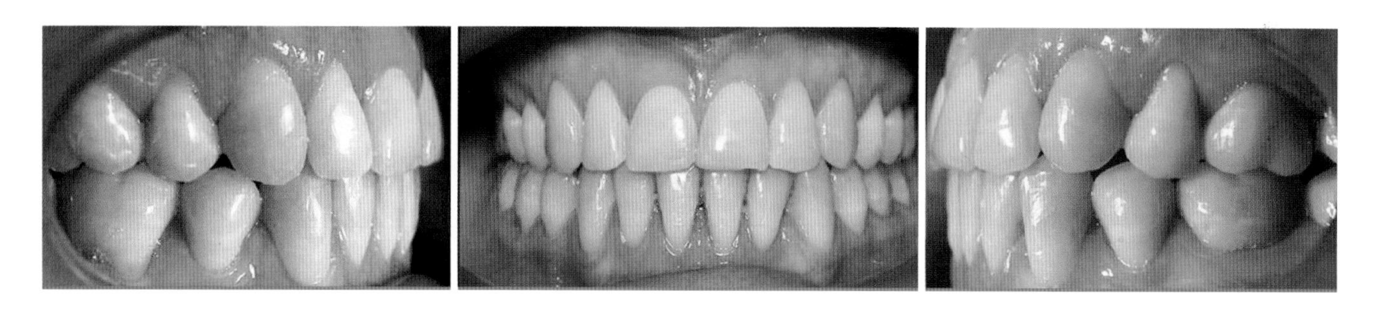

그림 20c 교정 장치 제거 시 Class Ⅰ 구축

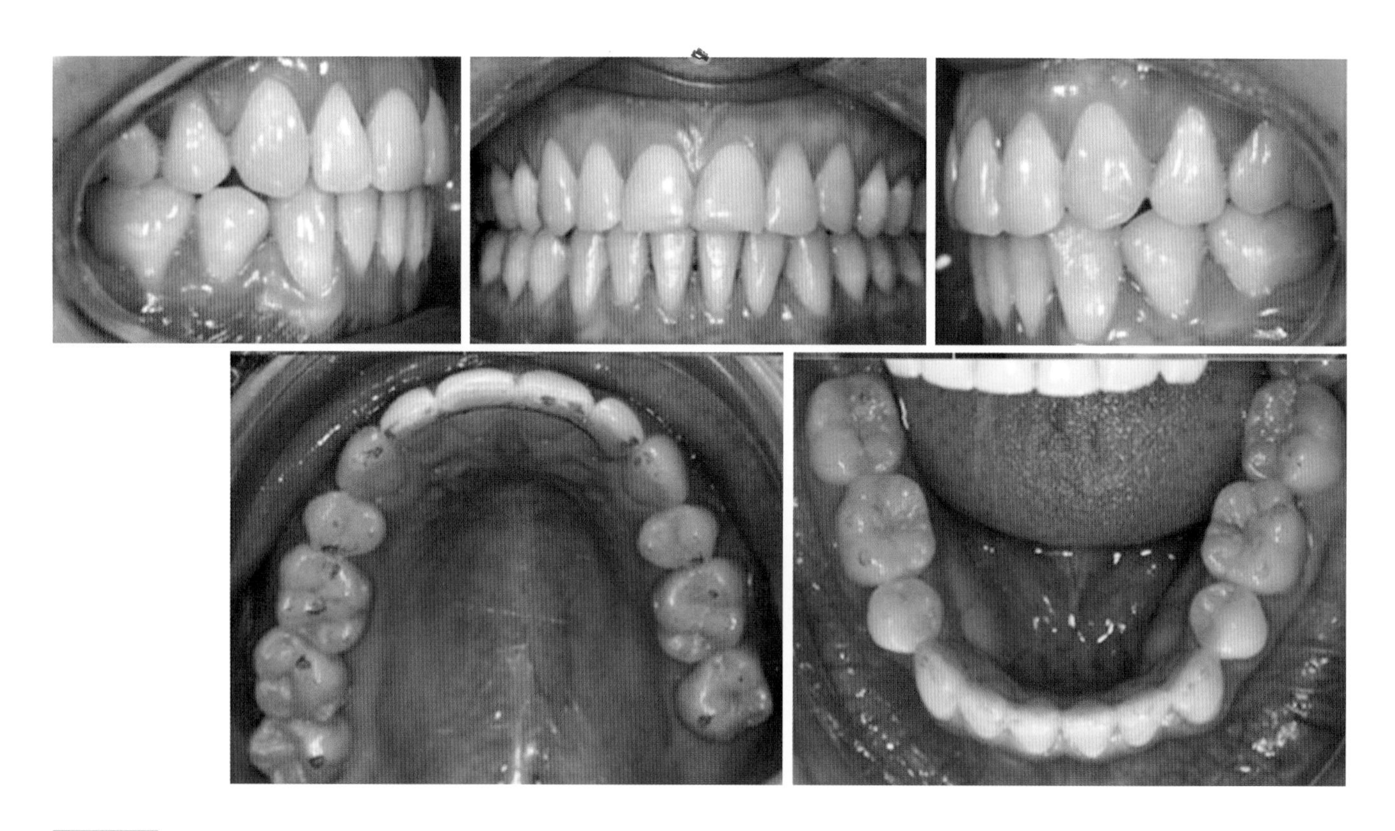

그림 20d 유지 10개월 후, 교합지 자국이 널리 퍼져있어서 이상적인 교합 균형을 암시한다

의 Class Ⅰ을 보이고(그림 20c), 교합지 자국이 널리 퍼져있고 균등하여 이상적인 교합 균형을 암시한다(그림 20d).

그러나, 이 증례의 T-Scan 데이터는 "완벽하지" 않았다(그림 21a-21c). 측정된 교합 접촉과 교합력 분포를 보면, 환자의 근수축 능력이 약하여 총 힘을 유지할 수 없다. 그리고, 유지-후 사진을 유심히 보면, 우측 견치-소구치 부위 내에 편측성 개방 교합 발달의 개시를 관찰할 수 있는데, 이것은 부분적인 재발이 일어남을 암시한다(그림 20d-21c를 비교).

해결 방안 및 권고 사항

이번 장은 임상의의 시각적 평가에서 "이상적"으로 보이는 교정 치료 결과에 대해 T-Scan 시스템으로 교합 균형, 접촉 강도 균형, 교합 접촉 부하 타이밍을 측정한 결과, 이상적이지 않은 경우가 빈번함을 설명하였다. 그러므로, 교정 의사는 좋은 교합 기능의 외형이 수행된 교정 치료가 이상적인 교합 기능을 반드시 가져오는 것이 아니라는 것을 인지해야 한다.

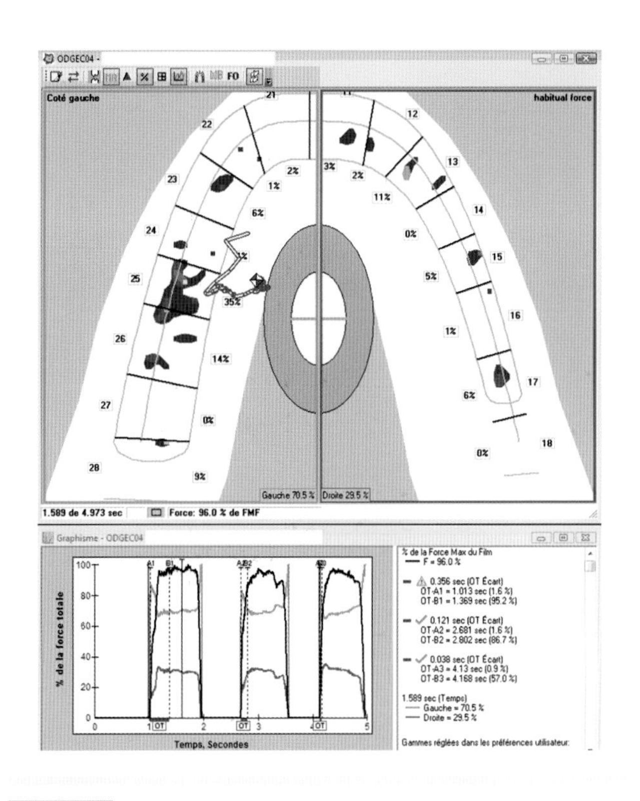

그림 21a 그림 20a-20d 증례의 장치 제거 시 T-Scan 기록. Class I 외형(그림 20c)에도 불구하고, 심하게 좌측으로 치우친 교합 불균형(우측 29.5%-좌측 70.5%)이 있다

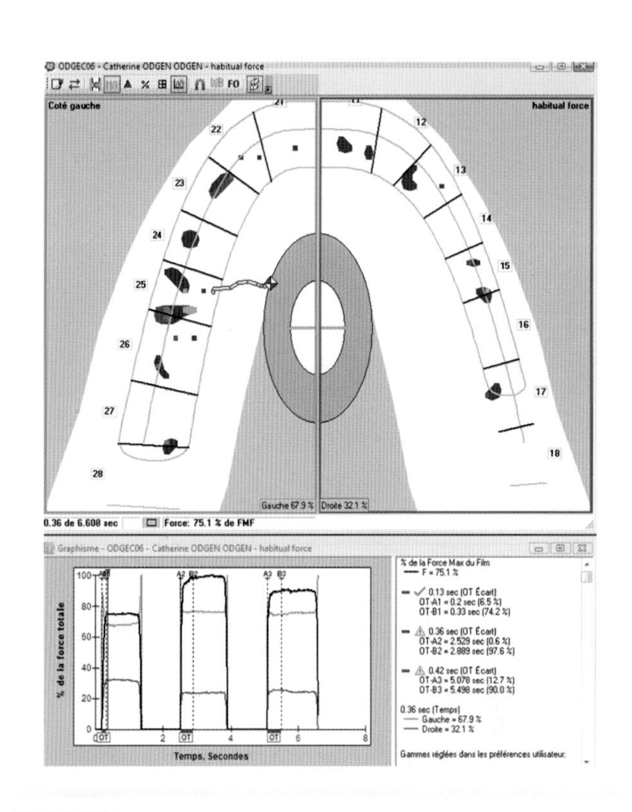

그림 21c 유지 10개월 후, T-Scan 기록. 교합력 크기가 작고, 근수축이 불규칙하고, COF가 분명하게 좌측으로 편향된다. "시각적으로 좋은" 교합과 고루 분포된 교합지 자국이 존재함에도 불구하고(그림 20d), 교정 치료의 최종-결과는 덜 이상적이다

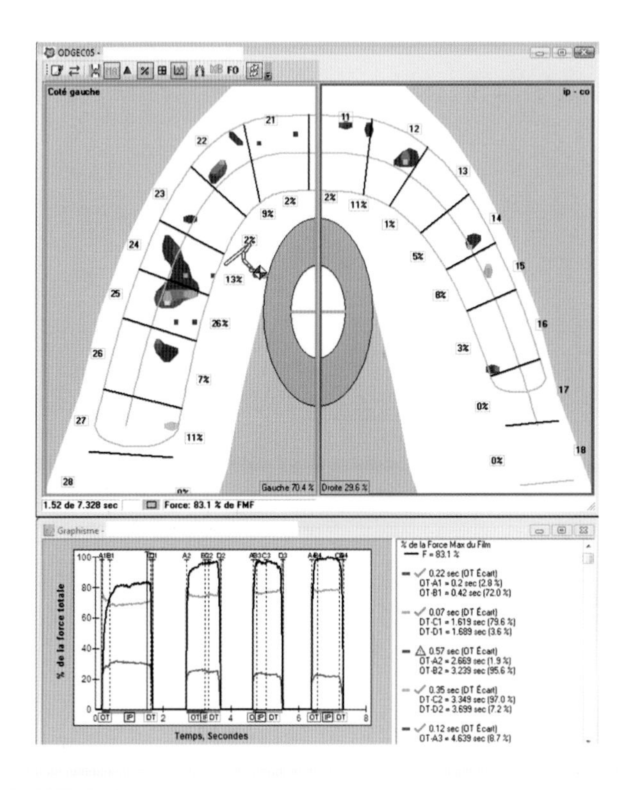

그림 21b 유지 3개월 후, T-Scan 기록. 교합 균형의 개선이 나타나지 않았다

디본딩 후 약간의 시간이 경과한 후, "정착"이 교합력을 양측성으로 분포시킨다는 개념도 동일한 사실로 적용해야 한다. 많은 연구를 인용하여 치료 완료 후의 전통적인 치료-후 평가는, 진정한 접촉력 불균형의 존재에 대한 정보를 임상의에게 제공하지 않고 악궁 내에 집중되는 과다한 접촉력에 대해서도 설명하지 않는다는 사실을 지적하였다.

현대의 교정의사가 알고 이해해야 할 사실이 있다. 교정 치료에서 T-Scan은 치아 배열이 적절한 각도의 축을 이루며 서로 들어맞는지를 보여주어, 시각적으로 혹은 교합지 자국으로 결정된 치아의 교합 관계가 최적으로 기능하지 않고 교정 치료로 확보된 잘-균형잡힌 교합도 확신할 수 없다는 것을 증명한다.

교정의사가 종종 대합치의 맞물림, 상하악의 3차원적 관계, 치열궁과 연조직 틀(입술 순응도(lip competence), 혀의 기능)의 관계에 대해 고민함에도 불구하고, 이것으로는 충분하지 않다. Broadbent에 의하면, 교정의사는 그들의 "생리학적 교정의사로 충분히 고민하고 능숙해지기 위해, 지식과 책임감의 영역"을 "반드시 확장시켜야" 한다(Broadbent, 2000). 생리학적인 교정의사는 호흡 문제, 연하 작용, 저작 기능 이상, TMJ 운동을 포함하는 환자에 대한 모든 생리적 관점을 고려해야 할 것이다.

저작계가, 특히 젊은 사람들에서, 광범위하게 적응가능하고 내성이 있다고 해도, 여기에는 한계가 있다(Orthlieb, Deroze, Lacout, & Maniere-Ezvan, A., 2006). 치아는 인간의 신체에서 가장 단단한 기관이고, 종종 기능적 마모로 나타나는 교합 형태의 적응이 교정 완성 후에 *상당한 시간이 경과할 때까지* 보이지 않을 것임을 잊지 말아야 한다. 환자 마무리에서 무시되는 교합 간섭이 추후에(장기간 동안) 치주 붕괴, 치은 퇴축, 굴곡파절 형성, 치아 동요를 초래할 수 있다. 또한 이런 간섭은 치료가 완료된 수년 후에 TMD 합병 증상의 발현을 유발할 수도 있다.

그러므로 이 저자는 치의학의 디지털 시대라는 이 시기에, 교정 영역이 활동적 치아 이동의 마무리 단계와 유지기간 동안 컴퓨터-유도 T-Scan을 사용하여 양측성의 균형적인 힘을 측정하고 전 악궁에 걸친 균등한 교합 접촉 강도를 구축할 것을 진지하게 고민하길 권고한다. 디지털 교합 증례 마무리라는 현대 세계로의 이런 도약이 없다면, 많은 교정 환자는 마무리 단계에서 교합 내의 많은 부위에서 포착되지 않은 교합력 과부하를 보유한 불균형한 교합 상태로 남겨지게 될 것이다.

전-후방 수정이 완성되고(예, Class Ⅱ, Ⅲ 미캐닉) 모든 공간이 닫히면, 장치 제거 전에 디지털 교합 분석을 시행한다. 이 단계에서, 하악 편심위 운동의 후방 간섭이 교정 와이어의 추가된 corrective bend(1번째 - in & out bend; 2번째 - 변연 융선과 절치연 레벨에 맞춘 vertical bend; 혹은 3번째 - torque bend)에 의해 감소될 수 있다. 교정 장치를 제거하면, T-Scan Ⅲ 분석을 수행하여 선택한 유지 방법(고정성 유지 와이어 혹은 가철성 장치)과 함께 정착 과정이 교합 접촉 질을 향상시키는지 확인한다.

필요한 교합 조정을 시행하기 전 6개월의 간격이 필요하다. 또한, 수술 케이스에서는 교합 조정을 수행하기 전 1년 이상의 기간이 경과해야 한다.

미래의 연구 방향

현재, Cochrane Review(Fricton, Look, Wright, Alencar, Chen, Lang, Ouyang, & Velly, 2010; Luther, Layton, & McDonald, 2010)와 같은 발표된 임상 연구의 질에 대한 리뷰 논문 분석은, 통계적 검증력이 부족하고 공개된 TMD 연구에 방법적인 결함이 존재한다고 강조한다. 이런 비평이 지식의 현재 상태에 기반하여 설명하지만, TMD와 연관된 증상을 개선하는 것이 목표인 교정 혹은 수술 치료 승인을 권고하는 것은 아직 불가능하다. 그러나, 같은 저자들은 이 위치가 변할 수 있고, 새로운 연구가 같은 치료 효율의 증거를 제시해야 한다는 것을 인정한다.

어떤 저자들은, 교합 접촉 분포와 TMD 증상 발현 사이에 상당한 관계가 존재하고, 청년기에 존재하는 교합 접촉 양상 비대칭성에 의해 주로 표현될 수 있다고 하였다(Ciancaglini R, Gherlone EF, Redaelli, & Radaelli, 2002). 이 연구 분야는 상당히 부족하여, 이상적인 기능적 교합 디자인의 필요 요건을 분명하게 하는데 도움이 되는 미래의 장기간 시도가 결정적으로 필요하다.

T-Scan 시스템은 정교하고 믿을 수 있으며 재현가능한 객관적인 기록이 교합 기능의 다방면에서 만들어지기 때문에, 이런 연구에 대한 정확한 교합 기록 도구가 될 것이다. 교정 환자 재발과 TMD 합병 증상의 원인으로서의 COF와 OT/DT의 역할을 강조하는, 잘-고안된 T-Scan 연구 프로토콜(예상된, 무작위적, 관리적 임상 시험)과 장기간의 follow-up cohort 연구도 다급하게 필요하다.

결론

T-Scan 같은 디지털 교합 분석 시스템을 사용하면 교정 치료-후 교합 접촉의 질을 술자의 주관적으로 판단하는 것을 배제하기 때문에, 교정의사에게 극도로 매력적이다. 더욱이, 교정 증례의 최종-결과인 악궁 내에서 다양한 교합 접촉이 나타내는 대칭성, 시간-동시성, 교합력 균등성을 측정 평가할 수 있는 유일한 도구이기도 하다.

millisecond와 mm^2의 단위로 수량화하는 T-Scan Ⅲ의 정교성은 신뢰성있고 재현성있는 임상적 도구로 인정받았다. 교정에서, 마무리 단계에서 T-Scan Ⅲ를 사용하면 임상의는 폐구 조기 접촉과 측방 편심위 간섭을 보여주는 수량화된 데이터를 얻게 된다. 치아 이동이 아직 가능할 때, 이런 정보를 증례에 적용하여 corrective wire bend에 추가하거나 필요에 따라 vertical elastic을 사용할 수도 있다.

교정 치료가 완료되면, T-Scan Ⅲ 기록을 정기적으로 사용하여 COF의 불균형을 관찰함으로써 교합의 정착을 추적한다. 이것은 하악각이 높은 증례에서 특히 중요하다. 잠재적인 적응력이 제한되고 광범위한 보철물이나 중증의 치아 마모가 있는 성인 환자에서, 특히 교정 치료 후 교합 접촉 분포 내에서 지속적인 교합 부조화가 있는 경우, T-Scan으로 심화된 교합 조정을 시행하여 교정 결과를 향상시킬 수 있다.

참고문헌

- Akhoundi, M.S., Hashem, A., & Noroozi, H. (2009). Comparison of occlusal balance contacts in patients treated with standard edgewise and preadjusted straight-wire appliances. *World Journal of Orthodontics, 10*, 216-219.
- An, W.W., Wang, B.K., & Bai, Y.X. (2009). Occlusal contacts in intercuspal position after orthodontic treatment. *Zhonghua Kou Qiang Yi Xue Za* Zhi, *44*, 735–738.
- An, W.W., Wang B, & Bai Y. (2011). Occlusal contacts during protrusion and lateral movements after orthodontic treatment.. *Hua Xi Kou Qiang Yi Xue Za Zhi.* 2011 *29*, 614-617.
- Andrews, L.F. (1972). The six keys to normal occlusion. *American Journal of Orthodontics. 62*, 296-309.
- Andrews L.F. (1989). *Straight-Wire-The Concept and Appliance*; San Diego, CA: Wells Publishing
- Angle, E.H. (1899). Classification of malocclusion. *Dental Cosmos, 41*, 248-264, 350-357.
- Aslan, B.I., Dinçer, M., Salmanli, O., & Qasem, M.A (2013). Comparison of the effects of modified and full-coverage thermoplastic retainers on occlusal contacts. *Orthodontics 14,* 198-208.
- Bauer, E.M., Behrents, R., Oliver, D.R. & Buschang, P.H. (2010). Posterior occlusion changes with a Hawley vs Perfector and Hawley retainer. A follow-up study. *The Angle Orthodontist. 80*, 853-860.
- Başçiftçi, F.A., Uysal T, Sari, Z. & Inan, O. (2007). Occlusal contacts with different retention procedures in 1-year follow-up period. *American Journal of Orthodontics and Dentofacial Orthopedics. 131*, 357-362.
- Bolton, WA. (1958). Disharmony in tooth size and its relation to analysis and treatment of malocclusion. *The Angle Orthodontist 28*, 113-128.
- Broadbent, J.M. (2000). Chewing and occlusal function. *Functional Orthodontics. 17*, 34-39.
- Casko, J.S., Vaden, J.L., Kokich, V.G., Damone, J., James, R.D., Cangialosi, T.J., Riolo, M.L., Owens, S.E., & Bills, E.D. (1998). Objective grading system for dental casts and panoramic radiographs. American Board of Orthodontics. *American Journal of Orthodontics and Dentofacial Orthopedics. 114*, 589-99.
- Ciancaglini, R., Gherlone, E.,F., Redaelli, S. & Radaelli, G. (2002). The distribution of occlusal contacts in the intercuspal position and temporomandibular disorder. *Journal of Oral Rehabilitation. 29*, 1082-90.
- Clark, J.R., Evans, R.D. (2001). Functional occlusion: I. A review. *Journal of Orthodontics. 28*, 76-81.
- Clark, J.R., Evans, R.D. (1998). Functional occlusal relationships in a group of post-orthodontic patients: preliminary findings. *European Journal of Orthodontics. 20*, 103-110.
- Cohen-Levy, J. & Cohen N. (2011). Computerized analysis of occlusal contacts after lingual orthodontic treatment in adults. *International Orthodontics, 9*, 410-431.
- Cohen-Levy, J. & Cohen, N. (2012). Computerized occlusal analysis in dentofacial orthopedics ; indications and clinical use of the T-Scan III system. *Journal of DentoFacial Anomalies and Orthodontics. 15*, 203-228.
- Custodio, W., Gomes, S.G., Faot, F., Garcia, R.C. & Del Bel Cury, A.A. (2011). Occlusal force, electromyographic activity of masticatory muscles and mandibular flexure of subjects with different facial types. *Journal of Applied Oral Science. 19*, 343-9.
- Dawson, P.E. (2006). *Functional Occlusion: from TMJ to Smile Design., Ed 1*. St. Louis, MO: CV Mosby.
- Decker, A. (1987). Tweed occlusion and occlusal function. *Journal of the Charles H. Tweed International Foundation.15*,

59-85.

- de Freitas, K.M., Janson, G., de Freitas, M.R., Pinzan, A., Henriques, J.F., & Pinzan-Vercelino, C.R. (2007). Influence of the quality of the finished occlusion on postretention occlusal relapse. *American Journal of Orthodontics and Dentofacial Orthopedics. 132*(4), 428.e9-14.
- Dinçer, M., Meral, O., & Tümer, N. (2003). The investigation of occlusal contacts during the retention period. *The Angle Orthodontist. 73,* 640-646.
- Dykhouse, V.J., Moffitt, A.H., Grubb, J.E., Greco, P.M., English, J.D., Briss, B.S., Jamieson, S.A., Kastrop, M.C., & Owens, S.E. (2006). ABO initial certification examination: official announcement of criteria. *American Journal of Orthodontics and Dentofacial Orthopedics. 130*, 662-665.
- Ellis, E., Throckmorton, G.S., & Sinn, D.P. (1996). Bite force before and after surgical correction of mandibular prognathism. *Journal of Oral & Maxillofacial Surgery. 54*, 176-81.
- Fricton, J., Look, J.O., Wright, E., Alencar, F.G., Chen, H., Lang, M., Ouyang, W., & Velly, A.M. (2010). Systematic review and meta-analysis of randomized controlled trials evaluating intraoral orthopedic appliances for temporomandibular disorders. *Journal of Orofacial Pain. 24*, 237-54.
- Gazit, E. & Lieberman, M.A. (1985). Occlusal contacts following orthodontic treatment. Measured by a photocclusion technique. *The Angle Orthodontist. 55*, 316-320.
- Greco, P.M., English, J.D., Briss, B.S., Jamieson, S.A., Kastrop, M.C., Castelein, P.T., DeLeon, E., Dugoni, S.A., & Chung, C.H. (2010). Posttreatment tooth movement: for better or for worse. *American Journal of Orthodontics and Dentofacial Orthopedics. 138*(5), 552-558.
- Gomes, S.G., Custodio, W., Jufer, J.S., Del Bel, C.A. & Garcia, R.C. (2010). Mastication, EMG activity and occlusal contact area in subjects with different facial types. *Journal of Craniomandibular Practice, 28*, 274-279.
- Gomes, S.G., Custodio, W., Faot, F., Cury, A.A., & Garcia, R.C. (2011). Chewing side, bite force symmetry, and occlusal contact area of subjects with different facial vertical patterns. *Brazilian Oral Research. 25*, 446-452.
- Goto, T.,K., Yamada, T., & Yoshiura, K. (2008). Occlusal jaw pressure, contact area, force and correlation with the morphology of the jaw-closing muscles in patients with skeletal mandibular asymmetry. *Journal of Oral Rehabilitation. 35*, 594-603.
- Harada, K., Watanabe, M., Ohkura K., & Enemoto, S. (2000). Measure of bite force and occlusal contact area before and after bilateral sagittal split osteotomy of the mandible using a new pressure sensitive device: a preliminary report. *Journal of Oral & Maxillofacial Surgery. 58*, 370-374.
- He, S.Z., Li, S., Gao, X.H., & An, W.W. (2010). [A preliminary study on the occlusal contact changes during retention in adolescent patients]. *Zhonghua Kou Qiang Yi Xue Za Zhi. 45*, 556-559.
- Hoybjerg, A.J., Currier, G.F., & Kadioglu, O. (2013). Evaluation of 3 retention protocols using the American Board of Orthodontics cast and radiograph evaluation. *American Journal of Orthodontics and Dentofacial Orthopedics. 144*, 16-22.
- Hilgers, J.J. (1987). Bioprogressive simplified. Part 2. The linear dynamic system. *Journal of Clinical Orthodontics.* 21,716-734.
- Hu, Z.G., Cheng, H., Zheng, M., Zheng, Z.Q., & Ma, S.Z. (2006). Quantitative study on occlusal balance of normal occlusion in intercuspal position]. *Zhonghua Kou Qiang Yi Xue Za Zhi. 41*, 618-620.
- Kerstein, R.B., & Wright, N.R. (1991). Electromyographic and computer analyses of patients suffering from chronic myofascial pain-dysfunction syndrome: before and after treatment with immediate complete anterior guidance development. *Journal of Prosthetic Den*tistry, *66*, 677-686.
- Kerstein, R. B. (1993). A comparison of traditional occlusal equilibration and immediate complete
- anterior guidance development. *Journal of Craniomandibular Practice, 11*(2), 126-140.
- Kerstein, R.B., & Grundset, K. (2001). Obtaining Bilateral Simultaneous Occlusal Contacts With Computer Analyzed and Guided Occlusal Adjustments. *Quintessence International, 32*, 7-18.
- Kerstein, R. B. (2004). Combining technologies: a computerized occlusal analysis system synchronized with a computerized electromyography system. *Journal of Craniomandibular Practice. 22*, 96-109.

- Kerstein, R. B., & Radke, J. (2006). The effect of Disclusion Time Reduction on maximal clench muscle activity level. *Journal of Craniomandibular Practice, 24*(3), 156-165.
- Kerstein, R.B. & Radke, J. (2012). Masseter and temporalis excursive hyperactivity decreased by measured anterior guidance development. *Journal of Craniomandibular Practice, 30*, 243-54.
- King, G. (2010). Settling of the occlusion following orthodontic treatment may not improve functional occlusion. *Journal of Evidence Based Dentistry Practice. 10*, 99-100.
- Klontz, H.A. (1996). Tweed-Merrifield sequential directional force treatment. *Seminars in Orthodontics. 2*(4), 254-267.
- Kumagai, H., Suzuki T., Hamada, T., Sondang, P., Fujitani, M. & Nikawa, H. (1999). Occlusal force distribution on the dental arch during various levels of clenching. *Journal of Oral Rehabilitation. 26*, 932-935.
- Le, M.K. (2013). *Evaluation clinique de l'intercuspidation par un système d'analyse occlusale informatisée*. Unpublished Master's these. University of Paris 7, France.
- Lejoyeux, E. (1983). L'occlusion therapeutique de Classe II molaire. *Revue d'Orthopédie Dento-Faciale 17*, 549-568.
- Lyotard, N., Hans, M., Nelson, S., & Valiathan, M. (2010). Short-term postorthodontic changes in the absence of retention. *The Angle Orthodontist. 80*, 1045–50.
- Maness, W.L., & Podoloff, R (1989). Distribution of occlusal contacts in maximum intercuspation. *Journal of Prosthetic Dentistry. 62*(2), 38-42.
- McLaughlin, R., Bennett, J., & Trevisi, H. (2001). *Systemized Orthodontic. Treatment Mechanics*, St. Louis, MO: CV Mosby, pp. 44.
- Mahony, D. (2005). Refining occlusion with muscle balance to enhance long-term orthodontic stability. *General Dentistry. 53*, 111-115.
- Martinez-Gomis, J., Lujan-Climent M., Palau, S., Bizar, J., Salsench, J. & Peraire, M. (2009). Relationship between chewing side preference and handedness and lateral asymmetry of peripheral factors. *Archives of Oral Biology. 54*, 101-107.
- Merrifield, L.L. (1986). Edgewise sequential force technology. *Journal of the Charles Tweed Foundation.14*, 22-37.
- Milosevic, A., & Samuels, R.,H. (2000). The post-orthodontic prevalence of temporomandibular disorder and functional occlusion contacts in surgical and non-surgical cases. *Journal of Oral Rehabilitation. 27*,142-149.
- Mizui, M., Nabeshima, F., Tosa, J., Tanaka, M., & Kawazoe, T. (1994). Quantitative analysis of occlusal balance in intercuspal position using the T-Scan system. *International Journal of Prosthodontics. 7*, 62-71.
- Nagai, I., Tanaka, N., Noguchi, M., Suda, Y., Sonoda, T., & Tohama, G. (2001). Changes in the occlusal state of patients with mandibular prognathism after orthognathic surgery: a pilot study. *British Journal of Oral and Maxillofacial Surgery. 39*, 429-433.
- Morton, S., & Pancherz, H. (2009). Changes in functional occlusion during the postorthodontic retention period: a prospective longitudinal clinical study. *American Journal of Orthodontics and Dentofacial Orthopedics. 135*, 310–315.
- Nangia, A., & Darendeliler, M.A. (2001). Finishing occlusion in Class II or Class III molar relation: therapeutic Class II and III. *Australian Orthodontics Journal. 17*, 89-94.
- Orthlieb, J.D., Deroze, D., Lacout, J., & Maniere-Ezvan, A. (2006). [Pathogenic occlusion and functional occlusion: definition of completion]. *Orthodontie Française, 77*, 451-459.
- Piancino, M.G., Frongia, G., Dalessandri, D., Bracco, P., & Ramieri, G. (2013). Reverse cycle chewing before and after orthodontic-surgical correction in class III patients. *Oral Surgery Oral Medicine Oral Pathology & Oral Radiology. 115*, 328-331.
- Proffit, W.R., Turvey, T.A., Fields, H.W., & Phillips, C. (1989). The effect of orthognathic surgery on occlusal force. *Journal of Oral Maxillofacial Surgery. 47*, 457-463.
- Proffit, W.R., Fields, H.W., & Nixon, W.L. (1983). Occlusal forces in normal and long-face adults. *Journal of Dental Research. 62*, 566-570.
- Proffit, W.R., & Fields, H.W. (1983). Occlusal forces in normal and long face children. *Journal of Dental Research. 62*, 571-574.
- Razdolsky, Y., Sadowsky, C., & BeGole, E.A. (1989). Occlusal contacts following orthodontic treatment: a follow-up study. *The Angle Orthodontist. 59*, 181-185.

- Ricketts, R.M. (1969). Occlusion--the medium of dentistry. *Journal of Prosthetic Dentistry. 21*(1) ,39-60.
- Ricketts, R.M. (1978). A detailed consideration of the line of occlusion. *The Angle Orthodontist. 48*, 274-282.
- Roth, R.H. (1970). Gnathologic concepts and orthodontic treatment goals. In: *Technique and treatment with Light Wire Appliances*. J.R. Jarabak (Ed.), St. Louis, MO: CV Mosby, pp. 1160-1223.
- Roth, R.H. (1970). Anatomical and functional occlusion. *Bulletin of the Pacific Coast Society of Orthodontics. 45*,48-53.
- Shinogaya, T., Bakke, M., Thomsen, C.E., Vilmann, A., Sodeyama, A., & Matsumoto, M. (2001). Effects of ethnicity, gender and age on clenching force and load distribution. *Clinical Oral Investigation. 5*, 63-68.
- Shinogaya, T., Sodeyama, A., & Matsumoto, M. (1999). Bite force and occlusal load distribution in normal complete dentitions of young adults. *European Journal of Prosthodontics and Restorative Dentistry. 7*, 65-70.
- Slavicek, R. (1982). Principles of occlusion. *Informationen aus orthodontie und kieferorthopädie. 14*, 171-212.
- Slavicek, R. (1988). Clinical and instrumental functional analysis for diagnosis and treatment planning. Part 5. Axiography. *Journal of Clinical Orthodontics. 22*, 656-667.
- Throckmorton, G.S., Rasmussen, J., & Caloss, R. (2009). Calibration of T-Scan sensors for recording bite forces in denture patients. *Journal of Oral Rehabilitation. 36*, 636-643.
- Timm, T.A, Herremans, E.L., & Ash, M.M. (1976). Occlusion and orthodontics. *American Journal of Orthodontics. 70*, 138-145.
- Tradowsky, M., & Dworkin, J.B. (1982). Determination of the physiologic equilibrium point of the mandible by electronic means. *Journal of Prosthetic Dentistry. 48*, 89-98.
- Tradowsky, M., & Kubicek, W.F. (1981). Method for determining the physiologic equilibrium point of the mandible. *Journal of Prosthetic Dentistry. 45,* 558-563.
- Ueki, K., Marukawa, K., Shimada, M., Nakagawa, K., & Yamamoto, E. (2007). Changes in occlusal force after mandibular ramus osteotomy with and without Le Fort I osteotomy. *International Journal of Oral Maxillofacial Surgery. 36*, 301-304.
- Ueki, K., Marukawa, K., Shimada, M., Nakagawa, K., Yamamoto, E., & Niizawa, S. (2005). Changes in the chewing path of patients with skeletal class III, with and without asymmetry before and after orthognathic surgery. *Journal of Oral and Maxillofacial Surgery. 63*, 442-448.
- Wang, C. & Yin, X. (2012).Occlusal risk factors associated with temporomandibular disorders in young adults with normal occlusions. *Oral Surgery, Oral Medicine, Oral Pathology and Oral Radiology. 114*, 419-423.
- Williamson, E.H., & Lundquist, D.O. (1983). Anterior guidance: its effect on electromyographic activity of the temporal and masseter muscles. *Journal of Prosthetic Dentistry. 49*, 816-823.

추가문헌

- Ash, M.M., & Ramfjord, S. (1996) *Occlusion.* Philadelphia, PA: W.B. Saunders Co..
- Aubey, R.B. (1978). Occlusal Objectives in orthodontic treatment, *American Journal of Orthodontics, 74*, 162-175.
- Bates, J.F., Srafford, G.D., & Harrison, A. (1975). Masticatory Function- a review of the litteratue 1. The form of the masticatory cycle. *Journal of Oral Rehabilitation*, *2,* 281-301.
- LeGall, M.G., Lauret, J.F. (2005). *Occlusion et fonction : une approche clinique rationnelle.* Paris, France: Editions CDP.
- Lejoyeux, E., Flageul, F., & Philippe, J. (1999). *Orthopédie dentofaciale: une approche bioprogressive.* Paris, France: Quintessence International.
- Wang Y.L., Cheng, J., Chen, Y.M., Yip, K.H., Smales, R.J., & Yin, X.M. (2011). Patterns and forces of occlusal contacts during lateral excursions recorded by the T-Scan II system in young Chinese adults with normal occlusions. *Journal of Oral Rehabilitation, 38*(8), 571-578.

주요 용어 및 정의

- **교정학:** 정식으로는 교정학 및 치아안모 교정학으로, 부정교합의 연구와 치료에 대한 치의학의 특수 분야이다.
- **교합:** 교합은 상악과 하악 치아 사이의 관계를 설명한다. 정적인 교합은 하악이 완전한 치아 교두감합으로 폐구하여 정지되었을 때 치아 사이의 접촉으로 설명된다. 역동적 교합은 하악이 편심위로 운동하면서 만들어지는 교합 접촉을 가리킨다. 중심 교합(Centric Occlusion)은 개인의 습관적 교합, 편리성의 교합, 교두감합 위치(ICP)로 설명된다(CR과 혼동하지 말아야 한다).
- **설측 교정:** 브라켓을 치아 설측면에 부착하는 다수-브라켓 교정 맞춤형 주조 장치 시스템. 브라켓은 소형화되고 맞춤화될 수 있다.
- **수직적 양상:** 2개의 다른 용어. 환자의 안모 양상을 표현한다. *단안모형(Brachyfacial type)*은 짧고 넓은 얼굴로, 보통 평평한 하악 평면 각과 폐쇄된 gonial angle로 특징지어진다. 이런 안면 유형은 deep bite와 종종 연관되고, *장안모형(Dolichofacial type)*은 길고 좁은 얼굴로 특징지어지며 상악의 과다 수직 성장이 있고 하악 평면이 정상보다 가파르다. 이런 성장 양상으로 길고 좁은 치조 치아 악궁이 형성되고, 성장에 따라 하악이 시계 방향으로 회전한다. 이렇게 하악 평면 각이 열리고 가끔 골격성 개방 교합이 형성된다.
- **악교정 수술:** 상악 및/혹은 하악의 뼈 수술 이동을 통한 비정상적 골격과 치아 관계의 수정. 이런 수술적 수정은 종종 교합력 능력 약화와 비-이상적인 교합력 균형을 나타내는 이상적인 시각적 교합 관계를 생산한다.

T-Scan 시스템을 이용한 임플란트 교합의 디지털화

김진환, DDS, MS, PhD
서울대학교, 원데이 치과

초록

T-Scan 기술이 제공하는 상대적 교합력과 실시간 교합 접촉 타이밍 데이터를 이용하여 임플란트 보철물의 교합력 디자인을 조절할 수 있으며, 이는 임플란트의 장기 생존력과 직결된다. 이번 장은 매일의 치과 술식에서 임상의가 교합지만 사용하여 얼마나 막대한 시간을 교합 조정에 사용하는지에 대해 토의한다. 그러나, 최근 연구는 교합지 자국이 교합력을 측정하지 않기 때문에, 임플란트 교합력 조절이 약화되어 임플란트 주위 조직 소실, 임플란트 수복 구성 요소의 붕괴, 탈-골유착을 초래한다는 것을 보여준다. 하지만, T-Scan 기술을 사용하면, 임상의는 교합지 사용과 연관되는 주관성을 배제하여 새로이 장착되는 임플란트 보철물 교합 디자인의 수명을 최적으로 향상시킨다. 증례를 통해 T-Scan의 힘과 타이밍 데이터를 이용하여 임플란트 수복물의 교합력을 조절하는 방법을 설명한다.

도입

임플란트 5년 수명이 90-95%로 보고됨에도 불구하고(Koldsland, Scheie, & Aass, 2009; Astrand, Ahlqvist, Gunne, Nilson, 2008; Nixon, Chen, & Ivanovski, 2009), 보철물 교합면 재료 손상이나 상부 구조물 붕괴로 임플란트 지지 보철물의 수명이 약화될 수 있다. 76개의 임플란트 수복물을 포함하는 한 연구 결과는, 구내 사용 3.25년 내에 임플란트 보철물의 70%(n=56)에서 치과 재료의 손상이나 붕괴가 있다고 보고하였다(Kaptein, DePutter, Delange, & Blijdorp, 1999). 이런 좋지 않은 재료의 수명 결과는, 골유착된 임플란트에 장착되면서, 임플란트가 가지지 못하는 PDL "쿠션 효과"의 부재 및 단단한 보철물 장착 동안 만들어지는 "교합지-단독의" 교합 조정 때문이다. 임플란트 주변 골 내의 충격 흡수가 부족하기 때문에, 잠재적으로 유해한 교합력이 임플란트 보철물의 교합면에서 빠르게 상승한다. 또한, 교합지 자국의 형태와 크기에 의해서 임상의는 어떤 과다한 교합력의 적절한 위치를 수량화하거나 신뢰성있게 설명할 수 없다(Gazit, Fitzig, & Lieberman, 1986; Carossa, Lojacono, Schierano, & Pera, 2000; Millstein & Maya, 2001; Carey, Craig, Kerstein, & Radke, 2007; Saad, Weiner, & Ehrenberg, 2008; Qadeer 등, 2012). 장착 시 교합 접촉력과 타이밍을 측정하지 않고 교합 조정을 시행하면 임플란트 보철물 상의 교합력을 예견성있게 조절할 수 없다. 그러므로, 과다한 교합력 부위가 교합 조정 술식 동안 종종 제거되지 않게 되고, 이로 인해 재료의 신속한 교합면 붕괴가 임상적으로 관찰되고 보고된다(Kaptein, DePutter, Delange, & Blijdorp, 1999).

임플란트는 치조골 내로 자연치 침하량의 약 1/5 정도 수직적으로 침하된다. 추가적으로, 수평적으로 임플란트는 자연치가 경험하는 측방 이동량의 50% 미만을 보인다(Sekine 등, 1986). 더욱이, 부하된 임플란트 인접치는 정상적 저작 기능에 작용하여 근 활성 크기 조절에 영향을 주는 PDL로부터의 자기 수용을 제공한다. 임플란트에는 이런 자기 수용 피드백이 전혀 없고, 임플란트에 인접한 치아의 조기 접촉이 인접치의 보호적인 자기 수용 감각과 연루되어 임플란트에 놓여지는 조기 접촉과 교합력 과부하를 예방하는데 중요하다.

치아가 자신의 PDL 속으로 침하되기 시작한 후에 발생하는 임플란트 보철물의 의도적으로 지연된 부하를 구축하는 T-Scan 시스템(Tekscan Inc., S. Boston, MA, USA)의 '시간-지연(Time-delay)' 원리(Kerstein, 2002)를 이용하여 이런 임플란트-치아 운동 부조화를 보상할 수 있다. 이런 방법으로, 임플란트 보철물에 놓여지는 유해성 교합력의 양이 감소된다. 교합에서 시간-지연을 응용하면 임플란트 구성 요소, 보철물 상부 구조, 임플란트-주위 연조직, 지지 골을 보호할 수 있다(Kerstein, 2002).

Full mouth 임플란트 보철물은 임플란트와 자연치가 같은 악궁에 존재할 때 나타나는 경우와 동일한 운동 부조화를 가지지 않는다. 따라서, full mouth 임플란트 보철물의 교합 디자인은 임플란트와 자연치 보철물이 혼합된 경우와 다르다. Hobo는 완전한 임플란트 지지 보철물을 구축할 때, 상호 보호 교합으로 편심 운동에서 후방 이개를 확보해야 한다고 하였다(Hobo, Ichida, & Garcia, 1989). 그러나, 시각적 관찰에 의해 후방 이개를 구축하는 전통적인 방법은 수량화되지 않는다. 더욱 중요한 것은, 후방 이개 자체로 full mouth 임플란트 보철에서 발생할 수 있는 교합 문제를 해결할 수는 없다.

T-Scan을 이용하여 교합 시간(OT)과 이개 시간(DT)을 측정하고 예견성있게 조절하는 것은 과학적이고 수량적이다. OT와 DT의 감소는 임플란트 보철물에 교합력을 가하는 거상근 활성 또한 조절한다(Kerstein & Wright, 1991; Kerstein & Grundset, 2001; Kerstein & Radke, 2012). T-Scan을 이용하여 불필요한 근육의 수축과 과활성을 감소시키거나 제거하여 임플란트 보철물에 놓이는 과다한 교합력을 생리학적으로 감소시킬 수 있다.

배경

임플란트의 교합력에 대한 반응은 자연치와 다르다. PDL의 쿠션 효과가 없기 때문에, 임플란트는 교합력을 임플란트-주위 지지 골에 직접적으로 전달한다. 임플란트가 악궁 내에서 이웃하는 자연치와 존재할 때 임플란트를 저-교합으로 맞추어 위해한 하중을 피하도록 해야 한다(Misch & Bidez, 1994). Parfitt은 건강한 구치가 수직적으로 약 28μm 움직인다는 것을 발견하였다(Parfitt, 1960). 건강한 자연구치는 수평적으로 약 58-75μm 움직인다. 전치는 90-110μm의 범위로 구치보다 더 크게 움직인다. 임플란트는 수직적으로 5μm, 측방으로 12-66μm만 움직이는 것으로 보인다(Sekine 등, 1986).

이런 자연치와 임플란트 사이의 운동 부조화는 임플란트와 치아가 서로 독립적이고 임플란트가 저-교합에 위치해야 한다는 것을 암시한다(Misch, 1993; Lundgren & Laurell, 1994; Engelman, 1996; Kim, Oh, Misch, & Wang, 2005). 교합지는 임상의의 주관적인 해석 기술과 환자의 교합 느낌 피드백에 의존하기 때문에, 교합지만 이용하여 교합 조절을 시행하면 임플란트와 인접치 사이의 23μm라는 수직적 운동 부조화를 육안으로 확인하는 것이 불가능하다. 그러나, T-Scan은 자연치와 임플란트 사이의 차이를 고려하여 교합을 조정하는 과학적인 방법이다. 임플란트 보철물을 장착할 때 시간-지연법을 사용하면, 임플란트 구성 요소, 임플란트-주위 치은, 지지 골을 보호할 수 있다(Kerstein, 2002).

전통적인 혹은 T-Scan 시스템으로 디지털적인 임플란트 교합 구축

전통적 교합 분석 방법 Vs. 디지털 T-Scan 교합 분석 방법

임플란트 보철 치료 계획 접근에 대한 전통적인 교합 분석은 다음을 포함한다:

- 환자의 구강 내 무치악 형태와 치아 구조 검사.
- 임상 상태를 나타내는 사진 촬영.
- 이용 가능한 골과 치아의 이미지화.
- 인상 채득과 완전 혹은 반-조절성 교합기에의 작업 모형 마운팅.

임상의는 마운팅된 모형에 근거하여 교합을 분석하고 보철 및 임플란트 치료 계획을 수립한다.

이런 방법은 사람의 하악 운동을 (어느 정도) 모방하지만, 기능적 저작 동작을 복제하지도 않고 환자가 하는 것과 같은 방법으로 치아에 교합력을 가하지도 않는다. 상악 모형을 facebow transfer와 과두 유도 평가(Condylar Guidance Assessment; Arcus Digma, KAVO Dental, GmbH, Bismarckring, Biberach, Germany)를 이용하여 마운팅한다 해도, 하악의 실제 운동이 믿을 수 있게 재현되지 않는다. 마지막으로, 이런 비-디지털 전통적인 술식은 진단적 교합 정보를 수집하는 데 상당히 많은 시간을 필요로 하고, 임상의에 의해 주관적으로 분석된다.

전통적인 데이터 획득은 인상 재료, 인상체 스톤, 석고 마운팅 스톤이 경화되고 완전하게 세팅될 때까지 필요한 시간을 포함하기 때문에 긴 시간이 요구된다. 하지만 가장 중요한 것은, 교합기와 스터디 모델이 하악의 운동을 모방함에도 불구하고, 스톤 치아는 단단하고 대합하는 치아가 서로 교합하여 부하할 때 치아의 PDL 내에서 발생하는 충격 흡수의 압박과 침하 주기를 재현할 수 없다는 것이다. 그러므로, 석고 모형에서 발견되는 조기 접촉과 간섭은 진정한 임상적 상태를 믿을 수 있게 재현하지 않고, 따라서 석고 모형의 힘 개요와 접촉 순서는 실제적인 환자의 교합 상태와 다를 것이다.

임플란트 계획 수립에 T-Scan Ⅲ 기술을 이용하는 디지털 방법 적용은 환자의 교합 데이터를 얻기 위해 필요한 시간을 감소시키고, 기나긴 재료 경화 시간이 필요하지 않다. 기록이 완성된 후, T-Scan 소프트웨어는 임상 분석을 위한 각 영상 당 10-15초 내로 디지털 데이터를 생산하고, 2D, 3D의 칼라 그래픽으로 보여준다. 이런 시간-절약이 상당하기 때문에, 임상의의 진단 능력이 현저하게 증가된다. 환자의 MIP로의 자가-폐구와 좌측, 우측, 전방 편심위를 포함하는 3, 4개의 힘 영상 기록으로, 환자의 기능적 운동으로부터 직접적으로 상대적 교합 접촉력과 시간-순서 데이터를 채득하여 마운팅된 진단 모형 술식을 대신하게 된다. 수량화된 교합력과 타이밍 정보를 적절하게 분석함으로써 체어사이드에서 즉각적인 교합력을 진단할 수 있다.

폐구 T-Scan 기록은 0.003초 간격으로 첫 번째 접촉점부터 완전 교두감합까지의 접촉력과 접촉 시간 변화를 순서화한다. 이런 방법으로, T-Scan은 왁스나 스톤처럼 정적인 교합 지표가 아니고, 대신에 역동적이고 기능적인 하악 운동 동안 시간 경과에 따라 발생하는 변화하는 교합력을 보여준다. T-Scan 영상은 환자가 운동할 때 직접적으로 채득되기 때문에, 하악이 만드는 자연스러운 기능 운동을 반영한다. 이것은 기계적 교합기에 마운팅된 작업모형으로는 재현할 수 없는 점이다.

T-Scan 영상의 연구를 통해, 임상의는 치아나 임플란트에 존재하는 조기 접촉과 과다한 교합력의 부위를 정확하게 찾을 수 있다. 임상의가 아무리 치아 교합면에 표기된 교합지 자국을 열심히 관찰한다 해도 이런 문제성 교합 지역이 위치화되지는 않을 것이다. 교합지 자국이 힘이나 시간 측정 능력을 설명하지 않고, 자국과 실제적인 힘과의 일치성이 20% 미만이라는 연구들이 있었다(Carey 등, 2007; Saad 등, 1998; Qadeer 등, 2012). 또한 295명의 참가자를 포함하는 최신 연구도, 임상의가 강력한 교합 접촉을 지적하는 주관적인 자국 해석이 매우 믿을 수 없는 방법이라고 하였다(Kerstein & Radke, 2014).

COF 궤도 분석

COF 궤도(그림 1b)는 T-Scan 기록 내에서 주어진 순간에 교합하는 모든 치아에 의해 만들어지는 힘의 총합을 설명한다. 2D ForceView 내에서, COF 아이콘은 적색과 백색의 다이아몬드로, COF 궤도가 그 뒤를 따르는 적색 선으로 나타난다. 환자가 교두감합으로 폐구하면서 처음 총 힘의 5%가 얻어질 때부터 기록이 온전하게 완성될 때까지, COF 아이콘의 경로 내력을 보여준다. 이 T-Scan 소프트웨어 특성은, 기록된 하악 폐구에서 연속적으로 치아 접촉이 증가하면서 교합력 총합이 변화하는 위치 및 편심위 운동에서 치아가 연속적으로 이개되면서 힘의 총합이 향하는 방향을 그림으로 보여준다.

임플란트와 자연치가 혼합된 교합의 COF 궤도 분석에 의해, 임상의는 임플란트 보철물에 존재하는 과다한 교합 하중을 쉽게 감소시킬 수 있다. COF 궤도는 힘 총합의 움직임을 보여주기 때문에, 임상의는 불균형한 힘 집중이 존재하는 악궁의 특정 부위를 쉽게 파악할 수 있다. COF 위치를 기준으로 임플란트 교합을 조정하면, 임플란트 보철물의 교합력을 수량적으로 조절할 수 있다. 교합지 자국만 이용하여 혼합 치열에서 임플란트 교합을 조절하면, 자국 크기, 자국 강도, 교합지 두께가 임상의에게 교합 접촉 순서에 관한 수량화된 데이터를 제공하지 못한다는 것이 문제이다.

그림 1과 2는 환자의 구내에서 기록된 COF 궤도를 분석, 비교하여, 마운팅된 진단 모형 사용의 잠재적인 비정확성을 보여준다. 마운팅된 모델은 실제적인 구내 힘 분포와 비교하여 대합하는 교합력과 타이밍 양상을 보여준다. 환자의 치아는 초기에 우측에서 접촉되나(COF 궤도가 우측 소구치에서 시작된다; 그림 1b), 후에 좌측 치아가 접촉을 형성한다. 그러나, 마운팅된 모델에서 첫 번째 접촉은 좌측에서 형성된다.

분명하게, 이 하나의 예에서, 전통적인 교합 분석 방법론을 사용하여 얻어진 교합 데이터는 진정한 구내 교합력 상태와 전혀 일치하지 않는다. 위에서 언급한 것처럼, 실제적인 과두 유도와 같은 요소, 실제의 TMJ 운동, 저작근의 수축 정도(특히, 등척성 수축), PDL 내에서 자연치의 충격 흡수 특성과 같은 특징이 간접적 석고 모형 방법에는 존재

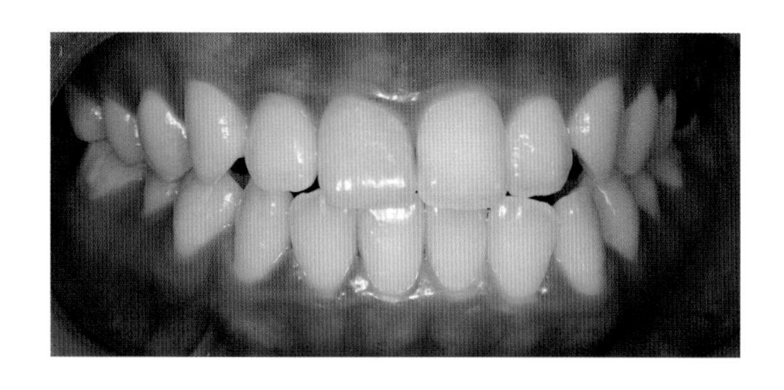

그림 1a 환자의 MIP의 정면 모습

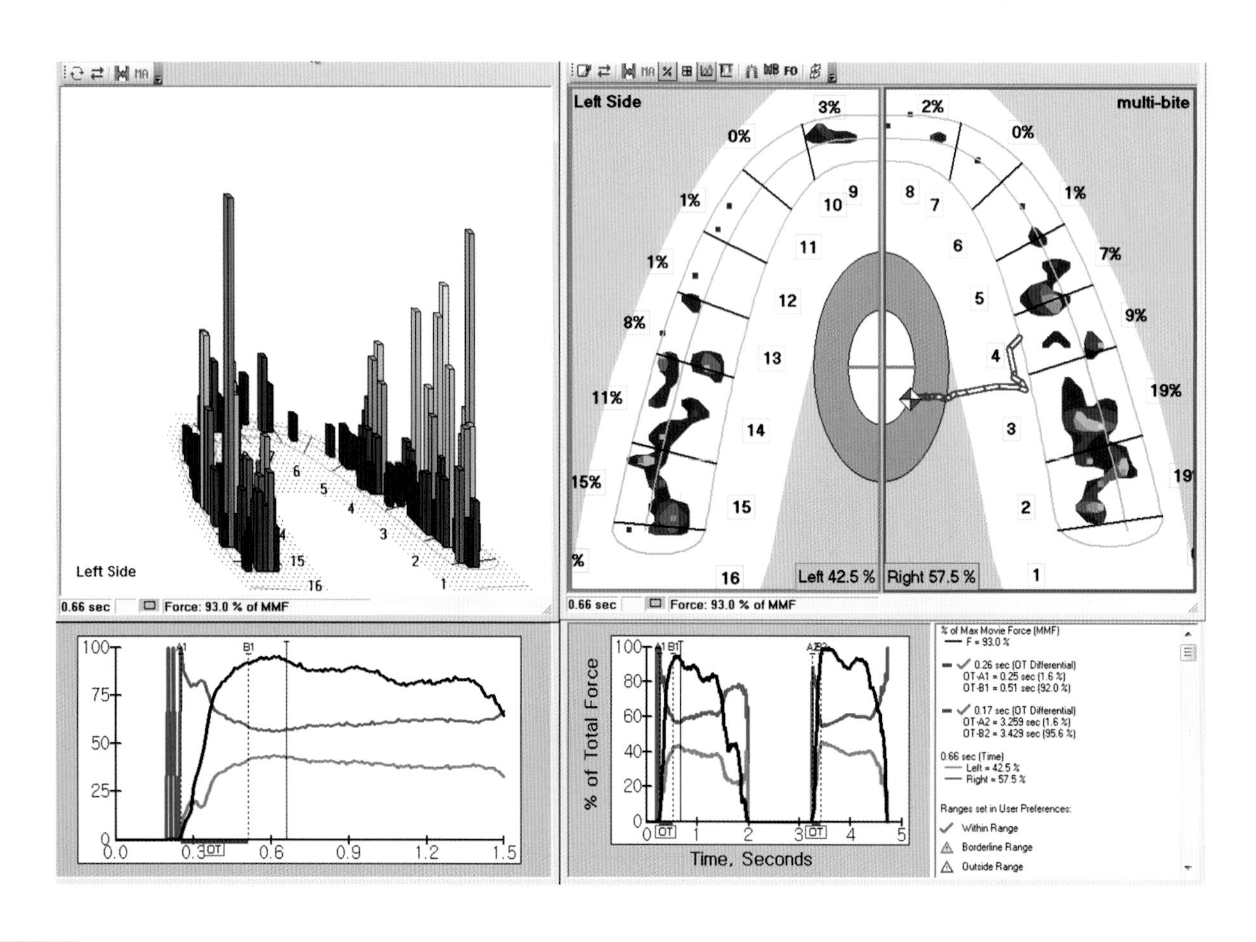

그림 1b 구내 힘 데이터로, 환자 치아는 초기 우측에서 그 후에 좌측에서 접촉된다. COF 궤도는 우측 소구치 부위에서 시작하여 후방으로, 그 후 좌측으로 이동한다. COF 궤도에 의하면, 구내 MIP에서 우측 57.5%-좌측 42.5%의 교합 불균형이 존재한다

하지 않기 때문에, 교합기에 마운팅된 석고 모형은 실제 교합 상태를 설명하지 않는다.

마운팅된 석고 모형이 일반적인 교합 관계를 보여주고 임상의에게 교합 맞물림의 상태를 제공함에도 불구하고, 이 방법은 실제적으로 진정한 교합 접촉력 분포나 접촉 타이밍을 정확하게 보여주지 않는다. 그러므로, 석고 모형으로 얻어지는 교합 정보는 교합 공간 관계에 대한 시각적이고 주관적인 참조에 불과하다. 이것은 환자를 치료하는 데 이용하는 진정한 교합력과 타이밍 데이터가 아니고 교합 균형을 정확하게 확증하지 않는다. 그림 1b, 2b에서 보이는 것처럼, 마운팅된 석고 모형은 진정한 구내 교합과 비교하여 반대의 교합력 양상 및 다른 COF 궤도를 보인다. 이런 잘못된 정보에 근거한 교합 조정은 정확하게 수행될 수 없다.

임플란트 교합 체계 이론

임플란트는 교합력을 흡수하는 섬유 조직 간극(PDL)이 없기 때문에, 적용된 교합력이 임플란트 보철물을 통해 골로 직접 전달된다. 특히 임플란트 보철물이 치조정 골로 측방

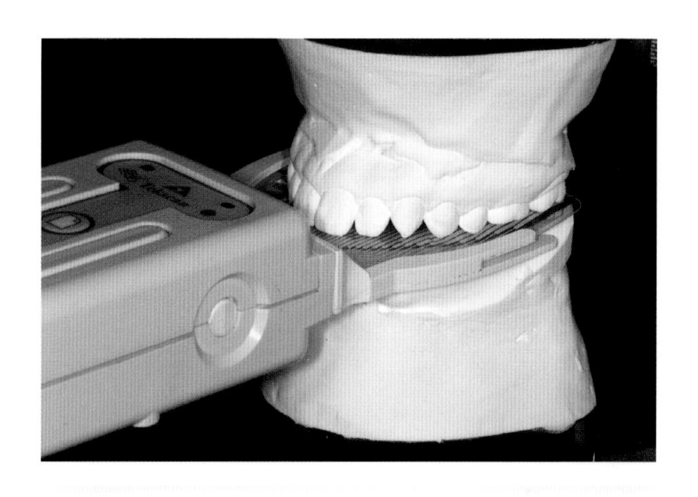

그림 2a 그림 1 환자의 교합기에 마운팅된 석고 모형을 T-Scan으로 기록하였다

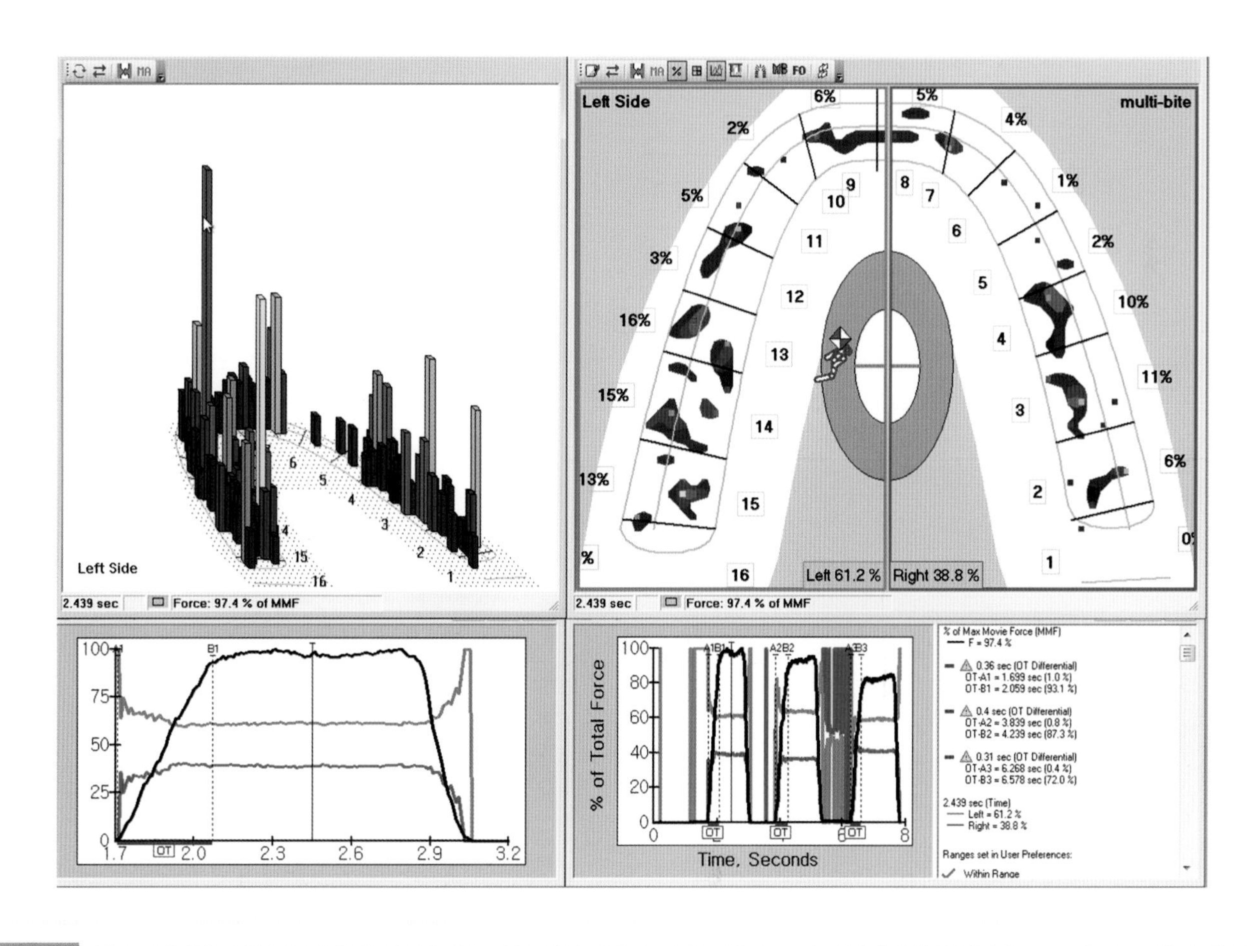

그림 2b 석고 모형에서 교합력은 구내 기록(그림 1b)과 비교하여, 우측 38.8%-좌측 61.2%의 반대 양상을 보인다. COF 궤도는 모델이 폐구하는 동안에 좌측 반악궁에서 시작하여 유지된다

력을 집중시키면, 과다한 측방력이 임플란트-주위 골 소실을 유발하고 잠재적으로 임플란트 실패를 야기할 수 있다(Vidyasagar & Apse, 2003; Kim 등, 2005). 이와 다르게 자연치는 적용되는 스트레스를 치근첨까지 향하게 하는 탄성의 PDL 섬유를 통해 이런 힘을 흡수하여 치조정 골로부터 측방력을 소멸시킨다. 임플란트와 자연치 사이의 운동 차이를 설명하는 많은 연구에 의하면(Misch, 1993; Lundgren & Laurell, 1994; Engelman, 1996; Misch, 1999; Kim, Oh, Misch, & Wang, 2005; Sekine 등, 1986), 임플란트 교합 체계에 대한 권고 사항은 교합력이 임플란트의 운동과 변형을 제한하는 위치로 교합 부하 디자인을 계획하는 것이다.

스트레스 인자를 줄이고 임플란트의 운동과 변형을 최소화하기 위한 임플란트 보철을 포함하는 디자인 특성은 다음과 같다(Misch, 1999);

- fixture 수 증가.
- 임플란트 위치를 엇갈리게 배치.
- 임플란트 폭경 증가.
- 가공치 숫자 최소화.
- 교합 테이블 폭경 감소.
- 캔틸레버에는 폐구 및 편심위 운동 모두에서의 교합력 제거.
- 측방 편심위 접촉 최소화.
- 이갈이 및 이악물기 영향의 최소화.

기능하는 임플란트/자연치의 교합 체계 내에 존재하는 교합력과 타이밍 역학은 이런 스트레스 감소 특성 디자인에 대항하여 끊임없이 작용할 것이다. 그러므로, T-Scan 기술로 교합을 수량화하여 조절하면 보철물의 수명에 영향을 미치는 스트레스 감소 특성 효과를 상당히 향상시킬 것이다.

상하 자연구치가 서로 교합하면, 수직 치아 이동의 합은 약 56μm가 된다. 치아가 임플란트에 대합되면, 수직 운동의 합은 33μm가 된다. 임플란트가 서로 대합하면, 수직적으로 10μm 움직이게 된다. 임플란트와 자연치가 혼합된 교합에서, Misch는 환자가 가볍게 tapping할 때 임플란트 보철물은 거의 접촉하지 않아야 한다고 하였다. 무거운 교합력 하에서, 인접치아가 더 큰 초기 접촉력을 보여야 하고, 얇은 교합지(두께 25μm 이하)를 사용하여 구축할 수 있다. 유사한 교합 부하에 반응하는 양쪽 구성 요소를 허용하기 위해, 접촉이 임플란트 보철물과 인접치아 모두에 동일한 강도로 놓일 것을 권고한다(Misch, 1999). 임플란트 보철물을 보호하기 위해 임플란트 근처 치아에 교합 조정을 수행하여, 환자가 센 교합력을 적용하여 자연치가 PDL 내로 침하될 때 센 교합 하중을 둘이 공유할 수 있게 한다(Misch, 1999).

그러나, 환자가 믿을 수 있게 반복적으로 약, 중, 강의 교합력으로 교합하는 것이 불가능하기 때문에, 교합 조정의 이런 접근은 수량적이지 않고 예견 가능하지 않다. 임상의가 교합지 자국의 크기와 색상 강도로 교합력을 주관적으로 정확하게 해석하는 것이 불가능하다(Kerstein & Radke, 2014). 연구들은 자국의 크기에 근거하여 강력한 접촉을 선택하고 조정하는 것은 오류가 발생하기 쉽다는 것을 보여준다(Carey 등, 2007; Saad 등, 2008; Qadeer 등, 2012). 임플란트와 자연치가 혼합된 교합을 조정하는 전통적인 방법은 환자가 보여주는 교합력, 사용된 교합지 두께에 의해 달라진다. 환자의 느낌과 교합지 자국을 해석하는 임상의의 기술 모두가 매우 주관적이고, 이런 방법으로 임플란트 보철물에 수행된 교합 조정의 질은 케이스마다 매우 달라진다.

대안적으로, 임플란트와 자연치의 혼합 교합 체계에서 T-Scan을 사용하는 교합 조정은 과학적이고 예견 가능하다. T-Scan이 기록한 교합 접촉력과 타이밍 데이터에 근거하면, 임상의는 조기 접촉과 과다한 교합력 위치를 쉽고 정확하게 발견할 수 있다. 이런 객관적인 기준으로 임상의는 수량화되고 질적인 교합 조정을 할 수 있을 것이다.

부분 무치악 환자에서 임플란트 보철물의 교합 체계

부분 무치악 환자에서 임플란트 보철물을 유지하기 위해서, 자연치와 임플란트 사이의 운동성 부조화를 보상하기 위한 비-동시적인 교합 체계를 시행하는 것이 중요하다. 비-동시적인 교합 체계는 임플란트 보철물에의 교합력 집중을 감소시켜 임플란트의 수명을 확실하게 향상시킬 수 있다.

T-Scan의 시간-연속적 데이터는 임상의가 비-동시적인 교합 체계를 객관적이고 수량적으로 구축할 수 있게 한다. 임상의는 시간-타이밍 소프트웨어 도구를 이용하여 비-동시적인 교합 체계 발달을 수립하기 위해 선택적으로 교합을 조정할 수 있다. 임플란트 교합력과 타이밍 관리에 대한 이런 접근은 임상의의 주관성을 포함하지 않고, 생리

적이고 측정가능한 임플란트-보호 교합 체계 최종점을 유도한다.

시간-지연 원리

Kerstein은 임플란트 보철물의 과다한 힘 부하를 최소화하기 위해 '시간-지연' 개념 적용을 제안하였다(Kerstein, 2002). 이런 접근에서, 임플란트-자연치 혼합 교합 체계는 자연치가 임플란트 보철물보다 먼저 교합되도록 고안되어야 한다. 최적의 임상 시나리오는 자연치가 PDL 섬유 내로 어느 정도 가라앉는 충분한 시간이 경과한 후 임플란트 보철물이 교합되는 것이다. 이것은 치아가 주변 치조 하우징(alveolar housing)에 의해 저항을 만나기 시작하는 순간이다. 이상적으로, 임플란트가 교합되기 시작하기 전에 자연치는 적용된 교합 부하에 반응하여 생리적으로 이동할 것이다. Kerstein은 임플란트 보철물이 교합하기 위해 시간-지연이 짧게(지속 시간 0.4초 이하) 지켜져야 한다고 제안하였다. 지연이 더 길어지면, 임플란트 보철물 상에 명백한 교합 접촉이 없을 것이다(Kerstein, 2002).

Stevens는 시간-지연 원리를 적용하는 임상적 이점을 보고하면서, 예전에 임플란트 주변의 상당한 골 지지를 소실한(방사선 사진으로 발견된) 장기간의 후방 연장 임플란트 보철물에 대해 설명하였다. 약화된 임플란트 상에 시간-지연 시행으로 인한 짧은 시간 내로 타이밍 순서를 조정하여, 임플란트 교합 접촉이 자연치보다 나중에 발생하고 소실된 골이 재생되었다(Stevens, 2006).

시간-지연을 0.4초 미만으로 구축하여, 환자의 반복적인 자가-폐구 T-Scan 기록을 형성하고 영상을 재생하여 폐구 접촉 순서를 판단한다. 임상의는 먼저 환자의 자가-폐구 임플란트 보철물-자연치 접촉 시간 동시성을 구축하고 COF 궤도 위치와 길이를 향상시켜, 궤도를 짧게, 거의 직선에 가깝게, T-Scan Ⅲ의 2D ForceView 반-악궁 중앙선을 따라 중앙화되게 한다. 환자가 완전 교두감합으로 적절하게 균형잡힌 자가-폐구를 시행하는 동안, 첫 번째부터 마지막까지의 전 악궁에 대한 교합 시간(OT)을 약 0.2초로 만들어야 한다(Kerstein & Grundset, 2001)(그림 3a).

그 후, 임플란트를 인접 치아와의 동시적 교합으로부터 지연시키기 위해, 임플란트 보철물의 폐구 교합 접촉을 부드럽게 "얇게 깎아", 연속적인 조정 동안 교합면 재료의 소량만을 제거한다(Kerstein, 2002). 교합지 자국으로 확인된 교합 접촉 위치의 교합면을 medium coarse round-diamond bur로 가볍게 스치듯이 삭제한다. 부드러운 동작으로 교합면 재료의 매우 소량만을 제거하여, 전체적인 접촉이 소실되지 않고 초기 접촉 형성으로부터 약간 지연되게 만든다. T-Scan 분석을 반복하여 시간-지연의 존재 여부와 지속시간을 확인한다(그림 3b).

시간-지연을 구축하기 위한 임상 술식은:

- 임플란트 보철물을 장착한 후, 임플란트 보철물을 조정하여 임플란트와 자연치가 비슷한 교합 접촉 자국이 있는 교합을 만든다. 환자는 임플란트 보철물이 합리적인 교합 접촉을 형성하여 근신경적으로 수용되는 것을 감지할 수 있어야 한다.
- 환자가 MIP로 자가-폐구하는 힘 영상을 기록한다. 시간-지연 폐구 접촉이 적절하게 구축되기 전까지 편심위 운동을 수행하지 않는다.

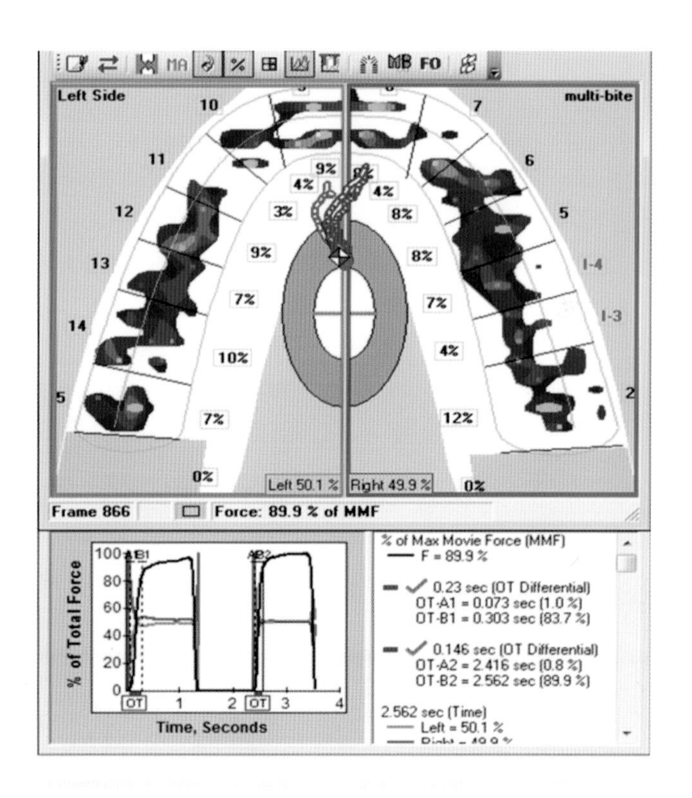

그림 3a 2개의 직선적이고 중앙화되어 중첩된 COF 궤도(청색)를 보여주는 2D ForceView로 지속 시간의 약 0.2초이다. 이것은 #3, 4(#16, 15)번 부위의 임플란트에 대한 시간-지연 조정을 시행하기 전에 구축되었다. 정중선을 끌어안는 COF 궤도는 양측성의, 우측-대-좌측, 반-악궁 힘 전개 시간 동시성을 암시한다. 적색의 COF 궤도는 환자가 제1폐구(OT=0.23초)와 제2폐구(OT=0.146초) 사이에 개구할 때 발생하는 것이다

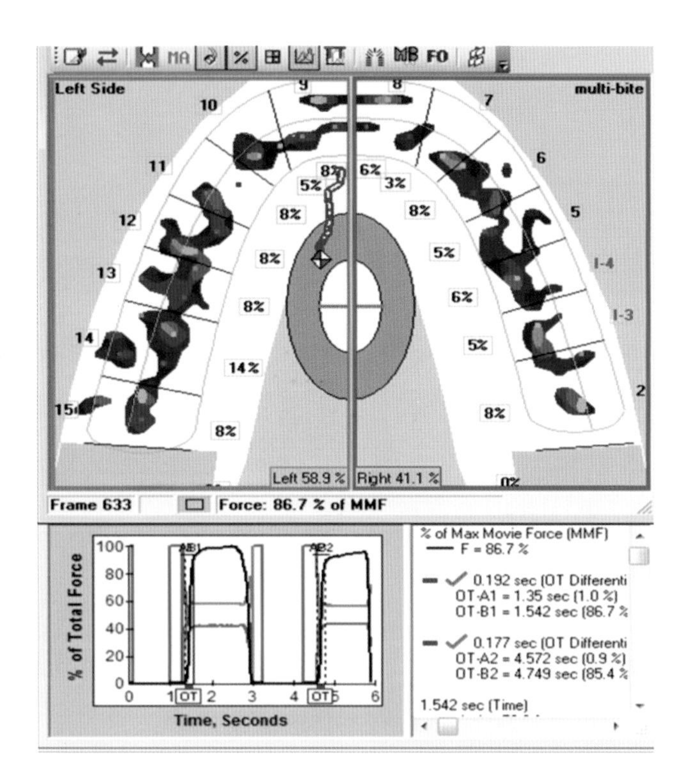

그림 3b 임플란트 보철물 교합면을 약간 조정한 후, COF 궤도가 임플란트에서 멀어져 악궁의 좌측으로 치우치게 되었다. 이것이 시간-지연을 수행한 정확한 순서이고, 힘 분포의 바람직한 변화이다. 시간-지연-후 COF 궤도는 타이밍이 더 동시화되면서(그림 3a처럼) 임플란트가 있는 반-악궁(우측)이 교합력을 덜 받게 됨을 보여준다

- 기록을 재생하고 근처의 자연치와 비교하여 임플란트 보철물의 접촉 시기를 지켜본다. 치아와 임플란트 모두가 완전히 교합 접촉에 다다를 때 재생을 멈춘다. 적당히 센 힘이 치아와 임플란트 보철물 모두에 존재하는 것을 T-Scan으로 확인한다. 만약 과다한 교합력이 임플란트 보철물에 존재하면, 이런 접촉을 표시하고 힘이 주변의 자연치와 유사해질 때까지 강도를 감소시킨다. Accufilm Ⅱ(두께 21μm의 양측성 필름)(Accufilm Ⅱ, Parkell, Inc., Farmingdale, NY, USA)로 임플란트 보철물에 표기한다. 임플란트 보철물의 접촉 잉크 자국을 부드럽게 제거하고, T-Scan 영상을 재-기록한다. 부하 순서가 자연치에 이어 임플란트 보철물에 나타나는지 재생하여 평가한다. 조정-후 순서가 임플란트가 먼저라면, Accufilm Ⅱ로 다시 표시하고 접촉을 한번 더 재-조정한다.
- 임플란트 보철물의 부하가 자연치와 동시적이거나(임플란트 전 치아, 혹은 치아 전 임플란트의 지연 시간 0.05초 이하), 자연치의 바로 뒤(지연 시간 0.1초 이하)가 될 때까지 이 과정을 반복한다. 임플란트 보철물 부하가 자연치 보다 0.2초 이상 앞서면, 교합 조정을 한층 더 시행하여 더 나은 동시성을 구축해야 한다.

앞의 단계가, 자연치와 임플란트 보철물 사이의 동시적 접촉을 구축하고 임플란트 보철물의 시간-지연을 수립하는 출발점이 된다.

- 다음에, Accufilm Ⅱ를 이용하여 임플란트 보철물에 표기하고, 교합 재료의 얇은 층을 제거하여 임플란트와 대합치 사이에 Shim-stock 정도의 교합간 공간을 부여한다. 새로운 T-Scan 힘 영상을 기록하고 위에서 설명한 대로 재생한다. 지연 정도가 0.3초에 가까워지면, 교합 조정을 중단한다. 0.3초보다 길다면, 임플란트 보철물은 교합 기능 하방에 놓일 것이다. 이런 경우 교합 재료를 추가하여 소실된 접촉을 재창조할 수 있다.
- 시간-지연의 폐구가 구축되면, 편심위 T-Scan 기록을 만들어, 필요한 편심위 접촉을 수정하는 교합 조정을 실시한다.

치아 시간 그래프

치아 시간(Tooth Time, TT)은 임상의가 임플란트와 자연치 사이의 비-동시적인 교합 체계를 구축하는 것을 크게 도울 수 있다.

TT는 T-Scan Ⅲ(Tekscan, Inc., S. Boston, MA) 매뉴얼 내에서 다음과 같이 설명된다:

- TT는, 선택한 치아를 다른 치아와 비교하기 위해 상대적인 교합력 vs. 시간 흔적(그래프 선)을 보통 및 확대 힘 vs. 시간 그래프 모두에서 보여준다.

TT 소프트웨어 특성에 대한 좀 더 자세한 설명은 4장을 참고하기 바란다.

이런 소프트웨어의 특성은 개별 치아나 치아 그룹의 폐구 타이밍을 분석하는 데 유용하기 때문에, 임플란트의 부하 지연을 근처 자연치의 부하와 비교하는데 바람직하다(그림 4).

'TT' 기능을 선택하면 임플란트 보철물과 근처 자연치의 정확한 접촉 순서를 구축하도록 임상의를 돕기 때문에, 시간-지연 개념에 준한 임플란트 보철물 조정이 간단해진다(그림 5).

TT 그래프에서, 선택된 임플란트 보철물의 채색된 힘 선은 회색의 총 힘 선으로 표시되는 다른 자연치의 기록 시작부터 비교된다. 선택된 임플란트의 힘/시간 선이 회색의 총 힘 선의 좌측에 놓이면, 임플란트 보철물의 접촉이 다른 자연치보다 더 빠르다는 것이다(그림 6).

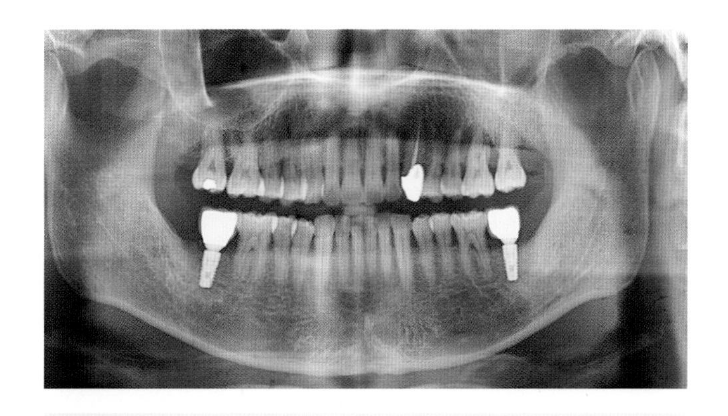

그림 4 #37, 47번 부위에 2개의 하악 싱글 임플란트가 파노라마에서 보인다

선택받은 임플란트의 힘/시간 선이 회색선 보다 높게 위치하면, 임플란트의 교합력이 남아있는 자연치보다 더 크다(그림 7)는 것이다. 선택된 임플란트의 힘/시간 선이 좌측에 있을 때 및/혹은 회색의 총 힘 선보다 높이 있을 때, 임상의는 임플란트 접촉 양상을 조절하여 임플란트의 힘/시간 선이 회색의 총 힘 선의 우측 하방에 놓이도록 한다(그림 8).

임상의는 접촉 타이밍과 순서를 보여주는 기록을 재생하거나 교합 지속 시간을 계산하지 않고, 임플란트 교합을 시간-지연에 맞춰 조정할 수 있다. 이것은 회색의 총 힘 선에 상대적인 개별 치아의 시간선 모양을 분석하고 치아 타이밍 데이터에 의해 유도되는 적절한 조정을 시행하여 성취할 수 있다.

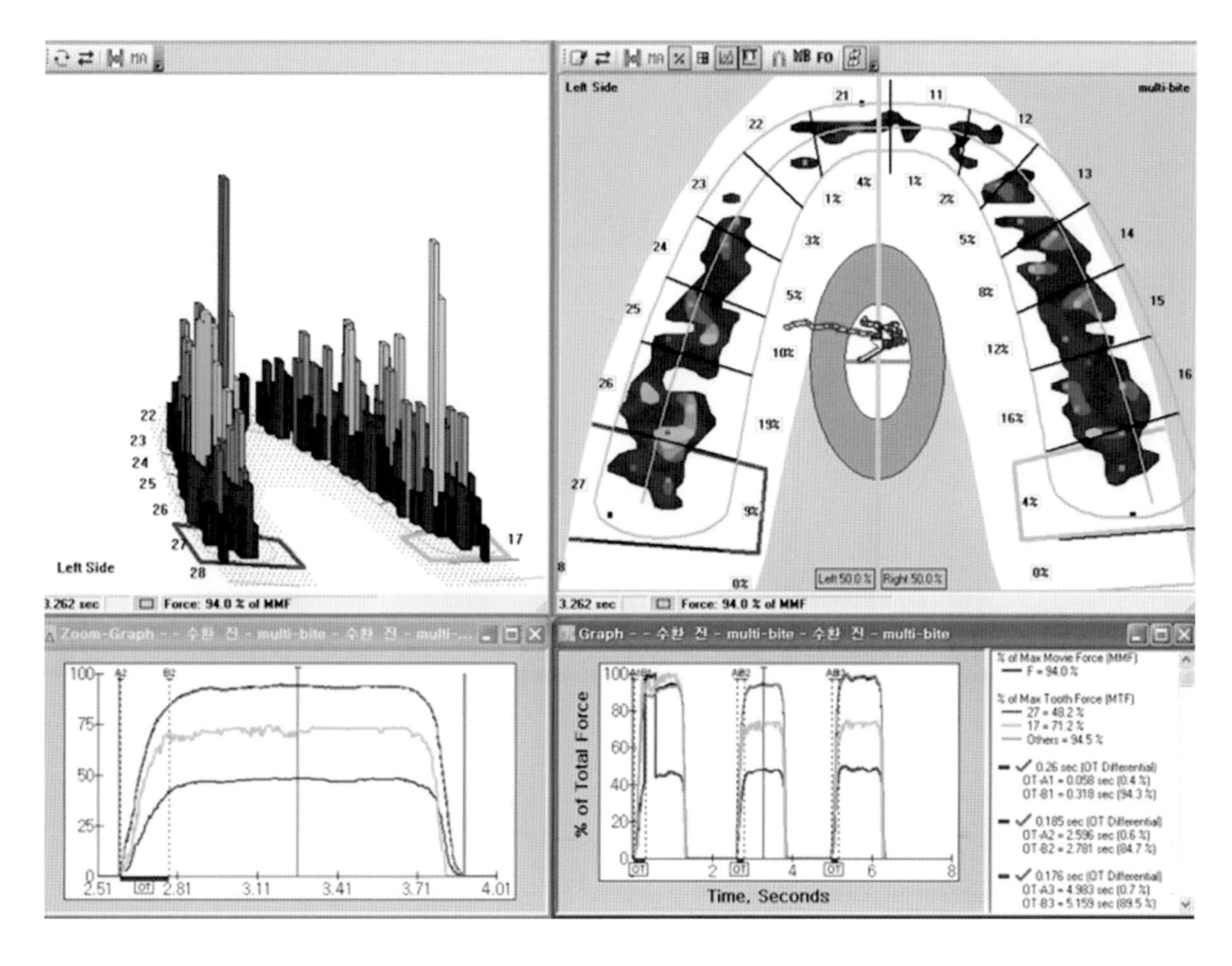

그림 5 T-Scan에서 #31, 18(47, 37)번 부위의 임플란트가 TT를 위해 선택되었다(#37번과 대합하는 #27번 치아는 자주색, #47번과 대합하는 #17번 치아는 파란색 박스로 표시되었다). 확대 그래프는 보통의 힘 vs. 시간 그래프에서 보이는 2번째 폐구를 보여준다. 여기의 파란색 선은 #47번 치아의 힘/시간을, 자주색 선은 #37번의 힘/시간 선을, 회색 선은 다른 접촉하는 모든 자연치의 총 힘 선을 보여준다

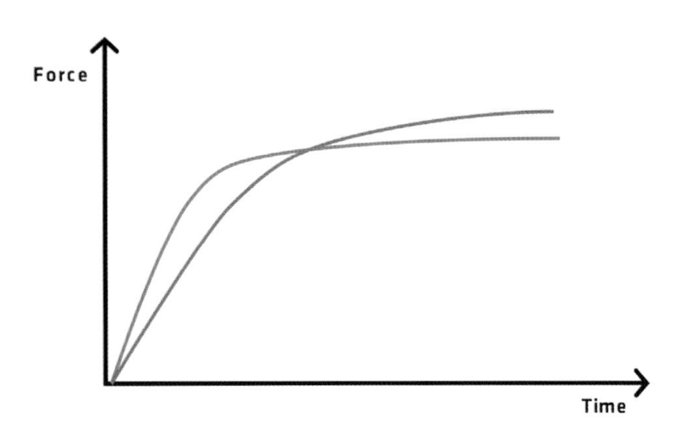

그림 6 교합력이 증가하는 초기에 임플란트 힘/시간 선이 회색의 총 힘 선의 좌측에 놓여, #47번 임플란트 보철물에 조기 접촉이 있음을 가리킨다

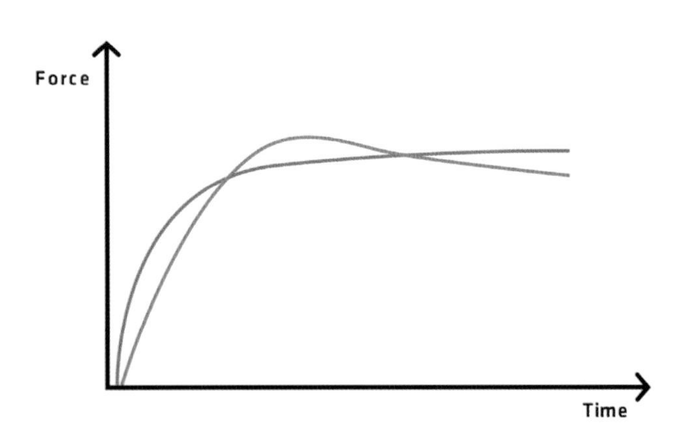

그림 7 임플란트 힘/시간 선이 회색의 총 힘 선보다 높게 위치하여, 잔존 자연치가 최대 힘에 다다르기 전에 임플란트의 교합력이 최대 힘에 도달하는 것을 암시한다

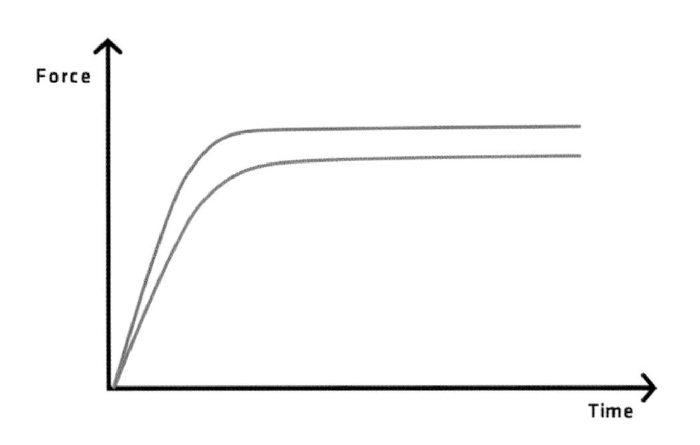

그림 8 임플란트 보철물이 남아있는 자연치보다 적은 힘의 시간-지연을 보이는 적절한 TT 힘/시간 선

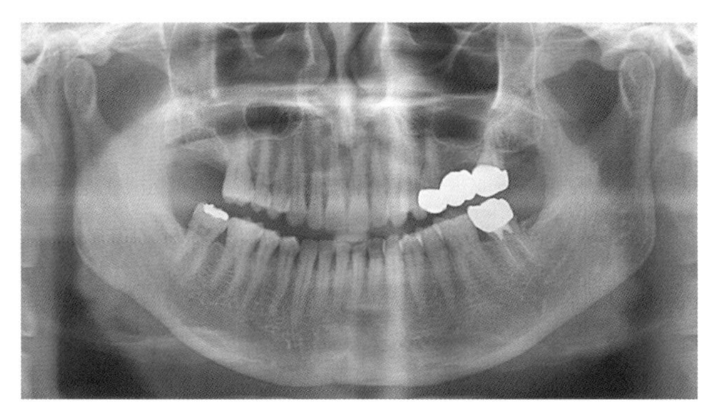

그림 9a 치료-전 파노라마로 #2(17)번 치아가 소실되었다

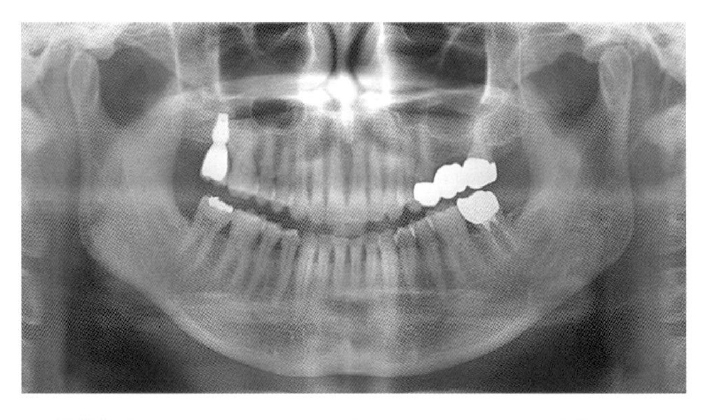

그림 9b 치료-후 파노라마로 싱글 임플란트 크라운이 #2번 무치악 부위에 위치되었다

다음에 소개되는 증례를 통해 TT를 이용하는 실례를 설명할 것이다. #2(17)번 치아가 소실되었다(그림 9a). 싱글 임플란트를 식립하고, 크라운으로 수복하였다(그림 9b).

그림 10과 11은 #2번 임플란트를 선택한 TT의 T-Scan을 보여준다. 확대 및 보통의 힘 vs. 시간그래프에서 연녹색 선은 #2번의 힘/시간을, 회색의 총 힘 선은 다른 접촉하는 모든 자연치를 나타낸다. T-Scan 기록 초기, 연녹색 선이 회색 선보다 19.4% 정도 좌측에 위치한다(그림 10). 2번째 기록(그림 11)에서, 임플란트 크라운의 총 힘이 84.9%까지 증가하면서, 연녹색 선이 총 힘 선의 좌측에 머무르고 있다. 이런 특징들은 #2번 임플란트 크라운에 상당히 강력한 초기 접촉이 존재함을 암시한다.

그림 12a-12c는 그림 9b의 #2번 임플란트를 조정한 후 기록한 TT 데이터이다. 보통 및 확대 힘 vs. 시간 그래프 모두에서, 조정-후 연녹색 시간 선이 회색의 총 힘 선보

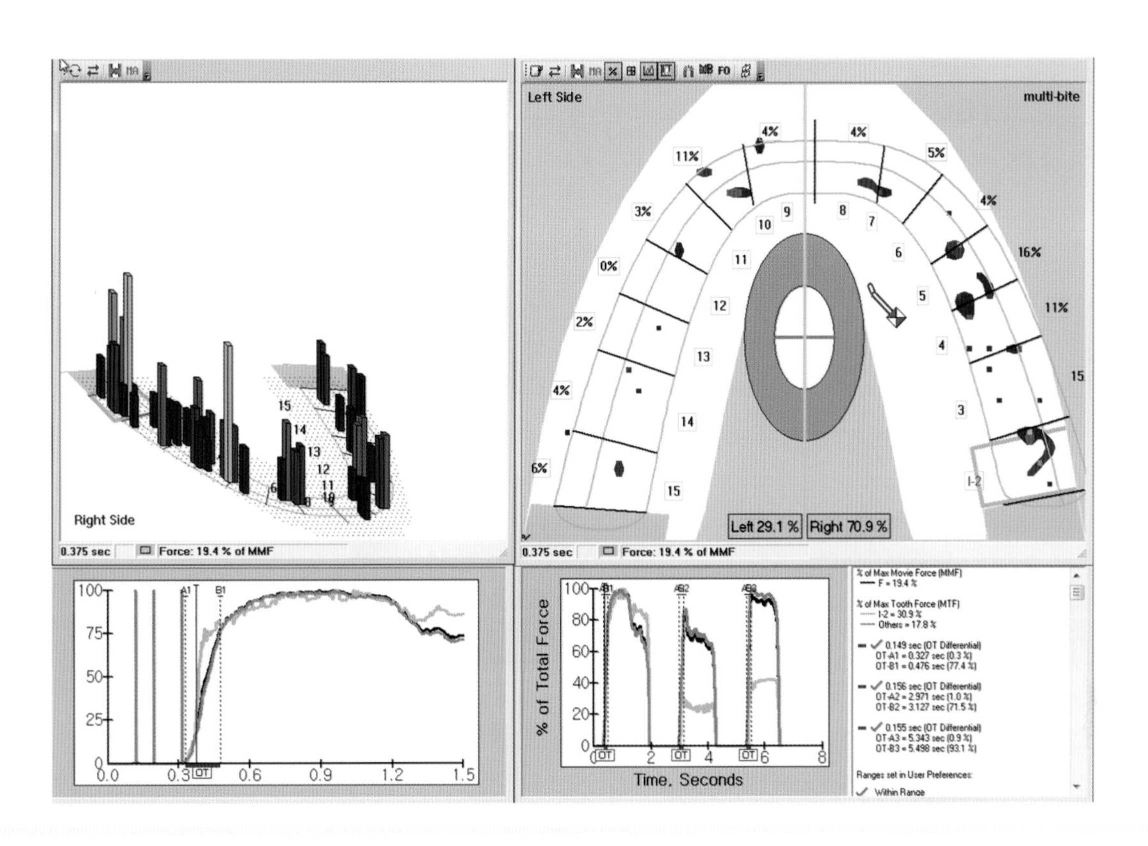

그림 10 TT에 선택된 #2번 임플란트. 힘 vs. 시간 그래프에서 #2번을 나타내는 연녹색 선이 회색의 총 힘 선의 좌측에 위치하여 #2번 임플란트에 상당한 조기 접촉력이 존재함을 보여준다

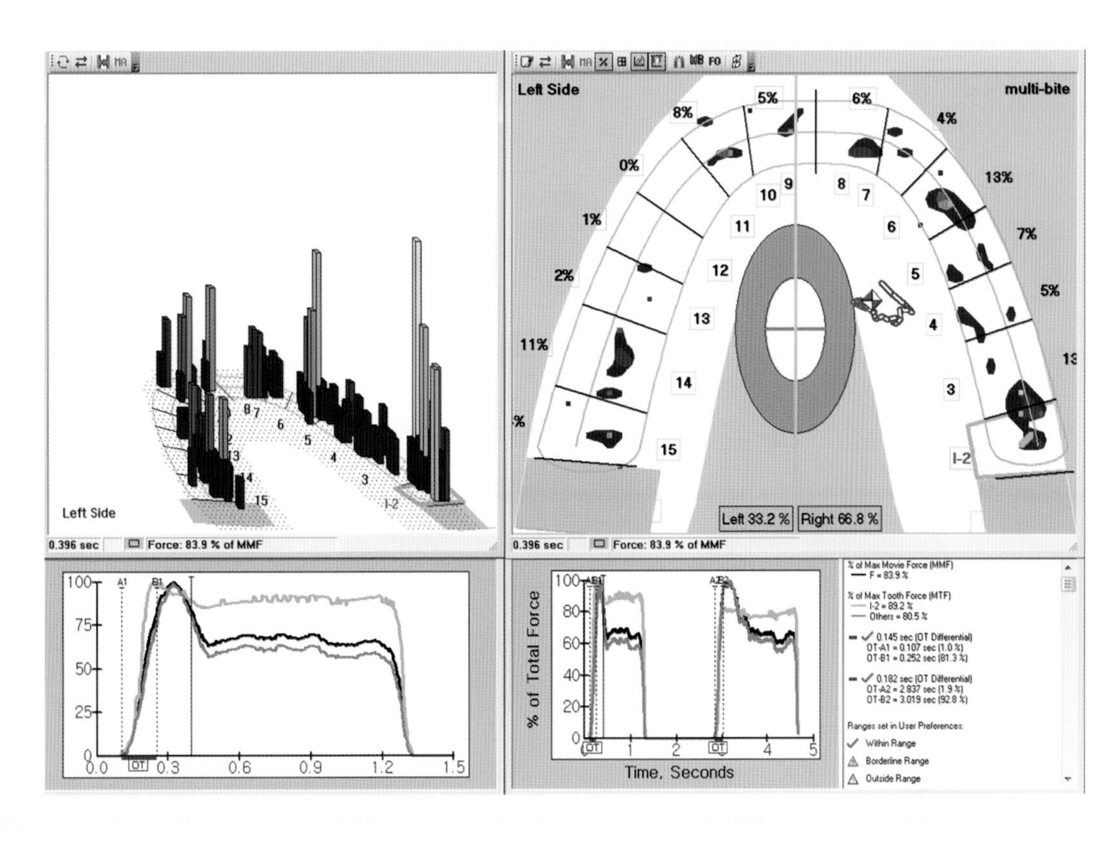

그림 11 #2번 임플란트의 2번째 기록으로 교합력이 최대력의 84.9%까지 상승하면서 남아있는 자연치가 최대 힘에 다다르는 시점을 앞서고, 연녹색 선이 회색 총 힘 선보다 높고 좌측에 위치한다

다 우측으로 낮게 위치하여 시간-지연이 구축됨을 알 수 있다. 그림 12a-12c까지 경과 시간은 임플란트 보철물이 0.273초 지연된 교합 접촉을 가짐을 보여준다(0.535초; 그림 12c에서 #2번 임플란트가 최대 힘에 도달-0.262초; 그림 12a에서 #2번 임플란트의 초기 접촉).

그림 13a는 그림 9, 10에서 설명된 #2번 임플란트의 교합지 자국 표시를 보여준다. #2번 임플란트 크라운에 찍힌 교합지 자국에 대한 타이밍 정보가 부족하여, 임상의는 #2번 접촉이 근처 치아에 비교해서 너무 이른지 혹은 너무 강력한지 설명할 수 없다.

대신에, 그림 13b는 시간-지연 개념에 입각하여 그림 10, 11의 TT 데이터에 근거한 교합 조정 시행 후 교합지 자국을 보여준다. 교합지 자국은 임상의에게 타이밍에 관한 정보를 제공하지 못하여 #2번 임플란트 교합의 지연 여부와 힘의 세기를 알 수는 없다(그림 12a-12c의 T-Scan 데이터 참조).

COF 분석 및 임플란트 보철물 힘 조절

COF 분석은 부분적인 무치악 임플란트 보철물 조정을 돕지만, TT를 사용하는 시간-지연 수정을 수행할 정도로 정교하지는 않다. 임상의는 임플란트 보철물에 존재하는 조기 교합 과부하 부위를 수정하여, COF가 임플란트 보철물에서 멀리 이동하도록 (임플란트를 향하기 보다는) 교합 접촉력을 조절할 수 있다.

임플란트 보철물 교합 조정을 수행할 때, 시간-지연 원리 적용, COF 궤도 수정, TT 그래픽 선 이용을 모두 고려해야 한다. 이것은 3개의 소프트웨어 특성이 함께 작용하여 임상의가 부분 무치악 임플란트 보철물의 적절한 지연 부하를 구축하는 것을 돕기 때문에, 임플란트 보철물을 보존하기 위한 매우 실용적인 방법이다.

T-Scan을 이용한 임플란트 치료 진단

부분 혹은 완전 무치악 부위를 수복하기 위해, 잔존치와 기존 보철물의 교합을 분석하는 것이 중요하다. 임상의는 치아가 발거된 후에, 소실(발거)된 치아로 인해 교합력 양상이 변화하면서 잔존치아가 손상받는 것을 확인할 수 있다. 교합을 임플란트 보철로 수복하면 이웃하는 자연치와 교합력을 더 잘 공유하기 때문에 잔존치에 가해지는 외상을 줄

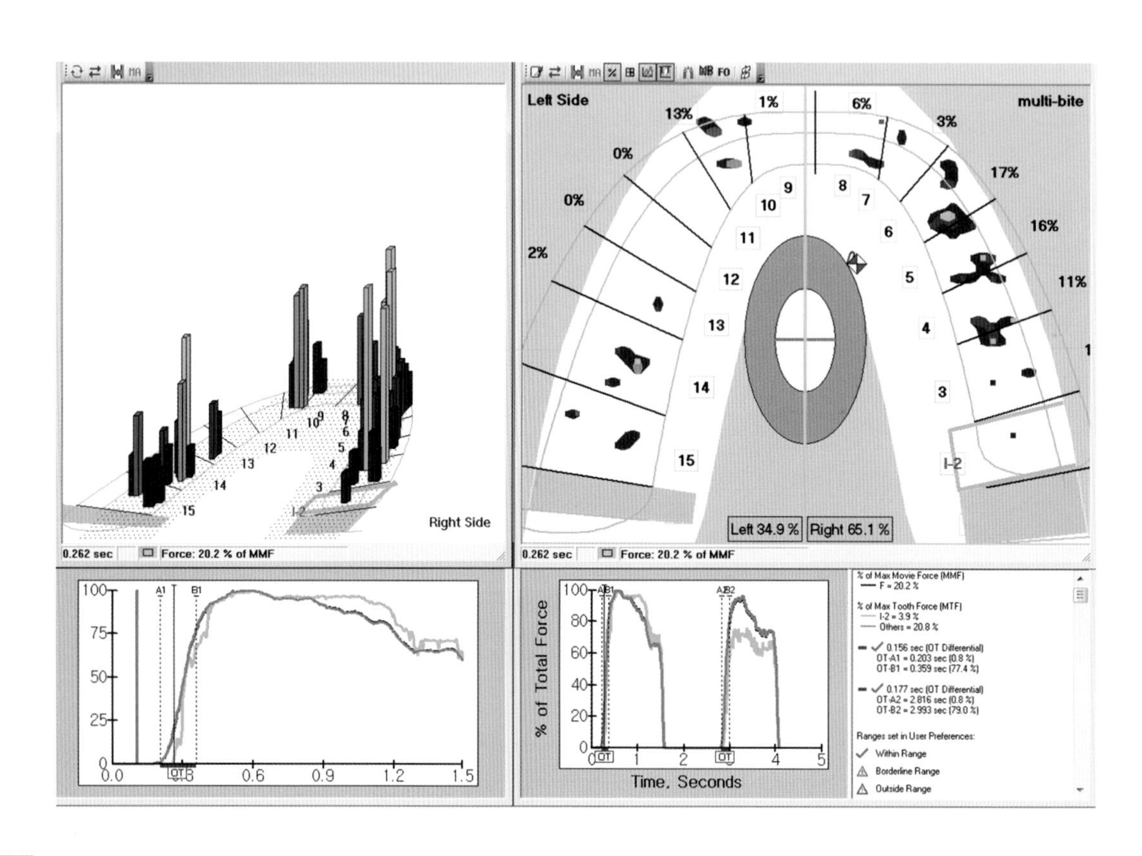

그림 12a #2번 임플란트 선이 0.262초에 시작하는 회색의 총 힘 선의 우측에 낮게 위치하는 조정된 TT 힘/시간 선

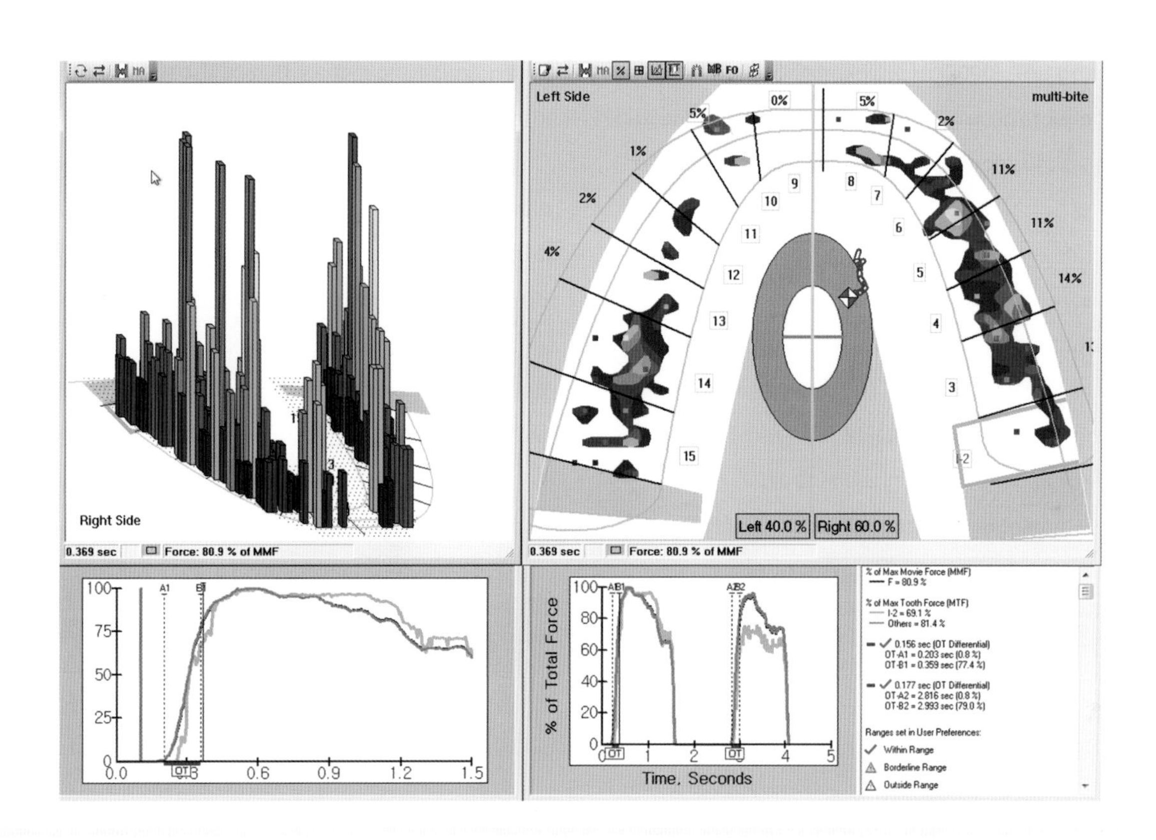

그림 12b 다른 자연치가 총 힘의 80.9%에 도달하지만, #2번 임플란트 크라운의 연녹색 선은 총 힘 선의 하방 및 우측에 위치한다. 0.369초에, #2번은 총 힘의 69.1%을 보이면서 완전한 교두감합 교합 접촉에 다다른다(그림 12c)

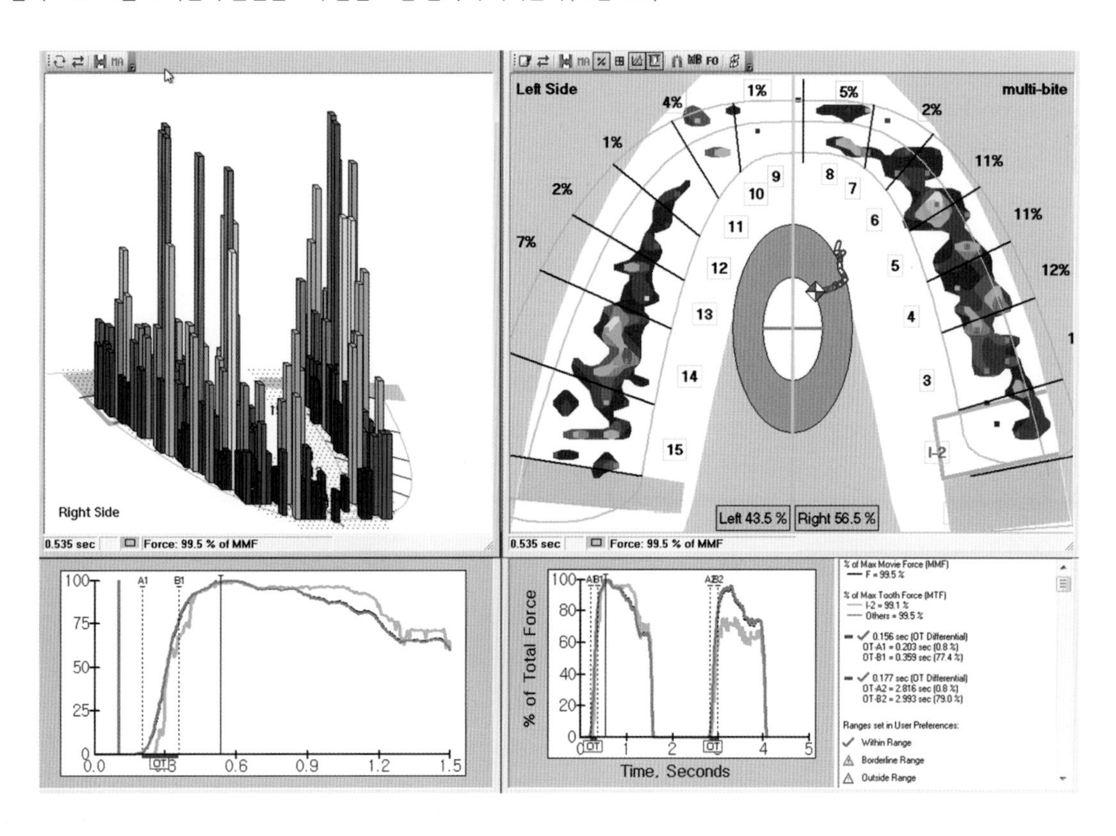

그림 12c 총 힘 99.5%의 TT 그래프. #2번 임플란트 크라운이 최대 힘 크기에 도달하지만, 0.535초에서 여전히 다른 자연치 교합보다 낮은 수준이다

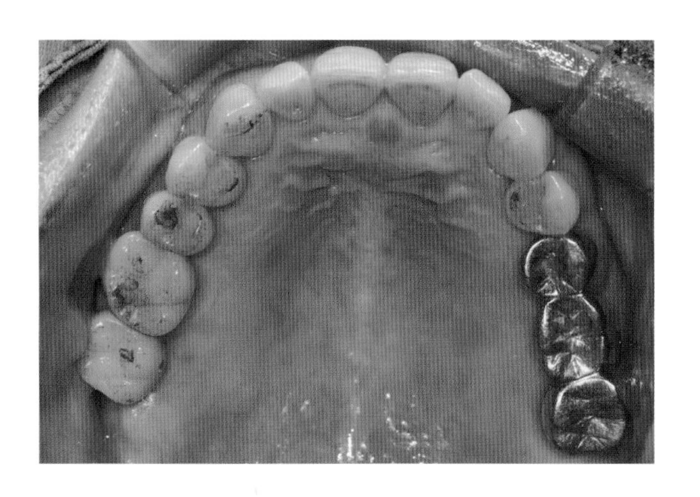

그림 13a #2(17)번 임플란트 크라운 장착 후 교합지 자국. #2번 임플란트가 주변 치아와 비교해서 너무 강력하거나 너무 빠른 접촉을 형성하는지에 대해 교합지 자국으로는 확인할 수 없다. 환자는 장착된 임플란트 크라운의 "느낌"을 받아들였다

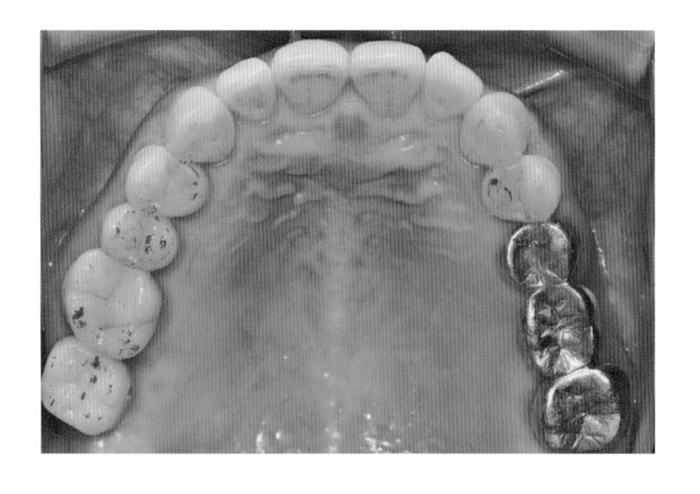

그림 13b 그림 12a-12c에 제시된 #2번 임플란트 크라운에 시간-지연을 구축하기 위해 교합 소성을 시행한 후 교합지 자국. 이번에도 교합지 자국은 임상의에게 접촉에 대한 정보를 제공하지 않는다

일 수 있다.

follow-up 연구에서 많은 임플란트 합병증이 보고되었는데, 임플란트 수복의 성공 혹은 실패를 결정하는 요소로서 교합을 강조한다.

환자가 상악 절치의 통증과 동요로 고통스러워하는 증례에서(그림 14), 임상의는 만성 치주염으로 진단하고 치아 발거와 임플란트 대체 수복이나 고정성 브릿지 보철물을 진행할 것이다. 상악 절치부의 만성 치조골 소실은 종종 교합 내에서 상당한 힘의 집중을 수반한다.

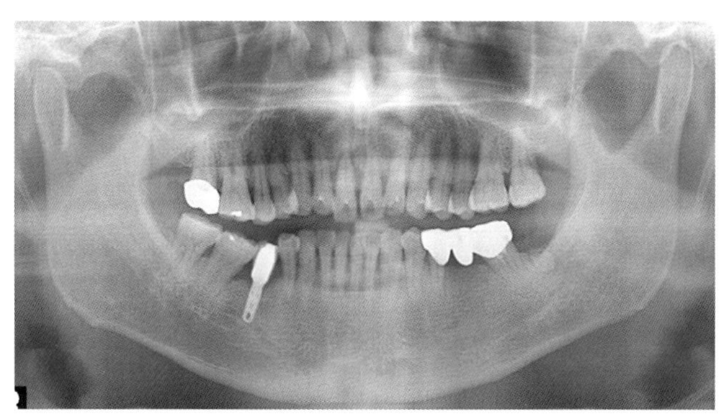

그림 14 상악 절치에 치주질환으로 인한 상당한 골 소실을 보이는 파노라마 사진

그림 14 환자의 T-Scan 데이터(그림 15a)를 분석하여 전치부 골 소실의 원인을 분리하도록 돕는다. MIP에서, 지나치게 센 힘이 우측 후방부에 집중되어 교합력의 63%가 우측 제1,2대구치에 위치한다. COF 궤도가 약간 전방으로 향하지만, 이것이 상악 전치 골 소실의 원인은 아니다.

좌측 편심위 영상에서(그림 15b-15d), 진정한 원인적 문제가 발견되었다. 하악이 좌측으로 운동하면서 우측 대구치 접촉과 심한 간섭이 발생하고 동시에 상악 절치가 접촉한다. 이것은 상악 절치에 증가된 힘을 적용하는 증가된 저작근 활성이 있다는 것을 의미한다(Williamson & Lundquist, 1983; Kerstein & Wright, 1991; Kerstein & Radke, 2006; Kerstein & Radke, 2012).

그림 15b, 15c에서 하악이 좌측 전방으로 운동하면서 COF 궤도가 우측 후방으로 이동한다. 상악 우측 절치의 심한 골 소실로 동요도가 증가하기 때문에, 편심위 동안 상악 우측 절치가 연루될 때 약한 힘을 보인다. 상악 절치의 문제는 균형측 대구치로부터 기인하기 때문에, 절치를 임플란트로 대체하기 전에 구치부에 교합 조정을 시행하여, 대체된 수복물이 전방 자연치의 지지골에 영향을 미치는 동일한 근육 과부하 문제에 종속되지 않게 해야 한다.

임플란트를 이용한 Full Mouth Rehabilitation

완전 무치악 환자에게 임플란트를 이용한 full mouth rehabilitation의 과정은 의치와 유사하게 계획되는데, 상하악 관계 치료의 기준점을 판단할 잔존치가 없기 때문이다. 이와 같이, 완전 임플란트 지지 보철물 제작은 치료 수직 고경, 수평적 상하악 관계, 교합 평면, 후방 교두 경사, 총체적인

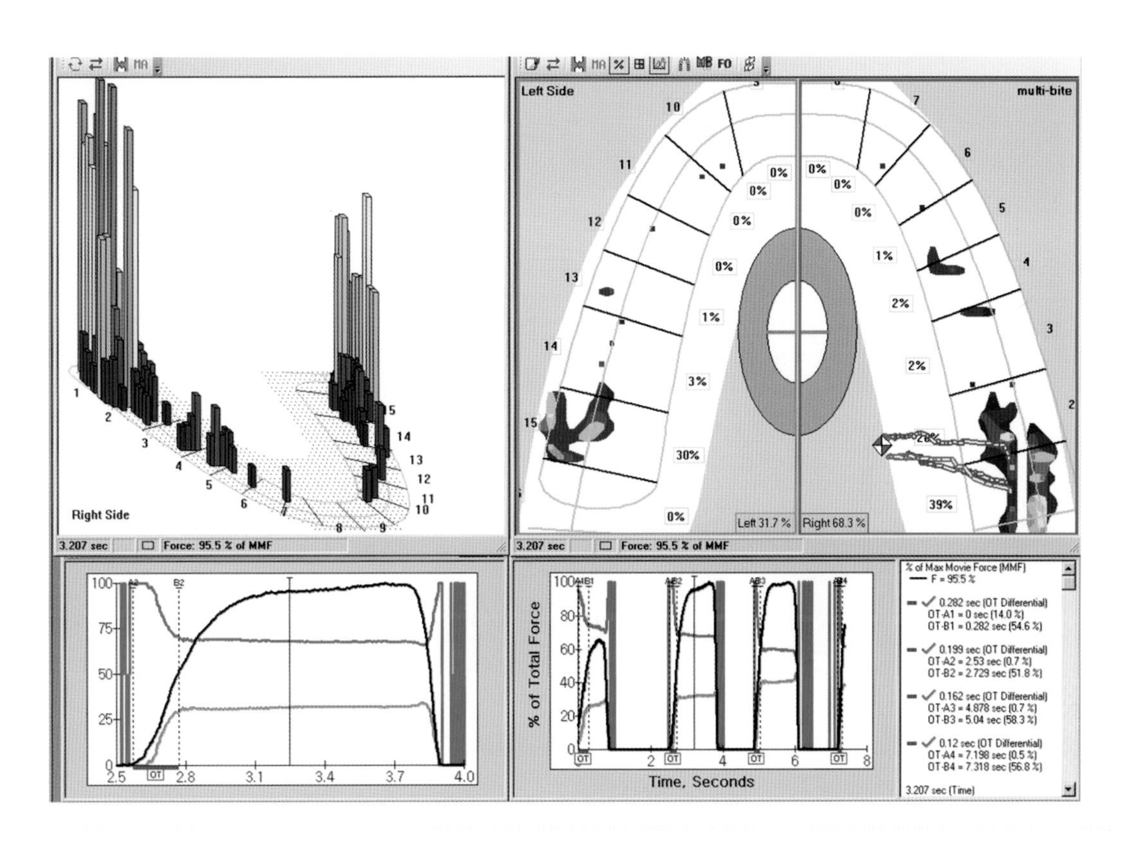

그림 15a MIP 기록은 교합력의 60%가 우측 제1, 2대구치에 집중되는 것을 보여준다

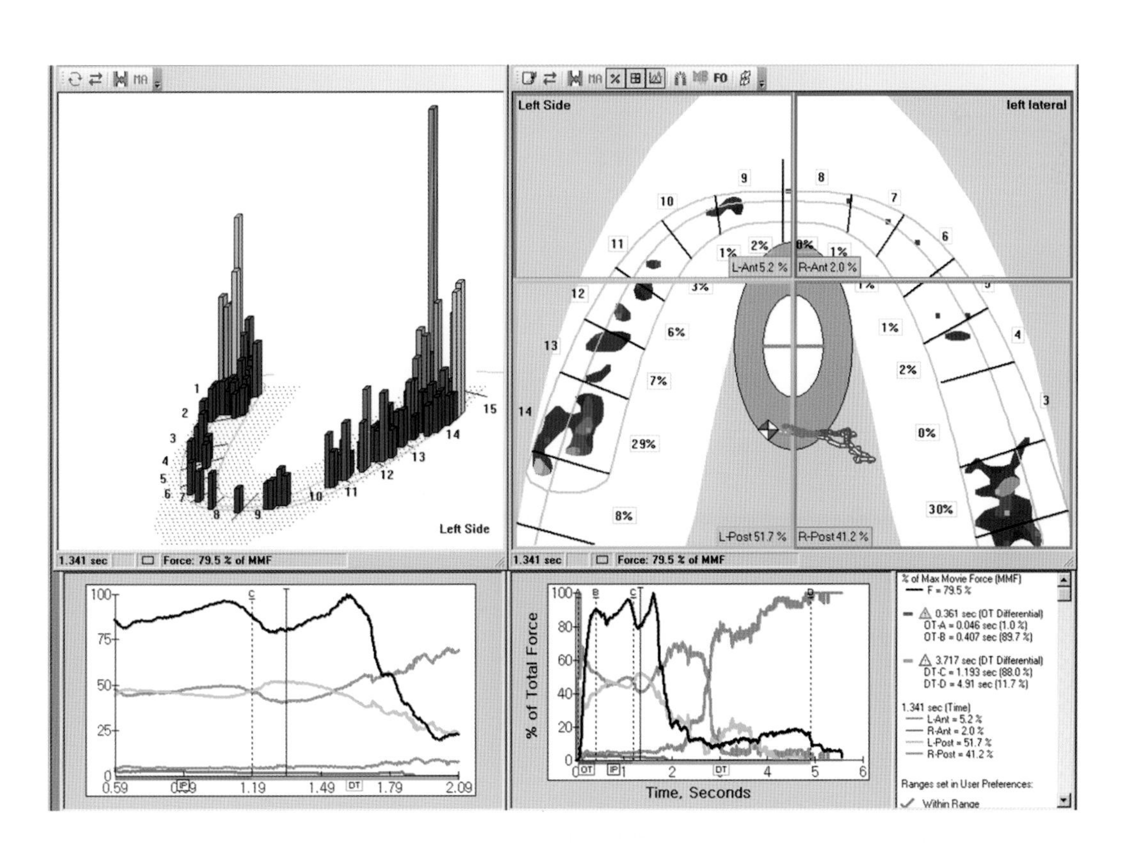

그림 15b 좌측 편심위 초기, COF 궤도가 약간 환자의 좌측으로 이동하고(주황색 궤도), 동시적으로 우측 구치부와 상악 절치가 접촉한다. 후방 간섭으로 인해, 교근 활성이 증가하고, 증가된 힘이 이미 상악 절치를 느슨하게 한다

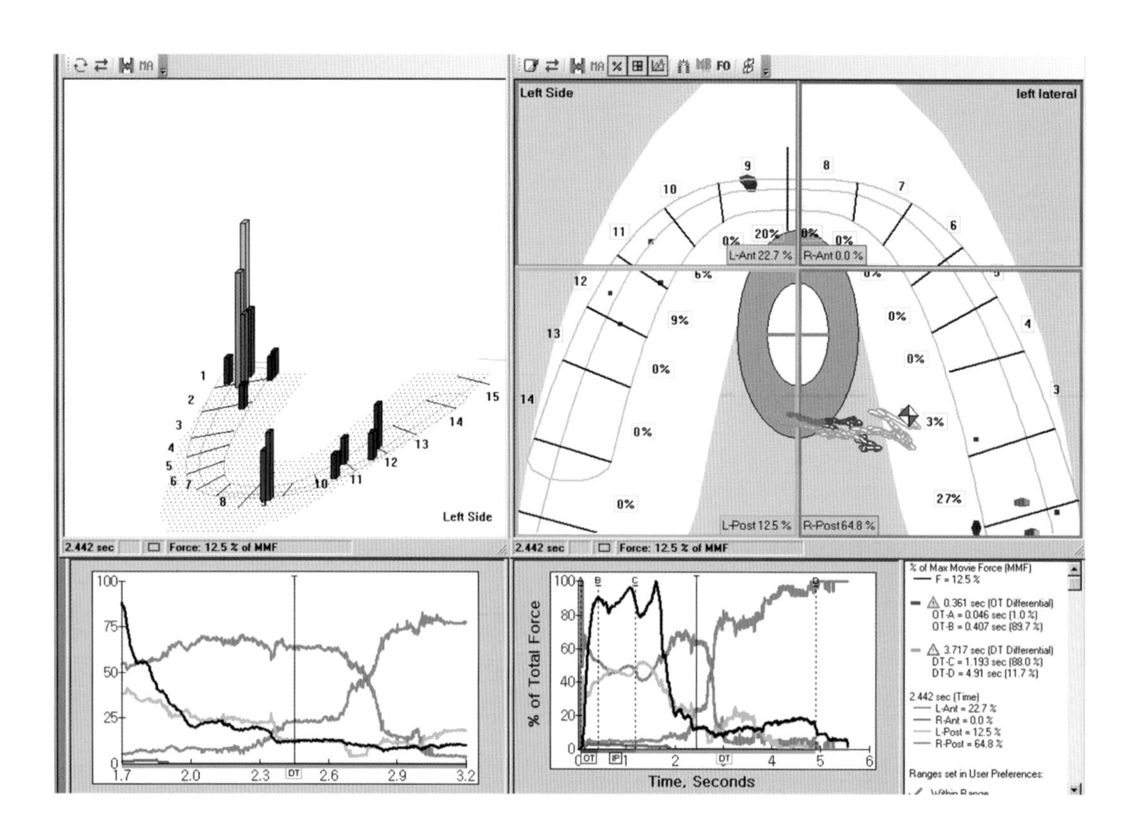

그림 15c 좌측 편심위 중반부 내에서 COF 궤도가 우측으로 이동하고, 상악 우측 최후방 구치에 존재하는 상당한 균형 접촉으로 인해 좌측에서 멀어지는 이동이 뒤바뀐다

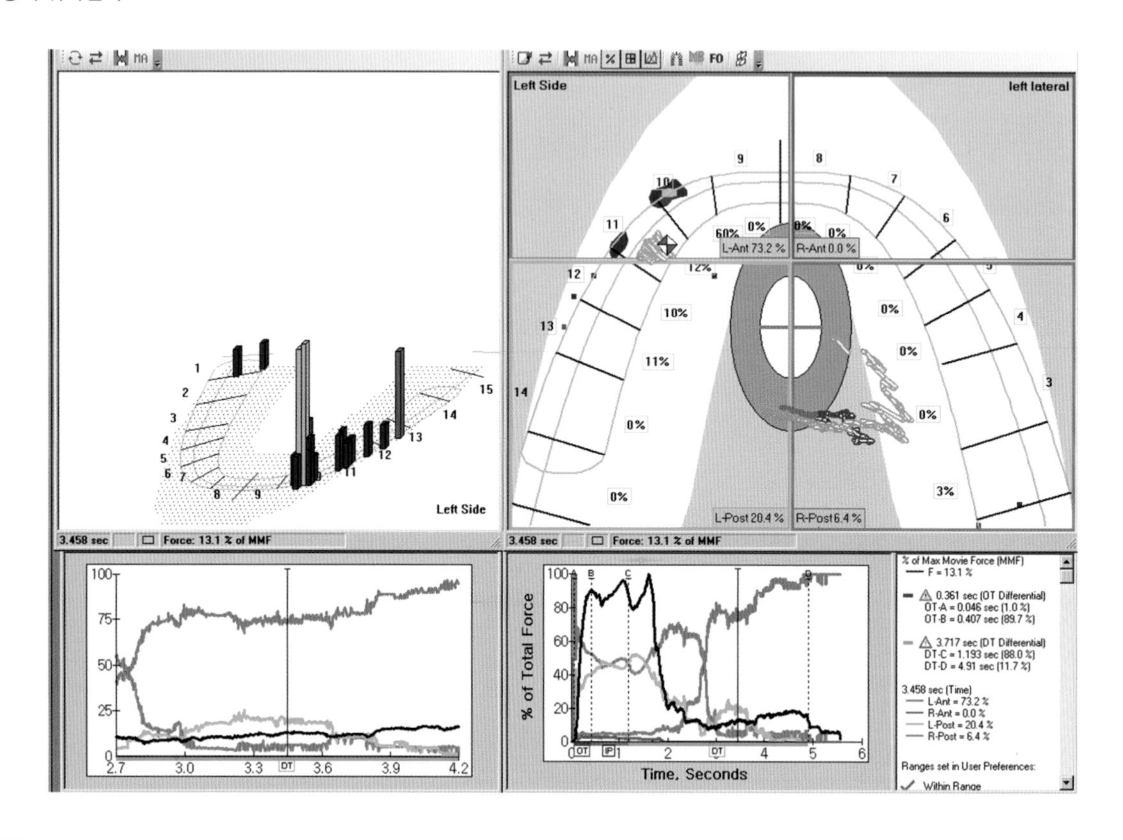

그림 15d 좌측 편심위 후기에, 우측 후방 교합력이 최종적으로 상악 우측 최후방 구치에서 약해지면서 COF 궤도가 좌측 전방으로 도약한다. 이로 인해 COF 아이콘이 좌측 전치 접촉을 향하여 재빠르게 이동한다

기능적 교합 배열을 결정해야 하는 복잡한 과정이다.

Full mouth rehabilitation의 수직 고경을 결정할 때 환자 계획은 의치 계획과 비슷하지만, 완전 의치는 가철성이고 부하로 연조직을 다소 침하시켜 의치가 적용된 교합력을 흡수하도록 돕기 때문에, 교합 체계는 근본적으로 다르다. 반면에, full mouth rehabilitation 수복은 고정성이고, 조직으로 향하면서 교합력 "흡수"가 불가능한 어떤 상당한 운동에 강하게 저항한다.

완전 의치에서, 편심 운동 동안 의치 탈락을 예방하기 위해 양측성 균형 교합이 구축되어야 한다. Full mouth 임플란트는, 대신에 상호 보호 교합이 이상적인 교합 디자인으로 고려된다(Hobo, 1989). 상호 보호 교합을 적용하여 획득한 후방 이개를 통해, 임플란트 보철물은 부가된 측방력으로부터 보호될 수 있다. Thomas는 임플란트 보철물의 후방 이개량이 자연치와 달라야 한다고 하였다(Thomas, 1967).

상호 보호 교합을 제작할 때 후방 이개량은 보철로 임의적으로 창출되는데, 교합기로 진단 왁스-업하여 제작한 임시 보철물이 효율적으로 기능하는지 테스트하고 이것을 최종 보철물에 반영한다. 더욱이, Kerstein 외에 어느 누구도 후방 이개의 타이밍을 측정하지 않았는데, 그는 생리적 DT와 병적 DT의 범위를 발견하였다(Kerstein, 1991; Kerstein, Chapman, & Klein, 1997; Kerstein & Radke, 2006; Kerstein & Radke, 2012).

Full mouth 임플란트 보철물 교합을 과학적이고 양적인 방법으로 구축하기 위해, T-Scan으로 장착된 교합력과 타이밍 양상을 평가한다. 위에서 설명한 것처럼, 임플란트와 자연치가 혼합된 교합은 시간-지연을 적용할 수 있다. 그러나, 시간-지연은 full mouth 케이스에 적용하지 말아야 한다. 자연치가 없으면, 임플란트 보철물은 비-동요성 fixture에 의해서만 지지되기 때문에, 치아와 임플란트 사이의 운동 차이를 보상하기 위해 시간-지연에 사용되는 다른 힘 부하가 필요 없다.

그러나, 즉시 후방 이개가 임플란트 수복물이나 지지골을 손상시킬 수 있는 과다한 힘을 부하하는 불필요한 근 활성을 방지하기 때문에, full mouth 임플란트 교합 디자인은 감소된 DT를 통한 즉시 후방 이개가 적용되어야 한다. Kerstein은 반복된 연구를 통해, DTR(이개 시간 감소) 치료가 교근과 측두근의 수축 활성 크기를 감소시키고, DT가 0.4초 이하일 때 저작근 활성이 생리적으로 낮은 수준으로 된다는 것을 증명하였다. 그 후 이런 낮은 근 활성은 교합으로 적용되는 교합력을 감소시킨다(Kerstein & Wright, 1991; Kerstein, 2004; Kerstein & Radke, 2006; Kerstein, 2010; Kerstein & Radke, 2012).

T-Scan/EMG 동기화 모듈을 사용하면 측정성 즉시 후방 이개(편심위 당 0.4초 이하)를 구축하는 교합 조정을 시행한 후 근활성이 낮게 유지되는지, 근경련이 없어졌는지 확인할 수 있다. T-Scan/EMG 동기화는 교합 접촉 타이밍 양상과 수축성 근 활성 크기 사이의 관계를 보여주기 때문에(Kerstein, 2004; Kerstein & Radke, 2012), full mouth 임플란트 환자에서 DTR을 이용하여 임플란트 보철물 장착 후 편심위 운동 동안 근활성 크기를 가능한 낮게 유지해야 한다.

자연치 PDL 압박과 증가된 저작근 흥분 사이에 상호 관계가 존재한다는 것이 반복적으로 발표되었음에도 불구하고(Kerstein & Wright, 1991; Kerstein & Radke, 2006; Kerstein, 2010; Kerstein & Radke, 2012), 편심위 동안 임플란트 보철물에 의해 증가된 근육 흥분의 메커니즘은 자연치에서처럼 과학적으로 입증되지 않았음을 주목해야 한다. 그러나, 이 저자가 임상 관찰한 결과 DTR 수행으로 즉시 후방 이개를 구축하면, 비록 생리적 메커니즘이 다르지만, 결과적으로 자연치에서와 유사한 생리적인 낮은-크기 근 수축을 얻을 수 있다.

EMG를 이용하면 편심위 동안 보철물 교합면 방해와 저항을 통해 대합하는 교합면 마찰이 증가하는지를 임상적으로 관찰할 수 있다(하방의 증례에서 설명할 것이다). 이런 저항은 하악이 측방으로 운동하는 데 필요한 것보다 더 힘들게 근육에 일을 시키게 된다. 마찰이 좀 더 연장될수록 근 작업이 더 힘들어진다. 이렇게 증가된 근 작업은 임플란트 보철물 교합면에 지나친 압력을 부과하여, 교합면 재료 실패의 원인이 될 수 있다. 그러므로, 임플란트 보철물의 편심위 근 활성 크기를 감소시키기 위해, 임상의는 존재하는 측정성 측방 운동 교합면 마찰을 제거해야 한다. 마찰-없는 임플란트 보철물의 편심위 운동으로 저작근 활성 크기를 낮게 유지함으로써, 보철물 교합면 재료 실패의 가능성을 최소화한다.

그림 16a-16c의 환자는 T-Scan/EMG 동기화가 full mouth 임플란트 케이스에서 사용되는 방법에 대한 예를 보

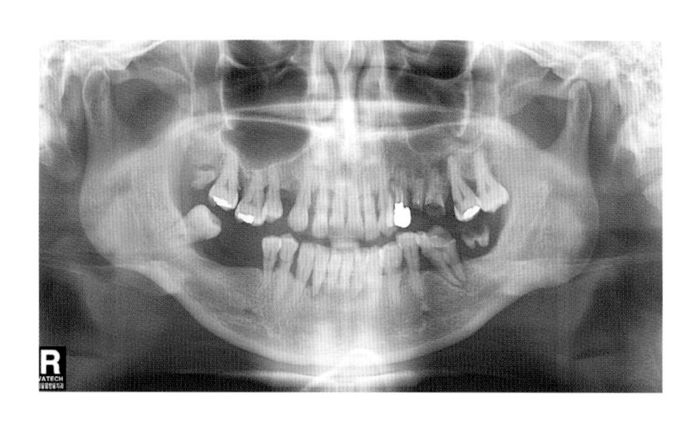

그림 16a 파노라마 사진으로 전반적인 치주 질환, 치아 우식증, 치아 소실을 볼 수 있다

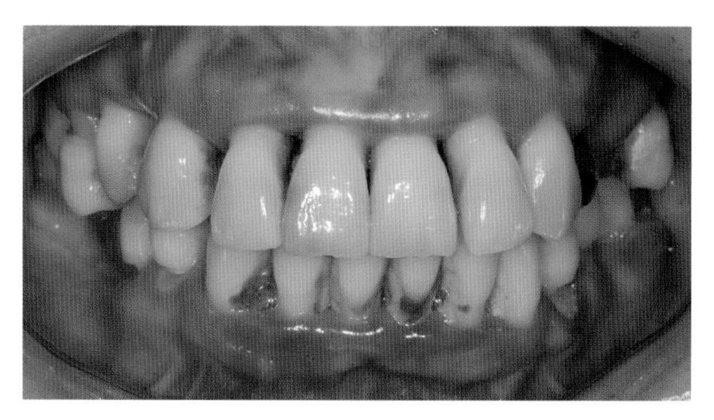

그림 16c MIP 위치에서의 정면 모습. 전반적인 퇴축된 치은 조직, 니코틴 착색, 굴곡파절, 만곡된 교합 평면이 보인다

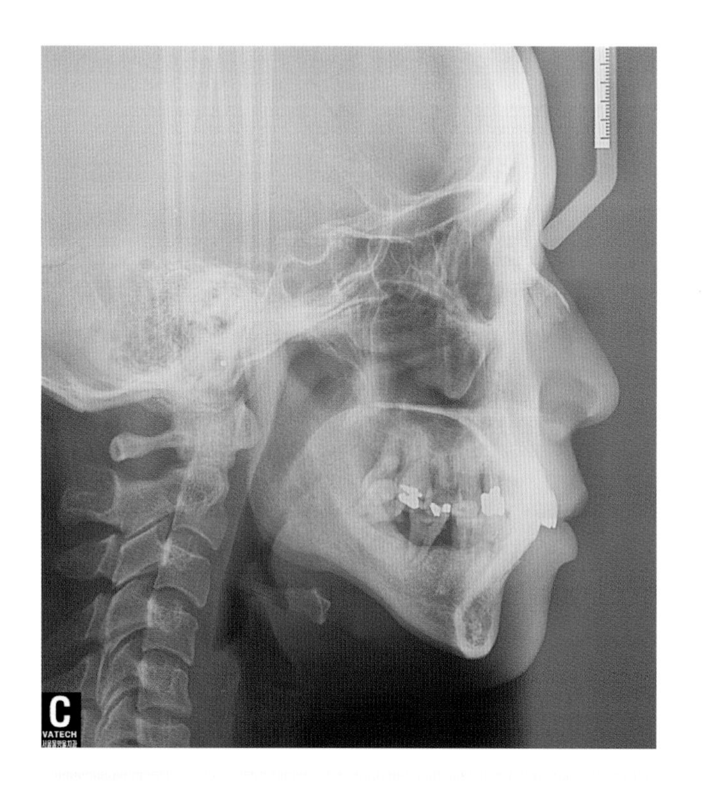

그림 16b Cephalo 사진으로 손상치와 결손치로 인해 만곡된 교합 평면이 보인다. 경추가 정상적인 "C" 모양보다는 반대로 불거진 만곡으로 비정상적이다

여줄 것이다. 40세 여성으로 다수의 충치, 치주적으로 약화되고 소실된 치아를 가지고 있고, 발거와 임플란트 수복이 필요하였다. 그림 16a(치료-전 파노라마)에서 널리 퍼져있는 치주질환, 충치, 치아 소실을 확인할 수 있다. 그림 16b(치료-전 Cephalo)에서 많은 손상치와 소실치의 구조적 변화에 의한 치아 이동으로 만곡된 교합 평면을 볼 수 있다. 그림 16c(MIP에서의 정면 모습)에서 전반적으로 퇴축된 치은 조직, 축적된 플라그와 니코틴, 다수의 굴곡파절 형성, 양측성 만곡된 교합 평면을 확인할 수 있다.

그림 17a-17c는 그림 16 환자의 치료-전 MIP(17a), 우측(17b) 및 좌측(17c) 편심위에서의 T-Scan/EMG 데이터이다. EMG 데이터 내에서, 편심위에서 측두근의 수축 크기가 MIP 폐구 위치에서보다 높게 상승한다. 측두근의 과활성은, 연장된 작업측 후방 측방 간섭 및 연장된 균형측 간섭으로 구성된 긴 DT로 인해 야기된다(그림 17b, 17c). 우측 및 좌측의 긴 DT(우측 DT = 2.399초; 좌측 DT = 1.799초)는 편심위 EMG 데이터에서 뚜렷하게 보이는 과다한 측두근 활성을 유발하고, 환자 치아가 불필요하게 과부하되어 전반적인 치조골 소실 및 치아 파괴를 유발한다.

임플란트 수술 후 임시 수복물을 장착하고(그림 18), 새로운 T-Scan/EMG 동기화 데이터 기록을 만든다.

그림 19a-19d는 최종 보철물이 장착된 모습이다. 그림 19a는 처치-후 파노라마로 식립된 임플란트와 전악 보철물을 볼 수 있다. 그림 19b는 치료-후 Cephalo로 교합 평면이 치료 전보다 훨씬 평평하다. 치료-전 Cephalo(그림 16b)와 비교해보면, 그림 19b의 경추가 정상적인 배열로 간주되는 'C' 모양을 보인다. 임플란트 보철물로 안정된 교합, 그리고 짧은 DT로 구축된 얼굴과 목의 근긴장 감소가 목 자세가 개선되는데 역할을 하였다. 그림 19c는 MIP에서 임플란트 보철물의 교두감합한 정면 모습이다. 그림 19d는 full mouth 임플란트 보철물에 DTR로 교합 조정 술식을 시행한 후 채득한 교합지 자국이다. 빨간색 표시는 MIP에서의 폐구 접촉이고, 검정색은 편심위 접촉이다. 측방 편심위를 유지하고 조절하는 상악 견치와 측절치를 제외하고, 접촉 위

치의 대부분에서 빨간색과 검정색 표시가 서로 중첩된다.

치료-후 T-Scan/EMG 동기화 기록에서(그림 20a–20c), 좌우측 반-악궁의 힘 균형은 우측 47.1%-좌측 52.9%이고, COF 궤도는 타원의 중앙으로 전후방 이동한다(그림 20a).

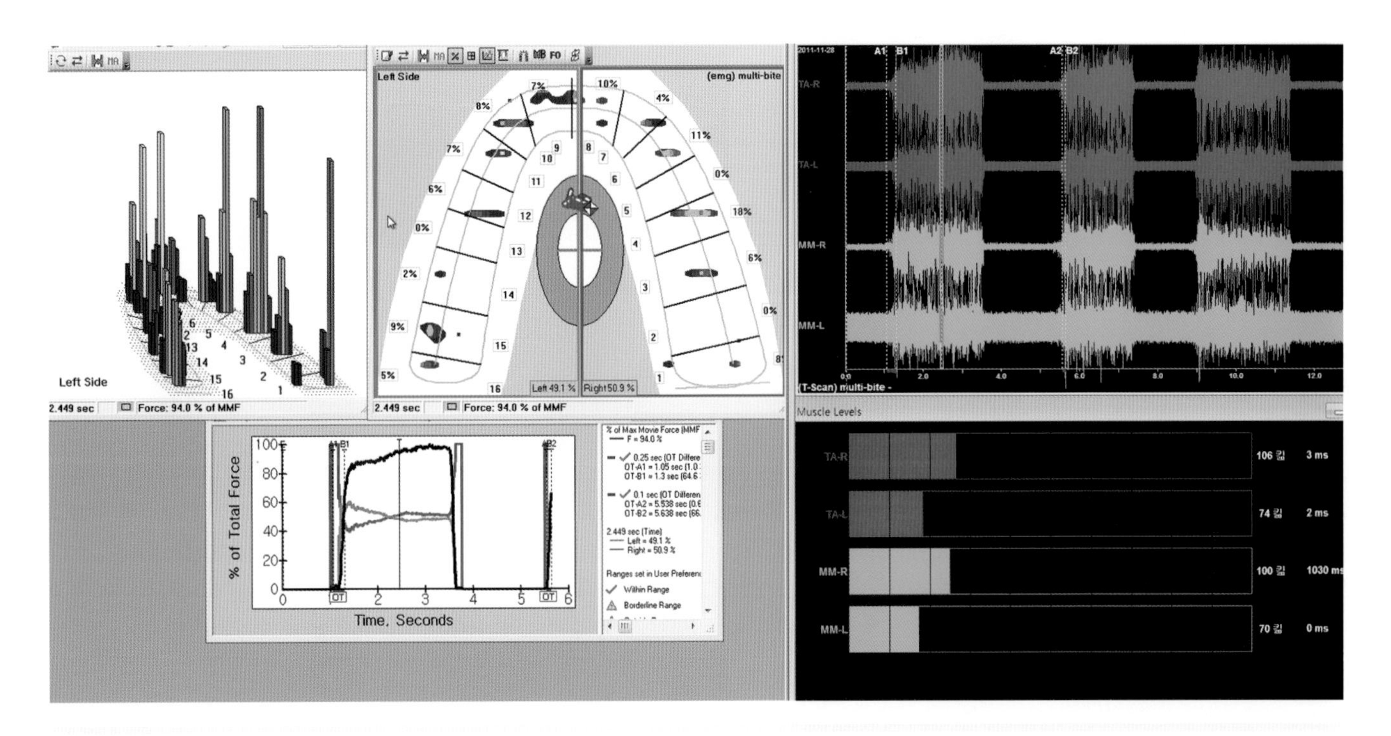

그림 17a MIP에서 치료-전 T-Scan/EMG 동기화 데이터. T-Scan 데이터에서, #2(17)번 치아가 소실되었지만, 좌우측 균형이 적절하다. EMG 데이터에서, 교근과 측두근 활성 크기가 상당히 균등하다. 좌측 교근(MM-L)은 "불량" EMG 전극으로 기록되어, 그림 17b와 17c에서는 교체하였다

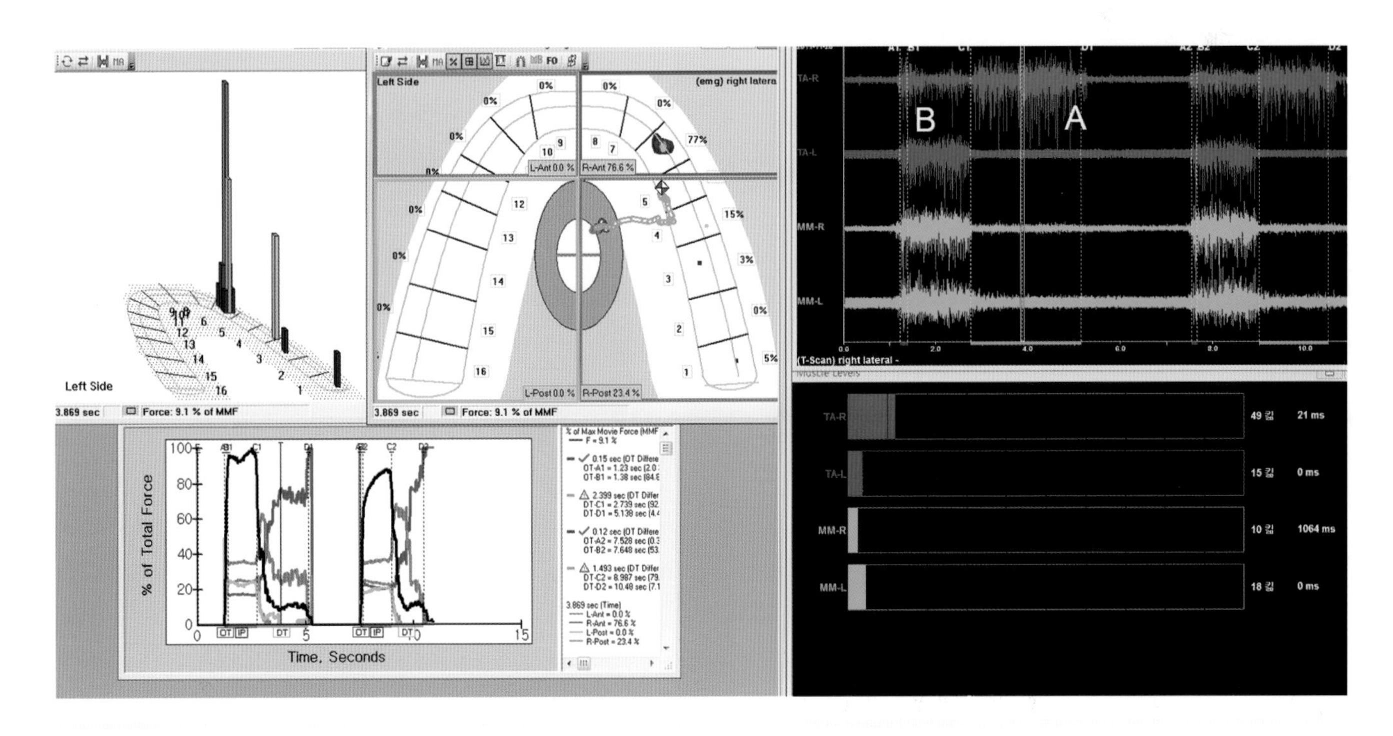

그림 17b 우측 편심위에서 치료-전 T-Scan/EMG 동기화 데이터로, 우측 편심위 동안 긴 DT로 우측 측두근이 과다하게 활성화된다. 편심위 EMG의 우측 측두근 크기(A)는 MIP(B)에서 보다 높다

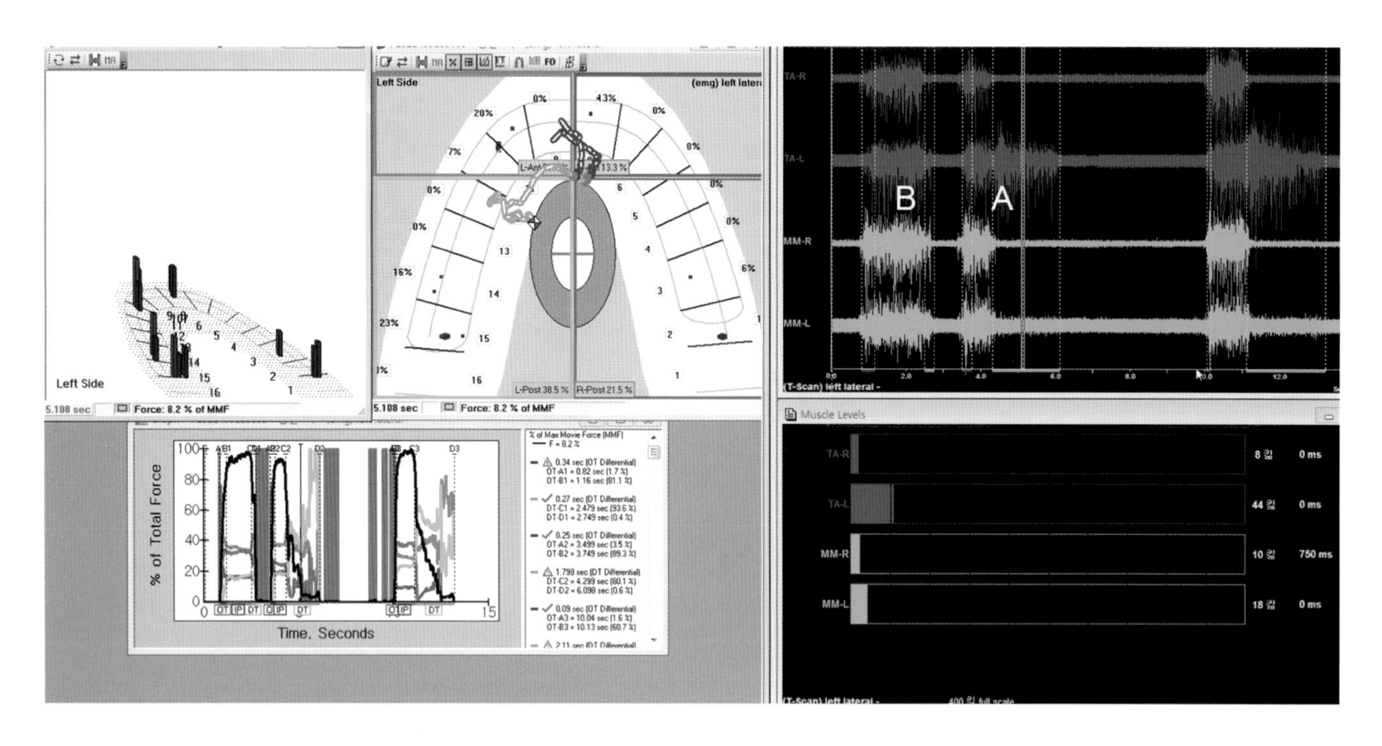

그림 17c 좌측 편심위에서 치료-전 T-Scan/EMG 동기화 데이터로, 좌측 편심위 동안 긴 DT로 좌측 측두근이 과다하게 활성화된다. 편심위 EMG의 크기(A)가 MIP(B)에서 보다 높다

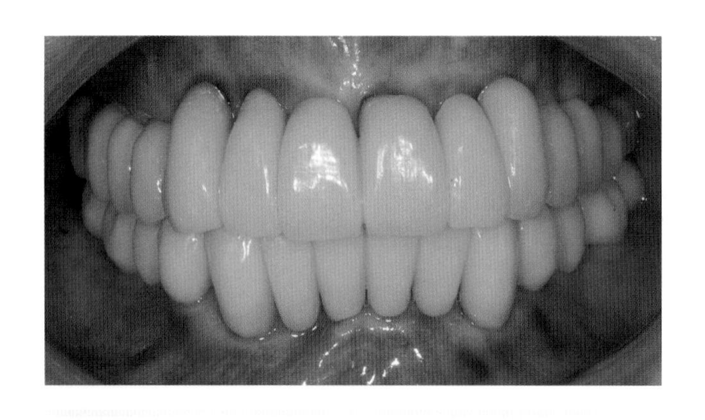

그림 18 임플란트에 고정성 임시 보철물을 장착한 정면 모습

OT는 0.1초 이하(OT = 0.071초)이다(그림 20a). 우측 편심위에서, DT는 0.319초이다. DT가 0.4초 이하로 과다하거나 불필요한 편심위 근활성이 낮게 유지됨을 알 수 있다(그림 20b)(Kerstein & Radke, 2012). 좌측 편심위에서, DT는 0.232초이다(그림 20c). 치료-후 EMG 데이터(그림 20b, 20c)와 그림 17b, 17c에서 보이는 치료-전 상태를 비교해보면, 좌우측 편심위에서 적은 측두근 활성을 확인할 수 있다.

임플란트를 이용한 full mouth rehabilitation은 많은 보철술식을 포함하는 복잡한 과정을 거치므로, 임상의는 교합관계를 교합기에서 구내로 전달하는 과정에서 발생할 수 있는 흔한 오류를 제거하기 위해 필요한 지식을 알아야 한다(그림 21).

그러나, 임상의의 지식과 경험에도 불구하고, 임상의가 교합지와 마운팅된 석고 모형만 이용하면 상당한 힘 해석 에러가 유도되기 때문에 이상적인 교합을 구축하는 것이 매우 어려워진다. 이번 장의 전반부에 설명한 것처럼, 교합지는 힘과 시간을 설명하거나 수량화하지 않는다(Carey 등, 2007; Saad 등, 2008; Qadeer 등, 2012). 교합지로 조정된 전악 임플란트 보철물 장착이 외형적으로 이상적인 교합을 가지고 있는 것처럼 보임에도 불구하고, 케이스는 종종 임상의가 교합지 자국의 외형적 특성으로 파악할 수 없는 많은 잠재적인 힘과 타이밍 문제를 가지게 된다. 이것은 보철물 장착 후 환자 교합의 불편감을 유발하여, 매우 흔하게 관찰되는 장착-후 보철물 교합 재료 붕괴 및/혹은 가끔 관찰되는 임플란트의 골유착 소실이 나타날 수 있다. 그러나, T-Scan 시스템을 이용하여 보철물을 장착하면, 임상의는 잠재적인 교합력 과다를 믿을 수 있게 분리하고, 연장된 후방 편심위 마찰성 접촉을 쉽게 판단하며, 시간-순서 비-동시성을 개선하여 보철물 장착 시의 모든 쟁점을 측정성으

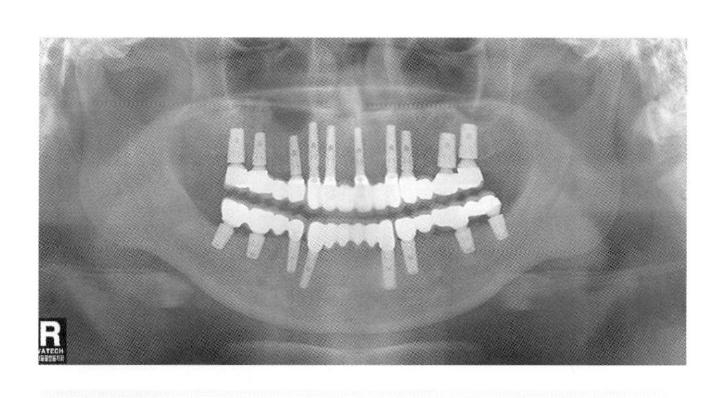

그림 19a 치료-후 파노라마로 임플란트와 전악 보철물이 장착되어 있다

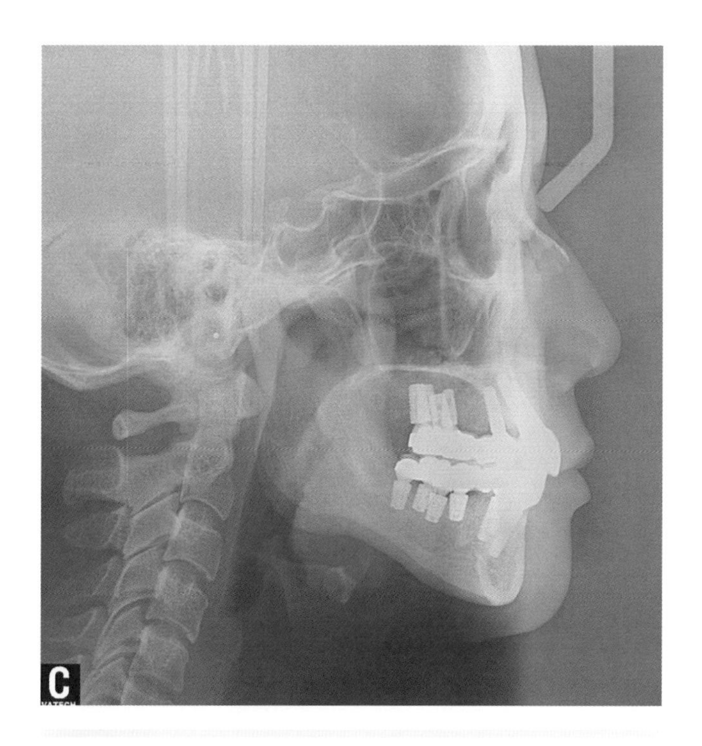

그림 19b Cephalo에서 수복된 교합 평면이 평평하다. 그림 16b의 치료-전 Cephalo와 비교해보면, 경추가 'C' 모양으로 정상적 배열로 간주된다

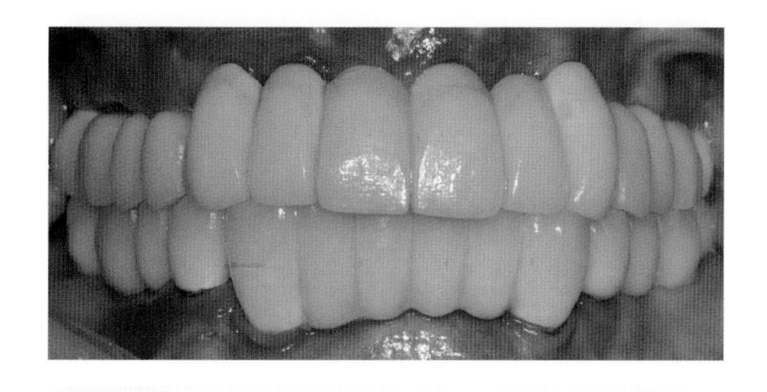

그림 19c 최종 임플란트 보철물을 장착한 MIP에서의 정면 모습

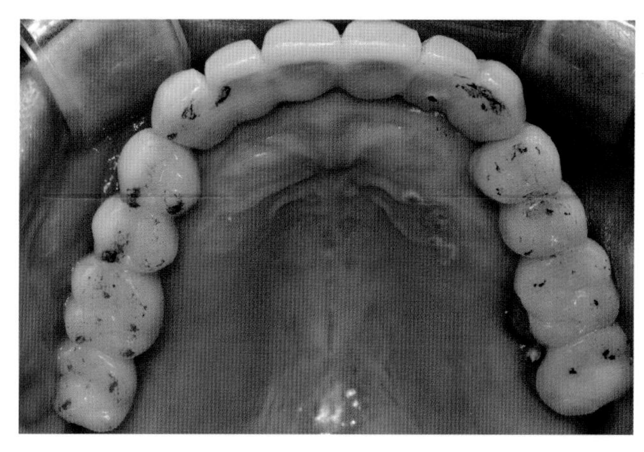

그림 19d 전악 임플란트 보철물에 DTR로 교합 조정을 시행한 후 교합지 자국. 빨간색 자국은 MIP 폐구 접촉이다. 검정색 자국은 편심위 접촉이다. 측방 편심위를 유도하고 조절하는 상악 견치와 측절치를 제외하고, 접촉 위치의 대부분에서 빨간색과 검정색 표시가 서로 중첩된다

로 수정할 수 있다. 또한 T-Scan으로 주기적인 교합 유지 재평가를 통해 장기간 보철물 교합 안정성을 모니터링할 수 있다. 그 결과, 과다하고 비정상적인 교합력으로 유발되는 많은 잠재적인 교합 문제가 성공적으로 관리되어, 전악 임플란트 수복물 복합체의 총체적인 수명을 향상시키게 된다.

해결 방안 및 권고 사항

교합지 자국을 시각적으로 관찰하는 전통적인 방법은 교합력과 시간에 따른 변이를 측정할 수 없기 때문에, 이 방법을 사용하는 임플란트 교합 구축은 재현성이 없다. 그러므로, 이 기술은 임플란트 교합을 수량적으로 분석하지 않는다. 그러나, T-Scan 시스템은 실시간으로 상대적인 교합력을 측정하고 접촉 타이밍을 순서화하기 때문에, 이를 이용한 임플란트 교합 구축은 매우 예견성있는 치료가 된다.

그러므로, 이 저자는 현대의 임플란트 임상의들에게 T-Scan Ⅲ 시스템이 임플란트 보철학의 과학과 술식에 가져올 교합 기술의 향상을 받아들일 것을 권고한다. 시간-지연 개념을 적용하여 자연치 근처에 위치하는 임플란트 보철물에 과다한 힘이 집중되지 않도록 한다. 감소되고 지연된 힘이 임플란트에 가해지기 때문에, 이에 따라 임플란트 보철물의 수명이 증가하게 된다. 게다가, DTR에 의해, 저작근 활성 크기가 조절될 수 있다. 그러므로, 전악 임플란트 재

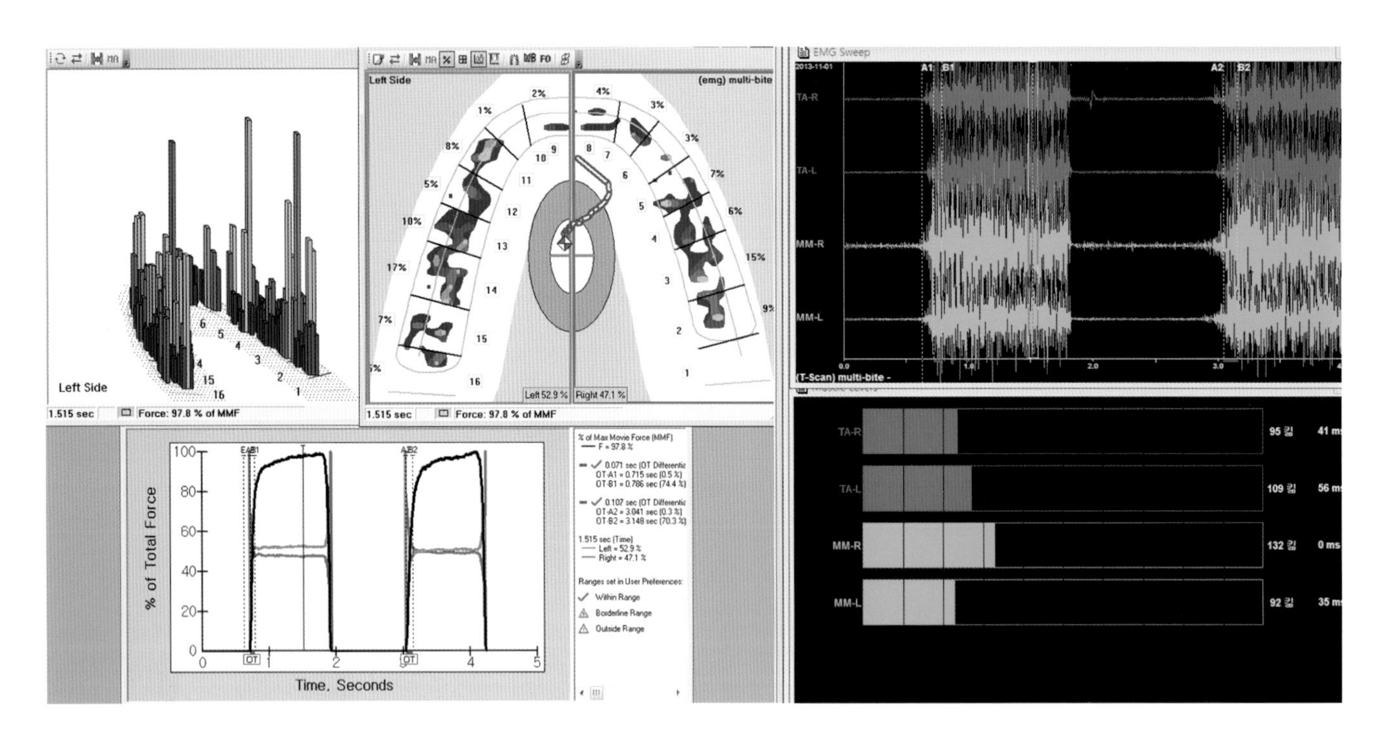

그림 20a 치료-후 MIP에서, T-Scan/EMG 동기화 데이터. 하악이 완전 교두감합으로 폐구하는 동안 교합 균형으로 인한 4개 근육 수축 크기의 균등성을 확인할 수 있다

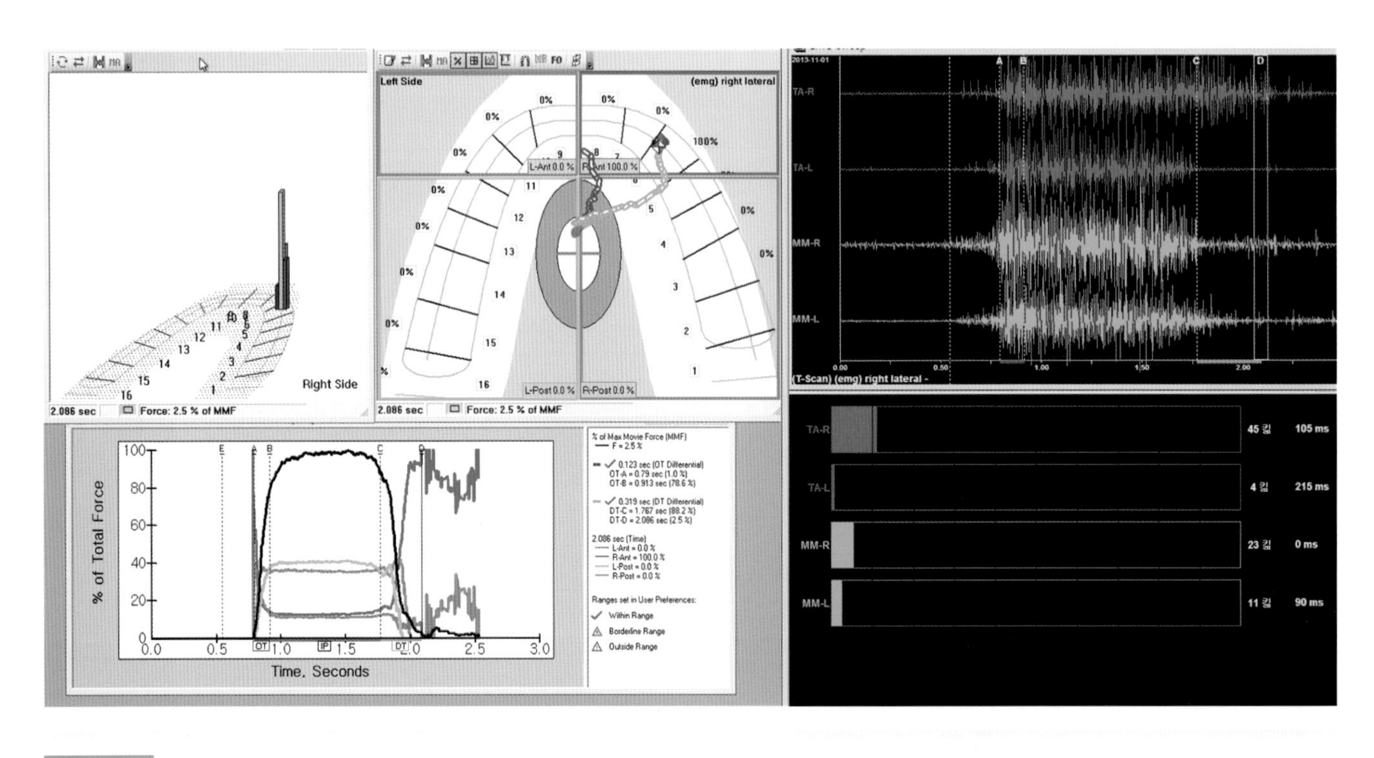

그림 20b 치료-후 우측 편심위의 T-Scan/EMG 동기화 데이터(DT = 0.319초). 그림 17b에서 보이는 치료-전 상태와 비교해서 우측 편심위 측두근 활성이 확실하게 낮아졌다

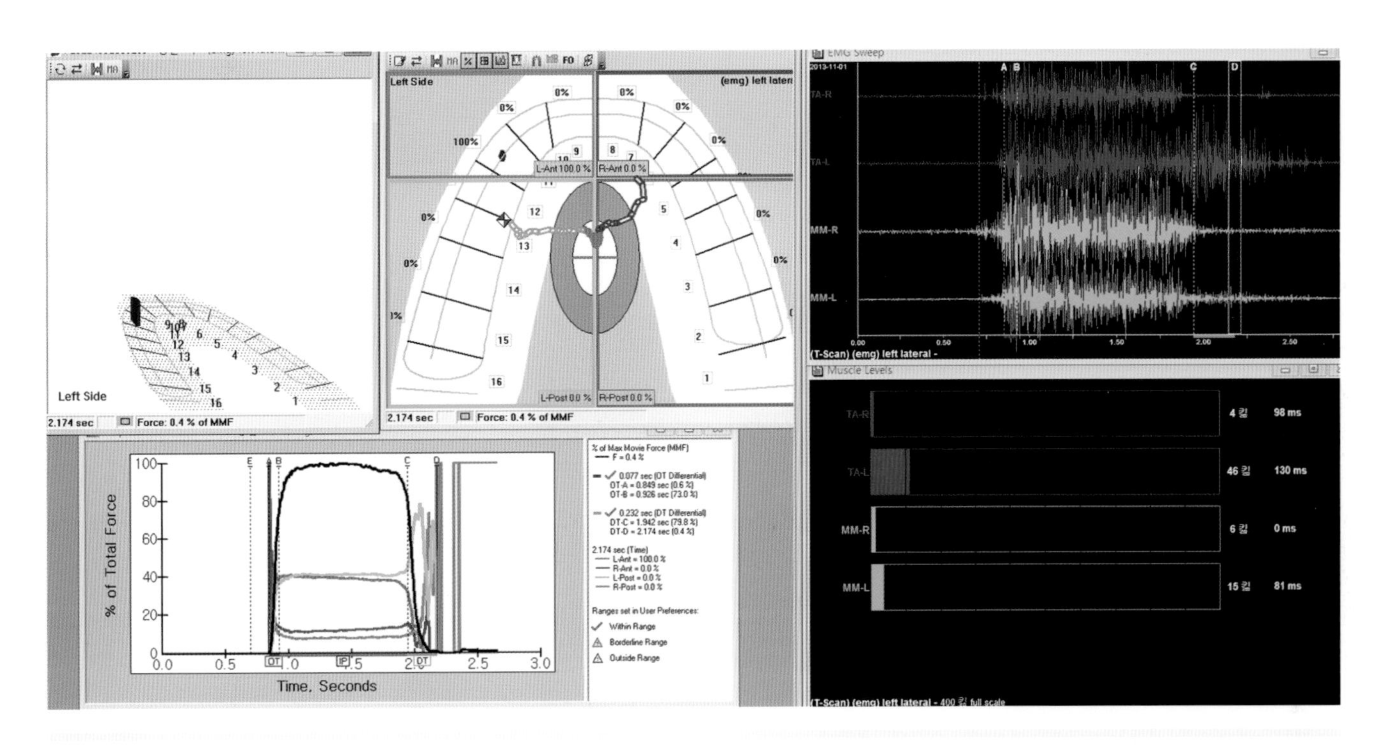

그림 20c 치료-후 좌측 편심위의 T-Scan/EMG 동기화 데이터(DT = 0.232초). 그림 17c에서 보이는 치료-전 상태와 비교해서 좌측 편심위 측두근 활성이 확실하게 낮아졌다

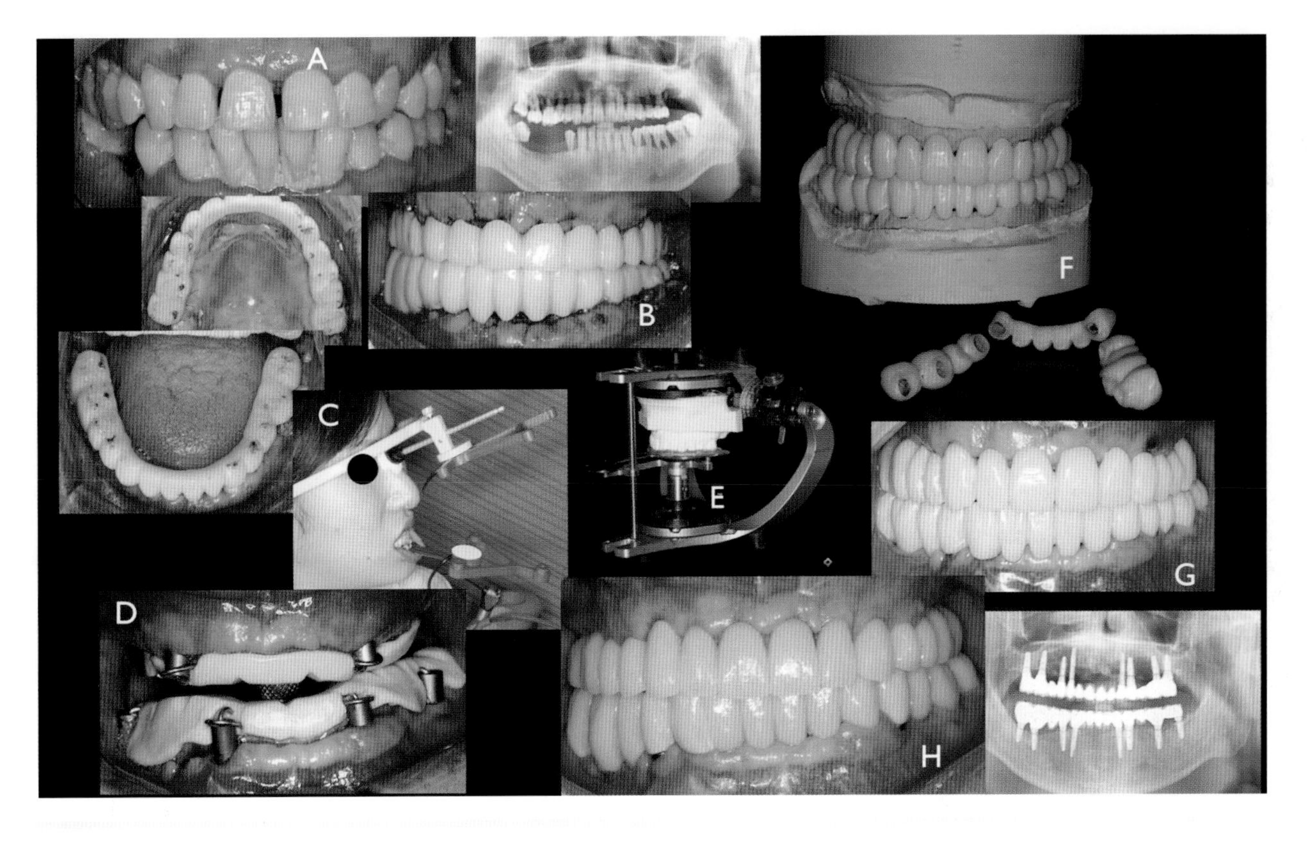

그림 21 임플란트 수술 후, 전악 임플란트 수복을 위해 필요한 많은 보철 술식들. (A) 치료-전 상태; (B) 임플란트 2차 수술 후 첫 번째 임시 보철물 세트; (C) Arcus digma에 의한 과두 유도 기록; (D) 치료 수직 고경 결정을 위한 구내 gothic arch tracing; (E) 마운팅한 상악 모델; (F) 마운팅된 모델에서 만든 두 번째 임시 보철물; (G) 두 번째 수복물 장착 후 정면 모습; (H) 최종 보철물 장착 후

건에서는 시간-지연이 해당되지 않고, DTR을 이용하여 불필요한 근 활성 크기를 감소시키고, 반복적으로 가해지는 과다한 교합면 마찰에 의한 유해한 교합력을 전악 임플란트 보철물이 받지 않게 한다.

미래 연구 방향

경험에 의하면, T-Scan 시스템으로 구축된 임플란트 교합은 임플란트 보철물 수명을 괴롭히는 흔하게 관찰되는 많은 교합 문제(보철물 파절, 스크류 풀림, 임플란트 fixture 파절, 임플란트-주위 골 소실)를 예방한다. 그러나, 교합력 및 조기 접촉과 임플란트 실패율 사이의 상호관계를 보여주는 연구는 많지 않다. 미래의 연구는, 교합 재료 파절 비율, 수복 구조물 파절 비율, 임플란트 골유착 소실 비율, 임플란트-주위 골 소실 비율에 대하여, T-Scan을 이용한 임플란트 보철물 장착과 그렇지 않은 경우를 비교해야 한다.

임플란트 보철물 장착 시 전통적인 교합지를 사용한 케이스와 상대적 교합력과 타이밍 데이터에 근거하여 교합 분포 비율을 조절하는 T-Scan 유도 교합 조정의 케이스를 비교하는 연구도 이루어져야 한다. 이런 종류의 연구는 T-Scan 기술이 임상의에게 전통적인 비-디지털 접근법을 능가하는 향상되고 이상적인 교합력 비율 최종-결과를 제공하는지에 대해 평가해야 할 것이다.

임플란트 보철물에 대한 교합력의 강도와 비율, 접촉 동시성 정도를 설명하는 수량화된 T-Scan 데이터를 이용하여, 다양한 교합 매개 변수의 가이드라인을 계산하고 임플란트 보철물의 수명, 기능 후 임플란트 성공률, 스크류 풀림의 잠재적인 비율을 통계적으로 예견할 수 있다.

장착 시 T-Scan 시스템을 이용한 임플란트 보철물 온전성을 전통적인 방법을 이용한 경우와 비교하는 후향적 연구로, 보철물 장착의 최종-결과 및 보철물 수명이라는 관점에서 T-Scan 시스템 이용이 전통적인 비-디지털 교합지 방법을 뛰어넘는지에 대한 과학적 분석을 설명할 수 있을 것이다.

T-Scan 시스템은, 교합력 크기와 임플란트-주위 골 소실 및/혹은 임플란트-주위염 사이의 잠재적인 상관관계를 증명하는데 유용할 것이다. 많은 혼합적 인자가 임플란트 주변의 변연골 소실에 기여한다. 이런 다른 인자들은 조절될 수 있지만, 교합력이 수량화되지 않는다면, 교합력과 임플란트 주위염 사이의 상관관계를 통계적으로 보여주기 어렵다. T-Scan 시스템으로, 장착 시 교합력 크기를 측정하여 교합력과 임플란트-주위염에 관한 연구를 시행할 수 있다.

결론

치과 치료는 치아 우식증, 치주 질환, 교합성 외상으로 손상받은 치아를 수복하고 재건하는 술식이다. 치아를 수복하고 재건하는 술식 동안, 교합 구축이 가장 중요하다. 임상의는 종종 교합을 임의로 혹은 주관적으로 구축하여, 잠재적인 임상의의 직무 태만을 보여준다는 논쟁이 있을 수 있다. 교합지와 환자의 "느낌" 피드백을 사용하는 전통적인 방법으로 만들어진 보철물의 결과는 환자의 주관적인 감각에 크게 의존한다. 그리고, 장착 후 시간이 경과함에 따라, 임플란트 보철물의 수명은 교합 "느낌"의 변화를 감지하는 환자의 감각에 의존하게 된다. 이런 접근은 예견성이 없고 과학적인 정확성이 부족하다. T-Scan 시스템으로 교합을 과학적으로 구축하면 환자의 감각과 상관없는 측정된 결과의 획득을 보장하게 된다. 수량화된 T-Scan 데이터에 근거한 임플란트 교합 조정으로 좀 더 예견성 있고 수량화된 치료 결과를 얻게 될 것이다.

참고문헌

- Astrand, P., Ahlqvist, J., Gunne, J., & Nilson, H. (2008). Implant treatment of patients with edentulous jaws: A 20-year follow-up. *Clinical Implant Dentistry Related Research*, *10*(4), 207-217.
- Carey, J.P., Craig, M., Kerstein, R.B., & Radke, J. (2007). Determining a relationship between applied occlusal load and articulating paper mark area. *The Open Dentistry Journal*, *1*, 1-7.
- Carlsson, G.E, Ingervall, B., & Kocak, G. (1797). Effect of increasing vertical dimension on the masticatory system in subjects with natural teeth. *Journal of Prosthetic Dentistry*, *41*, 284-289.
- Carossa, S., Lojacono, A., Schierano, G., & Pera, P. (2000). Evalu-

ation of occlusal contacts in the dental laboratory: influence of strip thickness and operator experience. *International Journal of Prosthodontics,13*(3), 201-4.

- Chapman, R.J. (1989). Principles of occlusion for implant prostheses: guidelines for position, timing, and force of occlusal contacts. *Quintessence International, 20*, 473-480.
- Christensen, L.V., & Rassouli, N.M. (1995). Experimental occlusal interferences. Part II. Masseteric EMG responses to an intercuspal interference. *Journal of Oral Rehabilitation, 22*, 521-531.
- Engelman, M.J. (Ed. 1st).(1996). Occlusion, In: *Clinical decision making and treatment planning in osseointegration*. Chicago, IL: Quintessence Publishing Co., pp. 169-176.
- Gazit, E., Fitzig, S.,& Lieberman, M.A. (1986). Reproducibility of occlusal marking techniques. *Journal of Prosthetic Dentistry, 55*(4), 505-509.
- Hammerle, C.H., Wagner, D., Bragger, U., Lussi, A., Karayiannis A., Joss, A., & Lang, N.P. (1995). Threshold of tactile sensitivity perceived with dental endosseous implants and natural teeth. *Clinical Oral Implants Research, 6*(2), 83-90.
- Hobo, S., Ichida, E., & Garcia, L.T. (1989). *Osseointegration and Occlusal Rehabilitation*. Osaka, Japan: Quintessence Books, pp. 305-328.
- Jemt, T. (1986). Modified single and short-span restorations supported by osseointegrated fixtures in the partially edentulous jaw. *Journal of Prosthetic Dentistry, 55*, 243-247.
- Kaptein, M.L.A., DePutter, C., Delange, G.L., & Blijdorp, P.A. (1999). A clinical evaluation of 76 implant supported superstructures in the composite grafted maxilla. *Journal of Oral Rehabilitation, 26*, 619-623.
- Kerstein, R.B., & Wright, N. (1991). An Electromyographic and computer analysis of patients suffering from MPDS pre and posttreatment with immediate complete anterior guidance development. *Journal of Prosthetic Dentistry, 66*(5), 677-686.
- Kerstein, R.B. (1992). Disclusion Time reduction therapy with immediate complete anterior guidance development.: the technique. *Quintessence International, 23*, 735-747.
- Kerstein, R.B. (1993).A comparison of traditional occlusal equilibration and immediate complete anterior guidance development. *Journal of Craniomandibular Practice, 11*(2),126-140.
- Kerstein, R.B., & Grundset, K. (2001). Obtaining Bilateral Simultaneous Occlusal Contacts With Computer Analyzed and Guided Occlusal Adjustments. *Quintessence International, 32*,7-18.
- Kerstein, R.B. (2002). Nonsimultaneous Tooth Contact in Combined Implant and Natural Tooth Occlusal Schemes. *Practical Periodontics and Aesthetic Dentistry,13*(9), 751-756.
- Kerstein, R.B. (2004). Combining Technologies: A Computerized Occlusal Analysis System Synchronized with a Computerized Electromyography System. *The Journal of Craniomandibular Practice, 22*(2), 96-109.
- Kerstein, R.B., & Radke, J. (2006).The effect of Disclusion Time Reduction on Maximal Clench Muscle Activity Levels. *The Journal of Craniomandibular Practice, 24*(3), 156-165.
- Kerstein, R.B., & Radke, J. (2012). Masseter and Temporalis Excessive Hyperacitivity Decreased by Measured Anterior Guidance Development. *The Journal of Craniomandibular & Sleep and Practice, 30*(4), 243-254
- Kim, Y., Oh, T., Misch, C.E., & Wang, H. (2005). Occlusal considerations in implant therapy: clinical guidelines with biomechanical rationale. *Clinical Oral Implants Research. 16*(1), 26-35
- Koldsland, O.C., Scheie, A.A., Aass, A.M. (2009). Prevalence of implant loss and the influence of associated factors. *Journal of Periodontology, 80*(7), 1069-1075.
- Lundgren, D., & Laurell, L. (1994). Biomechanical aspects of fixed bridgework supported by natural teeth and endosseous implants. *Periodontology, 4*, 23-40.
- Millstein, P., & Maya, A. (2001). An evaluation of occlusal contact marking indicators descrlptlve quantitative method. *Journal of American Dental Association, 132*(9), 1280-1286.
- Misch, C.E. & Bidez, M.W. (1999). Occlusal considerations for implant-supported prostheses: Implant protective occlusion and occlusal materials. In Misch, C.E. (Ed.), *Contemporary Implant Dentistry*, St. Louis, MO: CV Mosby, pp. 609-628.
- Misch, C.E., & Bidez, M.W. (1994). Implant -protected occlusion. *International Journal of Dental symposium. 2*, 32-37.
- Nixon, K.C., Chen, S.T., & Ivanovski, S. (2009). A retrospective analysis of 1,000 consecutively placed implants in private practice. *Australian Dental Journal, 54*(2), 123-129.

- Parafitt, G.S. (1960). Measurement of the physiologic mobility of individual teeth in an axial direction. *Journal of Dental Research, 39*, 608-611.
- Qadeer, S., Kerstein, R.B., Yung Kim, R.J., Huh, J.B., & Shin, S.W. (2012). Relationship between articulation paper mark size and percentage of force measured with computerized occlusal analysis. *Journal of Advanced Prosthodontics, 4*, 1-6.
- Saad, M.N., Weiner, G., Ehrenberg, D., & Weiner, S. (2008). Effect of load and indicator type upon occlusal contact markings. *Journal of Biomedical Materials Research, Part B, Applied Biomaterials, 85*(1), 18-22.
- Sawyer, S., & Tapia, A. (2005). The sociotechnical nature of mobile computing work: Evidence from a study of policing in the United States. *International Journal of Technology and Human Interaction,* 1(3), 1-14.
- Sekine, H. (1986). Mobility characteristics and tactile sensitivity of osseointegrated fixture supporting system, in Van steenberghe D. (Ed.), In *Tissue integration in oral maxillofacial reconstruction*. Amsterdam, Netherlands: Excerpta Media, Elsevier, pp. 306-332
- Stevens, C. (2006). Computerized Occlusal Implant Management with the T-Scan II System, *Dentistry Today, 25*(2), 88-91.
- Vidyasagar L.,& Apse P. (2003). Biologic response to Dental implant loading/ Overloading: Empiricism or science. *Stomatologija, Baltic Dental Maxillofacial Journal. 5*, 83-89

추가문헌

- Campillio, M.J., MIralles, R., & Santander, H. (2008). Influencing of laterotrusive occlusal scheme on bilateral masseter EMG activity during clenching and grinding. *Journal of Craniomandibular Practice, 26*, 263-273.
- Dejak, B., Mlotkowski, A., & Romanowicz, M. (2005). Finite element analysis of mechanism of cervical lesion formation in simulated molars during mastication and parafunction. *Journal of prosthetic Dentistry, 94*, 520-529.
- Di Pietro, G.J., & Moergeli, J.R.(1976). Significance of the Frankfort mandibular plane angle to prosthodontics, *Journal of Prosthetic Dentistry, 36*, 624.
- Gelb, D.A. (1993). Immediate implant surgery: three-year retrospective evaluation of 50 consecutive cases. *International Journal of Oral Maxillofacial Implants, 8*(4), 388-399.
- Gittelson, G.L. (2002). Vertical dimension of occlusion in implant dentistry: significance and approach. *Implant Dentistry, 11*(1), 33-40
- Haralur, S.B. (2013). Digital evaluation of functional occlusion parameters and their association with temporomandibular disorders. *Journal of Clinical and Diagnostic Research, 7*(8), 1772-1775.
- Lazzara, R.J. (1989). Immediate implant placement into extraction sites: surgical and restorative advantages. *International Journal of Periodontics Restorative Dentistry, 9*(5), 332-343.
- Lindhe, J. Karring, T. & Lang, N.P. (2003). *Clinical periodontology and implant dentistry*. Oxford, UK: Munksgaard Blackwell, pp. 809-1023.
- Misch, C.E, Suzki, J.B.,Misch-Dietsh, F.M, & Bidez, M.W. (2005). A positive correlation between occlusal trauma and peri-implant bone loss: literature support. *Implant Dentistry, 14*(2), 108-116.
- Mombelli, A. & Lang, N.P. (2000). The diagnosis and treatment of peri-implantitis. *Periodontology,17*(1), 63-76.
- Moy, P.K., Medina, D., Shetty, V. & Aghaloo, T.L. (2005). Dental implant failure rates and associated risk factors. *International Journal of Oral & Maxillofacial implants, 20*(4), 569-577.
- Moyers, R.E. (1950). An electromyogrphic analysis of certain muscles involved in temporomandibular movement. *American Journal of Orthodontics, 36*, 481–515.
- Rangert, B, Krogh, P., & Langer, B. (1995). Bending overload and implant fracture: a retrospective clinical analysis. *International Journal of Oral Maxillofacial Implant,*10, 326-334.
- Salama, H., Salama, M.A., Li, T.F, Garber, D.A., & Adar, P.(1997). Treatment planning 2000: an esthetically oriented revision of original implant protocol. *Journal of Esthetic Dentistry, 9*(2), 55-67.
- Schwartz-Arad, D., Gulayev, N., & Chaushu, G. (2000). Immediate versus non-immediate implantation for full-arch fixed

reconstruction following extraction of all residual teeth: A retrospective comparative study. *Journal of Periodontology, 71*(6), 923-928.

- Standford, C.M., & Brand, R.A. (1999). Toward an understanding of implant occlusion and strain adaptive bone remodeling and remodeling. *Journal of Prosthetic Dentistry, 81*(5), 553-561.
- Suckert, R. (1992). *Okklusions-Konzepte*. Munchen, Germany: Verlag Neuer Merkur GmbH.
- Taylor, T.D., Wiens, J., & Carr, A. (2005). Evidence-based considerations for removable prosthodontic and dental implant occlusion: A literature review. *Journal of Prosthetic Dentistry, 94*(6), 55 5-560.
- Williamson, E.H., & Lundquist, D.O. (1983). Anterior guidance: Its effect on electromyographic activity of the temporal and masseter muscles. *Journal of Prosthetic Dentistry, 49*, 816-823.
- Williamson, E.H., Caves, S.A., & Edenfield, R.J. (1978). Cephalometric analysis: Comparisons between maximum intercuspation and centric relation. *American Journal of Orthodontics, 74*(6), 672-677.

주요 용어 및 정의

- **Full mouth 임플란트 재건:** 완전 무치악 환자에서 완전 임플란트 지지 기능 회복(rehabilitation).
- **T–Scan Ⅲ 시스템:** 교합 접촉의 타이밍과 상대적인 교합력을 기록하고 측정하는 컴퓨터 기술
- **근전도(EMG):** 저작근 기능의 수축 활성을 기록하고 측정하는 컴퓨터 기술.
- **시간–지연(Time–Delay):** 임플란트–자연치 혼합 교합에서, 교합 체계는 임플란트가 초기에 교합되기 전에 자연치에 순차적인 힘을 부가한다.
- **이개 시간 감소(Disclusion Time Reduction, DTR):** 구치부 혹은 후방 임플란트 보철물에서 연장된 교합면 마찰을 최소화하는 술식으로, 즉시 완전 전방 유도 발달(ICAGD) 치관성형술 술식을 시행하여 편심위 당 0.4초 이하로 만든다.
- **임플란트 교합:** 임플란트 교합 체계는 임플란트의 운동이 치아와 다르다는 것을 고려한다.
- **치아 시간(TT) 소프트웨어 분석:** T–Scan Ⅲ 소프트웨어 특성으로 특정 치아에 가해지는 힘과 다른 모든 치아에 부가되는 힘의 시간을 비교한다.

교합 스플린트 치료에서 컴퓨터 교합 분석

Roger Solow, DDS
The Pankey Institute, USA

초록

교합 스플린트는 치아를 보호하고, 구강안면 통증을 완화시키며, 시뮬레이션된 교합 수정에 대한 환자의 반응을 사전 조사하기 위해 사용된다. 이번 장은 치료상의 교합을 입증하기 위해 T-Scan 분석을 적용하는 적절한 교합 스플린트 제작의 개요를 설명한다. T-Scan은 스플린트 교합 체계의 정제를 유도하는 객관적인 상대적 교합력과 타이밍 데이터를 제공한다. 그러므로, 이번 장에서는 T-Scan과 교합지를 사용하여 교합 스플린트 접촉 양상을 조절하는 것에 대해 설명할 것이다. 또한 교합 간섭과 저작근 기능 이상 사이에 존재하는 관계 유무에 관한 논쟁을 다룰 것이다. 저자는 관계가 없다고 주장하는 연구에서, 교합 측정이 결여되고 존재하는 관계를 부인할 만한 과학적 근거가 부족하다고 제안한다. 마지막으로, 교합 스플린트와 자연치 모두를 이용한 TMD 치료 연구에 T-Scan을 포함하여, 연구자들이 임상의들을 위해 이런 논쟁을 해결해야 한다고 권고한다.

도입

최적의 치과 치료는 철저한 진단 및 이후의 개별화되고 적절한 치료 계획을 수립하기 전까지의, 환자 문제와 치료 방법 모두에 대한 자세한 환자 교육에 근거한다. 교합 분석은 포괄적인 치과 검사의 필수적인 부분이다. 마운팅된 진단 모형은 교합 간섭의 크기와 위치를 보여준다. T-Scan 8(Tekscan, Inc., S. Boston, MA, USA) 컴퓨터 분석은 다양한 교합 접촉의 위치, 타이밍, 상대적 힘을 명시한다. 이런 디지털 진단 양식은 직접적인 임상 관찰이나 교합지 자국으로 항상 시각화되지 않는 문제성 교합 접촉의 위치를 정확하게 지석한다.

교합 스플린트(Occlusal splint, OS) 치료는 진단을 확증하고 교합 문제를 치료하는 보존적이고 비가역적인 방식이다. OS 치료는 이갈이-관련 교모로부터의 보호, porcelain 수복물 보존, 근육성 구강안면 통증의 치료에서 흔하게 사용된다(Okeson, Kemper, & Moody, 1982; Clark, 1984a). 최적의 교합을 구축하면서 치아와 연조직 모두에 안정성과 편안감을 제공하는 적절한 OS 제작이 예측가능한 치료결과를 획득하기 위해 꼭 필요하다. 적절하게 고안된 OS를 사용함으로써, 임상의와 환자는 수정된 교합의 생리적 영향을 평가할 수 있고, 추후에 교합 조정(Occlusal adjustment,

OA), 교정, 혹은 포괄적인 수복을 시행할 수 있다.

권고되는 OS의 물리적 디자인 특성은 전체 악궁을 피개하고 경질의 methylmethacrylate resin으로 만들어진다. 교합은 생리적 과두 안착과 일치하는 균등한 양측성 구치부 접촉이 있고, 장치가 대합하는 구치부를 즉시 이개시키는 전방 부분이 있는 부드러운 전방 유도 접촉을 가지고, 구치부보다 전치부에 더 센 접촉이 없는 요건을 갖추어야 한다(Barker, 2004).

기존 OS 제공에 대한 세부 사항이 모두 완료되면, T-Scan을 이용하여 스플린트 교합을 개선할 수 있다. MIP, 유도된 CR, 모든 하악 편심위에서 자연치에서 수행하는 동일한 방법으로 T-Scan 기록을 채득한다. 저자의 경험상, T-Scan 시스템을 이용하여 스플린트 교합을 다듬어보면, 환자의 교합 "느낌" 피드백과 교합지로 수행하는 교합 조정으로 최적의 교합 상태를 얻기 힘들다는 것을 알 수 있게 된다. 스플린트 교합의 부적절한 조정으로는 예견성 있는 치료결과를 얻을 수 없기 때문에, T-Scan은 OS 치료 동안 교합 조정 수행의 우수성을 얻기 위해 필수적이다.

T-Scan은 환자에게 자신의 치료-전 교합 문제와 최적의 치료를 받은 결과로 인한 치료-후 변화를 분명하게 보여준다. T-Scan 그래픽을 환자에게 보여주면, 환자는 즉각적으로 2D, 3D ForveView를 통해 자신의 교합 문제를 시각적으로 확인한다. 이로써 환자의 참여를 촉진하고, 훌륭한 OS 치료 결과를 얻으려는 임상의의 작업에 대한 환자의 이해를 높여준다.

OS 치료는 교합 접촉의 생리학을 연구하고 다양한 교합 디자인의 임상적 효과를 테스트하는 데에도 사용된다(Manns, Chan, & Miralles, 1987; Manns, Miralles, Santander, & Valdivia, 1983). OS가 다양한 비-침습적인 교합 접촉 체계를 테스트하도록 쉽게 변형되기 때문에, 동일한 환자에 의해 마모되면서 적응되는 편안함 정도를 평가할 수 있다. 컴퓨터 교합 분석은 임상환자 치료와 교합 문제가 다루어지는 연구 분야 모두에서 실제 교합에 대한 검증을 제공한다. 발표된 많은 교합 연구가 진정한 전-후의 측정된 교합 상태 기록이 부족하여 상당히 실패하였다(Dao, Lavigne, Charbonneau, Feine, & Lund, 1994; Pullinger & Seligman, 2000; Truelove, Huggins, Mancl, & Dworkin, 2006; Kidder & Solow, 2014). T-Scan 기술은 시간과 힘을 측정하는 능력을 가지고 있기 때문에, 교합 연구의 유효성에 대한 새로운 기준을 제공한다.

교합 분석 및 최적 치료의 철학

최적의 치과치료는 교육, 진단을 비롯하여, 환자에게 장기간에 걸친 최소의 유지를 요구하는 최고 수준의 편안감, 기능, 심미성을 제공하는 치료로 규정될 수 있다(Solow, 2011). 공동-진단, 혹은 환자 교육은, 환자의 건강이나 질환의 각 측면을 살펴보고 논의하는 과정 중의 대화이다. 치료 목표가 환자의 구강 위생 기술을 향상시켜 세균 문제를 더 잘 예방하는 것과 같이 단순해도, 아니면 다수의 결손치와 약화된 치아로 인해 심오한 재건이 필요해도, 이 대화는 성공을 위한 출발점이 된다. 환자는 수행될 최종 치료를 위해 자신의 시간, 노력, 돈을 소비할 결정을 내리기 전에, 자신의 구강 건강 상태와 교합 문제, 선택할 수 있는 잠재적인 해결 방안에 대해 알아야만 한다.

포괄적인 검사는 임상-전 인터뷰, 임상 검사, 이미지화(방사선, CT, 사진), 교합 분석으로 구성된다. 임상의는 이 데이터를 이용하여 문제점과 해결점 목록을 만든다. 환자와 검사 결과를 공유하기 위해 필요한 정보를 제공하여 각 환자의 목표에 적절한 치료에 관해 충분한 정보를 기반으로 결정을 내린다. 많은 환자들에게 이런 상담 참여가 의사와 시간을 갖게 되는 첫 순간이며, 환자 자신의 문제점을 충분히 평가하여 의사-결정 과정에 참여하게 된다. 이는 전문 역량과 상호 목표에 기초한 신뢰 관계를 형성하는 데 도움이 되며, 환자가 제안된 치료 절차를 수동적으로 수락하는 경우와는 현저한 대조를 이룬다.

교합 분석과 T-Scan

많은 환자가 치아의 불리한 교합 접촉으로 인한 과다한 힘의 신체적 징후를 가지고 있다. 환자의 실제 연령을 능가하는 치아 마모, 크라운 천공, 파절된 치아, 깨진 포셀린, 치은 퇴축, 굴곡 파절, 위생 상태가 좋은 임플란트 주변 골 소실, 건강한 치주 골 지지의 치아 동요 등이 진행 중인 교합력 과부하와 연관된 흔한 문제이다.

교합 분석은 포괄적인 검사의 일부분으로, 예견성있는 교합 치료로 시행될 수 있는 문제를 확인하는 과정이다. 임상의가 치료 권고 사항을 결정하고 조정 술식을 수행하기 전에, 철저한 진단과 환자 교육이 항상 선행되어야 한다. CR, MIP, 하악 편심위에서 마운팅된 진단 모형 치아를 직접적으로 관찰하는 것과 T-Scan 기록 모두는 환자의 교합 관계를 평가하는데 장점을 갖는다.

정적 및 역동적(편심위) 접촉에서 치아를 직접적으로 관찰하면, 측방, 전방, 교차형 접촉에서 교합 마모가 발생하는 이유를 이해하는데 도움이 된다. 환자는 무료로 교합의 중요성을 즉각적으로 파악하고, 접촉의 효과도 느끼게 된다. 그러나, 어떤 환자들은 손거울로 작은 치아를 보기 어려울 수 있고, 어떤 경우는 교합 간섭으로 인한 근육 부조화 불균형으로 인해 편심위를 수행하는 환자의 능력이 제한되기도 한다. 직접적인 시각적 검사는 교합 관계의 전체적 평가로 고려되어야 한다.

과두가 생리적으로 안착된 상태에서 만든 교합 간 기록으로 반-조절성 교합기에 마운팅된 진단 모형은, 종종 구강 내 임상 검사에서 발견하지 못한 교합 문제를 보여준다(그림 1, 2). 교두감합된 치아의 직접적 관찰이나 MIP에서의 교합지 자국은 부정확할 수 있다. 환자는 폐구 호(arc) 간섭의 외상성 교합을 피하기 위해 보호성 근신경 반응이 프로그램화되어 있기 때문에, 치아 접촉이 많고 힘 분포가 넓을수록 더 편안해진다(Roth, 1973).

또한, 자연치는 PDL 내로 함입될 수 있기 때문에, 인접치가 자국을 남기는 동안 실제적인 초기 접촉점이 불분명해질 수 있다. 모델 상의 치아는 함입되지 않으므로, 이런 간섭을 정확하게 식별할 수 있다. 양수 조작의 anterior deprogrammer를 사용하여 마운팅된 진단 모형에서 환자의 교합 관계를 복제하는 예견성있는 방법은 이전에 설명하였다(Solow, 1999).

마운팅된 진단 모형 사용의 장점은:

- 임상의가 폐구 간섭의 호를 눈으로 확인할 수 있다.
- 임상의는 CR에서 MIP로의 하악궁 이행의 수평적 및 수직적 구성 요소를 측정할 수 있다.
- 모형을 복제한 후 교합을 시험 조정하고, 왁스 삭제 레코딩이나 교합 매트릭스 방법을 이용하여 초기의 원래 모형과 비교함으로써, 구내에서 필요한 교합 조정의 실제적 양을 수량화한다.
- 진단 작업 동안, 적절한 전방 유도 기능의 존재를 판단하기 위해 전방 접촉 관계를 평가한다.

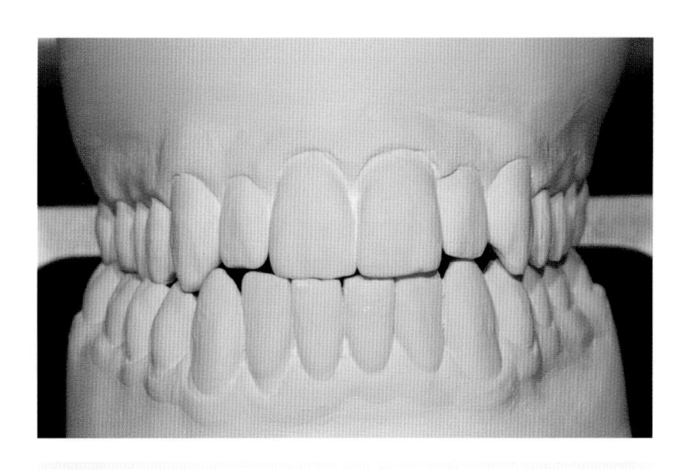

그림 1 마운팅된 진단 모형은 반-조절성 교합기에서 CR을 확인시켜준다. 폐구 호에서 진성 전치부 관계가 분명하다. CR 이론은 환자가 폐구 간섭 호상의 접촉을 피하기 위해 전형적으로 MIP로 폐구하여 전치부 관계에 영향을 미치게 된다고 주장한다

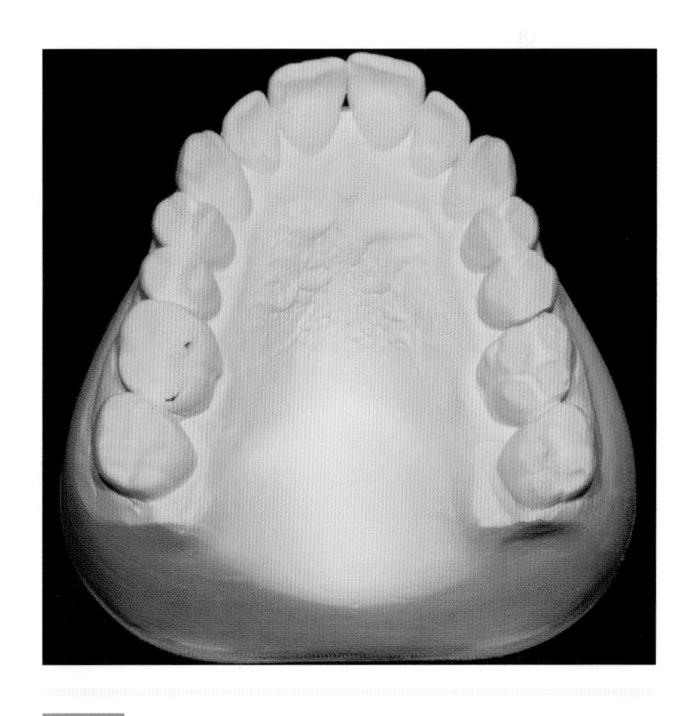

그림 2 폐구 간섭 호가 #3(16)번 치아에 분명하게 보인다. 구내에서 접촉으로 함입되어 인접치의 자국을 허락하는 자연치와 비교해서, 단단한 스톤은 폐구 간섭 호를 정확하게 묘사한다

이런 객관적이고 정밀한 측정은 예견성있는 치료 계획 수립을 촉진한다(Solow, 2005, 2010, 2013).

컴퓨터 교합 분석(T-Scan 8, Tekscan, Inc., S. Boston, MA, USA)은 전 악궁 구내 센서를 사용하여 교합 접촉의 위치, 상대적 힘, 타이밍을 기록하는 첨단 기술 양식이다.

환자가 하악 폐구 동안 교두감합하거나, 측방 혹은 전방 편심위 운동으로 활주할 때의 기록을 채득한다. T-Scan의 중요한 장점은 2D, 3D ForceView에서 프레임 별로 읽을 수 있는 힘 영상을 신속하게 생산하여, 언제, 어디서, 얼마나 센 힘으로 대합하는 치아와 접촉하는지를 환자와 임상의에게 보여준다는 것이다. 좌우측 힘 균형이 COF(힘 중심) 아이콘과 궤도를 따라 전개되고, 기록된 교합 상태의 각 프레임 동안 보여지는 좌, 우, 전, 후 힘 분포의 총합을 보여준다. T-Scan은 교합 안정성을 비교하고 수량화하며 기록하기 위해, 술식의 다양한 단계나 치료 과정 중에 쉽게 반복적으로 시행될 수 있다.

T-Scan 시스템은 레코딩 핸들, 오토클레이브 sensor support, 5-10μm의 교합 접촉을 인기하는 두께 100μm의 일회용 Mylar-내장형 센서로 구성된다(그림 3). 핸들은 USB 포트를 통하여 컴퓨터로 접속되고, 힘과 타이밍 데이터가 소프트웨어로 전송되어 보여지고, 재생되고, 분석된다. OS, 자연 치열, 임플란트-지지 수복물, 부분 혹은 완전 의치 상에 존재하는 교합 접촉을 기록하는 동안 시스템은 각 폐구와 편심위의 모든 데이터를 저장한다.

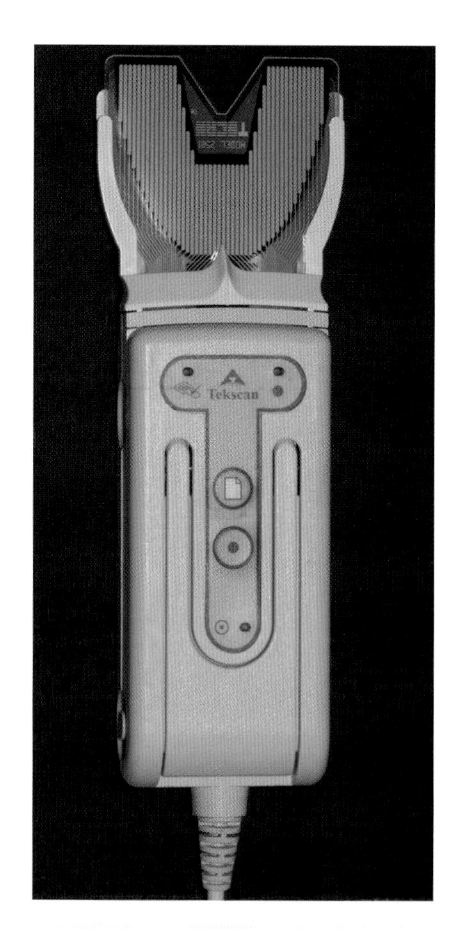

그림 3 U-모양 고화질(HD) 기록 센서를 넣은 T-Scan 레코딩 핸들을 손으로 유지한다. 핸들을 컴퓨터에 연결하여 하악 기능 운동 동안 교합 접촉의 상대적 힘과 타이밍 데이터를 기록한다

교합 스플린트 치료의 목적

교합 문제를 진단한 후, 임상의와 환자는 치아, 치주조직, 저작근, TMJ의 증상이나 징후의 진행 상태를 추적 관찰하도록 선택하여 최종 치료 형태를 결정하게 된다. 환자가 최종 치료 방법으로, 교정, 교합 조정, 포괄적인 교합 수복 중 하나를 선택하게 된다.

일부 환자는 정서적으로 준비되지 않았거나, 경제적으로 최종 치료를 받지 못할 수도 있다. 이런 환자들에게는 OS가 보존적이고 진료비를 감당할 수 있는 비-침습적인 옵션이 된다. OS는 치아 교합면을 피개하는 가철성 장치로, 임상의는 OS를 이용하여 진단과 치료의 목적으로 상악에 대한 하악의 관계를 조절할 수 있다(Academy of Prosthodontics, 2005). 나이트가드, 보조 장치, 교합 장치, 바이트 장치는 특정 교합면 디자인을 구현하지 않는다면, OS의 동의어이다.

OS 치료는 OS의 플라스틱 교합면을 조절함으로써, OS와 대합하는 악궁의 간접적 교합 조정을 대신한다. 치료 목표는 수면 중 이갈이에 의한 마모로부터의 치아와 수복물 보호, 교합 간섭으로 유발되는 저작근 통증의 완화, 교합성 외상에 의한 치아 동요도 감소, 감소된 치주조직에 과부하된 잘못된 힘과 연관된 치아 위치의 안정이다(Clark, 1984a; Lytle, 2001; Boero, 1989). 이런 목표는 OS의 교합면을 다듬어 교합 접촉을 최적화하고, 대합하는 치열에 교합력을 재분포시킴으로 얻어진다.

중요한 것은, OS가 환자에게 최종 치료 수행없이 자신의 치아에 가해질 교합 수정의 가능한 효과를 미리 경험해 보는 기회를 부여한다는 것이다. 이것은 환자가 자신의 치아, 치주조직, 저작근이 잘못된 교합력 부담으로부터 해방되는 것 같은 편안감과 통증 완화를 느끼기 시작하는 환자 교육의 과정이기도 하다. 임상의는 환자에게 이런 경험을 대신하여 설명할 수 없다. 종종 환자는 이런 초기 보존 술식으로 만성 통증이 완화되는 탁월한 효과를 경험하면서,

최종 치료를 바로 요구하기도 한다. 기존 OS의 교합 수정은 필요한 교육적 경험을 제공하고, 환자가 최종 치료를 원하도록 유도하게 된다.

모든 환자에게 사진 촬영, 교합지 자국, T-Scan 분석의 포괄적인 검사를 받을 때마다, 자신의 OS를 가지고 오도록 지도한다. 임상의는 OS의 부족한 사항을 설명할 기회를 가지게 되고, 일부 증례에서는 교합 조정을 수행하여 환자는 향상된 신체적 변화를 이해하고 경험할 수 있게 된다.

OS 치료는 임상의에게 포괄적인 검사 동안 획득한 데이터에 근거하여 잠정적인 진단을 내리도록 한다. 환자가 가지고 있던 OS 치료 이전의 통증성 저작근과 치아의 불편감이 OS 치료로 완전하게 경감되었다면, 임상의는 추정되는 특정 교합 간섭을 최종 조정함으로써 환자에게 이익을 준다는 확신을 가져야 한다. 환자가 증상 완화를 느끼지 못하거나 교합 상의 약간의 미묘한 변화에 대해 과장된 정서적인 반응을 보인다면, 최종 교합 치료는 적응증이 되지 않는다.

교합 스플린트 치료를 위한 임상 연구 기초

저작계는 일생 동안 지속되는, 조직화된 양식으로 고안된 강력하고 내구성있는 구조로 구성된다. 파괴적 치아 접촉에 의해 발생되는 만성적인 불리한 힘은 치아와 치주조직에 의해 흡수되어야 하지만, 시스템 내의 모든 구조물에 영향을 미칠 수 있다. 이런 힘이 구조물들이 견딜 수 있는 한계를 넘어서는 강도와 지속성으로 적용된다면, 붕괴가 발생할 것이다. 생리적 과부하의 일반적인 영향은 다음과 같다: 치아의 마모, 동요, 이동, 파절(Dawson, 1989; Ratcliff, Becker, & Quinn, 2001), 치주적 파괴(Nunn& Harrel, 2001; Harrel & Nunn, 2001, Harrel, Nunn, & Hallmon, 2006), 근육 피로, 부조화, 촉진 시 통증, TMJ의 골성 개조(Mongini, 1972, 1977, 1980; Israel, Diamond, Saed-Nejad, & Ratcliffe, 1999).

마모로부터 치아를 예견성있게 보호하는 유일한 치료가 OS이다. 교정, 교합 조정, 포괄적인 수복으로 전방 유도 이개에 의해 구치부가 보호되는 최적의 교합 체계를 구축한다 해도, 전치부는 여전히 교모되기 쉽다. 이같이, 구강 습관, 수면 자세에 의한 파괴적인 전단력이 많은 환자들에서 문제가 된다(Colquitt, 1987). 수면 중 하악 위치를 의식적으로 조절할 수 없는 다른 환자들에게, 수면용 OS를 사용하여 이상 기능을 충분히 완화시킬 수 있을 것이다. 지속적으로 수면용 OS를 사용했음에도 불구하고 환자가 점진적인 치아 불편감, 마모, 동요, 파절을 경험한다면, 낮시간에도 교합력 문제를 표출할 수 있으므로, 최종 치료 전에 장치를 24시간 동안 사용하도록 한다.

교합 스플린트 사용 및 저작근 문제

OS 치료법은 교합 간섭과 연관된 저작근 기능 장애에 꾸준하게 효과적인 방법이다. 단기간 사용(Tsuga, Akagawa, Sakaguchi, Tsuru, 1989) 및 장기간 사용(Sheikoleslam, Holmgren, & Riise, 1986)은 근육 편안감과 기능을 정상화하는 것으로 보인다. 연구들은 OS 치료법이 저작근의 통증 경감(Barker, 2004; Clark, 1984b; Okeson, Kemper, & Moody, 1982; Scopel, Costa, & Urias, 2005; Ferrario, Sforza, Tartaglia, & Dellavia, 2002), EMG 활성의 대칭성 회복(Humsi, Naeije, Hippe, & Hansson, 1989), EMG 활성 크기 감소(Solberg, Clark, & Rugh, 1975; Clark, Beemsterboer, Solberg, & Rugh, 1979), 근육 피로 감소(Hamada, Kotani, Kawazoe, Yamada, 1982; Kotani, Abekura, & Hamada, 1994), 근육 조화 회복(Beard & Clayton, 1980; Crispin, Myers, & Clayton, 1978), 근력 회복(Kurita, Ikeda, & Kurashina, 2000), 정상적 근육 두께 및 대칭성 회복(Emshoff & Bertram, 1998)의 효과가 있다고 보고하였다.

OS 치료법으로 예견성 있는 치료 효과를 얻기 위해서 정립된 치료 교합을 제공해야 한다. 정교한 교합 체계가 부족하면 교합 간섭은 변경되겠지만 확실하게 제거되지 못하고, 부적절한 치료가 될 것이다. 이상적인 교합의 요구조건을 정의하고 이를 지지하는 상당한 임상 연구가 있다(Barker, 2004; Wiskott, & Belser, 1995).

이상적인 교합 디자인의 구성 요소는 치아의 교합면을 포함하는 모든 치료 양식과 유사하다: OS 치료, 교합 조정, 포괄적인 수복, 교정, 악교정 수술. 이런 필요 조건은(Dawson, 1983):

- 생리적으로 안착된 과두를 동반한 다수의, 균등한, 양측성 구치부 접촉.
- 편심위 운동에서 전치부에 의한 즉시 구치부 이개.
- 전치부가 기능 운동 범위 내에서 조화롭게 기능하되, 구치부보다 센 접촉이 없어야 한다.

폐구 호의 접촉 간섭은 치주의 기계적 자극수용기의 즉각적인 반응을 자극하여 근 활성을 변경한다(Dawson, 1973; Riise & Sheikholeslam, 1982). 한 연구는 OS 사용에 의해 CR에서 고른 접촉을 가지는 회복된 하악 안정성은 폐구 호 간섭에 존재하는 힘 집중을 피하고 정상적 근수축 크기를 회복한다고 하였다(Jimenez, 1987). 또한 구치부 접촉이 부족한 경우에도 TMJ에 부담이 증가된다고 하였다(Ito, Gibbs, Marguelles-Bonnet, Lupkiewicz, Young, Lundeen, & Mahan, 1986; Spear, 2002).

구치부에 대한 인공적인 교합 간섭 제거로 근육 활성과 대칭성을 정상화할 수 있다(Clark, Tsukiyama, Baba, & Watanabe, 1999). 하악 편심위 동안 구치부 접촉은 거상근 수축을 자극하는 것으로 보인다(Williamson & Lundquist, 1983; Kerstein & Wright, 1991; Kerstein & Radke, 2012). 또 다른 연구는, 수복물을 이용하여 측방 편심위 시 그룹 기능 접촉을 견치-유도 교합 체계로 개조하면 거상근의 EMG 활성을 감소시킨다고 하였다(Belser & Hannam, 1985). 편심위 시작 0.4초 이내의 전치에 의한 즉각적인 구치부 이개로, 교근과 측두근의 과활성이 완화되고 근막 통증이 감소되는 것으로 보인다(Kerstein & Wright, 1991; Kerstein, 1993, 1994, 1995, 2010; Kerstein & Radke, 2006, 2012; Kerstein, Chapman, & Klein, 1997; Wang & Yin, 2012).

교합 스플린트 전방 유도: 견치 이개 vs. 그룹 기능

측방 편심위 동안의 상하악 견치 접촉은 구치부를 분리한다. 측방 편심위 동안의 그룹 기능에서는 여러 개의 치아가 접촉하게 된다. 전치가 구치보다 작고 압력에 민감하기 때문에(Coffey, Williams, Turner, Mahan P, Lapointe, & Cornell, 1989), 편심위 동안 정상적 하악 기능의 운항 범위의 어떤 제한없이 전치가 구치를 즉각적이고 부드럽게 분리하는 것이 권고된다(Dawson, 1989).

견치의 긴 치근, 긴 경사진 크라운 면, 견치 융기, 민감한 신경 분포, 하악 III급 지렛대 시스템에서 악관절 받침점으로부터의 거리 등으로 견치가 구치부보다 측방력을 더 잘 분산시키기 때문에, 견치 유도는 측방 편심위 접촉에 대한 첫 번째 선택이 되어야 한다. 측방 편심위 동안 견치 접촉은 견치 자신의 유해한 운동 유발없이 소구치와 대구치의 과다한 치아 운동을 예방한다(Siebert, 1981). OS 전방 유도 접촉은 최고의 치주 지지를 가진 치아에 측방 유도 힘을 위치시켜야 한다(Kidder & Solow, 2014). 측절치의 치근은 작기 때문에, 전형적으로 직접적인 편심위 접촉없이 폐구 호에서 OS에만 접촉해야 한다. 견치와 중절치는 편심위 운동 동안 다양한 양상으로 접촉할 수 있는데, 개별적, 연속적, 혹은 동시적으로 하중을 받을 수 있다(Solow, 2013).

전치로만 악무는 것이 구치부 이악물기와 비교해서 거상근 EMG 크기를 감소시킨다는 연구도 있었다(Becker, Tarantola, Zambrano, Oquendo, 1999; Manns, Miralles, Valdivia, & Bull, 1989). OS의 견치 경사로 상으로 악물기는 완전 MIP 접촉의 OS 상으로 악물기와 비교해서 EMG 활성 크기를 감소시킨다(Fitins & Sheikholeslam, 1993).

다른 연구들은 견치 부위에만 놓이는 OS 측방 편심위 접촉이 그룹 기능 OS 디자인과 비교하여 거상근 EMG 활성 크기를 감소시킨다고 하였다(Williamson & Lundquist, 1983; Shupe, Mohamed, Christensen, Finger, & Weinberg, 1984; Manns, Chan, & Miralles, 1987; Manns, Rocabado, Cadenasso, Miralles, & Cumsille, 1993). 또한 OS 측방 편심위 유도 접촉이 견치에만 놓이거나 제1대구치에만 놓일 때, EMG 활성 크기의 차이가 발견되지 않는다는 연구도 있었다. 견치가 악궁 내에서 생물기계학적 위치가 더 좋기 때문에, 저자는 견치 유도가 바람직하다고 권고한다(Graham & Rugh, 1988; Rugh, Graham, Smith, & Ohrbach, 1989). 대안적인 전방 유도 디자인(Michigan splint)은, 측방 및 전방 편심위에서 견치 유도를 포함하여 조정을 간소화하고 거상근 활성을 최소화 한다(Ramfjord & Ash, 1994).

한 악궁에서 견치의 선천적 결손은 OS로 악궁을 피개함으로써 가장 잘 치료되고, 대합하는 견치가 OS에 대하여 최적으로 기능할 수 있다. 상하악 견치 모두의 선천적 결손의 경우, 측방 유도력을 잘 분산시키기 위해 전방 유도 접촉이 다른 존재하는 전방 치아에 놓여 약화된 교합을 만들게 된다. 이 치아는 중절치나 제1소구치가 된다. 그룹 기능 교합 디자인이 높은 저작근 흥분을 유발하기 때문에, 그룹 기능에 다수의 구치는 피해야만 한다(Kerstein & Radke, 2012).

교합 스플린트 및 TMJ 문제

OS 치료법은 TMJ의 통증과 기능 장애 개선에 긍정적인 효과를 가진다고 보고되었다. 한 연구는 OS 사용 후, 연구된 환자의 70%에서 TMJ 통증 완화가 나타났지만, 30%에서는 악화되었다고 보고하였다(Carraro & Caffesse, 1978). Michigan splint 디자인을 이용한 또 다른 연구는 환자의 87%가 TMJ 통증이 개선되었고, 78%는 TMJ 잡음의 개선, 68%는 운동 한계의 향상을 보인다고 하였다(Tsuga, Akasawa, Sakaguchi, & Tsuru, 1989). 높은 비율의 환자가 OS에 호의적으로 반응하기 때문에, 저자들은 보존적인 치료가 실패한 후 비가역적인 치료를 수행할 것을 권고하였다. 대구치에만 교합 접촉이 있는 pivot splint 디자인을 사용한 대안적인 연구는 TMJ 관절-내 압력이 81.2% 감소하였다고 보고하였다(Nitzan, 1994). 마지막으로, MRI 연구는 상악 OS 3개월 사용 후 전방으로 변위된 디스크의 정복없이 TMJ 통증이 해소되었다고 하였다(Chen, Boulton, & Gage, 1995).

교합 스플린트 치료와 플라시보 효과

다양한 OS 교합 접촉에 대한 일부 환자의 애매한 반응은 몇몇 연구자들에게 TMD의 개선에 대한 플라시보 효과 여부에 대한 의문을 불러일으켰다(Dao, Lavigne, & Charbonneau, 1994; Klasser & Greene, 2009). 플라시보는 "내재적 가치가 없는 절차"로 정의된다(Dorland's Illustrated Medical Dictionary, 1974).

정의에 의하면, OS 치료의 개선이 플라시보 효과로 인한다는 것은 잘못된 것 같다(Kidder & Solow, 2014). OS 치료는 커다란 물리적 장치를 이용하여, 환자의 교합을 변경하며, 이는 매우 예민한 치아-근신경계에 지속적으로 직접적인 영향을 주게 된다. OS는 무해하거나 내재적 가치가 부족한 것이 아니다. 대신에 실질적인 보철물이고 입증된 치료이다. 치아를 포함하지 않고 구개만 피개하는 비-교합 스플린트와 완전 피개 교합 스플린트를 비교한 연구는, 완전 피개 OS가 더 좋은 치료 효과를 보인다고 꾸준히 설명하였다(Greene & Laskin, 1972; Ekberg, Vallon, & Nilner, 2003; Conti, Santos, Kogawa, de Castro Ferreira Conti, de Araujo Cdos, 2006). 더욱이, 구개 비-교합 스플린트는 교근 활성을 진압하기 위한 것으로, 저자는 낮은 근활성이 변경된 혀 위치를 유발하는 구개 스플린트와 연관될 가능성이 있다고 제안한다(Hasegawa, Okatnoto, Nishigawa, Oki, & Minagi, 2007).

OS 치료의 이점이 OS 교합 수정으로 인한 것이 아니고 플라시보 효과 때문이라는 결론이 타당성을 가지기 위해서, 미래의 연구는 대상자에 근거한 치료-전 교합과 실제적인 테스트 교합 모두를 측정하고 특수화하여야 한다. OS 치료 메커니즘이 플라시보 효과이고 교합 수정에 반응하는 것이 아니라고 발표한 연구들 중 그 어떤 것도 이렇게 하지 않았다. OS의 마운팅된 진단 모형 혹은 좀 더 편리하게 스플린트 교합 디자인의 컴퓨터 교합 분석 T-Scan은, 치과 연구 목적을 위해 교합을 입증하기 위한 정확한 양식이다. 교합 체계의 구두 설명에 근거한 연구는 비-교합 스플린트를 이용하거나 OS에 존재하는 치료적 교합을 단순하게 추정한다. 테스트 스플린트가 교합지 자국으로 조정되었기 때문에, 스플린트의 효과가 오직 플라시보 효과에 의해서만 야기된 것인지를 입증하기 위해 필요한 데이터를 제공하지 않는다.

교합 스플린트 치료 및 수면 이갈이

수면 이갈이(Sleep Bruxism, SB)는 수면 중 발생하는 치아 갈기나 이악물기로 특정지어지는 정형화된 운동 장애로 정의된다(Lavigne, Khoury, Abe, Yamaguchi, & Raphael, 2008). SB는 중추적으로 중재되는 현상이나 수면-장애 호흡, 연장된 편심위 교합 간섭의 존재(Kerstein, 1995; Kerstein, Chapman, & Klein, 1997)를 포함하는 정서적, 구조적, 말초적 인자와 약간의 신경화학적 메커니즘이 원인으로 작용하는 것으로 생각된다(Bender, 2012).

SB의 병리생리학은 자동적으로 자가-조절되고, 기도 폐색 호흡이 빈맥을 유발하는 수면 중 미세자극을 유발한다. 율동적인 저작근 활성과 치아 접촉은 삼차 신경을 자극하고 서맥을 유발하는 삼차 신경 심장 반사를 야기한다(Schames, Schames, Schames, & Chagall-Gungur, 2012). SB와 이악물기는 상기도의 음압을 감소시킴으로써 기도 붕괴에 저항하는 기능도 있다(Simmons, 2012). 한 연구는 수면다원기록 데이터가 대조군과 실험군 사이의 근막성 TMD 사이에 차이가 없기 때문에, SB가 근막성 TMD 증후군과 연관되지 않는다고 하였다(Raphael, Sirois, Janal, Wigren, Dubrovsky, Nemelivsky, Klausner, Krieger, & Lavigne, 2012). SB를 치료하는 이유는 TMD를 치료하기 위해서가 아니고 치아 마모를 제한하는 것이기 때문에, 치아 손상을 예방하고 이가는 소리를 관리하기 위해서 SB를 가진 환자에게 OS 치료가 적응증이다. 그러나, OS 치료가 SB

를 치료할 것 같지는 않다(Dao & Lavigne, 1998; Klasser, Greene, & Lavigne, 2010).

교합 스플린트 제작 필요 요건

OS는 경질의 재료로 제작되어 정교한 교합 접촉 패턴을 확립하고, 최적의 교합에 대한 요구 사항을 수행해야 한다. 연성 스플린트 재료는 정확하게 조정할 수 없어 저작근 EMG 활성을 증가시킬 수 있기 때문에, 자가중합 혹은 열중합 methylmethacrylate resin이 강도와 내구성 면에서 추천된다(Okeson, 1987; Al Quran & Lyons, 1999). Methylmethacrylate resin OS의 제작 기술은 이미 설명되었다(Lundeen, 1979; Solow, 2011).

제작된 OS는 치아에 장착되었을 때 안정적이어야 하고, 압력이 한쪽에 가해졌을 때 흔들리거나 탈락되지 않아야 한다. 협면을 2mm 정도 피개하고 설측/구개측 언더컷의 양을 조절하여 유지력을 얻는다. OS는 후방측에서 1-2mm 두께이고, 1-2mm의 협측 경계로 적절한 강도를 부여한다(Kidder & Solow, 2014). 전치부는 전형적으로 2-3mm 두께로 만들어질 것이다.

환자의 안정위(rest position)는 OS 두께에 매우 잘 적응한다. 연구에 의하면, 각 증가된 수직 고경은 환자가 수직 고경 변화에 적응하기 수월한 새로운 안정위를 형성한다(Carlsson, Ingervall, & Kocak, 1979; Hellsing, 1984). 한 연구에서, 수직 고경을 1mm에서 4.42mm 혹은 8.15mm로 증가시킨 결과, 근이완 및 증상 완화가 더 크게 나타났다고 설명하였다(Manns, Miralles, Santander, & Valdivia, 1983). 더 두꺼운 스플린트가 긍정적인 임상적 효과를 보인다고 해도, 환자가 OS를 장착한 상태로 편안하게 입술을 다물 수 있을 정도로 충분히 얇아야 한다(Ramfjord & Ash, 1994).

상하악 스플린트는 같은 원리로 기능한다. 악궁에 OS가 장착되면, porcelain 수복물, 동요, 소실, 밀집 치아, 그리고 고르지 못한 절치 및/혹은 교합 평면이 있는 악궁 상에 잘 위치하도록 평가해야 한다.

환자가 OS를 장착했을 때 완벽하게 편안해야 한다. 어떤 치아에 대해서 과다한 삽입 압력이 있다면, 접촉을 제거하여 조절해야 한다. 혀와 입술도 편안할 수 있게 resin bur, rubber wheel로 모든 표면을 연마하고 퍼미스로 다듬는다. 설측/구개측 경계는 치은연보다 1-2mm 연장되어 feather edge로 얇아지게 한다.

완전한 악궁 피개 디자인이 장기간의 교합 안정성을 위해 중요하다. 부분적 악궁 피개는 피개된 치아의 함입과 피개되지 않은 치아의 정출을 유발하여, OS를 제거했을 때 교합 평면이 왜곡되고 중요한 교합 간섭을 야기할 수 있다. 대합하는 악궁에 상당한 교합 평면 문제가 없다면, OS의 전체적인 모양은 평평해야 한다. Christensen 현상(과두가 전방 운동 동안 과두 융기를 타고 미끄러지면서 구치부가 이개되는 현상)은 OS의 전방 유도 부위를 상대적으로 평평하게 하면서 구치부를 이개시키도록 허용한다(Academy of Prosthodontics, 2005). 역설적으로, 과두 융기 경사가 평평하면 스플린트의 전방 유도 경로가 더 기울어져야 구치부를 더 잘 이개시킨다.

교합 스플린트 장착과 교합지 교합 조절

Methylmethacrylate 아크릴 레진은 중합하는 동안 경화 환경의 온도에 따라 약 5% 정도 변형된다(Danesh, Lippold, Mischke, Varzideh, Reinhart, Dammaschke, & Schafer, 2006). 이런 변형은 모델의 부정확성과 합쳐져서 OS 구내 적합도에 영향을 미치게 된다. 제작에 사용되는 같은 아크릴 레진을 얇게 혼합하여 OS에 relining하면, 하중에 대한 안정성이 좋아지고 스플린트가 치아에 안착되어있는 동안 흔들리지 않게 될 것이다. Relining은 구내에서 혹은 정확한 석고 모형 상의 OS에서 하는 것이 효과적이다. Relining 레진이 러버의 점도에 도달하면, 악궁 한 면의 치아에서 OS를 반복적으로 회전하며 착탈하여, 제거를 위한 회전을 허용하는 내부 윤곽을 형성함으로써, 스플린트 유지력과 수직적 제거에 대한 저항성을 향상시킨다.

Facebow transfer와 정확한 CR 레코딩으로 마운팅한 모델 상에서 OS를 제작하면, OS가 처음 치아에 놓일 때 전형적으로 거의 균등한 교합 접촉 양상을 얻게 된다. Facebow transfer 대부분은 임의적이기 때문에, 스플린트 교합에 약간의 오류가 발생할 수 있다. 대합 치아가 OS와 접촉하지 않는 부위가 있다면, 레진을 첨가하여 접촉을 형성한다. 대안적으로, 모든 치아가 균등하게 교합될 때까지 OS의 두께를 감소시키며 인접 교합 접촉을 조절할 수 있다.

모든 치아는 과두가 생리적으로 안착된 상태에서 OS에 균등하게 인기되어야 한다. 환자가 반듯하게 누운 상태에서 CR로의 반복적인 하악 이동을 위해 임상의가 Dawson의 양수 조작을 사용하여 예견성 있게 시행될 수 있다(Dawson, 1989). 교합지로 교합 접촉을 인기하고 스플린트에 대합하는 치아에 고른 접촉이 나타날 때까지 bur로 수정하여, 스플린트 상의 교합지 점들을 일정하게 한다. 환자가 스플린트로 자가-폐구할 때와 임상의가 양수 조작으로 과두가 완전하게 안착된 것을 확인할 때에, 이런 접촉들이 지속적으로 같아야 한다. 폐구 호 간섭을 제거하여 하악이 MIP로 들어갈 때 굴절되지 않고, 거상근의 힘 벡터와 일치하여 과두와의 최전상방에 과두가 완전하게 안착되는 CR을 이룩한다(Radu, Marandici, & Hottel, 2004).

환자가 CR에서 확실히 편안하기 위해서, 전치부는 구치부보다 강하게 접촉하지 않아야 한다. 더 강한 전치부 접촉은 폐구 호 간섭을 대신할 수 있고, 잠재적으로 더 민감한 치아에 과다한 힘을 부하할 수도 있다(Johnsen, Krister, Svensson, & Trulsson, 2007). 중심 유지 교두(상악 구개측 및 하악 협측 교두)가 구치부 접촉에 사용된다. 치아 부위 당 하나의 교두첨 접촉이 바람직하다(Wiskott & Belser, 1995). 치아 부위 당 더 많은 접촉은 조정 시간을 증가시키지만, 반드시 하악의 안정성을 증가시키지는 않는다. 길어진 하악 설측 교두로 인해 Wilson 만곡이 왜곡되었다면, CR 폐구 접촉의 교두를 사용하여 CR 접촉이 짧은 협측 교두에 위치할 때 발생하는 교두 상 측방 편심위 간섭 발생을 피한다.

적절한 CR 접촉을 구축한 후 측방 및 전방 편심위를 조절하여 구치부 접촉을 작은 점으로 남기면, 모든 편심위 유도 접촉 자국이 연속된 선으로 나타난다(그림 4). 이런 선은 하악이 내외측이나 외내측으로 움직이는 동안 발생할 수 있는, 구치부 접촉으로 인한 간섭이나 "장애"가 없는 부드러운 움직임으로 표기되어야 한다. 초기에, 구치부 접촉 점에서 연장된 작은 선이 흔하게 보이는데, 이것은 측방 편심위 동안 발생하는 접촉을 암시한다. 이런 자국은 모든 편심위 접촉이 전치부에만 나타날 때까지 제거되어야 하고, 가장 잘 힘에 견딜 수 있게 된다(그림 5).

OS의 비작업측 하악각에 내상방 압력이 놓이면 강력한 이갈이로 발생할 수 있는 편심위 접촉을 발견하는 데 도움이 된다(Okeson, 1982). 전방 유도 접촉은 각 편심위 운동의 전체 경계까지 연장되어야 한다. OS 경계가 만곡되면 경계의 수평적 연장 없이도 이런 접촉 길이가 가능하다. 측방 편심위 동안 4-5mm의 견치 자국 후에, 중절치의 교차 접촉이 마찬가지로 OS의 수평적 크기를 최소화하는 2개의 짧은 경로를 만든다.

전방 운동 경사도 같은 방식으로 조절한다. 연속적인 선 자국은 대합하는 중절치가 동시에 접촉하여 힘이 이들 치아 사이에서 공유됨을 암시한다. 선들 간 차이는 다른 절치들이 전방 스플린트 접촉에서 이개되는 동안 오직 하나의 절치가 접촉하고 모든 편심위 힘을 흡수함을 암시한다.

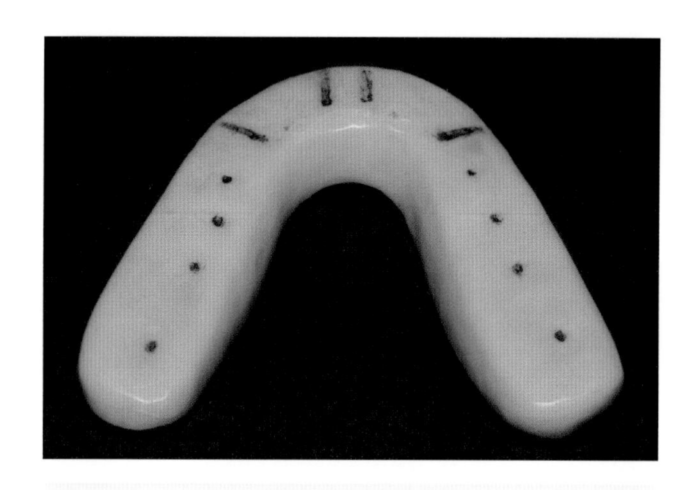

그림 4 20μm 두께의 교합지(Accufilm Ⅱ, Parkell, Inc., Edgewood, NY, USA) 자국이 있는 상악 OS. 폐구 접촉은 점으로, 측방 및 전방 편심위 접촉은 선으로 표기된다. 측방 편심위 동안 대합 치아 접촉을 피하기 위해 점의 크기가 최소화되어야 한다. 스플린트의 전체적인 모양은 평평하다

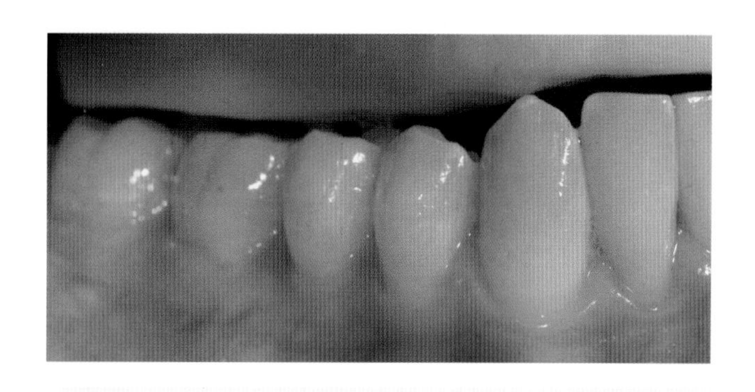

그림 5 구치부의 약간의 분리를 보이는 견치 유도 접촉이 있는 우측방 편심위. 이런 유도 디자인으로 반대의 토크력을 피하여 수직적 힘 벡터만이 구치부에 위치하게 된다

전방 편심위 시에 좌우 과두가 경사진 과두 융기를 따라 미끄러져 내려오기 때문에, 전방 편심위는 전형적으로 신속한 구치부 분리가 나타난다. 측방 편심위 동안, 비작업측 과두만 과두 융기를 따라 미끄러지고 작업측 과두는 회전한다. 그러므로, 임상의는 측방 편심위 기능 운동 동안 구치부의 편심위 접촉을 주의깊게 확인해야 한다.

또한 똑바로 서있을 때와 비교하여, 하악이 CR로 약간 다른 호를 그리며 폐구하기 때문에 환자가 바르게 앉아있는 상태로 OS 교합을 평가해야 한다. 환자는 구치보다 강력한 전치 접촉이 없는 모든 치아의 균일한 접촉을 확인할 수 있다. 이런 조절로 진탕음이나 자세 변화에 의한 치아 불편감을 야기하는 전치부 조기 접촉을 피할 수 있는 중심에서의 자유를 제공한다.

T-Scan 시스템을 이용한 교합 스플린트 정제

스플린트 장착 때와 같은 조정 순서로 T-Scan 컴퓨터 교합 분석을 반복하고, 교합 접촉의 힘과 타이밍 데이터를 교합지 자국으로 표시하여 확인한다. T-Scan 센서는 교합 접촉을 분석하지만 자국을 남기지 않는다. 100μm 두께의 센서는 교합의 정확한 분석 수행을 방해하지 않는다. 얇고 평평한 레코딩 센서가 삽입된 평평한 OS는, OS 단독으로 착용했을 때와 사실상 동일한 폐구호를 갖는다.

시작하기 위해, 새로운 환자 파일을 열고, 환자의 생물학적 데이터로 들어가 T-Scan 치열궁 크기를 환자의 악궁 형태와 일치하도록 맞춘다. 터보 모드(0.003초 간격 기록)의 CO 스캔 라벨을 선택한다. OS 경계의 바깥쪽에 부합하는 환자 악궁 크기에 맞는 sensor support로 T-Scan 센서를 안정적으로 유지한다. 센서를 구내에 위치시키고 support의 중앙선 'V'를 OS의 중앙선과 접촉하게 한다. 환자에게 support 위로 물지 않게 주의하면서 부드럽게 구치부로 폐구하도록 설명하고, 1-3초 동안 OS를 단단히 물게 한다. OS의 1-2mm 협측 부분에 대합하는 협측 교두와 수평적 거리가 있기 때문에, sensor support 상의 의도치 않은 폐구는 보통 문제가 되지 않는다. 입술의 편안감을 위해 OS의 순측 부피는 최소여야 하고, 이로 인해 교합 접촉이 T-Scan에 보여지는 악궁 윤곽에 정확하게 기록되게 된다.

자연치는 환자가 센서로 폐구할 때 하악의 방향을 결정하는 교두(cusp)와 와(fossa)를 가지고 있다. 센서의 부드러운 표면과 평평한 OS는 하악을 교두감합 위치로 유도하지 않기 때문에, 환자가 전방 운동하여 오직 전방 OS 접촉만 인기되기 쉽다. 임상의는 T-Scan을 수행하면서 모니터를 주시하여, 적절한 구치부 폐구가 기록되는지 확인한다. 처음에 환자를 센서로 여러 번 폐구하게 하여, 임상의는 센서의 감도 크기를 환자의 교합 강도에 맞게 조정한다. 감도가 적절하게 준비되면, 환자의 교합 강도 범위가 T-Scan에 의해 256개의 상대적인 교합력의 다른 크기로 구분되게 된다.

T-Scan은 교합지 자국으로는 알 수 없는 타이밍 데이터와 교합지보다 더 큰 민감도로 상대적 교합력을 정확하게 기록한다. 이상적인 교합으로 보이는 교합지 자국이 T-Scan으로 측정하면 이상적이지 않다. 기록된 각 교합의 데이터는 교합 정제가 필요한 OS 부위를 보여 준다. Bur와 rubber wheel을 이용하여 T-Scan 데이터가 조기 접촉, 과다한 힘 접촉으로 포착한 교합지 자국을 조정하여, COF 아이콘이 중앙선에 가깝게 놓이고 구치부 접촉이 비슷한 크기를 보이도록 한다.

그 후 하악 편심위를 유사한 방식으로 조정한다. 적절한 편심위 라벨을 선택하여, 환자에게 1-3초간 구치부로 악물게 한 후 경계 운동의 전체 범위로 측방이나 전방 편심위로 운동하도록 부탁한다. 다음 편심위로 넘어가기 전에, 각각의 편심위를 완벽하게 조정한다. 구치부에 남은 어떤 뚜렷한 측방 교합지 선 자국을 제거하고, 측방 편심위 경로를 rubber wheel로 부드럽게 다듬는다. 전방 유도 제공으로 선택된 전치가 같은 강도로 접촉하게 하여 힘을 편안하게 공유하도록 한다. 치아 접촉의 전방 유도 양상은 치주 상태와 절단면을 기준으로 맞추도록 한다.

구치부는 약간 둥근 교두를 가지기 때문에, 형태학적으로 날카로운 꼭지점이 없다. 측방 운동 동안, 교두가 측방으로 OS 교합지 자국을 너머 지나가면서, 교두첨의 약간 다른 측면이 OS에 접촉을 형성하여 연장된 측방 접촉 시간을 유발한다. 오로지 수직 접촉만을 암시하는 작은 점에서도 이런 현상이 발생할 수 있다. 연장된 측방 편심위 시간을 최소화하기 위해, OS에 측방 및 전방 편심위 유도 경로에 약간의 경사를 부여하여 구치부가 즉각 이개되게 한다.

OS에 최적의 교합이 형성되었다는 것을 T-Scan 기록으로 확인한 후, 환자에게 OS와 교합이 잘 맞고 편안한지 물어본다. OS 장착 약속의 목표는 환자에게 스플린트가 편안하게 맞는지, 치아 혹은 입술, 뺨, 혀에 불편한 것은 없는지, 폐구 동안 좌우측 치아가 고르게 접촉하는지, 구치부보다 강한 전치부 접촉은 없는지 확인하는 것이다. OS가 치아를 압박하거나 교합 접촉이 흔들리고 테두리가 날카롭거나 고르지 못한 교합이 있다면, 환자가 OS을 꾸준히 사용할 것이라고 예상할 수 없을 것이다.

임상 증례

환자는 Angle Class Ⅰ 골격 관계로, 정상적인 전치부의 수직피개와 수평피개를 보였다(그림 6). 환자는 전치부 절단면 마모를 걱정하였고 수면 중 이갈이로부터의 보호를 원하였다. 상악 OS를 복제된 진단 모형상에서 제작하였고(원래의 모델을 보존하기 위해), 정교한 치료적 교합은 불안정하거나 유지력이 없는 OS에서 구축될 수 없기 때문에, 안정성과 유지력을 부여하기 위해 구내에서 relining하였다. 관절융기의 경사로 인해, 상당히 평평한 전방 유도각으로 구치부가 이개되었고, 전반적으로 평평한 모양의 OS가 만들어졌다(그림 7).

상악 OS는 20μm의 교합지(Accufilm Ⅱ, Parkell, Inc., Edgewood, NY, USA)로 다듬어 폐구 시 모든 치아가 균일하게 접촉하도록 하였다(그림 4). 전방 유도가 중절치와 견치에 형성되었다. 환자는 교합이 균등하고 편안하게 느껴진다고 대답하였다.

폐구 호(arc) 평가

환자에게 구치부로 물게 하고 T-Scan으로 교합 접촉 양상을 기록하였다(그림 8a). 교합지 자국은 고르게 보였으나, T-Scan은 #3(16)번 치아가 총 힘의 17.3%를 받고 #14(26)번 치아는 0.9%만을 받는 등 불균형한 힘 분포를 보여준다. 교합력은 제2소구치에서도 불균형을 보이는데, #4(15)번 치아는 총 힘의 5.2%를, #13(25)번 치아는 13.9%를 감당한다. 전치 또한 #9(21)번 치아가 총 힘의 9.1%를, #8(11)번 치아가 2.1%를 받아 불균형을 보인다.

가장 무거운 접촉 부위를 bur로 조절한 후 T-Scan을 재삽입하여 초기 교합 조정에 의한 교합 접촉력 분포의 변화를 관찰한다. 교합 접촉은 두께 20μm의 교합지로 표시하여, 문제성 접촉을 다시 한번 정제한다. 2세트 조정 후 T-Scan을 재삽입하고, OS 교합 접촉을 기록하고 조정하는 과정을 여러 번 반복한다. 과정이 진행되면서 접촉 수가 증가하고 각 치아의 접촉력 크기가 좀 더 균등해졌지만, 더 큰 #2(17)번 치아가 총 힘의 6.9%를 받는 반면 더 작은 #4(15)번 치아가 16%의 힘을 받게 되었다. 전치부는 여전히 불균등하여, #7(12)번 치아가 7.5%, #10(22)번 치아가 2.2%의 힘을 보였다(그림 8b).

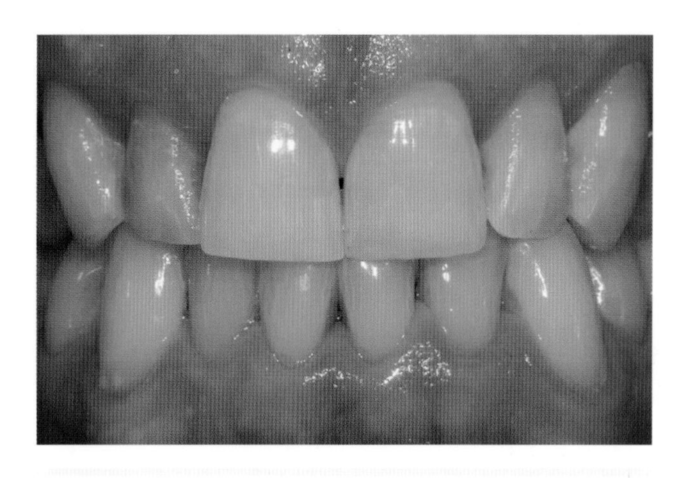

그림 6 환자는 Angle Class Ⅰ 골격 관계로, 정상적인 전치부의 overlap과 overjet을 보인다. 교합 평면의 문제는 없다

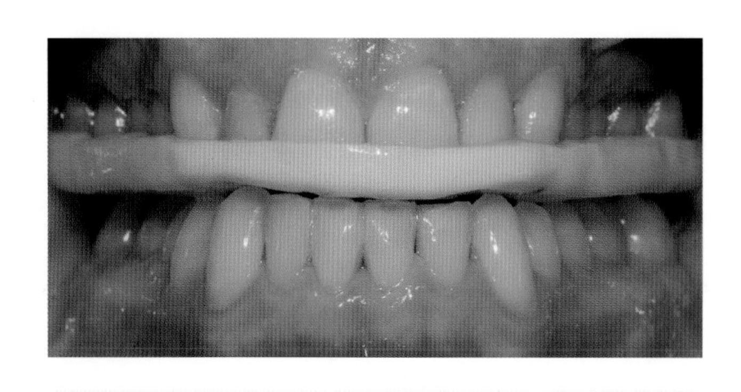

그림 7 상악 OS 모양이 평평하다. 편심위 시 구치부 이개는 관절 융기 경사와 상당히 평평한 전방 유도에 의한 것이다

계속된 조정으로 좌우측 사이에 유사한 힘 크기로 접촉하는 치아 수가 균일해지고 힘의 균형이 향상되어, COF 타겟 내로 수렴되는 COF 아이콘으로 확증되었다(그림 8c). 교합하는 동안, 보다 강력한 힘이 작은 전치부가 아니라 더 크고 더 많은 치근을 가진 구치부에 위치하게 되었다.

측방 편심위 평가

우측방 편심위 시 하악 우측 견치에서만 OS의 접촉이 관찰

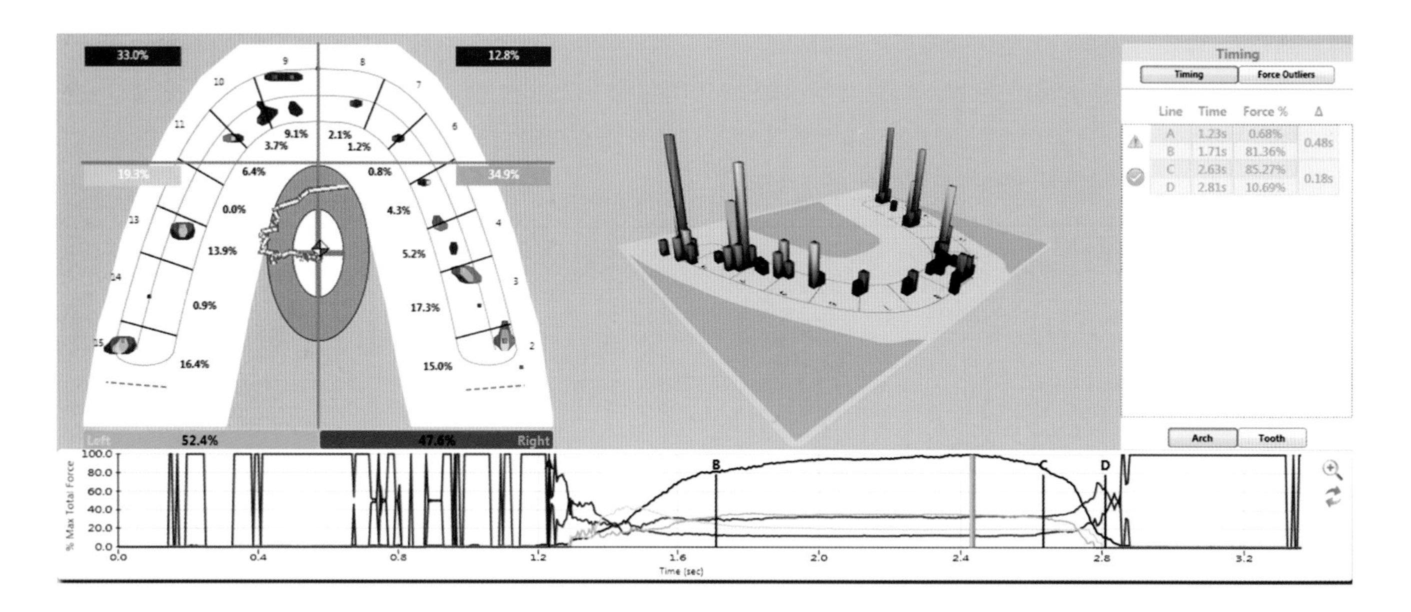

그림 8a 환자가 OS 상으로 교합하는 T-Scan ForceView로 교합 조정 전이다. ForceView는 B-C 교합 안정기의 최대 힘 크기 점을 보여준다. 전체적인 힘 분포(COF 궤도 경로)는 OS 상에서 균형잡힌 폐구 종말(타겟 내에서 COF 아이콘이 중앙화)을 이루기 전에 우측 전방에서 좌측 후방으로 이동한다. 대칭되는 #8-9(11-21), 3-14(16-26), 4-13(15-25)번 치아가 불균형한 힘을 나타낸다

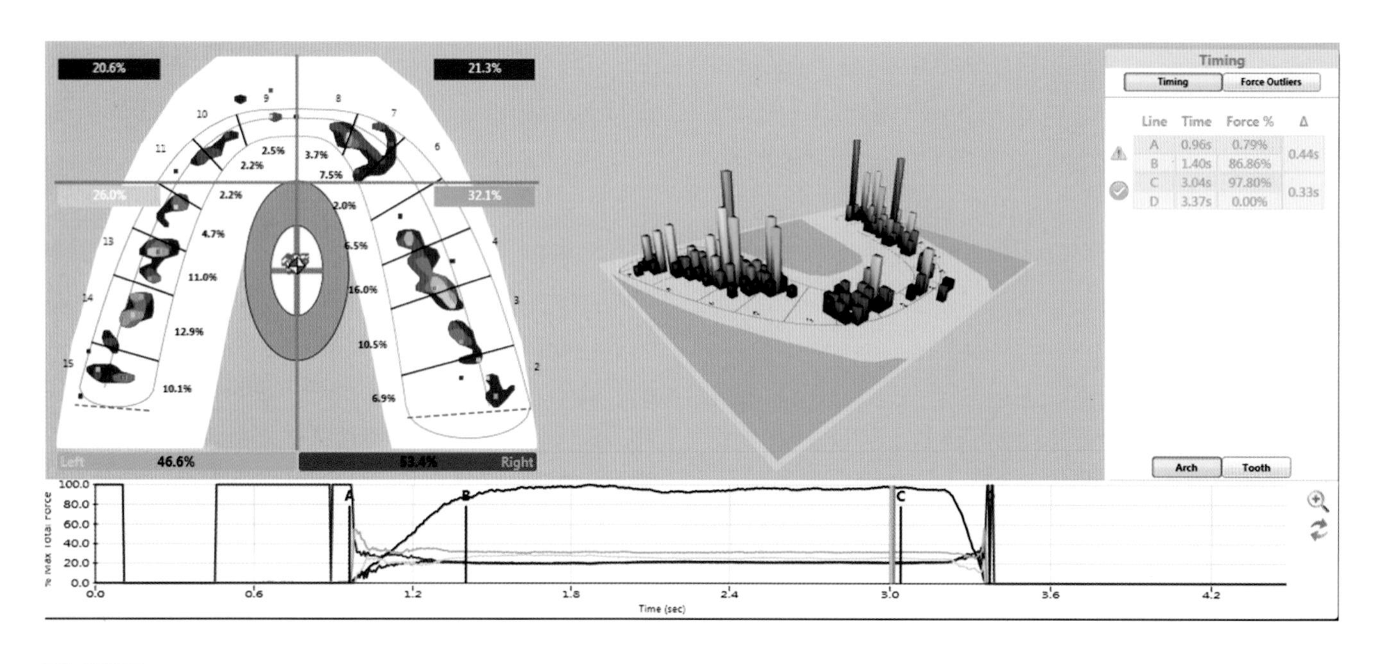

그림 8b T-Scan 유도 조정 중에, T-Scan 그래프가 B-C 교합 안정기 내에서 최대의 힘으로 OS 상에 폐구하는 것을 보여준다. 더 강한 힘을 가진 교합 접촉의 향상된 수와 크기가 구치부에 위치한다

되고 교합지 자국으로 확인된다(그림 4, 9). 우측 견치 경로 및 좌측 관절 융기의 경사가 OS와 접촉하는 모든 다른 치아를 분리시킬 정도로 가파르다. OS의 수평적 범위를 최소화하고 편심위 운동 끝으로 가는 경로 내내 연장되는 견치 접촉을 허용하기 위해, 견치 경로의 협측면이 만곡되었다. 구치부 접촉은 모두 점-모양의 교합지 자국을 보여 편심위 간섭의 존재를 암시하는 측방 자국 확장은 보이지 않았다.

그 후 T-Scan을 구내에 삽입하고, 환자에게 구치부로

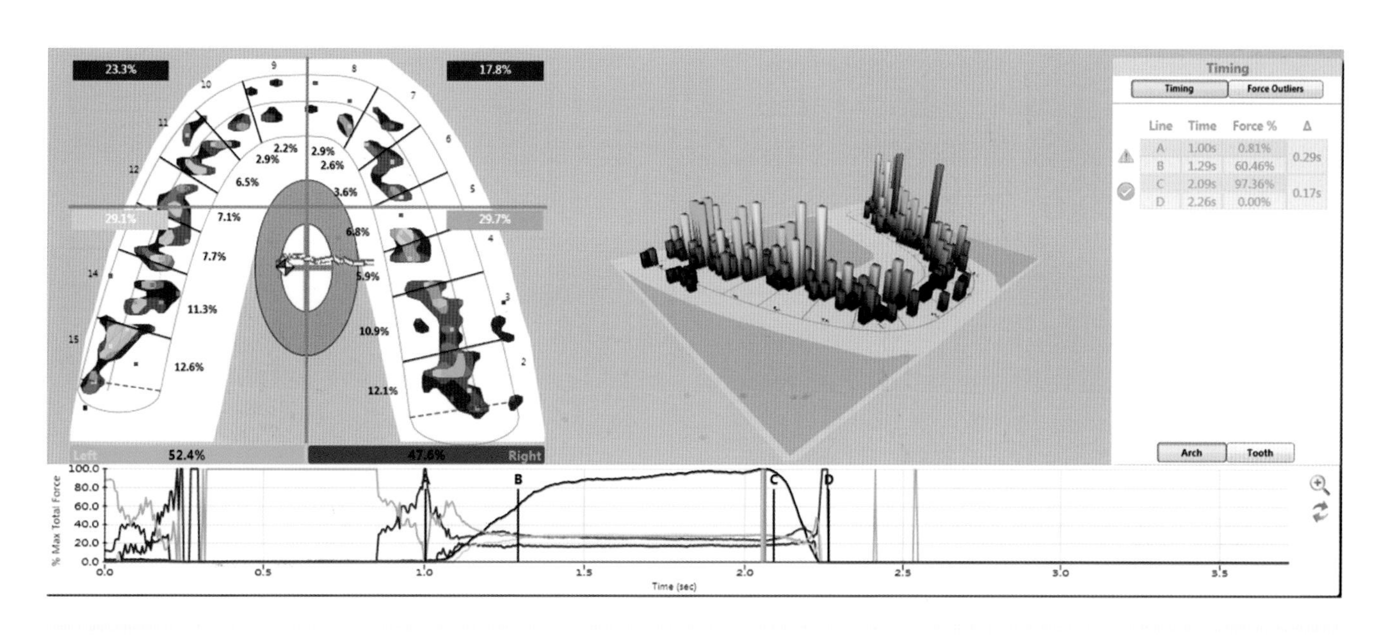

그림 8c T-Scan ForceView가 B-C 교합 안정기의 최대 힘 크기를 표방하는 교합 조정의 마지막에 OS 상에 존재하는 폐구 힘을 보여준다. 유사한 힘 크기의 양측성 다수 접촉을 나타내는 최적의 교합이 만들어졌다. COF 아이콘이 타겟의 중앙에 존재하여 최적화된 좌-우 및 전-후 힘 균형을 입증해 준다

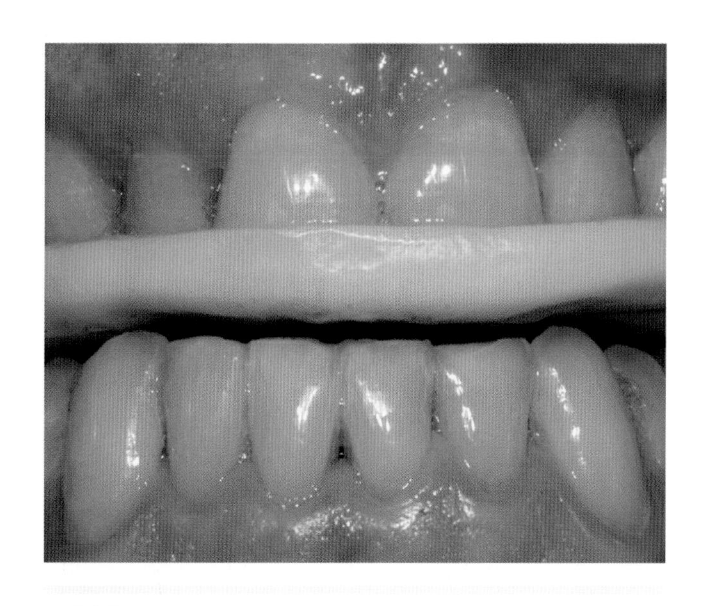

그림 9 OS를 수반한 우측방 편심위로 견치가 전방 유도를 제공하여 편심위 접촉을 형성하면서 다른 모든 치아를 분리시킨다. 견치 경로와 비작업측 관절 융기의 경사가 구치부 분리의 정도를 결정한다

교합한 후에 가능한 멀리 우측으로 곧게 미끄러지도록 설명한다(그림 10a-10c). T-Scan의 힘 vs. 시간 그래프 내에서(T-Scan 화면의 아래쪽 구획) 치아가 초기에 함께 모여 OS로 힘을 가하면서, 검정색의 총 힘 선이 A에서 0%부터 상승한다. A와 B 사이에, B에서 완전한 교두감합에 다다를 때까지 점점 더 많은 접촉이 OS와 연루된다(A-B 시간 간격이 교합 시간을 결정한다). 환자가 OS 상에서 교합하고 그 상태를 유지하면서 총 힘 선이 안정기(B-C 사이)를 형성하고, 최대 폐구력이 100% 순간을 나타내게 된다. C에서, 편심위가 우측으로 시작되면서 총 힘 선이 감소한다. 편심위가 진행되는 내내, 구치부가 벌어지고 전방 유도가 구치부를 분리하기 시작하면서 구치부에 존재하는 힘이 완전히 없어질 때까지 총 힘 비율이 감소한다(C-D 시간 간격은 이개 시간으로 결정된다).

측방 편심위에서 치료적 교합의 목적은 구치부의 어떤 연장된 치아 접촉을 축출하는 것이다. 이런 모든 구치의 신속한 이개는 저작근 과활성을 최소화한다. 임상 치료 교합 조정 연구에서 최적의 이개 시간은 편심위 당 0.5초 이하라고 하였고, 자연치열에 존재하는 근막 통증 기능 이상 증후군의 예견성 있는 해소를 가능하게 한다(Kerstein & Wright, 1991; Kerstein, 1995; Kerstein, Chapman, & Klein, 1997; Kerstein & Radke, 2012).

OS나 자연치로부터의 구치부 분리는 근육 과활성을 개시하는 치주 기계적 자극수용기에 같은 효과를 발휘하기 때문에, 같은 편심위 타이밍 기준을 OS 치료법에 적용하는 것이 타당하다. 그러나, OS 치료를 받는 환자와 자연치열의 교합 조정을 받는 환자 사이에 차이점은 존재한다. 전

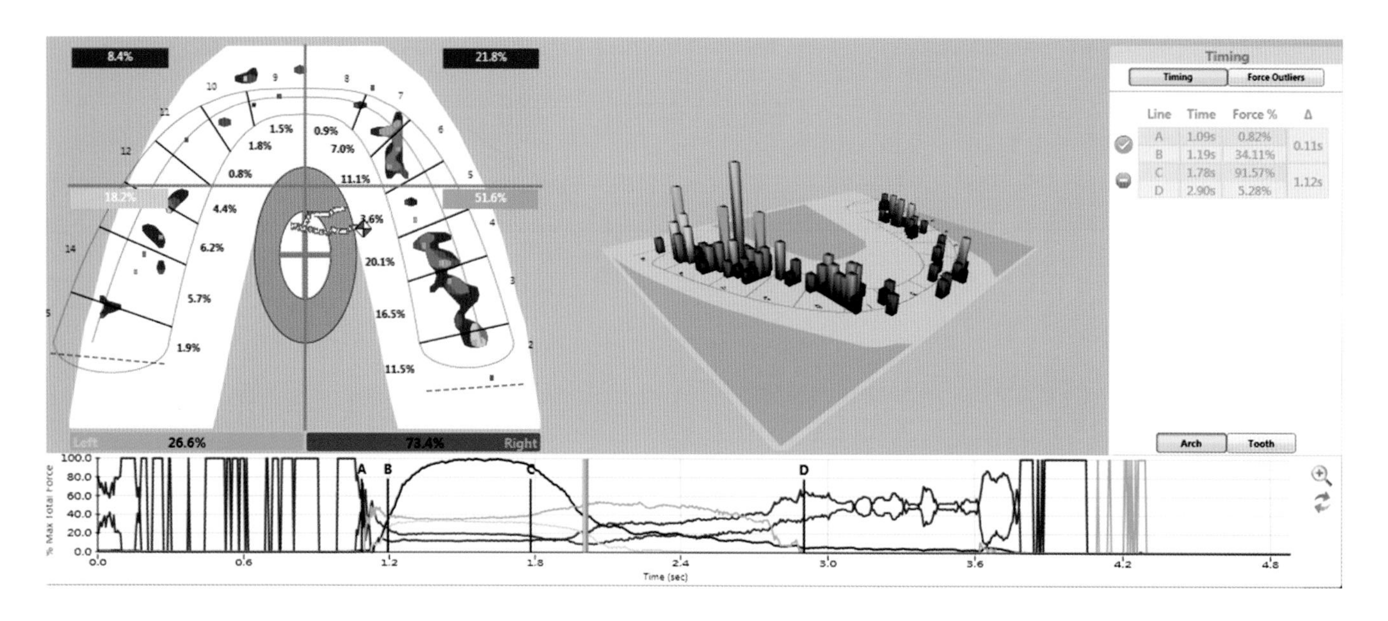

그림 10a 교합 조정-전 초기 우측방 편심위의 T-Scan ForceView로, 우측 편심위 초기의 B-C 교합 안정기 직후이다. OS의 작업측에 존재하는 상당히 많은 수의 힘 크기는 그룹 기능이 있음을 가리키는데, 교합지 자국은 분명한 견치 유도로 나타났었다

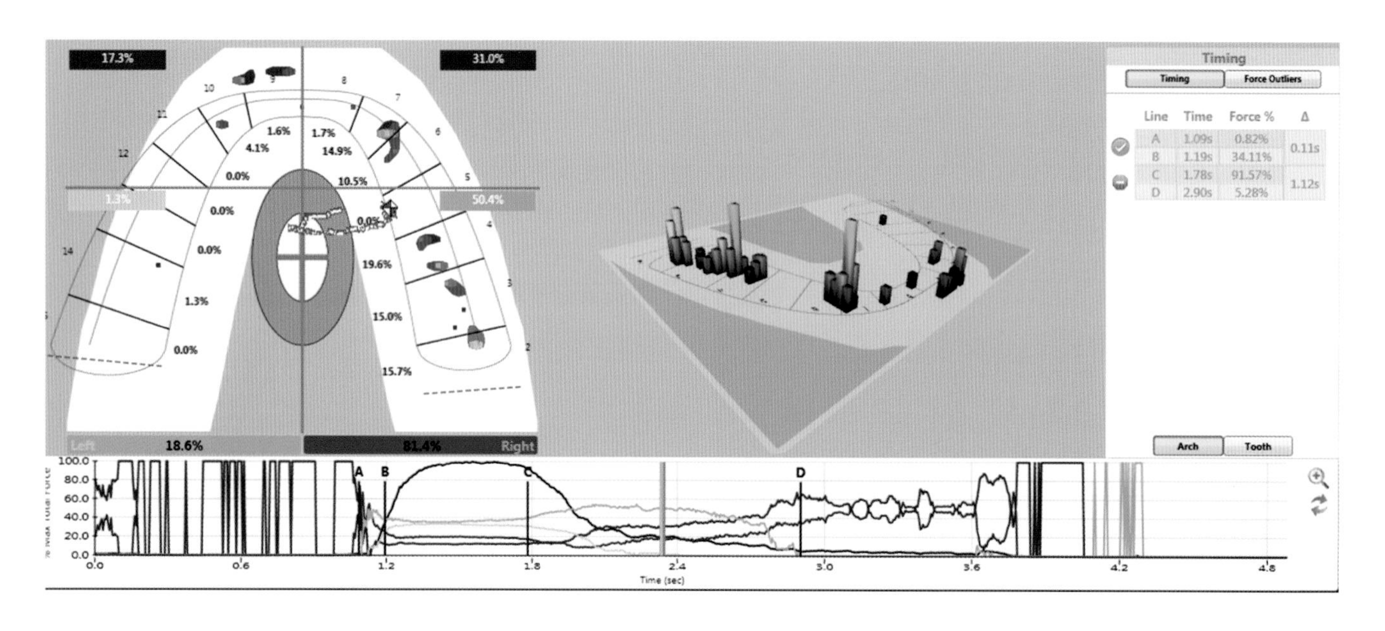

그림 10b 교합 조정-전 우측 편심위 중기의 T-Scan ForceView. 점 C를 0.537초로 지나서, 여전히 다수의 구치부 접촉이 작업측에서 형성되어 즉시 견치 이개가 부족함을 암시한다. 작업측 그룹 기능에 참여하는 치아를 향해 COF 궤도가 수평적으로 우측으로 이동하는 것을 볼 수 있다

형적으로, OS 치료는 비-침습적이고 가역적인 치료로 간주된다. OS 자체를 조절하여 대합하는 치아 윤곽에 대해 최적의 교합을 구축하기 때문에, 보통 이 치료의 단계에서는 치아 교두의 윤곽을 변형하지 않는다. 추가적으로, 대합하는 치아에 접촉할 때 스플린트로 피개된 PDL로부터의 EMG 반응은, 사이에 개재된 스플린트 없이 2개의 대합하는 PDL이 동시에 압박되는 것과 비교해서 훨씬 적은 수축 크기가 만들어진다.

평평한 교두 윤곽을 야기하는 치아 교모는 OS 치료의 적응증으로 고려된다(Lindfors, Magnusson, & Tegelberg, 2006). 임상의가 대합하는 교두 형태를 이상적으로 만들 수 없다면, OS 구치부 접촉이 작은 점으로 나타난다 하더라

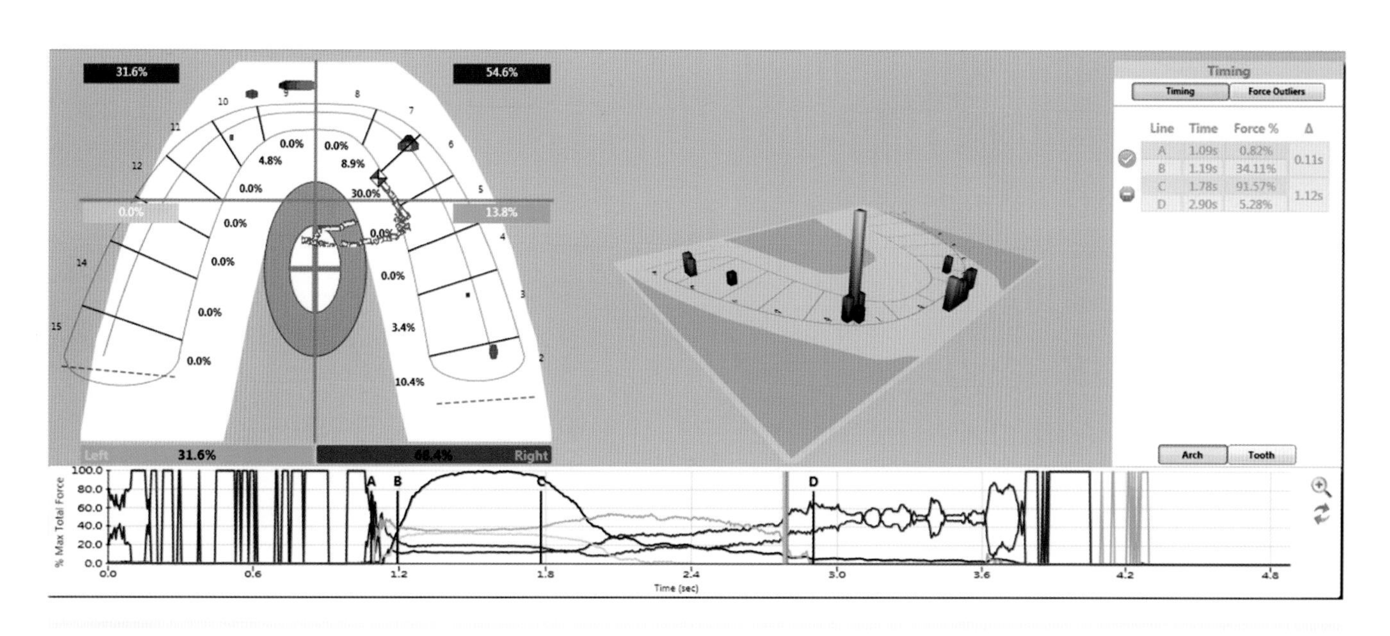

그림 10c 교합 조정-전 우측 편심위 말기의 T-Scan ForceView. 견치 부위에 존재하는 힘이 B-C 안정기에 존재하는 100% 최대 힘 점과 비교하여 감소된 것을 볼 수 있다. C 이후에, 구치부가 이개될 때 저작 거상근 수축이 완화됨에 따라 총 힘이 감소한다. #2, 3, 4, 10(17, 16, 15, 22)번 치아에 존재하는 낮은 크기의 힘 접촉은, 측방 운동 동안 환자의 뺨이 센서의 외측 경계를 문지르면서 센서가 살짝 왜곡되어 생긴 위상일 것이다. 최종적으로 COF가 견치 부위로 전방 이동한다. "L-모양"의 COF 궤도는 전방 유도가 후방 이개를 형성할 때 그룹 기능 체계 과정을 가리킨다

도, 측방 편심위 동안 둥글거나 평평한 교두로 구치부 접촉 시간이 길어질 수 있다. 이것으로, 하악 편심위 동안 교합 조정이나 포괄적인 수복물 장착으로 인해 OS가 대합하는 교두의 약간 다른 부위와 접촉하면서 발생하는 것보다, 더 긴 이개 시간이 유발된다. 좀 더 가파른 견치 유도 경사 형성이 측정성 즉시 후방 이개 구축을 돕고 C-D 간격 내에서 이개 시간을 감소시킴에도 불구하고, 과다하게 가파른 유도 경사는 환자의 기능 운동 범위와 충돌하고 "속박된" 불편한 느낌을 창조할 수 있다.

우측방 편심위 동안, 1.12초의 연장된 이개 시간이 존재함을 T-Scan으로 알 수 있다. OS 견치 유도 접촉과 교합지 자국이 이상적인 우측방 편심위 접촉점을 보이는 것 같지만, 구치부가 작업측과 비-작업측 모두에서 접촉한다(그림 10a, 10b). 이런 연장된 이개는 OS 구치부 점-모양 접촉에 문질러지는 대합하는 치아 교두의 평평한 형태 때문이다. 치아 접촉이 없는 부위에서 낮은 크기의 접촉은 격렬한 측방 편심위에서, 하악의 움직임으로 센서가 살짝 구부러지면서 왜곡되어 발생할 수 있다(그림 10c). 저작 거상근 수축이 구치부가 이개되면서 감소하기 때문에, 견치 유도 측방 편심위 종말부에 기록된 힘은 B-C 교합 안정기 동안 발생하는 최대 힘보다 적다(Becker, Tarantola, Zambrano, Spitzer, & Oquendo, 1999).

OS에 존재하는 구치부 편심위 간섭이 교합지 자국으로 보이지 않지만 T-Scan에서 연장된 구치부 접촉이 포착되면, 치료 옵션으로 레진을 첨가하여 전방 유도 경로의 경사를 증가시키거나, 구치부 접촉점의 크기를 작게 줄이거나, 대합하는 접촉 교두첨 모양을 다듬어 정제할 수 있다. 또한, 폐구 호 접촉을 한층 더 다듬어 인접한 편심위 유도 경로에 비례하여 OS 표면에 전치 접촉 함몰을 깊게 한다. 이렇게 하면 편심위 운동 초기의 경사가 증가할 것이다.

비-이상적인 OS 우측방 편심위를 T-Scan으로 유도 조정하여 구치부 접촉점을 아주 작게 감소시키고, 점에 대한 측방 레진 접촉을 없애고, CR 접촉을 약간 깊게 함으로써, 하악 우측 견치가 OS로 약간 더 깊게 접촉하도록 한다(그림 11). 대합하는 치열을 변형하지 않았지만, 이개 시간(C-D 부분)이 1.12초에서 0.40초로 감소하였다(그림 12a-12c). 이 수치는 0.5초 이하의 자연 구치부 즉시 이개 시간 기준을 능가하는 것으로, 최적에 가까운 OS 치료 교합을 나타낸다. 기능적 향상을 획득하기 위해 수정 과정 중 대합 치아 교두 윤곽을 변형하지 않았다는 것을 기억하기 바란다.

같은 교합지 자국 조정 순서를 좌측방 편심위에도 반복한다. 전방 유도를 제공하는 전치부 접촉의 다양성을 설

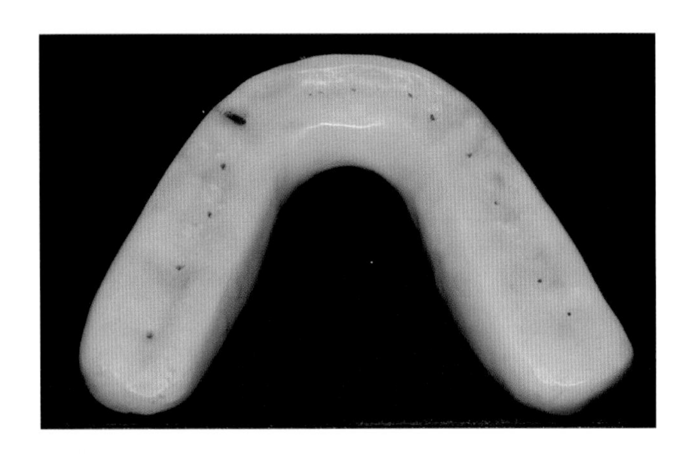

그림 11 구치부 접촉점을 작게 감소시키고 점에 대한 측방 대합 치아 접촉을 제거하였다. 모든 CR 접촉을 살짝 감소시켜 더 깊은 견치 자국을 형성하였고, 그림 4에서 보이는 전방 유도 윤곽과 비교해서 초기 우측방 유도 접촉을 좀 더 경사지게 하였다

명하기 위해, 좌측방 견치 유도 경로를 우측보다 살짝 얕게 만들어 처음 4-5mm 동안 하악 좌측 견치만 접촉한 후에 하악 우측 견치 또한 OS에 접촉하여 유도를 공유한다(그림 13). 하악 좌측 견치가 OS 경계를 넘어 운동하면, 하악이 경계 운동의 전체 범위로 더 좌측으로 운동하면서 하악 우측 견치가 유도 접촉을 인계받게 된다. 이런 교차 위치 접촉은 두 치아 사이에 전방 유도력을 공유하여, OS 전방 부위 폭을 최소화한다. 편심위 경로는 편심위 운동 동안 발생하는 하악 견치 접촉을 서로 공유하거나 순차적으로 진행되게 변경할 수 있다.

그 후, T-Scan을 삽입하고, 환자에게 동일한 측방 편심위 동작을 좌측으로 반복하도록 설명한다(그림 14a-14c).

OS 좌측 편심위를 같은 방법으로 다듬어, 후방 교합점을 아주 작게 만들고, 점에 대한 측방 접촉을 없애고, CR 접촉을 다듬어 인접 초기 측방 유도 경로를 상대적으로 경사지게 한다. 이개 시간(C-D 부분)이 1.74초에서 0.29초로 감소하였다(그림 15a-15c). 교차 유도 공유에 하악 우측 견치를 포함하기 위해 좌측방 유도를 의도적으로 얕게 형성했음에도 불구하고, 좌측 이개 시간이 우측보다 더 많이 감소하였다.

전방 편심위 평가

전방 편심위 접촉이 중절치에만 위치하였고 환자는 부드러운 전후방 운동을 확인하였다. 교합지 자국은 OS 상의 구치부 점에 인접한 연장이 없는 연속적인 전방 운동선을 보여준다(그림 4, 16). T-Scan을 삽입하고 환자에게 구치부로 교합한 후에 가능한 많이 전방으로 운동하도록 설명하였다. 초기 접촉은 양쪽 중절치에 고르게 분포하지만, 편심위-중간에서 #8(11)번 치아의 힘이 더 세진다(그림 17a-17c).

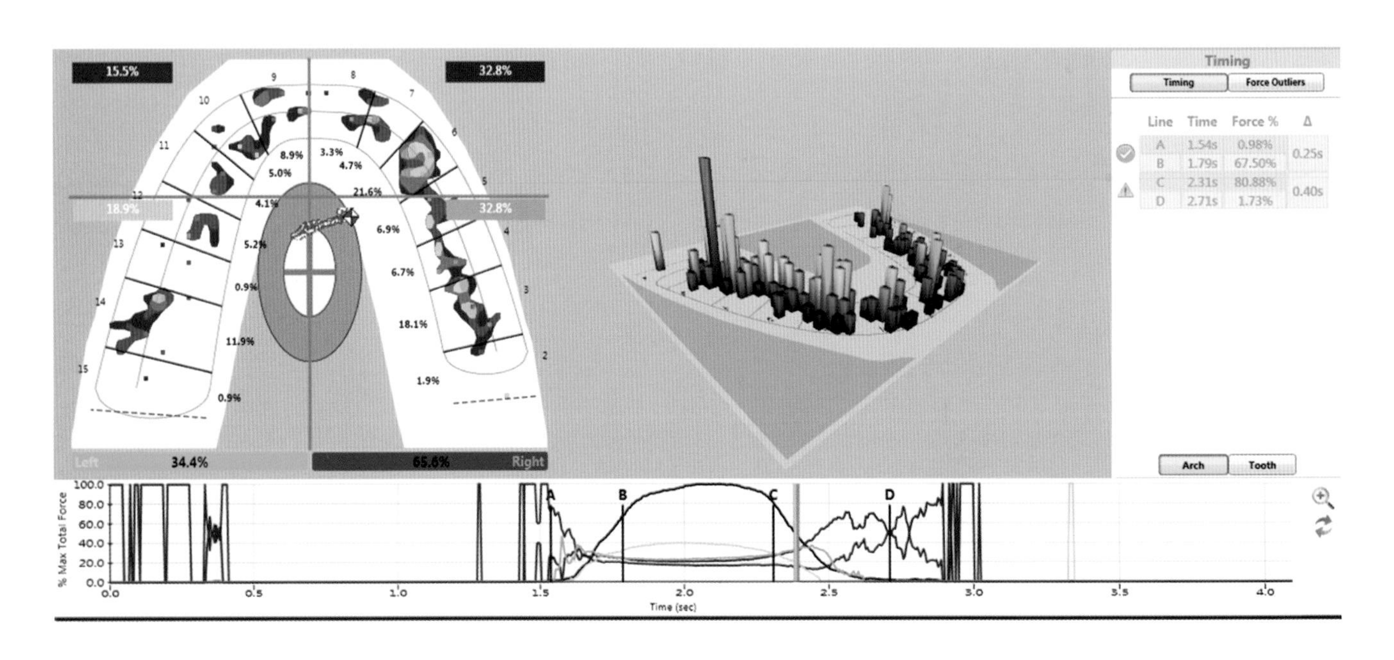

그림 12a T-Scan 유도 교합 조정을 시행한 후, B-C 교합 안정기 직후의 OS 우측방 편심위 T-Scan ForceView. 후방 이개 시간을 보여주는 C-D 간격이 1.12초에서 0.4초로 감소하였다

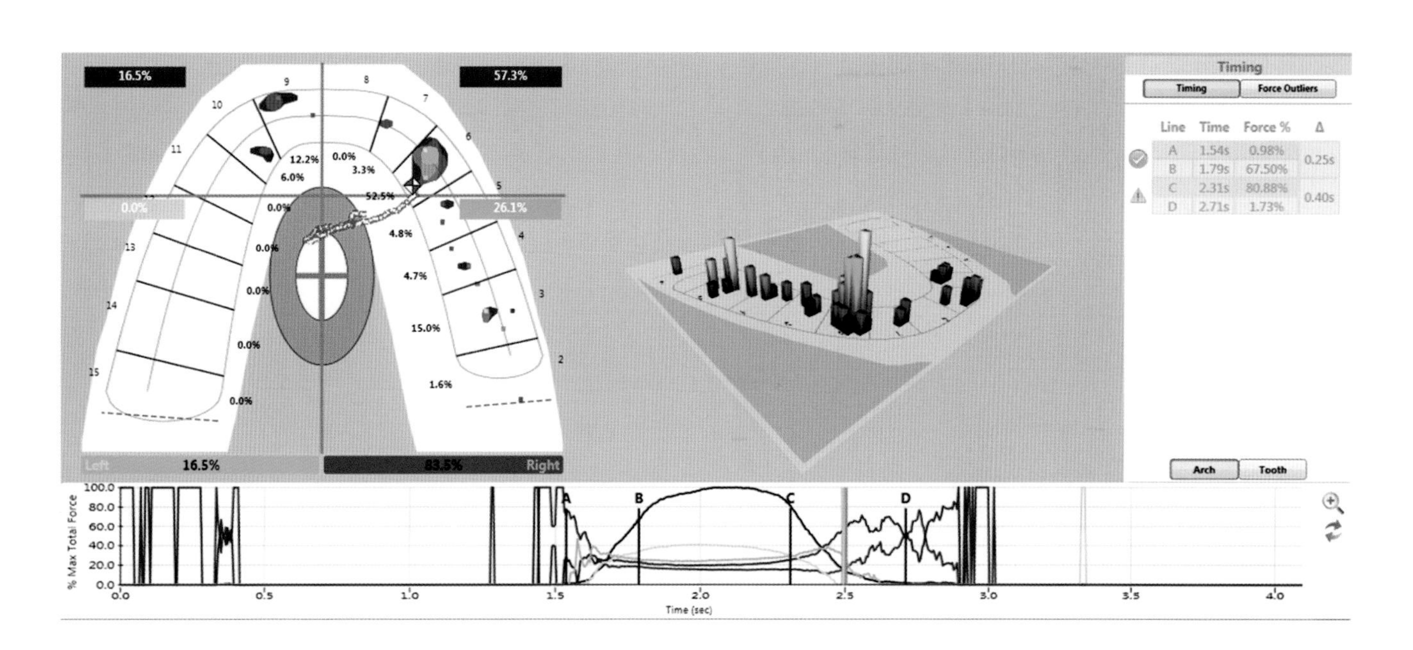

그림 12b T-Scan 유도 교합 조정 시행 후, OS 우측방 운동 중간-편심위 T-Scan ForceView. 다수의 구치가 낮은 크기의 힘으로 OS와 접촉한다. 그룹 기능이 선 C 이후 0.2초에 나타나지만, 그림 10에서 보이는 교합 조정-전과 비교해서 구치부 접촉 감소가 더 빠르다

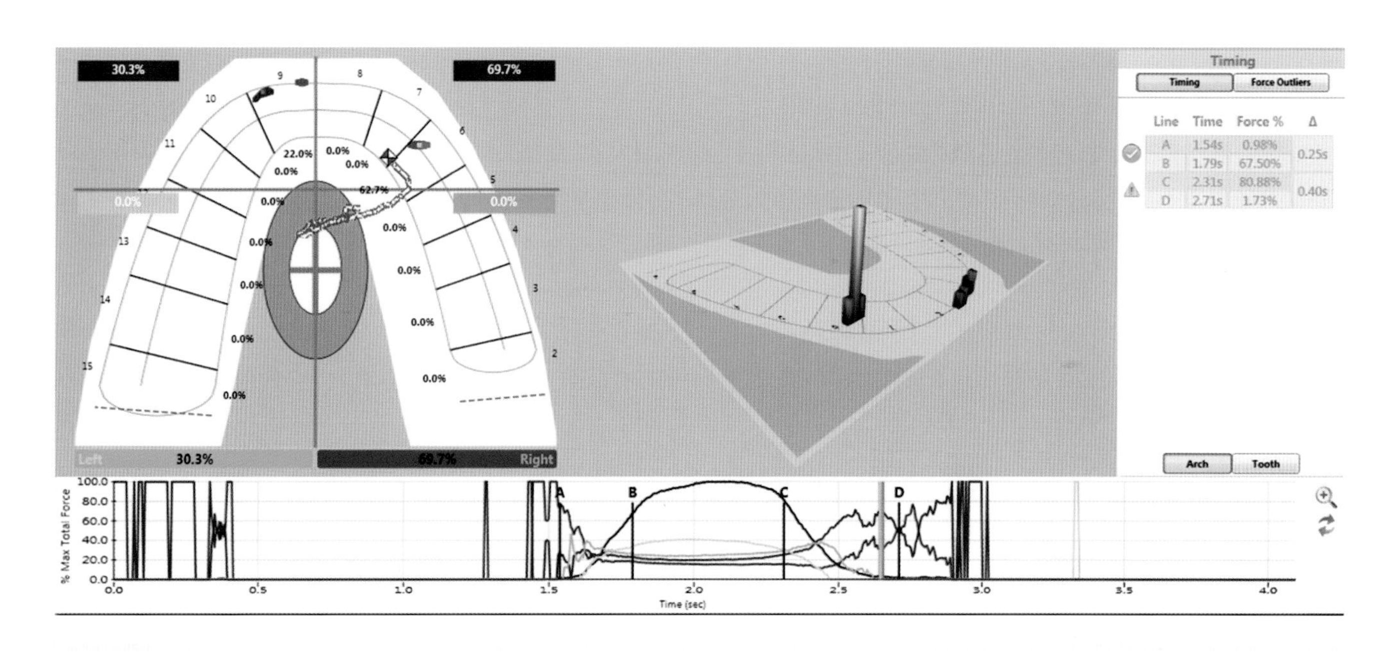

그림 12c T-Scan 유도 교합 조정 시행 후, OS 우측방 편심위 종말 T-Scan ForceView. 모든 편심위 접촉은 우측 견치에만 있다. 측방 편심위가 신속하게 구치부를 이개시키면서, B-C 안정기 말기에 시작하는 총 힘이 확연하게 감소하였다

전방 편심위도 좌우 측방 편심위에서와 같은 방법으로 조정한다. Bur나 rubber wheel을 사용하여 전방 운동 경로를 부드럽게 다듬어서, 연속적인 선 자국이 동등한 "잉크 자국" 색상 밀도로 나타나도록 한다(그림 18a–18c). 전방 편심위가 전치에 고르게 분포하도록 하여, 편심위의 전체 범위 동안 부하를 가장 잘 견디게 한다. 고운 사포의 거친 면을 OS로 향하게 놓고(사포의 뒷면이 대합 하악 치아쪽에 위치), 환자에게 사포를 하악 치아로 유지하면서 하악을 앞뒤로 운동하도록 한다. 이런 동작은 사포를 앞뒤로 문질러, 중절치의 OS 전방 접촉면을 평평하게 하여 교합지 접촉 강

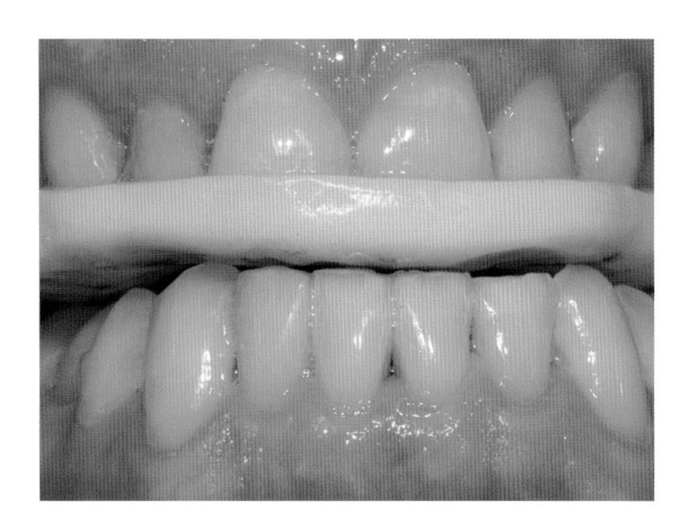

그림 13 좌측 견치가 접촉의 마지막에 가까워진 좌측방 편심위로, 여기에서 하악 우측 견치가 OS 상의 유도 조절을 인계받게 된다. 이런 접촉이 OS의 전방 부분 폭이 최소화하고, 견치 경로의 만곡된 협측면이 수평적 폭을 감소시킨다

도를 균일하게 만든다.

OS 전방 유도 디자인의 다양성을 설명하자면, 절치와 견치의 폐구 호 접촉은 보존하고 절치의 전방 운동 접촉을 갈아내어 치근이 긴 견치에 모든 전방 운동 접촉을 부여하여 OS를 Michigan 스플린트로 전환할 수 있다. 전방 운동 유도가 중절치에 존재할 때보다 견치 상의 전방 운동 경로는 더 후방에서 시작하기 때문에, 이런 디자인은 짧은 전방 운동 범위를 가지는 환자를 위해 OS의 전방 부피를 감소시키고, 긴 전방 운동 범위를 가지는 환자에게 더 긴 편심위 경로를 제공한다(그림 19).

최적의 교합지 자국을 획득한 후 같은 T-Scan 유도 조정 술식을 사용하여 OS를 정제한다. 중절치 전방 운동 접촉에서 견치 전방 유도로의 변화를 사진과 T-Scan ForceView에서 볼 수 있다(그림 4, 18, 19, 20a-20c).

T-Scan 임상 술식에 대한 환자 반응

T-Scan은 환자에게 초기의 불균형한 힘 분포를 그래픽으로 보여줌으로써, 환자는 자신의 교합 문제 진단에 대한 즉각적인 시각적 이해를 얻을 수 있다. 이것은 임상적으로 최근 수복 술식을 받고 교합지 자국을 기준으로 다수의 교합 조정을 받고도 편안하지 않은 환자에게 명백히 해당된다.

교합력 분포가 부적절한 OS를 장착한 환자는 치료 프로

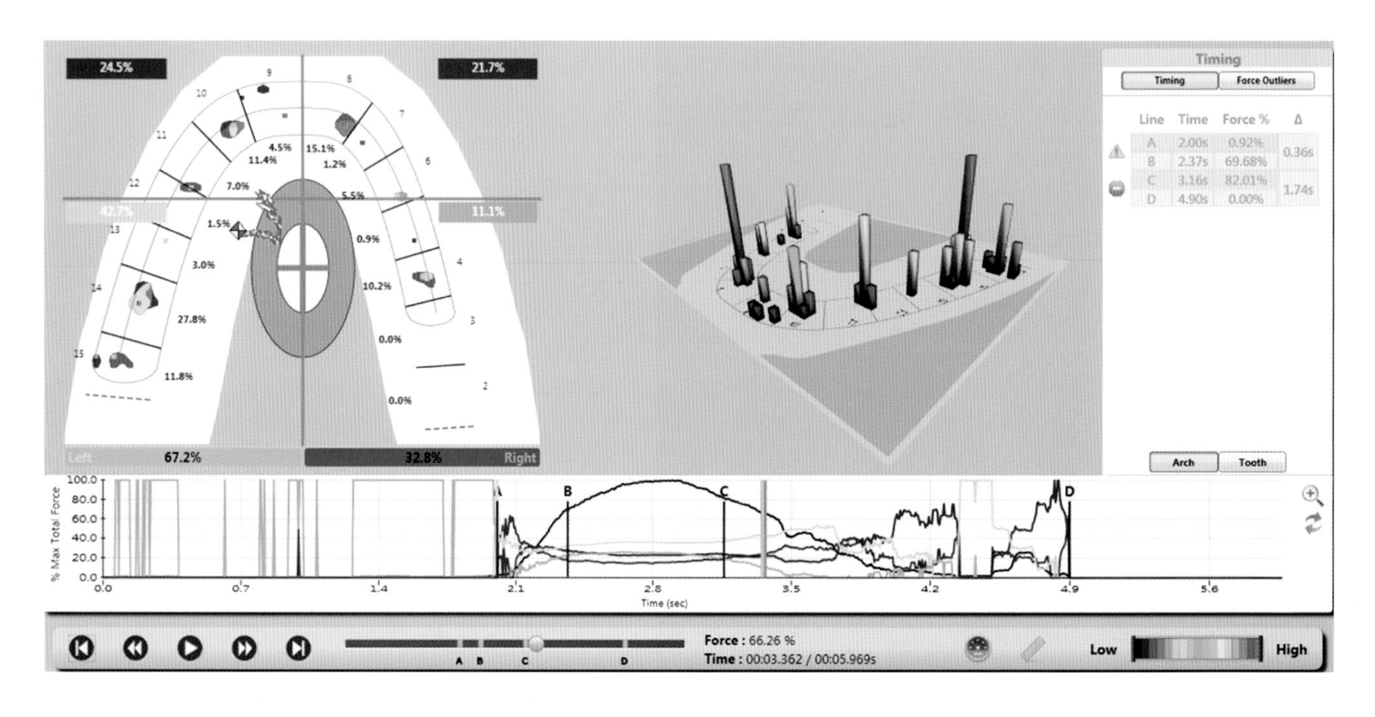

그림 14a T-Scan 유도 교합 조정 시행 전, B-C 교합 안정기 직후의 좌측방 편심위 T-Scan ForceView. 양쪽 하악 견치가 OS와 접촉함에도 불구하고, 상당한 후방 작업측 접촉이 #14(26)번 치아에 존재한다

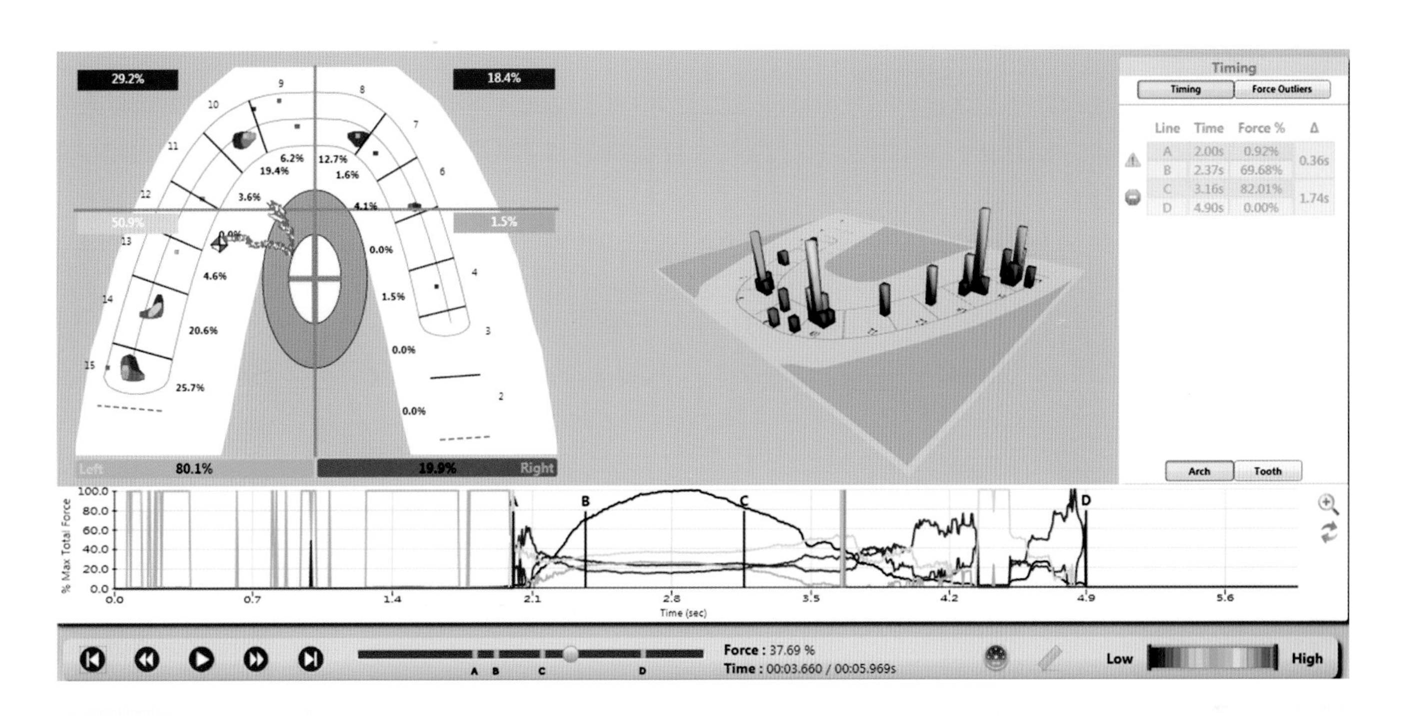

그림 14b T-Scan 유도 교합 조정 시행 전, 좌측방 운동 중간-편심위 T-Scan ForceView. 다수의 구치가 낮은 크기의 힘으로 OS와 접촉한다. 양쪽 하악 견치가 측방 유도 접촉을 공유하면서, 선 C 이후 0.5초에 좌측 구치부의 그룹 기능 접촉이 나타난다

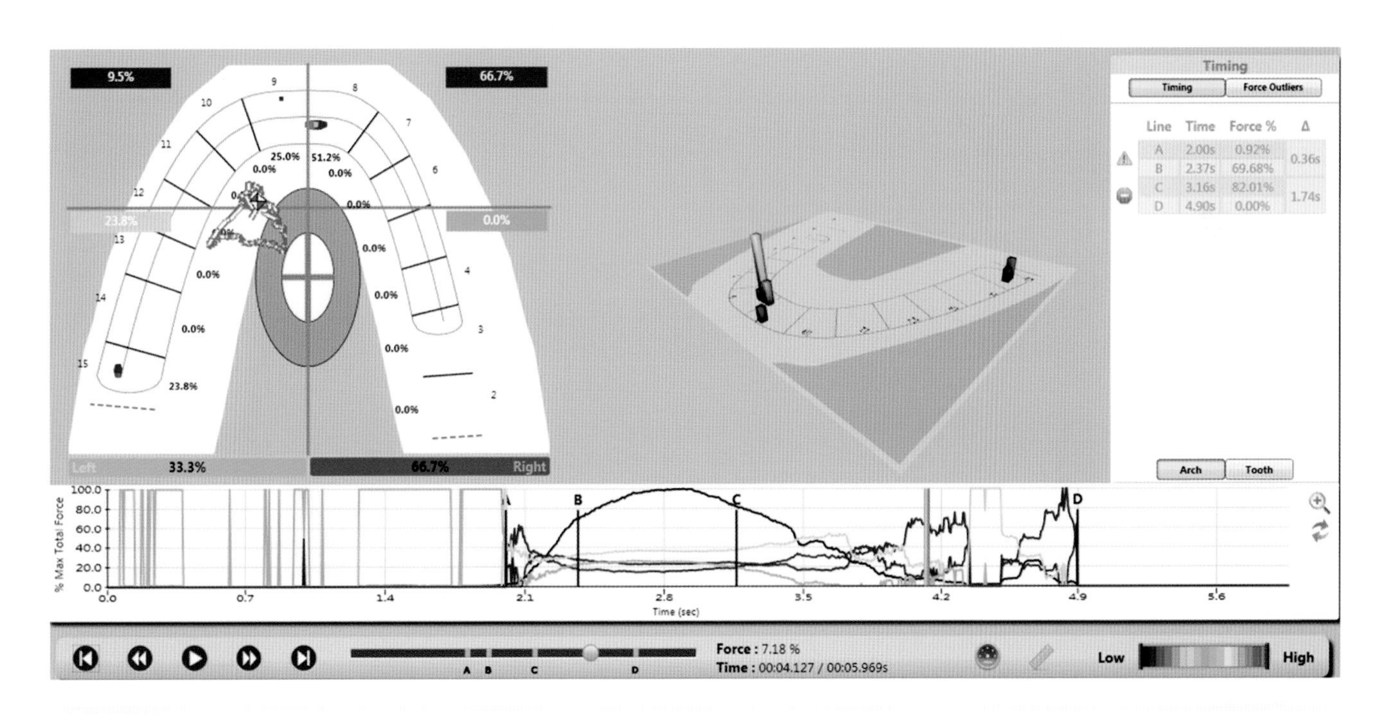

그림 14c T-Scan 유도 교합 조정 시행 전, 좌측방 편심위 종말 T-Scan ForceView. 우측 하악 견치가 측방 유도를 제공하면서 OS에 접촉하는 모든 다른 치아를 분리한다. #15(27)번 치아에 존재하는 낮은 크기의 힘 접촉은 환자가 측방으로 운동하면서 뺨에 의해 센서가 구부러지면서 생긴 센서 왜곡에 의한 것이다

토콜에 따르지 않고 다른 종류의 치료를 요청할 수도 있다. T-Scan은 환자에게 객관적으로 문제성의 교합 접촉 위치를 보여준다. 이런 공동-진단 과정은 사실에 입각한 근거 위에서 환자의 특별한 문제와 적절한 해결 방안에 대한 상

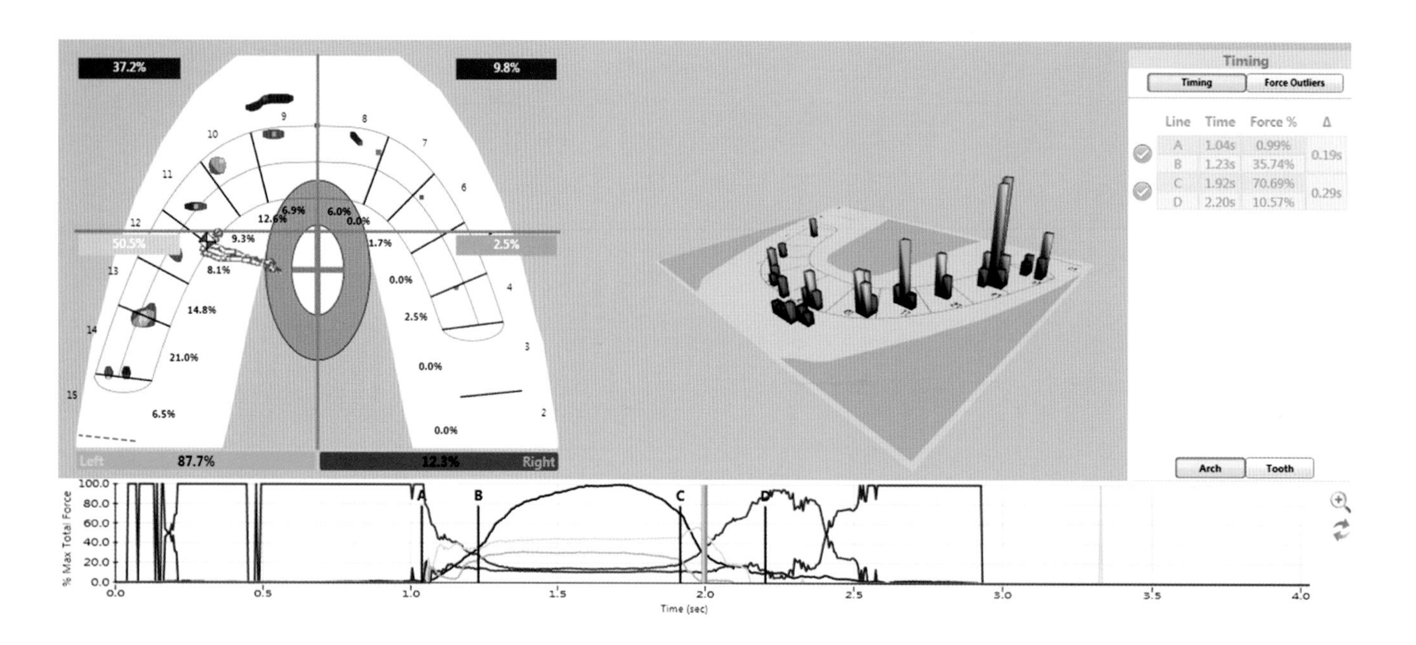

그림 15a T-Scan 유도 교합 조정을 시행한 후, B-C 교합 안정기 직후의 좌측방 편심위 T-Scan ForceView. 선 C를 지난 0.1초에서, 좌측 견치와 공유하는 그룹 기능 관계로 OS와 구치부의 초기 접촉이 있다

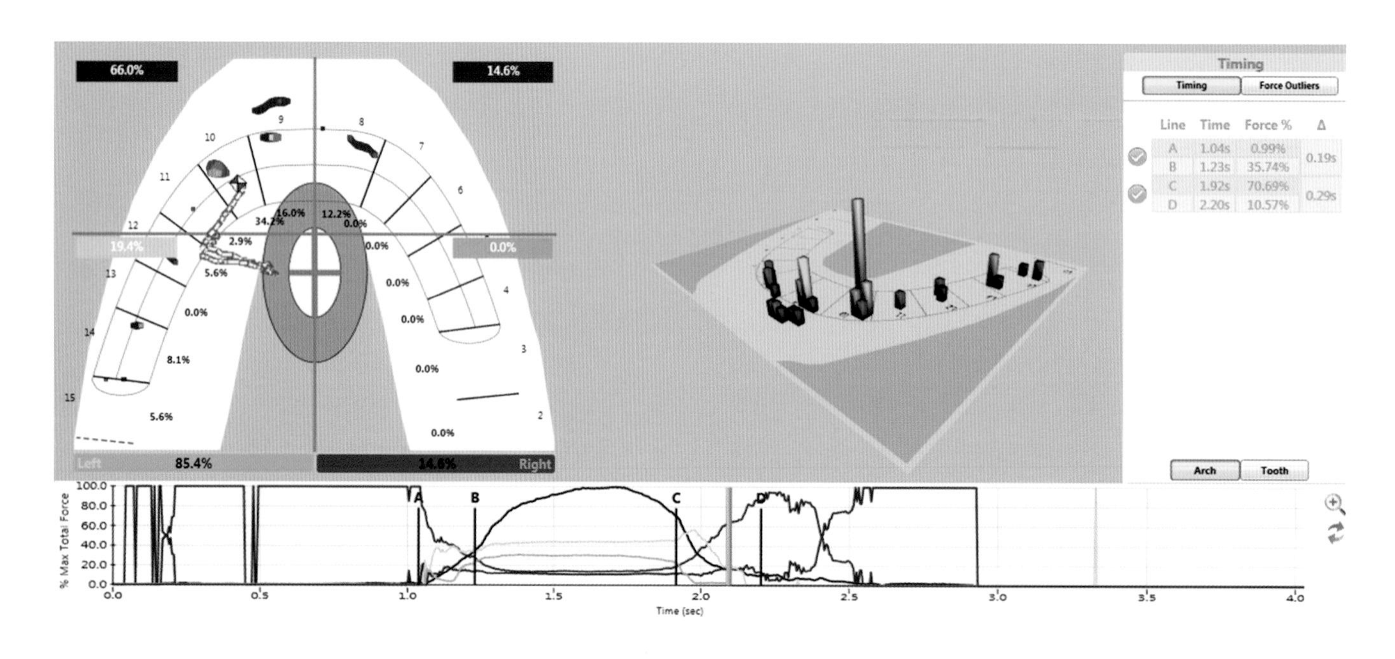

그림 15b T-Scan 유도 교합 조정 시행 후, 우측방 운동 중간-편심위 T-Scan ForceView. 점 C를 지난 0.2초에, OS와 접촉하는 구치가 없고, 2개의 하악 절치가 좌측방 유도의 힘을 공유한다

담으로 시작한다. 환자는 종종 자신의 교합에 대한 느낌 및 컴퓨터 모니터에 보여지는 것들과 강한 연관성을 형성한다. OS 정제 동안, 환자는 시각화된 교합 변화와 자신이 경험하는 감각의 변화를 서로 연관시킬 수 있다. 환자의 치료 세부 사항에 환자를 연관시켜, 환자가 수동적으로 치료를 받았을 때 환자를 이해시키기 불가능했던 치과 치료의 우월함을 성취하는 데 필요한 공감을 형성한다.

T-Scan은 임상의와 환자에게 데이터를 제공한다. 임상의에게는 교합 문제를 평가하고, 치료 목표가 실제적으로 성취되도록 하기 위한 과학적 근거를 제공한다. T-Scan은

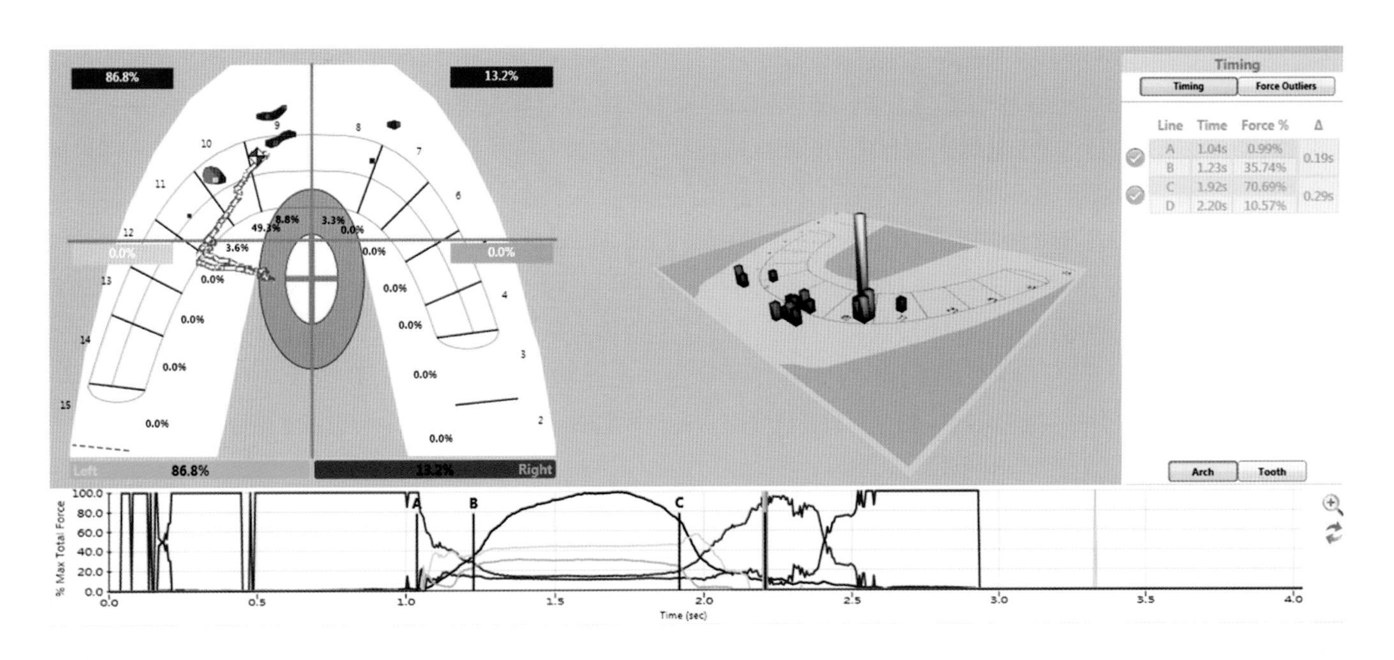

그림 15c T-Scan 유도 교합 조정 시행 후, 좌측방 편심위 종말 T-Scan ForceView. 이 지점에서, 좌측 견치가 OS의 경계를 넘어 진행되기 때문에, 모든 편심위 힘이 하악 우측 견치에 집중된다. 하악 견치의 순차적인 접촉이 2개의 짧은 견치 유도 경로를 창출하고 OS의 협측 부피를 최소화하게 된다

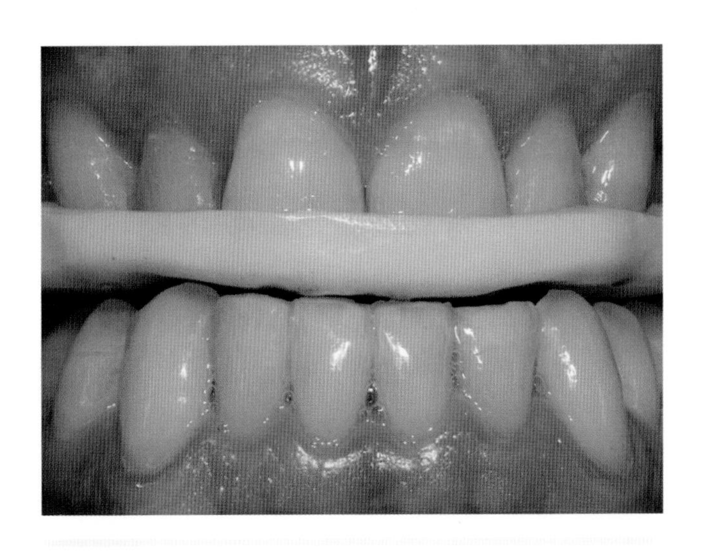

그림 16 모든 다른 치아가 분리되면서 중절치가 균등하게 편심위를 유도하는 전방 편심위. 상당히 평평한 전방 유도 경로와 결합된 관절 융기의 경사가 구치부를 이개시킨다

환자의 초기 상태 기록을 기록하고 편견없고 측정가능한 교합 치료 종점을 얻은 시점을 실증한다. 이런 기술은 환자 피드백을 술식 조절로 대체한다.

환자에게 교합 느낌을 부탁했을 때, 환자가 자신의 반응에 확신이 없거나 자신의 견해가 치료 결과를 악화시킬 수 있다고 걱정할 수 있다. 환자는 임상의가 그들의 "느낌"에 대하여 반복적으로 질문할 때, 심리적으로 임상의가 실력이 있는지 의심을 품을 수 있다. 술식을 조절하려고 노력하는 환자는 자신의 주관적인 느낌이나 감각에 근거하여 끊임없는 예약을 고집할 수도 있다. T-Scan의 객관성은 임상의에게 측정성 치료 결정을 내리기 위한 합리적인 근거를 제공한다. T-Scan 유도 조정으로 모든 교합 세부 사항을 정제한 후, 환자 피드백을 요청해야 한다. 임상의와 환자 모두 교합지와 환자의 주관적인 느낌 피드백으로 이룩한 교합 결과와 비교해서 T-Scan 유도 치료로 얻어진 교합의 질적 변화를 관찰할 수 있다.

치료-후 약속 및 최적 교합의 유지

치료-후 관리는, 가능하다면 OS 장착 24시간 후에 이루어져야 한다. 치아를 꽉 조이는 부위나 혀를 자극하는 날카로운 경계부를 시기 적절하게 조정한다. 교합면의 조기 접촉 또한 다듬을 수 있다. 연조직에 편안하고 최적의 교합에 필요한 모든 조건을 이행하는 고품질의 OS가 장착되었다면, 필요한 장착-후 체크 약속 횟수가 최소화될 것이다. 장착 시 투자한 시간 덕분에, 커다란 이물 덩어리로 방치될 수도 있는 OS를 환자가 더 쉽게 적응하여 지속적으로 사용할 수

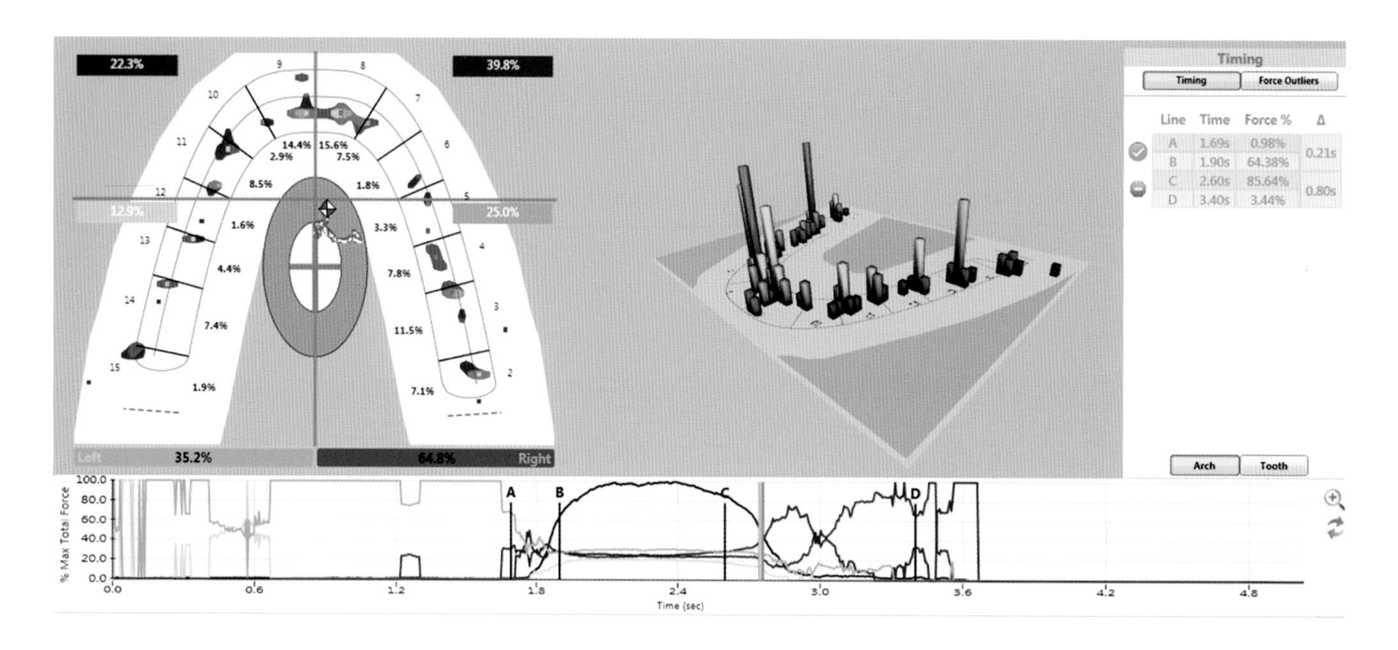

그림 17a T-Scan 유도 교합 조정 시행 전, B-C 교합 안정기 직후의 전방 편심위 T-Scan ForceView. 선 C 이후 0.2초의 편심위 초반부에, 약간의 우측 구치부 접촉이 존재하면서 중절치에 고른 접촉이 보인다

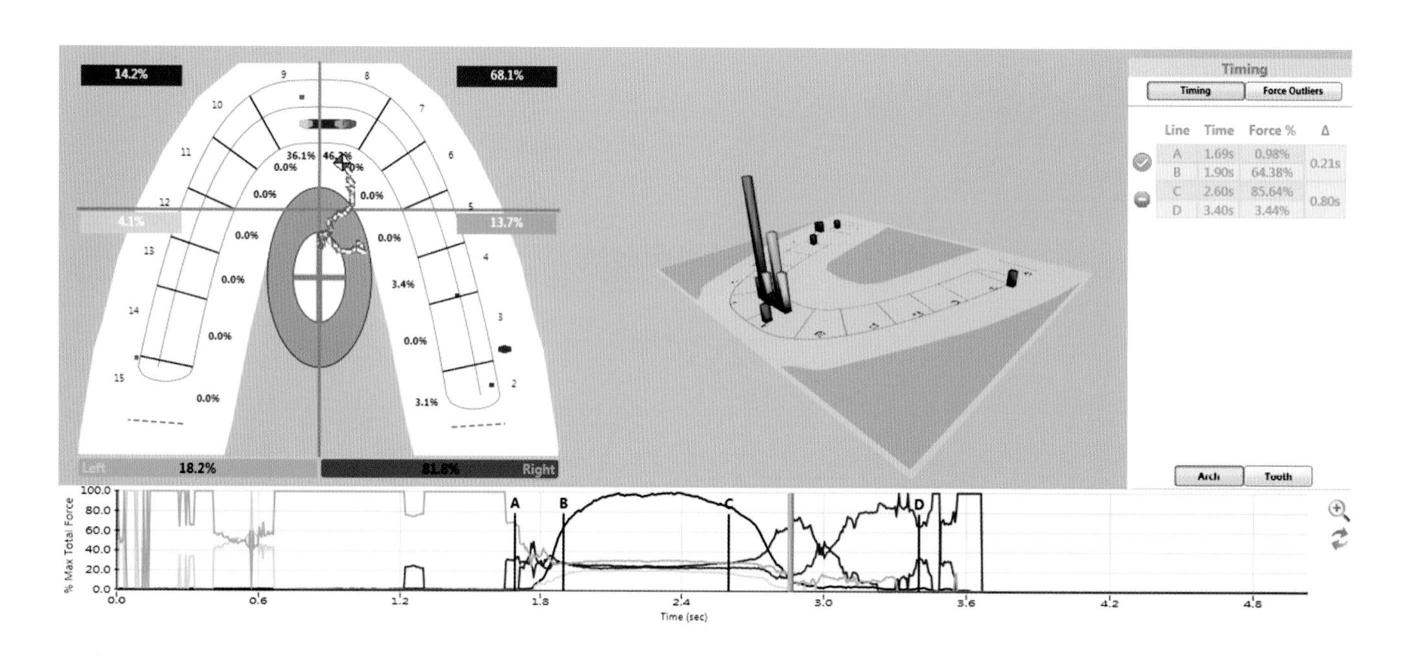

그림 17b T-Scan 유도 교합 조정 시행 전, 전방 운동 중간-편심위 T-Scan ForceView. 선 C 이후 0.5초에, 시각적으로 구치 접촉이 보이지는 않지만, 중절치가 불균형을 이루어 #8(11)번 치아가 총 힘의 46.2%를, #9(21)번 치아가 36.1%를 차지한다

있게 된다. 이 저자의 경험에 의하면, 최적의 교합과 적절한 맞춤이 모두 제공될 때, 환자의 상당한 대다수는 OS 치료법을 성공적으로 준수할 수 있다.

치료-후 스케줄은 환자의 구조 및 증상 상태에 따라 결정한다. 건강한 TMJ, 미미한 근육 통증, 안정적 치아, 연관된 구조물에 문제가 없는 환자는 단 1회의 장착-후 약속이 필요할 것이다. 악화중인 과두, 상당한 저작근 통증, 치아 동요, 귀나 목에 증상이 있는 환자는 일련의 약속이 필요할 것이다.

외상성 교합의 치아는 PDL이 넓어지면서 증가된 동요로

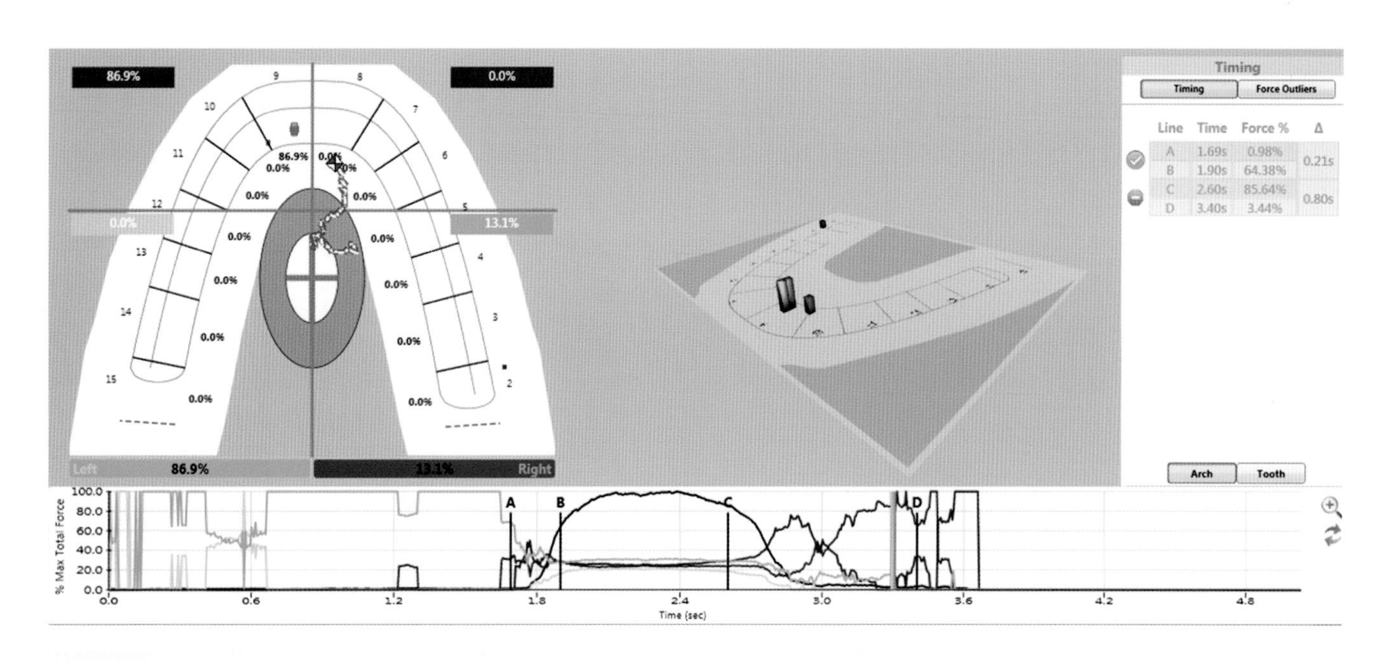

그림 17c T-Scan 유도 교합 조정 시행 전, 전방 편심위 종말 T-Scan ForceView. 전방 운동 접촉에 불균형이 남아서 #9(21)번 치아에 총 힘의 86.9%, #8(11)번 치아에 0%가 부과된다

반응을 보인다. 최적의 교합을 가진 OS는 이런 치아에 대한 외상을 감소시켜 결과적으로 치아를 치조 내에 재위치시킨다. 작은 교합 변화에 대해 OS를 검사하여 최적의 교합 접촉 양상을 회복하도록 조정하면 이런 치아 위치 변화가 일어날 수 있다. OS 치료법은 선재하는 교합 간섭으로 유발된 저작근 과활성을 감소시켜, 근육 편안감, 조화, 이완을 유도한다.

환자는 OS 착용 시 종종 자신의 교합이 고르고 편안하다고 설명하지만, 장치를 제거하고 자연치로 폐구하였을 때 마운팅된 진단 모형에서 보이는 간섭이 지속적으로 나타난

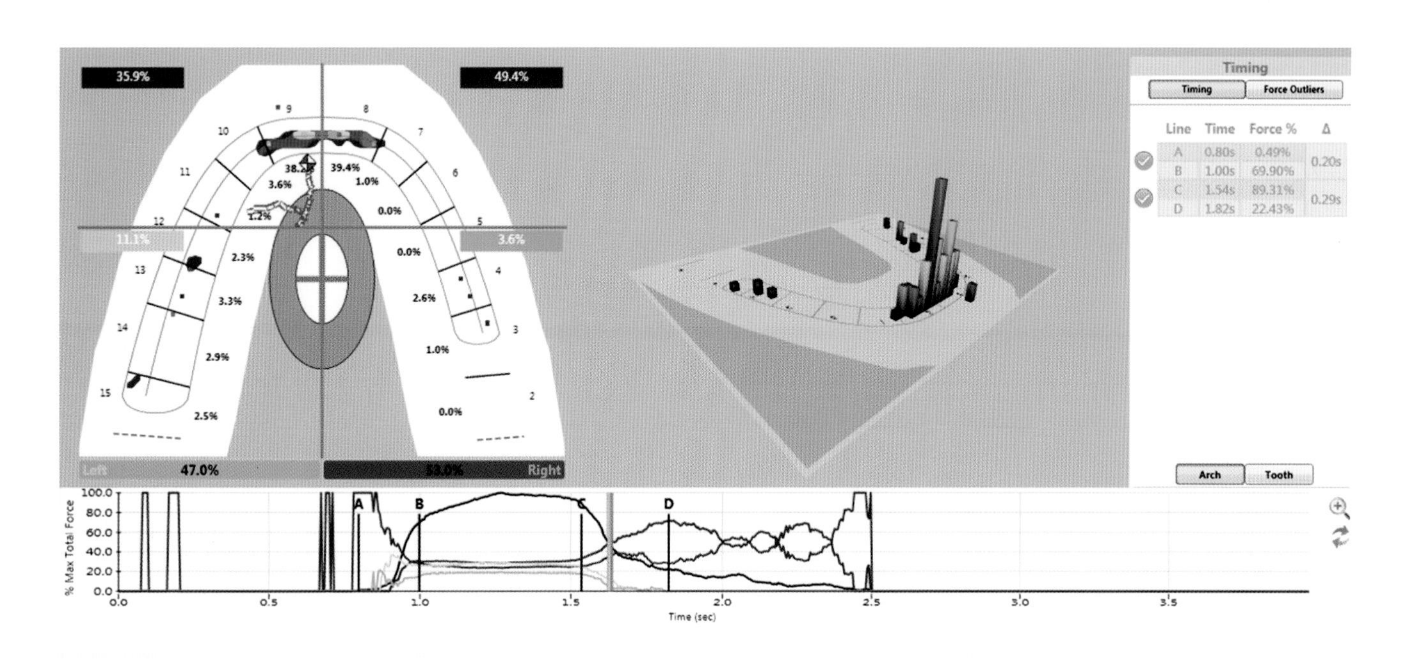

그림 18a T-Scan 유도 교합 조정을 시행한 후, B-C 교합 안정기 직후의 전방 편심위 T-Scan ForceView. 선 C를 지난 0.2초에서, 시각적으로 나타나는 구치부 접촉이 없다. 그림 17a에서 보이는 것보다 구치부 이개가 신속하다

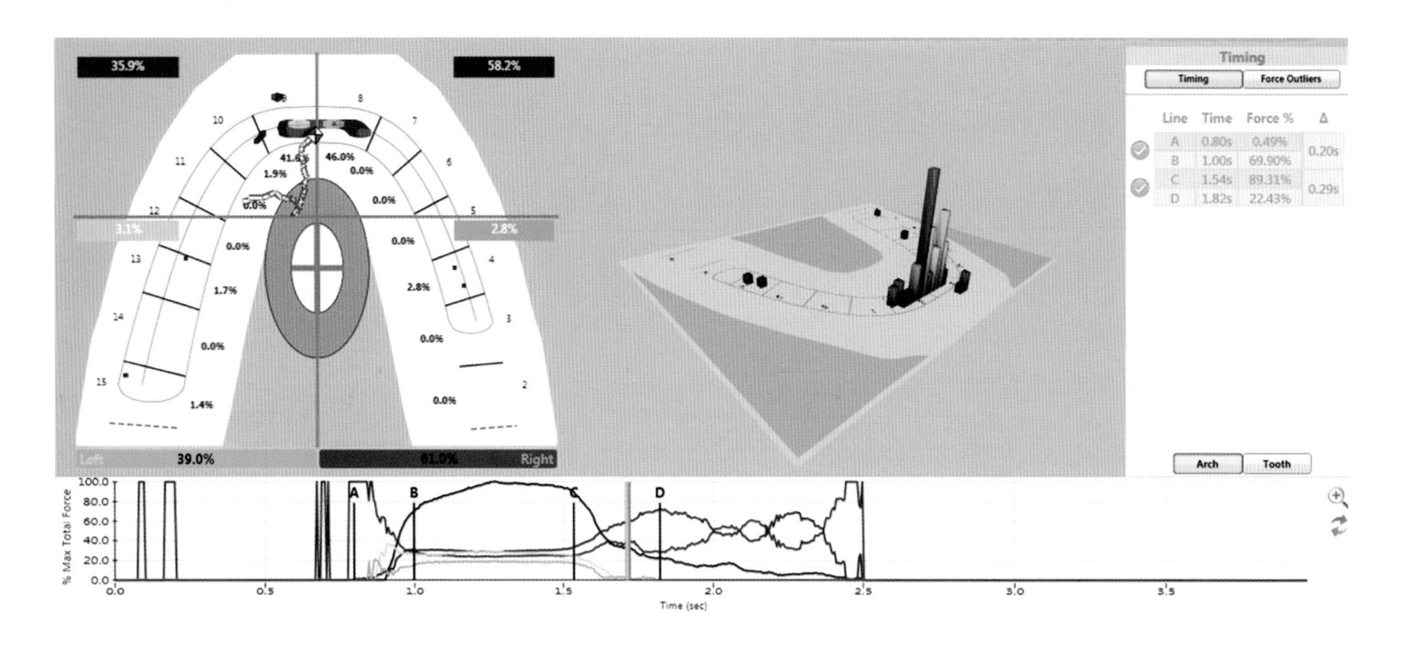

그림 18b T-Scan 유도 교합 조정 시행 후, 전방 운동 중간-편심위 T-Scan ForceView. #8번(46.0%), 9번(41.6%) 치아에 균등한 전방 유도 힘을 가지는 구치부 이개가 명백하다

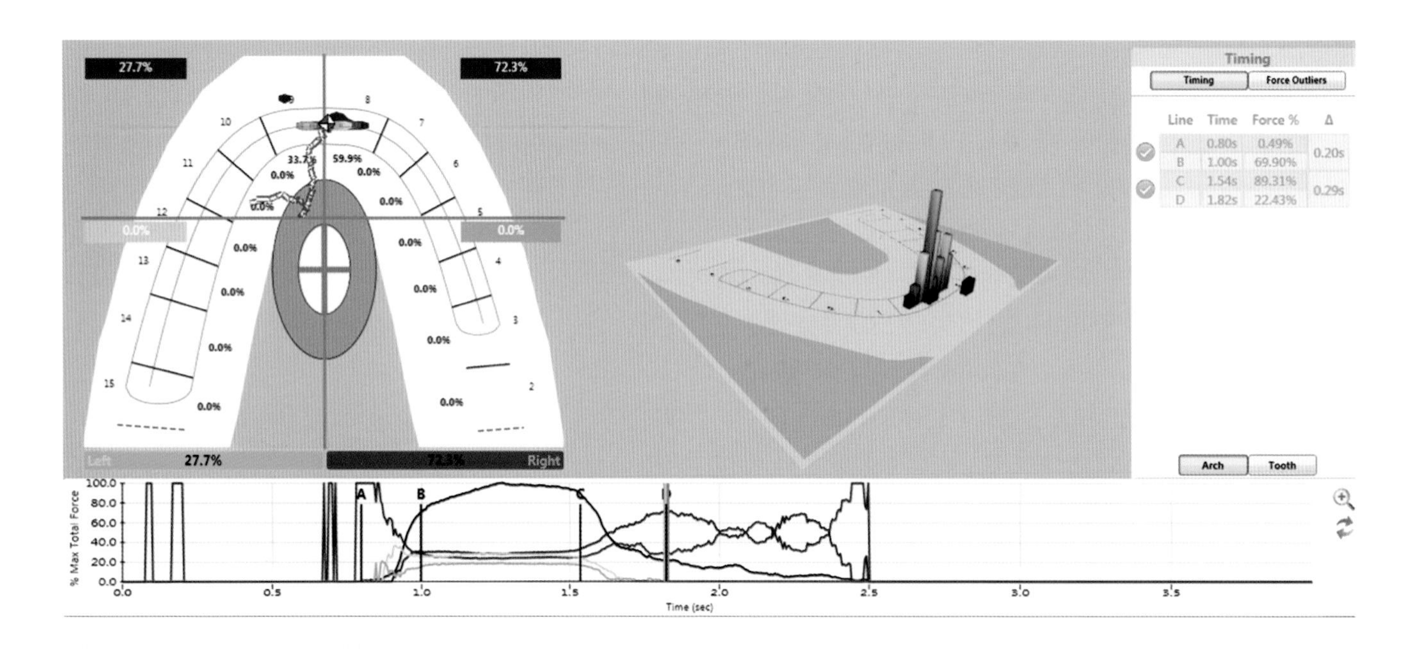

그림 18c T-Scan 유도 교합 조정 시행 후, 전방 편심위 종말 T-Scan ForceView. 총 힘이 그림 17c와 비교해서 전 편심위 내내 훨씬 더 균형적이지만, #8번에 총 힘의 59.9%가, #9번에 33.7%가 분포한 상태로 끝난다

다. 이로써 환자는 종종 자신의 OS가 주는 편안감과 일치하는 교합 조정이나 치아 수복으로 최종적인 치료를 추구하게 된다.

해결 방안 및 권고 사항

TMD는 TMJ 부위나 저작근의 통증, 하악 운동의 제한된 범위, 관절 잡음의 존재를 일컫는 비-특이적 용어이다. 근육 조직은 비-치성 구강안면 통증의 가장 흔한 원인이다

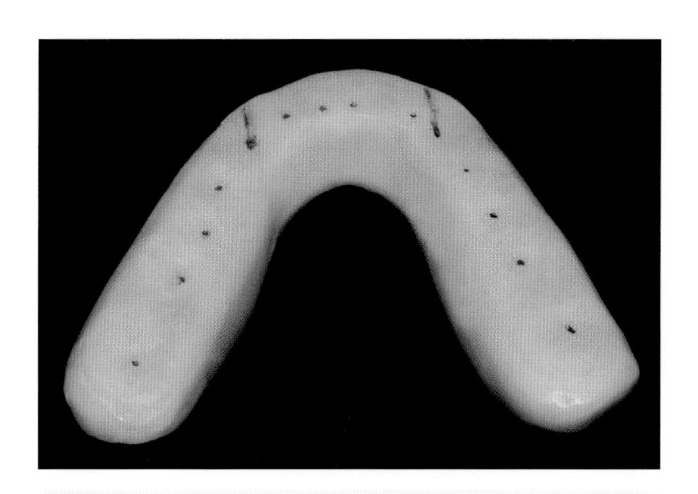

그림 19 절치와 견치의 폐구 접촉은 보존하면서, 전방 운동 전방 유도를 중절치 접촉에서 견치 접촉으로 변화시켰다. 견치 전방 운동 경로가 중절치 경로보다 더 후방에서 시작한다. 그 결과 환자가 짧은 전방 운동 범위를 가질 때 OS 전방부의 부피가 감소한다. 환자가 긴 전방 운동 범위를 가지면, 더 긴 견치 경로가 구치부의 이개를 유지한다

(Manfredini, Guarda-Nardini, Winocur, Picotti, Ahlberg, & Lobbezoo, 2012). 급성 및 만성 근육성 구강안면 통증이 흔하게 보고되는 중요한 환자 문제이다. 많은 근육성 구강안면 통증은 저절로 완화되지 않으므로, 환자가 신속하게 의학적 혹은 치과적 평가를 요구하게 된다.

교합 문제와 저작근의 통증 및 기능 이상의 연관성, 교합 수정의 해결 방안을 찾는 광범위한 연구가 있다. 또한 TMD 합병 증상에 대한 교합 근거를 확신할 수 없는 상반되는 연구도 있다. 이런 반박에 대한 설명은, "부재의 증거" 대신에 "증거의 부재"를 보여준 연구가 치아 접촉 시간 및 힘의 일탈과 저작근 문제 사이의 상관관계에 관한 타당한 결론을 내리는 것이 불가능하다는 것이다. 교합이 근육성 TMD 증상과 연관성이 없다는 것을 과학적으로 증명하기 위해서, 치료-전 교합과 치료받은 변경된 교합 모두를 측정하고, 연구되는 대상에 대해 특성화해야 한다. 이런 반대 의견의 연구 중에 어느 한편도 교합 문제와 TMD 합병 증상 사이에 존재하는 관계를 부정하기 위해, 실제적 교합 시간과 교합력 상태의 치료 전-후 데이터를 제공하지 않았다(Kidder & Solow, 2014).

T-Scan 데이터는 TMD 치료 연구가 과학적 타당성을 갖기 위해 필수적이다. 이것은 어떤 상황에서도 사용될 수 있고 교합 문제의 존재를 특정화하는 즉각적인 기능적 교합 데이터를 보고하는 실용적인 장치로, 테스트된 치료 교합의 질을 입증할 수 있다. 변화로 야기된 치료 효과에 대해 어떤 결론을 내리기 전에, 교합 체계의 측정된 변화는 수량화되어야 한다.

T-Scan은 OS를 임상적으로 수용하는 편견없는 데이터를 제공하고 추측을 배제한다. 개인 의원 36년의 저자 경험

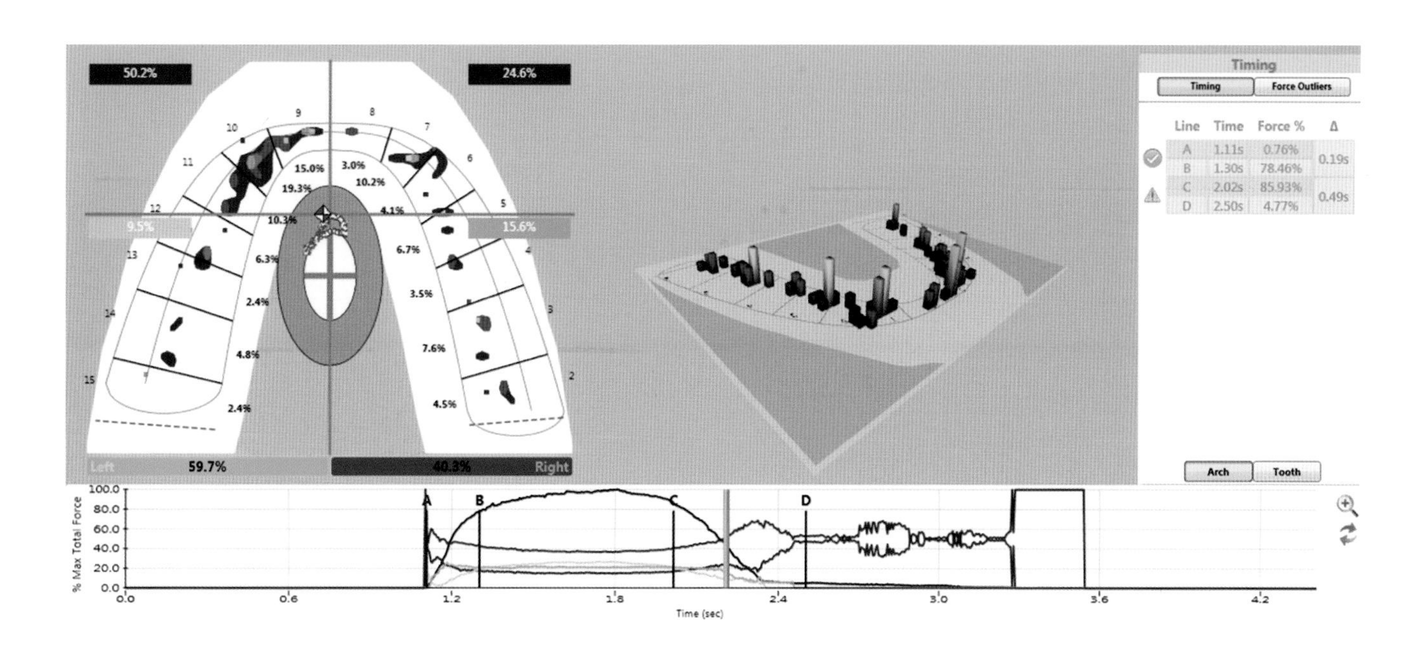

그림 20a T-Scan 유도 교합 조정을 시행한 후, B-C 교합 안정기 직후의 전방 편심위 T-Scan ForceView. 초기 편심위 동안, 구치부 접촉이 존재하고 전방 4분악이 상당히 불균형적이다(우측 전방 4분악 = 총 힘의 24.6%; 좌측 전방 4분악 = 총 힘의 50.2%)

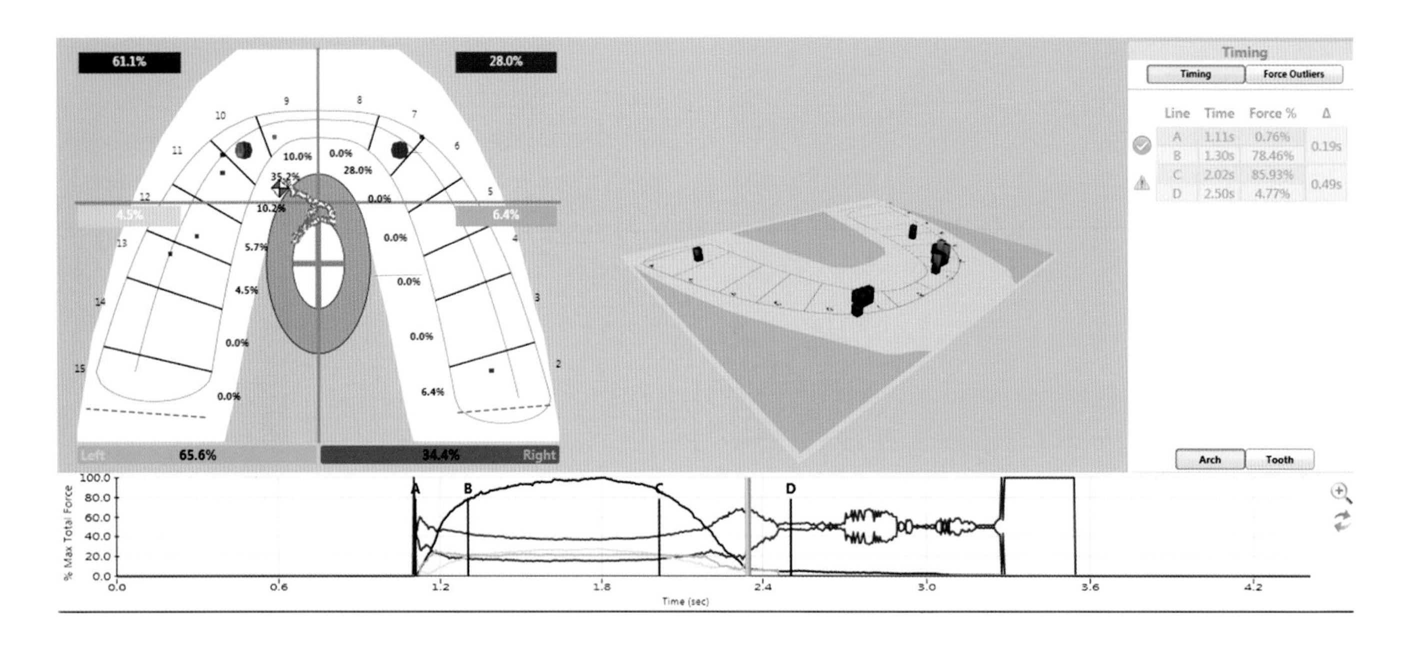

그림 20b T-Scan 유도 교합 조정 시행 후, 전방 편심위 중간 T-Scan ForceView. 선 C를 지나 0.581초에, OS 상 하악 견치 접촉이 균형적이고 #22(33)번 치아는 총 힘의 35.2%, #27(43)번 치아는 28.0%를 가진다. 최소의 구치부 접촉이 존재한다

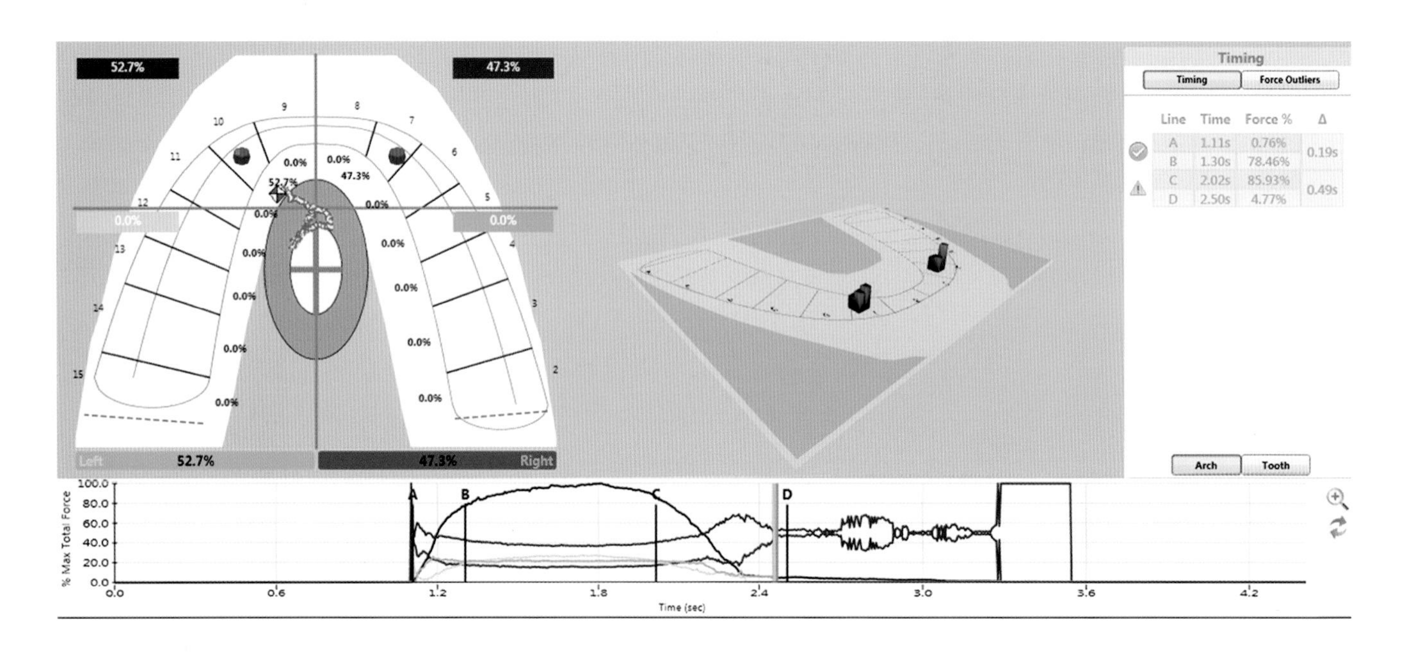

그림 20c T-Scan 유도 교합 조정 시행 후, 전방 편심위 종말 T-Scan ForceView. 구치부 접촉이 존재하지 않고, 견치 접촉은 총 힘의 #22(33) = 52.7%, #27(43) = 47.3%으로 균형을 이룬다

에 의하면, 치료적 교합의 필요 조건을 모두 갖춘 OS를 환자에게 제공하는 것은 매우 드물다. 이것은 개인 의원 및 대학 병원 구강안면 통증 클리닉에서 제작한 OS에 적용된다. 과학적 연구는 OS가 자동적으로 치료적 교합을 전달한다고 추정할 수 없고, 교합 자체가 가변적인 테스트가 아니며, OS에의 교합 접촉을 측정하거나 기록하지 않고 연구된 OS 디자인은 진정으로 최적화될 수 없다.

매일의 진료와 연구에서 임상의는 교합과 연관된 근육성 구강안면 통증을 평가하고 치료하기 위해 훈련 받은 유일한 건강 관리 전문가이다. 임상의는 각 환자의 통증 및 문제 세트의 구조적 구성 요소를 평가할 책임이 있고, 교합이 TMD 합병 증상과 연관이 없다는 비-과학적인 추측을 하지 않아야 한다. 교합 간섭으로부터의 유해한 힘에 대한 장점을 보여주는 연구는 없다. 일부 환자는 교합 문제가 있어도 증상이나 징후를 가지지 않음에도 불구하고, 많은 환자들은 외상성 교합 접촉의 영향을 피할 수 없고, 치과 치료를 통해 이익을 얻게 될 것이다. 환자에게 최적의 진료를 제공하기 위해, 보철, 보존, 치주, 교정, 구강외과의 모든 분야에서 교합이 근육성 구강안면 통증과 TMD 문제에 영향을 미치는 방법에 대한 철저한 이해가 필요하다.

T-Scan과 미래의 치과 연구

미래의 연구는 진단과 치료가 객관적인 측정성 교합 분석으로 특성화되었을 때, OS 치료가 정교한 교합 조정으로 보이는 근육성 구강안면 통증의 예견성있는 해소를 산출하는지 검사해야 한다. 특별히, 연구는 치료 결과에 대한 OS 구치부 이개 시간의 효과를 평가하고 자연치의 0.4초 이개 시간 기준을 OS 교합 디자인에 적용하는 것이 타당한지 검사해야 한다. T-Scan 기술은 실시간 데이터를 연구가에게 제공하여 실제적으로 테스트되는 교합과 실제적인 치료 결과를 알려준다. 이런 필수적인 데이터는 TMD 연구에서 수행되는 OS 치료의 타당성에 대한 새로운 기준을 세우게 될 것이다.

근육성 구강안면 통증을 흔하게 유발하는 불리한 교합 접촉 내에 포함된 타이밍과 힘을 측정하여, OS 치료 연구는 다양한 TMD 실험 그룹을 명기하고 평가하게 된다. 치료 성공을 평가하기 위해 통증과 같은 비-특이적 사항에 의존하는 대신에, 측정된 교합 변화의 효과를 위해 접촉-확정 교합 문제가 있는 그룹과 그렇지 않은 그룹을 테스트할 수 있다. OS의 교합 접촉 시간, 위치, 힘에 특정 변경사항의 효과를 측정하여 타당한 결론을 내릴 수 있다. 실험군 및 대조군과 치료 자체가 알려지지 않거나 문제성의 교합 스펙트럼으로 구성될 때, 교합과 근육성 구강안면 통증의 연관성에 관한 과학적 결론을 끌어내는 것은 불가능하다.

저작근 통증이나 TMJ 디스크 위치로 집중된 TMD 문제의 분류는 임상적 치료나 연구를 체계화하는 최고의 접근이 아닐 것이다. 이런 구조는 치료에 의해 직접적으로 변화되지 않고, 편안함과 기능의 향상은 물리 치료, 약물 치료, OS를 이용한 교합 치료, 교합 조정, 포괄적인 수복, 교정 치료의 간접적인 효과와 연관된다. 근육 통증이나 TMJ 디스크 위치로 규정된 하위 분류를 수반하여 수량화된 교합 문제에 관해 TMD 문제를 재분류하는 것은 치료와 연구 모두를 촉진시킬 것이다. 치아 교합과 치주조직에 대한 그 힘을 정교하게 평가하거나 변경할 수 있다. 치아 교합과 PDL은 저작근, 하악 위치, 과두/TMJ 디스크 온전성에 영향을 미치는 불리한 힘에 고도로 반응하는 절묘하게 예민한 접촉면이기 때문에, 측정된 교합 매개 변수로 임상적 문제 유형을 분류하는 것이 논리적인 출발점이 된다.

분류의 첫 번째 순서는 폐구 호 간섭의 범위, 편심위 간섭, 적용되는 힘의 지속 시간, 각 접촉에 대한 힘의 강도, 반-악궁 사이의 전체적인 교합 불균형에 존재하는 범위가 될 것이다. 근육 통증의 완전한, 부분적인, 부족한 해소와 OS 내에 형성된 교합 수정으로부터의 부조화가 분류의 두 번째 단계가 될 것이다. 정보와 결합하여, 임상의와 연구자들은 구강안면계 전체에 걸친 통증과 기능 이상의 복합적인 발현에 책임이 있는 기저의 구조적 교합 구성 요소를 진단하는 능력을 부여한다.

앞에 설명한 것처럼 TMD 문제를 분류한 실례는:

- OS 없이 교합 총 힘의 30%가 폐구 호 간섭에 집중되고 1.75초의 연장된 우측 편심위 이개 시간을 보이는, 확실한 (측정된) 치료적 교합을 구축한 OS 치료법으로 만성 저작근 통증이 완전하게 해소되는 경험을 한 환자는, 근본적 치아 교합 원인의 근육성 구강안면 통증으로 분류될 수 있을 것이다.

또 다른 분류는 구강안면 통증 문제의 신체적, 구조적 구성 요소와 환자의 심리적 혹은 감정적 상태와 연결될 것이다. 같은 폐구 호와 구치부 이개 시간 문제가 다양한 환자에게 다르게 영향을 미칠 것이다. 조기 교합 문제를 수량화하는 것은, 문제를 구조적 교합 수정이나 비-치과적 접근으로 가장 잘 치료했는지 임상의가 평가하는 것을 가능하게 한다. 앞선 연구는 심리적인 상태와 결합한 수량화된 교합 상태의 연관성을 입증한 분류를 발달시키지 않았다.

다른 문제 집단에서 성공적인 치료에 필요한 교합 정제의 정도에 대한 연구는 다양한 교합 수정 술식의 치료 성공 가능성을 데이터화할 수 있을 것이다. 예를 들어, 근육성 구강안면 통증에서 OS가 고르고 동시적인 치아 접촉의 특정 크기로 폐구 간섭을 수정함으로써 지속적인 경감을 제공한다면, 같은 문제를 가지고 있는 환자는 성공적으로 치료될 것이라고 예상할 수 있다.

OS 치료법의 효과적인 치료를 위한 규정되고 측정된 교합 접촉 목표를 구축하는 것은 임상의와 연구가에게 적절한 치료 완성을 확증하게 하는 방법을 제공할 것이다. 임상의는 최적의 치료에 필요한 교합 정확성의 크기를 안다는 혜택을 얻을 것이다. 특정 교합 접촉 타이밍과 힘 분포 기준이 교정, 수복 치료, 구강안면 통증에 대한 교합 조정에서 임상 치료에 가이드라인을 제공할 수 있을 것이다.

결론

OS 치료는 교합 문제에 대한 진단 및 치료 양식으로써, 포괄적인 치과 치료에서 중요한 역할을 한다. OS는 교모로부터의 보호를 제공하고 가역적인 방법으로 교합 조정의 효과를 평가한다. OS 치료에 의한 근육성 통증의 해소는 교합 조정, 수복, 교정으로 얻게 되는 최종적인 교합 수정의 효과도 미리 볼 수 있다. 최종 치료의 시간, 노력, 경비를 투자하기 전에, 진단에 대한 이런 확증은 필수적이다. OS 치료는 환자에게 잠재적인 최종 교합 수정의 가치에 대한 신체적 학습 경험을 제공한다. 교합의 안정성을 제공하여, 교합 기능이 지속적으로 치열을 손상시키거나 저작근에 진행중인 통증을 영존시키지 않고, 단계화된 최종 치료가 미래에 시행될 수 있다.

T-Scan은 OS 치료의 탁월성에 필수적이다. 이것은 하악 폐구와 편심위 동안 치아 접촉의 타이밍과 힘에 대한 정확하고 객관적인 데이터를 보여준다. 이런 객관성이 주관적인 환자 느낌 피드백이나 부정확한 교합지 자국에 대한 의존을 대체한다. T-Scan은 OS가 환자에게 새로운 부정교합 대신에 치료적 교합을 제공하는 것을 확증해준다. 이것은 초기 교합 문제의 특성을 보여주고, 적절한 OS 교합 디자인의 모든 필요 사항이 충족됨을 확인해 준다. 전방 유도에 의한 후방 이개 타이밍이 최적의 시간 프레임에 발생하는지를 평가할 수 있는 유일한 방법이다. 교합 분석에서 T-Scan을 이용하는 중요한 장점은 환자가 자신의 교합 내에 존재하는 문제를 눈으로 보고 이해하며 OS로 변화를 관찰할 수 있다는 것이다. 환자가 자신의 치료에 연루되어 OS 치료로 탁월성을 얻고자 하는 임상의의 노력에 대한 환자의 이해와 직접적으로 연관된다.

T-Scan은 교합과 TMD 합병 증상과 연루된 치과 연구에 중요하게 적용될 수 있다. OS, 교합 조정, 포괄적 수복, 교정에 의한 교합 치료를 수행하는 가장 중요한 요소는 치료적 교합을 환자에게 최적으로 전달하는 것이다. 교합과 저작근 문제 사이의 연관성을 부정하는 연구들은 초기 교합과 테스트 교합에 대한 교합 접촉력과 타이밍을 문서화하지 않았다. 이런 연구들은 교합과 저작근 증상에 연관성이 없다는 결론에 도달하기 위한 과학적인 근거가 부족하다. T-Scan 기술은 교합 접촉 타이밍과 힘 분포를 설명하는 데이터를 제공하여, TMD 환자에 대한 미래 연구가 OS 치료로 획득된 문서화되고 정교한 교합 수정을 T-Scan 유도 교합 조정으로 자주 보고되는 예견성 있는 결과와 비교할 수 있을 것이다.

참고문헌

- Academy of Prosthodontics (2005). The glossary of prosthodontic terms. *Journal of Prosthetic Dentistry*, *94*, 1-92.
- Al Quran, F.A.M., & Lyons M.F. (1999). The immediate effect of hard and soft splints on the EMG activity of the masseter and temporalis muscles. *Journal of Oral Rehabilitation, 26*, 559-563.
- Barker D. (2004). Occlusal interferences and temporomandibular dysfunction. *General Dentistry*, *52*, 56-61.
- Beard, C.C., & Clayton, J.A. (1980). Effects of occlusal splint therapy on TMJ dysfunction. *Journal of Prosthetic Dentistry*, *44*, 324-335.
- Becker, I., Tarantola, G., Zambrano, J., Spitzer S., & Oquendo D. (1999). Effect of a prefabricated anterior bite stop on electromyographic activity of masticatory muscles. *Journal of Prosthetic Dentistry*, *82*, 22–26.
- Belser, U.C., & Hannam, A.G. (1985). The influence of altered working-side occlusal guidance on masticatory muscles and related jaw movement. *Journal of Prosthetic Dentistry*, *53*,

406-13.
- Bender, S. (2012). Sleep bruxism: A topical review. *Journal of the Greater Houston Dental Society*, *83*(5), 10-14.
- Boero, R. (1989). The physiology of splint therapy: a literature review. *Angle Orthodontist*, *59*, 165-180.
- Carlsson, G.E., Ingervall, B., & Kocak, G. (1979). Effect of increasing vertical dimension on the masticatory system in subjects with natural teeth. *Journal of Prosthetic Dentistry*, *41*, 284–289.
- Carraro, J.J., & Caffesse, R.G. (1978). Effect of occlusal splints on TMJ symptomatology. *Journal of Prosthetic Dentistry*, *40*, 563-566.
- Chen, C.W., Boulton, J.L., & Gage, J.P. (1995). Effects of splint therapy in TMJ dysfunction: A study using magnetic resonance imaging. *Australian Dental Journal*, *40*(2), 71-78.
- Clark, G.T. (1984a). A critical evaluation of orthopedic interocclusal appliance therapy: Design, theory, and overall effectiveness. *Journal of the American Dental Association*, *108*, 359–364.
- Clark, G.T. (1984b). A critical evaluation of orthopedic interocclusal appliance therapy: Effectiveness for specific symptoms. *Journal of the American Dental Association*, *108*, 364–368.
- Clark, G.T., Beemsterboer, P.L., Solberg, W.K., & Rugh, J.D. (1979). Nocturnal electromyographic evaluation of myofascial pain dysfunction in patients undergoing occlusal splint therapy. *Journal of the American Dental Association*, *99(*10), 607-611.
- Clark, G.T., Tsukiyama, Y., Baba, K., & Watanabe, T. (1999). Sixty-eight years of occlusal interference studies: What have we learned? *Journal of Prosthetic Dentistry, 82,* 704-713.
- Coffey J.P., Williams W.N., Turner G.E., Mahan P.E., Lapointe L.L., & Cornell C.E. (1989). Human bite force discrimination using specific maxillary and mandibular teeth. *Journal of Oral Rehabilitation*, *16*, 529-536.
- Colquitt T. (1987). The sleep wear syndrome. *Journal of Prosthetic Dentistry*, *57*, 33-41.
- Conti, P.C.R., Santos, C.N., Kogawa, E.M., de Castro Ferreira Conti, A.C., & de Araujo Cdos, R. (2006). The treatment of painful temporomandibular joint clicking with oral splints. *Journal of the American Dental Association*, *137*, 1008–1014.
- Crispin, B.J., Myers, G.E., & Clayton, J.A. (1978). Effects of occlusal therapy on pantographic reproducibility of mandibular border movements. *Journal of Prosthetic Dentistry, 40*, 29-34.
- Danesh, G., Lippold, C., Mischke, K.L., Varzideh, B., Reinhart, K.J., Dammaschke, T., & Schafer, E. (2006). Polymerization characteristics of light- and auto-curing resins for individual splints. *Dental Materials*, *22*, 426-433.
- Dao, T.T.T., and Lavigne, G.J. (1998). Oral splints: The crutches for temporomandibular disorders and bruxism? *Critical Reviews in Oral Biology and Medicine*, 9, 345–361.
- Dao, T.T.T., Lavigne, G.C., Charbonneau, A., Feine, J.S., & Lund, J.P. (1994). The efficacy of oral splints in the treatment of myofascial pain of the jaw muscles: A controlled clinical trial. *Pain*, *56*, 85-94.
- Dawson, P.E. (1973). Temporomandibular joint pain-dysfunction problems can be solved. *Journal of Prosthetic Dentistry*, *29*, 100-112.
- Dawson P.E. (1983). Determining the determinants of occlusion. *International Journal of Periodontics and Restorative Dentistry*, *3*, 8-21.
- Dawson, P.E. (1989). *Evaluation, Diagnosis, and Treatment of Occlusal Problems*. St. Louis, MO: CV Mosby, pp. 4, 41-46, 282.
- *Dorland's Illustrated Medical Dictionary* (1974). Philadelphia, PA: W.B. Saunders Company, pp. 1201
- Dube, C., Rompre, P.H., Manzini, C., Guitard, F., de Grandmont, P., & Lavigne, G.J. (2004). Quantitative polygraphic controlled study on efficacy and safety of oral splint devices in tooth-grinding subjects. *Journal of Dental Research*, *83*, 398–403.
- Ekberg, E.C., Vallon, D., & Nilner, M. (2003). The efficacy of appliance therapy in patients with temporomandibular disorders mainly of myogenous origin. A randomized, controlled, short-term trial. *Journal of Orofacial Pain*, *17*, 133–139.
- Emshoff, R., & Bertram, S. (1998). The short-term effect of stabilization-type splints on local cross-sectional dimensions of muscles of the head and neck. *Journal of Prosthetic Dentistry*, *80*, 457-461.
- Ferrario V.F., Sforza C., Tartaglia G.M., & Dellavia, C. (2002). Immediate effect of a stabilization splint on masticatory muscle activity in temporomandibular disorder patients. *Journal of*

Oral Rehabilitation, *29*, 810–815.

- Fitins, D., & Sheikholeslam, A. (1993). Effect of canine guidance of maxillary occlusal splint on level of activation of masticatory muscles. *Swedish Dental Journal*, *17*, 235-241.
- Graham, G.S., & Rugh, J.D. (1988). Maxillary splint occlusal guidance patterns and
- electromyographic activity of the jaw-closing muscles. *Journal of Prosthetic Dentistry*, *59*, 73-77.
- Greene, C.S., & Laskin, D.M. (1972). Splint therapy for the myofascial pain dysfunction (MPD) syndrome: A comparative study. *Journal of the American Dental Association*, *84*, 624-628.
- Hamada, T., Kotani, H., Kawazoe, Y., & Yamada, S. (1982). Effect of occlusal splints on the electromyographicactivity of masseter and temporalis muscles in bruxism with clinical symptoms. *Journal of Oral Rehabilitation*, *9*, 119-123.
- Harada, T., Ichiki, R., Tsukiyama, Y., & Koyano, K. (2006). The effect of oral splint devices on sleep bruxism: A 6-week observation with an ambulatory electromyographic recording device. *Journal of Oral Rehabilitation*, *33*, 482-488.
- Harrel, S.K, & Nunn, M.E. (2001). The effect of occlusal discrepancies on periodontitis. II. Relationship of occlusal treatment to progession of periodontal disease. *Journal of Periodontology*, *72*, 495–505.
- Harrel, S.K., Nunn, M.E., & Hallmon, W.E. (2006). Is there an association between occlusion and periodontal destruction? *Journal of the American Dental Association*, *137*, 1380–1392.
- Hasegawa, K., Okatnoto, M., Nishigawa, G., Oki, K., & Minagi, S. (2007). The design of
- non-occlusal intraoral appliances on hard palate and their effect on masseter muscle activity during sleep. *Journal of Craniomandibular Practice*, *25* (1), 8-15.
- Hellsing, G. (1984). Functional adaptation to changes in vertical dimension. *Journal of Prosthetic Dentistry*, *52*, 867–870.
- Humsi, A.N.K., Naeije, M., Hippe, J.A., & Hansson T.L. (1989). The immediate effect of a stabilization splint on the muscular symmetry in the masseter and anterior temporal muscles of patients with a craniomandibular disorder. *Journal of Prosthetic Dentistry*, *62*, 339–343.
- Israel, H.A., Diamond, B., Saed-Nejad, F., & Ratcliffe, A. (1999). The relationship between parafunctional masticatory activity and arthroscopically diagnosed temporomandibular joint pathology. *Journal of Oral and Maxillofacial Surgery*, *57*, 1034–1039.
- Ito, T., Gibbs, C.H., Marguelles-Bonnet, R., Lupkiewicz, S.M., Young, H.M., Lundeen, H.C., & Mahan, P.E. (1986). Loading on the temporomandibular joints with five occlusal conditions. *Journal of Prosthetic Dentistry*, *56*, 478–484.
- Jimenez, I. (1987). Dental stability and maximal masticatory muscle activity. *Journal of Oral Rehabilitation*, *14*, 591-598.
- Johnsen, S.E., Krister, G., Svensson, K.G., & Trulsson, M. (2007). Forces applied by anterior and posterior teeth and roles of periodontal afferents during hold-and-split tasks in human subjects. *Experimental Brain Research, 178*, 126-134.
- Kerstein, R.B., & Farrell, S. (1990). Treatment of myofascial pain dysfunction syndrome with occlusal equilibration. *Journal of Prosthetic Dentistry*, *63*, 695-700.
- Kerstein, R.B., & Wright, N.R. (1991). Electromyographic and computer analyses of patients suffering from chronic myofascial pain-dysfunction syndrome: Before and after treatment with immediate complete anterior guidance development. *Journal of Prosthetic Dentistry*, *66*, 677-686.
- Kerstein, R.B. (1993). A comparison of traditional occlusal equilibration and immediate complete anterior guidance development. *Journal of Craniomandibular Practice, 11*, 126-139.
- Kerstein, R.B. (1994). Disclusion time measurement studies: a comparison of disclusion time between chronic myofascial pain dysfunction patients and nonpatients: a population analysis. *Journal of Prosthetic Dentistry, 72*, 473-480.
- Kerstein, R.B. (1995). Treatment of myofascial pain dysfunction syndrome with occlusal therapy to reduce lengthy disclusion time- a recall evaluation. *Journal of Craniomandibular Practice, 13*, 105-115.
- Kerstein, R.B., Chapman, R., & Klein, M. (1997). A comparison of ICAGD (immediate complete anterior guidance development to mock ICAGD for symptom reductions in chronic myofascial pain dysfunction patients. *Journal of Craniomandibular Prac-*

tice, *15*, 21-37.

- Kerstein, R.B. (2004). Combining technologies: a computerized occlusal analysis system synchronized with a computerized electromyography system. *Journal of Craniomandibular Practice, 22*, 96-109.
- Kerstein, R.B., & Radke, J. (2006). The effect of disclusion time reduction on maximal clench muscle activity levels. *Journal of Craniomandibular Practice, 24*, 156-165.
- Kerstein, R.B. (2010). Reducing chronic masseter and temporalis muscular hyperactivity with computer-guided occlusal adjustments. *Compendium Continuing Education in Dentistry*, *31*, 530-534, 536, 538 passim.
- Kerstein, R.B., & Radke, J. (2012). Masseter and temporalis hyperactivity decreased by measured anterior guidance development. *Journal of Craniomandibular Practice, 30*, 243-254.
- Kidder, G.M., and Solow, R.A. (2014). Precision occlusal splints and the diagnosis of occlusal problems
- in myogenous orofacial pain patients. *General Dentistry*, *62*, 24-31.
- Klasser, G.D., & Greene, C.S. (2009). Oral appliances and the management of temporomandibular disorders. *Oral Surgery, Oral Pathology, Oral Medicine, Oral Radiology, Endodontology*, *107*, 212-223.
- Klasser, G.D., Greene, C.S., & Lavigne, G.J. (2010). Oral appliances and the management of sleep bruxism in adults: A century of clinical applications and search for mechanisms. *International Journal of Prosthodontics*, *23*, 453-462.
- Kotani H., Abekura H., & Hamada, T. (1994). Objective evaluation for bite plate therapy in patients with myofascial pain dysfunction syndrome. *Journal of Oral Rehabilitation*, 21, 241-245.
- Kurita, H., Ikeda, K., & Kurashina, K. (2000). Evaluation of a stabilization splint on occlusal force in patients with masticatory muscle disorders. *Journal of Oral Rehabilitation*, *27*, 79-82.
- Lavigne, G.J., Khoury, S., Abe, S., Yamaguchi, T., & Raphael, K. (2008). Bruxism physiology and pathology: an overview for clinicians. *Journal of Oral Rehabilitation*, *35*, 476-494.
- Lindfors, E., Magnusson, T., & Tegelberg, A. (2006). Interocclusal appliances--indications and clinical routines in general dental practice in Sweden. *Swedish Dental Journal*, *30*, 123-134.
- Lundeen, T.F. (1979). Occlusal splint fabrication. *Journal of Prosthetic Dentistry, 42*(5), 588-591.
- Lytle, J.D. (2001). Occlusal disease revisited: Part II. *International Journal of Periodontics and Restorative Dentistry*, *21*, 273-279.
- Manfredini, D., Guarda-Nardini, L., Winocur, E., Piccotti, F., Ahlberg, J., & Lobbezoo, F. (2012). Research diagnostic criteria for temporomandibular disorders: a systematic review of axis I epidemiologic findings. *Oral Surgery, Oral Medicine, Oral Pathology, Oral Radiology, Endodontology, 112*, 453-462.
- Manns, A., Chan, C., & Miralles, R. (1987). Influence of group function and, canine guidance on electromyographic activity of elevator muscles. *Journal of Prosthetic Dentistry*, *57*, 494-501.
- Manns, A., Rocabado, M., Cadenasso, P., Miralles, R., & Cumsille, M.A. (1993). The immediate effect of the variation of anteroposterior laterotrusive contacts on elevator electromyographic activity. *Journal of Craniomandibular Practice*, *11*, 184-191.
- Manns, A., Miralles, R., Valdivia, J., & Bull, R. (1989). Influence of variation in anteroposterior occlusal contacts on electromyographic activity. *Journal of Prosthetic Dentistry*, *61*, 617-623.
- Manns, A., Miralles, R., Santander, H., & Valdivia, J. (1983). Influence of the vertical dimension in the treatment of myofascial pain-dysfunction syndrome. *Journal of Prosthetic Dentistry*, *59*, 700-709.
- Mongini, F. (1972). Remodeling of the mandibular condyle in the adult and its relationship to the condition of the dental arches. *Acta Anatomica*, *82*, 437-453.
- Mongini, F. (1977). Anatomic and clinical evaluation of the relationship between the temporomandibular joint and occlusion. *Journal of Prosthetic Dentistry*, *38*(5), 539-551.
- Mongini, F. (1980). Condylar remodeling after occlusal therapy. *Journal of Prosthetic Dentistry*, *43*, 568-577.
- Nitzan, D.W. (1994). Intra-articular pressure in the functioning human temporomandibular joint and its alteration by uniform elevation of the occlusal plane. *Journal of Oral and Maxillofacial Surgery*, *52*, 671–679.
- Nunn, M.E., & Harrel, S.K. (2001). The effect of occlusal discrepancies on periodontitis. I. Relationship of initial occlusal discrepancies to initial clinical parameters. *Journal of Periodon-*

tology, *72*, 485-494.

- Okeson, J.P. (1987). The effects of hard and soft occlusal splints on nocturnal bruxism. *Journal of the American Dental Association*, *114*, 788-791.
- Okeson, J.P., Dickson, J.L., & Kemper, J.T. (1982). The influence of assisted mandibular movement on the incidence of nonworking contact. *Journal of Prosthetic Dentistry*, *4*, 174-177.
- Okeson, J.P., Kemper, J.T., & Moody, P.M. (1982). A study of the use of occlusion splints in the treatment of acute and chronic patients with craniomandibular disorders. *Journal of Prosthetic Dentistry*, *48*,708-712.
- Pullinger, A.G., & Seligman, D.A. (2000). Quantification and validation of predictive values of occlusal
- variables in temporomandibular disorders using a multifactorial analysis. *Journal of Prosthetic Dentistry*, *83*, 66-75.
- Radu, J., Marandici, M., & Hottel, T.L. (2004). The effect of clenching on condylar position: A vector analysis model. *Journal of Prosthetic Dentistry*, *91*, 171-179.
- Raphael, K.G., Sirois, D.A., Janal, M.N., Wigren, P.E., Dubrovsky, B., Nemelivsky, L.V., Klausner, J.J., Krieger, A.C., & Lavigne, G.J. (2012). Sleep bruxism and myofascial temporomandibular disorders: A laboratory-based polysomnographic investigation. *Journal of the American Dental Association*, *143*(11), 1223-1231.
- Ramfjord, S.P., & Ash, M.M. (1994). Reflections on the Michigan occlusal splint. *Journal of Oral Rehabilitation*, *21*, 491–500.
- Ratcliff S., Becker I.M., & Quinn L. (2001). Type and incidence of cracks in posterior teeth. *Journal of Prosthetic Dentistry*, *86*, 168-72.
- Riise, C., & Sheikholeslam, A. (1982). The influence of experimental interfering occlusal contacts on the postural activity of the anterior temporal and masseter muscles in young adults. *Journal of Oral Rehabilitation*, *9*, 419-425.
- Roth, R.H. (1973). Temporomandibular pain-dysfunction and occlusal relationships. *Angle Orthodontist*, *43*,136-153.
- Rugh, J.D., Graham, G.S., Smith, J.C., & Ohrbach, R.K. (1989). Effects of canine versus molar occlusal splint guidance on nocturnal bruxism and craniomandibular symptomatology. *Journal of Crandiomandibular Disorders: Facial and Oral Pain*, *3*, 203–210.
- Schames, S.E., Schames, J., Schames, M., & Chagall-Gungur, S.S. (2012). Sleep bruxism, an autonomic, self-regulating response by triggering the trigeminal cardiac reflex. *Journal of the California Dental Association*, *40*(8), 670-676.
- Scopel, V., Costa, G., & Urias, D. (2005). An electromyographic study of masseter and anterior temporalis muscles in extra-articular myogenous TMJ pain patients compared to an asymptomatic normal population. *Journal of Craniomandibular Practice*, *23*, 194-203.
- Sheikoleslam, A., Holmgren, K., & Riise, C. (1986). A clinical and electromyographic study of the long-term effects of an occlusal splint on the temporal and masseter muscles in patients with functional disorders and nocturnal bruxism. *Journal of Oral Rehabilitation*, *13*, 137-145.
- Shupe, R.J., Mohamed, S.E., Christensen, L.V., Finger I.M., & Weinberg, R. (1984). Effects of occlusal guidance on jaw muscle activity. *Journal of Prosthetic Dentistry*, *51*, 811–818.
- Siebert G. (1981). Recent results concerning physiological tooth movement and anterior guidance. *Journal of Oral Rehabilitation*, *8*, 479-493.
- Simmons, J.H. (2012). Neurology of sleep and sleep-related breathing disorders and their relationships to sleep bruxism. *Journal of the California Dental Association*, *40* (2), 159-167.
- Solberg, W.K., Clark, J.T., & Rugh, J.D. (1975). Nocturnal electromyographicevaluation of bruxism patients undergoing short-term splint therapy. *Journal of Oral Rehabilitation*, *2*, 215–223.
- Solow, R.A. (1999). The anterior acrylic resin platform and centric relation verification: A clinical report. *Journal of Prosthetic Dentistry*, *81*, 255-257.
- Solow, R.A. (2005). Equilibration of a progressive anterior open occlusal relationship: A clinical report. *Journal of Craniomandibular Practice*, *23*, 229-238.
- Solow, R.A. (2010). Diagnosis, equilibration, and restoration of an orthodontic failure. *General Dentistry*, *58*(5), 444-453.
- Solow, R.A. (2011). Occlusal bite splint therapy. In: I.M. Becker (Ed.), *Comprehensive occlusal concepts in clinical practice*, Hoboken, NJ: Wiley-Blackwell. pp. 169-214.
- Solow, R.A. (2013). Mounted diagnostic casts: The entry into

comprehensive care. *General Dentistry*, *61*(5), 12-15.

- Solow, R.A. (2013). Customized anterior guidance for occlusal devices. *Journal of Prosthetic Dentistry*, *110*, 259-263.
- Spear, F.M. (2002). Occlusion in the new millennium: the controversy continues. *Signature*, *7*(2), 18-21.
- Truelove, E., Huggins, K.H., Mancl, L., & Dworkin, S.F. (2006). The efficacy of traditional, low-cost and nonsplint therapies for temporomandibular disorder: A randomized controlled trial. *Journal of the American Dental Association*, *137*, 1099-1107.
- Tsuga, K., Akagawa, Y., Sakaguchi, R., & Tsuru H. (1989). A short-term evaluation of the effectiveness of stabilization-type occlusal splint therapy for specific symptoms of temporomandibular joint dysfunction syndrome. *Journal of Prosthetic Dentistry*, *61*, 610–613.
- Wang, C, & Yin, X. (2012). Occlusal risk factors associated with temporomandibular disorders in young adults with normal occlusions. *Oral Surgery, Oral Medicine, Oral Pathology, Oral Radiology, Endodontics*, *114*(10), 419-423.
- Williamson, E.H., & Lundquist, D.O. (1983). Anterior guidance: Its effect on electromyographic activity of the temporal and masseter muscles. *Journal of Prosthetic Dentistry*, *49*, 816-823.
- Wiskott, H.W.A., & Belser, U.C. (1995). A rationale for simplified occlusal design in restorative dentistry: historical review and clinical guidelines. *Journal of Prosthetic Dentistry*, *73*, 69-83.

추가문헌

- Alanen, P., & Kirveskari, P. (1990). Disorders in TMJ research. *Journal of Craniomandibular Disorders, Facial and Oral Pain*, *4*, 223-227.
- Anderson, G.C., Schulte, J.K., Goodkind, R.J. (1985). Comparative study of two treatment methods for internal derangement of the temporomandibular joint. *Journal of Prosthetic Dentistry*, *53*, 392-397.
- Becker, I.M. (Ed.) (2012). *Comprehensive occlusal concepts in clinical practice*. Hoboken, NJ: Wiley-Blackwell.
- Chen, C.W., Boulton, J.L., & Gage, J.P. (1995). Effect of splint therapy in TMJ dysfunction: A study using magnetic resonance imaging. *Australian Dental Journal*, *40*, 71–78.
- Clark, G.T., Beemsterboer, P.L., Solberg W.K., & Rugh, J.D. (1979). Nocturnal electromyographic evaluation of myofascial pain dysfunction in patients undergoingsplint therapy. *Journal of the American Dental Association*, *99*, 607-611.
- Crawford, S.D. (1999). Condylar axis position, as determined by the occlusion and measured by the CPI instrument, and signs and symptoms of temporomandibular dysfunction. *Angle Orthodontist*, *69*, 103-115.
- Dawson, P.E. (1985). Optimum TMJ condyle position in clinical practice. *International Journal of Periodontics and Restorative Dentistry*, *5*, 10-31.
- Dupont, J.S., & Brown, C.E. (2006). Occlusal splints from the beginning to the present. *Journal of Craniomandibular Practice*, *24*, 141-145.
- Kirveskari, P., Alanen, P., & Jamsa, T. (1989). Association between craniomandibular disorders and occlusal interferences. *Journal of Prosthetic Dentistry*, *62*, 66-69.
- Kirveskari, P., & Alanen, P. (1991). Scientific evidence of occlusion and craniomandibular disorders. *Journal of Orofacial Pain*, *7*, 235-240.
- Kirveskari, P., Jamsa, T., & Alanen, P. (1998). Occlusal adjustment and the incidence of demand for temporomandibular disorder treatment. *Journal of Prosthetic Dentistry, 79*, 433-438.
- McNeill, C. (1985). The optimum temporomandibular joint condyle position inclinical practice. *International Journal of Periodontics and Restorative Dentistry*, *5*, 53–77.
- Moses, A.J. (1994). Scientific methodology in temporomandibular disorders: Part I epidemiology. *Journal of Craniomandibular Practice*, *12*, 114-119.
- Moses, A.J. (1994). Scientific methodology in temporomandibular disorders: Part III diagnostic reasoning. *Journal of Craniomandibular Pra*ctice, *12*, 259-265.
- Nitzan, D.W. (2001). The process of lubrication impairment and its involvement in temporomandibular joint disc dis-

placement: A theoretical concept. *Journal Oral Maxillofacial Surgery*, *59*, 36-45.
- Nitzan, D.W., & Marmary, Y. (1997). The "anchored disc phenomenon": A proposed etiology for sudden-onset, severe and persistent closed lock of the temporomandibular joint. *Journal Oral Maxillofacial Surgery*, *55*, 797-802.
- Poyser, N.J., Porter, R.W., Briggs, P.F, Chana, H.S., & Kelleher, M.G. (2005). The Dahl Concept: past, present and future. *British Dental Journal*, *198*, 669–676.
- Ramfjord, S.P., & Ash, M.M. (1981). Significance of occlusion in the etiology and treatment of early, moderate, and advanced periodontitis. *Journal of Periodontology*, *52*, 511-516.
- Rehany, A., & Stern, N. (1981). The modified Hawley occlusal splint. *Journal of Prosthetic Dentistry*, *45*, 536–541.
- Sheikoleslam, A., & Riise, C. (1983). Influence of experimental interfering occlusal contacts on the activity of the anterior temporal and masseter muscles during submaximal and maximal bite in the intercuspal position. *Journal of Oral Rehabilitation*, *10*, 207-214.
- Tarantola, G.J., Becker, I.M., & Gremillion, H. (1997). The reproducibility of centric relation: A clinical approach. *Journal of the American Dental Association*, *128*, 1245–1251.
- Tarantola, G.J., Becker, I.M., Gremillion, H., & Pink, F. (1998). The effectiveness of equilibration in the improvement of signs and symptoms in the stomatognathic system. *International Journal of Periodontics and Restorative Dentistry*, *18*, 594-603.
- Vallon, D., & Nilner, M. (1997). A longitudinal follow-up of the effect of occlusal adjustment in patients with craniomandibular disorders. *Swedish Dental Journal*, *21*, 85-91.
- Wang, M.Q., He, J.J., Li, G., & Widmalm, S.E. (2008). The effect of physiological nonbalanced occlusion on the thickness of the temporomandibular joint disc: A pilot autopsy study. *The Journal of Prosthetic Dentistry*, *98*, 148-152.
- Wenneberg, B., Nystrom, T., & Carlsson, G.E. (1988). Occlusal equilibration and other stomatognathic treatment in patients with mandibular dysfunction and headache. *Journal of Prosthetic Dentistry*, *59*, 478-83.
- Yamada, K., Hanada, K., Fukui, T., et al. (2001). Condylar bony change and self-reported parafunctional habits in prospective orthognathic surgery patients with temporomandibular disorders. *Oral Surgery, Oral Pathology, Oral Medicine, Oral Radiology, and Endodontics*, *92*, 265–271.

주요 용어 및 정의

- **CR:** 하악 과두/TMJ 디스크가 관절 융기의 최전상방에 위치. 이 위치는 하악 가로축의 정교하고 지속적인 회전을 수용하여, 외측 익돌근의 이완을 허용한다.
- **견치 유도:** 측방 편심위 동안 구치부를 분리하는 상하악 견치의 접촉.
- **교합 간섭:** 불리한 힘이 하나의 치아에 집중되어 최적의 교합 체계로의 다른 치아 참여를 방해하는 치아 접촉.
- **교합 스플린트(OS):** 교합과 연관된 문제의 진단과 치료를 위해 교합면 접촉을 변경하는 보철적 장치.
- **그룹 기능:** 측방 편심위 동안 몇 개의 구치가 접촉.
- **진단 모형:** 반-조절성 교합기에 마운팅된 3차원적 석고 모형으로 하악 폐구와 편심위 동안 치아의 관계를 정확하게 복제한다.
- **최대 교두감합(MIP):** 하악 폐구 동안 가장 많은 치아가 접촉하는 위치.
- **컴퓨터 교합 분석:** 하악 폐구와 편심위 동안 치아 접촉의 타이밍과 상대적인 교합력 데이터에 대한 디지털 기록으로 T-Scan 8 교합 분석 시스템으로 획득된다.

CR 기록과 CR 조기 접촉의 T-Scan 교합 분석

Roger Solow, DDS
The Pankey Institute, USA

초록

교합 분석은 치아의 접촉면에 의해 발생하는 힘을 검사하고 진단하는 것이다. 임상의는 마운팅된 진단 모형과 T-Scan 교합 분석 시스템을 이용하여 환자 치열에 대한 불리한 힘의 역할을 이해할 수 있다. 이런 모형은 CR로 마운팅되어 환자의 개폐축 상하악 관계와 치아 접촉 결손을 복제해야 한다. T-Scan은 CR, MIP, 측방 편심위에 존재하는 치아 접촉의 위치를 기록할 뿐만 아니라, 모든 접촉의 타이밍과 상대적인 힘을 포착한다. 기록된 치아 접촉 데이터는 2D, 3D ForceView로 신속하게 전시되어, 실제적으로 구내 치료에 사용될 수 있다. 이런 양식은 임상적 상태에 의존하여 각각 혹은 동시에 사용될 수 있다. 이번 장에서는 마운팅된 진단 모형과 T-Scan으로 CR 조기 접촉을 식별하는 임상적 기술, 장점, 논리적 근거에 대해 논의한다.

도입

중심위(CR)는 "적절하게 배열된 과두-디스크" 조합체가 치아 위치나 수직 고경에 상관없이 융기에 대하여 최상방에 위치할 때의 상악에 대한 하악의 관계"로 정의된다(Dawson, 1983).

CR의 임상적 중요성은, 정상적인 거상근 수축 동안 하악 과두가 과두와 안에 충분하게 안착되는 것으로 추정되는 위치라는 것이다. 과두와 디스크가 가능한 최전상방 내측 위치에 있을 때, 골-대-디스크-대-골의 관계로 있고 안정적이며 강한 근 수축 부하를 견뎌낼 수 있다. CR에서, 외측 익돌근의 아래힘살이 이완된 상태로 거상근이 수축할 수 있다. 부가적으로 CR에서는, 하악 개폐축이 정교한 호(arc) 내에서 회전하여 치아 교합의 예견성 있는 진단과 어떤 제안된 교합 변화의 예견성있는 치료 계획 수립을 가능하게 한다.

치아 교합 내에서 폐구 호 간섭 혹은 TMJ-관절 디스크 조합체 내에 존재하는 내장증은 과두의 생리적 안착에 영향을 미칠 수 있다. 폐구 호 간섭은 단일 치아에 모든 교합력을 위치시켜 PDL의 기계적 자극수용기를 통한 보호 반응을 자극하고 전방 운동 근육을 촉발시켜, 하악을 더 많은 치아 접촉이 교합력을 더 잘 분산시키는 최대 교두감합(MIP)으로 다시 향하게 한다(Roth, 1973).

'압력 = 힘/면적'이기 때문에, 단일 치아에 놓인 100% 폐구력은 14개의 치아에 분산되는 것에 비교하여 외상성으로 작용하게 된다.

MIP로 놓인 과두는 보통 관절 융기의 경사면 상에서 전방으로 위치한다(Utt, Meyers, Wierzba, & Hondrum, 1995). 이런 위치를 유지하기 위해 지속적인 전방 운동 근육 과활성이 필요하기 때문에, 거상근이 수축하는 동안 조화롭지 않은 근기능이 발생하게 된다. 이와 같이, 이런 근육 그룹은 동시가 아닌 상호 보완의 방식으로 기능해야만 한다(Mahan, Wilkinson, Gibbs, Mauderli, & Brannon, 1983).

많은 폐구 호 간섭이 측방 혹은 전방 편심위에서도 간섭을 유발할 수 있다. 구치부 편심위 접촉은 연장된 편심위 접촉 지속 시간을 유발하여, 결과적으로 연장된 PDL 압박, 저작근 과활성, 통증, 기능장애가 흔하게 발생한다(Kerstein, Chapman, & Klein, 1997; Kerstein & Radke, 2012).

TMJ 관절 디스크의 내장증은 과두의 위치를 바꾸고, 디스크 변위 방향에 따라 최적의 과두 위치 지정을 방해하게 된다(Weinberg, 1985; McNeill, 1985). 폐구 호 간섭이나 변위된 디스크에 의한 근 과활성은 최적의 근육 기능이나 환자에게 이로운 상태로 간주될 수 없다.

마운팅된 진단 모형과 T-Scan 교합 분석(Tekscan, Inc., S. Boston, MA, USA)을 사용하여 하악이 CR에 위치했을 때의 폐구 호 간섭을 확인할 수 있다. 마운팅된 진단 모형으로 CR을 확증하는 임상 적용은 여러 가지가 있다. 그러나, 이런 모형 제작에는 시간과 돈이 소모되고, 구내에서 반복적으로 재현될 수 없다. T-Scan은 폐구 호 내에서 존재하는 교합 접촉을 진단하고 기록하는 정확하고 실용적인 방법이다. 폐구 호 간섭의 타이밍, 위치, 상대적 힘을 신속하게 보여준다. 폐구 호 간섭을 확인하기 위한 CR 기록은 일관성 있고, 치과 술식의 어떤 단계에서도 쉽게 반복될 수 있다. CR 진단에 대한 이런 방식은 임상적 상황에 따라 별도로 혹은 같이 사용될 수 있다.

CR 위치화 기술

기존의 악궁 간 교합 관계를 정확하게 진단하고 환자의 구강안면 형태와 조화를 이루는 보철 수복물을 제작하기 위해, 하악 회전의 횡축을 기록해야 하는 필요성은 예전에 인지되었다(Preston, 1979). 역사적으로, 예견성있게 재현성 있는 상하악 관계는 유용한 관계로 생각되어 왔다. 재현가능성이 없으면, 이런 관례를 기록할 가치가 없다. CR은 브레이싱된 내측극을 중심으로 회전하는, 완전히 안착된 과두의 이상적인 해부학적 관계로 간주되며, 안정성과 재현성을 제공하기에 매우 중요하게 고려된다(Dawson, 1983).

MIP는 치아가 압력 하에서 교두감합하기 때문에 재현성 있는 관계로 여겨진다. 그러나, MIP로 폐구하면 과두가 최적의 생리적 안착에서 다소 전방으로 위치하게 된다. 또한, 통증을 유발하는 근육 긴장에 따라 하악 폐구 경로와 MIP는 변화한다(Obrez & Stohler, 1996; Mobilio & Catapano, 2011). 내장증이 없는 무증상의 TMD 환자에서조차도, MIP 위치의 과두를 기반으로 하는 교합 조정, 교정, 포괄적인 수복을 위한 치료 계획 수립은 구강악계 모든 부분의 편안함과 안정성에 영향을 미칠 수 있는 본질적인 구조적 문제를 무시한다고 생각되었다.

CR을 기록하는 많은 방법이 여러 학자에 의해 제안되었다(Lucia, 1964; Roth, 1981; Abdel-Hakin, 1982; Dawson, 1985):

- 기록 동안 침 삼키기.
- 한 손 들어 하악을 뒤로 밀기.
- 압력 없이 턱을 유도하기.
- Central bearing point 장치
- Dawson의 양수 조작.
- 제작된 anterior deprogrammer로 폐구하기.

과학적 증거에 의하면 양수 조작이나 ant. deprogrammer를 이용하는 것이 일관되고 정확한 CR 기록을 얻을 수 있다고 한다(Mckee, 1997, 2005; Tarantola, Becker, & Gremillion, 1997; Keshvad & Winstanley, 2003). 양수 조작 동안 폐구 호에 존재하는 지속적인 절치 접촉을 시각화하기 위해, 이런 방법과 눈금이 있는 맞춤형 ant. deprogrammer와 조합할 수 있다(Solow, 1999). Ant. deprogrammer를 이용하거나 그렇지 않은 양수 조작을 T-Scan과 같이 사용하여 CR의 폐구 호 간섭을 진단하고 기록할 수 있다.

CR의 임상적 교합 인기

마운팅된 진단 모형을 위한 CR 기록

마운팅된 진단 모형은 다양하게 임상에 적용할 수 있다. 여기에는 폐구 호 간섭의 위치 식별, CR-MIP 활주의 수평적

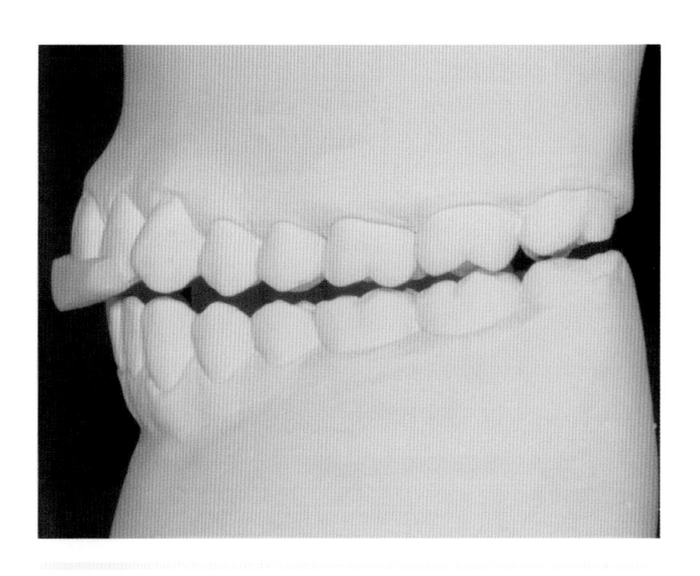

그림 1 반-조절성 교합기에 CR로 마운팅된 진단 모형. Ant. deprogrammer가 양수 조작 동안 구내에서 형성된 동일한 자극 상의 하악 전치에 접촉한다. CR 폐구 호에서 하악을 편향시키거나 거상근 활성을 자극할 수 있는 어떤 구치부 접촉도 없다. Deprogrammer를 제거하면, 모형이 CR로 닫히게 되고 CR 조기접촉으로 알려진 첫 번째 접촉점을 파악할 수 있게 된다

및 수직적 크기 측정, 계획된 수복물을 시각화하기 위한 진단 왁스업 작업, 교합조정 시험으로 인한 계획된 치아 삭제량 측정 등이 있다(Solow, 2013).

자연치의 PDL과 달리 석고 모형의 치아는 치아의 함입을 허락하지 않기 때문에, 폐구 호 간섭의 정확한 위치 파악이 용이하다. 교합지 자국 인기 동안, 자연치는 함입될 수 있고 인접치가 실제적인 폐구 호 간섭을 불분명하게 인기할 수 있다.

Vinyl-polysiloxane CR 바이트는 양수 조작 동안 구치부 접촉이 없는 상태로 개방된 수직 고경에 정지(stop)를 형성한 ant. deprogrammer로 얻어진다. 이 술식은 한 명의 임상의가 보조자 없이 수행할 수 있다(Solow, 1999). 일관된 폐구 호는 구치부 접촉을 배제하고 저작근 EMG 활성을 감소시키는 ant. deprogrammer로 더 쉽게 얻어진다(Becker, Tarantola, Zambrano, Spitzer, & Oquendo, 1999). 이 바이트는 환자의 상하악 관계를 교합기로 전달하는데 사용된다(그림 1). 중심 조기접촉의 모든 진단은 이런 단단하고 정확한 모형상에서 만들어진다. 이 기술에서, 구강 내 폐구의 첫 번째 접촉을 파악하기 위해 환자가 필요하지 않다. 임상의는 이런 폐구 호 간섭의 위치와 크기를 3차원적으로 시각화하여 환자와 정보를 공유할 수 있다(그림 2).

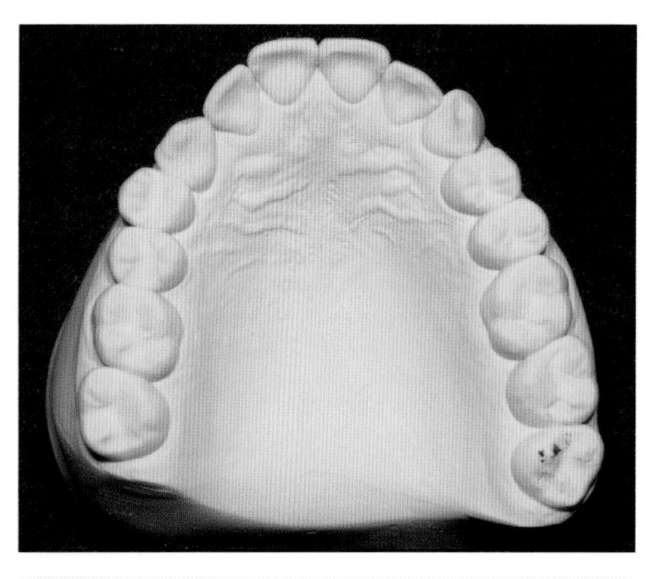

그림 2a CR로 마운팅된 상악 진단 모형. #16(28)번 치아의 근심구개 교두 경사면에만 CR 접촉이 보인다. 측방 토크 벡터가 대합치와 운동을 형성하기 때문에, 폐구 경사면 접촉이 불안정하게 된다

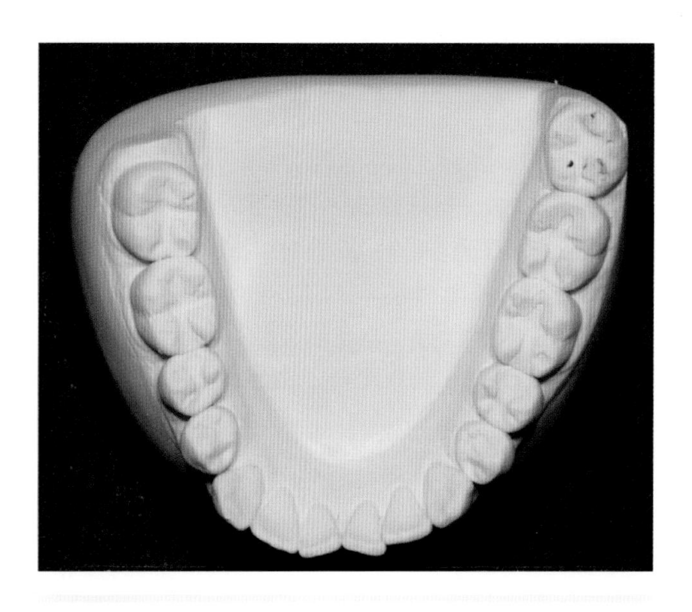

그림 2b CR로 마운팅된 하악 진단 모형. #17(38)번 치아 근심 교두 경사면에만 CR 접촉이 존재한다. 접촉력의 벡터가 치아의 장축과 조화되어 배열되는 위치에 교두첨이 와(fossa)나 변연 융선에 접촉할 때 안정적인 관계가 얻어질 것이다

어떤 폐구 호 간섭이 단일 치아에 스트레스를 집중시키면, 환자도 편안하지 않고, 치아와 치주조직도 건강하지 않다. 지속적으로 연루된 치아의 외상을 피하기 위해 하악 변위를 유지하기 위한 근 과활성이 필요하기 때문에, 폐구 호 간섭의 초기 접촉(CR 조기접촉)은 포괄적인 진단에서 중요

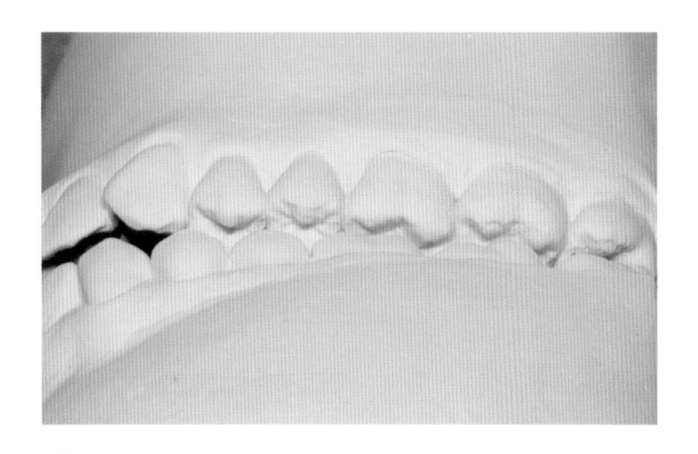

그림 3a 과두가 완전히 안착된 CR로 폐구한 마운팅된 진단 모형의 기울어진 모습. #16(28)번 치아에만 CR 조기접촉이 형성된다. 절치부에서 전방 개방 교합 관계의 수평 및 수직적 양이 상당하다

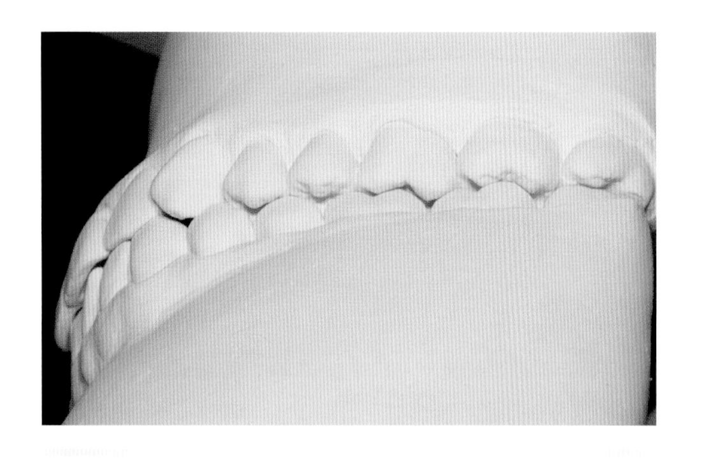

그림 3b MIP로 폐구한 마운팅된 진단 모형의 기울어진 모습. 개방된 수직 고경이 없는 전치부 결합이 보인다. #17(38)번 치아가 #16(28)번 치아의 근심구개 교두 경사와 미끄러져서 이 위치에 도달한다

하다. 이런 보호성 근신경 반응은 매우 효과적이어서, 마모와 동요도가 종종 간섭치에 대한 증거가 되지 않지만, CR-MIP 활주의 종말점에서 접촉하는 치아에서는 임상적으로 명백하다. 이런 수복물의 간섭을 피하기 위해서, 임상의는 보통 합착 전에 수복물을 신중하게 조정한다.

CR- MIP 활주의 수량화

정확하게 마운팅된 진단 모형은 CR-MIP 활주 시작부터 종말점까지의 실제적으로 접촉하는 면을 보여준다(그림 3). 임상의는 정교한 치료 계획을 수립하기 위해 이런 활주를 3차원적으로 측정할 수 있다. 개방 공간이 가장 큰 절치에서 치주탐침을 이용하여 직접적으로 이런 활주의 전-후방 및 수직적 구성 요소를 측정할 수 있다. 이 크기는 절치 사이에 교합간 인기 재료를 위치시키고 절치 자국 위치의 두께를 전기 캘리퍼로 측정하여 간접적으로 측정할 수도 있다. CR-MIP 활주의 수평적 측면은 상하악 중절치 정중선의 배열을 비교하여 측정한다.

MIP에서 전치가 접촉하고 CR-MIP 활주의 전-후방 크기가 작으면, 교합조정 시도 후 전치가 접촉할 것이다. MIP에서 전치부가 접촉하지만 CR-MIP 활주의 전-후방 크기가 크면, CR 위치로 구치부를 개조하거나 수복해도 전치부가 접촉하지 않을 것이다. 전방 개방 교합 관계는 모든 편심위 치아 접촉을 구치부에 위치시켜, 이들 치아에 마모나 파절을 유발하고 저작근 과활성, 통증, 기능장애를 야기하는 연장된 PDL 압박을 초래한다. 또한, 전치부의 CR 접촉이 부족하면, 전치부가 안정적이지 않게 되고 절단 평면과 치은 배열(gingival alignment)에 영향을 미치는 이동이 발생하기 쉬워진다.

CR-MIP 활주의 수직 및 수평적 요소를 교합기에 숫자로 수량화한 후에(CR-CO 활주 = 수평 1.25mm, 수직 1.5mm처럼), 구치부 유도 접촉을 부여하는 대신에 적절한 전치부 접촉과 전방 유도를 구축하기 위해 임상의는 교합조정, 수복물 윤곽화, 교정, 수술적 재위치 등의 해결책을 수립할 수 있다.

구치부 경사면 접촉은 대합치가 서로 미끄러지면서 해로운 측방 토크력을 발생시키므로, 안정적이거나 건강한 교합이 아니다(그림 4). 교두첨이나 변연 융선에의 적절한 CR 접촉은 하악에 안정성을 제공하는데, 교합력이 미약한 측방 치아 토크나 하악 변위를 수반하면서 치아 장축으로 교합력을 전달하기 때문이다. 근육들이 CR 간섭으로부터 하악을 멀어지게 하는 책임을 맡기 때문에, 임상의는 CR-MIP의 활주 방향과 근육 그룹과의 상호 연관성을 보여주고 촉진이나 자극에 대한 통증으로 나타날 수 있는 근과활성의 징후를 검사할 수 있다.

진단 왁스업 동안, 임상의는 최적의 계획된 결과를 구축하기 위해 모델 수술, 시험적 평형, 마운팅된 모형의 복제 세트 상에 추가적인 왁스 작업을 사용할 수 있다. 예견성있는 치료 계획을 수립하기 위해, 초기 전치부 관계의 공간 정보를 구치부의 전후 크기와 병용한다(Solow, 2005; Solow, 2010a). 임상의는 구강내 술식에 앞서, 어느 치아면을 얼마나 많이 변경할 필요가 있는지 알 수 있다. 이런 특

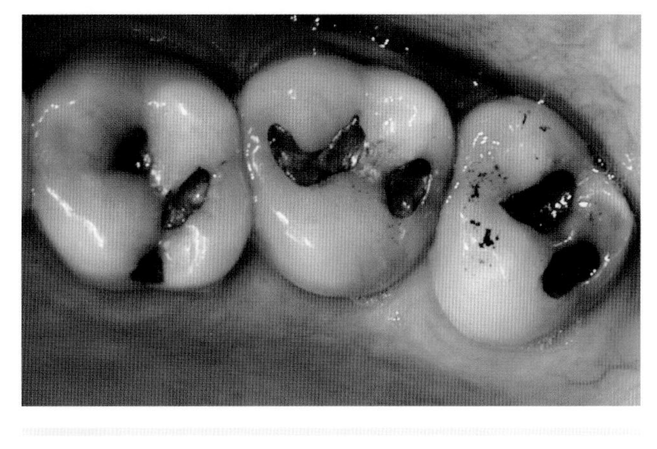

그림 4 그림 1-3에 보여진 임상 증례의 교합면 사진. 조기접촉이 #16(28)번 치아에 위치한다. 마운팅된 진단 모형에서 나타난 것과 같은 위치에 경사면 접촉이 확인된다. 이런 경사면 접촉은 접촉을 향한 치아 변위와 접촉에서 멀어지는 하악 변위를 유발하는 측방 토크력을 발생시키기 때문에 불안정하다

별 정보는 교정과의, 치주과의, 구강외과의와의 논의를 촉진시켜, 협진팀이 치료-전 문제와 어떤 제안된 합동 치료의 목표를 시각화할 수 있다(Solow, 2010b; Solow, 2012). 그 후, 초기 및 진단 작업 모형을 환자와 공유하여 환자의 특정 문제 목록과 최적의 포괄적 치료의 기대되는 결과를 상의한다. 이런 모든 노력은 정확한 구강내 CR 바이트를 획득하여 환자의 구조적 관계를 교합기에 전달한다는 것에 기초를 둔다.

T-Scan을 이용한 CR 인기

진단 모형 마운팅을 위한 CR 기록을 얻기 위해 사용되는 양수 조작의 동일한 기술이 T-Scan과 같이 사용될 수 있다(Dawson, 1989). CR로의 과두 폐구를 촉진하기 위해 환자를 양와위로 눕히고(Lund, Nishiyama, & Moller, 1970), CR 바이트를 채득한다. CR 조기접촉을 기록하기 위해 T-Scan을 동반한 Dawson의 양수 조작을 사용하는 프로토콜에 대한 자세한 설명은 이미 서술되었다(Kerstein & Wilkerson, 2001; Kerstein, 2010).

T-Scan 시스템을 이용한 4개 손의 양수 조작 CR 기록을 시행하는 방법을 익히기 위해 *4장의 기능적 하악 운동 기록 유형* 부분을 참고하길 바란다.

양수 조작의 목표는 과두가 CR에 안착된 상태로 일관적인 하악 폐구 호를 얻는 것이다. 하악 하연에는 손가락을, 턱에는 엄지를 놓는 적절한 손 위치가 중요하다(그림 5a).

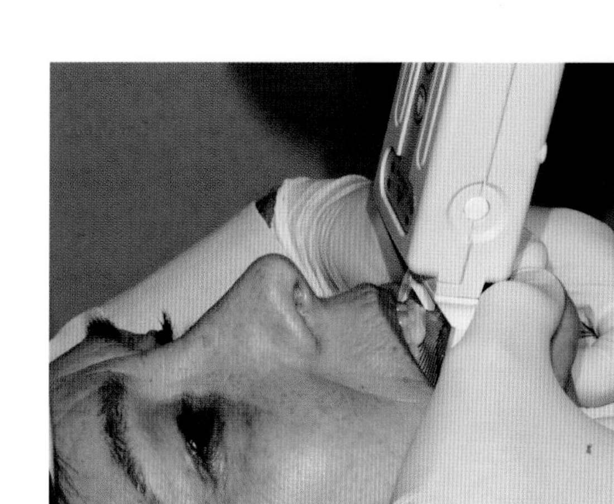

그림 5a 4개 손의 양수 조작 기술로, 임상의는 손가락을 하악 하연에, 엄지를 턱에 놓는다. 보조자는 T-Scan 레코딩 핸들을 앙와위 자세의 환자에 대해 수직적으로 유지한다. 환자는 자유롭게 하악 운동을 할 수 있기 때문에, 맞춤형 레진의 ant. deprogrammer를 삽입하여 환자가 폐구할 수 있는 플랫폼을 제공한다. 이렇게 하여 실제 폐구 동안 임상의가 힘으로 과두를 CR로 밀어넣지 않고 저작근을 이완하면서 일관된 폐구 호를 구축한다. 보조자는 T-Scan 기록을 형성하기 전에 deprogrammer를 제거한다

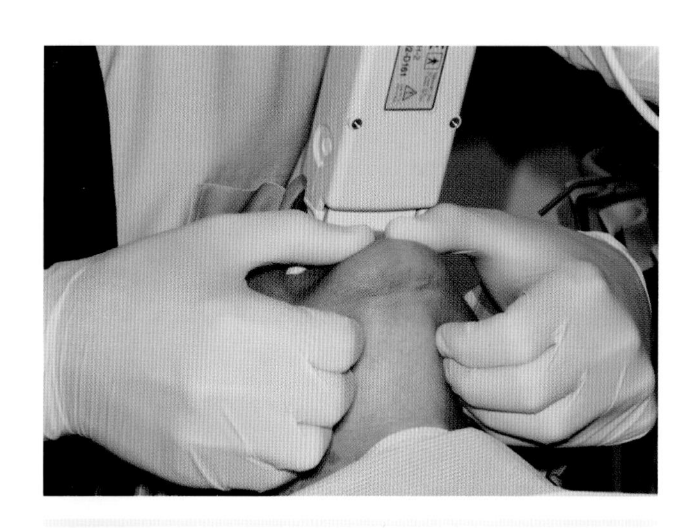

그림 5b Dawson 양수 조작을 위한 적절한 손 위치. 손에서 힘을 뺀 자세를 확인하라. 손가락을 하악 하연에 접촉하고, 환자가 술식 동안 불편해하지 않도록 연조직을 압박하지 않아야 한다. 환자가 입을 벌리고 다물 때, 손가락으로 하악과 과두를 CR로 들어올리고 엄지로 턱을 누른다

양수 조작은 환자와 임상의 모두에게 편안감을 주어야 한다. 손가락은 하악 하연에 유지시키되 하연의 내측으로 연조직을 누르지 않아야 한다(그림 5b).

환자가 자신의 하악을 치아가 닿지 않게 살짝 벌렸다가

닫을 때 임상의가 부드럽게 환자를 따라가면서 술식을 시작한다. 임상의는 깃털같이 가벼운 접촉으로, CR 조기접촉 상의 강력한 폐구에 대항하여 발생하는 근육 과활성을 자극하지 않도록 해야 한다. 부드럽고 일관된 폐구 호가 얻어지면, 임상의는 하악 하연을 통해 손가락으로 가벼운 힘을 적용하여, 과두를 안착시킨다. 동시에, 턱에 놓은 엄지에 약간의 하방 힘을 적용하여 과두가 하악와 내의 최전상방 위치인 CR로 들어가는 것을 돕는다.

적용된 압력에 대한 과두-디스크 조합체의 반응을 테스트하기 위해 임상의는 그 다음의 개폐구 호에서 2개의 단계적으로 증가된 힘을 적용한다. 이것은 "부하 시험"으로, 디스크 후조직이 과두와 접촉할 때 발생하는 통증이나 긴장을 찾기 위해 고안되었다. 부하 시험에서 통증이 유발되면, CR에서 과두의 부적절한 골-보강 위치를 암시하는 변위된 디스크나 신장된 외측 익돌근의 상태를 시사할 수 있다. 과두-디스크 조합체가 구조적으로 건강하고 CR로 적절하게 위치할 때, 환자는 TMJ 부위의 통증이나 경결감이 없어야 하고 하악 하연의 피부가 창백해질 정도의 무거운 부하 테스트에서도 완전한 편안감을 확신해야 한다. 이런 간단한 테스트는 임상의에게 TMJ의 건강 여부, 이미지화, 관절 진동 분석(JVA), Doppler 청진법과 같은 정밀 검사의 필요성에 대한 정보를 제공할 수 있다.

양수 조작으로 CR을 기록하기 위해 T-Scan 기록 감도 높이기

CR 폐구는 초기에 매우 가벼운 힘을 발생시키는 부드러운 술자-조절 술식이기 때문에, T-Scan으로 CR을 적절하게 기록하기 위해서는 감도를 증가시켜야 한다. CR 기록은 MIP로의 환자 자가-폐구나 측방 편심위 기능을 평가할 때보다 훨씬 더 적은 힘을 생산한다. 그러므로, CR 기록 동안 센서에 의해 인기되는 낮은 힘을 보상할 수 있게 각 레코딩 센셀(센서 기질 내에 있는 Tekscan 전매의 힘 기록 기본 요소) 내의 기본 전하를 증가시키기 위해, 감도를 상승시킬 필요가 있다. 감도 상승으로 임상의는 낮은 크기의 다양한 CR 접촉력을 분명하게 식별할 수 있게 된다.

그 후, 환자를 눕히고, 터보 모드를 선택하여, 보조자에게 환자의 중절치 치간공극에 sensor support를 대고 레코딩 핸들을 환자에 대해 수직으로 잡고 있게 한다. 그리고, T-Scan/CR 기록을 만들기 전에 양수 조작을 연습한다. 이런 방법으로, 임상의는 환자를 CR로 반복적으로 위치시키고 실제적으로 CR 기록을 형성하기 앞서 CR이 T-Scan 모니터에 반복적으로 인기되는지 관찰한다.

이렇게 기록-전 연습 동안, 환자가 가볍게 레코딩 센서에 접촉할 때 임상의는 일관된 폐구 호를 유지하도록 환자의 개폐구를 부드럽게 유도한다. 기록을 만들기 전에, 모니터에 동일한 센서 위치 상에 반복되는 접촉이 보여야 한다. 임상의는 초기 CR 호-형성 동안 부드러운 힘을 적용하고, 그 후 위에서 이미 언급한 것과 같은 방법으로 부하 시험 시행 시 더 강한 힘을 사용한다. 환자는 부하 시험 하에서 과두가 CR로 위치할 때 완전하게 편안한지 다시 한번 확인한다. 편안함이 확인되면, 보조자는 녹화 버튼을 누르고 연습 시도 때와 같은 개폐구를 반복하되, 임상의가 환자를 CR로 유지하는 동안 환자는 접촉이 확실하게 폐구하여 CR 인기를 얻는다.

만성 근육 통증과 기능 이상이 있는 환자에게는 일관되고 이완된 폐구 호를 획득하기 어려울 수도 있다. 어떤 환자들은 빠르거나 공격적인 운동으로 임상의를 "과다하게 돕는 것"으로 보인다. 이런 환자를 위해, ant. deprogrammer가 CR로의 반복적인 폐구를 빠르게 성취하는데 도움이 될 수 있다. Ant. deprogrammer는 구치부 접촉을 분리하고 환자에게 폐구 운동의 명확한 종말점을 제공하여, 수직적 기준점 없이 공중에서 운동할 때와 비교해서 환자가 일관된 폐구 호를 형성하도록 돕는다. 환자를 deprogrammer 상으로 폐구하도록 양손 유도하는 임상의는 저작근이 상당히 "이완된" 것을 종종 느낄 수 있다. CR 폐구 연습 동안 구강 내에 ant. deprogrammer를 T-Scan 센서와 같이 위치시킨 후, T-Scan/CR을 기록하기 전에 제거한다.

T-Scan/CR 기록 데이터

전형적으로, 첫 번째 접촉점은 발생된 총 힘이 최대 힘의 1% 보다 약간 클 때, T-Scan의 힘 vs. 시간 그래프의 선 A에서 나타나게 된다. 진청색에서 연청색으로 힘이 상승함을 보여주는 2D, 3D ForceView에서 보여지는 초기 접촉은 CR 조기접촉으로 고려된다(그림 6a)(Kerstein & Wilkerson, 2001). 이것은 CR 조기접촉이 진행될 때, 센서 자체가 치아를 스치면서 발생하는 센서 위상을 임상의가 실수로 판독하지 않도록 예방한다. 또한, 자연치 함입으로 CR 조기접촉 후에 인접치가 접촉하기 때문에, 지속적인 힘이 단일 치아에서 인접치보다 크게 상승하고, CR 조기접촉을 적절

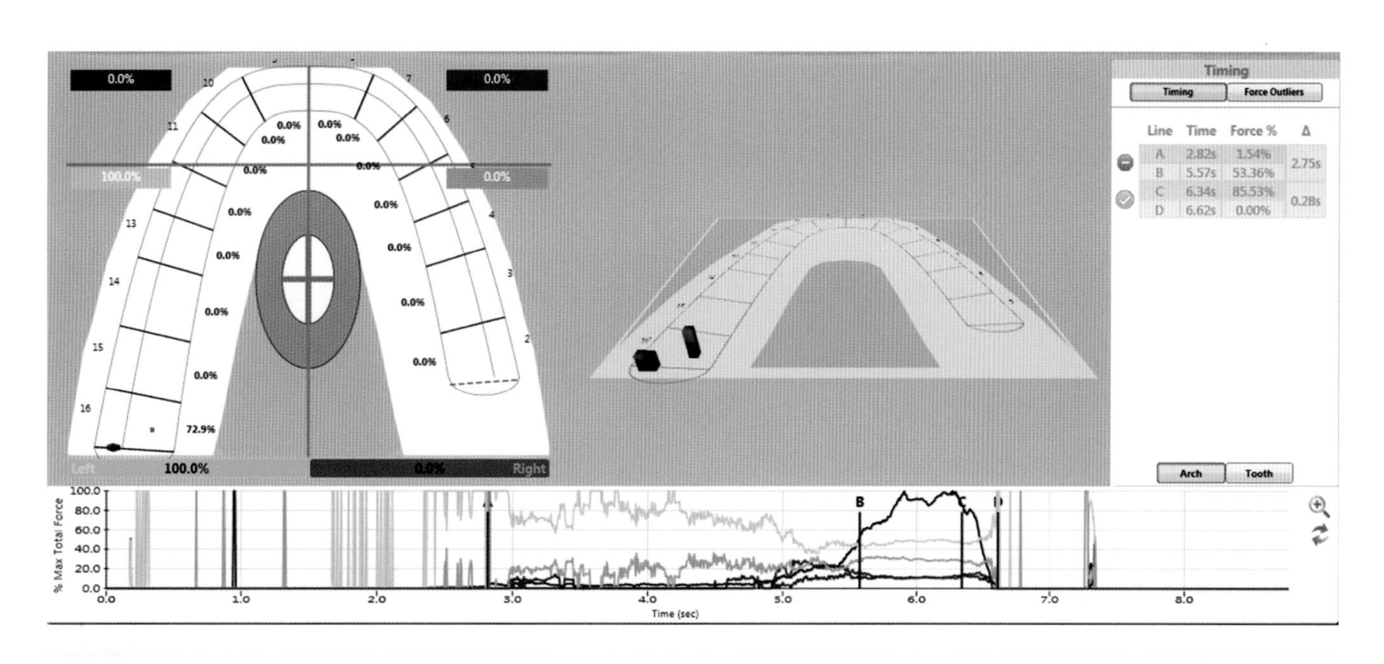

그림 6a 환자를 CR로 유도하였을 때의 힘 vs. 시간 그래프 선 A에서, CR 조기접촉이 #16(28)번 치아에 분명하고 마운팅된 진단 모형과 교합지 자국으로 얻어진 위치와 동일하다. 이 접촉이 센서 자체가 치아와 접촉하여 형성된 위상이 아님을 입증하기 위해, force movie를 분석하여 시간이 경과하면서 동일한 치아에서 접촉력이 증가하는지 확인한다

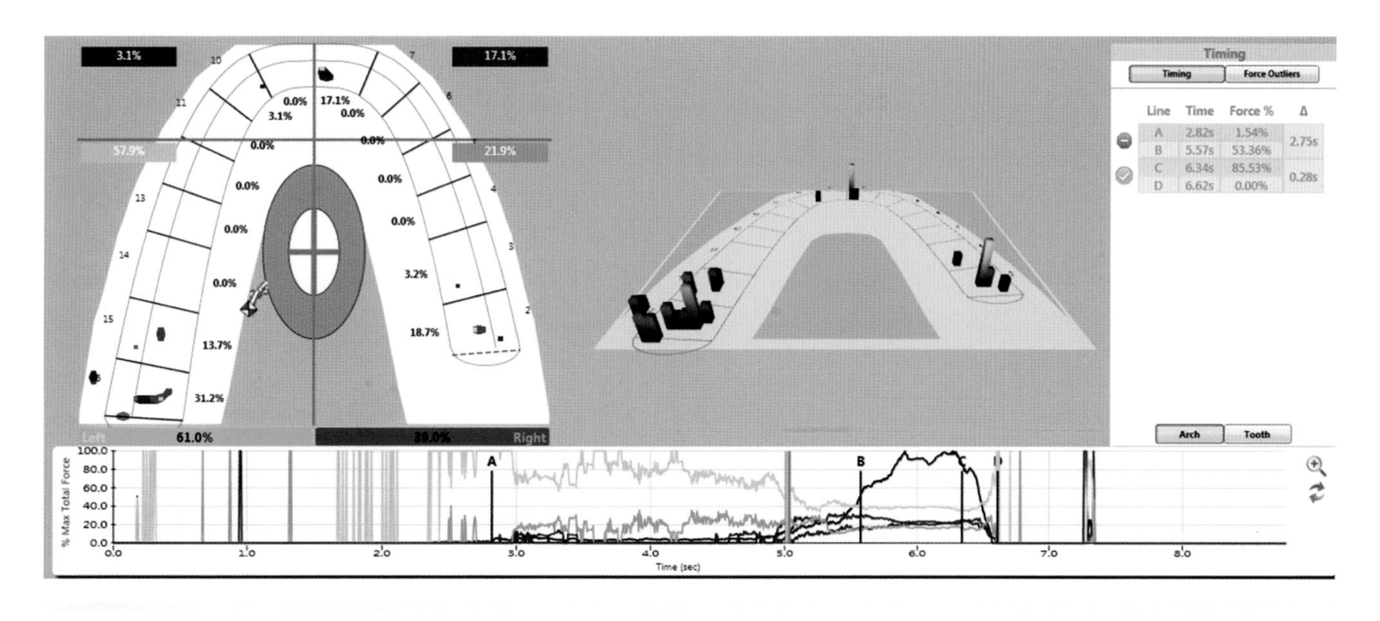

그림 6b 힘 vs. 시간 그래프에서 긴 A-B 간격이 CR의 초기 접촉에서 MIP로 향하면서 길고 느리며 부드러운 상승을 보여주는데, 이것은 CR 인지가 낮은 힘의 술식이기 때문에 발생한다. 선 A를 지나 약 2초에서, #2(17), 15(27)번 치아가 연루되면서 #16(28)번 치아의 힘 크기가 증가한다. #16번 치아의 지속적인 힘이 #2, 15번 치아보다 더 높게 증가하면서, #16번이 CR 조기접촉임을 시사한다

하게 식별할 수 있다. 따라서, 임상의는 force movie 초기에 힘 크기가 상승하는 첫 치아를 발견하게 된다(그림 6b). 환자가 CR에서 MIP로 활주하면, 그림 6a–6c에서 비교되는 것처럼 T-Scan ForceView에서 더 큰 힘이 다수의 치아에 확실하게 드러나게 될 것이다.

CR 인기와 CR 조정 순서

중간 매체가 자연치든, 교합 스플린트(OS)든, 수복물이든

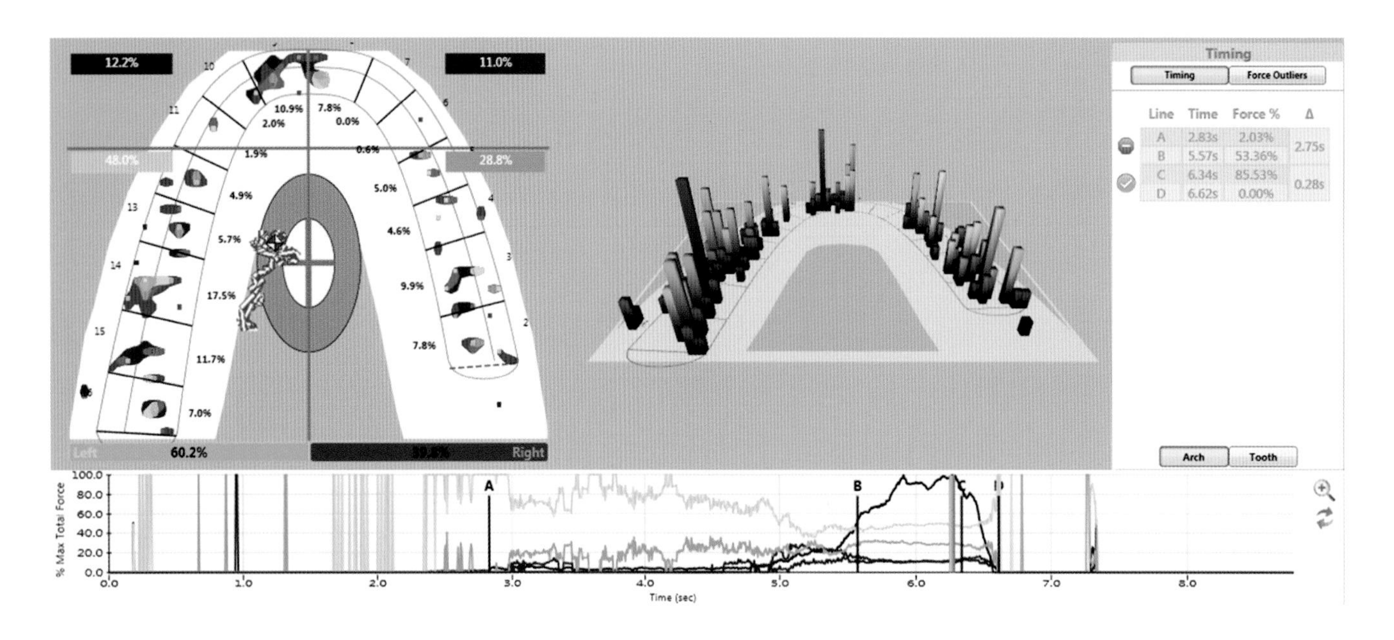

그림 6c 임상의의 하악 유도 없는 MIP 동안 최대 힘의 100% 크기를 나타내는 T-Scan force movie. CR 접촉으로 유도되었을 때 낮은 크기의 힘과 비교해서 다수 치아에 높은 크기의 힘이 존재한다

지 간에, 최적의 교합력 분포를 얻기 위한 같은 원리가 탁월한 교합을 성취하는 데 필수적이다. T-Scan으로 임상의는 CR에 존재하는 치아 접촉 타이밍, 위치, 강도를 신속하고 재현성있게 확인할 수 있다. 또한, 임상적 목표에 따라서 치료 과정 동안 다양한 시점에서 CR 접촉을 분석할 수 있다. 이것은 마운팅된 진단 모형으로는 수행될 수 없다.

CR이 임상적으로 중요한 위치이기 때문에, 일부 임상의에게 교합 조정(Occlusal Adjustment, OA) 수행 단계에서 CR은 우선 순위가 된다. 양수 조작으로 폐구 호 간섭을 축출하여 CR을 확보하고, 앞서 권고되었던 후방 측방 및 전방 운동 접촉을 제거한다(Dawson, 1989).

한편, OA의 다른 과정이 제안되었다. 먼저 전방 간섭을 제거하고, 측방 그리고 CR 간섭을 수행하라는 논의도 있었다(Solnit & Curnutte, 1988). 전방 운동 간섭뿐만 아니라 폐구 호와 측방 간섭을 포함하는 전체적인 간섭을 제거하는 것이 OA의 효율을 촉진한다. 후방 이개 시간을 0.4초 이하로 확보하기 위해 양수 조작 혹은 임상의의 운동 조절 없는 OA는 즉시 완전 전방 유도 발달(Immediate Complete Anterior Guidance Development, ICAGD)이라고 명명되었다. 이것은 PDL 압박 시간을 최소화하기 위해 편심위에서 연장된 구치부 경사면 접촉의 정교한 제거에 초점을 맞춘다(Kerstein, 1993). 연구 과정 동안 교합 매개 변수를 측정하는 많은 연구에서 사용되었던 이런 접근에서는, CR의 과두 위치를 성취하는 것이 치료적 교합 구축을 위한 목표가 아니기 때문에 모든 조정이 MIP에서 형성된다(Kerstein & Wright, 1991; Kerstein, Chapman, & Klein, 1997; Kerstein & Radke, 2006; Kerstein & Radke, 2012). 그러나, 모든 CR 접촉과 편심위 간섭이 제거될 때, 하악의 안정성을 위해 CR에서 과두 안착을 제한하는 치아 접촉이 없어야 한다. 이런 가설은 치과 문헌에서는 연구되지 않았지만, 이 점을 명확히 하기 위한 연구가 수행되어 위의 임상적 조정 과정에 대한 분명한 증거 기반을 제공해야만 한다.

OS 조정에 대한 이 저자의 임상 경험에 비추어 보면, 모든 편심위 간섭을 먼저 제거하고 그 다음 모든 CR 접촉의 힘을 균등화하는 것이 반대 순서로 시행했을 때와 같은 CR 위치를 확보하는 것으로 판단된다. 이것은 Lucia jig를 조정하여 CR에서 단일 전치 접촉만 남기고 CR 위치에 날카로운 지점으로 나타나는 Gothic arch tracing을 형성하는 편심위 접촉을 제거하는 것과 유사하다(Lucia, 1964; Solow, 1991). OS에 접촉을 형성하는 대합하는 구치부는 하악 편심위 동안 Gothic arch tracing처럼 작용한다. 임상의가 모든 편심위 접촉을 제거하면, CR 접촉만이 남게 된다.

폐구 호 간섭이나 편심위 간섭이 먼저 조정되면, 저작거상근이 디스크와 과두를 하악와 내에 안착시키면서 발생하는 힘 벡터가 과두의 위치를 결정한다. 시상면과 정면 모두에서, 이런 힘 벡터는 하악와의 최전상방 위치인 내측극에 안착된 과두와 함께 정렬된다(Dawson, 1985; Radu, Marandici, & Hottel, 2004). 균등한 다수의 양측성 접촉을 구축하기 위해 폐구 호 간섭을 제거하면, 정상적인 TMJ 디스크 위치와 함께 과두가 CR에 안착될 것이고, 환자는 좀 더 편안한 교합을 가지게 될 것이다. 그 후 구치부 편심위 접촉을 제거하면 PDL 압박 시간이 최소화되어 치료적 교합이 달성될 것이다.

조정 순서는 임상적 상황의 평가에 의해 결정되어야 한다(Becker, 2010). 전방 개방 교합 관계의 경우 CR 접촉과 적절한 전방 유도를 구축하기 위해 전치부에 수복적 조치가 필요할 수도 있다. 이런 증례에서는, 최적의 전방 유도를 제공할 수 있는 치아가 접촉을 형성하지 않기 때문에, 균등한 CR 접촉을 먼저 구축하는 것이 적절하다. 폐구 호 간섭을 제거하고 다수의 균등한 구치부 접촉을 획득한 후에, 전치부에 편심위 유도를 수복적으로 구축할 수 있다(Solow, 2005, 2010). 보통의 상황에서 환자는, 크라운이 국소 마취하에 부착되어 포착되지 않은 CR 조기접촉을 가지게 되고 이와 연관된 불편한 교합 관계를 갖게 된다. 마취가 풀리고, 환자는 크라운이 장착된 위치에서 교합성 외상으로 자신의 교합이 변했다는 것을 감지하게 될 것이다. 이런 CR 조기접촉을 먼저 수정하여, 편심위 접촉 수정에 앞서 폐구 호에서 모든 치아가 접촉하게 한다. 다수의 가파른 구치부 경사면 접촉이 있는 경우, 전치부가 전방 유도를 제공한다면 구치부 편심위 접촉을 먼저 제거하는 것이 좋다. CR 조기접촉은 전형적으로 경사면과 편심위 모두에서 접촉하기 때문에, 편심위 접촉 조정은 폐구 호 간섭에도 동시에 영향을 미치게 된다.

T-Scan과 양수 조작을 이용한 CR 조기접촉의 수정 순서를 그림 7, 8에 도해하였다(Dr. Greg Tarantola에 의해 제공된 증례 사진)(Kerstein, 2010).

해결 방안 및 권고 사항

교합 분석은 포괄적인 치과 검사의 근본적인 부분이다. 치과 대학에서 교합의 중요성을 강조하지 않는다면 많은 임

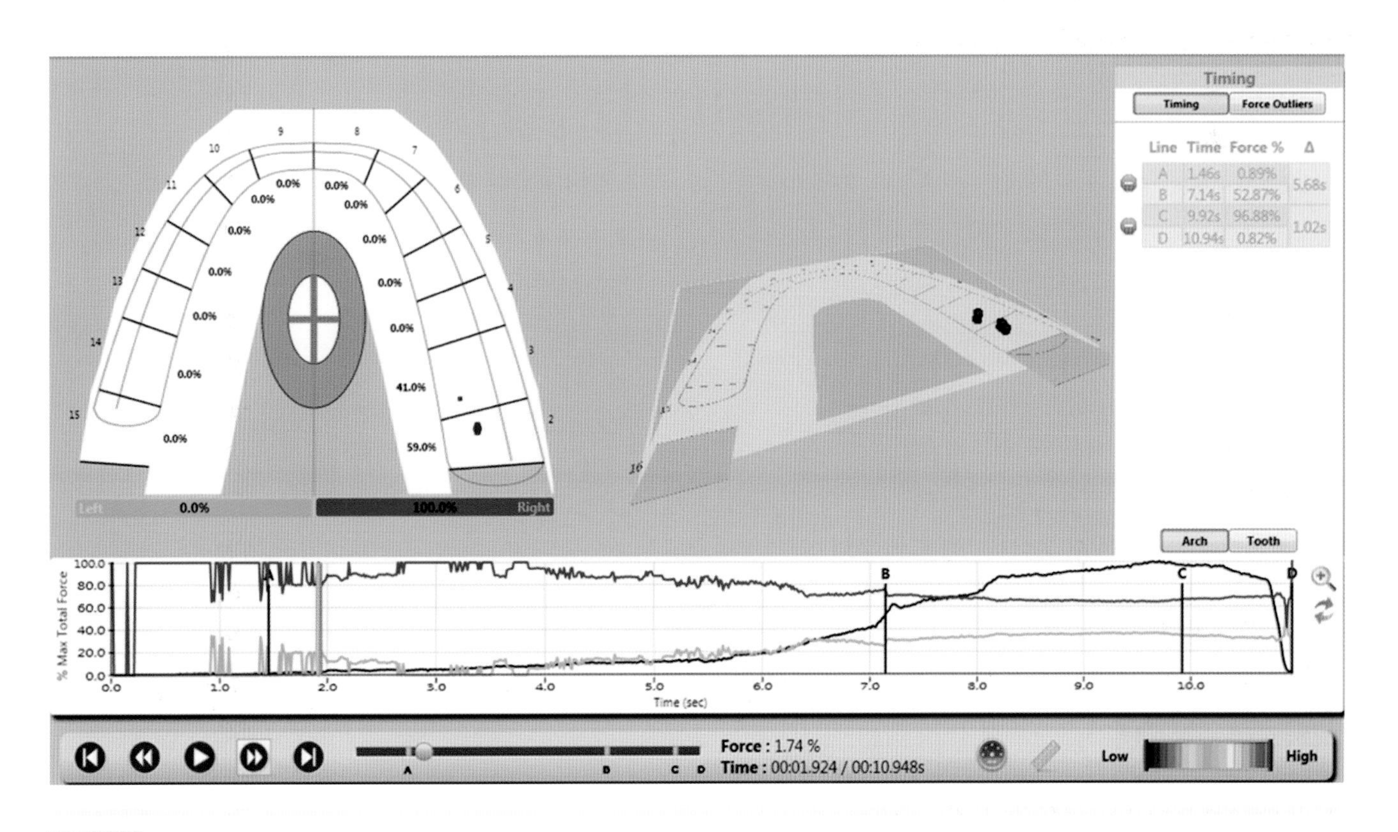

그림 7a 기록 1.924초, 치료-전 CR 조기접촉이 #2(17), 31(47)번 치아에 위치한다

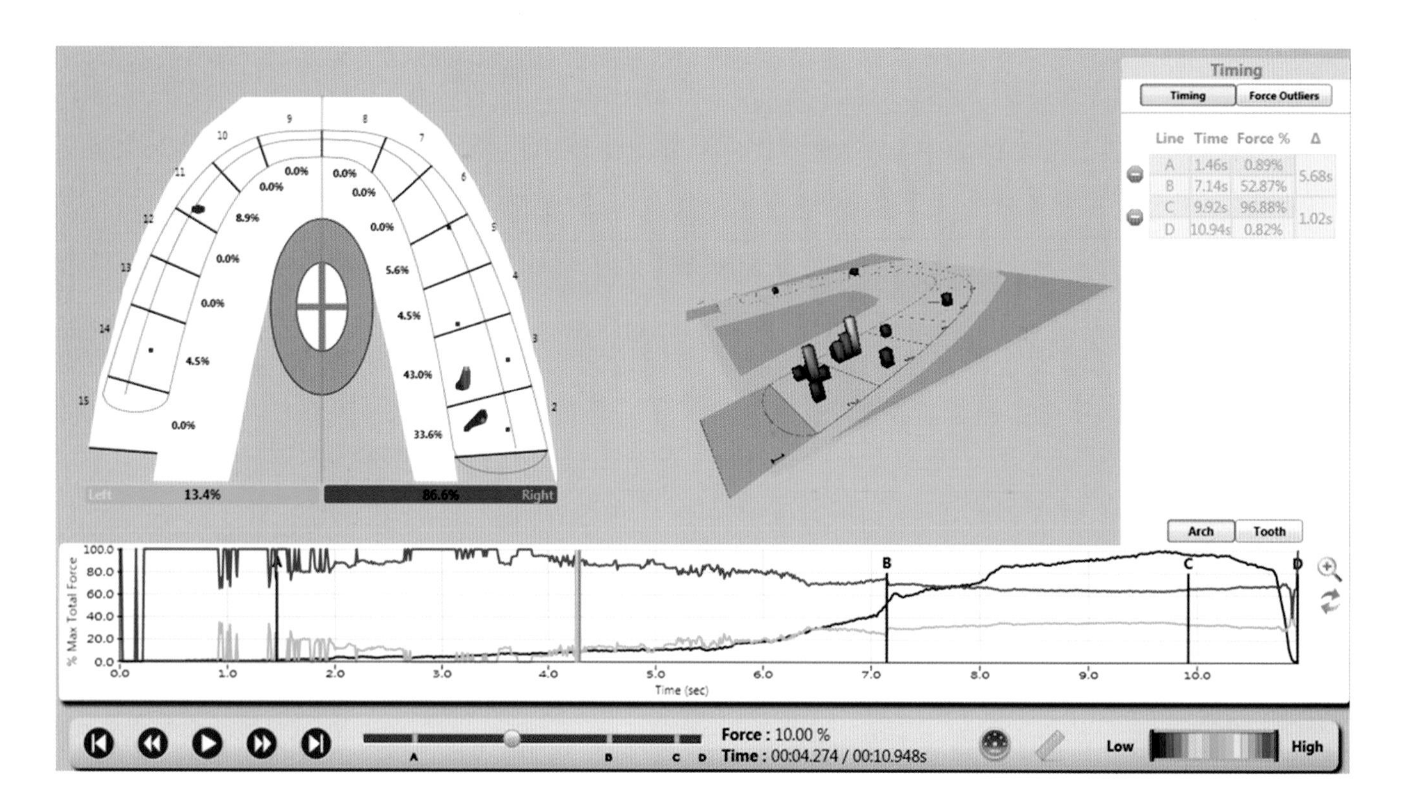

그림 7b 기록 4.274초, #2, 3(17, 16)번 치아가 총 힘의 81%를 감당하여 COF 아이콘이 이 2개의 치아 근처에서 나타난다

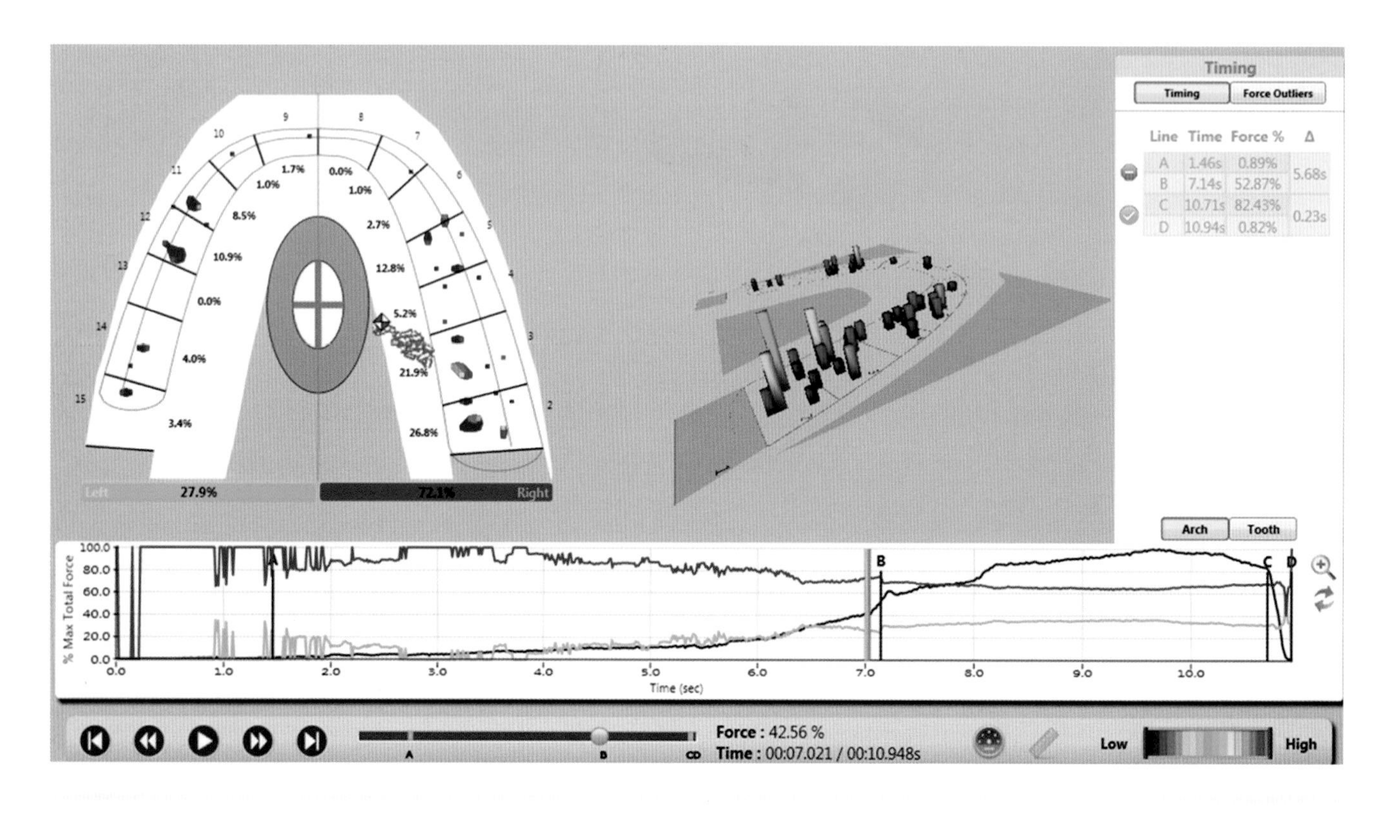

그림 7c 기록 7.021초, 환자의 좌측이 상당한 접촉을 형성하기 시작하면서 COF 궤도가 우측 대구치에서 멀어지면서 좌측 전방으로 이동한다

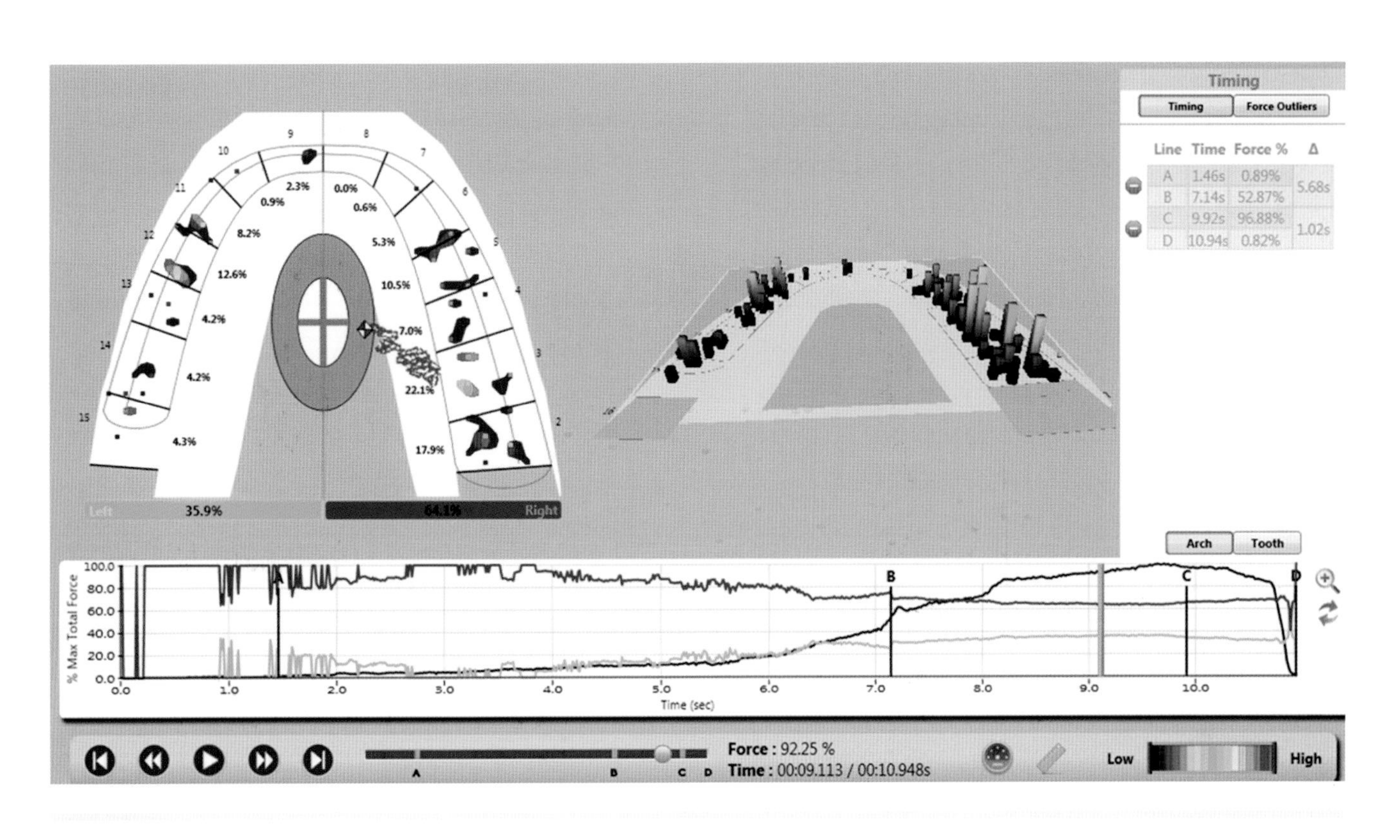

그림 7d 기록 9.133초, CR에서 전체 교합이 달성되면서 COF 궤도는 여전히 우측 반-악궁에 치우쳐 있다. 치료-전 상태는 우측 64.1%-좌측 35.9%로 힘의 불균형을 보이고 있다. 치료-전 COF 궤도는 길고 비-중앙적으로 불균형한 CR 교합 체계의 과다한 비-동시성을 지적한다

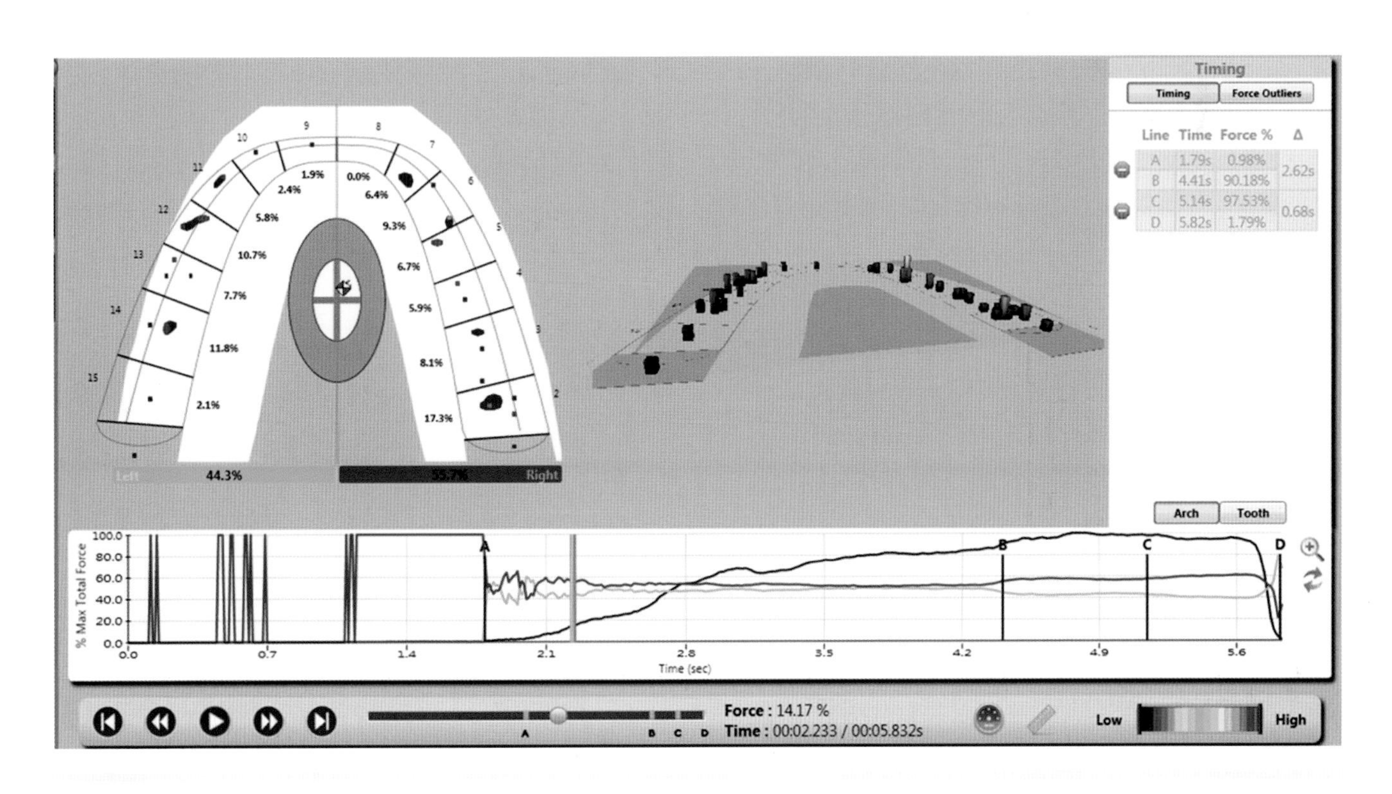

그림 8a 그림 7a-7d의 데이터에 근거하여 교합 조정을 시행한 후, 새로운 기록 2.233초에 낮은 힘의 초기 접촉이 확산되고 균일하게 보여진다. COF 궤도가 악궁의 중앙 근처에서 출발하는데 약 5%의 힘만이 우측으로 불균형을 보인다

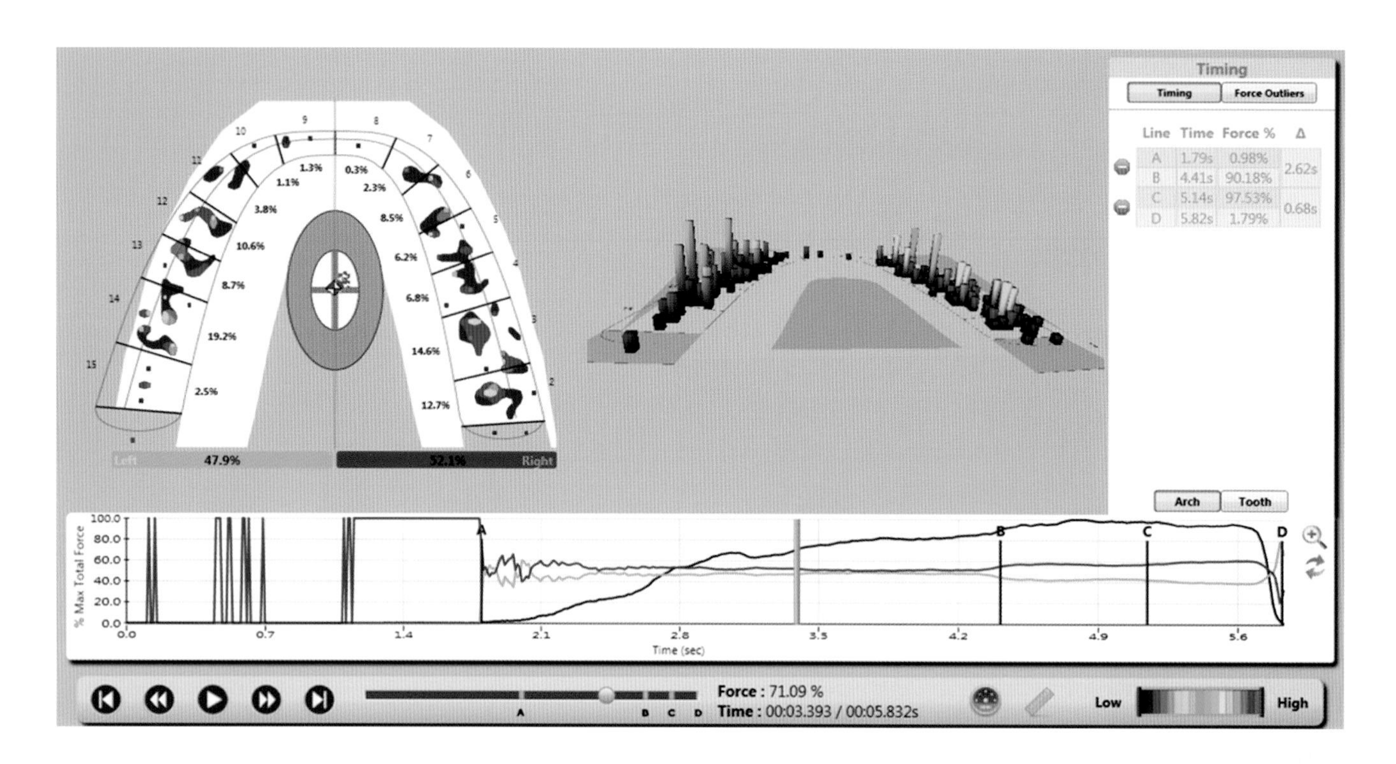

그림 8b 기록 3.393초, 중등도의 힘이 양측성으로 나타나고, COF가 악궁의 중앙 가까이에 머무른다. 총 힘의 71%에서 좌우 반-악궁간 힘의 불균형은 2.1% 밖에 되지 않는다

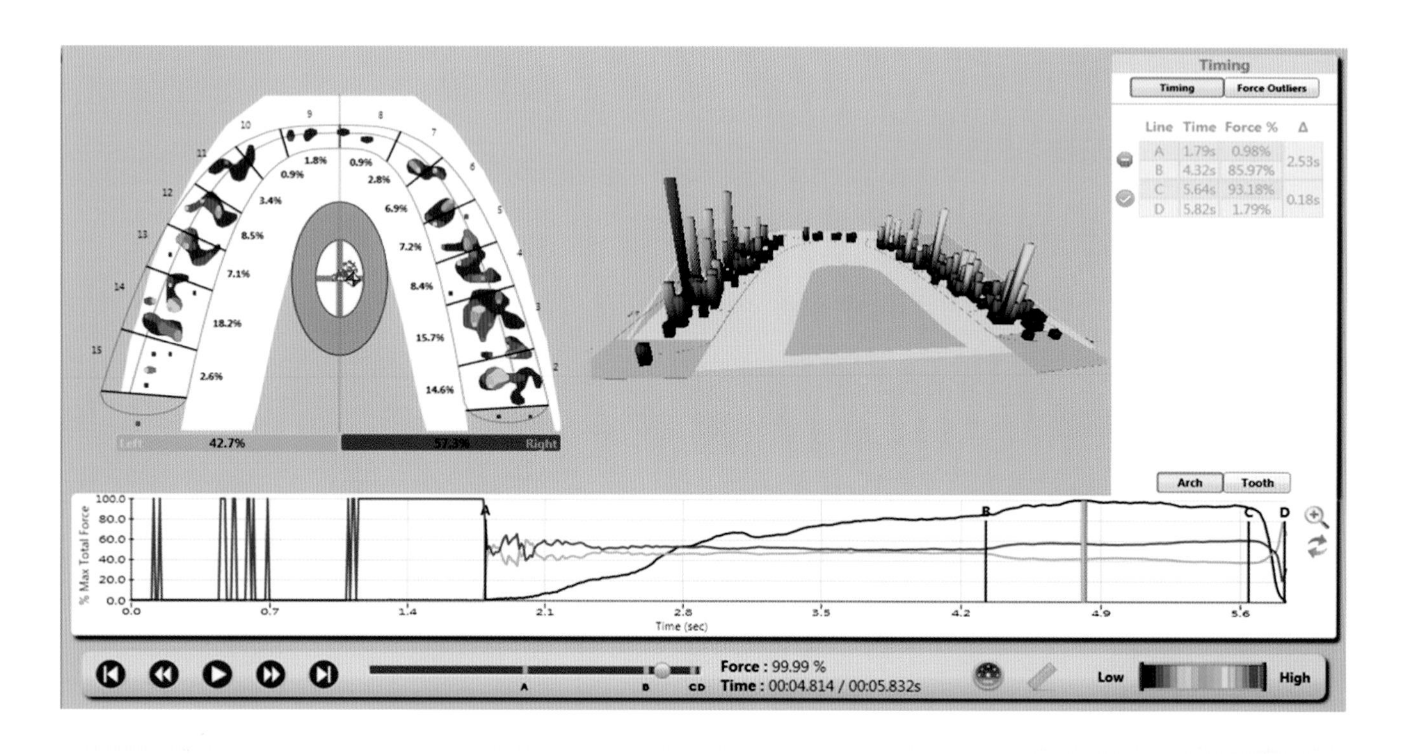

그림 8c 최종 COF 궤도는 길이가 짧고 중앙에 위치하여, 향상된 전체적 힘 합계와 양측성 접촉시간의 동시성을 보여준다. CR의 전체 접촉(총 힘의 99.9%)에서, COF 아이콘은 최종 7%의 불균형을 보이며 우측에 안착한다

상의가 이 문제의 임상적 파급 효과를 알지 못하게 된다. 교합은 수복 치료의 성공에 있어서 필수적인 역할을 담당하여, 지속적인 불리한 힘은 흔하게 금의 마모나 포셀린의 파절을 야기한다. 임상의가 진단 모형을 마운팅하거나 T-Scan 기록을 형성할 때 CR을 예견성있게 획득하는 방법을 배우면, 교합의 역할에 대한 개념과 적절한 치료 계획 수립이 변화하게 된다. 핸즈-온 학습은 CR을 예견성있게 획득하고 기록하는 임상의의 능력을 상당하게 향상시킨다.

최근, 3차원적 석고 모형이 교합 분석, 진단 왁스업, 교합조정 시험을 시행하고, 교정, 수복 치료를 포함하는 증례 계획을 수립하고, 임플란트의 위치 선정과 악교정 수술을 수행하기 위해 사용되고 있다. 이 방법은 정확하고 최종 결과물을 임상의에게 시각적으로 제공하는 능력이 있지만, 시간 소비적이고 환자에게 비용 부담을 발생시키게 된다. 미래에는 시각적 모델 제작을 위한 구내 디지털 스캐닝과 컴퓨터 지원 디자인을 사용하는 첨단 기술 접근이 석고 모형과 금속 교합기를 대체할 것이다. T-Scan은 이미 2D, 3D ForceView 창에서 보여지는 교합 접촉 데이터의 기록-후 신속한 소환과 같은 이런 장점의 일부를 갖추고 있다.

진단 왁스업은 시간과 기술이 필요하고, 임상의는 추가 비용을 발생시키면서 기공소로 신속하게 전달해야 한다. 임상의가 왁스업을 검토하고 다듬을 수는 있지만, 케이스의 철저한 이해를 획득하기 위해 문제-해결 목록을 통한 사고의 과정을 놓치기 쉽다. 복잡한 증례 치료 계획 수립에 직면했을 때, 첨단 기술적 접근으로 임상의는 보다 쉽고 빠르게 가상의 왁스업을 스스로 진행할 수 있다. 이런 과정으로 임상의는 개별 증례의 세부 사항에 익숙해질 것이다. 현재 디지털 이미지를 공유하는 것처럼, 가상 작업이 분야간 치료 팀과 전기적으로 공유될 수 있을 것이다.

미래의 연구 방향

임상 연구는 T-Scan 교합 분석과 CR과의 연관성에 관한 몇 가지 영역에 집중되어야 한다. 마운팅된 진단 모형과 T-Scan으로 결정된 CR 조기접촉의 위치 정확성을 비교해야 한다. 해부학적으로 정상인 TMJ의 생리적 안착을 확증하는 카데바 연구가 이런 목적을 위해 유용할 것이다. 이는 임상의가 각 진단방법의 신뢰도를 이해하는데 도움을 줄 것이다.

교합 접촉을 3차원적으로 관찰하는 것은 교육적 측면에서 포괄적인 치의학을 수행하는 임상 교육에 중요한 부분이다. 진단 모형 마운팅을 위한 정확한 CR 바이트 채득법을 배우는 것은, 졸업-후 배우는 핸즈-온 경험이 일반적이다. 많은 치과 대학생이 첨단 기술에 익숙하기 때문에, T-Scan은 교합 간섭의 중요성과 그들의 임상적 효과에 대한 대학생 수준의 학습을 촉진시킬 수 있다. 이것은 임상을 경험하는 내내, 교합의 중요성에 대한 임상의의 공감에 긍정적인 영향을 미치게 될 것이다. 교합 측정 기술을 배우고 사용하는 초보자의 능력을 평가하는 연구는 T-Scan 시스템의 실현 가능성을 강화할 것이다.

교합 접촉에 대한 T-Scan 디스플레이는 환자에 의해 쉽게 이해되고 인정된다. 최고의 장기간 치료 결과를 위해 환자를 교육하는 것은, 최적의 치료 제공을 위한 필수적인 부분이다. 환자 교육과 교합 문제 치료 계획 수용간의 상호관계에 관한 연구는 임상의에게 진료에 T-Scan 교합 분석을 포함하는 가치를 보여주게 될 것이다.

요약

중심 위(CR)는 임상의가 이해하고 최적의 치과 치료를 제공할 때 사용하는 중요한 해부학적 위치이다. 양수 조작과 anterior deprogrammer 모두는 CR을 얻기 위한 예견성있는 방법이다. 둘 다 교합기에 정확하게 진단 모형을 마운팅하기 위해 혹은 T-Scan 교합 분석 시스템으로 CR 접촉을 기록할 때 사용될 수 있다. 진단 모형은 계획된 치료 결과를 미리 보기 위해서 복제하여 진단 왁스업에 사용될 수 있다. T-Scan은 교합 접촉의 위치, 타이밍, 상대적인 힘을 2D, 3D로 신속하게 보여주고, 이 데이터를 저장하고 소환할 수 있다는 장점을 가지고 있다. 추가적으로, T-Scan은 구내에서 반복되어 임상의가 최적의 교합 체계를 구축하도록 도움을 줄 수 있다.

CR 조기접촉은 전형적으로 구치부의 경사면에 위치하지만, 편심위 운동 동안에도 교합 간섭으로 작용할 수 있다. 임상의는 선택한 조정 순서에 따라, 교합 수정 술식 동안 T-Scan을 다양한 지점에서 사용하여 CR 조기접촉이나 측방 편심위 간섭을 포착할 수 있다. 2D, 3D ForceView에서 보여지는 CR 접촉의 그래픽은 임상의에게 CR 조기접촉 제거 결과 및 획득한 최적 교합 접촉의 정도를 보여준다.

참고문헌

- Abdel-Hakim, A.M. (1982). The swallowing position as a Centric Relation record. *Journal of Prosthetic Dentistry,47*, 12-15.
- Adhikari, H.D., Kapoor, A.K., Prakash, U., & Srivastava, A.B. (2011) Electromyographic pattern of
- masticatory muscles in altered dentition: Part II. *Journal of Conservative Dentistry, 14,* 120–127.
- Becker, I., Tarantola, G., Zambrano, J., Spitzer S., & Oquendo D. (1999). Effect of a prefabricated anterior bite stop on electromyographic activity of masticatory muscles. *Journal of Prosthetic Dentistry*, *82*, 22–26.
- Becker, I.M., ed. (2011). *Comprehensive occlusal concepts in clinical practice*. 1st ed. Ames, IA: Wiley-Blackwell, pp.217.
- Christensen, L.V. & Rassouli, N.M. (1995). Experimental occlusal interferences. Part II. Masseteric EMG responses to an intercuspal interference. *Journal of Oral Rehabilitation*, *22*, 521-531.
- Dawson, P.E. (1985) Optimum TMJ condyle position in clinical practice. *International Journal of Periodontics and Restorative Dentistry*, *5*, 10-31.
- Dawson, P.E. (1989). *Evaluation, diagnosis, and treatment of occlusal problems.* 2nd ed. St. Louis, MO: CV Mosby, 1989:436-445.
- Kerstein R.B., & Wright, N.R. (1991). Electromyographic and computer analyses of patients suffering from chronic myofascial pain-dysfunction syndrome: before and after treatment with immediate complete anterior guidance development. *Journal of Prosthetic Dentistry*, *66*, 677-86.
- Kerstein, R.B. (1993). A comparison of traditional occlusal equilibration and immediate complete anterior guidance development. *Journal of Craniomandibular Practice*, *11*, 126-139.
- Kerstein, R.B., Chapman R., & Klein, M.(1997). A comparison of ICAGD (Immediate complete
- Anterior Guidance Development) to "mock ICAGD" for symptom reductions in chronic myofascial pain dysfunction patients. . *Journal of Craniomandibular Practice, 15*(1), 21-37
- Kerstein, R.B., & Wilkerson, D. (2001). Locating the Centric Relation prematurity with a computerized occlusal analysis system. *Compendium*, *22*, 525-534.
- Kerstein R.B., & Radke, J. (2006). The effect of disclusion time reduction on maximal clench muscle activity levels. *Journal of Craniomandibular Practice*, *24*, 156-165.
- Kerstein, R.B. (2010). In Tarantola G.(Ed). *Clinical Cases in Restorative and Reconstructive Dentistry*. Appendix, Hoboken, NJ: Wiley-Blackwell Publishers, , pp.391-431.
- Kerstein, R.B., & Radke, J. (2012). Masseter and temporalis hyperactivity decreased by measured anterior guidance development. *Journal of Craniomandibular Practice, 30*, 243-254.
- Keshvad, A. & Winstanley, R.B. (2003) Comparison of replicability of rountinely used Centric Relation registration techniques. *Journal of Prosthodontics*, *12*, 90-101.
- Lucia, V.O. (1964). A technique for recording Centric Relation. *Journal of Prosthetic Dentistry,14*, 492-505.
- Lund, P., Nishiyama, T., & Moller, E. (1970) Postural activity in the muscles of mastication with the subject upright, inclined, and supine. *Scandinavian Journal of Dental Research. 78*, 417-424.
- McKee, J.R. (1997). Comparing condylar position repeatability for standardized versus nonstandardized methods of achieving Centric Relation. *Journal of Prosthetic Dent*istry, *77*, 280-284.
- McKee, J.R. (2005). Comparing condylar positions achieved through bimanual manipulation to condylar positions achieved through masticatory muscle contraction against an anterior deprogrammer: A pilot study. *Journal of Prosthetic Dentistry*, *94*, 389-393.
- Mahan, P.E., Wilkinson, T.W., Gibbs, C.H., Mauderli, A., & Brannon, L.S. (1983). Superior and inferior bellies of the lateral pterygoid muscle: EMG activity at basic mandible positions. *Journal of Prosthetic Dentistry,50*, 710-8.
- McNeill C. (1985). The optimum temporomandibular joint

condyle position in clinical practice. *International Journal of Periodontics and Restorative Dentistry, 5*, 53-77.

- Mobilio, N., & Catapano S. (2011). Effect of experimental mandible muscle pain on occlusal contacts. *Journal of Oral Rehabilitation, 38*, 404-409.
- Obrez, A., & Stohler, C.S. (1996). Jaw muscle pain and its effect on gothic arch tracings. *Journal of Prosthetic Dentistry, 75*, 393-398.
- Preston, J.D. (1979). A reassessment of the mandibular transverse horizontal axis theory. *Journal of Prosthetic Dentistry, 41*, 605-613.
- Radu, J., Marandici, M., & Hottel, T.L. (2004). The effect of clenching on condylar position: A vector analysis model. *Journal of Prosthetic Dentistry, 91*, 171–179.
- Roth, R.H. (1973). Temporomandibular pain-dysfunction and occlusal relationships. *Angle Orthodontist, 43*, 136–153.
- Roth, R.H. (1981). Functional occlusion *for* the orthodontist. *Journal of Clinical Orthodontics, 15*, 32-51.
- Solnit, A. & Curnutte, D.C. (1988). *Occlusal correction principles and practice.* Chicago, IL: Quintessence Publishing Co., pp. 249.
- Solow, RA. (1999). The anterior acrylic resin platform and Centric Relation verification: a clinical report. *Journal of Prosthetic Dentistry, 81*, 255-257.
- Solow, R.A. (2005). Equilibration of a progressive anterior open occlusal relationship: a clinical report. *Journal of Craniomandibular Practice, 23*, 229-238.
- Solow, R.A. (2010a). Diagnosis, equilibration, and restoration of an orthodontic failure. *General Dentistry, 58*(5), 444-453.
- Solow, R.A. (2010b). Comprehensive implant restoration and the shortened dental arch. *General Dentistry, 58*, 390-399.
- Solow, R.A. (2012). Preorthodontic implant placement in the planned postorthodontic position: a simplified technique and clinical report. *General Dentistry*, 60, 3193-203.
- Solow, R.A. (2013). Mounted diagnostic casts: the entry into comprehensive care. *General Dentistry, 61*, 12-15.
- Tarantola, G.J., Becker, I.M., & Gremillion, H. (1997). The reproducibility of Centric Relation: a clinical approach. *Journal of the American Dental Association, 128*, 1245-1251.
- Utt, T.W., Meyers, C.E., Wierzba, T.F., & Hondrum, S.O. (1995). A three dimensional comparison of condylar position changes between Centric Relation and centric occlusion using the mandibular position indicator. *American Journal of Orthodontics and Dentofacial Orthopedics, 107*, 298-308.
- Weinberg, L. (1985). Optimum temporomandibular joint condyle position in clinical practice. *International Journal of Periodontics and Restorative Dentistry, 5*, 10-27.

추가문헌

- Bessette, R.W., & Quinlivan, J.T. (1973). Electromyographic evaluation of the Myo-Monitor. *Journal of Prosthetic Dentistry, 30*, 19-24.
- Dawson PE. (1995). New definition for relating occlusion to varying conditions of the temporomandibular joint. *Journal of Prosthetic Dentistry, 74*, 619-27.
- Dawson, P.E. (1996). A classification system for occlusions that relates maximal intercuspation to the position and condition of the temporomandibular joints. *Journal of Prosthetic Dentistry, 75*, 60-66.
- Geering AH. (1974). Occlusal interferences and functional disturbances of the masticatory system*Journal of Clinical Periodontology, 1*, 112-9.
- Gibbs, C.H., Mahan, P.E., Wilkinson, T.M., & Mauderli, A. (1984). EMG activity of the superior belly of the lateral pterygoid muscle in relation to other mandible muscles. *Journal of Prosthetic Dentistry, 51*, 691-702.
- Gilboe, D.B. (1983). Centric relation as the treatment position. *Journal of Prosthetic Dentistry, 50*, 685-689.
- Hunter, B.D., & Toth, R. (1999). Centric relation registration using an anterior deprogrammer in dentate patients. *Journal of Prosthodontics, 8*, 59-61.
- Karl, P.J., & Foley, T.F. (1999). The use of a deprogramming appliance to obtain Centric Relation records. *Angle Orthodontist, 69*, 117-123.
- Kerstein, R.B., & Farrell, S. (1990). Treatment of myofascial pain-

dysfunction syndrome with occlusal equilibration. *Journal of Prosthetic Dentistry*, *63*, 695-700.
- Kinderknecht, K.E., Wong, G.K., Billy, E.J., & Li, S.H. (1992). The effect of a deprogrammer on the position of the terminal transverse horizontal axis of the mandible. *Journal of Prosthetic Dentistry*, *28*, 123-31.
- Lundeen, H.C. (1974). Centric relation records: the effect of muscle action. *Journal of Prosthetic Dentistry*, *31*, 244-251.
- Manns A, Rocabado M, Cadenasso, P., & Cumsille, M.A. (1993). The immediate effect of the variation of anteroposterior laterotrusive contacts on elevator EMG activity. *Journal of Craniomandibular Practice*, *11*, 184-191.
- Moller, E., Sheikoleslam, A., & Lous, I. (1984). Response of elevator activity during mastication to treatment of functional disorders. *Scandanavian Journal of Dental Research*, *92*, 64-83.
- Moses, A.J. (1994). Scientific methodology in temporomandibular disorders. Part 1: Epidemiology.
- *Journal of Craniomandibular Practice*, *12*, 114-119.
- Noble, W.H. (1975). Anteroposterior position of "Myo-Monitor centric". *Journal of Prosthetic Dentistry*, *33*, 398-402.
- Remien, J.C., & Ash, M.M. (1974). "Myo-Monitor centric": an evaluation. *Journal of Prosthetic Dentistry*, 31, 137-45.
- Riise, C. (1982). Rational performance of occlusal adjustment. *Journal of Prosthetic Dentistry*, *48*, 319-327.
- Sato, H. (2000). Tomographic evaluation of TMJ loading by occlusal pivots. *International Journal of Prosthodontics*, *13*, 399-404.
- Schaerer, P., Stallard, R.E., & Zander, H.A. (1967). Occlusal interferences and mastication: an electromyographic study. *Journal of Prosthetic Dentistry*, *17*, 438-49.
- Schuyler, C.H. (1961) Factors contributing to traumatic occlusion. *Journal of Prosthetic Dentistry*, *11*,708-15.
- Seedorf, H., Seetzen, F., Scholz, A., Sadat-Khonsari, M.R., Kirsch, I., & Jüde, H.D. (2004). Impact of posterior occlusal support on the condylar position. *Journal of Oral Rehabilitation*, *31*, 759-763.
- Wessberg, G.A., Epker, B.N., & Elliott, A.C. (1983). Comparison of mandibular rest positions induced by phonetic, transcutaneous electrical stimulation, and masticatory electromyography. *Journal of Prosthetic Dentistry, 49*, 100-105.
- Williamson, E.H., & Simmons, M.D. (1978). Assessment of anterior tooth coupling and equilibration using a diagnostic mounting. *Quintessence International Dental Digest, 9*, 61-66.
- Williamson, E.H., Steinke, R.M., Morse, P.K., & Swift, T.R. (1980). Centric relation: a comparison of muscle-determined position and operator guidance. *American Journal of Orthodontics*, *77*, 133-45.
- Weffort, S.Y.K., & de Fantini, S.M. (2010). Condylar displacement between Centric Relation and maximum intercuspation in symptomatic and asymptomatic individuals. *Angle Orthodontist*, *80*, 835-842.
- Wood, D.P., & Elliot, R. (1994). Reproducibility of the Centric Relation bite registration technique. *Angle Orthodontist, 64*, 211-221.

주요 용어 및 정의

- **Anterior deprogrammer**: 구치부를 교두감합 접촉으로부터 분리하기 위해 전치부에 적용하는 장치.
- **Class Ⅲ 지레 시스템**: 받침점과 일 사이에 힘이 가해질 때의 지레 분류. 하악은 받침점이 TMJ, 힘이 거상근, 작용(일)이 치아에서 이루어지는 Class Ⅲ 지레 시스템처럼 작용한다.
- **CR 바이트**: 하악 과두가 CR로 안착되었을 때 치아의 관계를 포착하는 치아 사이에 개재된 재료.
- **CR 조기접촉**: 하악이 CR로 폐구하면서 다른 모든 치아에 앞서는 치아 접촉.
- **양수 조작**: 하악을 CR로 위치시키기 위해, 임상의의 손을 환자 하악에 놓고 위치시키는 술식.
- **중심위(CR)**: 치아의 위치나 수직 고경에 관계없이, 적절하게 배열된 과두-디스크 조합체가 융기의 최상방에 위치했을 때의 상악에 대한 하악의 관계(Dawson, 1983).
- **최대 교두감합(MIP)**: 환자가 가장 많은 수의 치아 접촉으로 폐구하였을 때의 상하악 관계. 습관성 교합이라고도 한다.

환자 교육 도구로서의 T-Scan

John R. Droter, DDS
The Pankey Institute, USA

초록

T-Scan은 기존의 교합 병리를 설명하기 위한 유용한 환자 교육 도구이다. 이것은 이해하기 쉬운 시각적 형식으로 복잡한 교합 정보를 제공한다. T-Scan의 기록된 데이터는 환자의 교합 질환 발현, 치료의 잠재적 효과, 수정 치료(corrective treatment)를 받지 않았을 때의 위험성에 관해 의사/환자 상담을 시작할 때 근본적인 골조를 형성하기 때문에, T-Scan을 이용하여 교육/학습의 모든 단계에 적용할 수 있다. T-Scan은 교육 전략의 일환으로 사용될 때 장기간 치과 건강에 도움이 되는 절차를 환자가 받아들일 수 있도록 한다. 이번 장에서는 최적의 치과 건강 구축을 위한 4단계, 효과적인 교육과 학습을 수행하기 위해 필요한 단계, 교육적 포럼에 사용할 수 있는 교육과 학습의 다양한 스타일, 술식의 특성, 기능, 혜택을 가장 잘 이용하기 위한 방법에 관한 개요를 설명할 것이다.

도입

의사의 많은 역할 중 하나는 환자에게 그들의 건강에 관해 교육하는 것이다(ADA, 2010). 일반적으로 치과의사가 가장 자주 치료하게 되는 질환은 충치, 치주 질환, 교합 질환이다(Christensen, 2001). 교합 질환은 많은 술자에 의해 치료되고 있으나(Christensen, 1995), 교합 치료법이 교합 질환의 치료에 제공하는 이점에 대해 환자를 이해시키는 것이 부분적으로 어렵다. T-Scan 컴퓨터 교합 분석(T-Scan 8, Tekscan, Inc., S. Boston, MA, USA)을 잘-계획된 전략과 결합하여 환자 교육에 이용하면, 환자에게 도움이 될 교합 치료법을 수용하는 환자의 수를 증가시킬 수 있다.

건강 구축을 위한 4단계

병적인 상태로부터 건강을 구축하기 위해 환자와 임상의가 검토해야 할 4단계가 있다:

1단계: 질환을 일으키는 원인적 요소 파악.
2단계: 자신의 건강에 대한 환자의 책임 수용.
3단계: 의사와 환자가 같이 다양한 병적 인자 축출.
4단계: 질환으로 야기된 붕괴를 수복하기 위해 필요한 임상적 술식 수행.

원인적 요소를 제거하지 않고 붕괴를 수복하면(그림 1), 대부분 질환의 상태를 반복하는 결과가 야기될 것이다(Barkley, 1970).

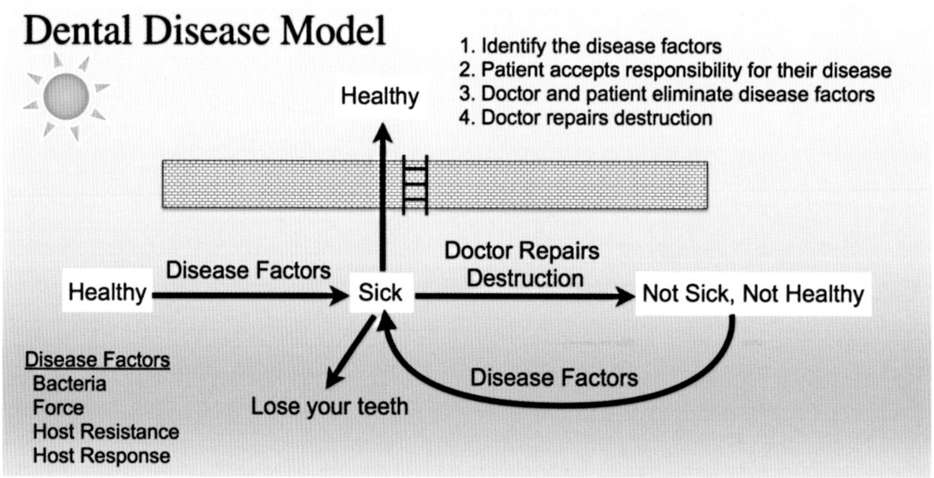

Dental Disease Model

1. Identify the disease factors
2. Patient accepts responsibility for their disease
3. Doctor and patient eliminate disease factors
4. Doctor repairs destruction

Healthy

Healthy → Disease Factors → Sick → Doctor Repairs Destruction → Not Sick, Not Healthy

Disease Factors

Lose your teeth

Disease Factors
Bacteria
Force
Host Resistance
Host Response

그림 1 치과 질환/건강 모델. 병적 인자는 환자를 건강한 상태에서 아픈 상태로 만든다. 수복만이 수행되면, 환자는 아프지는 않지만 어쩔 수 없이 건강하지 않을 수도 있다. 기존의 질환 인자는 환자를 아픈 상태로 되돌려 놓을 것이다. 이런 순환을 깨뜨리기 위해, 병적 인자는 필요한 수복을 진행하기 전에 제거되어야 한다

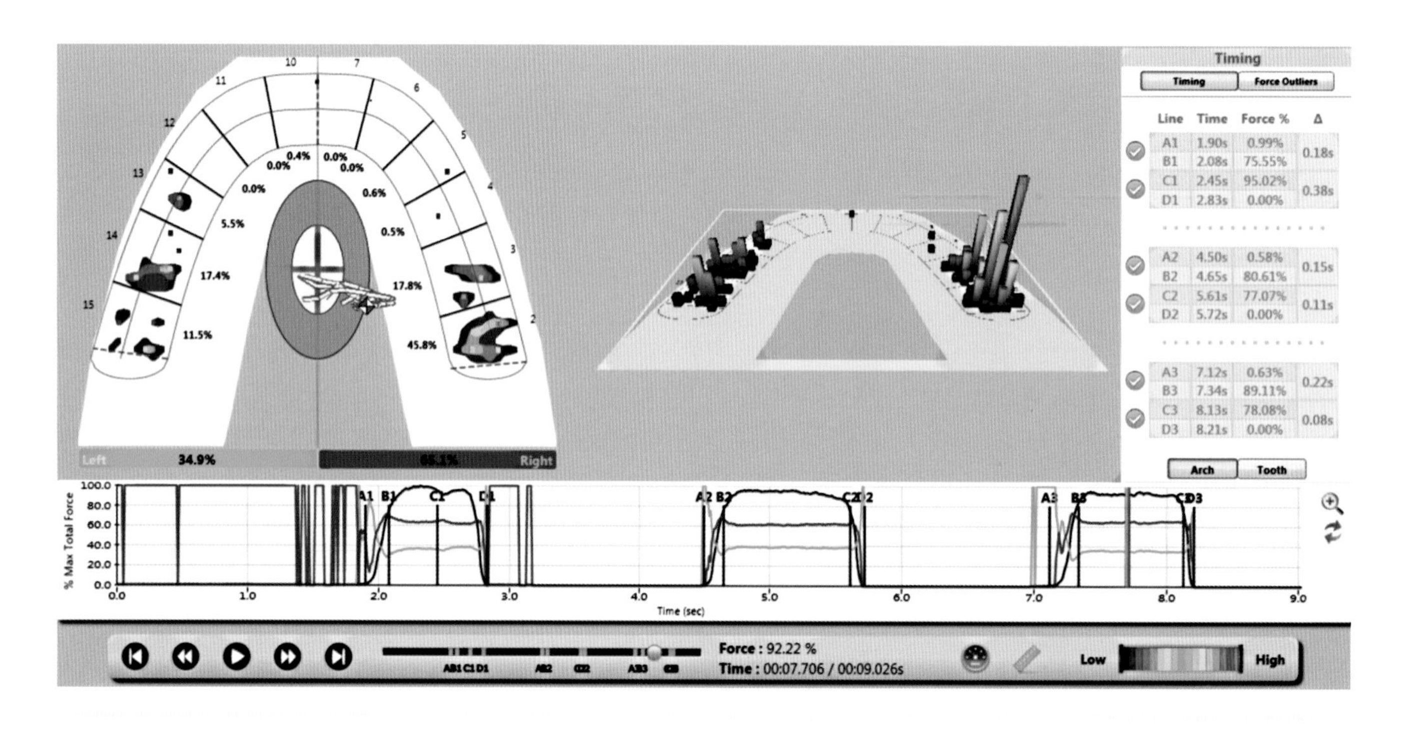

그림 2 MIP에서 #2(17)번 치아가 총 교합력의 45%를 담당한다. 시간이 흐름에 따라, 치아는 파절, 수직 파절, 동요, 골 소실, 염증, 치수 괴사에 대한 민감성이 증가한다

교합력이 과부하되는 접촉 치아 사이에 진행성의 반복적 미세외상으로 야기되는 교합 질환은, 서서히 치아 구조와 지지 조직에 손상을 가한다. 시간이 경과하면서 미세외상은 연루된 치아를 파괴한다. 그림 2는 T-Scan ForceView로, 치아 배열 전반에 걸쳐 고르지 못한 힘 분포가 단일 치아(#2(17)번 치아)에 과다한 부하를 유발하고 있다. 시간이 지나면서, 이 치아는 교두 파절, 수직 파절, 치아 동요, 치조골 소실, 치수 염증, 치수 괴사의 가능성이 증가할 것이다.

치아가 파절되고 과다한 힘이 여전히 존재하는 상태로 수복된다면, 새로운 수복물도 추후에 파절될 가능성이 있

다. 파절된 치아에 과다한 하중이 가해지지 않도록 수복된다면, 새로운 수복물은 구내에서 기능하는 동안 더 오래 살아남을 것이다. 한 치아가 한 번 견뎌낸 과다한 힘은 다음으로 접촉하는 치아에 재분포되어, 그 치아도 과다 부하 실패의 잠재력을 가지게 될 것이다.

환자가 병적인 상태에서 건강한 상태로 이동하도록 돕는 것은, 치과의사가 질환의 원인 인자와 그로 인한 파괴를 식별하고 병적 인자를 제거하고 파괴를 수복하는 일련의 계획을 발전시키는 것뿐만 아니라, 치과의사와 환자가 건강한 의사-환자의 관계를 형성하는 것도 포함한다. 의사와 환자는 함께 작업할 수 있고 정서적 수준으로 연결될 필요가 있다(Becker, Ackley, & Green, 2003). 환자는 의사에 대한 신뢰감을 느껴야 하고, 의사가 자신과 적절하게 연결되어 건강을 회복하는 데 도움이 될 수 있고 건강이라는 목표를 달성하기 위해 기꺼이 헌신하고 희생할 것이라는 믿음을 가져야 한다. 의사가 "보수와 수복" 술식을 수행하는 것과 포괄적인 치료 술식을 시행하는 것 사이의 차이는, 건강 구축의 4단계 모두를 성취하는 데 환자와 함께 작업하는 의사의 능력 내에 놓여 있다.

- **1단계**: *질환을 일으키는 원인 인자 파악*. 검사 과정에서 가장 빈번하게 밝혀지는 3가지 질환은 충치, 치주 질환, 교합 질환일 것이다. 다양한 세균이 충치와 치주 질환의 원인 인자가 되고, 교합력 분포가 교합 질환의 원인 인자가 된다.

치아 전체에 걸쳐 존재하는 힘 분포의 교합 분석은 전통적으로 임상적 구내 관찰, 교합지 자국을 이용한 치아 접촉 표기와 관찰, 마운팅된 진단 모형 사용에 의해 얻어질 수 있다. 대안적으로, 임상의는 환자의 상대적 교합력 분포와 접촉 타이밍 순서를 T-Scan 시스템을 이용하여 디지털로 기록할 수 있다. 현재, 치아 접촉의 타이밍과 지속 시간, 개별 치아 접촉에 존재하는 힘의 비율, 반-악궁 혹은 4분악에 존재하는 교합력과 같은 교합 정보는 T-Scan 시스템으로만 평가할 수 있다. T-Scan 분석은 전통적인 비-디지털 교합 지표(교합지, 교합 지표 왁스, 실리콘 인기, 마운팅된 진단 모형)에 비해, 특정 환자에 존재하는 교합 질환에 대한 보다 자세한 이해를 임상의에게 제공한다. 그러나, 각 교합 진단 방식은 자신만의 장점을 가지므로, 임상의는 종종 다른 교합 지표와 혼용하여 존재하는 교합 질환을 좀 더 완벽하게 이해한다. 예를 들어, T-Scan 데이터로 분리한 문제적 교합력의 정확한 치아 접촉 위치는, 교합지를 이용하여 확인할 수 있다. T-Scan은 치아 접촉을 표시하지 않기 때문에, 두 가지 방식을 같이 사용하는 것이 필수적이다.

이상적으로, 새로운 환자 평가 과정의 논리적인 첫 번째 단계는, 포괄적인 검사를 수행하여 존재하는 모든 손상과 손상을 유발하는 모든 원인 인자를 밝혀내는 것이다(ADA, 2010). 이런 검사는 완벽한 치과 방사선 사진 세트 촬영, 치주 검사, 경조직 검사, 두경부 근육 촉진 검사, T-Scan 교합 분석, 진단 모형 마운팅, 관절 진동 분석(JVA, Bioresearch Assoc., Milwaukee, WI, USA) 수행, 그리고 임상 사진 촬영을 포함해야 한다. TMJ 손상의 존재가 의심되면, TMJ 이미지화가 필요하다(Droter, 2005).

포괄적인 검사를 수행하는데 필요한 시간과 경비가 환자의 치료 의지를 막는 중대한 장애물이 될 수 있다(Barkley, 1972). 환자는 의사와의 관계 형성 초기에 충분한 신뢰가 구축되지 않은 상태에서 연관된 진단 과정을 받아야 하기 때문에, 포괄적인 검사 과정을 시행하는 이점을 알지 못할 수 있다. 1단계가 충분히 완성되기 전에 2단계(자신의 건강에 대한 환자의 책임감 수용)가 완성될 필요도 있다.

좀 더 경제적으로 새로운 환자에게 환자의 병적 상태와 원인 인자의 "부분적 평가"를 초기에 달성하고, 의사-환자 관계가 발전하면서 더 필요한 사항을 다룰 수도 있을 것이다. 여기에서 목표는 포괄적인 치료와 추후의 최적의 치아 건강을 이끌어 낼 포괄적인 검사를 진행하는 이점을 환자에게 교육하는 것이다. 의사는 환자가 치료를 받는 동안 자신의 질환을 이해하고 받아들여야 한다는 근본적인 목표의 시선을 잃지 않아야 한다. T-Scan은 의사와 환자가 알지 못하는 교합 질환의 존재를 확인시켜주는 신속하고 경제적인 검사이다.

- **2단계**: *자신의 건강에 대한 환자의 책임감 수용*. 자신의 병적 상태를 책임져야 한다는 환자의 수용은 4가지 단계에서 가장 중요하다(Barkley, 1978). 환자가 책임감을 가지지 못하면 유익한 치료가 수행될 수 없고, 된다 해도, 성공과 실패는 의사의 책임이 된다.

환자가 극도로 받아들이지 않는 경우, 환자가 치료에 적

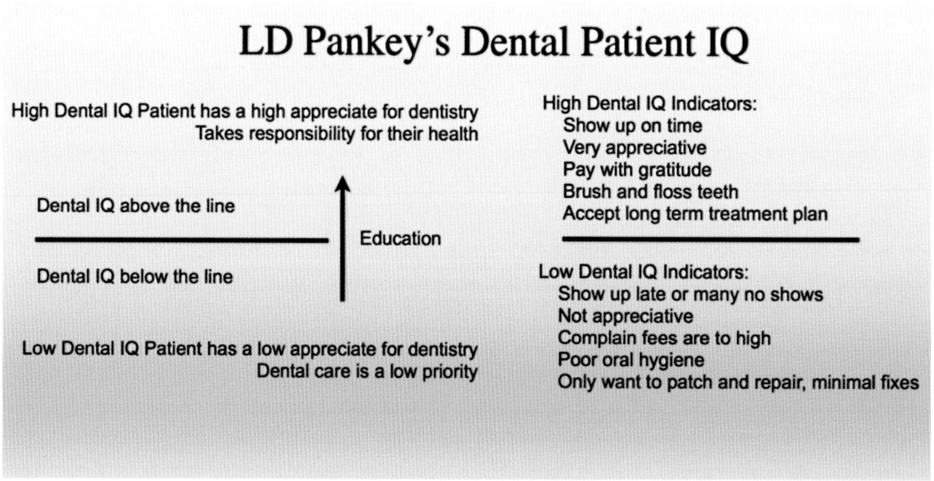

그림 3 L. D. Pankey의 Dental IQ는 자신의 건강에 대한 책임감을 받아들이는 "선 아래"의 환자를 식별하기 위한 모델이다. 교육을 통해, 의사는 "선 아래"의 환자를 "선 위"로 이동시킬 수 있다. 환자가 일단 선 위로 올라가면, 그들은 구강 건강을 구축하기 위해 포괄적인 치과 치료를 찾게 될 것이다

극적으로 참여하는 것을 포함하여 전 과정에 전혀 관련이 없는 것과 같고, 환자는 제공된 치료에 대한 진료비 수납도 강제적인 느낌을 받을 수 있다. 병적 상태에 대한 이런 환자의 태도는 종종 "*그들이* 나한테 이렇게 했어; 당신이 고쳐봐. 나는 이것과 아무런 관계가 없어"라는 식이다. 이런 유형의 환자는 자신의 질환, 치료받지 않았을 때의 위험성, 필요한 치료를 받는 것에 대한 이익을 받아들이거나 수용하지 않는다.

이런 이해의 부족은 종종 교육으로 개선되지만, 사실과 논리의 제시만으로 필요한 이로운 행동의 이해와 수용을 항상 얻을 수는 없다. 교육은 단순한 지식 그 이상이어야 한다. 교육의 목표는 학생에게 갈망하는 행동을 창출하는 것이다. 갈망하는 행동이 발생하지 않는 교육은 비효과적이다. 환자를 연루시키고, *자신이* 가지고 있는 문제 내에서 깨달음을 형성하며, *자신의* 문제를 해결하기 위해 해결책을 구하는 길을 제공하는 목적의식이 있는 교육 계획이 필요하다. 이를 위해 치과의사는 환자와 정서적으로 연관되어, 환자의 자각과 가치관에 영향을 줄 수 있는 행동 심리학을 응용해야 한다(Becker 등, 2003). 진실되고 배려하는 태도가 의사와 환자 모두에게 필요하다.

Dental IQ

Dental IQ는 L. D. Pankey 박사에 의해 제안된 개념으로(Pankey & Davis, 1985), 환자가 자신의 상태에 대한 책임감을 수용하고 자신에게 유용한 치료를 받아들이는 것을 목표로 한다(그림 3). Pankey 박사는 환자가 진정으로 자신의 질환을 이해하고 인정한다면 필요한 치료를 대부분 받게 될 것이라고 믿었다.

Dental IQ가 높은 환자는 자신의 질환에 대한 책임감을 이해하고 받아들인다. 그들은 치아 건강을 획득하고 유지하기 위한 시간과 노력을 우선시하게 될 것이다. 높은 Dental IQ 환자의 특성은(Pankey & Davies, 1985):

- 약속 시간에 맞춰 등장한다.
- 이루어지는 진료와 직원에 대해 감사한다.
- 감사한 마음으로 수납한다.
- 양치질을 잘 혹은 탁월하게 한다.
- 자신의 치아 건강을 위한 장기간의 치료 계획을 기꺼이 받아들인다.

낮은 Dental IQ를 가진 환자는 질환에 대한 자신의 책임감을 수용하지 않는다. 자신의 삶에서 치과는 중요하지 않다고 생각한다. 낮은 Dental IQ를 가진 환자의 특성은(Pankey & Davis, 1985):

- 약속된 예약 시간에 자주 늦거나 오지 않는다.
- 치과에 대한 낮은 공감을 보인다.
- 진료비가 너무 높다고 불평한다.
- 직원들에게 무례하다.
- 양치질을 잘하지 못한다.

• 치아를 때우거나 수복하는 최소의 진료만을 추구한다.

자신의 질환에 대한 책임감을 수용하지 않는 환자는 응급 치료만을 원하고 위기만을 벗어나기 위한 최소의 개입을 받아들인다. 교육적 배경이나 경제적 상태가 Dental IQ와 전혀 관계가 없다는 것이 중요하다. 건강한 내과 의사도 낮은 Dental IQ를 가질 수 있고, 낮은 수입의 공장 근로자가 매우 높은 Dental IQ를 보일 수 있다. 의사-환자 의사소통의 개방된 채널을 통한 환자 교육 실시는 "기준 아래"의 낮은 Dental IQ 환자를 자신의 질환에 대한 책임감을 수용하는 "기준 위"로 올리는 것을 도울 수 있다. "기준 아래" 환자의 결정적인 힌트는 구강 위생을 잘 수행하지 않는 것이다. 그러나, 매우 좋은 구강 위생을 보이는 환자도 "기준 아래"에 있을 수 있다.

종종, 부족한 지식 및/혹은 환자가 의사를 신뢰하지 않는 것으로 인해, 환자가 낮은 Dental IQ를 보일 수 있다. "기준 아래"의 환자는 의사가 자신과 관계를 구축하고 책임감을 수용하도록 교육할 때까지 때우거나 수복하는 진료만 받게 된다. "기준 아래"의 환자에게는 적절하게 진료가 이루어지지 않기 때문에, 포괄적인 진료는 "기준 위"의 환자에게 제안되고 전달되어야 한다. 교육은 대부분 "기준 위"의 환자에게 포괄적인 진료를 진행하기 위한 열쇠가 된다.

• **3단계**: *의사와 환자가 함께 다양한 병적 인자 축출*. 치주 질환과 충치에 대한 세균성 병적 인자는 환자의 뛰어난 평소 관리에 의해 대부분 제거될 것이다. 이용할 수 있는 흔한 도구는 칫솔, 치실, 워터픽 등이 있다. 박테리아를 통제하고 비병리학적 상태를 유지하기 위해서는 환자의 순응도와 적절한 처치가 필요하다. 부적절하게 분포된 교합력의 병적 효과를 제거하려면, 연루된 치아의 교합면을 변화시키는 것이 필요할 것이다. 일반적으로 교합면 개조나 교정적 치아 이동이 요구된다.

대부분의 환자에서, 구강 건강을 유지하기 위해 하루에 적어도 1회의 구강 위생을 시행해야 하나 2회가 더 적절하다.

• **4단계**: *질환으로 야기된 붕괴를 수복하기 위해 필요한 임상 술식 수행*. 수복 치료, 크라운, 온레이, veneer, 레진 수복, 임플란트, 골이식 등은 모두 환자의 병적 인자로 인해 야기된 파괴를 수복하는데 사용할 수 있는 치아 수복의 예이다.

의사와 환자는 구강에 적절한 기능을 위한 수복에 상당량의 시간, 에너지, 비용을 투자할 것이다. 조기 수복 실패의 가능성을 최소화하기 위해, 보다 포괄적인 치과 치료에 앞서 병적 원인 인자를 제거하는 것이 중요하다.

건강 구축을 위한 4단계의 성공적인 항해는 의사와 환자 모두를 포함할 것이다.

의사는 모든 병적 인자를 종합적으로 검사하고 확인해야 한다. 의사는 수용력이 있는 환자에게 그 결과를 전달할 필요가 있다(Barkley, 1970). 그리고 마지막으로, 의사와 환자는 파괴를 수복하기에 앞서, 모든 병적 원인 인자 제거를 방해하는 장애물을 극복하기 위해 같이 힘을 모아야 한다. 이 저자는, 각 건강 구축 4단계 동안 각 필요 단계의 결과를 향상시키기 위해 T-Scan 시스템을 성공적으로 이용할 수 있다는 것을 경험하였다. 4단계 내에서 T-Scan 사용의 예는 이번 장의 뒤에 나올 것이다.

효과적인 교육/학습을 위한 3단계

환자 교육이 환자를 병적 상태에서 건강한 상태로 이동시키는 열쇠이다(Barkley, 1972; Pankey & Davis, 1985). 의사의 역할은 진단하고 치료하는 것뿐만 아니라, 교육하는 것이다(Christensen, 2013). "의사"는 라틴어로 선생님이라는 뜻이다. 전략적 교육 계획을 구축하기 위해 사용할 수 있는 교육과 학습을 위한 특별한 전략이 있고(그림 4), 의사는 환자를 도와 자신의 질환을 이해하여 환자가 선택할 수 있는 치료 옵션에 대한 교육적이고 정보에 근거한 결정을 내릴 수 있도록 할 수 있다.

많은 의사들이 환자에게 질환이 있고 특별한 치료가 필요하며 비용이 들 것이라고 설명할 때, 자신의 도덕적 의무를 믿는다. 이것이 최소의 치료 기준을 충족시킨다 해도, 더 나은 교육 모델을 사용하는 것이 필요한 치료를 수용하는데 보다 효과적일 것이다. 어떤 치과의사가 100%의 제안된 치료 수용 비율을 가진다면, 그 교육법을 검토하는 것이 환자의 치료 수용 비율을 높이는데 도움이 될 것이다.

학습을 최적화하기 위해, 선생님은 3가지 이벤트를 순서대로 창조해야 한다:

1. **믿음, 호감, 신뢰 구축**: 학생은 자신의 선생님이 아는 것

이 많은 권위자이고 어느 정도 자신을 좋아한다고 믿어야 하고, 그들도 선생님을 믿어야 한다.

2. **알아야 할 필요성 구축**: 선생님은 학생의 학습을 어느 정도 도와 필요한 정보를 추구하도록 학생에게 영감을 주기 위해, 학생이 지식의 연속체 안에 위치하도록 도와야 한다.
3. **정보 제공**: 선생님은 학생이 이해할 수 있는 방법으로 접근해야 한다. 정보는 간단하고 자세하며 환자 개개인의 학습 스타일에 딱 맞게 제공되어야 한다.

믿음, 호감, 신뢰 구축

학습이 발생하기 위해, 학생과 선생님 사이의 관계 형성이 필요하다. 학생이 선생님을 믿고 신뢰하지 않는다면, 있다 해도 매우 적은 학습만이 발생하게 될 것이다. 이런 관계를 구축하고, 규정하고, 양육하는 것은 선생님의 책임이다. 환자 학습을 최대화하기 위해, 전체적인 교육 계획은 의사와 환자 사이의 신뢰성있는 관계 형성을 구축하기 위한 쟁점을 다루어야 한다. 환자에게 귀를 기울이고 그들의 염려를 파악한 후, 그 염려와 목표를 환자에게 다시 반복하는 것이 매우 효과적인 관계-구축 전략이다(Pruett, 2007). 이런 접근이 환자의 웰빙에 대한 진정한 배려와 결합되면 의사-환자 관계를 위한 튼튼한 기반이 될 것이다(Carlisle, 1994). 의사의 목소리 톤과 비-언어적 단서도 의사 소통에서 중요한 역할을 담당한다. 예를 들어, 상당한 치과 문제를 갖고 있는 환자의 방사선 사진을 보면서, 눈썹을 올리거나, 염려의 "음"하는 소리를 내는 것들은 때로 말보다 더 많은 것을 전달한다.

의사/환자 관계에서, 환자가 진행을 계속하여 최종적으로 치료를 수용했을 때 의사는 경제적인 이익을 얻게 되기 때문에, 환자는 의사가 설명하는 동기를 의심할 수 있다(Kao, Green, Zaslavsky, Koplan, & Cleary, 1998). 환자가 믿지 못하고 이로 인해 교육/학습 과정이 방해를 받을 가능성이 있는지를 눈치채는 것은 의사의 책임으로, 의사는 작은 불신이라도 최소화하기 위한 단계를 밟아야 한다. 신뢰를 상승시키는 한 가지 방법은 교육 도구로 T-Scan을 사용하는 것이다. T-Scan은 환자가 쉽게 보고 이해할 수 있는 교합 질환의 존재에 대한 독립적이고 제3자로 입증된 정보를 제공한다. 또한 환자에게 수량화된 교합 질환 문제가 존재하는 것을 환자에게 확증시킴으로써, 환자의 믿음을 구축하도록 의사를 돕고, 질환이 앞으로 더 진행되지 않게 치료받을 수 있게 한다.

알아야 할 필요성 구축

학생은 그들이 특별한 주제나 활동을 배우기 원할 때 가장 잘 학습한다(Rogers, 1984). 학생이 배우고자 하는 강한 열망을 가지고 있다면, "알아야 할 것"에 대한 학습은 촉진될 것이다. 학생이 학습에 무관심하다면, 교육/학습의 양은 제한될 것이다. "말을 억지로 물가로 끌고 갈수는 있어도 물을 억지로 먹일 수는 없다"는 명언은 학습에 대한 무관심한 학생의 욕구를 압축적으로 보여준다. "먼저 목마르게 하면, 나머지는 쉽다"는 Bob Levoy의 추가적인 표현은 알아야 할 필요성을 구축하는 가치를 집약적으로 보여준다.

학생에게 배우고자 하는 욕구가 없다면, 선생님은 중요한 학습을 시작하기 전에 이런 욕구를 만들어야 한다. 대안적으로, 학생이 선생님이 가지고 있는 정보를 추구할 때, 학습이 최적화된다. 학생에게 그들이 대답할 수 없는 질문을 던지는 것도 알아야 할 필요성을 만드는 효과적인 방법이 될 수 있다. 선생님은 환자를 비하하지 않는 현명한 질문을 선택하여 학생의 호기심을 이끌어낼 수 있는 태도로 질문해야 한다. 여기에서의 목표는 관심과 호기심을 유발하여 선생님이 정보를 제공한 후 학생이 답하기 시작하게 만드는 것이다. 전체적인 학습 계획은 바람직한 정보를 공유하게 하는 올바른 질문을 만들도록 고안되어야 한다.

자신의 병적 상태에 대한 관심과 분명한 이해가 부족하면, 환자는 건강을 되찾기 위해 노력하지 않을 수 있다(Barkley, 1978). 환자 자신이 문제가 있다는 것을 자각하고 받아들일 때까지, 그들은 해결 방안을 찾거나 받아들이지 않을 것이다. 그들은 치과의사가 제안하는 해결책을 "알아야 할 필요"가 없다. 명백한 증상이 부족한 질환을 가지고 있는 환자는 치료를 필요로 하는 질환을 가지고 있다는 사실을 받아들일 것 같지 않다. 질환을 가지고 있다는 것을 자각한다고 해도 증상이 참을만하면, 그들은 자신의 가벼운 증상이 현재보다 결코 나빠지지 않을 거라고 추정할 것이다. 그들은 아픈 동시에 건강하다(그림 1 참조). 많은 환자가 명백한 증상의 부족이 건강을 의미한다고 잘못 판단한다. 그들은 시간의 경과에 따라 재발하는 미묘한 증상을 참고 무시하면서 수년간 아프지 않거나/건강하지 않은 상태로 있고, 빈도나 강도에서 악화가 나타나지 않는다. 의사의

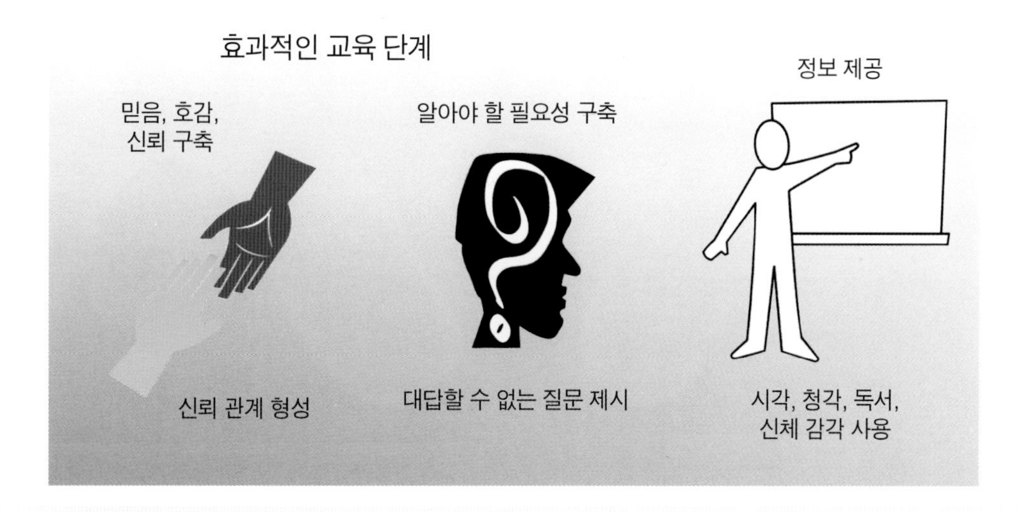

그림 4 효과적인 교육을 위한 3단계

역할은 먼저 환자가 질환을 자각하게 만들고, 환자에게 자신의 질환과 치료받지 않았을 때의 위험성에 대해서 알아야 할 필요성을 구축하는 것이다. 그런 다음에, 치료 방안이 제안되어야 할 것이다.

환자가 질환이 있다는 것을 자각한 후부터 받아들일 때까지 수일이나 수주가 걸릴 수 있다. 환자가 손실을 경험할 때, 손실에 뒤따르는 경험의 정서적 3단계가 있다. 초기에, 부인이나 불신의 감정이 생기고, 다음에 두려움과 우울이 나타난 후, 최종적으로 수용하게 된다(Colgrove, Bloomfield, & McWilliams, 1991). 환자가 자신의 건강을 잃었다는 것을 알게 되면, 부인/불신의 단계에서 빠져 나올 시간이 필요하다. 손실이 심할수록, 한 단계에서 다음으로 넘어가는데 더 많은 시간이 필요하다. 단계 사이의 시간은 환자마다 다르다. 충치가 발견되었을 때, 한 환자는 3단계를 거치는데 단 몇 분만이 소요되는 반면에, 다른 환자는 수주가 걸릴 수도 있다.

질환의 복잡성이 증가하면, 의사는 질환의 자각과 해결책 제안 사이에 수일에서 수주의 시간 간격을 부여하는 것이 좋다. 환자가 질환이 있다는 것을 부인하면, 제공되는 치료 방안을 받아들이지 않을 것이다. 이것은 환자가 아직까지 실제적으로 자신이 병이 있다는 것 자체를 충분히 믿지 않음으로써 질환의 가능한 해결 방안에 관해 "알아야 할 필요성"이 없기 때문에 일어난다. 환자에게 문제가 있음을 알리고 즉시 해결 방안을 제안하는 것은, 환자에게 해결 방안을 제시하는 가장 좋은 시기를 최적화하는 자연스러운 손실 과정의 장점을 이용하지 않는 것이다. 환자가 즉각적으로 질환의 해결 방안을 요구한다 해도, 환자가 두려움 단계 혹은 수용의 단계로 넘어갈 때까지 의사는 대답을 미루는 것이 좋다.

정보 제공

학생이 적극적으로 정보를 추구한 후에만, 정보가 제공되어야 한다. 정보는 학생이 이해할 수 있는 방식으로 주어질 필요가 있다. 이것의 한 예로, 프랑스어를 모르는 학생에게 프랑스어로 정보를 제공하는 것은 정보의 훌륭함이나 전달의 매끄러움과 상관없이 학습이 발생하지 않게 된다. 적절한 언어를 사용하는 것이 매우 중요한 것처럼, 개개인에게 맞는 학습 스타일로 정보가 제시되어야 한다.

이전에 설명하였던 4가지의 학습 스타일 범주와 같이, 모든 개인은 정보를 다 다르게 받아들이고 처리한다(그림 5). 그것은 시각, 청각, 독서, 신체 감각형으로 알려져 있다(Othman & Amiruddin, 2010). 학생들은 4가지 모두를 사용하지만, 개인 당 한두 가지가 지배적이고 다른 한두 가지는 약할 것이다.

4가지 학습 스타일은:

- **시각형**: 보고 관찰하면서 학습.
- **청각형**: 들으면서 학습.
- **독서형**: 읽으면서 학습.
- **신체 감각형**: 행동하고 느끼면서 학습.

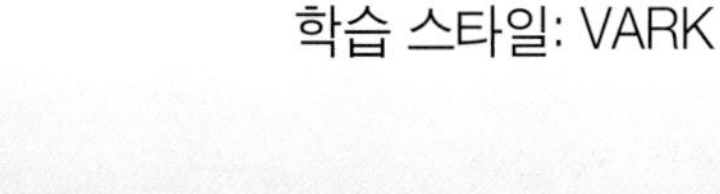

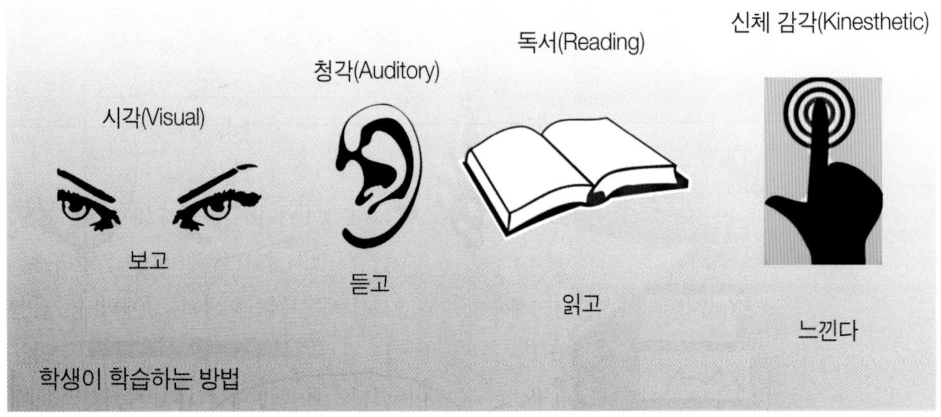

그림 5 4개의 학습 스타일

선생님이 학생의 지배적인 학습 스타일을 결정할 수 있다면, 학생이 선호하는 학습 스타일로 정보를 제공하여 학습을 향상시킬 수 있다. 학생 그룹을 교육하거나 개인의 학습 스타일을 결정할 수 없을 때, 4가지 스타일을 모두 사용하여 정보 제공의 효과를 증대시킬 수 있다.

대부분의 선생님은 고등학교나 대학교에서 배웠던 과거의 선생님을 모방하는데, 이것은 지배적으로 청각적 방법에 의해 이루어졌다. 청각에 의존하는 교육을 선호하는 것은 반복적으로 모방되기 때문에 자기-불멸적이다(Rogers, 1984). 시각, 신체 감각, 독서 요소를 교육 계획에 추가하면, 학생의 수가 많은 경우 더 효과적으로 가르칠 수 있는 장점이 있다.

환자에게 교합 질환에 대해 교육할 때, T-Scan의 3D ForceView는 환자 교합력을 시각적으로 제공하여 시각적 학습자와 연결될 것이다.

각 스타일에 대한 교육의 예는:

- **시각형**: 환자에게 T-Scan의 3D ForceView를 이용하여 기록된 교합 데이터를 환자에게 보여준다. "무엇이 보이세요?"라고 환자에게 묻는다.
- **청각형**: 교합력이 모든 치아에 균등하게 분포해야 한다는 것을 언어적으로 설명한다.
- **독서형**: 교합력에 대한 논문 발표를 웹사이트에서 찾아 읽어보게 한다.
- **신체 감각형**: 동작 중의 3D ForceView를 사용하여 환자의 T-Scan 기록을 보여준다. 입 속에서 레코딩 센서를 제거한 후 기록된 운동을 반복하도록 환자에게 부탁하고, "어떠세요?"라고 다시 질문한다.

정보 제공을 개인이 선호하는 학습 스타일(시각, 청각, 독서, 신체 감각)에 맞추면, 가르쳐야 할 것에 대한 이해력을 향상시킬 것이다. 너무 많은 정보는 혼란스러울 수 있으므로, 환자가 구두로 한 질문에 대하여 직접적인 정보를 간단하고 정확하게 제시한다. 학생은 자신의 마음 속에 있는 질문에 대한 답을 찾는다는 것을 잊으면 안 된다. 너무 많은 정보가 주어지면, 학생은 자신의 대답을 찾기 위해 과다한 정보를 자세히 살펴보기 어려워진다. 정보를 간단하고 자세하게 유지함으로써, 선생님은 학생의 학습 경험을 촉진할 것이다.

교육 스타일

학생이 다양한 학습 스타일을 가지는 것처럼, 선생님도 다양한 교육 스타일을 가지고 있다. 교육 스타일은 선생님과 학생 사이에 발생할 상호 관계와 연관된다. 다양한 교육 스타일이 있지만, 가장 흔하게 사용되는 교육 스타일은 그림 6에 나와 있다.

교육 스타일은:

- **지휘형**: 선생님이 정보를 제공한다.
- **유도된 발견형**: 선생님이 질문을 던져 학생이 발견하도록 안내한다.
- **자기-학습형**: 학생이 선생님도 되고 학습자도 된다.
- **상호 보완형**: 선생님이 과제를 부여하고, 2명 이상의 학

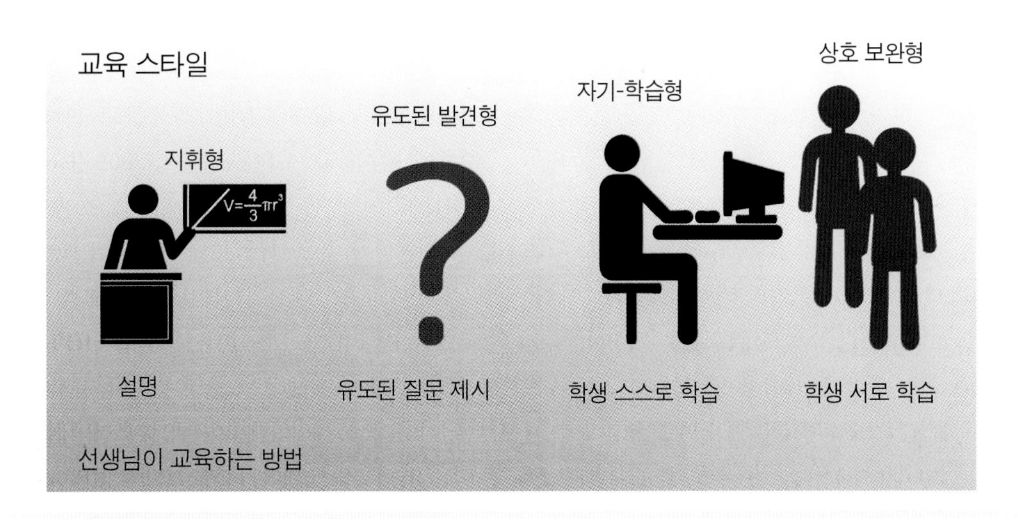

그림 6 4가지의 흔하게 이용되는 교육 스타일

생이 서로 도와 학습한다.

지휘형

지휘형은 교육의 가장 흔한 스타일이다(Rogers, 1984). 여기서는, 선생님이 책임을 지고 학생에게 정보를 제공한다. 앞서 설명한 것처럼, 가르치는 많은 사람들은 고등학교나 대학교에서 배운 방법을 흉내낸다. 이런 스타일은 청각적인 정보 제공과 합쳐져서 사용되는 가장 흔한 방법이다. 그러므로, 이것은 반복적으로 모방되어서 자기-불멸적이다. 그러나, 지휘형 교육 스타일이 가장 흔하게 사용되는 방법임에도 불구하고, 항상 가장 효과적이지는 않다는 것을 이해해야 한다.

환자에게 크라운으로 수복해야 하는 파절된 치아가 있고 충전 대신에 크라운이 필요한 정당한 이유에 대해 설명하고자 할 때, 의사는 지휘형 스타일로 정보를 청각적으로 제공한다. 학생과 선생님 사이에 신뢰가 이미 형성되어 있는 경우에 지휘형 스타일은 매우 효과적이고, 학생은 적극적으로 정보를 추구한다.

유도된 발견형

유도된 탐구라고도 알려진 유도된 발견형은 선생님이 일련의 유도형 질문을 던지고, 학생이 대답을 찾도록 한다(Prince & Felder, 2007). 학생이 답을 발견하는 당사자이기 때문에, 유도된 발견형은 학생이 배우고 있는 것을 충분히 믿고 있을 때 매우 효과적이다. 믿음, 호감, 신뢰가 충분하게 형성되지 않는 상태에서 중요한 접근이 될 수 있다. 유도된 발견형 사용 그 자체는 의사와 환자 사이에 믿음, 호감, 신뢰를 구축하여 학습을 한층 더 촉진한다. 의사가 환자에게 파절된 치아 사진을 보여주면서 “보이세요?”라고 물으면, 유도된 발견형 교육 스타일로 시각형 학습 스타일을 사용하는 것이다.

치과에서, 유도된 발견형은 매우 효과적인 교육 방법으로 환자에게 자신의 질환을 이해시키고, 자신의 질환에 대한 책임감을 수용하게 하고, 필요한 치료를 향해 움직이도록 돕는다. 1970년대에, Robert Barkley 박사는 치과의사들에게 예방 교육을 치과 치료에 통합시키는 방법을 지도하였다(Barkley, 1972). Barkley 박사의 상호-발견 검사는 의사와 환자가 함께 진단 기록을 평가하고 존재하는 문제점을 찾아내는 동안 유도된 발견을 사용하여, 함께 가능한 임상적 해결 방안을 만들어낸다. 의사와 환자는 T-Scan 3D ForceView를 사용하여 환자의 교합을 보면서 환자의 교합 병리를 상호-발견하게 된다. 환자가 과정에 연루되기 시작하면서 문제에 대한 소유권을 가질 수 있게 된다. 환자가 발견하는 당사자이기 때문에 신뢰에 대한 어떠한 문제도 극복된다. 선생님의 역할은 적당한 질문을 던지고 학생을 정보에 접근하도록 하여, 학생이 자신이 찾는 것에 대해 질문하도록 유도하는 것이다. 교과서, 환자의 경우와 유사한 증례의 진단 모형, 임상 사진, T-Scan 데이터와 같은 제3자 참조 정보를 사용하는 것 모두가 환자의 질문에 대답하는 것을 돕고, 교합 병리 학습 과정을 한층 더 촉진할 수 있다.

자기-학습형

자기-학습형에서, 학생은 선생님의 안내 없이 적극적으로 정보를 추구한다. 인터넷의 출현으로 학생은 매우 정확하기도 하고 매우 틀리기도 한 방대한 양의 정보에 접근할 수 있다. 자기-학습형에서, 선생님은 학생에게 정확한 출처를 찾는 방법을 조언하는데 도움을 주지만, 학생은 혼자서 답을 찾고 학습하게 남겨진다.

상호 보완형

상호 보완형 학습 동안, 선생님은 과제를 부여하고, 둘 이상의 학생이 서로 도와 학습한다. 의사는 환자의 중요한 사람이나 가족들을 이용하여 자각하고 학습하게 한다. 상호 보완 학습의 예는 환자의 배우자에게 환자가 낮 시간이나 수면 중 이악물기 습관이 있는지 관심을 가져달라고 부탁하는 것이다.

특징, 기능, 이익: 이익 먼저 제공

모든 환자는 치료를 진행하는 나름의 이유를 가지고 있다. 그러나, 대부분의 환자는 신경 치료, 크라운, 교합 조정을 받고 싶지 않아 한다. 환자는 자신의 돈 및/혹은 시간을 소비해야 할 선택에 직면한다. 시간 및/혹은 돈의 한정된 범위 안에서, 그들의 건강은 많은 "아이템들"과 경쟁해야 한다. 환자가 추구하는 것이 이익이지만, 이것이 모든 환자에게 같지 않다.

판매 과학은 사람들이 물건을 사는 이유를 설명하는데, 그 원리는 구매 결정에 영향을 줄 수 있다. 구매 결정은 개인의 이익에 근거하고, 아이템이나 서비스가 무엇인지 혹은 무엇을 하는지에 근거하지 않는다. 그러므로 구매 결정은 구매자의 이익에 근거하게 된다(Hopkins, 1982). 구매하는 모든 아이템과 서비스는 특징, 기능, 이익을 가지는데, 치과 진료도 마찬가지이다.

- **특징**: 치료, 서비스, 혹은 술식.
- **기능**: 특징이 하는 것.
- **이익**: 환자를 위해 내재된 것.

환자에게 설명했을 때 치료 수용을 향상시키기 위해, *이익을 먼저 제공*하고 치료 상담 동안 여러 번 언급하는 것이 중요하다.

이익을 먼저 제공하는 설명의 예로:

건강에 좋은 음식을 먹을 수 있는 능력을 보존하기 위해(이익), 교합 조정을 통해 모든 치아에 균등한 힘을 분포시켜야 합니다. 건강에 좋은 음식을 먹을 수 있는 능력을 보존하기 위해 진료비는 ○○○ 정도가 필요합니다.

이 설명에서 특징은 교합 조정이다; 기능은 모든 치아에 균등한 힘 분포이고, 환자의 이익은 건강에 좋은 음식을 먹을 수 있는 능력을 보존하는 것이다. 비용은 그것에 의하여 이익에 귀속된다.

같은 정보를 설명하는 덜 효과적인 방법은:
교합 조정이 필요합니다. 그 비용은 ○○○입니다.

이런 시나리오에서, 이익은 언급되지 않았고 비용은 특징에 귀속되었다. 많은 치과의사가 환자에게 필요한 특징(크라운, 신경 치료, 치주 수술)을 말하고 술식(특징)에 대한 비용을 설명하는 버릇을 가지고 있다. 비용에 귀속된 특징은 의사가 병원을 경영하고 보험 회사와 소통하는데 중요한 요소가 된다. 보험 회사의 주요 관심사가 이익(돈)을 다루는 것이기 때문에 특징을 제공하고 그 후에 비용을 설명하는 것이 보험 회사와 소통하는 효과적인 방법이지만, 환자와 소통할 때 환자의 이익을 다루지 않는 것은 효율적이지 않다. 치과 의사가 환자가 제안된 치료를 통해서 얻게 될 특유의 이익을 환자에게 설명하고 그 후에 이익, 기능, 마지막으로 특징의 순서로 제안하도록 배운다면, 비용이 이익에 귀속되면서 환자의 치료 수용이 향상될 것이다.

치과 치료의 가능한 이익은 다음을 포함한다:

- 효율적이고 효과적인 저작.
- 치아 문제에 대한 걱정 해소.
- 통증에 대한 걱정 해소.
- 자신있는 미소.
- 평생 동안 치아 유지 가능.
- 치아 건강에 대한 자신감.
- 아름답고, 만족스러운 미소에 대한 자신감과 힘.
- 건강에 좋은 음식 식사 가능.
- 미래의 치과 치료의 필요성을 최소화하여 돈 절약.
- 자녀들을 위한 좋은 본보기 형성.

환자 교육을 위한 T-Scan

T-Scan은 질환으로부터 건강을 회복하기까지 환자 여정의 많은 부분에서 유익하기 때문에 교합 질환에 대한 환자 교육에서 소중한 교육 조력자이다. T-Scan은 학습 과정에 기여하여, 기술적 진단 도구로써 뿐만 아니라, 많은 행동적 및 정서적 이익을 가진다.

건강 구축의 4단계에서 T-Scan 이용

- **1단계**: *질환을 일으키는 원인 인자 파악*. 접촉 타이밍 순서, 교합력의 양, 편심위 마찰 접촉 지속 시간과 같은 교합 정보는 T-Scan으로만 임상적으로 평가하고 취합할 수 있다. 이것은 특정 환자에게 존재하는 교합 질환을 훨씬 더 자세히 이해할 수 있도록 한다.
- **2단계**: *자신의 건강에 대한 환자의 책임감 수용*. 환자가 무지의 상태에서 질환을 인지하고 이를 받아들이기 위해서는 교육이 필요하다. 교합 질환에 대한 환자 교육은 T-Scan을 이용하여 크게 도움을 받을 수 있다. 힘 분포, 강도, 접촉 타이밍, 마찰 지속 시간은 물리학과 생화학적 배경을 요구하는 복잡한 주제지만, 대부분의 환자는 T-Scan 3D ForceView를 보면서 쉽게 이해할 수 있다. T-Scan 데이터는 환자에게 교합 질환의 존재를 확인시켜주고, 교합 질환, 질환의 현 상태, 치료의 이점, 치료하지 않았을 때의 위험성에 대한 의사와 환자 사이의 상담이 시작하는 지점에서 작업틀을 형성한다. T-Scan 결과를 환자와 검토하고 상담하는 시간은 환자에게 정보를 제공할 뿐만 아니라, 의사-환자 관계 형성을 촉진한다. T-Scan은 다음의 것을 시각적으로 보여줌으로써 환자에게 자신의 질환을 이해시킨다:
  - 존재하는 불균등한 힘 분포.
  - 좋지 않은 접촉 타이밍.
  - 교합력 과다의 존재, 연장된 교합면 편심위 마찰성 접촉.
- **3단계**: *의사와 환자가 같이 다양한 병적 인자 축출*. T-Scan은 교합 조정 동안 도움이 되어 모든 치아의 힘 분포를 측정가능하게 구축한다(Kerstein & Grundset, 2001). 환자가 병적 인자 제거의 적극적인 역할을 담당하는 치주 질환과 달리, 교합 질환에서는 의사가 교합 조정의 적극적인 치료를 수행하기 때문에 환자는 매우 소극적인 역할을 담당하게 된다. 제7-14장과 16-19장에 자세한 교합 조정과 교합력 및 타이밍 변수 종말점 조절을 확보하기 위해 T-Scan 데이터를 사용하는 다양한 교합 조정 술식이 자세하게 설명되어 있다.
- **4단계**: *질환으로 야기된 붕괴를 수복하기 위해 필요한 임상 술식 수행*. T-Scan은 수복물에 존재하는 교합력이 다른 치료받지 않는 치아와 교합 조화를 이루는지 확증한다(Kerstein, 2008). 제 16, 17, 19장에 수복 치료 시 T-Scan을 사용하는 방법에 대해 자세하게 설명되어 있다.

교육/학습의 3단계에서 T-Scan 사용

1. **믿음, 호감, 신뢰 구축**: T-Scan은 환자 치아의 교합에 존재하는 불균등한 교합력 분포에 대한 독립적이고 편견 없는 제3의 관찰자이다. 치과의사는 T-Scan을 사용하여 비-디지털 교합 방법과 비교해서 좀 더 "첨단 기술적"이고 진보된 관찰을 진행할 것이다. T-Scan은 치과의사에게 신용을 제공하고 이 기술을 이용하지 않는 다른 임상의들과 차별화한다.

2. **알아야 할 필요성 구축**: T-Scan 기록을 환자와 관찰하면서 교합력 분포에 대한 상담을 시작한다. 의사는 신중하게 유도된 질문을 던지고(유도된 발견형 교육 스타일), 환자는 자신의 구강 내에서 힘-관점으로 발생하는 것을 발견할 수 있게 되고 자신의 질환에 대한 책임감을 수용하게 된다.

다음은 T-Scan 결과에 대해 환자에게 물을 수 있는 몇 가지 견본 질문이다:

A. "T-Scan에서 총 힘의 40%가 하나의 치아에 집중되는 것이 보입니다. 그렇게 느껴지십니까? 시간이 지나면서 그 치아가 어떻게 될 것 같습니까?"

B. "T-Scan 모니터에서 여기 소구치에 과다한 힘이 주어집니다. 손가락으로 이 치아를 만진 상태로 어금니를 가볍게 부딪쳐보세요. 치아가 움직이는 것이 느껴집니까? 얼마 지나면 이 치아를 잃게 될까요?"

C. "어금니로 물었을 때 T-Scan에서 좌측에 더 센 힘이 발생합니다. 그렇게 느껴지세요? 얼마나 오랫동안 왼쪽이 더 세게 물렸을까요? 이것이 씹는 것에 영향을 미친다고 생각하세요? 저작근 통증과 연관성이 있다고 생각하시나요? 얼마나 오랫동안 저작근이 아팠습니까?"

D. 측방 작업측 및 비-작업측 간섭의 T-Scan 3D ForceView를 환자에게 보여준다. 환자에게 손으로 교근을 만지게 한 상태로 어금니를 물게 하면, T-Scan에 나타나는 같은 간섭이 나타날 것이다. 어금니로 물어 교근이 불룩해지는 것을 느끼게 한다. 하악을 우측이나 좌측으로 운동할 때 이상적으로 견치만이 접촉해야 근육의 힘이 감소한다는 것을 환자에게 설명한다(Kerstein, 2010). 대부분의 환자가 전치로 접촉했을 때 강력한 근육이 흥분하지 않음을 설명한다. 그리고, 환자에게 "앞니로 접촉했을 때 당신의 강력한 근육이 흥분한다면 장기간 어떤 영향을 미치게 될까요?"라고 질문한다.

마지막 예에서, 지휘형과 유도된 발견형의 교육법이 모두 사용되었고, 4개의 학습 스타일 중 3가지가 다루어졌다. 시각적 정보는 T-Scan ForceView의 형태로 제공되는데, 언어적 설명은 무엇이 왜 발생하는지를 제공하고, 환자가 접촉 간섭으로 전치와 구치가 동시에 접촉하면서 자신의 교근이 불거지는 것을 느낌으로써 신체 감각적 정보를 경험한다. 환자에게 구치부 간섭과 근육 기능에 대한 유인물을 제공한다면, 학습의 4가지 스타일 모두가 다루어지게 된다.

3. **환자가 이해할 수 있는 방식으로 정보 제공**: T-Scan의 그래픽 디스플레이에서 일련의 복잡한 교합력과 타이밍이 환자가 쉽게 이해할 수 있는 형태로 단순화되어 제공된다(그림 3). ForceView는 교합력을 시각적으로 제공하여, 시각형 학습자가 교합력 분포의 개념과 문제성의 좋지 않은 교합력 분포가 자신의 교합 내에서 유발될 수 있음을 더 잘 이해하도록 한다. 환자가 힘 분포에 대한 지식과 자각을 가지게 되면, 임상의는 환자가 전 악궁과 치아 전체에 걸친 일정하고 균등한 힘 분포를 구축하는 교합 치료로 받는 이익들을 더 잘 묶을 수 있게 될 것이다(그림 4).

다양한 학습 스타일에서 T-Scan 사용

지휘형

T-Scan의 3D ForceView를 보면서, 환자의 치아 건강 걱정에 대해 데이터가 의미하는 것을 환자에게 설명하고 힘이 치아에 분포하는 자세한 양상을 명확하게 설명한다. 이런 접근은 지휘형 교육 스타일을 선호하는 시각형 학습자에게 매우 효과적일 것이다. 그러나, 지휘형 스타일이 효과적이기 위해서 의사와 환자 사이에 신뢰가 존재해야 하고, 환자는 그들이 추구하는 대답에 대해 의문과 염려를 가져야 한다.

유도된 발견형

유도된 발견형 교육 스타일은 환자에게 "알아야 할 필요성"을 구축하는데 최고의 선택이다. T-Scan의 3D ForceView 관찰로 교합과 힘 분포에 대한 대화를 시작한다. 좋지 않은 교합력 분포의 효과를 설명하기 위해, 나무 탁자 윗면을 평평한 합판으로 내려치는 것과 야구 배트로 두드리는 것을 예로 들 수 있다. 환자에게 "소수의 치아에 과다한 힘이 부하되면 어떤 일이 일어날 것 같습니까?"라고 질문한다. 환자에게 진단 모형을 보여주어 그들이 자신의 치아에 미치는 과다한 힘의 징후를 관찰할 수 있게 한다. 유도된 발견형의 예를 위해, *알아야 할 필요성 구축*에서 앞에 설명한 증례를 참조하라.

증례 연구

다음은 T-Scan으로 환자의 학습 환경을 향상시켜 필요한 진단 술식에 대한 환자의 수용을 고무시킨 증례이다.

183cm, 104kg, 49세의 남자로 보철 치료를 받은 후 지속적인 교합 불편감을 호소하여 치과 예비 검사를 제안받았다. 불편한 교합은 그의 일, 휴식, 수면에 모두 영향을 미치고 있었다.

구강 병력에 주목할 필요가 있는데, 교합이 불편하여 "나쁜 교합"을 수정하기 위해 2년 전에 #2-15(17-27), #18-20(37-35), #29-30(45-46)번 치아에 크라운을 수복하였으나, 3개월의 장치 치료와 수개월의 임시 보철물 사용에도 불구하고 해소되지 않았다. 환자는 최종 보철물 장착으로 교합 불편감이 악화되었다고 하였다.

임상의는 크라운 장착 후 수 회의 교합 조정을 시행하였지만 교합 불편감을 해결하지 못하였다. 2명의 다른 임상의도 환자의 교합을 조정하려고 시도하였으나, 증상 해소를 달성하지 못하였다. 환자는 크라운이 장착될 때부터 씹을 때마다 상악 우측 소구치 부위가 "세게 닿는다"고 하였다. 그는 상악 우측 소구치에 교합 조정이 시행되면 자신의 불

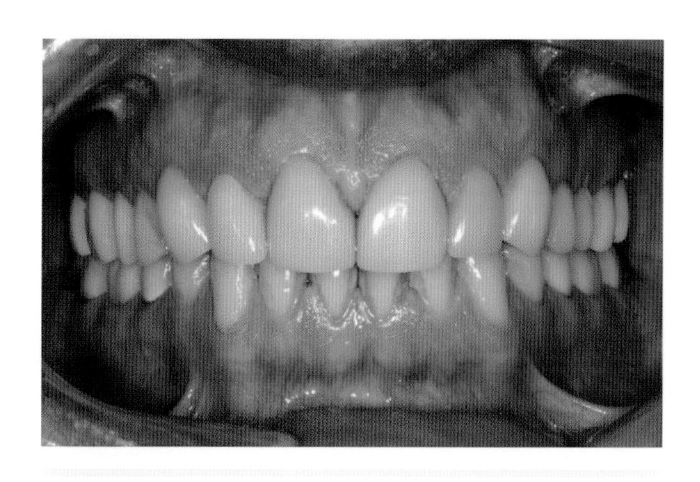

그림 7 크라운 수복 2년 후 정면 사진. 크라운이 양측성 Angle의 Class Ⅰ 관계로 견고한 교합 접촉을 형성한다. 하악 전치에 중등도의 치석이 보인다

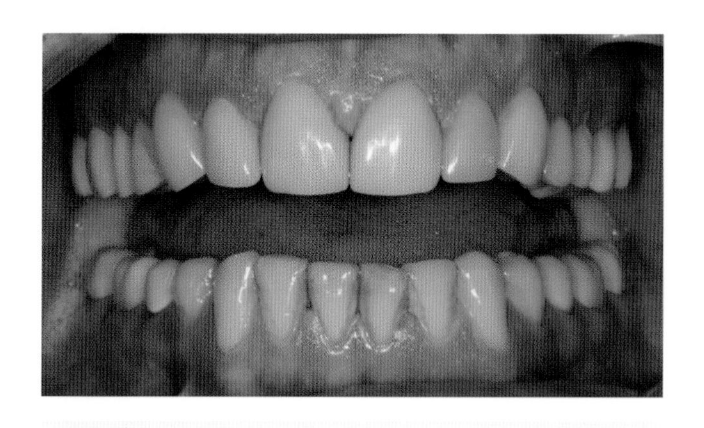

그림 8 하악 6전치에 마모가 보인다

편한 교합, 두통, 수면 문제가 해소될 것이라고 확신하였다.

또한 환자는 과거 군대에서 낙하산병으로 일하면서 다수의 두경부 외상을 입었다고 하였다. 환자는 두꺼운 목(사이즈 17inch+)과 입을 크게 벌려도 편도 부위를 가리는 거대한 혀를 가지고 있다. 환자는 수면 검사를 받았고, 주간 졸림증 자가 평가 점수가 12로 나왔다.

환자의 근육에 대한 예비 평가에서 교근, 측두근, 이복근, 외측 익돌근에 중등도의 양측성 통증이 밝혀졌다. 우측 TMJ 전방 외측극은 촉진에 정상적이었으나, 좌측에는 약간의 얼얼함이 있었다. 시각, 청각, 안내책자를 이용한 예비 교합 평가로, overbite 4mm, overjet 2mm를 가진 Angle 분류 Class Ⅰ의 양측성 대구치 및 견치 관계로 견고한 교합 접촉이 존재함을 알 수 있었다(그림 7). 하악 견치에서 견치까지 전치부 마모가 있다(그림 8).

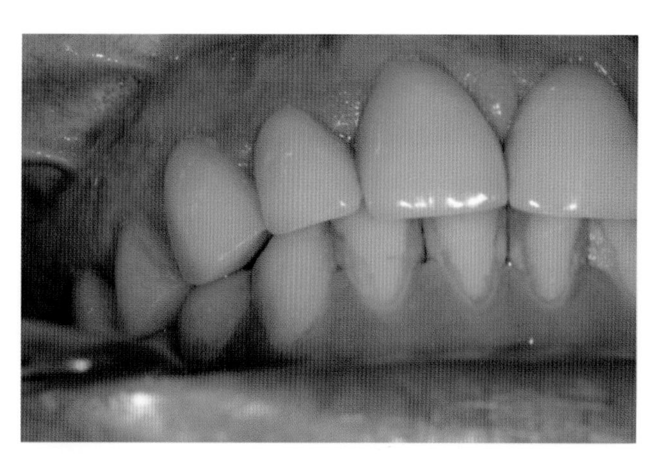

그림 9 2년 전에 #6(13)번 치아에 장착한 크라운은 #27(43)번 치아와 0.3mm의 교합 간격을 보인다. 법랑질 마모가 #27번 치아에 존재한다

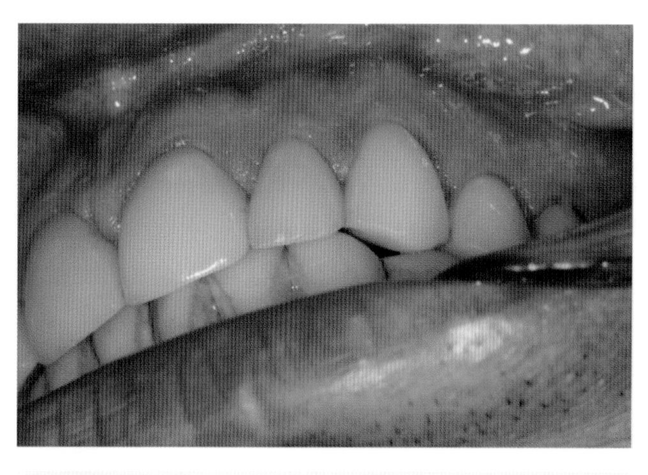

그림 10 #11(23)번 치아에 장착한 크라운이 #22(33)번 치아와 0.3mm의 교합 간격을 보인다. #22번 치아에 법랑질 마모가 보인다

양수 조작으로 CR 유도되었을 때 포착되는 CR 간섭은 없었다. 상하악의 4절치가 MIP에서 가볍게 접촉한다. 반면, #27, 22(43, 33)번 치아와 대합하는 #6, 11(#13, 23)번 치아는 크라운으로 수복되었는데, 교합간 접촉에서 0.3mm 떨어졌다(그림 9, 10). 2개의 올세라믹 크라운은 2년 전 장착한 거대한 보철물의 부분이다.

시각적 평가 후에, 디지털 교합 기술을 이용하여 환자 기존의 교합 기능을 측정한다.

양쪽 TMJ가 clicking없이 부드럽고 일정하게 운동하고, 환자는 59mm의 수직적 개구량을 보인다. 관절 진동 분석(JVA, Bioresearch Assoc., Milwaukee, WI, USA) 검사에서, 왼쪽 TMJ에 낮은 강도의 약한 디스크 떨림(5.5pascal에서

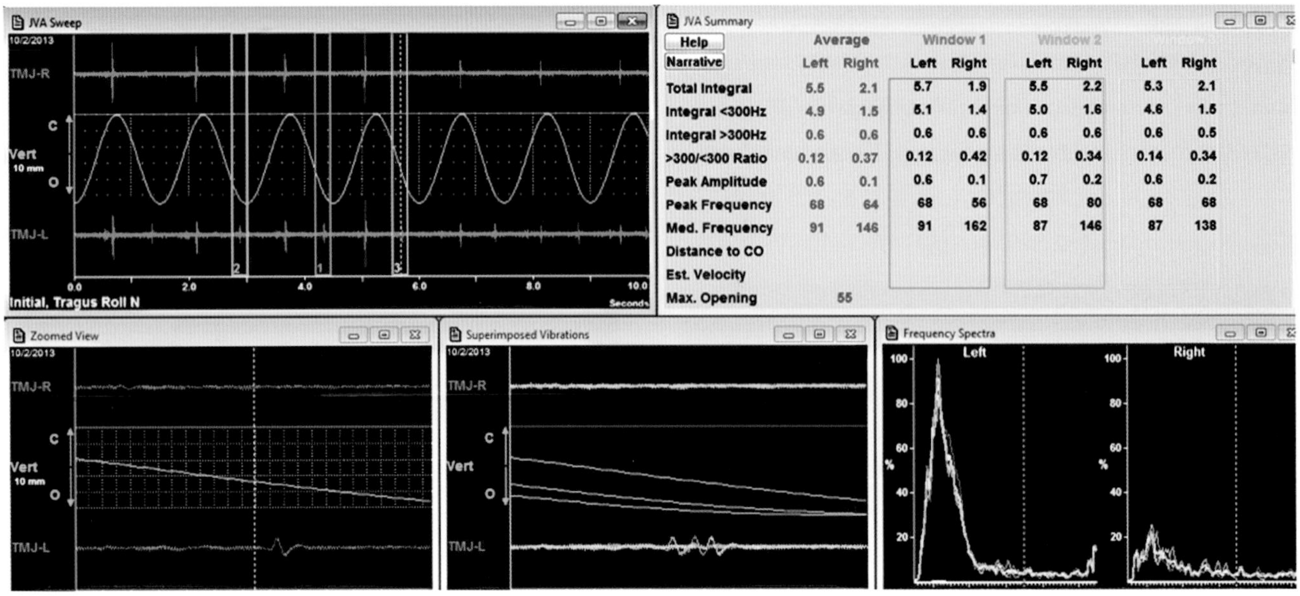

	Average Left	Average Right	Window 1 Left	Window 1 Right	Window 2 Left	Window 2 Right	Left	Right
Total Integral	5.5	2.1	5.7	1.9	5.5	2.2	5.3	2.1
Integral <300Hz	4.9	1.5	5.1	1.4	5.0	1.6	4.6	1.5
Integral >300Hz	0.6	0.6	0.6	0.6	0.6	0.6	0.6	0.5
>300/<300 Ratio	0.12	0.37	0.12	0.42	0.12	0.34	0.14	0.34
Peak Amplitude	0.6	0.1	0.6	0.1	0.7	0.2	0.6	0.2
Peak Frequency	68	64	68	56	68	80	68	68
Med. Frequency	91	146	91	162	87	146	87	138
Distance to CO								
Est. Velocity								
Max. Opening	55							

그림 11 JVA에서 약간의 낮은 강도의 좌측 디스크 떨림(68hz 진동 5.5pascal)이 나타난다. 임상적으로, TMJ에서 디스크 변위나 clicking은 발견되지 않는다

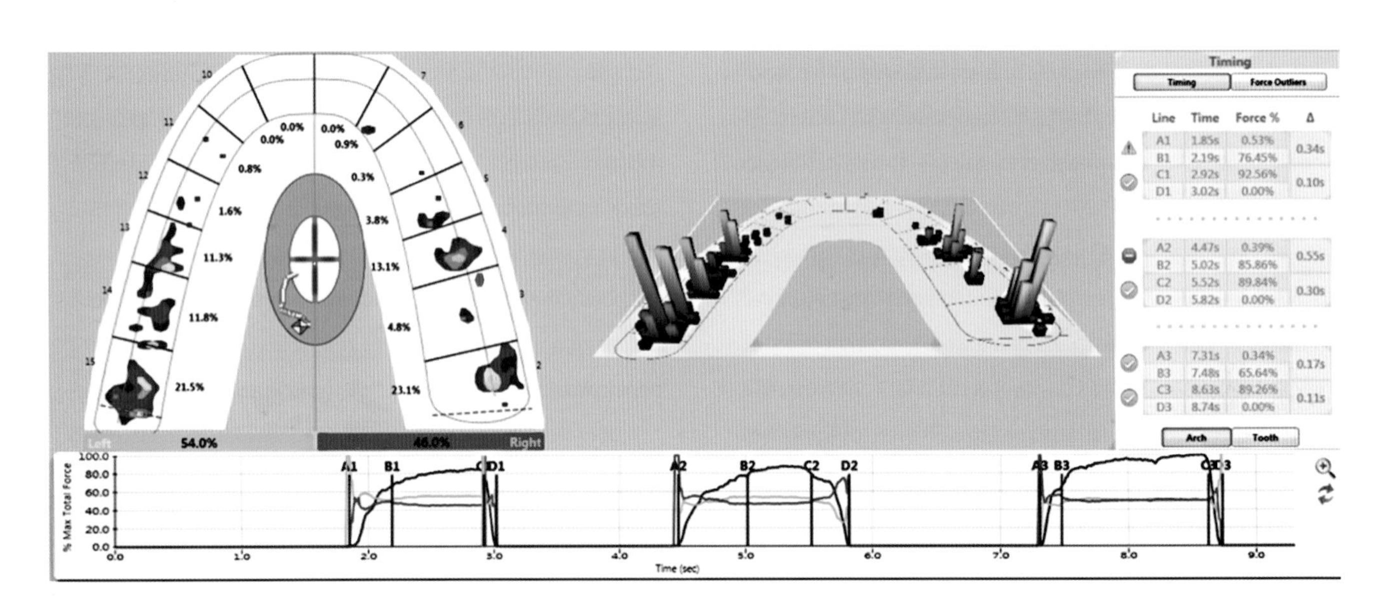

그림 12 T-Scan으로, 상당히 균등하지만 이상적이지 않은 MIP 힘 분포를 볼 수 있다. 전방 교합 접촉력이 부족하다

68hz)이 포착된다. 양측성으로, JVA에서 TMJ의 디스크 변위는 발견되지 않는다(그림 11).

시행된 T-Scan 교합 분석으로 상당히 고른 MIP 힘 분포가 있고, 완벽하게 이상적인 균형 교합은 아니지만 대부분의 사람에게는 충분하게 편안할 정도로 나타났다(그림 12). 그러나, 좌우 측방 후방 이개 시간(DT)이 0.7초와 0.9초로 비정상적으로 연장된 DT를 가진다(그림 13, 14). 우측 편심위에서 #29(45)번 치아가 편심위 동안 #4(15)번 치아와 마찰성으로 연루되면서 #4번 치아에 존재하는 마찰성 힘의 강도가 증가한다. 이것이 환자가 저작 동안 지속적으로 주목했던 치아 간섭일 것 같다. T-Scan은 예비 검사에서 신속하면서도 매우 심오한 교합 분석을 제공할 수 있다.

견치 유도로 수복되는 것보다 더 많은 개입과 MIP에 존재하는 후방 교합 접촉력의 힘 크기 조정이 필요하다면, 케

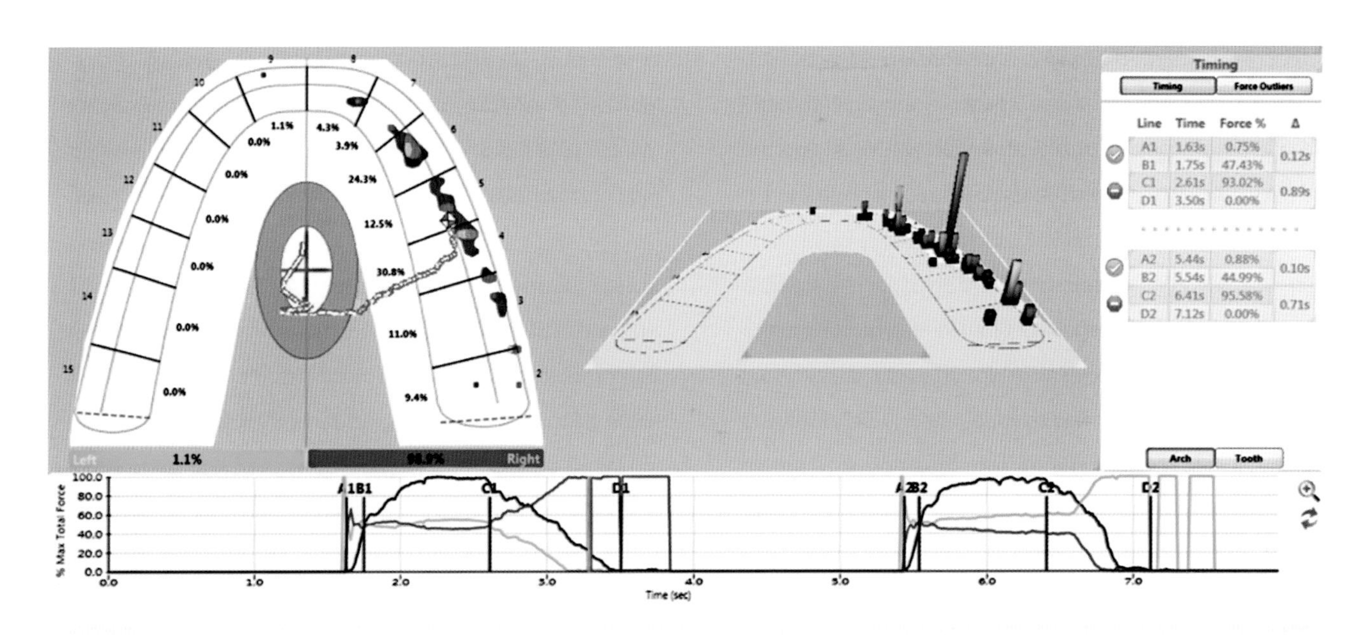

그림 13 우측방 편심위에서 #4(15)번 치아에 마찰력이 증가한다(분홍색 막대). 이개 시간이 0.89초로 연장되었다

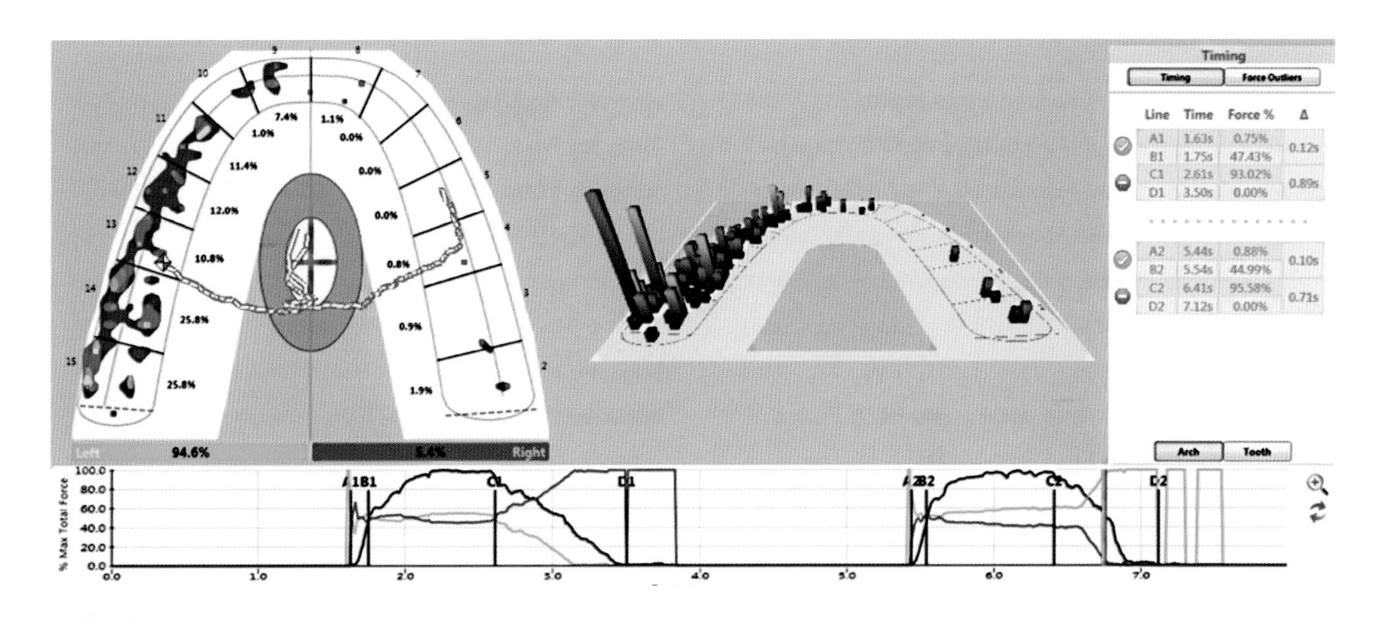

그림 14 좌측방 편심위에서 연장된 구치부 그룹 기능이 보인다. #15(26)번 치아의 근심협측 및 원심협측 부위에 높은 힘이 집중된다. 좌측 편심위 이개 시간이 0.71초로 연장되었다

이스는 더 복잡해진다. 부가적으로, 견치 유도가 소실된 이유를 파악하여 같은 운명이 견치 유도가 수복된 후에 재발하지 않도록 한다. 견치 유도 소실의 두 가지 가능한 원인은:

- #6, 11(13, 23)번 치아가 크라운으로 수복되고 #22, 27(33, 43)번 치아가 접촉했지만, 자연치에 대한 포셀린 크라운의 측방 이갈이로 #22, 27번 치아가 마모되어 대합치와 접촉되지 않는다.
- #6, 11번 치아가 교합간 접촉되지 않도록 수복되었다.

이갈이가 전치 접촉 소실의 원인이라면, 견치를 접촉되게 수복하여 원인을 다룰 필요는 전혀 없을 것이다. 이갈이는 한 가지 유형보다 더 복잡하게 나타나기 때문에(주간 이갈이와 수면 이갈이), 이갈이의 원인과 유형은 분명하게 이해되지 않는다(Lavigne, Khoury, Abe, Yamaguchi, & Raphael, 2008). 주간 이갈이는 스트레스와 연관된 원인

을 가지지만, 수면 이갈이의 다른 형태는 기도 폐색과 수면 중 호흡 곤란을 시사하는 것으로 보인다. 그러므로, 환자가 깨어있는 동안 혹은 수면 중에만 이를 가는지 확인하는 것이 중요할 것이다. 해당 환자가 주로 주간 이갈이를 가진다면, 수면 장치는 치아를 보호하거나 낮시간의 이갈이 활동의 근육 영향을 완충하지 못할 것이다. 그 대신, 환자의 폐쇄 수면 무호흡과 연관된 수면 이갈이가 견치 마모를 유발할 수 있다. 무호흡이 이갈이에 기여한다고 알려져있고 (Lavigne, Khoury, Abe, Yamaguchi, & Raphael, 2008), 이갈이는 근피로와 총체적인 저작근 통증을 유발한다. 케이스 복잡성에 더하여, 스카이다이빙으로 인한 경부 부상도 다루어져야 할 필요가 있다.

또 다른 케이스의 불확실성은, 근육 통증, 교합 불편감, 수면 문제의 원인이 교합 조정 술식으로 해결 가능한 장착된 교합의 직접적 결과인지에 관한 것이다. 환자는 보철물 장착 전에도 불편한 교합을 가지고 있었고 장치 치료나 임시 보철물 장착, 최종 보철물 장착, 3명의 치과의사가 시행한 장착-후 교합 조정으로도 해결되지 않았다고 진술하였다.

TMJ 근육 통증의 다양한 진단은 종종 다음의 상태를 포함한다:

- 교합-근육 장애(Dawson, 2006).
- 조화되지 않은 전방 유도 보상을 위한 근육 스플린트 (Dawson, 2006).
- 역학적으로 불안정한 TMJ 주변의 근육 스플린트(Magee, 2002).

케이스의 뚜렷한 복잡성 때문에, 어떤 중요한 치료를 시작하기 전에 포괄적인 검사가 시행되어야 한다.

환자를 위한 포괄적 검사 가치 구축

포괄적 검사는, 환자가 상당한 시간과 비용을 투자해야 하는 다면적인 진단 취합 과정이다. 포괄적 검사를 수행하는 이익을 환자에게 창출하기 위해서, 이번 장의 앞에서 *특징, 기능, 이익: 이익 먼저 제공*을 설명하는 교육적 도구와 방법을 사용할 필요가 종종 있다. T-Scan은 환자의 주호소 (chief complaint)에 대한 최종 진단을 내리기 위해 더 많은 진단 정보를 얻어야 한다는 것을 환자에게 설명하는 데 특히 유용할 수 있다.

초기 상담에 앞서, 모든 환자는 "안면 문제 질문지"를 완성하도록 한다. 질문지는 상담 약속 전에 환자에 의해 작성되어야 하는 약 100개의 질문으로 구성된 7페이지에 달하는 문서이다. 포함된 질문은 환자의 통증 역사, 이전 치료 경험, 이전 치과 치료 경험, 존재하는 TMJ의 편안감 및 기능, 환자의 수면 내력을 다룬다("안면 문제 질문지"는 www.jrdroter.com/patientdownloads에서 다운받을 수 있다).

가장 중요한 질문 중 하나는 환자에게 "여기서 무엇을 얻고 싶으세요?"라고 묻는 질문이다. 이 질문은 환자가 추구하는 특별한 *이익*을 겨냥한다. 제시된 환자는 이 질문에 좀 오래 동안 성취하고 싶어했던 것으로 "편안한 저작"을 원한다고 응답하였다.

이 증례에서 환자의 치아를 바로 조정하지 *않고*, 대신에 환자가 가지고 있는 많은 문제의 본질을 충분히 이해하기 위해 포괄적인 검사에 시간과 비용을 소비하도록 환자 자신의 이익에 관해서 환자에게 교육하는 것이 중요하다. 병력을 조사하는 동안, 환자가 자신의 상악 우측 소구치에 교합 조정을 수행하면 불편한 교합이 해소될 것이라는 확신을 가지고 있었던 것을 기억해라. 그러나, T-Scan을 이용하여 *유도된 발견법* 및 *알아야 할 것 구축*을 성취함으로써, 환자는 필요한 다음 단계가 포괄적인 검사라는 것을 이해하게 되었다.

T-Scan 지원의 환자 교육

T-Scan 그래픽에서, 우측방 편심위 동안 #4(15)번 치아의 힘이 빠르게 증가하였고(그림 13), 이는 환자가 경험하고 있는 교합 불편을 입증하는 것이다. 환자는 T-Scan 장비에 크게 감명을 받은 것으로 보였고, 왜 다른 임상의들이 이것을 사용하지 않는지 질문하였다. 그에게 환자 교합을 정밀하게 분석하고 조정하기 위해 T-Scan 사용이 안면 통증 치과 술식에서 필요하다고 설명하였다. 더 나아가 대부분의 치과 환자들은 이 정도의 정밀함이 필요하지는 않다고도 설명하였다. 이렇게 대답하여 T-Scan을 사용하지 않는 다른 임상의에 대한 폄하를 최소화하였고, 자신이 이전에 받았던 비측정성 교합 치료에 반응하지 않는 좀 더 복잡한 문제를 가지고 있다는 것을 환자에게 인식시켰다.

환자는 T-Scan 결과로 자신의 믿음이 사실이라는 것이 입증되어 기뻐하였고, 이것이 (환자의 인식에서) 임상의에 대한 *믿음*, *호감*, *신뢰*를 촉진하였다. 환자가 #4(15)번 치아에 너무 많은 힘을 느낀다는 것에 대해 (임상의와 환자 사이에) 동의가 이루어졌고, #4번 치아는 과다한 힘에 의해 손상받을 위험이 있고 환자의 진행 중인 교합 불편감 문제의 원인이 될 가능성이 있다. 이 시점에서, 교합 조정을 상악 우측 소구치에 시행하여 과다한 편심위 힘이 적게 놓이게 하는 것을 이미 합의하였기 때문에, 환자는 단순한 교합 조정이 도움이 될 것이라고 더욱 확신하게 되었다.

그 후 환자에게 "힘이 상악 소구치에서 제거되면, 어느 치아로 과다한 힘이 옮겨가게 될까요?"라고 그가 대답할 수 있는 (*유도된 발견형*) 질문을 하였다. 환자는 모른다고 대답하였고, 임상의도 자신도 알 수 없다고 대답하였다. 그 후 #4번 치아를 조정하면 힘이 어떤 알 수 없는 치아에 전달될 것이고 그로 인해 환자의 불편감이 악화될 수도 있다고 환자에게 설명하였다. 이런 현상이 나타나면 받아들일 수 있겠냐고 환자에게 질문하였더니, 환자는 이미 상당한 불편감을 느끼고 있으며, 더 많은 불편함을 느끼는 위험을 감수하고 싶지 않다고 지적하였다.

이 지점이 환자가 다음 단계에 포괄적인 검사를 받아야 할 필요성에 대한 정보를 받을 준비가 되도록 학습하는 과정이 된다. #4번 치아가 강력하게 교합한다는 것을 다시 한번 환자에게 확인시키고, 편안한 교합을 구축하기 위해 안전한 계획이 필요함을 지적한다. 그 후 환자가 이미 경험했던 여러 시도에도 불구하고 편안한 교합 달성을 방해할 만한 몇 가지 다른 문제가 초기 평가에서 발견되었다고 설명하였다. 그리고, 편안한 저작을 성취하기 위한 다음 단계는 좀 더 포괄적인 검사를 진행하는 것이다. 최종적으로, 포괄적인 검사의 비용을 설명하여 이익에 귀속시킨다: "편안한 저작 성취를 위한 다음 단계는 포괄적 검사입니다. 환자분에게 편안한 저작을 유도할 수 있는 치료 계획 수립을 위한 비용은 ○○○입니다."

이 증례에서, 환자에게 대답할 수 없는 *유도된 발견형* 질문을 하여, 이전에 설명한 *믿음*, *호감*, *신뢰*(T-Scan이 설명하는) 및 *알아야 할 필요성 구축*을 형성하였다. 이런 접근으로 임상의가 증례에 대한 답을 가지고 있지 않고 심화된 정보가 없다면, 편안한 교합을 가지는 환자 이익을 얻기 위해 환자와 임상의 모두가 안전하게 전진할 수 없다는 것을 환자가 깨닫게 되는 중요한 순간을 만들게 된다. 포괄적인 검사가 필요한 정보를 환자에게 제공하기 전에, 의도적으로 이런 유도된 발견형 질문을 한다. 이 방법으로, 환자를 위한 *이익*(편안한 저작)을 상담 중에 반복적으로 언급하여, 검사의 *비용을 이익에 귀속*시킨다. 가장 중요한 것은, 가벼운 대화 중에 환자에게 특별한 경우를 제시하기 보다는, 이 모든 것을 의도를 가지고 신중하게 시행하는 것이다. 환자의 바람이 자신의 필요성과 연관되지 않는다고 해도, 교육은 종종 두 가지를 연관시킨다. T-Scan을 교육 도구로 이용함으로, 환자는 본인 치아의 힘 분포가 경험하고 있는 다른 문제의 일부라는 것을 이해할 수 있었다. 이렇게 환자는 마음을 열어 좀 더 포괄적인 검사 과정 수행을 받아들였다.

포괄적 검사

포괄적 검사는 다음으로 구성된다:

- 치아 및 치주 검사(그림 15).
- 고해상, 맥박 산소 측정(PULSOX 300i, Konica Minolta, Osaka, Japan)과 데이터 분석(Patient Safety, Konica Minolta, Osaka, Japan)(그림 16).
- 완벽한 X-ray 시리즈(그림 15에 일부 제시).
- 마운팅된 진단 모형의 교합 분석.
- 임상 사진 촬영(그림 7-10).
- 진단용 구개 전방 정지 장치(Diagnostic Palatal Anterior Stop Appliance, D-PAS)(Deshpande & Mhatre, 2010)(그림 17, 18).
- TMJ 촉진 시행.
- bell end(3M Littman Classic Ⅱ SE, St. Paul, MN, USA)나 Doppler(Huntleigh Mini Dopplex 5hz, Landmark Healthcare, Calhoun, GA, USA)를 이용하여, 청진기로 TMJ 청진 시행.
- 저작 근육과 경부 근육의 근 촉진 시행.
- 3D 하악 electrognathography(EGN)를 수반하거나 수반

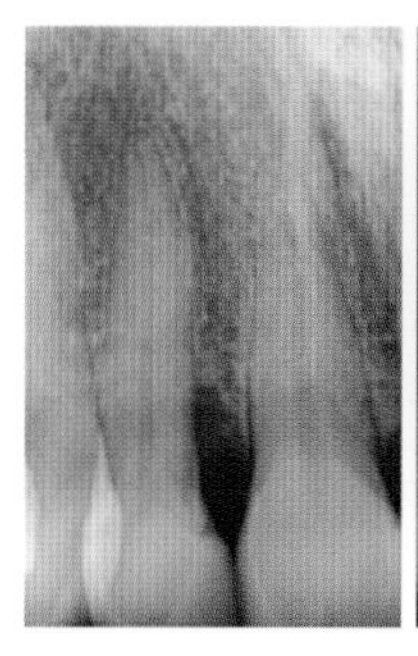
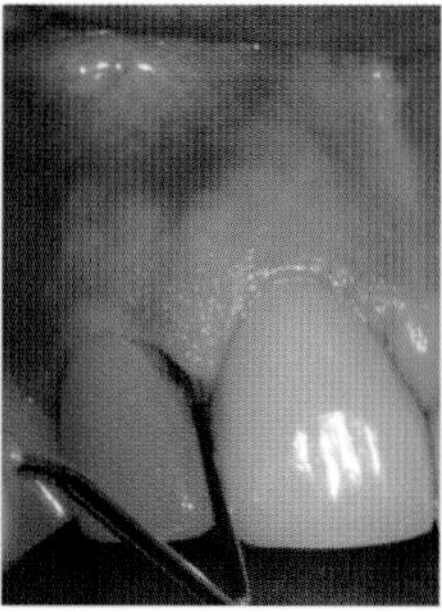
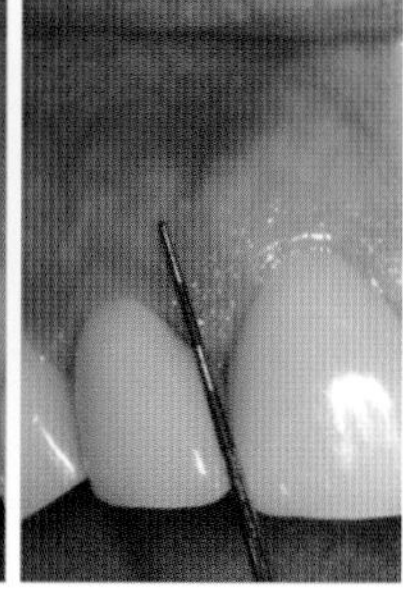

그림 15 #7(12)번 치아 근심측에 치조골 소실이 보인다

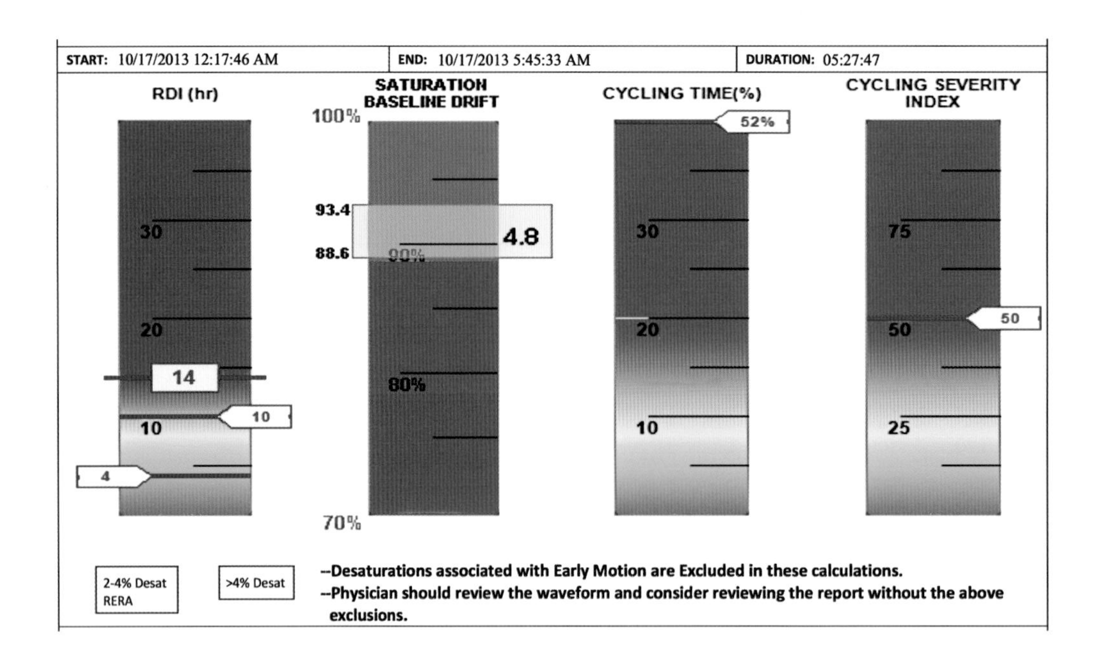

그림 16 고해상 맥박 산소 측정 결과. 14의 호흡 곤란 지표로 내과적 수면 평가가 필요하다

하지 않은 JVA(그림 11) 시행.

- 하룻밤 동안 Brux Checker(Great Lakes Orthodontics, Tonawanda, New York, USA) 사용(그림 19, 20).
- 전 측두근, 교근, 이복근의 EMG(BioEMG Ⅱ, Bioresearch, Assoc., Milwaukee, WI, USA) 크기를 양측성으로 기록(그림 21).
- 3D EGN(EGN, Bioresearch, Assoc., Milwaukee, WI, USA)과 저작 분석 시행(그림 22).
- T-Scan/BioEMG로 디지털 교합 분석과 연동한 근전도 검사 시행(그림 23).
- 수면 검사 시행.

중요한 검사 결과

임상 치과 결과

우측 편심위 동안 증가한 측방력으로 인해 #4(15)번 치아에 1도 이상의 치아 동요도가 있다. #7(12)번 치아의 근심에 9mm의 치주낭이, #10(22)번 치아 근심에 7mm의 치주낭이 있어서, 둘 다 치조골 소실을 보인다(그림 15).

맥박 산소 측정 결과

맥박 산소 측정 결과 14의 호흡 곤란 지표를 보여, 내과적 수면 평가가 필요함을 암시한다(그림 16).

D-PAS 장치 사용

잠자는 동안 D-PAS 장치를 착용하였지만, 근육통이나 두통에 변화가 나타나지 않았다. 장치에 음각 표면으로 들어간 이갈이 마모 홈이 형성되었다. 환자의 교합 편안감을 얻기 위하여 2가지의 서로 다른 수직 고경이 시도되었다; 수직 고경을 최소로 증가시키는 장치와 어떠한 하악 위치에서도 모든 구치부를 이개하는 많은 양의 증가 장치. 2가지 모두 근육 통증에 긍정적인 영향을 미친 것은 없었다(그림 17, 18). 더욱이, D-PAS 장치로 해결되지 않은 목근육 스플린트와 통증은, 교합이 환자의 아픈 근육의 근본적인 원천이 아니라는 것을 의미한다.

Brux Checker 사용

하룻밤 동안 Brux Checker를 사용하여 상당한 이갈이가 견치와 구치부에서 일어나는 것을 알 수 있었다(그림 19, 20).

EMG 결과

저작 분석의 EMG 부분은(그림 21) 좌측 저작근이 좀 더 정상적이고, 우측의 근육 수축 양상에 명백한 기능 이상이 있음을 보여준다. 이런 발견은 우측으로 저작하기 어려워하는 환자의 불편과 일치한다. T-Scan/BioEMG 동기화 방식은 좌우 측방 편심위 모두에서 교근과 측두근에 연장된 수

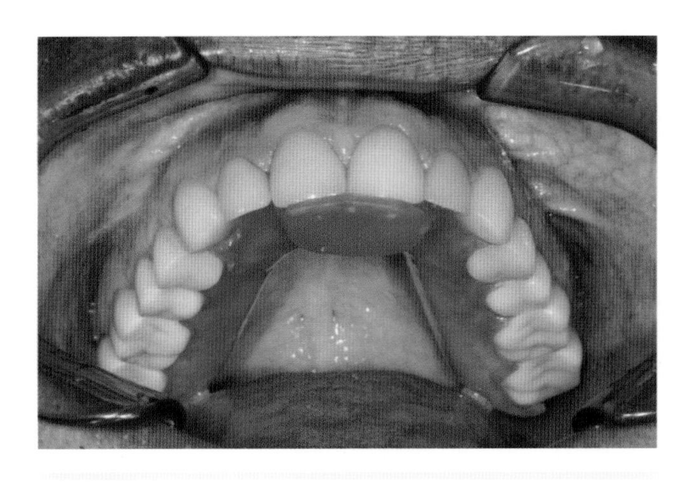

그림 17 증가된 수직 고경의 D-PAS 장치로 구치부가 어떤 하악 위치에서도 접촉되지 않는다

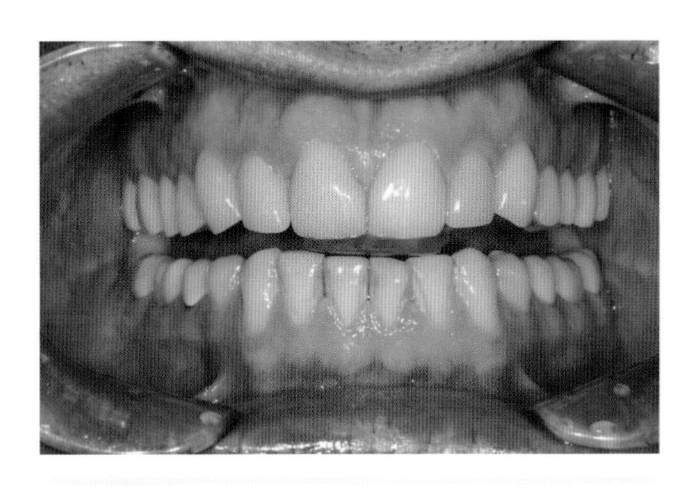

그림 18 D-PAS 장치 정면 모습

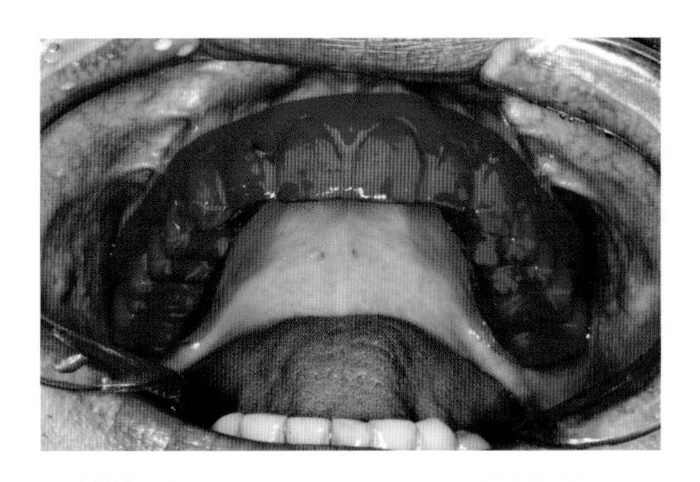

그림 19 Brux Checker 장착. 환자는 하룻밤 동안 장치를 착용한다. 매우 얇은 플라스틱이 빨갛게 코팅되어, 이갈이가 공격적으로 있는 표면은 닳아 없어지게 된다

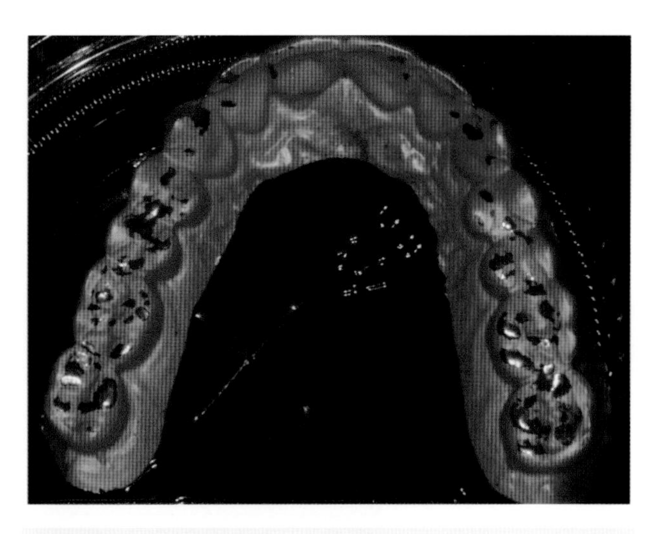

그림 20 하룻밤 장착 후의 Brux Checker로 이갈이에 의해 영향받은 부위가 마모되었다. 상당한 마모가 구치부와 견치에 표기되었다

축이 있음을 보여준다.

3D EGN과 저작 결과

3D 하악 운동 추적으로 얻은 분석은 환자가 정상 속도로(300mm/sec. 이상) 형성한 신속한 개폐구 싸이클을 보여주고, TMJ 기능이 좋은지 또한 환자가 교합 접촉 전후로 쉽게 운동하는지에 대해 설명해준다(그림 22). 저작 양상 동작은 속도의 갑작스런 변화 없이 부드러웠다. MIP에서 불편한 교합을 가지는 환자들은 MIP에 다다르면서 갑작스럽게 느려질 것이다. 환자의 운동이 MIP 근처에서 갑작스럽게 변화하지 않는 것은 환자의 교합이 문제의 근본 원인이 아닐 수 있음을 암시한다.

수면 평가 결과

수면 다원 검사에서 환자의 수면 무호흡 지표(Apnea Hypoxia Index, AHI)가 시간 당 15.4회, 호흡 곤란 지표(Respiratory Distress Index, RDI)는 시간 당 17.6회로 나타나, 중등도의 수면 무호흡으로 진단되었다.

포괄적 진단

- 중등도의 수면 무호흡.
- 중등도에서 중증의 수면 이갈이.
- 중등도에서 중증의 TMJ/저작근 통증.
- 중등도에서 중증의 목근육 근육통.

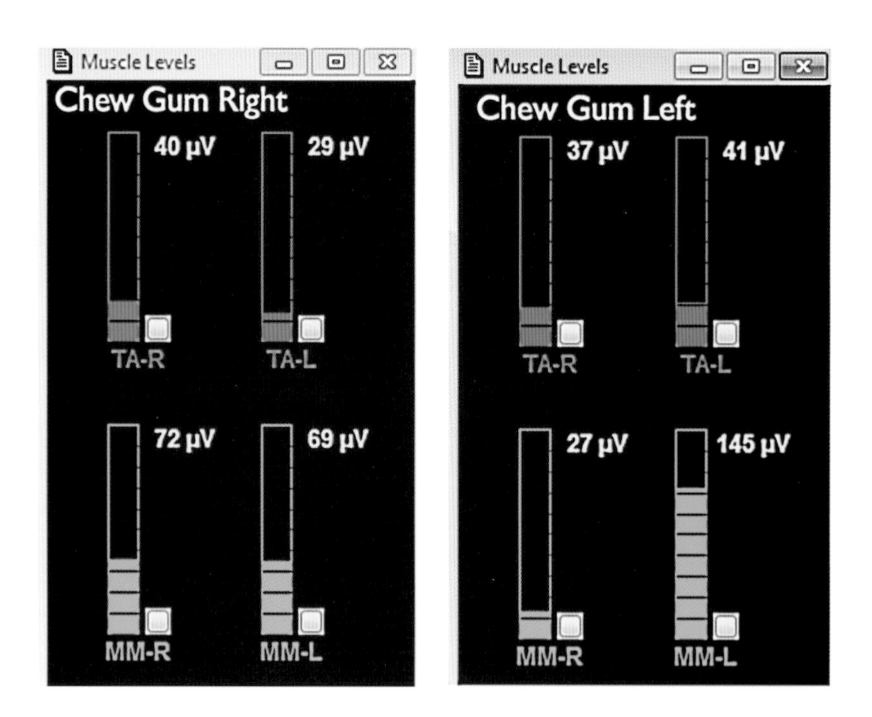

그림 21 우측과 좌측의 껌 씹기 EMG 데이터. 좌측 데이터는 정상에 가까운 저작 양상으로 좌측 교근(MM-L)이 가장 강하고 좌측 측두근(TA-L), 우측 측두근(TA-R), 우측 교근(MM-R)의 순서로 약해진다. 우측 저작 양상은 비정상적이다; 좌측 교근(MM-L)이 가장 약한 근육이어야 하지만, 우측 교근(MM-R)과 거의 동일한 힘을 보여준다

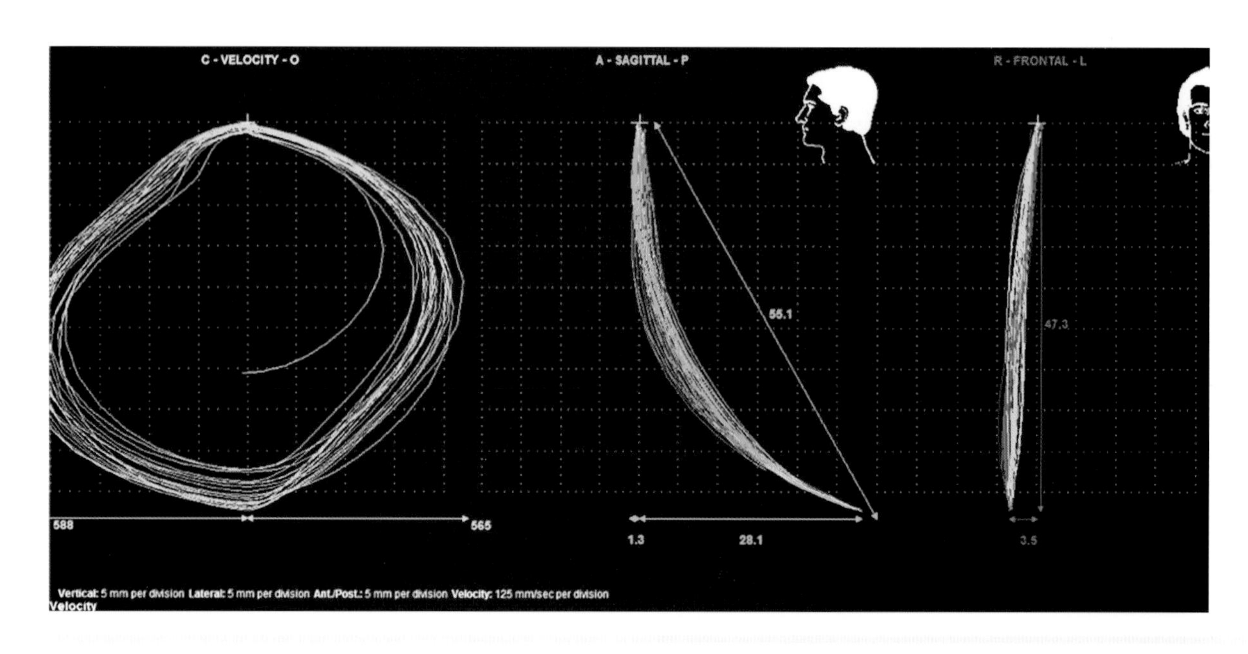

그림 22 3D EGN과 저작 분석으로 환자가 초 당 300mm 이상의 속도로 개폐구 운동을 시행하였다. 이것은 환자가 MIP로 다다르면서 하악 운동의 속도 저하가 없는 좋은 TMJ 기능을 가지고 있다는 것을 보여준다

- 전방 정지 장치 사용에도 지속되는 수면 이갈이.
- 전방 정지 장치로도 완화되지 않는 아침 두통.
- 자연치-대-포셀린 교합으로 #6-27(13-43), #11-22(23-33)번에 교합 마모.
- 수복된 부정교합, 적절한 견치 유도 결손, 측방 편심위에 존재하는 구치부 그룹 기능으로 연장된 DT.

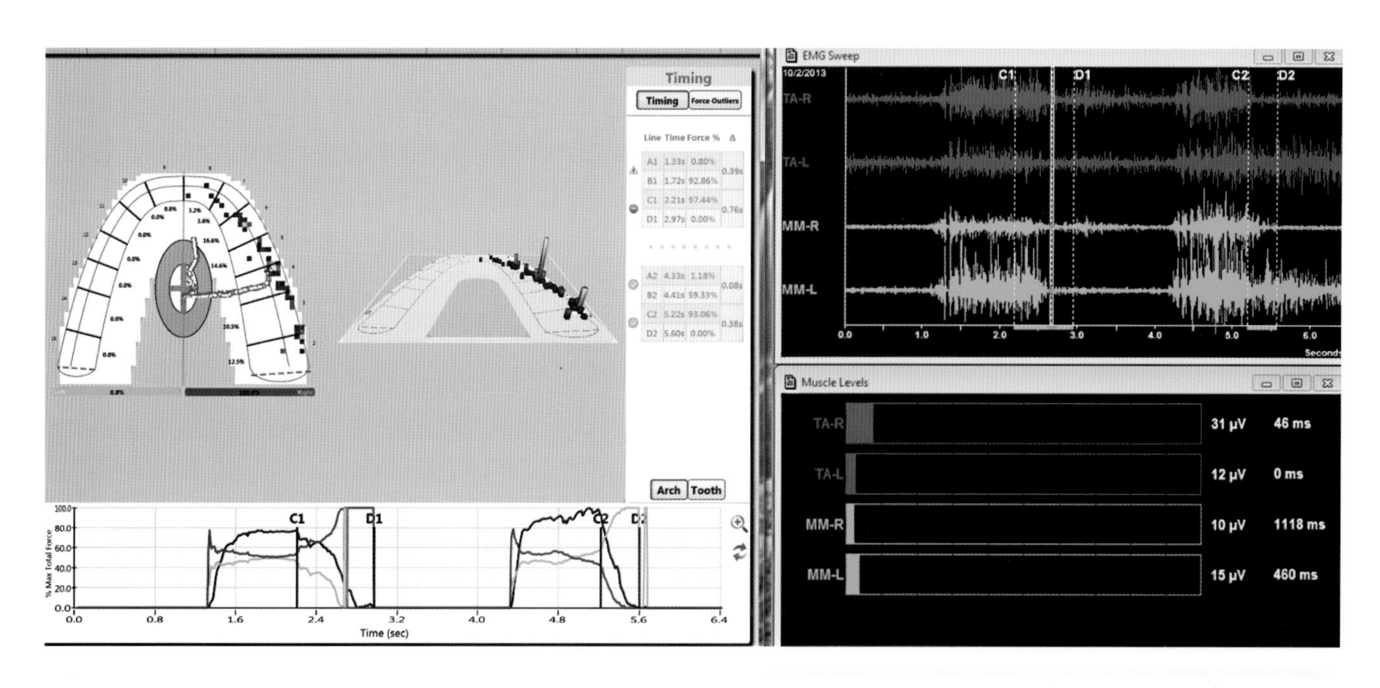

그림 23 T-Scan/BioEMG 동기화 데이터로 우측 편심위(C1-D1; T-Scan 구획)와 좌측 편심위(C2-D2; T-Scan 구획), 동반성 근활성 크기 데이터(C1-D1 및 C2-D2; EMG 구획)를 보여준다. 우측방 운동에서(C1-D1), 31μV의 우측 측두근(TA-R) 편심위 과활성이 있다(휴지기 EMG ≤ 10μV). 상승된 측두근 활성은 #4(15)번 치아에 존재하는 상당한 교합 간섭(T-Scan 데이터 내에서 노란-주황색 막대)을 포함하는 우측 구치부 그룹 기능으로 야기되었다. 좌측방 운동에서(C2-D2), 좌측 측두근(TA-L)과 좌측 교근(MM-L)에 편심위 과활성이 있고 C2의 우측에서 뚜렷하게 나타나 D2 넘어서까지 연장된다(EMG 데이터). 그림 9에서 보이는 견치 접촉 결손이 우측의 연장된 구치부 그룹 기능 동안 좌측 근육계가 과다 수축되는데 책임이 있다

- 상하악 견치가 양측성으로 0.3mm 떨어진 교합 접촉.
- 부정교합으로 인한 기능 이상성 우측 저작 양상.
- #7, 10(12, 22)번 치아에 중등도에서 중증의 치조골 소실.
- 낙하산 점프 외상으로 인한 경부 손상, 경부 근육 스플린트 및 발통점.

증례 설명 요약

완벽한 검사를 수행하지 않았다면, 이 증례의 복잡성이 간과되었을 것이다. 환자는 교합 구성 요소(전방 유도 소실과 양측성으로 증가된 편심위 마찰력)가 있긴 하지만 교합-근육 장애 문제만 가지고 있는 것이 아니었고, 치주적 문제뿐만 아니라 교합이 수면 무호흡 요소의 다음 치료로 다루어질 것이다.

안내된 발견, 믿음, 호감, 신뢰 그리고 알아야 할 것 구축의 학습 개념과 결합하여 T-Scan을 교육 도구로 사용함으로써, 환자에게 포괄적인 검사를 진행하도록 영감을 줄 수 있었고, 다양한 기여 원인 상태의 존재를 밝히게 되었다.

해결 방안 및 권고 사항

모든 치과의사는 교합 질환을 식별하고 존재하는 교합 질환을 환자에게 설명해야 할 의무를 가진다. T-Scan 시스템은 존재하는 교합 질환을 확인하는데 큰 도움이 될 수 있다. 중요한 것은 3D ForceView 창을 통해 존재하는 교합 질환이 시각적으로 제시되어, 환자의 특별한 교합 질환 상태에 대해 치과의사와 환자가 생산적인 대화를 할 수 있게 된다는 것이다. *믿음, 호감, 신뢰 형성, 알아야 할 것 구축*과 *유도된 발견*이 형성되었을 때, 이런 상담이 환자 자신의 특별한 교합적 필요 사항에 대한 이해와 수용을 향상시킬 수 있다. 그러므로, T-Scan 분석을 모든 신환 검사에 포함시켜야 한다는 것이 저자의 권고 사항이고, 환자에게 자신의 교합 상태를 설명하는데 3D ForceView 창을 이용해야 할 것이다.

불행하게도, 교합 질환의 이해, 진단, 치료는 졸업-전 치과 대학 커리큘럼의 대다수에서 간단하게만 포함되었기 때문에, 대부분 졸업-후 치과 교육으로 강등되었다. 졸업-전 학습 환경에서 적절한 교합 교육이 없기 때문에, 많은

새로운 임상의들은 교합 질환에 대한 부족한 기능적인 실용적 지식을 갖게 된다.

이런 진행 중인 부정확성에 대한 해결 방안으로, T-Scan의 3D ForceView 창을 사용하여 젊은 임상의들에게 강의를 할 수 있을 것이고, 교합 개념을 보다 쉽게 파악하게 할 것이다. 치과 대학생을 대상으로 하는 교합 입문이, T-Scan을 이용한 교합된 석고 모형의 여러 세트를 평형 조절하는 것을 포함하고 추가적으로 T-Scan이 고정성 및 가철성 보철물 장착 시의 교육 동안에 사용된다면, 졸업생은 진정한 생리적 교합을 구성하는 것, 교합 질환이라는 것, 가장 중요한 교합적으로 병적이지 않은 보철물을 장착하는 방법에 대한 기능적인 실용적 지식을 가지게 될 것이다.

추가적으로, 교합을 가르치는 졸업-후 센터도 T-Scan을 프로그램의 교육 도구로 사용하는 것이 참석자에게 유익할 것이다. 학생이 석고 모형에서 가상의 교합 조정을 수행할 때, 시뮬레이션 동안 T-Scan을 사용하여 학습 과정을 촉진할 수 있다. 모든 접촉 치아에 표시된 교합지 자국을 능가하여 T-Scan 데이터로 즉시 측정된 피드백이 학생에게 양측성 힘 균등성이 얻어졌는지 보여주기 때문에, "반-악궁 당 양측성 균등한 힘 분포"의 교합 개념이 학생에게 매우 분명해질 것이다. 게다가, 교육 프로그램 동안 T-Scan/BioEMG 동기화 기술을 실제 환자에게 사용하면, 조화로운 교합이 적절한 저작근 기능에 얼마나 중요한지 학생들에게 보여주게 될 것이다. 그러므로, 교합을 가르치는 어느 때나 T-Scan 사용이 커리큘럼의 중요한 부분으로 포함되어야 한다고 저자는 권고하는 바이다.

미래의 연구 방향

현재, 교합 질환의 치료에 관한 환자의 치료 수용 비율을 평가한 논문은 없다. 임상의는, 적극적인 치료가 필요한 교합 질환을 겪고 있는 환자에게 치료에 대한 확신을 줘야 하는 상황을 종종 맞게 되는데, 환자의 교합 치료 수용 비율을 향상시키는 가장 좋은 방법에 관한 연구가 유용할 것이다. 이를 위해, 교합 질환을 가진 한 그룹에게 교합된 석고 모형, 손거울, 구내 교합지 자국을 이용하는 전통적인 방법으로 교합 질환을 설명하고, 교합 질환을 가진 유사 그룹에게 T-Scan으로 검사하고 *믿음, 호감, 신뢰 구축, 알아야 할 필요성 구축, 유도된 발견*의 학습 개념을 포함하여 임상의-환자 상담을 시행한 후, 어느 그룹에서 자신에게 필요한 교합 치료를 수용하고 진료받는지에 대해 비교하는 연구가 고안될 수 있을 것이다.

부가적으로 3번째 그룹을 포함하여, 전통적인 방법(교합된 석고 모형, 손거울, 구내 교합지 자국)과 T-Scan 검사를 결합하되, *믿음, 호감, 신뢰 구축, 알아야 할 필요성 구축, 유도된 발견*의 학습 개념을 포함하는 임상의-환자 상담없이, 교합 질환을 설명한다. 이 그룹을 전통적 방법만 주어진 그룹과 비교하여, T-Scan이 환자 교합 질환 수용 비율에 대한 확신적 요소가 되는지를 알 수 있게 될 것이다.

마지막으로, T-Scan 분석없는 전통적 방법(제1그룹과 유사)만을 포함하고, *믿음, 호감, 신뢰 구축, 알아야 할 필요성 구축, 유도된 발견*의 학습 개념을 포함하여 임상의-환자 상담을 시행한 4번째 그룹도 포함할 수 있다. 이 그룹은 이번 장에서 설명된 학습 기술 사용이 환자의 교합 질환 수용 비율에 대한 확신적 요소인지를 분명하게 하는데 도움이 될 것이다.

결론

T-Scan은 교합 질환을 환자에게 설명하는데 귀중한 교육 보좌관이다.

교합 문제가 있는 환자가 쉽게 이해할 수 있는, 복잡한 교합 데이터를 간단한 그래픽 형태로 제시함으로써 교육과 학습의 3가지 모든 영역에서 사용할 때 가치가 더해진다. T-Scan의 3D ForceView를 이용하여, 임상의는 환자가 자신의 질환에 대한 책임감을 발견하고 이해하고 받아들이도록 유도할 수 있다. 환자가 어느 정도 이해하고 수용한 후에만 정보에 근거하고 적절한 치료 결정을 내릴 수 있을 것이다.

참고문헌

- American Dental Association. (2014). *Dental Practice Parameters*, ADA, Chicago, IL.

- Barkley, R. F. (1970). Let's stop being dental repair men. *The Arizona Dental Journal*, *16*(4), 8–11.
- Barkley, R. F. (1972). *Successful preventive dental practices*. Charleston, SC: Book Surge Publishing.
- Barkley, R. F. (1978). Responsibility development: a weak management skill in dentistry. *The Journal of Preventive Dentistry*, *5*(1), 8-9.
- Becker, I. M., Ackley, D. C., & Green, R. A. (2003). New study: the value of emotional intelligence in dentistry. *Dentistry Today*, *22*(10), 106-111.
- Carlisle, L. D. (2011). *In a spirit of caring*. In a Spirit of Caring, Carbondale, CO.
- Christensen, G. J. (1995). Abnormal occlusal conditions: a forgotten part of dentistry. *The Journal of the American Dental Association*, *126*(12), 1667–1668.
- Christensen, G. J. (2001). Now is the time to observe and treat dental occlusion. *The Journal of the American Dental Association*, *132*(1), 100-102.
- Christensen, G. J. (2013). Recommending the best treatment for patients. *Journal of the American Dental Association*, *144*(4), 426-428.
- Colgrove, M., Bloomfield, H. H., & McWilliams, P. (1991). *How to survive the loss of a love*. Los Angeles, CA: Prelude Press, pp. 10-18
- Dawson, P. E. (2006). *Functional Occlusion From TMJ to Smile Design*. Philadelphia, PA: Elsevier Health Sciences.
- Deshpande, R. G., & Mhatre, S. (2010). TMJ Disorders and Occlusal Splint Therapy–A Review. *International Journal of Dental Clinics*, *2*(2).
- Droter, J. R. (2005). An orthopaedic approach to the diagnosis and treatment of disorders of the temporomandibular joint. *Dentistry Today*, *24*(1), 82-84, 88, quiz 88.
- Hopkins, T. (1982). *How to master the art of selling*, 2nd Ed. New York, N.Y., Warner Books.
- Kao, A. C., Green, D. C., Zaslavsky, A. M., Koplan, J. P., & Cleary, P. D. (1998). The relationship between method of physician payment and patient trust. *The Journal of the American Medical Association*, *280*(19), 1708-1714.
- Kerstein, R. B. (2008). Computerized occlusal analysis technology and Cerec case finishing. *International Journal of Computerized Dentistry*, *11*(1), 51-63.
- Kerstein, R. B. (2010). Reducing chronic masseter and temporalis muscular hyperactivity with computer-guided occlusal adjustments. *Compendium of Continuing Education in Dentistry 31*(7), 530-534, 536-538 passim.
- Kerstein, R. B., & Grundset, K. (2001). Obtaining measurable bilateral simultaneous occlusal contacts with computer-analyzed and guided occlusal adjustments. *Quintessence International 32*(1), 7-18.
- Lavigne, G. J., Khoury, S., Abe, S., Yamaguchi, T., & Raphael, K. (2008). Bruxism physiology and pathology: an overview for clinicians. *Journal of Oral Rehabilitation*, *35*(7), 476-494. doi:10.1111/j.1365-2842.2008.01881.x
- Magee, D. J. A. (2002). *Orthopedic physical assessment* (4th Ed.). Philadelphia, PA: Elsevier Health Sciences.
- Othman, N., & Amiruddin, M. H. (2010). Different Perspectives of Learning Styles from VARK Model. *Procedia - Social and Behavioral Sciences*, *7*, 652-660. doi:10.1016/j.sbspro.2010.10.088
- Pankey, L. D., & Davis, W. J. (1985). *A philosophy of the practice of dentistry*. Toledo, OH: Medical College Press
- Prince, M., & Felder, R. (2007). The many faces of inductive teaching and learning. *Journal of College Science Teaching*, *36*(5), 14.
- Pruett, H. L. (2007). Listening to patients. *Journal of the California Dental Association*, 35(3), 182-185.
- Rogers, C. R. (1984). *Freedom to learn*, 3rd Ed., New York, NY: Macmillan College Publishing Co.

추가문헌

- Berne, E. (1996). *Games People Play: The Basic Handbook of Transactional Analysis*. New York, NY: Ballantine Books.
- Bolton, R., & Bolton, D. G. (1984). *Social Style/Management Style*. New York, NY: AMACOM Division of the American Management Association.

- Carnegie, D. (2009). *How to Win Friends and Influence People*. New York, NY: Simon & Schuster.
- Clifton, D. O. (1995). *Soar With Your Strengths*. New York, NY: Dell Publishing.
- Gardner, H. (2011). *Frames of Mind*. New York, NY: Basic Books.
- Hawkins, D. R. (2011). *Power vs. Force*. Read How You Want, Carlsbad,CA: Hay House, Inc.
- Johnson, S. (2002). *The One Minute Sales Person*. New York, NY: Avon Books.
- Keirsey, D., & Bates, M. M. (1984). *Please Understand Me*. Del Mar CA: Prometheus Nemesis Book Company.
- Laborde, G. (1983). *Influencing With Integrity*. Palo Alto, CA: Syntony Publishing.
- Mandino, O. (2011). *The Greatest Salesman in the World*. New York, NY: Bantam Books.
- Maultsby, M. C. (1990). *Rational behavior therapy*. Appleton WI: Rational Self Help Aids/I'ACT.
- Steiner, C. (1974). *Scripts People Live*. New York, NY: Grove Press.
- Ziglar, Z. (1984). *Zig Ziglar's Secrets of Closing the Sale*. New York, NY: Berkley Books
- Websites
- www.spiritofcaring.com
- www.codiscovery.com

주요 용어 및 정의

- **Dental IQ:** L. D. Pankey 박사가 제안한 개념으로, 환자가 자신의 상태에 대한 책임감을 가지고 자신에게 유용한 치료를 수용하는 것을 목표로 한다. Pankey 박사는 환자가 진실로 자신의 질환을 이해하고 받아들이면, 대부분 필요한 치료를 진행할 것이라고 믿었다.
- **독서형 학습:** 4가지 학습 스타일의 하나. 독서형 학습자는 읽으면서 학습한다. 유인물이나 독서형 학습자에게 추가적인 내용 링크를 제공하는 것이 그들의 학습을 촉진할 것이다.
- **시각형 학습:** 4가지 학습 스타일의 하나. 시각형 학습자는 보고 관찰하면서 학습한다. 시각적 단서나 그래픽이 중요하다.
- **신체 감각형 학습:** 4가지 학습 스타일의 하나. 신체 감각형 학습자는 행동과 감각으로 학습한다. 환자에게 진탕음이 있는 치아에 손가락을 대면, 진탕음이 발생할 때의 느낌으로 신체 감각형 학습자의 학습 경험을 촉진할 것이다.
- **알아야 할 필요성 구축:** 효과적인 교육/학습 3단계의 하나. 학습을 최적화하기 위해, 정보를 제공하기 전에 선생님은 정보를 알아야 하는 필요성을 학생에게 구축해야만 한다. 많은 방법으로 행해질 수 있고, 학생이 대답할 수 없는 질문을 던지는 것도 한 방법이다.
- **유도된 발견형 교육 스타일:** 4가지 교육 스타일의 하나. 선생님은 학생이 답을 발견하도록 유도하는 일련의 질문들을 던진다. 학생이 대답을 찾아야 하는 당사자이기 때문에, 유도된 발견형은 학생이 학습하는 것을 믿도록 완전하게 연루되었을 때 가장 효과적이다.
- **지휘형 교육 스타일:** 4가지 교육 스타일의 하나. 선생님은 학생에게 정보를 제공할 책임을 가지고 있다. 가장 흔하게 사용되는 교육 스타일이지만, 항상 가장 효과적이지는 않다. 지휘형 스타일 교육은 학생과 선생님 사이에 믿음이 형성되었을 때 매우 효과적이고 학생은 적극적으로 정보를 추구한다.
- **청각형 학습:** 4가지 학습 스타일의 하나. 그들은 청각적 단서와 소리에 익숙하다. 치아를 세게 부딪치도록 자극하기 위해서 손바닥을 주먹으로 치는 소리를 내는 것이 청각형 학습자에게 유용할 것이다.
- **특징, 기능, 이익 설명:** 구매자나 환자가 구입한다고 고려하는 모든 아이템이나 서비스는 특징(치료, 서비스, 술식), 기능(특징이 하는 것), 이익(환자를 위해 내재된 것)을 가지고 있다. 구매 결정은 개인에게 이익이 될 것에 근거하고, 아이템이나 서비스가 무엇인지 혹은 아이템이나 서비스가 하는 것에 근거하지 않는다. 그러므로 구매 결정은 구매자의 이익에 근거하게 된다. 환자와 상담하면서, 이익을 먼저 제공하는 것이 항상 도움이 된다. 술식에 대한 비용 상담은 특징에 대한 요금과 연관 짖기 보다는 환자가 경험할 이익과 연관 지어야 한다.

iTero 디지털 인상 채득 시스템이 접목된 심미 치과영역에서 T-Scan을 적용한 마무리 증례: 증례 보고

Christopher J. Stevens, DDS
개인 의원, 미국

초록

이번 장에서는 T-Scan 교합 분석 시스템의 동료로 iTero 디지털 인상 채득을 소개한다. 심미 치과의 구성 요소로서의 교합을 논의하고, 심미 증례에서 보철물 장착 시 T-Scan으로 교합력을 조절하는 것을 보여준다. 부착하기 전에 교합을 평가할 수 없는 깨지기 쉬운 접착 수복물에 대해 설명한다. 임상 재료 경화와 석고 모형 마운팅 중에 발생하는 공간적 오류가 결합하여, 접착 수복물의 믿을 수 있는 교합간 관계 확보가 어려울 수 있다. 대안적으로, iTero 시스템은 지대치 모양과 대합하는 교합간 관계를 정확하게 포착하여, 전통적 비-디지털 모형 마운팅 사용에 의한 오류를 제거한다. 이런 임상적 현실을 iTero 시스템과 T-Scan 시스템을 같이 사용한 10-unit porcelain veneer 증례를 통해 설명한다. 마지막으로, 환자 치료 표준을 향상시키기 위해 치의학에서 디지털 인상 채득으로의 전환과 교합에서의 T-Scan 시스템의 중요성을 수용할 것을 권고한다.

도입

디지털 치과 기술은 다른 많은 분야에서와 같이 끊임없이 변화하고 있다. 현재 치과의사가 사용할 수 있는 기술은 환자에게 제공하는 치료를 향상시키고 있다.

치료가 선택적이고 순전히 심미적인 이유라면, 임상의는 행해지는 진료가 환자의 심미적 욕구를 완벽하게 만족시키고 임상의가 바라는 장기간 기능적 성공을 충족시켜야 한다는 더 큰 책임감을 종종 느끼게 된다.

기능적 성공은 다음으로 결정될 수 있다:

- 자신의 교합이 균등하거나 안정적이라고 느끼는 환자의 자각.
- 근육이나 TMJ 기능 이상 없이 편안하게 저작할 수 있는 환자의 능력.
- 치아 과민증 인식 부재.
- 수복 재료의 긴 수명.
- 수복물 장착 후, 환자의 이상기능의 소멸 혹은 감소.
- 알려진 교합 혹은 구강악계 변형의 객관적인 감소 혹은 소멸.

심미 치과 구성 요소로서의 교합

심미적 "혁명"의 초창기에, 교합의 역할을 강조하는 임상의는 거의 없었다. 환자가 자신의 심미성에 대해 얼마나 만족하느냐에 따라 성공 여부가 판단되었고, 케이스가 "보기 좋다"면 "좋은 것"으로 생각되었다. 그러나, 환자는 보철물 장착 후 치아 과민증을 경험하기 시작하고 수복은 실패한다. 과민증 문제의 일부는 산부식과 접착제의 부적절한 조작으로 야기된다(Browning 등, 2007; Perry, 2007). 다른 과민증 문제는 종종 실제적으로 교합과 연관된다(Coleman, Grippo & Kinderknecht, 2003). 수복물 실패, 최종 실패는 다른 교합 기능 및/혹은 기능 이상과 기본적으로 연관된다고 생각된다(Thom, 1989).

중심 교합(CO)에서 만들어지는 폐구 시 조기 접촉과 편심위 운동에서 연장된 교합 접촉 모두는, 근 수축 크기를 증가시키고 장착된 접착 수복물에 과다한 하중을 부하하여, 근육-유발성 과민증과 수복물 실패를 야기한다(Kerstein & Radke, 2006, 2012). 초기 치아 접촉 후부터 환자가 안정적이고 완전한 교두감합에 도달하기 전까지 발생하는 짧은 조기접촉 지속시간과 중등도의 강력한 접촉은 "glancing blow(빗나간 펀치)"로 묘사되었다(Kerstein, 2006). 종종 완전한 교두감합으로 들어가기 전에 발생하는 미세-반복적인 교합력은 심미성 치과 치료에서 종종 관찰되는 과민증과 수복물 실패를 유발한다(Kerstein, 2006).

보철적으로-달성된 교합 수직 고경 변화가 있는 심미 증례는 수직 고경 변화가 없는 증례보다 성공적으로 치료하기 좀 더 복잡하다. 짧거나 교모된 전치를 가지는 환자는 치아 길이를 증가시켜 심미성을 향상시키기 위해 수직 고경 변화가 필요할 것이다.

교합의 수직 고경 변화는 다음에 관한 상급의 이해력을 필요로 한다:

- 새로운 상하악 관계 발견;
- 수복 과정을 통한 바람직하고 목표된 관계 유지;
- 변경된 수직 고경에서 새로운 수복물에 대한 양측성 동시 교합 접촉 구축;
- 편심위 운동에서 신속한 후방 이개 구축.

한층 더 나아가, 기능 이상을 감소시키거나 제거할 교합 디자인을 구축하여 장착-후 과민증 감소와 수복물 수명 연장을 지원하는 것이 필요하다.

배경

선택적인 심미 치과의 교합 구성 요소 조절을 지원하는 T-Scan III 교합 분석 기술

현재 심미 치과의 대부분은 사실상 접착(adhesion)이다. 심미적으로 진행된 전치부 veneer는 일반적으로 전통적인 합착형(cementable) 크라운보다 삭제량이 적지만, 항상 접착으로 장착된다(Barghi & Berry, 2002; Lee 등, 2008; Perillo 등, 2010). 합착형 크라운과 달리, 부착되지 않은 접착형 수복물은 위치적으로 불안정하여 수복물을 접착하기 전에 교합력 평가를 위해 시적할 수 없다. 또한 깨지기 쉬워서 접착하기 전에 시행하는 교두감합 접촉 테스트를 견디기 힘들다. 그러므로, 접촉 수복물의 교합 접촉력과 타이밍 평가는 수복물이 치아에 부착된 후에만 안정적으로 성취될 수 있다.

접착형 심미 치과 수행의 좀 더 복잡한 교합 요소는, 접착형 수복물을 장착할 때 중합되기 전에 중합되지 않은 잉여 레진이 수복물 교합 접촉 부위에서 항상 완전하게 제거되지 않는다는 것이다. 수복물 자체가 계획된 교합 체계의 범위 내에 잘 고안되었음에도 불구하고, 잉여 재료는 수복물 위에서 교합 접촉 부위의 높이를 증가시킬 것이다. 원치 않는 (지금은) 중합된 잉여 레진으로 유발될 수 있는 과다한 교합 부하를 최소화하기 위해 교합 접촉 조정이 필요하다. 기술에 매우 민감한 올세라믹 수복물을 장착하는 동안, 접착형 수복물을 장착한 후에 T-Scan Ⅲ 교합 분석 시스템(Tekscan Inc., S. Boston, MA, USA)을 이용하면 교합력과 타이밍 비정상을 더 잘 조절할 수 있을 것이다.

전통적인 비-디지털 인상 채득 과정과 비교한 디지털 인상 채득술의 개선

수복 치과에서, 간접적인 수복물 제작을 위한 치아의 정확한 음형 복제(혹은 치아 인상)와 모든 대합하는 치아의 공간적 위치의 정확한 교합간 기록 확보 모두는 임상 도전이었다. 치아 인상 재료에는 오랜 임상 사용 역사가 있는데, 1800년대 plaster of Paris로 시작되었다(Weslcott, 1870). 그 이후, 재현 정확성의 다양한 정도를 가진 많은 다른 재료가 사용되었다. Sears가 크라운 인상 재료로 agar를 처음으로 도입하면서, 현재 널리 이용되고 있는 탄성 중합체 인상 채득술이 1937년부터 임상적으로 사용되었다(Sears, 1937).

마침내 Polysulfide가 hydrocolloid를 대체하면서, polyether가 1965년에 치과에 도입되었다. 현재, polysulfide 재료는 거의 완전하게 polyether와 polyvinyl siloxane 재료로 대체되었다. 탄성 중합체 인상 재료가 견고하게 세팅되면 구강에서 제거하고, 바이브레이터에서 스톤을 붓고 석고 모형을 인상체로부터 제거한다.

최종 접착형 수복물 제작에 궁극적으로 사용할 환자 치열 스톤 복제 모형을 탄성 중합체로 만드는 과정은, 음형 복제 인상 확보의 비정확성으로 악화될 수 있다. 이런 부정확한 인상이 부정확한 교합간 기록과 결합되면, 최종 접착형 수복물의 구내 교합 공간 관계가 종종 정확하지 않게 된다. 이런 공간적 왜곡은 믹싱 동안의 인상 재료 조작, 인상체 제거와 석고의 인상체 주입 사이의 시간 경과, 즉시 주입되지 않을 때 인상체의 기공실 전달과 관련된 시간, 스톤의 경화 팽창 및 수축 특성, die를 다듬거나 부주의로 발생하는 die margin 마멸로 진행된 임상적 오류에 의해 야기된다(Samet, Shohat, Livny, & Weiss, 2005).

앞으로 5년 내에, 미국과 유럽의 치과의사 대부분은 인상 채득에 디지털 스캐너를 사용하게 될 것이다(Birnbaum, Aaronson, Stevens, & Cohen, 2009). 현재 임상의는 컴퓨터-지원 디자인/컴퓨터-지원 제작(CAD/CAM) 치과 시스템을 이용하여 치아의 디지털 스캔으로 획득한 인상 스캔 데이터를 수복물 밀링 시스템으로 직접 전송한다. 밀링 시스템으로 세라믹 주형이나 블록으로 수복물을 제작한다. 이런 스캔-CAD/CAM 밀링 과정에는 기공실에서 석고 모형을 교합기에 마운팅하는데 사용하는 스톤 치아 복제 모형과 치아 교합간 기록 제작이 필요하지 않다. 디지털 스캔 과정은 스캔된 치아를 시각적으로 교합시키고, 밀링 시스템은 궁극적으로 최종 수복물을 만들어낸다.

2007년 초반, Cadent iTero 디지털 인상 채득 시스템이 임상에 처음으로 도입되었다(Align Technology, iTero Digital Impression System, San Jose, CA, USA). iTero 시스템은 디지털 인상을 포착하기 위해 병렬식 공초점(parallel confocal)을 사용하여, 레이저와 광학적 스캔 방법으로 치아 표면 윤곽과 주변의 치은 형태를 포착한다. iTero는, 300 초점 심도(focal depth) 이상으로 구성된, 스캔된 치아 구조의 초점 이미지가 되는 100,000 포인트의 적색 레이저 빛을 스캔한다. 각 초점 심도 이미지는 약 50 micron 정도의 간격을 둔다(Henkel, 2007; Birnbaum & Aaronson, 2008; Levine, 2009; Lomke, 2009). 디지털 스캐닝으로 생산된 데이터의 정확성은 수복물의 향상된 적합뿐만 아니라 적절한 교합 접촉을 성취하기 위해 필요한 교합 조정을 감소시킨다(Henkel, 2007).

이번 장에서는 특별한 심미 치료를 원하는 50세 여성의 증례 보고를 다룬다. 환자는 상악 전치부에 상당한 스페이싱과 자신의 치아 색에 불만을 가지고 있었다. iTero 디지털 인상 시스템을 이용한 디지털 인상 및 심미 진단과 T-Scan Ⅲ 시스템을 이용한 최종 보철물 마무리로 향상된 환자의 미소를 임상 사진과 iTero 디지털 인상 스캔 이미지, T-Scan 교합력 및 타이밍 데이터 이미지를 통해 설명할 것이다. 이 증례 보고는 장착 시 상당한 초-정밀 교합 최적화를 시행하는 심미적 수복물을 구축하기 위해, 2개의 상호 보완적인 기술이 어떻게 같이 작용하는지 논의한다. 접착형 수복에 대한 이런 이중 기술 접근으로 환자의 편안감과 교합 수용을 향상시켜, 장기간 동안 장착된 접착형 수복물을 더 잘 보존하게 된다.

증례 보고

주요 심미적 우려와 주소(C.C.)

초기 심미 평가 동안 환자의 의과 및 치과 병력을 철저하게 파악하였는데, 환자의 주소는 “내 미소가 맘에 들지 않아요” 였다. 심층 상담에서 환자는 “치아가 작고 독사 이빨 같아요”라고 했다. “독사 같은 치아”라고 생각하는 치아를 가리켜보라고 했을 때, 환자는 상악 견치를 지적하였다. 또한 두 중절치 사이의 정중이개가 싫다고 하였고, 이전의 직접 레진 접착술로 공간이 감소하였지만, 남아있는 공간이 여전히 환자를 괴롭혔다. 환자는 상악에 전문가 미백을 받았었지만, 결과가 만족스럽지 않다고 하였다(그림 1a–1g).

잠재적인 심미 향상 치료 선택

이 환자를 위한 적절한 치료 옵션을 고려해 보면, 현존 환자 치아의 크기, 형태, 색상을 어떻게 다루어야 하는지 상당한 고민이 필요하다. 분명히, 치아 간 공간을 수반하는 작은 전치는 교정으로 치료될 수 있다. 그러나, 이 환자의 경우, 치아 크기 부조화가 너무 심해서 교정 치료로는 공간만 재배치할 뿐 전체적으로 공간을 제거할 수는 없다. 이

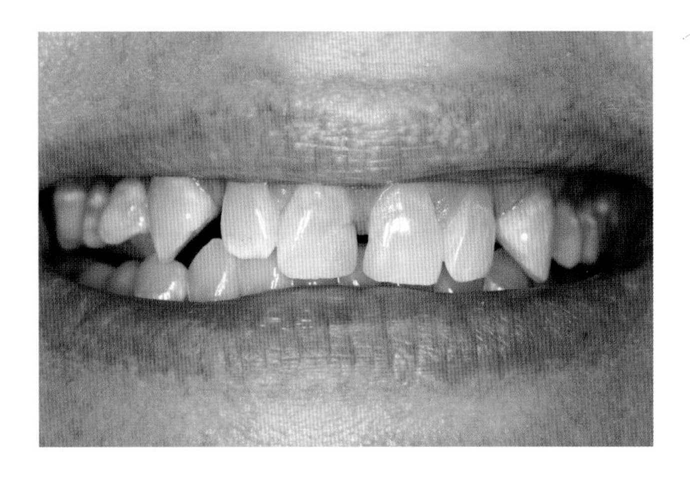

그림 1a 견인하지 않은 미소 정면 모습. 비-심미적인 레진 부착, 치간 공극, 치은 사면 및 치아 사면, 그리고 환자의 표현대로 "독사 같은 치아"가 보인다

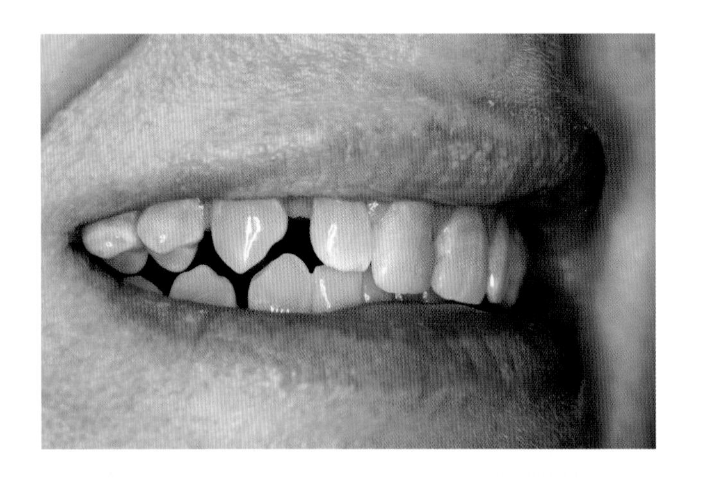

그림 1b 견인하지 않은 우측면 모습. 우측 견치와 측절치 사이에 상당량의 공간이 보인다

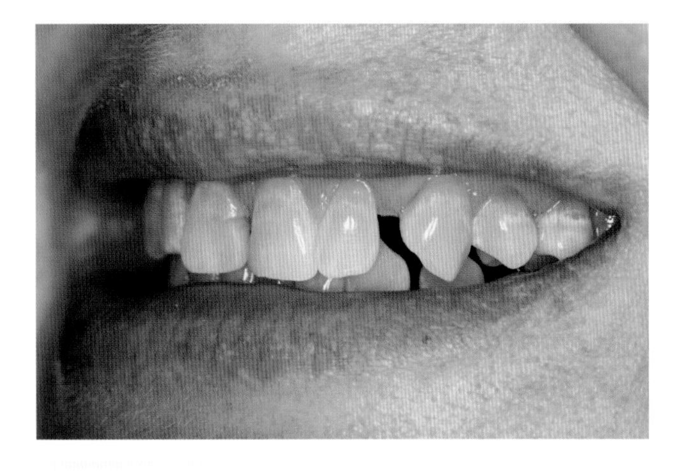

그림 1c 견인하지 않은 좌측면 모습. 좌측 견치와 측절치 사이에 상당량의 공간이 보인다

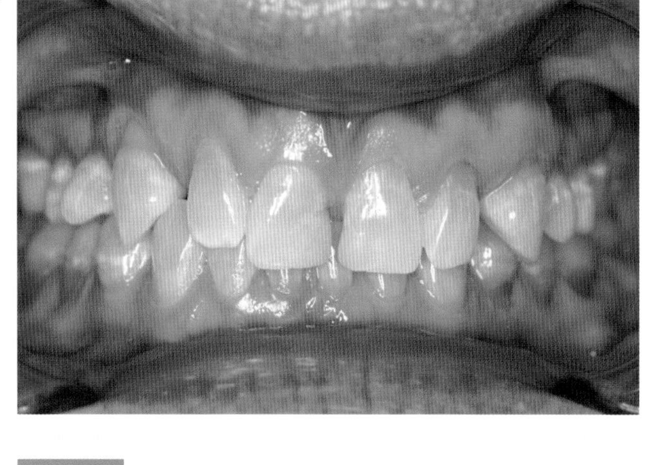

그림 1d 견인한 정면 미소 모습. 우측 견치와 측절치에서 중절치를 거쳐 확장되는 치은 사면이 좌측 측절치와 견치에서 다시 낮아진다. Deep bite로 하악 전치가 상악 구개측 연조직과 거의 접촉한다. Deep bite 증례에서, 장착된 수복물이 폐구 시 강력한 조기 접촉을 야기할 가능성이 증가한다. 전치 설측면의 부적절한 치아 삭제 디자인은 수복물의 전치 조기 접촉 가능성을 한층 더 증가시킬 수 있다

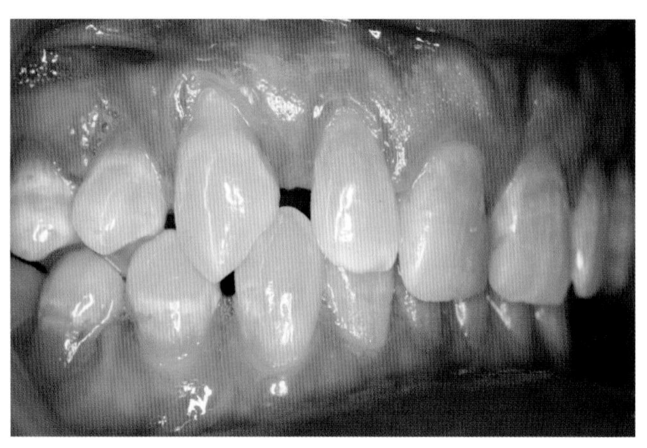

그림 1e 견인한 우측면 모습

때문에, 환자는 이 치료 옵션을 받아들이지 않았다.

대안적인 치료 옵션은 교정 치료 후 레진을 수복하는 것이다. 그러나, 환자는 이전에 받았던 레진 치료에 만족하지 않았고 다시 치료 받는다고 해도 유사한 비심미적 치료 결과가 나올지도 모른다고 걱정하였다.

환자는 미소 지을 때 분명하게 보이는 다양한 치아 색에 불만이 많았다. 매우 하얀 부위와 매우 어두운 부위가 있었고, 앞서 시도한 전문가 미백 동안 일정한 색상을 성공적으로 얻지 못하였다. 미백만 진행하거나 혹은 교정 치료 및/

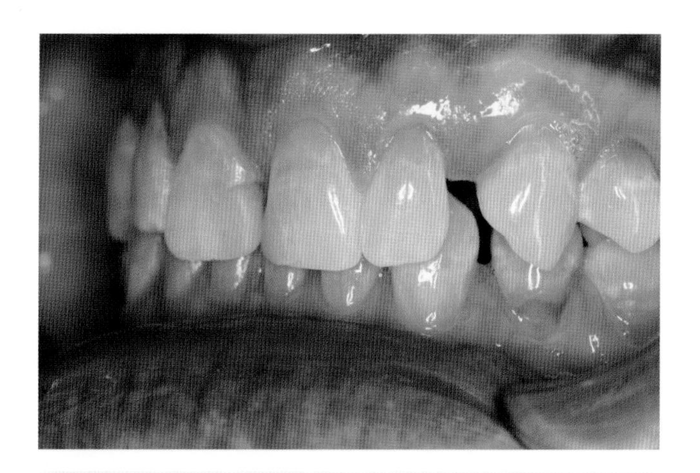

그림 1f 견인한 좌측면 모습

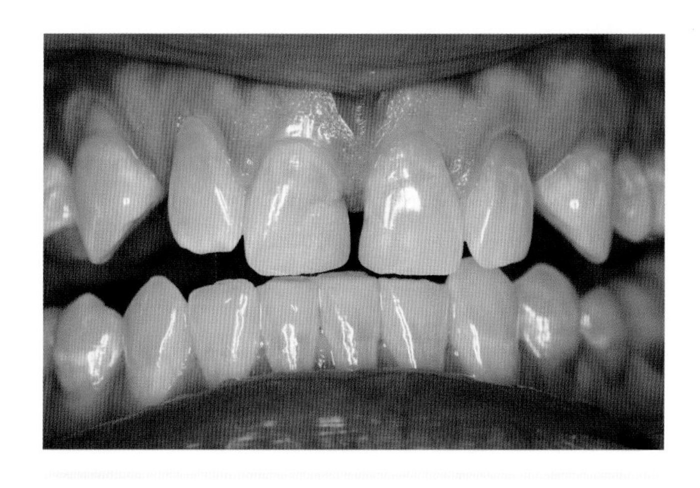

그림 1g 견인한 개구 정면 모습으로 치아 이개, 변색된 상악 전치 및 하악 치아가 보인다. 상악 구치부만 변색되지 않았다. 또한 불균등한 하악 전치 마모가 보인다

혹은 레진 부착 치료와 같이 시행하는 것은 모든 치료 옵션이 결정적인 한계점을 가지고 있기 때문에, 환자는 이것들을 받아들이지 않았다. 따라서, 가장 실행 가능한 남아있는 선택은 porcelain veneer를 제작하여 장착하는 것이다. 치료 계획 수립 동안 중요한 고민은 환자의 심미 치료에 얼마나 많은 치아를 포함하느냐는 것이었다. 결정적으로, 환자가 환하게 미소지을 때 양측 상악 제2소구치까지 보이기 때문에, 필요한 수복 치료는 상악 우측 제2소구치부터 좌측 제2소구치까지 10개의 치아를 포함해야 한다.

진단적 심미 평가

포괄적인 치아 검사를 시행하였다. 상악 좌측 제3대구치를 제외한 모든 영구치가 존재하였다. 상악 중절치에 부착된 레진 외에는 이전에 장착된 수복물은 없다. 충치는 없고, 환자의 치주 건강도 훌륭하였다.

TMJ 조합체에 대한 검사도 이루어졌다. 절치 간 개구량, 하악 개폐구 시 측방 편위 및 굴절의 존재도 평가하였다. 절치 간 개구 거리는 41mm이고 편위나 굴절은 존재하지 않았다. TMJ 촉진 동안 뚜렷한 관절잡음은 포착되지 않았다.

제안된 심미 변화로 몇 가지의 심미 부위, 해부학적 기여 인자를 향상시켜야 한다. 이것은:

- 치아의 형태;
- 정중선 위치;
- 절치 길이;
- 치은 조직 변형의 잠재적 필요성;
- 새 수복물 및 임시 보철물의 색상;
- 미소 시 경사(smile cant)의 시각적 인지.

형태는 일반적으로 많은 환자가 쉽게 고려하지 않지만 미소 인지에 직접적으로 영향을 주는 디자인 실체이다. 절치에서, 마모로 더 평평해진 치아가 나이 들어 보이는 대신, 둥근 치아는 더 어려보이는 것으로 평가된다(Morley, 1997, 1999). 사각형의 절치는 권위적이고 남성적인 느낌을 주고, 더 부드러운 형태의 둥근 절치는 보다 여성적인 것으로 간주된다. 견치의 모양은 일반적으로 뾰족하지만, 환자의 선호도에 따라 평평하거나 둥근 형태가 될 수도 있다.

치은 조직은 미소의 "틀"이 되기 때문에, 양측성으로 대칭인 미소를 부여하기 위해서 조직을 레벨링할 필요가 있을 수 있다. 저자는 중절치의 정점(zenith)을 견치 정점과 같은 높이에 위치시키고 측절치 정점을 1mm 하방으로 맞추는 것을 선호한다(그림 2a). 중절치 및 견치 정점의 좌우 위치는 각 치아의 중앙선을 따라 진행되는 수직선에서 약간 원심이 된다. 측절치의 정점은 같은 방식으로 그려진 수직선과 중앙화되어야 한다(그림 2b). 이런 방식으로, 해당하는 정점이 같은 높이에 있게 된다.

이 증례 보고에서 보여지는 것보다 다양한 환자에게 사용하기 위해, 치은 조직 높이 "레벨링"을 평가하고 그 구축을 돕는 방법인 *stick bite technique*(이 저자가 개발한)을 아래에 설명할 것이다.

수평 창문 블라인드와 같은 수평 참고선 앞에 환자를 똑

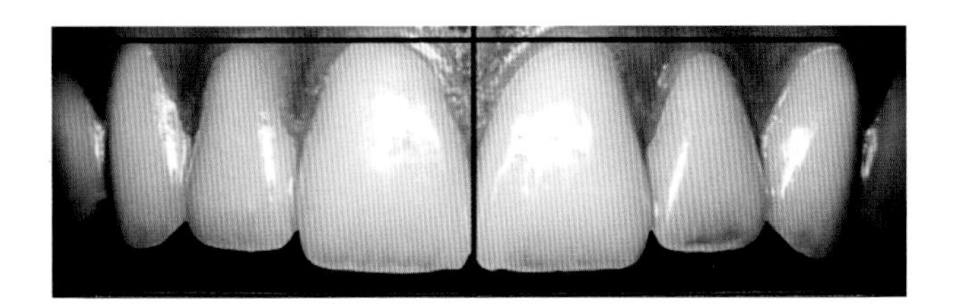

그림 2a 이상적인 수직적 치은 정점 높이. 좌우 견치 정점과 중절치 정점을 연결한 선보다 측절치는 1mm 하방에 위치한다. [© 2006] [Arrowhead Dental Lab]. 허락 하에 사용.

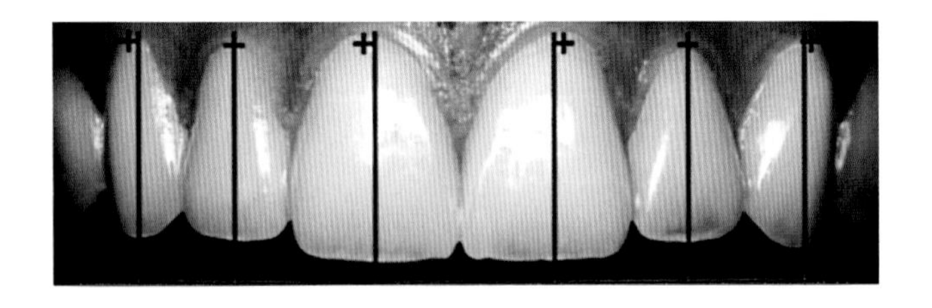

그림 2b 이상적인 치은 정점의 좌우 위치. 중절치 및 견치의 정점은 각 치아의 중앙선보다 원심에 위치하고, 측절치 정점은 더 중앙에 있다. [© 2006] [Arrowhead Dental Lab]. 허락 하에 사용.

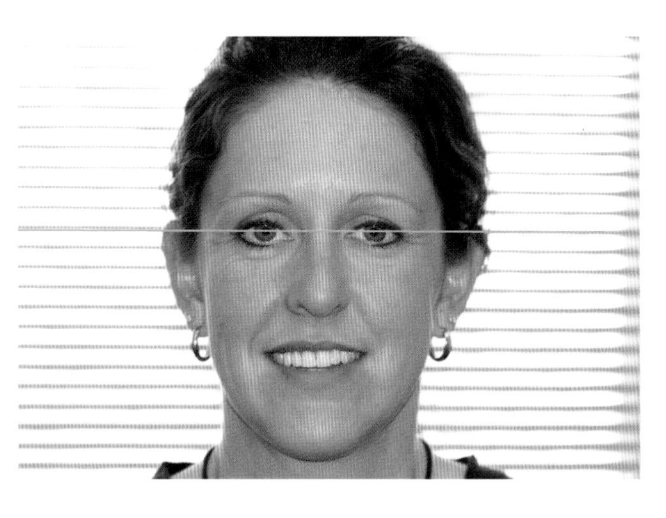

그림 3a stick bite technique 설명. 환자의 얼굴이 수직적이지만 동공간 선이 수평 블라인드에 비해서 기울어질 수 있다. 이 케이스에서, 환자의 동공을 통과하는 초록색 선이 환자의 우측에서는 블라인드 하방에 위치하나 좌측에서는 약간 상방에 있다. 이런 상태에서 심미적 교합 평면을 구축할 때, 동공간 선은 부정확한 참고 평면이 될 수 있다. 그 대신에, 수평 블라인드가 다양한 동공간 높이를 가지는 환자에게 균등하게 사용된다

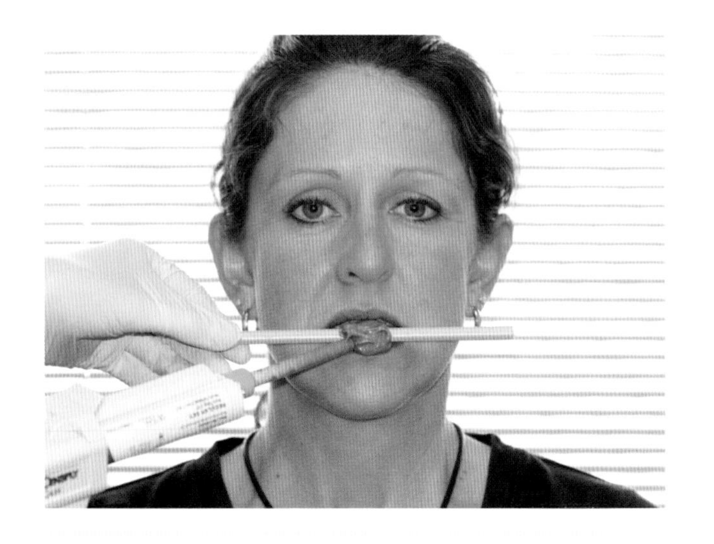

그림 3b 신속하게 세팅되는 바이트 인기 재료를 구내로 주입하고, 연필을 재료 안으로 파묻는다. 연필을 수평 블라인드와 평행하게 정렬한다

바로 앉히거나 수직적으로 똑바로 세운다. 환자가 블라인드 앞에 적절하게 위치하면, 환자의 머리를 "정중선"에 맞게 조정하여, nasion(비근점)에서 gnathion(하악골 하연정중점)까지 연장된 가상의 선이 수직이 되도록 한다(그림 3a).

환자에게 머리를 움직이지 않은 상태로 살짝 개구하도록 설명하고, 신속하게 세팅되는 교합간 인기 재료(Regisil® PB™, Dentsply Caulk, York, PA, USA)를 치아 사이에 주입한다. 완전하게 세팅되기 전에, 연필을 수평 블라인드와 나란하도록 인기 재료에 파묻는다(그림 3b, 3c). 실제로 이 stick bite는 그 자체로는 수평적이지 않으므로, 연필을 정중선에 수직이 되도록 위치시킨다. 이런 방법으로, 환자 머리가 자연적으로 미묘하게 기울어져 있어도, 환자의 미소는 환자의 얼굴에 수직적으로 유지된다.

Stick bite가 완전하게 세팅된 후, 환자를 비스듬하게 기대게 하고 2번째 기구를 stick bite와 평행하게 현존의 조직 정점 상방에 유지하여 각각의 치은 정점의 의도된 위치를 평가할 수 있다. 2번째 기구로는 또 다른 연필, 치실, 설압자, 구내 거울 손잡이가 될 수 있다(그림 3d).

임상의나 직원이 2번째 연필의 평행 위치를 유지하는 동안, 다른 사람은 환자의 조직 정점선이 2번째 연필 하방에 균일하게 놓이는지 혹은 정점의 일부가 2번째 연필의 위아래에 놓이는지 관찰한다. 이런 술식으로 임상의는 필요한 심미적 조직 높이 변경을 쉽게 결정할 수 있다. 필요한 정점 위치 변경을 기공실과 상의하여, 진단 왁스-업을 마무리하기 전에 상응하는 변화를 치료-전 진단 모형에 반영할 수 있다.

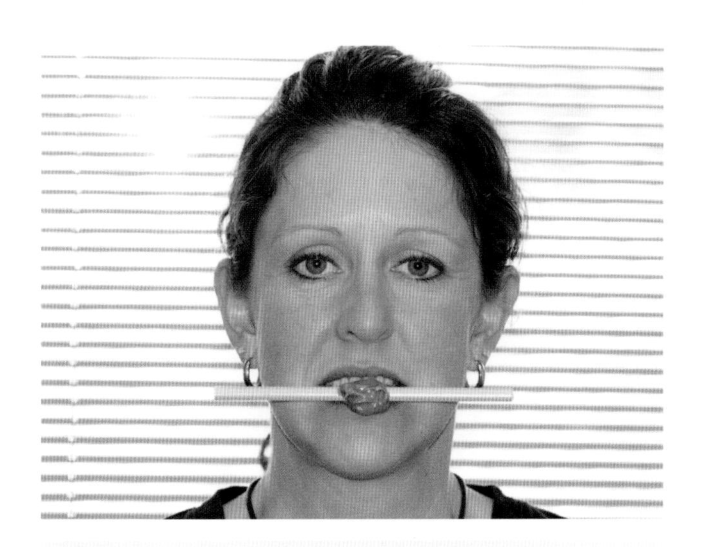

그림 3c 연필이 정중선에 수직인 블라인드와 평행한지 확인한다. 연필이 환자의 좌우측으로 같은 블라인드와 평행한지 확인한다

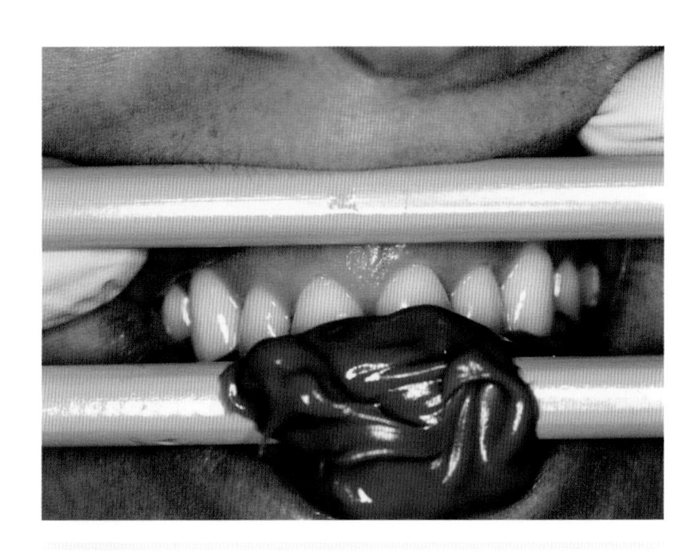

그림 3d 비스듬하게 기댄 체어에서, 치은 조직 정점 위치에 시각적 가이드로써 2번째 연필을 stick bite에 평행하게 위치시킨다

이런 특별한 케이스에서, 환자는 상악이 기울어졌기 때문에 진정한 높이(정점 높이가 정중선에 수직적인)가 얻어질 수 없다. 수복 치료를 시작하기 전에 이런 복잡성에 대해 환자와 상의한다. 환자가 미소지을 때 치은에 시각적인 한계점이 있기 때문에, 정중선에 완벽하게 수직적으로 놓이는 정점 선을 달성하지 않고 조직 틀을 향상시키는 것을 환자가 받아들였다.

진단적 절단연 위치 및 발음 검사

상악 절치의 심미적 길이가 전치 수복물 성공의 열쇠이다. 절단연의 위치를 평가하기 위해, 발음과 심미성이 모두 고려되어야 한다.

"f"와 "v"를 발음할 때 상악 절단연이 아랫입술의 내/외측면과 접촉하는지 검사한다. 환자에게 "fifty five"나 "very fine"과 같은 단어를 말하게 하여 상악 전치 절단연과 아랫입술 내/외측면과의 근접성을 추적 관찰한다.

적절한 절단연 길이를 미리 결정하는 유용한 기술로, 상악 절단연에 (산부식을 하지 않은 상태로) flowable resin을 첨가, 형태 형성, 중합하여 치료-전 길이를 증가시켜본다. 그 후 환자에게 "fifty five"나 "very fine"을 반복적으로 발음하도록 부탁한다. 절단연이 아랫입술 내/외측면에 적절하게 닿지 않으면, 레진을 더 추가한다. 발음 테스트를 반복하여, 보다 더 발음에 적절한 새로운 길이를 결정한다.

발음적으로 적절한 길이가 결정되면, 새로운 길이가 아랫입술의 미소 곡선에 얼마나 근접하게 따라가는지 관찰하여 심미적으로 평가한다. 적당하다고 판단되면, Boley gauge를 이용하여 치은정에서 레진이 위치된 절단연까지 변화된 길이를 측정한다. 치아 당 절단연 길이를 수치로 기록하고, 레진을 제거한다.

이렇게 중요한 길이를 결정하여, 시험 수복물(provisional restoration)의 진단 왁스-업 시 적절한 심미적 길이 형성을 돕는다. 시험 수복물을 구내에 위치시키면, 환자는 선택된 길이를 평가할 수 있는 더 좋은 기회를 가지게 된다. 이런 방법으로, 절단연 위치를 기공실이 아니라, 신체 내에서 최종 결정하도록 한다. 예비 수복물의 절단연 길이와 위치가 환자의 미소와 발음에 적절한 것으로 판단되면, 최종 보철물을 위해 기공실에 연락한다.

그 후, 왁스-업 완성을 위해 진단 모형을 기공실에 보낸다(그림 4a, 4b). 다양한 심미 평가 동안 취합되는 연관된 심미 정보 모두가 임상의에게 제공되면, 진단 왁스-업은 모든 필요한 심미 변화를 포함하면서 환자와 임상의의 희망 사항을 반영하게 된다. 왁스-업이 완성되면, 치아 삭제 동안 사용될 치아 삭제 가이드와 예비 모형을 제작한다.

수복-전 하악 기능 검사

심층 검사는 하악 기능 운동 동안 진동을 생산하는 기존의 TMJ 구조적 비정상에 대한 컴퓨터-강화 평가를 포함하였다. TMJ에서 방출되는 모든 진동은 병적인 것으로 간주된다(Wilmalm, Westesson, Brooks, Hatala, & Paesani, 1992).

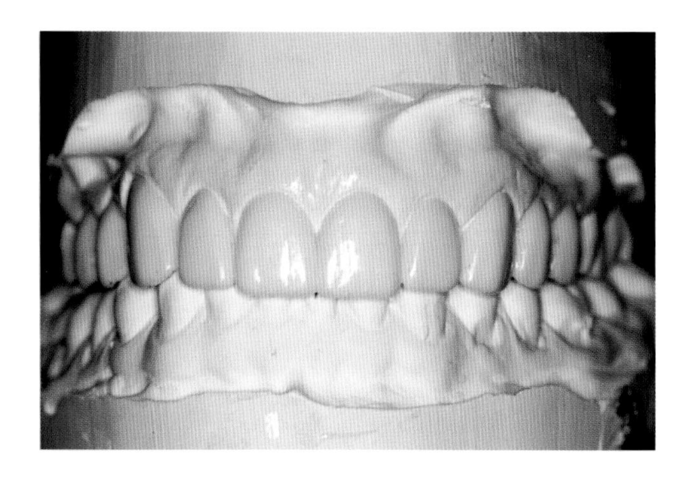

그림 4a 완성된 진단 왁스-업의 교합된 모델

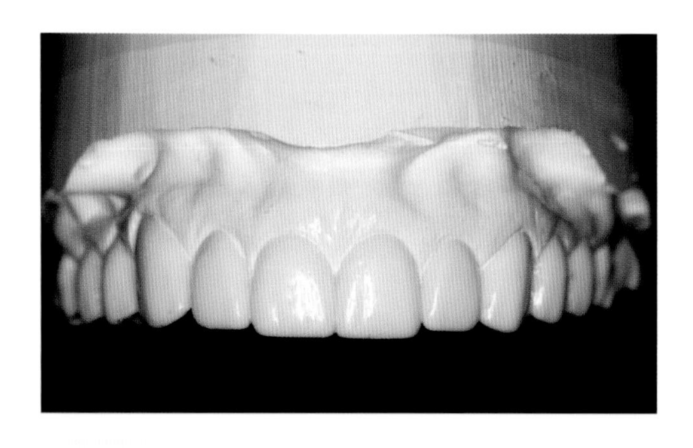

그림 4b 상악 왁스-업. 예비 보철물 장착(provisionalization) 동안 치은정 골(trough)의 레진 접착 잉여분을 최소화한다

12개의 다른 진동 양상이 특정 TMJ 구조적 병리와 연관성을 보여준다(Ishigaki, Bessette, & Maruyama, 1993a). 그러나, 환자나 임상의에게도 파악되지 않는, 임상적으로 조용한 TMJ에서 종종 병적인 진동이 발산되고, 이는 Electro-vibratography 기록으로만 분명해진다(Ishigaki, Bessette, & Maruyama, 1993a, 1993b).

JVA™ 기술(JVA, Bioresearch Associates, Brown Deer, WI, USA)은 TMJ 외측 피부에 놓인 변환기(transducer)를 이용하여 비정상적 TMJ 진동을 기록한다. 환자가 메트로놈에 맞추어 입을 벌리고 다물면서, 우측 및/혹은 좌측 TMJ에서 방출되는 어떤 진동을 기록하고 판독을 위해 그래프로 보여진다. 이 귀중한 데이터는 임상의가 환자의 TMJ 건강을 이해하도록 돕는다.

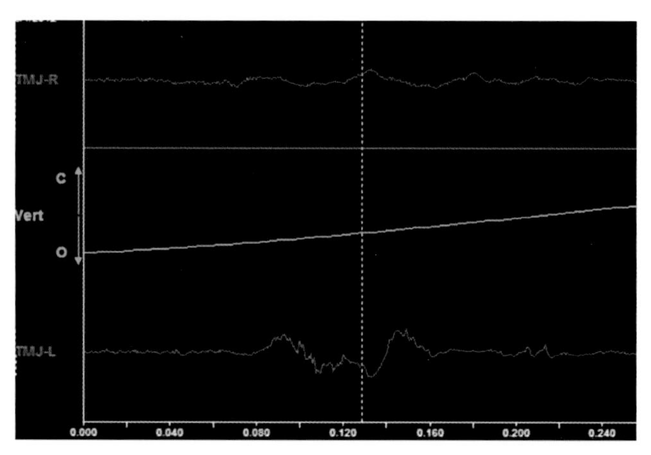

그림 5 이 JVA 기록은 환자의 좌측 TMJ에서 낮은-수준의 진동이 포착됨을 보여준다

JVA의 임상적 시행과 판독에 대한 더 자세한 서술은 제6장을 참조하기 바란다.

그림 5는 환자의 좌측 TMJ에서 방출되는 낮은-수준의 진동을 설명하는 JVA 기록을 보여준다. 이런 진동은 조기 관절 이완(laxity)을 시사하고, 수복 치료를 약화시킬 수 있는 중요한 내장증은 아닌 것으로 판단된다. 이런 진동은 진폭이 너무 낮아 사람의 귀로는 파악될 수 없고, 환자도 좌측 TMJ 소리를 자각하지 못하고 있었다. 이 기록에서 우측 TMJ는 확실하게 중요한 진동을 나타내지 않았다. 기록의 결과에 기반하여, 양쪽 TMJ가 계획된 수복 치료를 안전하게 진행하기에 충분하게 건강하였다.

시각적 교합 검사에서 환자가 70%의 수직피개를 가지고 있음을 볼 수 있었다. 상당한 수직피개로 최종 수복물의 설측면에 "빗나간 펀치(glancing blow)" 접촉을 만들 잠재력이 있었다. 수복물의 설측 변연(margin) 윤곽이 어떤 존재하는 강력한 설측 조기 접촉을 악화시킬 수 있기 때문에, 어떤 기존의 전방 교합 조기 접촉에 나타나는 교합력의 존재와 정도를 평가하기 위해서 치료-전 T-Scan 폐구 기록을 획득하였다.

치료-전 T-Scan 데이터(그림 6)에 의하면, 첫 번째 접촉과 안정적인 MIP 사이의 중간 정도에서 초기 힘 상승이 #12, 13, 15(24, 25, 27)번 치아뿐만 아니라 #7(12)번 치아에도 나타났다(다른 접촉 치아와 비교해서 교두감합의 거의 50%). 영상 재생을 전방으로 0.1초 진행하여 환자가 안정적인 MIP를 획득했을 때(그림 7), #7번 치아의 힘이 유지되었다. 그러므로, 가해진 조기접촉이 상승하거나 영구화되

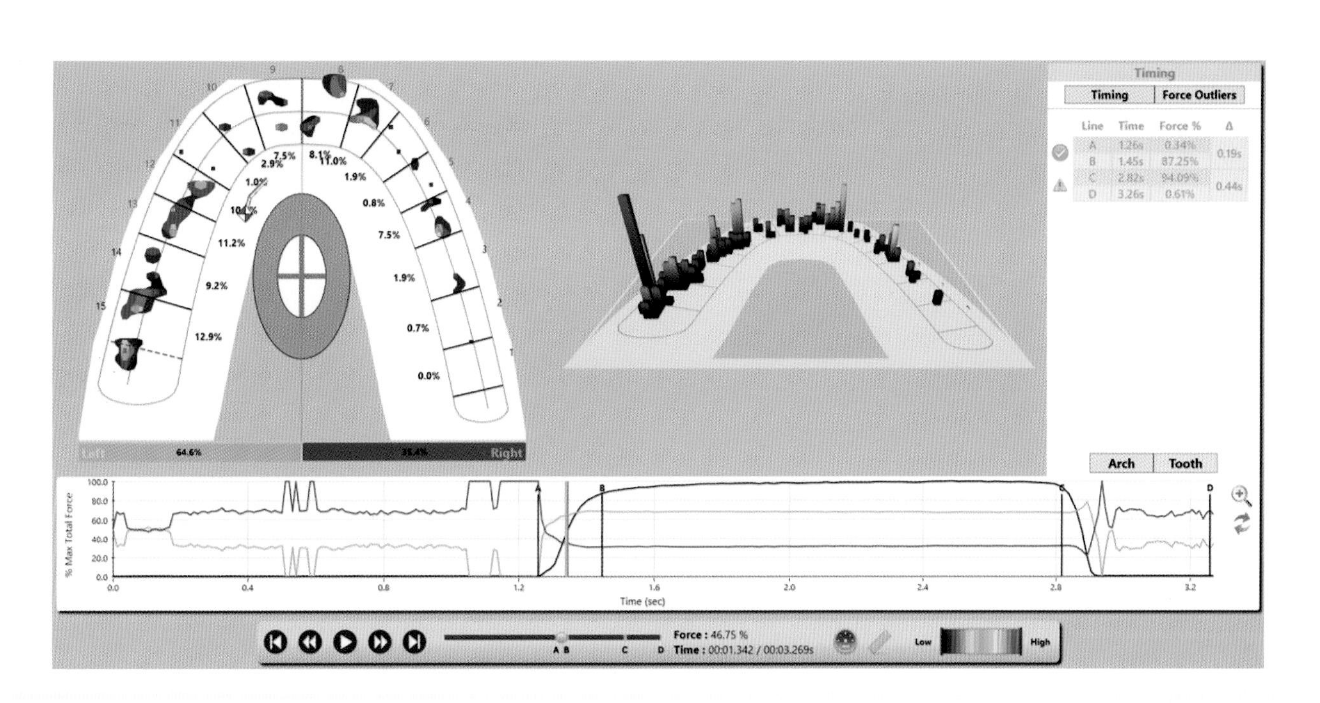

그림 6 치료-전 T-Scan 기록으로 #7, 12, 13, 15(12, 24, 25, 27)번 치아에 초기 힘 상승이 보인다

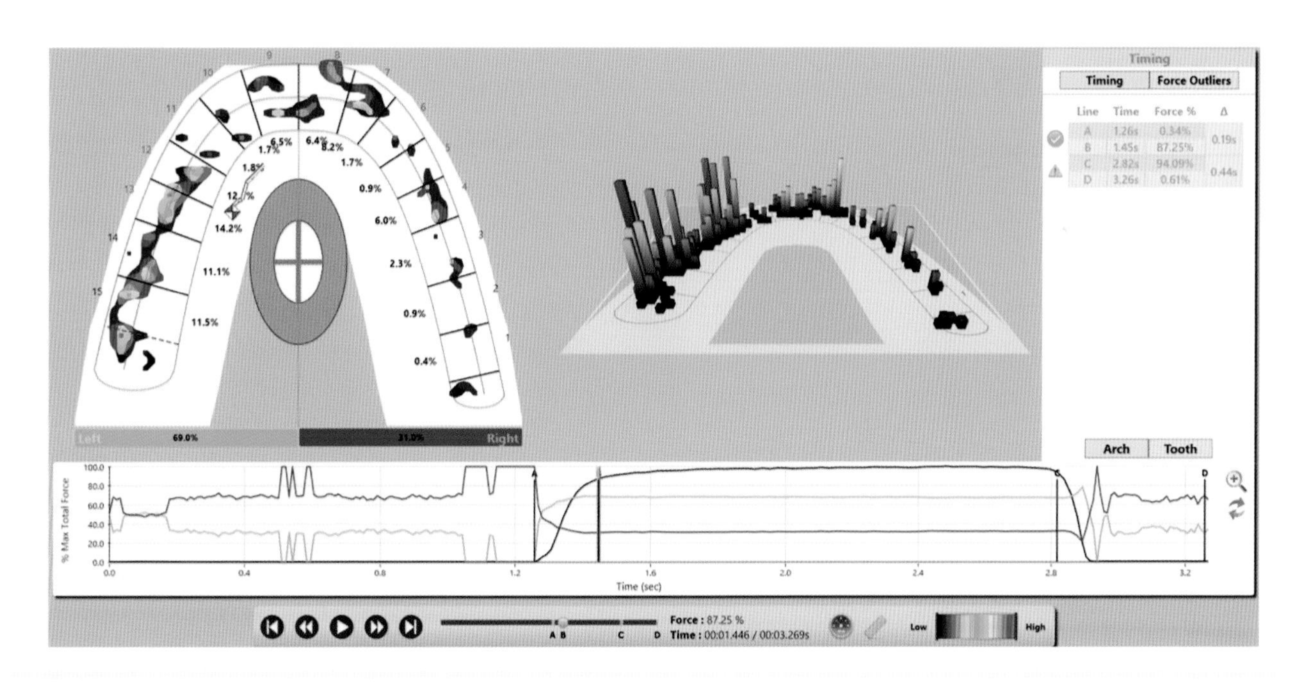

그림 7 치료-전 T-Scan 데이터로 MIP에서 폐구로 0.1초 더 진행되었다. 상승된 측절치 힘이 완전한 교두감합으로 들어가는 내내 유지된다. 치료-전, 우측에 비해 상당한 교합력 과부하가 좌측에 존재한다

지 않도록, #7번 치아 설측면의 프렙 디자인에 반영해야 한다. 또한 상당한 좌측 교합력 과부하가 치료-전 교합 체계에 존재하였다.

치아 삭제 단계

치아 삭제 내원 동안, 필요한 조직 변형을 시행한다. 조직 변화는 앞서 계획되고 기공실에 전달되었기 때문에, 바람직한 변화를 구강 내에서 적절하게 구축할 수 있다는 확신

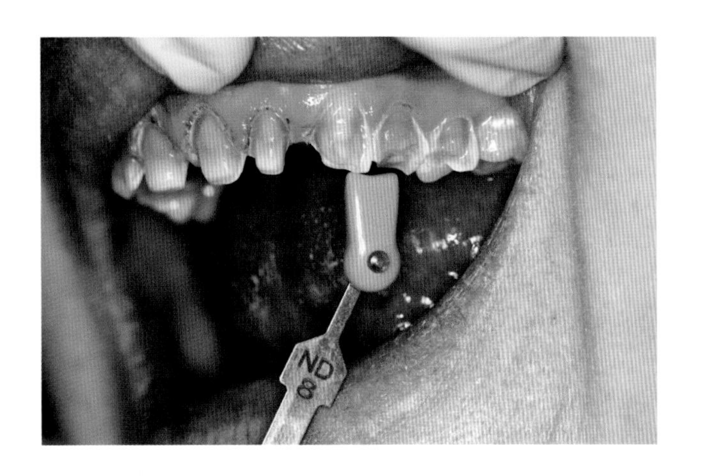

그림 8a 상아질 표면이 어두워서 최종 수복물 하방의 짙은 색을 감추기 위해 치아 삭제량이 많아야 한다

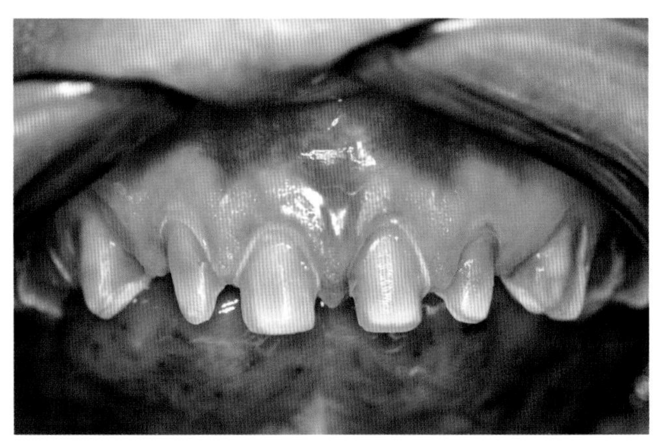

그림 8b #4-13(15-25)번 치아의 치아 삭제 최종 모습

을 가지고 시행한다.

환자를 마취하고 눕힌 후, stick bite와 2번째 평행 기구를 구내에 배치하여 이를 기준으로 이전에 계획된 정점 위치를 조각한다. Smart™ CO_2 laser(Implant Direct Sybron International, SmartUS-20D)를 사용하여 조직 변형을 달성하였다. #8(11)번 치아의 치은정은 1.0mm, #9, 10(21,22)번 치아는 0.5mm씩 높였다. 동시에 정점의 근심 및 원심 위치도 이전 계획 위치에 맞추어 수정하였다. 그 후 새로운 정점 위치를 재평가하고, 필요하면 laser로 섬세하게 다듬는다.

조직 변형을 완성한 후, 치아 삭제를 시행하였다. 진단 왁스-업을 복제하여 제작한 clear reduction guide를 이용하여 #4-13(#15-25)번에 걸쳐 치아를 프렙하였다. Clear guide로 임상의는 최종 수복물 윤곽에 중요한 적절한 emergency profile 및 적당한 인접면 삭제를 확실하게 시행할 수 있다. 저자는 필요한 공간 폐쇄 1mm마다 0.5mm씩의 치은-연하 프렙을 권고한다. 그러나, 공간 폐쇄를 위해 하나의 치아만 프렙한다면, 필요한 공간 폐쇄 1mm마다 1mm씩의 치은-연하 프렙이 요구된다. 이 삭제량으로 최종 수복물의 적절한 emergency profile을 부여하면서 치간 공간을 폐쇄할 것이다.

공간 폐쇄가 상관없는 부위에서는, 0.5mm 치은-연상 마진을 선호한다. 또한, 프렙의 깊이는 최종 수복물 재료 및 삭제된 면의 색조(shade)에 의해서도 달라진다. 이 환자의 경우, 상아질 쉐이드가 상당히 어두웠다(그림 8a, 8b). 그러므로, 어두운 치아 구조물을 감추고 바람직한 최종 쉐이드를 획득하기 위해서 치아 삭제량을 증가할 필요가 있었다.

iTero 시스템으로 프렙 스캐닝

iTero 구내 스캐너는 백색 및 적색 광 레이저의 병렬식 공초점을 사용하여 일련의 치아 표면 디지털 이미지를 기록한다(Garg, 2008; Kachalia & Geissberger, 2010). 스캐너를 정확한 초점 거리에서 치표면에 직접적으로 위치시키면, 기록된 데이터는 여과 장치(filtering device)를 통해 반사된다(Henkel, 2007; Birnbaum & Aaronson, 2008; Levine, 2009).

술자는 다양한 디지털 모형 이미지를 구성할 일련의 "조각들"을 포착한다. *Preparation segment*는 교합면, 설측면, 협측면에서 형성된 스캔 이미지가 필요하다. 프렙의 데이터 포착이 3면에서 완성되면, 프렙의 가상 모델이 iTero 소프트웨어 내로 병합되고, 모니터에 보여진다. 어떤 소실된 데이터는, 디지털 모형 틈이 발생한 부분에서 취득한 추가적인 이미지 확보로 "채워질" 수 있다. Current view는 두 가지 색상으로 시각적 이미지를 보여주는데, 노란색은 가장 최신에 기록된 이미지를, 회색은 합쳐진 이전 기록 이미지를 의미한다(그림 9)(#13-15(25-27)번 치아).

인접한 치간 부위가 다음의 스캔 조각으로, 악궁에서 남아있는 치아를 포함하는 조각이 뒤따른다. 4번째 스캔 조각은 대합하는 악궁이다. 마지막 스캔은 시각적 교합간 관계를 기록한다. 스캔 이미지는 연속적이지 않아서, 적절한 데이터가 기록될 때까지 각 이미지를 재획득할 수 있다(Birnbaum & Aaronson, 2008). 모든 이미지를 취합한 후, 소프트웨어는 이미지를 꿰매어 가상 모델로 보여준다.

상악궁의 가상 모델을 그림 9, 10, 11에서 볼 수 있다.

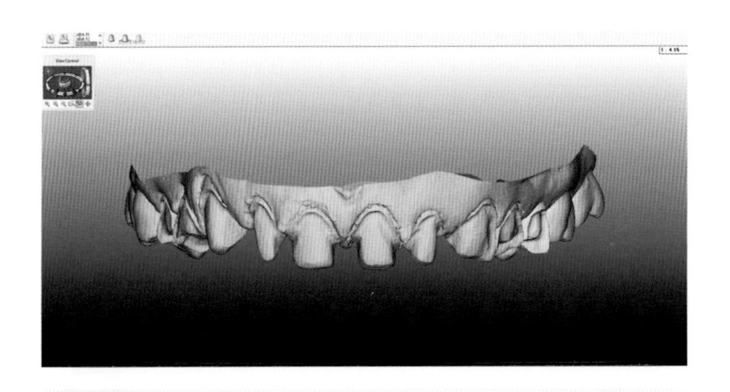

그림 9 교합되지 않은 삭제된 상악궁 가상 모델의 정면. 수복물의 적절한 emergency profile을 허용하기 위한 6전치의 근심 치은연하 마진 위치를 확인하라

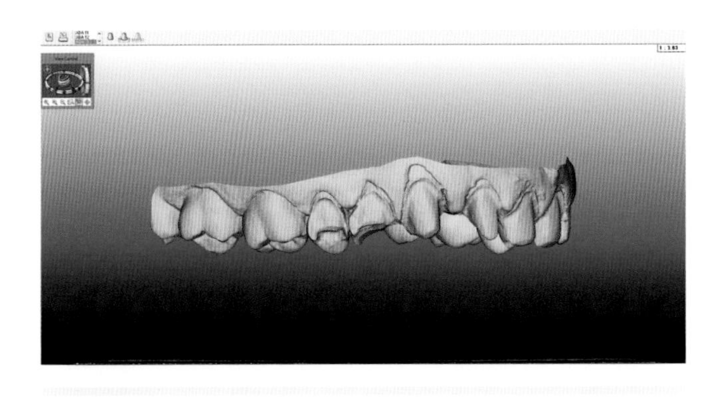

그림 10 교합되지 않은 가상 모델의 우측 모습. 다시 한번 설명하면, 측절치와 견치의 근심 치은연하 마진으로 최종 수복물의 적절한 emergency profile을 부여할 것이다

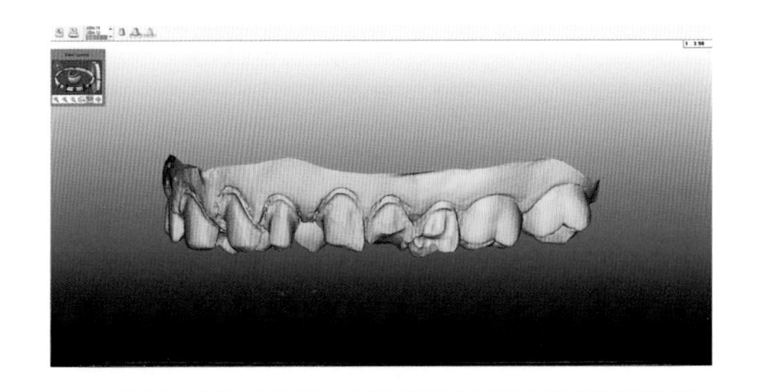

그림 11 교합되지 않은 가상 모델의 좌측 모습으로 근심 치은연하 마진이 필요하다. 제2소구치의 원심 접촉은 심미 지역 내에 있지 않기 때문에 삭제하지 않았다

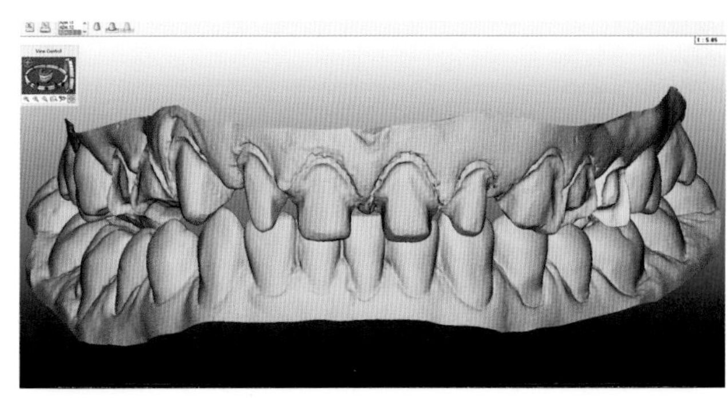

그림 12 프렙된 상악궁을 보여주는 교합된 가상 모델 정면 모습

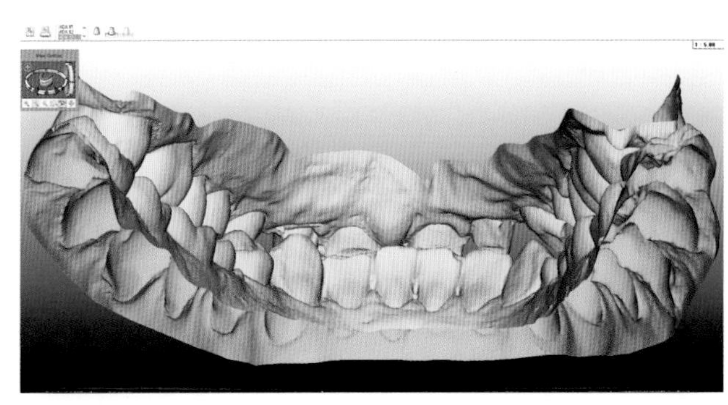

그림 13 교합된 가상 모델의 설측 모습. 전치의 치경부 1/3 근처에서 전방 교합 접촉이 보인다. 이 접촉이 수복물의 강력한 전방 조기 접촉 가능성을 증가시킨다

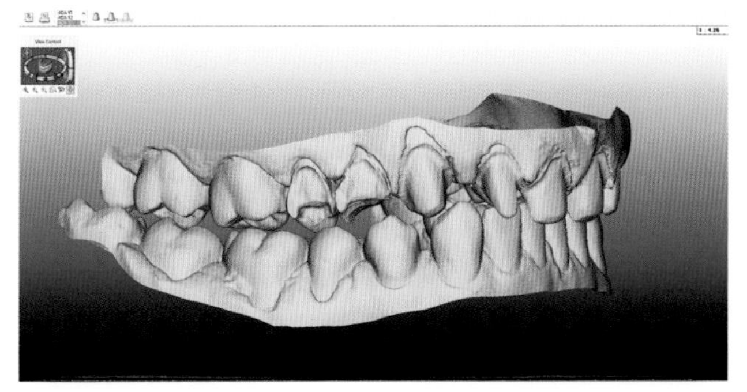

그림 14 디지털적으로 교합된 상악 및 하악 가상 모델의 우측 모습

정면, 설측면, 우측, 좌측에서 본 교합한 가상 모델이 그림 12, 13, 14, 15에 있다.

임상의가 음형 인상을 선호한다면, 도치된 이미지(inverting image)를 negative aspect에서 볼 수 있다(그림 16).

Veneer margin이 이미지 내에서 선명하게 규정되지 않는다면, 소프트웨어에서 blue line으로 마진 결합부에 의도적으로 마진을 표시하여(그림 17) 기공실에 보낸다. Milling machine이 die를 다듬기 전에, 마진이 조정된 소프트웨어를

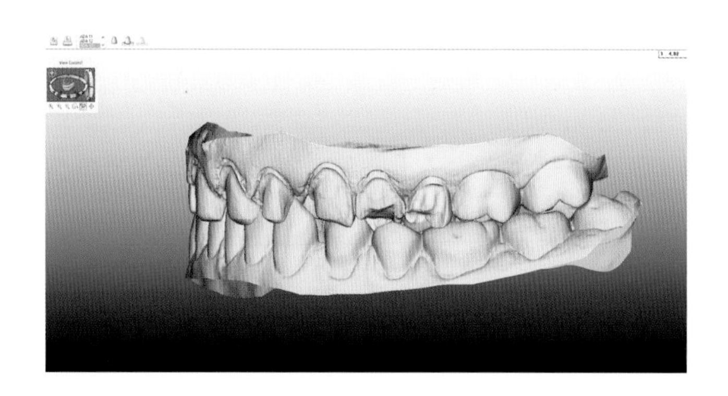

그림 15 디지털적으로 교합된 상악 및 하악 가상 모델의 좌측 모습

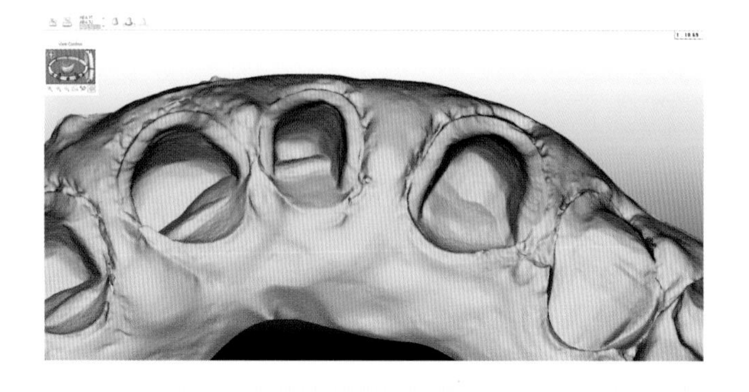

그림 16 가상의 프렙을 확대하고 전환하여 전통적인 인상체의 내부를 시각적으로 보는 것과 같은 negative aspect를 볼 수 있다

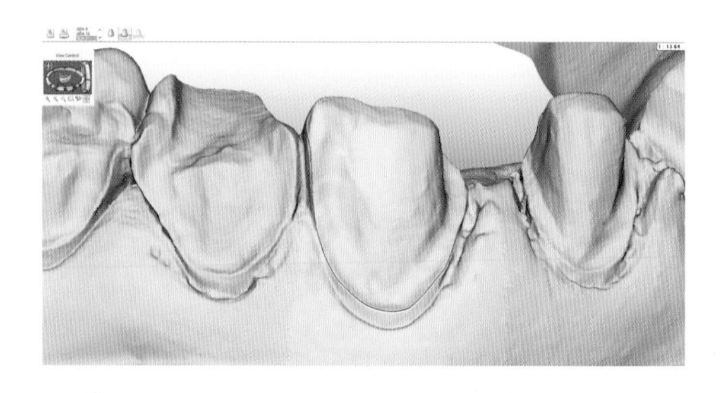

그림 17 blue line으로 소프트웨어로 마진을 표시한 후 상악 우측 견치를 확대한 모습으로 prep shoulder를 볼 수 있다

수동으로 만들 수 있다.

프렙과 디지털 인상이 완성되면, 예비 보철물을 제작하기 위해 Integrity(Integrity Provisional Composite, Dentsply/Caulk, Milford, DE, USA)를 진단 왁스-업으로 제작된 Sil-Tech(Sil-Tech Polyvinyl Siloxane, Ivoclar, Amherst, NY, USA) stint에 채워 넣는다. 그 후 상악 stint를 상악 프

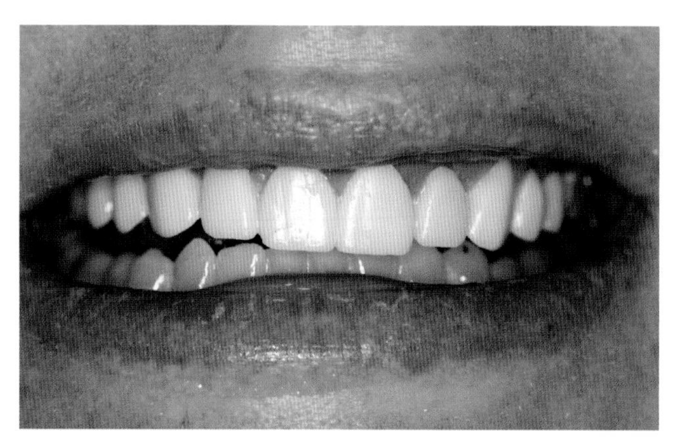

그림 18 개선된 치아 길이, 좀 더 균일한 치은 구조, 완벽한 치간 공극 폐쇄를 갖춘 완성된 상악 예비 수복물

렙에 위치시고, 구개와 상악 융기를 정지 기준으로 사용하여 stint 전체를 균등한 압력으로 누른다. 손가락으로 stint의 전방 부분을 문질러서 과다한 레진이 얇게 빠져 나오게 하여, 잉여분 제거를 쉽게 한다. 세팅 2분 후 Sil-Tech stint를 제거하고, 잉여 재료를 #12번 블레이드로 제거하고 bur로 다듬는다. 환자는 예비 보철물이 만들어낸 새로운 심미적 모습에 대단히 만족하였다(그림 18).

최종 수복물 장착 단계

최종 수복물 장착 내원 시, 설측에 마취하고, 상악 예비 보철물을 분리하여 제거한다. intra-coronal brush(ICB, Ultradent, South Jordan, UT, USA)로 Concepsis Scrub(Ultradent, South Jordan, UT, USA)을 적용하여 지대치를 세척하고, 이어서 Concepsis Liquid(Ultradent, South Jordan, UT, USA)를 적용한다. 치은 출혈은 접착 과정 동안 치아 격리 유지의 어려움을 증가시키기 때문에, 세척하는 동안 조직을 자극하지 않도록 조심한다(그림 19).

각 veneer unit의 적합성을 독립적으로 시적하여 확인하고, 인접면 접촉을 평가하기 위해 무리지어 시적한다. 일단 이 과정이 완성되면, 임상의와 환자는 정중선 위치, 눈에 보이는 경사, 총체적인 심미정 모양, 쉐이드 적절성을 평가한다. 중절치 veneer를 인접 중절치 예비 수복물과 비교하여 절단연 길이도 평가한다.

환자가 수복물을 받아들이면, 수복물을 제거하고 철저하게 헹군다. IPSe.max 수복물을 37% 인산으로 산부식한다. Silane primer(Kerr, Orange, CA, USA)를 수복물의 오

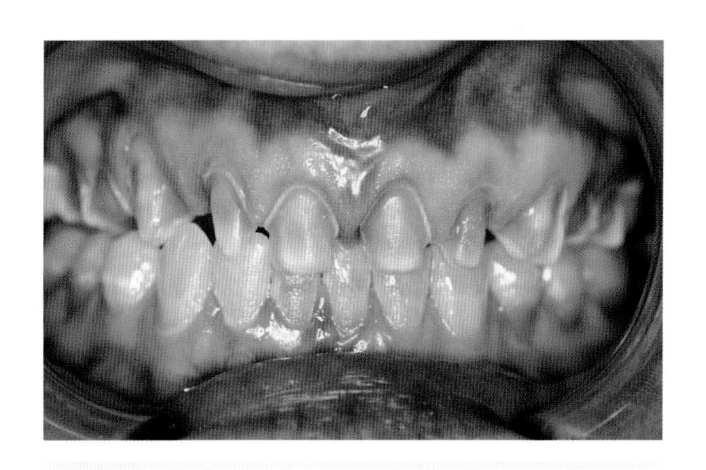

그림 19 예비 수복물을 제거한 후 프렙된 치아를 세척한다. 필요한 예비 보철물임에도 불구하고, 치은 조직의 건강 상태를 확인하라

목한 면에 도포하고 적절한 쉐이드의 veneer cement(ESPE Rely X Veneer Cement, 3M Espe, St. Paul, MN, USA)를 적용한다. 각 veneer를 Crown and Bridge Organizer(C & B Organizer, North Salt Lake, UT, USA)에 놓아 빛으로부터 보호하고 각 악궁 내에서의 각자의 위치를 구분한다.

타액 오염을 예방하기 위해 rubber dam을 구유 형태로 위치시키고, dam의 구개측을 교합간 인기 재료를 이용하여 봉쇄한다(그림 20). 치아를 15초간 산부식하고 씻어낸다. 남은 물을 제거하고 Ultracid(Ultradent, South Jordan, UT, USA)를 프렙된 치아에 적용하여 wetting agent로 작용하도록 한다. Unfilled resin(Opti-bond Solo Plus, Kerr, Orange, CA, USA)을 제조사의 설명대로 적용한다. 2개의 중절치 veneer를 시작으로 각 unit을 최종 위치에 약간 부족하게 위치시킨다. 남은 수복물을 전방 부위부터 소구치까지 위치시킨다. Tooth Slooths(Professional Results, Inc., Laguna Niguel, CA, USA)를 사용하여 최종 위치를 잡는데, 한 개는 절단측에 위치시켜 각 veneer를 치근쪽으로 밀고 다른 한 개는 협측에 위치시켜 각 veneer을 설측으로 밀었다. 완벽하게 안착되면, 각 unit이 얼굴 중앙쪽으로 위치하여 고정된다.

다음에, 최종 중합을 시행하는데 신속하게 중합 과정을 진행하기 위해 2 light unit를 사용하였다. 과다한 본딩 레진을 #12번 blade로 제거하고, 부드러운 finishing bur와 diamond가 코팅된 finishing strip으로 다듬는다. Veneer가 충분하게 중합되어 위치하면, rubber dam을 제거한다.

환자의 자기 수용 감각이 국소 마취에 의해 영향을 받기 때문에, 장착 한 상태로 수행하는 교합 접촉 평가는 예비적인 조정으로, 교합 접촉의 임상적 관찰을 환자가 보고한 교합 "느낌"과 비교한다. 이 시점에서는 가벼운 조정만을 시행하여 환자의 교합 접촉 "느낌"이 꽤 균등한지 확인한다. 환자에게 24시간 이내에 재내원할 것을 설명하면서, T-Scan으로 정밀한 교합 조정을 할 수 있고 또한 필요한 veneer 길이나 절단 모양 변형도 수행할 수 있음을 시사한다. 환자는 기본적으로, 새로이 장착된 심미 결과에 만족하였다(그림 21).

그림 20 Rubber dam을 구유 형태로 장착하고, 구개측을 polyvinyl siloxane 교합간 인기 재료로 봉쇄한다

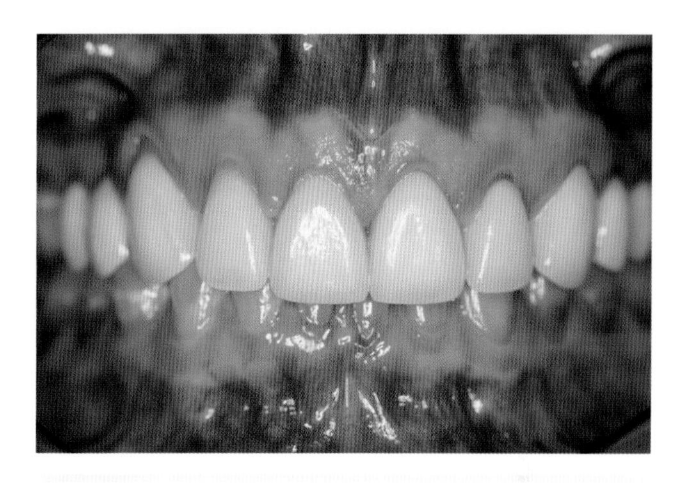

그림 21 Veneer 장착 및 마무리 후 새로이 장착된 심미 결과. 장착 내원 시에는 가벼운 교합 조정만 시행한다

T-Scan 기술을 이용한 장착-후 교합 조절

첫 번째 장착-후 내원에서, T-Scan을 이용한 교합 관리를 시작하지만, 이번 처치의 목표는 완벽하게 교합을 최종

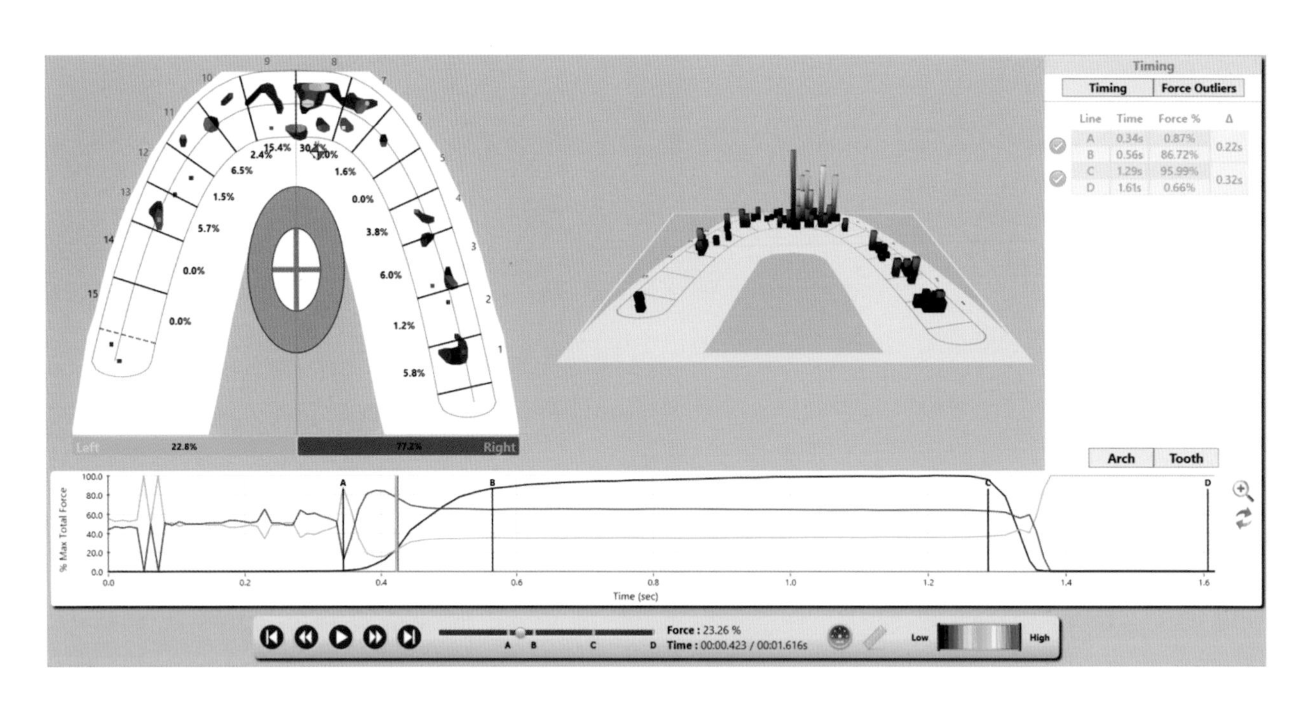

그림 22 장착-후 초기 T-Scan 기록 재생의 0.423초 부분으로 #7, 8, 9(12, 11, 21)번 치아에 강력한 초기 접촉이 드러난다

화하는 것이 아니다. 정교한 컴퓨터-지원 교합 조절은 여행이지 이벤트가 아니다. 그러므로, 수복물의 수명을 증가시키고, 과민하지 않는, 기능 이상이 조절된 최종 수복물을 달성하기 위하여, 바람직한 크기의 힘 조절, 시간 동시성, 교합 균형의 획득이 필요하며, 이러한 보철물 장착 정제는 종종 1회 이상의 내원을 필요로 한다.

폐구 운동 타이밍과 힘 수정을 통한 교합 관리 시작

첫 번째 조절 약속에서, 폐구 운동 교합 시간(Occlusal Time, OT)의 기록, 분석, 치료가 우선된다. OT는 첫 번째 접촉부터 정적인 교두감합까지 필요한 경과 시간으로 정의되고, 0.2초 이하의 지속 시간이 생리적인 것으로 간주된다(Kerstein & Grundset, 2001). 그림 22는 초기 T-Scan 기록으로, 1.616초 길이의 영상을 재생한 0.423초 부분으로, #7, 8, 9(12, 11, 21)번 치아에 초기 접촉이 보인다(그림 22). 교합지로 접촉점을 표기하여 접촉을 확인한다(그림 23). 교합지 자국을 더 평가해보면, #7(12)번 치아의 접촉은 수복물의 설측면에 존재하고 다른 접촉은 수복되지 않은 자연 치아 구조 상에 존재한다는 것을 알 수 있다. 수복물 보존을 위해, 수복물 상의 어떠한 조기 접촉이라도 반드시 제거해야 한다. 그러므로, #7번 치아의 근심 설측 변연융선 상의 접촉을 조정해야 한다. 그러나, 총체적인 OT 감

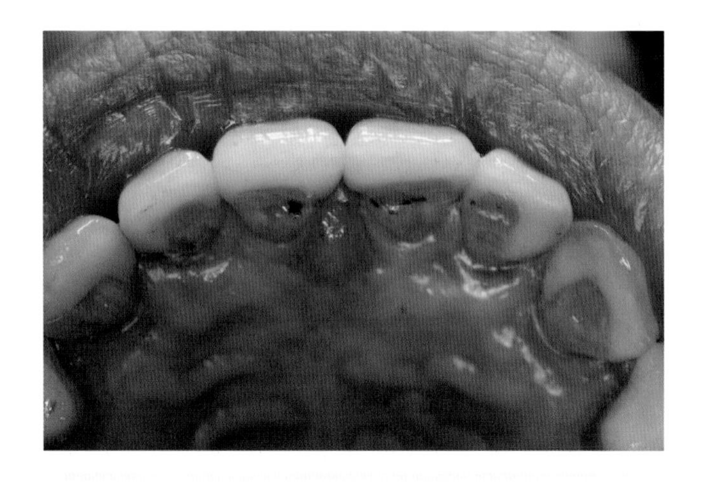

그림 23 T-Scan이 분리한 문제성 접촉점을 교합지로 표기한 모습. 자국의 크기가 #7-9번 치아에 존재하는 높은 힘 모두를 적절하게 설명하지 못함을 확인하라

소를 위해 #8, 9번 치아의 수복되지 않은 자연 치아 부분도 조정할 필요가 있다.

영상이 더 재생되면(그림 24), 환자가 정적인 교두감합에 도달하고(1.616초 길이 중 0.565초), 힘 중심(Center of Force, COF) 아이콘이 힘 분포가 이상적인 상태보다 좀 더 전방 및 우측으로 치우쳐서 위치함을 보여준다. 그림 24는 전방부에 존재하는 더 센 접촉력이 구치부가 연루되지 못하게 할 정도로 강력하지는 않지만, 전방 접촉이 너무 빨리

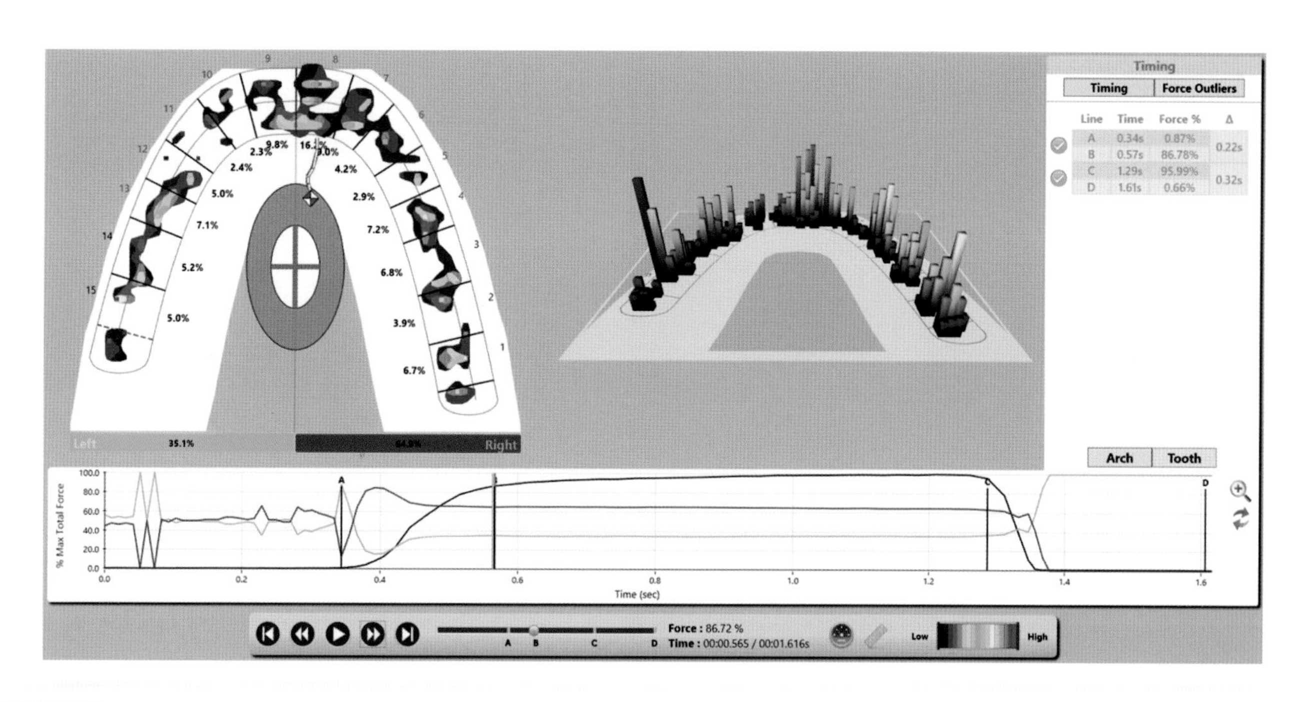

그림 24 0.565초에서 정적인 교두감합이 발생하나 T-Scan 데이터에서 COF 아이콘이 너무 전방 및 우측에 치우쳐서 위치한다. 전체적인 교합력 분포는 더 높은 전방 접촉력으로 인해 약간 전방에 위치하였다

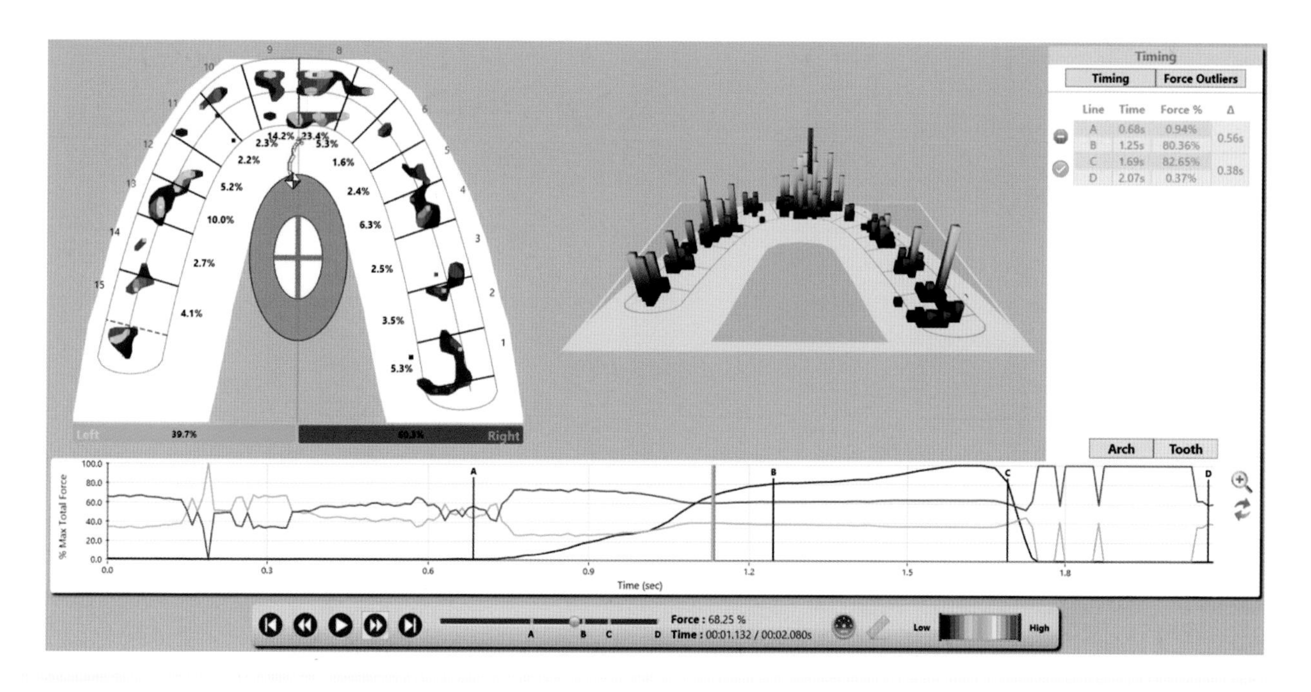

그림 25 초기 교합 조정을 시행했음에도 불구하고, 두 번째 T-Scan 영상의 1.132초에서 상당한 힘이 #2(17)번 치아뿐만 아니라, #8번 치아에도 여전히 남아있다

강력하게 나타나 조정이 필요함을 보여준다.

위에 설명한 목표한 수정 조절을 시행한 후에, 연이은 T-Scan 영상을 기록하였다. 그림 25는 재생된 1.132초 부분으로(2.080초 길이의 영상), 상당한 힘이 전방부, 특히 #8번에 남아 있음을 보여준다. 그러나, 후방부가 확고한 접촉을 형성하고 있다.

#7, 8, 9번 치아에 존재하는 교합지 접촉 자국과 비교하여(그림 26), #7번 치아의 근심 설측 변연융선에는 접촉 자

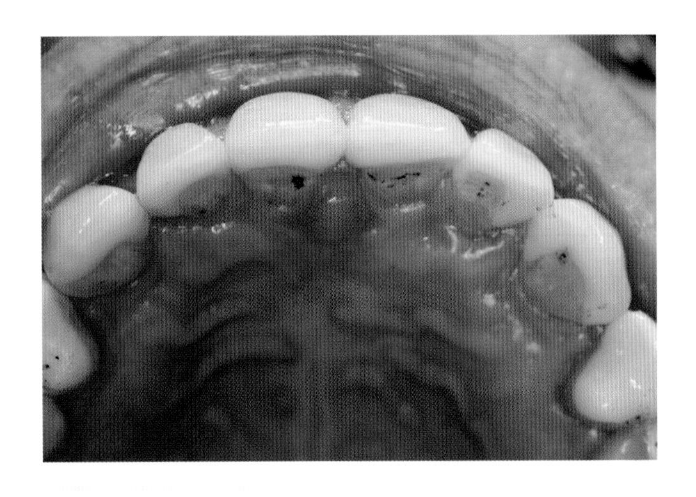

그림 26 #7, 8, 9번 치아에 존재하는 교합지 자국은 이 부위에 상당한 힘이 여전히 존재함을 명백하게 설명하지 않았다

국이 없었다.

다시 한번, T-Scan 데이터를 정적인 교두감합 부분으로 재생하면(2.080초 길이 영상의 1.243초), 전방에 상당한 힘이 남아있고(#2(17)번 부위에서도) COF 아이콘은 여전히 전방 우측에 있다(그림 27). 조정을 더 시행하였지만, 이용 가능한 약속 시간이 다되어 조정을 중단하였다.

폐구와 측방 편심위 수정을 포함하는 두 번째 교합 관리

약 1주일 후, 환자는 폐구 운동을 더 다듬고 좌우측 및 전후방 교합력 균형을 향상시키기 위해 재내원하였다. 이개 시간(DT)도 평가하여, 연장되었다면 조정한다. DT는 우측, 좌측, 전방 편심위 운동 동안 구치부 교합면이 마찰적으로 연루되는 경과 시간을 측정한다. 연구에서 이상적인 DT는 편심위 당 0.5초 이하라고 하였다(Kerstein & Wright, 1991; Kerstein, Chapman, & Klein, 1997; Kerstein & Radke, 2006; Kerstein & Radke, 2012).

처음 기록된 폐구 운동 T-Scan 데이터에서(그림 28), 전치부 조기 접촉이 다시 분명히 나타났다. 기록을 0.609초(1.602초 길이 영상에서)로 재생하면, #7, 8번 치아가 여전히 강한 힘의 조기 접촉에 연루되어있다.

이 접촉은 임상적으로 교합지 자국으로도 관찰되었으나(그림 29), 이 자국만으로는 #7, 8, 9번 치아에 존재하는 교합력의 본질을 상세하게 알 수 없었다.

가상 인상에서 분명하게 나타난 하악 전치의 불규칙한 형태를 가늘게 삭제하여 성형하기로 결정하였다. 이것으로 #8, 9번 치아에 존재하는 과다한 전방력 조절을 돕게 될 것이다(그림 30).

기록을 정적인 교두감합이 시작되는 순간(1.602초 길이

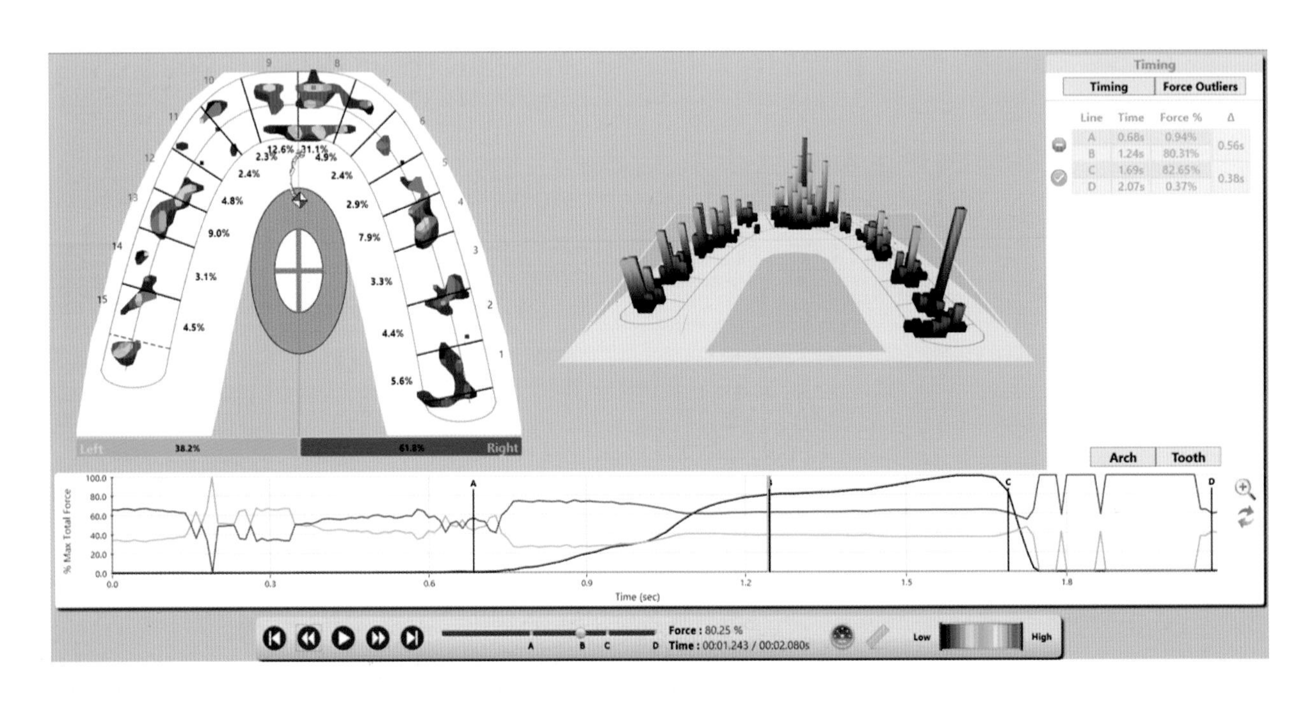

그림 27 첫 번째 장착-후 내원의 최종 T-Scan 기록. #8, 9번 치아에 너무 센 전방력이 존재한다. 이것으로 COF가 전방에 위치하게 된다. 과다한 전방 힘 요소는 두 번째 장착-후 교합 수정 내원 시 조정될 것이다

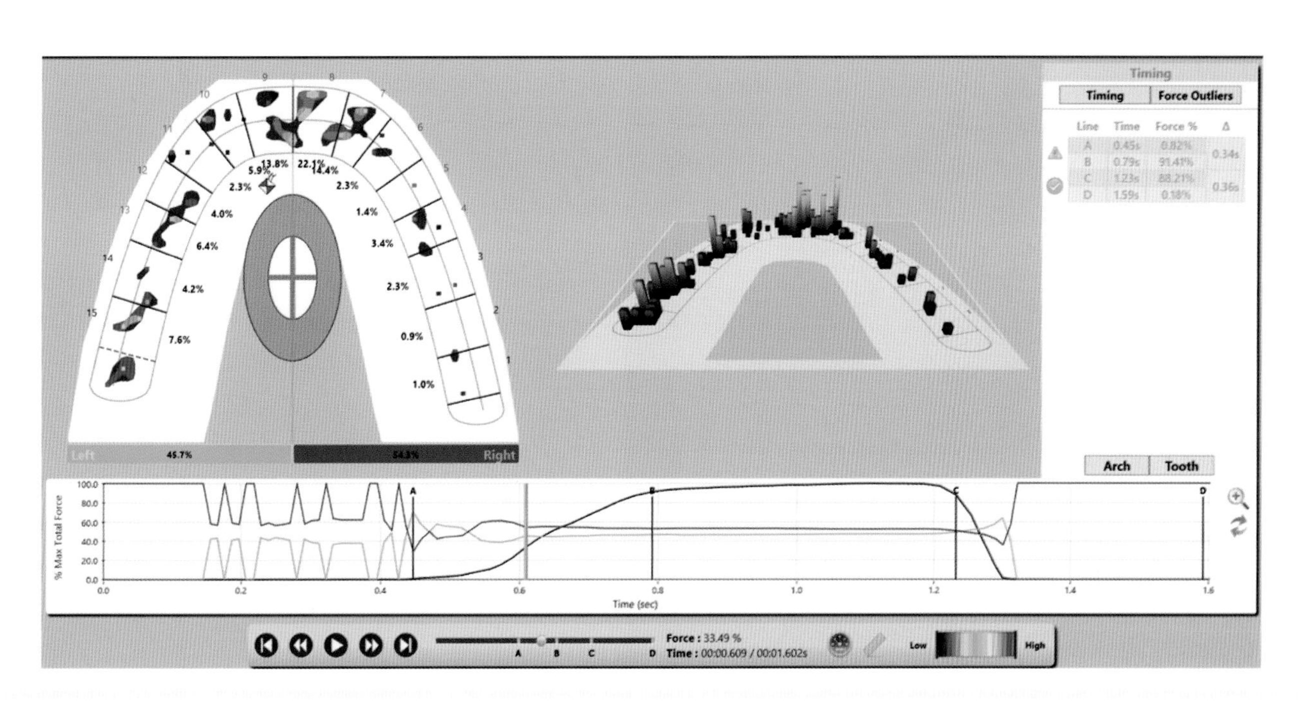

그림 28 수복물 장착 1주 후 첫 번째 폐구 T-Scan 기록에서 #7, 8, 9(12, 11, 21)번 치아에 조기접촉이 유지되고 있다

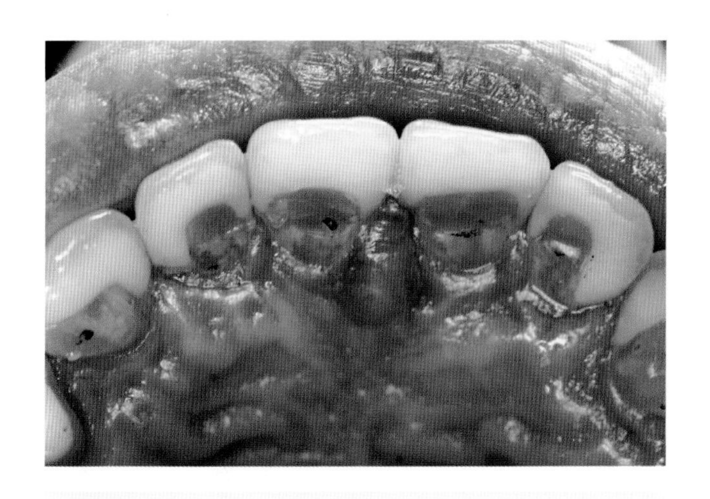

그림 29 #7, 8, 9번 치아에 존재하는 교합지 자국은 해당 치아에 존재하는 교합력을 적절하게 설명하지 않는다

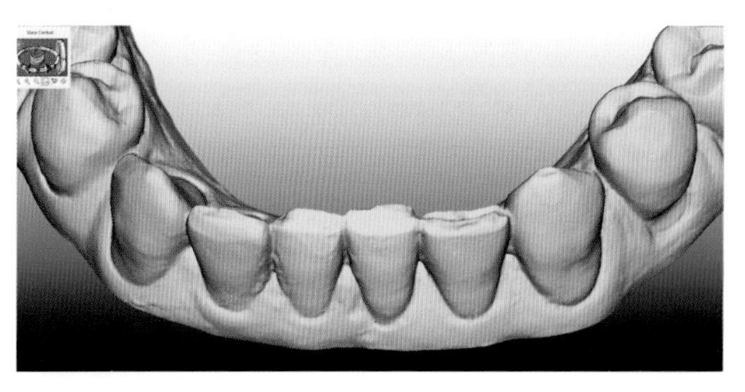

그림 30 성형하기 전 하악 전치의 불규칙한 형태로, #8, 9번 치아에 존재하는 과다한 전방력 조절을 돕게 될 것이다

영상의 0.792초)으로 좀 더 재생하면, COF 아이콘이 좌우측 힘 균형(중앙화)이 개선된 것을 보여주지만 바람직한 것보다 훨씬 더 전방에 위치하였다(그림 31). 게다가, 0.34초의 OT는 지속시간 0.2초 이하의 이상적인 폐구 시간 목표보다 약간 길다.

하악 전치를 성형한 후, 새로운 T-Scan 영상을 기록하였다(그림 32). 중요한 것은 전치에 형성되는 초기의 강력한 접촉을 적절하게 제거하기가 여전히 어렵다는 것이다. 하악 치아 성형이 성취된 후에도, 3.646초 길이 영상의 0.868초에서, #7, 8번 치아의 초기 교합력이 여전히 포착되었다. 이 결과로 #7, 8번 치아를 좀 더 성형하였고 OT가 0.28초로 개선되었으나, 이상적인 목표보다 0.08초 길다.

또 다른 세트의 수정 조절을 #7, 8번 치아에 시행하여(그림 33), 정적인 교두감합에서(1.633초 길이 영상의 0.873초) 좌우 교합 균형을 우측 53.5%–좌측 46.5%으로 향상시켰다. 그러나, 정적인 교두감합이 0.32초에 달성되어, 바람직한 생리적 목표보다 0.12초 더 길다. 구치의 초기 접촉을 선행하는 조기 전방 접촉이 여전히 존재하였다. 그러나, 구치부가 일단 접촉되면 힘이 빠르게 증가하여, 폐구 교두감

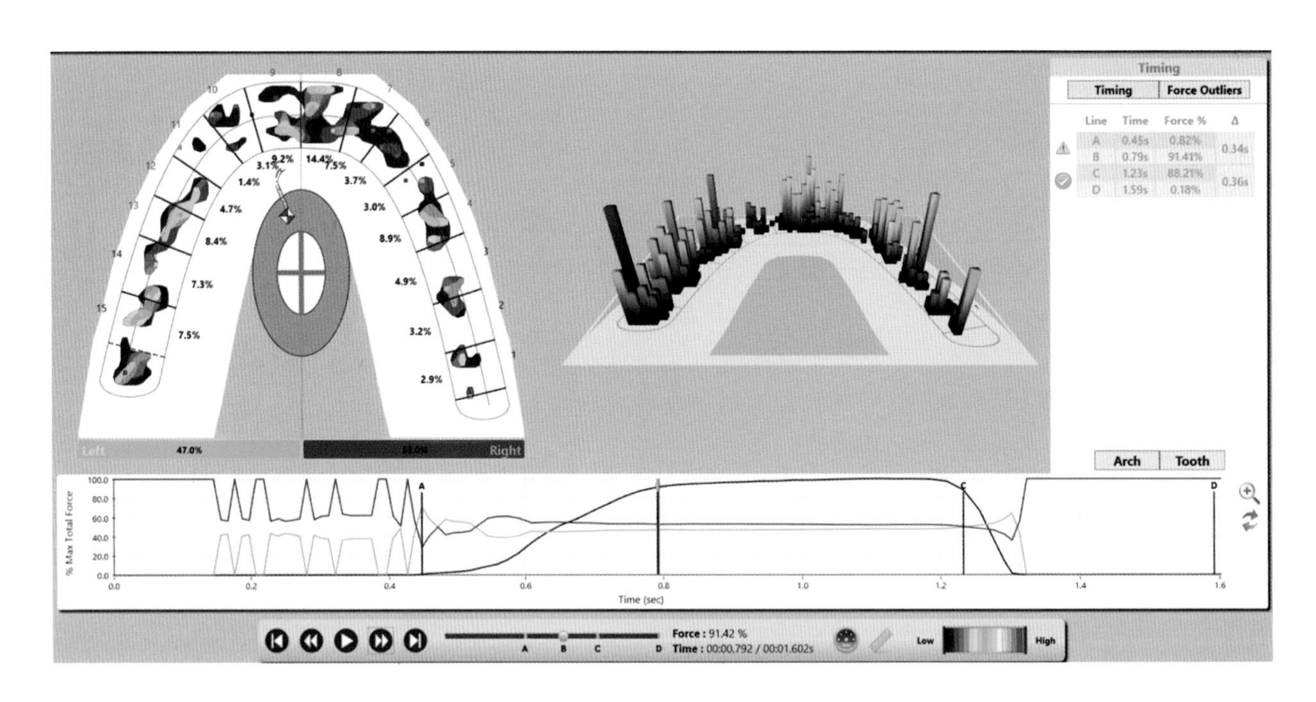

그림 31 하악 폐구 0.792초에서, COF 아이콘이 개선된 좌우 힘 균형을 보이지만 여전히 바람직한 것보다 훨씬 더 전방에 남아있다

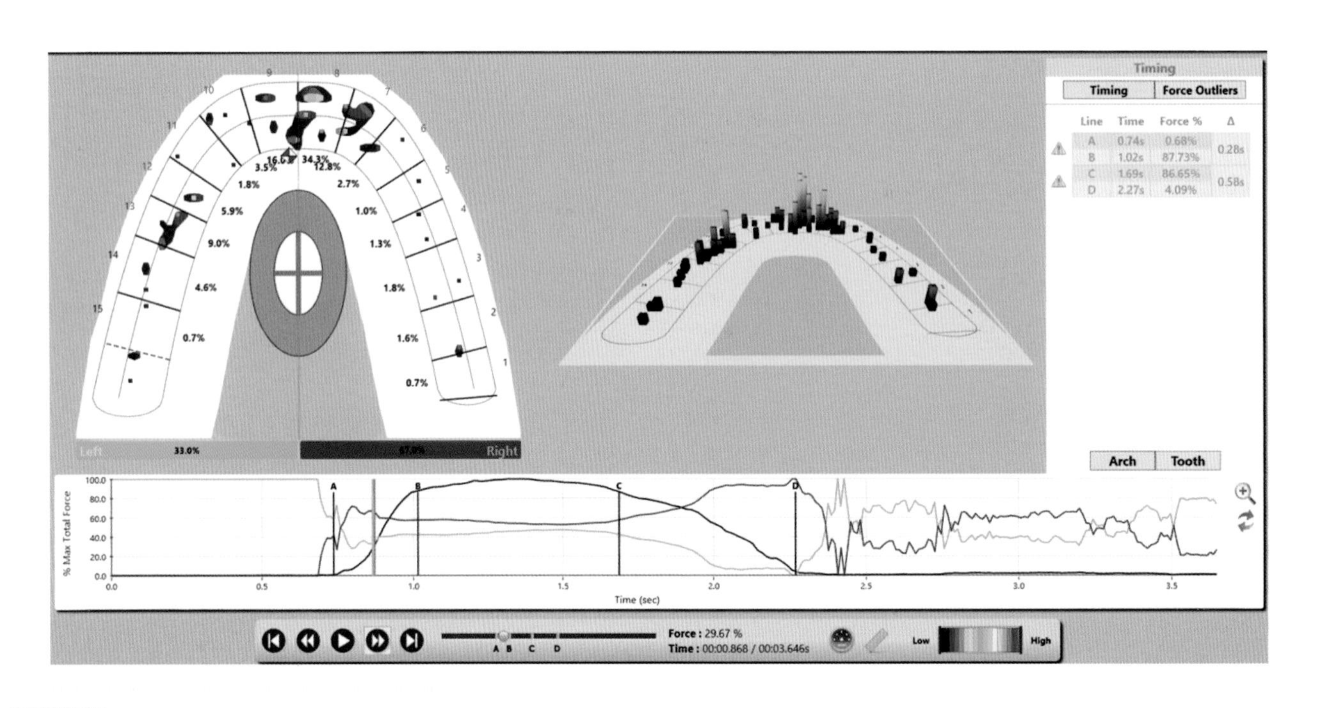

그림 32 두 번째 T-Scan 기록에서 전방 접촉이 여전히 너무 이르고 강력하다

합이 수용가능한 폐구력을 거의 이상적인 타이밍으로 보여주었다. 또한, 정적인 교두감합에서 악궁에 걸쳐 존재하는 널리 퍼진 균등한 힘 분포가 있다(상당한 파란색, 녹색, 연두색 힘 막대가 보이고, 분홍색과 주황색 막대 수는 적다).

그림 33은 교합 정제를 위해 T-Scan을 사용하면 이상적인 교합 종말점을 얻을 수 있음을 보여준다. 이런 정확한 교합 종말점은 개개의 접촉 치아에 적절하게 널리 퍼져 위치하는 교합지 자국 세트 확보로만 단순히 구축될 수 없다(그림 34).

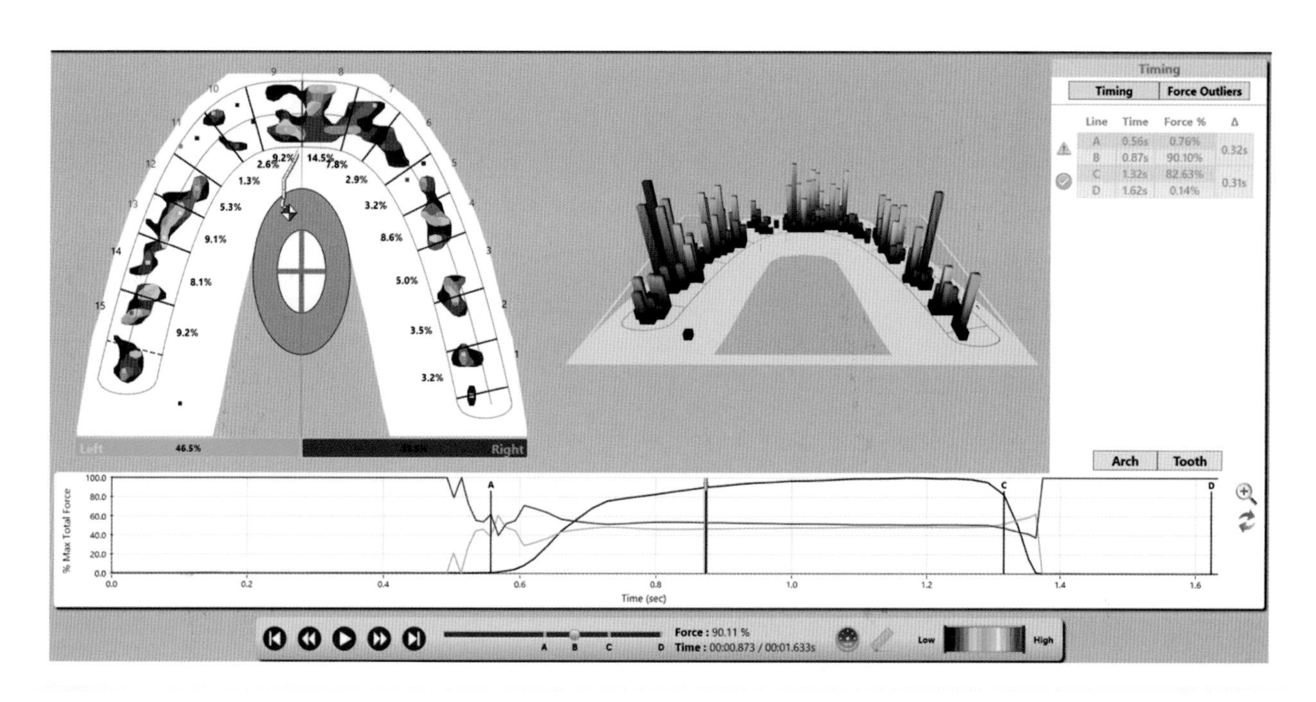

그림 33 0.873초에서, #7, 8번 치아에 만들어진 조절로 좌우 교합력 균형이 개선되었다(우측 53.5%-좌측 46.5%)

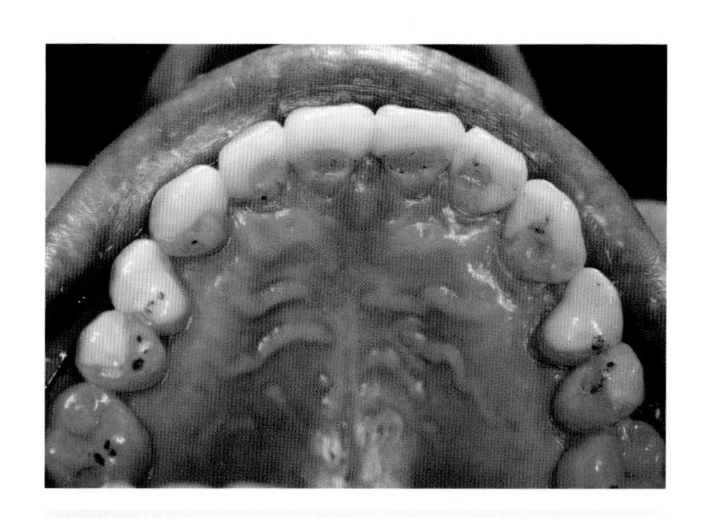

그림 34 널리 퍼진 교합지 자국은 수정적 교합 조정을 예견성있게 안내할 수 있는 타이밍이나 교합력 변화에 대한 어떠한 수량화된 데이터를 제공하지 않는다

편심위 운동 기능 평가

이번 두 번째 내원에서는 이개 체계도 평가하였다. 좌측 편심위를 먼저 평가하였다. 그림 35는 #11(23)번 치아가 0.30초에서 거의 완벽하게 모든 구치부를 분리하는 것을 보여주는데, 이것은 DT 지속 시간 0.5초 이하의 생리적 목표보다 명백하게 짧다. 우측방 편심위 기록(그림 36)에서 #6(13)번 치아가 0.58초에 모든 구치부를 완벽하게 분리시키지만, 이상적인 DT보다 0.08초 살짝 길어진다. 우측 편심위에서 #7(12)번 치아 절단연에 약간의 잔여력이 있다. 환자는 원치 않는 심미적 변화를 이유로 #7번 치아가 짧아지지 않게 부탁하였다. 환자의 동의 하에 occlusal guard를 제작하여 잠재적인 수면 중 이상 기능 활동 동안 측절치를 보호하였다.

최종 결과

환자는 최종 결과에 매우 만족하였다. 그림 37은 견인하지 않은 최종 수복물의 정면 모습이고 그림 38은 견인한 모습이다. 상악 경사와 #6, 7(13, 12)번 치아의 치은 퇴축으로 측절치와 견치의 치은 정점이 정중선에 수직적으로 만들어질 수 없었고, 양측성 정점 대칭 구축이 불가능하였다. 그러나, 미소선에서 #6, 7번 치아의 정점이 드러나지 않고 모든 전치 절단연이 정중선에 수직적으로 형성되었기 때문에, 환자는 최종 심미 결과에 상당히 만족하였다. 더욱이, 환자가 50세였기 때문에, 약간의 반투과성만을 상악 절치의 절단연에 포함하였다. 반투과성의 양은 환자가 전체적으로 약간 어려보일 정도로 구축하였다(그림 39).

쟁점, 논란, 문제

선택적인 심미 치과는 환자와 의사의 관점으로부터의 신중한 고려가 요구된다. 환자의 관점에서, 선택적 심미 치과는

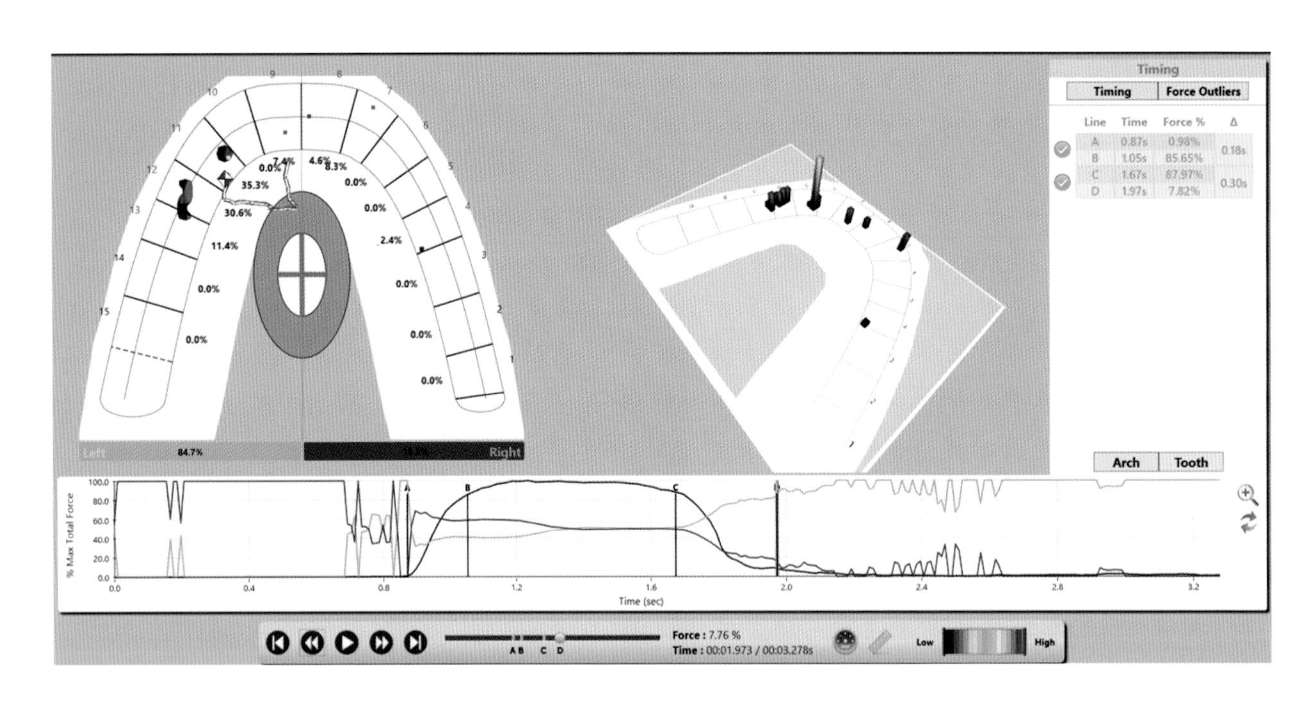

그림 35 #11(23)번 치아가 0.30초 내에 거의 완벽하게 구치부 분리를 구축하는 좌측방 편심위

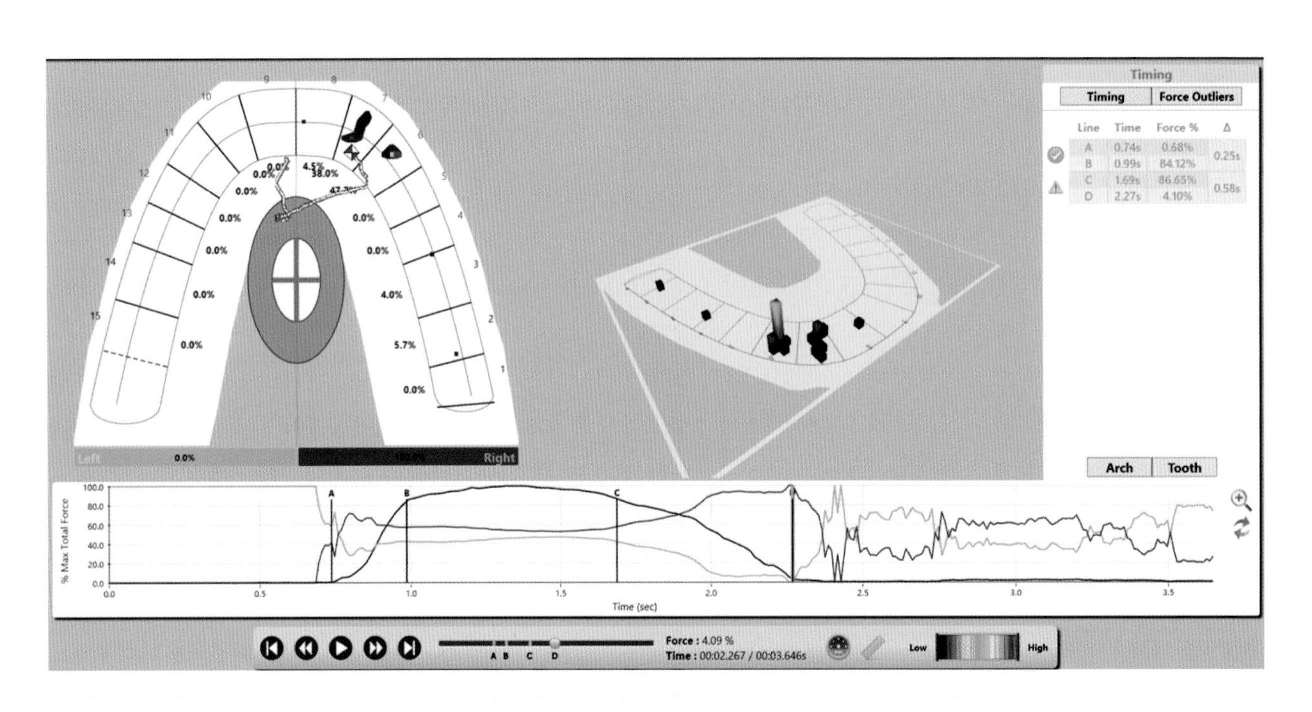

그림 36 #6(13)번 치아가 0.58초에 모든 구치부를 분리하는 우측방 편심위 기록

미래의 재치료에 대한 잠재성뿐만 아니라 더 나은 유지의 수명을 의미할 수 있다. 의사의 관점에서, 선택적 치료를 추천할 때 치아 보존이 근본적인 요소가 되어야 한다. 최소의 침입적 치료가 항상 고려되어야 한다. 이 증례에서처럼 교정이나 레진 접착과 같은 대안적인 옵션으로 환자의 주호소를 해결할 수 없다면, veneer가 크라운보다 우선 선택이 될 수 있다. 이런 방법으로, 설측면과 일부 증례에서는 인접면도 원래의 상태로 고스란히 유지될 것이다.

심미 치과에서 사용할 재료 선택 또한 고려되어야 한다. 의사 결정 과정 동안, 다음의 질문을 고려해야 할 것이다:

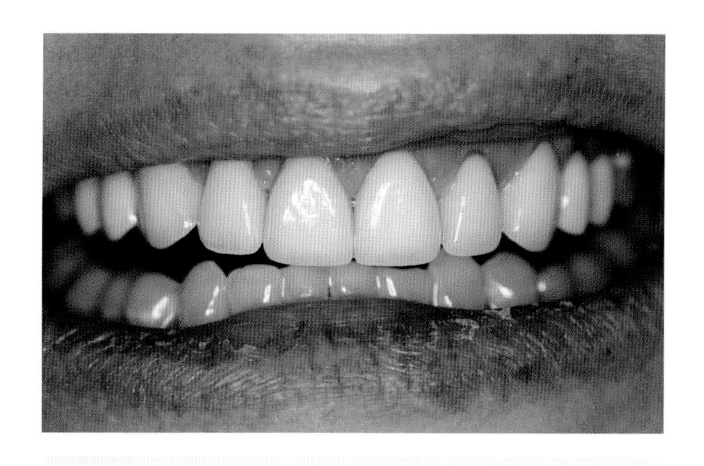

그림 37 견인하지 않은 수복된 정면 모습

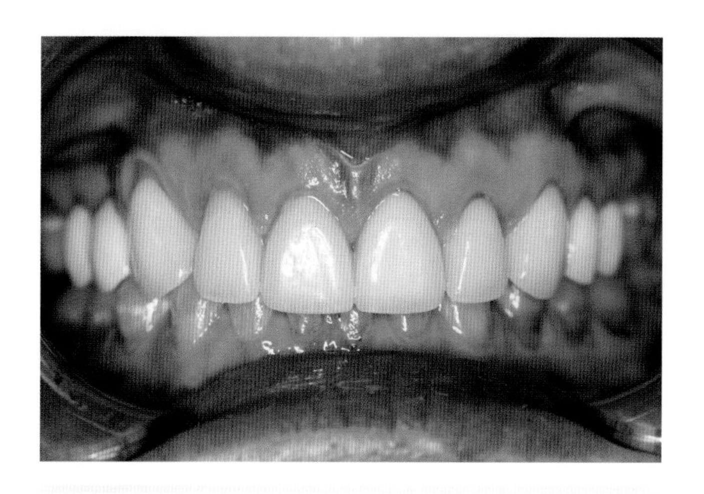

그림 38 견인된 수복 정면 모습. #6, 7(13, 12)번 치아에 치은연상 마진이 있다

- 어둡거나 변색된 치아 구조물을 가려야 할 필요가 있습니까?
- 기존의 기능적 교합 부하 문제가 있습니까?
- 기존의 이상기능 습관이 있습니까?

제시된 증례에서는, 어둡고 변색된 치아 구조물을 감출 필요가 있었다. 그러므로, IPSe.max와 같은 고밀도의 좀 더 불투명한 제품을 선택하였다. 두 번째로, 기존의 이상기능 활동이 지속될 가능성도 있다. 그러므로, 증가된 교모 저항과 IPSe.max의 강도가 필요하였다.

교합 기능에 관하여, 적절한 진단과 치료 계획 수립이 새로운 수복물의 장-기간 성공에 중요할 것이다. 시행되는 치료에 포함되도록 다루어질 필요성이 있는 선재 조건은:

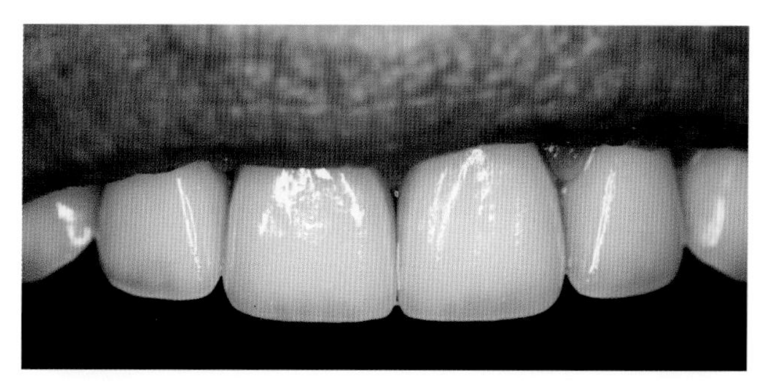

그림 39 환자의 나이 때문에, 약간의 반투과성만 절단연에 포함시켰다

- CO에서 전방 결합(anterior coupling)의 유무.
- CO에서 자연 치아 구조물에 교합 접촉을 유지하는지 혹은 수복물에 접촉을 대신 두어야 하는지에 관한 프렙 디자인.
- 원치 않는 교합 조기접촉을 제거하기 위한, 적절한 수복물 교합 접촉 타이밍.

Cadent iTero를 사용하여 수행하는 것과 같은 디지털 인상 채득은 수복 증례에서 공간 지향과 적합성을 향상시키는 능력으로 전통적인 인상 채득을 능가하는 몇 가지 장점을 제공한다.

우선, 임상의는 프렙 마진의 시각화되고 즉각적인 피드백을 가지게 된다. 전통적인 인상 채득 술식에서, 임상의는 "희망 치의학"에 종속되게 된다; 즉, 치은 견인으로 조직을 적절하게 벌리고, 인상재가 기포없이 벌려진 부위로 충분히 주입되며, 인상재를 구내에서 제거할 때 찢어지지 않기를 "희망"한다. 디지털 인상은, 사용된 치은 견인법 유형과 상관없이 마진의 시각화를 즉각적으로 확인한다. 마진이 보이지 않으면, 인상 스캔을 완성하기 전에 사전에 즉각적으로 마진의 시각화를 촉진하는 기회를 가질 수 있다.

두 번째로, 스캔 이미지에 의한 즉각적인 시각적 피드백 덕분에, 최종 인상을 완성하기 전에 프렙을 수정할 수 있다. 이것은 line angle을 둥글게 하고, 마진을 확실하게 하고, 표면을 다듬고, 언더컷을 제거하고, 적절한 교합면 간격을 위한 치아 삭제를 포함한다.

그 다음, die의 골파기(ditching)를 포함하는 poly-urethane 내 master cast의 5-축 밀링으로 손으로 손질하는 전통적인 석고 모형 사용으로는 도달 불가능한 정확도를 구축한다. 컴퓨터 생성 모델은 사람이 수복물을 위해 모형을 만들 때 흔하게 발생하는 같은 결함에서 자유롭다.

마지막으로, 가상의 교합간 인기는 석고 모형을 교합기에 장착하기 위해 사용하는 전통적인 교합간 인기 재료에서 흔하게 발생하는 전형적인 수직 부조화를 제거한다(Tripodakis, Vergos, & Tsoutsos, 1997). 이런 흔한 부정확성은 사용된 인기 재료의 부정확한 양, 조작할 때의 재료 농도로 야기될 수 있다.

전통적으로, 임상의는 조기접촉이나 원치 않는 교합 접촉을 확인할 때 환자가 표현하는 교합 접촉 설명을 굳건하게 믿는다. 왁스 인기나 교합지 자국과 같은 전통적인 교합 지표가 과학에 기초하기 때문에 필요하다; 이것들은 발생하는 접촉을 보여주지만, 언제 접촉이 발생하는지 혹은 접촉이 얼마나 센 힘을 생산하는지는 보여주지 않는다.

"조기접촉"은 시간-기반 용어로, 초기의 강력한 교합 접촉 존재를 가리키는 것으로 장기간 받아들여졌다. 임상적으로 환자가 자신이 감지하는 초기 접촉 느낌을 얘기하지만 임상의에게 해당 치아가 어느 것인지 혹은 특정 치아의 어느 면인지 알려주지는 못하고, 시간-조기접촉은 적절하게 조정되어야 한다. 조기접촉 분석의 전통적인 방법은 실제적으로 측정하거나 시간을 기초로 하지 않는다. 조기접촉을 결정하는 전통적인 방법은 임상의와 환자에 의해 주관적으로 평가된다.

이와 같이, 시간-기반 교합 접촉 시간 조기접촉 분석을 달성하기 위해, 컴퓨터-촉진 방법이 필요하다. T-Scan 시스템은 일시적인 교합력을 실시간으로 기록할 수 있는 유일하게 이용가능한 교합 지표로, 전통적인 비-디지털 교합 지표로는 불가능한 정확하고 시간-기초의 교합을 평가하는 임상의의 능력을 크게 향상시킨다.

해결 방안 및 권고 사항

임상의는 객관적인 치과 치료법에 필요 사항을 고려할 때, 인상 형성과 작업 모형 제작의 전통적인 방법 뿐만 아니라 매우 주관적으로 수행되는 장착-후 교합 접촉 관리 방법의 어려움과 단점을 인지해야만 한다.

비-디지털 인상법은 임상적 오류, 재료의 물리적 변형, 임상적 조작 기술 변동성으로 인해 부정확성이 적재된다. 이런 인자들이 정확한 인상 및 바이트 채득을 복잡하게 하고, 이 둘 모두가 장착된 수복물의 구내 교합 관계에 영향을 미친다. 인상 채득과 교합간 기록을 얻기 위해 디지털 스캔을 이용하면 인상 재료의 경화 변형, 스톤의 경화 수축, 기계적 교합기 마운팅 부정확성의 복합적 오류를 배제한다.

최종 수복물이 삽입되면, 컴퓨터-촉진 교합 조정 과정으로 전통적인 교합 접촉 분석 및 조기접촉 조정에서 일반적인 임상의와 환자의 주관성을 배제한다. 그러므로, 디지털 인상 채득이 교합기에 장착된 전통적인 석고 모형을 능가하는 매우 향상된 정확성을 가지기 때문에, 저자는 치의학이 디지털 인상을 향해 이동해야 한다고 권고한다. 추가적으로, 치과 임상의가 비-주관적인 교합 지표로서 컴퓨터 교합 분석의 중요성을 분명하게 받아들이고, 일반 진료에서 적절하게 사용하면 교합 치료의 모든 측면에서 환자 진료의 표준을 대단히 향상시킬 것이다.

미래의 연구 방향

접착식 수복물 파절 연구가 T-Scan 컴퓨터 교합 분석 기술을 이용하여 마무리한 그룹과 비-디지털 전통적 방법만을 이용하여 마무리한 별도의 그룹을 비교하여 이루어져야 한다.

다수의 추가적인 장착-후 교합 조정 내원은 환자와 임상의 모두 원하지 않는다. 그러나, 접착식 심미 수복물 장착에 따르는 흔한 문제이고, 종종 새로운 수복물에 대한 환자 적응의 속도와 용이성을 제한한다. T-Scan으로 마무리한 그룹과 마무리 시 T-Scan을 사용하지 않은 그룹을 비교하여, 컴퓨터-유도 힘과 타이밍 조절이 접착식 치과의 장착-후 필요한 교합 조정 내원 횟수를 감소시키는지 판단하기 위한 연구가 이루어져야 한다. 한층 더 나아가, 같은 연구로 수복물 파손의 비율을 평가할 수 있다.

전통적 인상 형성과 석고 모형 재생산 기술에 대해 디지털 인상 스캔을 테스트하여, 각 방법의 공간적 정확성 능력을 비교하여 판단하는데 도움이 될 수 있다.

결론

치과 디지털 기술은 끊임없이 진화하고 있다. 새롭고 더 좋은 기술이 오늘날 이용 가능하여 현재 치과 환자를 진료하는 방법이 지속적으로 발전하고 있다. 과학 기술이 결합되면, 임상의는 향상된 진단을 내리고 환자 경험을 촉진하며 진료 시간을 감소시키고 더 나은 최종 생산물을 전달하는 기회를 가지게 된다. 이런 의견은 이 저자가 iTero와 T-Scan을 사용하여 다수의 수복물을 장착하면서(2006년부터) 얻은 개인적 관찰과 많은 수복물을 제작하는 기공실로부터 받은 보고에 근거한다.

iTero/T-Scan 결합 수복 접근을 사용한 이 저자의 개인적 관찰에 의하면:

- 수복물 마진 적합성 평가는 전통적인 방법과 비교해서 iTero 인상 채득으로 현저히 향상되었다.
- iTero 인상을 사용하면, 인접면-간 접촉 치실-저항이 모든 케이스에서 일정하다.
- 제작 후에 장착 시 T-Scan으로 마무리한 접착식 수복물에서, 환자가 불편하다고 표현하는 교합접촉의 수가 감소하였다.

제공된 수복물을 제작하는 기공실이 저자에게 구두로 보고하길, 비-디지털 전통적 기공 방법과 비교해서 iTero 스캔 데이터를 사용하여 수복물을 제작하면 맞지 않는 기공물의 리메이크 요구 횟수가 상당히 감소하는 것을 경험했다고 한다.

참고문헌

- Barghi, N. & Berry, T. (2002). Clinical evaluation of etched porcelain onlays: a 4-year report. *Compendium of Continuing Education in Dentistry*, *23*(7), 657-660, 662, 664.
- Birnbaum, N.S., & Aaronson, H.B. (2008). Dental impressions using 3D digital scanners: virtual becomes reality. *Compendium of Continuing Education in Dentistry, 29*(8), 494-505.
- Birnbaum, N., Aaronson, H., Stevens, C., & Cohen, B. (2009). 3D digital scanners: A high-tech approach to more accurate dental impressions. *Inside Dentistry, 59*(4), 70-77.
- Browning, W.D., Blalock, J.S., Callan, R.S., Brackett, W.W., Schull, G.F., Davenport, M.B., & Brackett, M.G. (2007, March-April). Postoperative sensitivity: a comparison of two bonding agents. *Operative Dentistry, 32*(2), 112-117.
- Cook, M. (2006). *Arrowhead Dental Lab*. Salt Lake City, UT. Accessed August 12, 2014 from http://www.arrowheaddental.com/
- Coleman, T.A., Grippo, J.O., & Kinderknecht, K.E. (2003). Cervical dentin hypersensitivity. Part III: resolution following occlusal equilibration. *Quintessence International, 34*(6), 427-434.
- Garg, A.K. (2008). Cadent iTero's digital system for dental impressions: the end of trays and putty? *Dental Implantology Update, 19*(1), 1-4
- Henkel, G.L. (2007). A comparison of fixed prostheses generated from conventional vs. digitally scanned dental impressions. *Compendium of Continuing Education in Dentistry, 28*(8), 422-431.
- Ishigaki, S., Bessette, R.W., & Maruyama, T. (1993, January). A clinical study of temporomandibular joint (TMJ) vibrations in TMJ dysfunction patients. *The Journal of Craniomandibular Practice*, *11*(1), 7-13, discussion 14.
- Ishigaki, S., Bessette, R.W., & Maruyama, T. (1993, July). Vibration analysis of the temporomandibular joints with meniscal displacement with and without reduction. *The Journal of Craniomandibular Practice, 11*(3), 192-201.
- Kachalia, P.R., & Geissberger, M.J. (2010). Dentistry a la carte: in-office CAD/CAM technology. *Journal of the California Dental Association, 38*(5), 323-330.
- Kerstein, R.B. (2006). Adhesive Aesthetic Occlusal Case Finishing Employing Computerized Occlusal Analysis, *The American Academy of Cosmetic Dentistry Monograph,* a-f.
- Kerstein, R.B., Chapman R., & Klein, M. (1997). A comparison of ICAGD (Immediate complete Anterior Guidance Development) to "mock ICAGD" for symptom reductions in chronic myofascial pain dysfunction patients. *The Journal of Craniomandibular Practice, 15*(1), 21-37.
- Kerstein, R.B., & Radke, J. (2006). The effect of disclusion time reduction on maximal clench muscle activity levels. *The Journal of Craniomandibular Practice*, *24*(3), 156-165.
- Kerstein, R.B., & Radke, J. (2012). Masseter and temporalis excursive hyperactivity decreased by measured anterior guid-

ance development. *The Journal of Craniomandibular Practice, 30*(4), 243-254

- Kerstein, R.B., & Wright, N. (1991). An electromyographic and computer analysis of patients suffering from chronic myofascial pain dysfunction syndrome; pre and post - treatment with immediate complete anterior guidance development. *Journal of Prosthetic Dentistry, 66*(5), 677-686.
- Lee, J., Kwon, J., Bhowmick, S., Lloyd, I., Rekow, E. & Lawn, B. (2008). Veneer vs. core failure in adhesively bonded all-ceramic crown layers. *Journal of Dental Research, 87*(4), 363-366.
- Levine, N. (2009). To the sky and beyond. *Dental Products Report, 10*, 116.
- Lomke, M.A. (2009). Clinical applications of dental lasers. *Journal of the Academy of General Dentistry.*
- Morley, J. (1997). The Esthetics of Anterior Tooth Aging. *Current Opinion in Cosmetic Dentistry, 4*, 35-39.
- Morley, J. (1999). The Role of Cosmetic Dentistry in Restoring a Youthful Appearance. *Journal of the American Dental Association, 130*(8), 1166-1172.
- Perillo, L., Sorrentino, R., Apicella, D., Quaranta, A., Gherlone, E., Zarone, F., Ferrari, M., Aversa, R., & Apicella, A. (2010). Nonlinear visco-elastic finite element analysis of porcelain veneers: a submodelling approach to strain and stress distributions in adhesive and resin cement. *Journal of Adhesive Dentistry, 12*(5), 403-413.
- Perry, R.D. (2007). Clinical evaluation of total-etch and self-etch bonding systems for preventing sensitivity in Class 1 and Class 2 restorations. *Compendium of Continuing Education in Dentistry*, 28(1), 12-14.
- Samet, N., Shohat, M., Livny, A., & Weiss, E.I. (2005). A clinical evaluation of fixed partial denture impressions. *Journal of Prosthetic Dentistry, 94*(2), 112-117.
- Sears, A.W. (1937). Hydrocolloid impression technique for inlays and fixed bridges. *Dental Digest, 43*, 230-234.
- Thom, G. (1989). Treatment of hypersensibility of the neck of tooth by occlusion correction and removal of parafunction. *Stomatologie der DDR, 39*(10), 687-691.
- Tripodakis, A., Vergos, V. & Tsoutsos, A. (1997). Evaluation of the accuracy of interocclusal records in relation to two recording techniques. *Journal of Prosthetic Dentistry*, 77(2), 141-146.
- Weslcott, A. (1870). The use of plaster of Paris for taking impressions of the mouth: Its history and importance. *Dental Cosmos, 12*(4), 169-181.
- Widmalm, S.E., Westesson, P.L., Brooks, S.L., Hatala, M.P., & Paesani, D. (1992). Temporomandibular joint sounds: correlation to joint structure in fresh autopsy specimens. *American Journal of Orthodontics and Dentofacial Orthopedics, 101*(1), 60-69.

추가문헌

- Auschill, T.M., Koch, C.A., Wolkewitz, M., Hellwig, E., & Arweiler, N.B. (2009). Occurrence and causing stimuli of postoperative sensitivity in composite restorations. *Operative Dentistry, 34*(1), 3-10.
- Aykor, A., & Ozel, E. (2009). Five-year clinical evaluation of 300 teeth restored with porcelain laminate veneers using total-etch and a modified self-etch adhesive system. *Operative Dentistry, 34*(5), 516-523.
- Carey, J.P., Craig, M., Kerstein, R.B., & Radke, J. (2007). Determining a relationship between applied occlusal load and articulating paper mark area. *Open Dentistry Journal, 1*, 1-7.
- Ender, A., & Mehl, A. (2011). Full arch scans: conventional versus digital impressions--an in- vitro study. *International Journal of Computerized Dentistry, 14*(1), 11-21.
- Flügge, T.V., Schlager, S., Nelson, K., Nahles, S., & Metzger, M.C. (2013). Precision of intraoral digital dental impressions with iTero and extraoral digitization with the iTero and a model scanner. *American Journal of Orthodontics and Dentofacial Orthopedics, 144*, 471-478.
- Gesch, D., Bernhardt, O., & Kirbschus, A. (2004). Association of malocclusion and functional occlusion with temporomandibular disorders (TMD) in adults: a systematic review of population-based studies. *Quintessence International, 35*(3), 211-221.
- Gesch, D., Bernhardt, O., Mack, F., John, U., Kocher, T., & Alte, D. (2005, March). Association of malocclusion and functional oc-

clusion with subjective symptoms of TMD in adults: results of the Study of Health in Pomerania (SHIP). *Angle Orthodontist, 75*(2), 183-190.

- Glassman, S. (2009). Digital impressions for the fabrication of aesthetic ceramic restorations: a case report. *Practical Procedures Aesthetic Dentistry Journal, 1*, 60-64
- Greven, M. (2011). TMD, bruxism, and occlusion. *American Journal of Orthodontics and Dentofacial Orthopedics, 139*(4), 424.
- Henrikson, T., Ekberg, E.C., & Nilner, M. (1998). Masticatory efficiency and ability in relation to occlusion and mandibular dysfunction in girls. *International Journal of Prosthodontics. 11*(2), 125-132.
- Homewood, C.I. (1994) Aspects of dentinal and pulpal pain. Force, cracks and restorative dentistry. *Annals of the Royal Australasian College of Dental Surgeons, 12*, 153-159.
- Ishigaki, S., Bessette, R.W., & Maruyama, T. (1992). The distribution of internal derangement in patients with temporomandibular joint dysfunction--prevalence, diagnosis, and treatments. *Journal of Craniomandibular Practice, 4*, 289-296.
- Ishigaki, S., Bessette, R.W., & Maruyama, T. (1993). Vibration analysis of the temporomandibular joints with degenerative joint disease, *Journal of Craniomandibular Practice, 11*(4), 276-283.
- Ishigaki, S., Bessette, R.W., & Maruyama, T. (1994). Diagnostic accuracy of TMJ vibration analysis for internal derangement and/or degenerative joint disease. *Journal of Craniomandibular Practice, 12*(4), 241-245, Discussion 246.
- Kim, S.Y., Kim, M.J., Han, J.S., Yeo, I.S., Lim, Y.J., & Kwon, H.B. (2013) Accuracy of dies captured by an intraoral digital impression system using parallel confocal imaging. *International Journal of Prosthodontics, 26*, 161-163.
- Kerstein, R.B. (1994). Disclusion time measurement studies: a comparison of disclusion time between chronic myofascial pain dysfunction patients and nonpatients: a population analysis. *Journal of Prosthetic Dentistry, 72*(5), 473-480.
- Kerstein, R.B. (1998). Understanding and using the center of force. *Dentistry Today, 17*(4), 116-119.
- Kerstein, R.B. (2008). Computerized occlusal analysis technology and Cerec case finishing. *International Journal of Computerized Dentistry, 11*(1), 51-63.
- Kerstein, R.B. (2008). Articulating paper mark misconceptions and computerized occlusal analysis technology. *Dental Implantology Update,19*(6), 41-46.
- Lipp, M.J. (1991). Temporomandibular symptoms and occlusion: a review of the literature & the concept. *Journal of the Colorado Dental Association, 69*(3), 18-22.
- Mackie, A., & Lyons K. (2008). The role of occlusion in temporomandibular disorders--a review of the literature. *New Zealand Dental Journal, 104*(2), 54-59.
- Pergamalian, A., Rudy, T.E., Zaki, H.S., & Greco, C.M. (2003, August). The association between wear facets, bruxism, and severity of facial pain in patients with temporomandibular disorders. *Journal of Prosthetic Dentistry, 90*(2), 194-200.
- Racich, M.J. (2005). Orofacial pain and occlusion: is there a link? An overview of current concepts and the clinical implications. *Journal of Prosthetic Dentistry, 93*(2), 189-196.
- Rauhala, K., Oikarinen, K.S., & Raustia, A.M. (1999). Role of temporomandibular disorders (TMD) in facial pain: occlusion, muscle and TMJ pain. *The Journal of Craniomandibular Practice, 17*(4), 254-261.
- Seligman, D.A., & Pullinger, A.G. (1991, Fall). The role of functional occlusal relationships in temporomandibular disorders: a review. *Journal of Craniomandibular Disorders, 5*(4), 265-279.
- Sessle, B. (2012). Oral parafunction, pain, and the dental occlusion. *Journal of Orofacial Pain, 26*(3), 161-162.
- Stevens, C. J. (2005). Assessing patient readiness for full-mouth restoration: a case report, *Dentistry Today, 24*, 114-117.
- Stevens, C. J. (2006). Computerized occlusal implant management with the T-Scan II System: a case report. *Dentistry Today, 25*, 88-91.
- Stevens, C. J. (2012). A segmented approach to full-mouth rehabilitation. *Dentistry Today, 31*, 106,108-112.
- Suvinen, T.I., & Kemppainen, P. (2007). Review of clinical EMG studies related to muscle and occlusal factors in healthy and TMD subjects. *Journal of Oral Rehabilitation. 34*(9), 631-644.
- Torassian, G., Kau, C.H., English, J.D., Powers, J., Bussa, H.I.,

Marie Salas-Lopez, A., & Corbett, J.A. (2010). Digital models vs. plaster models using alginate and alginate substitute materials. *Angle Orthodontist*, *80*(4), 474-481.

- Troeltzsch, M., Troeltzsch, M., Cronin, R.J., Brodine, A.H., Frankenberger, R., & Messlinger, K. (2011). Prevalence and association of headaches, temporomandibular joint disorders, and occlusal interferences. *Journal of Prosthetic Dentistry*, *105*(6), 410-417.
- Trushkowsky, R.D., & Oquendo, A. (2011). Treatment of dentin hypersensitivity. *Dental Clinics North America*, *55*(3), 599-608.
- Türp, J.C., & Schindler, H. (2012). The dental occlusion as a suspected cause for TMDs: epidemiological and etiological considerations. *Journal of Oral Rehabilitation*, 39(7), 502-512.
- van Dijken, J.W., & Hasselrot, L. (2010). A prospective 15-year evaluation of extensive dentin-enamel-bonded pressed ceramic coverages. *Dental Materials*, *26*(9), 929-939.
- Vence, B.S. (2007). Predictable esthetics through functional design: the role of harmonious disclusion. *Journal of Esthetic and Restorative Dentistry*, *19*(4), 185-191.
- Wang, M.Q., Cao, H.T., Liu, F.R., Chen, C., & Li, G. (2007, March). Association of tightly locked occlusion with temporomandibular disorders. *Journal of Oral Rehabilitation*, *34*(3), 169-173.
- Zweig, A. (2009) Improving impressions: go digital! *Dentistry Today*, *28*(11), 100, 102, 104.

주요 용어 및 정의

- **CAD/CAM**: 컴퓨터-지원 디자인/컴퓨터-지원 제작(computer-aided design/computer-aided manufacturing)의 머리글자. 이 용어는 제품을 디자인하고 밀링하기 위해 컴퓨터를 사용하는 것과 연관된다.
- **Electrovibratography**: 근원적인 진동을 포착하고 기록하기 위해 표면 변환기를 사용하는 과학으로, 그 후 분석을 위해 컴퓨터 모니터에 디스플레이한다.
- **가상**: 컴퓨터 소프트웨어로 창조되거나 시뮬레이션된 이미지.
- **경사(Cant)**: 기준선의 양 끝 사이의 높이 차이.
- **공초점(Confocal)**: 영역 초점 심도 외부의 반사된 빛을 제거하여 3차원적인 물체의 가상 재건을 가능하게 하는 광학적 이미지 기술.
- **교합 시간(OT)**: 폐구 과정의 첫 번째 접촉과 모든 치아의 정적인 교두감합 사이의 경과 시간; 0.2초 이하의 지속시간이 이상적인 것으로 간주된다.
- **교합 조정**: 적용된 교합력의 균형을 맞추고, 적용된 교합력을 받아 모든 교합하는 치아의 타이밍을 개선하기 위해 치아 모양을 다듬는 것.
- **이개 시간(DT)**: 편심위 운동 동안 완전한 교두감합에서 탈출하여 모든 구치부가 양측성으로 완전히 분리될 때까지 필요한 경과 시간; 0.5초 이하의 지속 시간이 이상적인 것으로 고려된다.
- **정점(zenith)**: 치은정 최고점의 위치.
- **평형(Equilibration)**: CO-CR 차이를 균등하게 하기 위해, 폐구호를 간섭하는 소수의 교합하는 구치의 표면을 조정하는 과정.

경피 전기 신경 자극(TENS)와 T-Scan 시스템의 결합: 증례 보고

Curtis Westersund, DDS
ICCMO, 캐나다

초록

저작근 과활성은 TMD 환자에서 기능 장애 증상을 악화시키고 영구화하는 중요 인자로 간주되고 있다. 기능 장애 환자에서 자주 보고되는 다양한 증상을 감소시키거나 해소하고자 하는 많은 치료 양식이 치의학에서 발달하였다. 이런 방법 중 한 가지는 초저주파수(Ultra Low Frequency, ULF)로 알려진 경피 전기 신경 자극(Transcutaneous Electrical Nerve Stimulation, TENS)으로, 5번, 7번 뇌신경의 원심성 운동 섬유에 전기 자극을 적용하여 저작근을 완화하기 위해 사용된다. TENS는 통증 상실과 환자 진정을 가져오며, 약화된 근육 생리를 회복하고, 근육의 휴식 길이를 증가시킬 수 있다. 또한 TENS는 폐구 시 본의 아닌 근 수축을 유도함으로써 근신경적 상하악 관계 구축을 돕는다. 이번 장에서는 TENS를 TMD의 치료 양식으로 논의하고, TENS를 이용하여 근신경적 상하악 관계를 구축하는 방법을 설명하고, 가철성 피개 레진 보조 장치를 측정성 및 생리적으로 균형잡기 위해 TENS와 T-Scan 컴퓨터 교합 분석 시스템을 조합하여 사용한 임상 증례 보고를 소개한다.

도입

저작근 과활성은 TMD 환자에서 관찰되는 기능 장애 증상을 유발하고 영구화하는 중요 인자로 고려되고 있다. 근 과활성은 안면 통증, 이악물기 및 이갈이 습관, 측두통, 하악 피로를 유발한다. 제안된 근 이완 치료는 근이완제(Dionne, 1997), 생체 자기 제어(biofeedback)(Dalen, Ellertsen, Espelid, & Gronningsaeter, 1986), 스트레스 완화 상담(Schumann, Zwiener, & Nebrich, 1988), 구내 보조기(Carr, Christensen, Donegan, & Ziebert, 1991), 치료 마사지(Wright & Schiffman, 1995)를 포함한다.

초저파수(Ultra Low Frequency, ULF) 경피 전기 신경 자극(Transcutaneous Electrical Neural Stimulation, TENS)은 운동 신경에 대한 직접 자극을 유발하는 것으로 보인다(Gomez & Christensen, 1991). 5, 7번 뇌신경의 원심성 운동 섬유에 초당 1회의 전기 자극을 적용함으로써, 과활성된 저작근계를 이완시키는데 자극의 효과가 사용될 수 있다(Kamyszek, Ketcham, Garcia, & Radke, 2001). 전극을 적절하게 환자의 머리에 위치시키면(그림 1), 짧은 리드미컬한 경련 수축이 근육계 내에 유도되어 순환 증가와 자세성(posturing) 전기 활성의 감소를 야기한다(Kamyszek, Ketcham, Garcia, & Radke, 2001). 펄스를 부여하는 동안

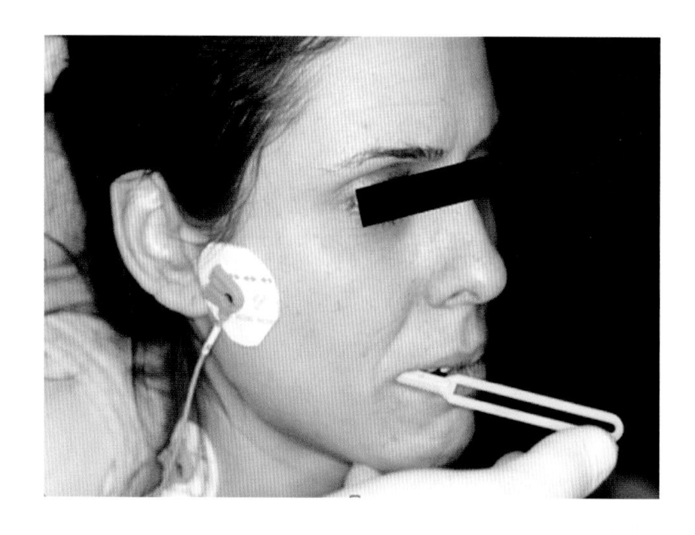

그림 1 3개의 TENS 전극 한 세트를 좌우 관상절흔 위에 위치시키고, 나머지 한 전극을 Nuccal Line 하방 목 중앙에 위치시킨다. 3개의 TENS 전극 두 번째 세트를 흉쇄유돌근과 견갑거근 사이의 좌우 사각근 그룹 위에 위치시킨다. 세 번째 전극은 먼저 Nuccal Line 하방에 위치시킨 것보다 아래쪽 목 중앙에 놓는다. 여기서, 환자에게 펄스를 부여하여 보조기에 존재하는 교합 접촉을 교합지에 표시한다

구심성 신경 섬유도 자극하기 때문에, TENS는 안면 통증으로 고통스러운 환자에게 진통 효과를 제공하거나(Holt, Finney, & Wall, 1995), 충치 제거에 대한 환자의 반응을 조절하기 위해(Horiuchi, Suda, Hanada, & Suzuki, 1978), 환자 진정의 방법으로도 사용된다(Shane & Kessler, 1967).

ULF-TENS를 포함하는 연구는 TENS가 근 활성 크기를 과활성 및 이완된 근육 모두의 휴지기 EMG 크기로 감소시킨다고 하였다(Kamyszek, Ketcham, Garcia, & Radke, 2001). 게다가, TENS는 연장되고 지속적인 근육 펄스를 따르는 비-엔돌핀성 진통 효과를 수립하는 것으로 보인다(Pertovaara, Kemppainen, Johansson, & Karonen, 1982; Olausson, Eriksson, Ellmarker, Rydenhag, Shyu, & Andersson, 1986). 그러나, 한 연구는 TENS가 측두근 전방부의 통증과 EMG 활성을 감소시킴에도 불구하고, 최대 자발적 이악물기(Maximum Voluntary Clench, MVC) 동안의 교근 활성을 증가시키는 것을 밝혀냈다. 이 연구는 단일의 TENS 적용으로 통증이 효과적으로 감소하지만, 평가된 근육의 전기 활성 크기에 균등하게 작용하지는 않는다는 것을 보여주었다(Rodrigues, Siriani, Bérzin, 2004).

TENS가 교근과 전측두근에 미친 치료-후 효과 지속 시간을 평가한 한 분석은(Eble, Jonas, & Kappert, 2000), 펄스-후 효과가 2-7시간 지속된다고 하였다. 관찰된 치료-후 효과는 근 활성 감소와, 대상자가 교합했을 때 더 높은 근활성 주파수를 보이는 측정된 근육 위치로의 힘 스펙트럼 이동을 포함하였다. 이런 변화는 분석된 근육과 3개의 다른 하악 위치 모두에게 통계적으로 중요하다. 저자들은 TENS 치료가 생화학 및 생리적인 근육 상태에 변화를 자극하여, 관찰된 근 이완을 야기한다고 제안하였다(Eble, Jonas, & Kappert, 2000).

기능 장애 환자에게 TENS 사용

기능 장애 및 TMD 환자에게, 다양한 신경학 및/혹은 근막 상태와 연관된 안면 통증을 치료하고 해결하기 위한 생리적-특징 치료로 TENS를 이용할 수 있다(Holt, Finney, & Wall, 1995). 더욱이, TENS는 최대 교두감합 위치(MIP)로의 환자의 습관성 폐구 호 및 CR 위치로의 양수 조작의 호와 상당히 다른 불수의적 폐구 호를 저작 근육계 내에 유도함으로써 근신경 상하악 관계 구축을 도울 수 있다(Dawson, 2007). 이 위치는 근중심 교합(Myocentric Occlusion)이라고 표현되었다(Jankelson, 1990).

기능 장애 환자의 회복을 위해 상하악 관계로 근중심 교합을 선택하면, 증가된 근 기능과 전측두근 및 교근의 향상된 시너지 효과가 이루어질 수 있다고 보고되었다(Jankelson, 1990; Cooper, 1997). 이렇게 보고된 개선은 다른 비-MIP 상하악 위치와 비교할 때, 근신경적 위치로 확보한 증가된 근육 회복과 연관될 것 같다. 한 연구는 Leaf Gauge-획득 상하악 관계(LG), 양수 조작-획득 상하악 관계(CR), 근신경적-획득 상하악 관계(NM)를 사용하여, 최대 정적인 이악물기 동안 교근과 측두근 활성 크기를 평가하였다. LG 위치는 지속적으로 최저의 EMG 활성을 보였으나, NM 위치는 최고의 근 활성 크기를 보였다. 저자는 최대 이악물기 동안 교근/측두근 EMG 활성 비율이 LG와 CR 위치에서 낮고 NM 위치에서 높게 나타나, NM 위치가 최대의 총 이악물기 근육 회복을 생산했다고 보고하였다(Hickman, Cramer, & Stauber, 1993).

NM이 잠재적인 치료 위치로 구축되면(Cooper & Kleinberg, 2008), 대합 치열과 교합시키기 위해 구내 보조 장치 조정할 때 근중심 교합의 TENS-유도 불수의적 폐구 호를 사용할 수 있다. TENS 접근으로 보조 장치를 생리적으로 균형잡기 위한 정확한 교합 조정을 시도한다. 환자가

TENS-펄스를 반복적으로 받아 확정적인 교합 접촉을 이루면서, 교합지 접촉 자국이 각 반복된 TENS-펄스 폐구에 의해 보조 장치에 표시된다. 결과로 만들어진 교합 자국을 임상의가 주관적으로 해석하여(Kerstein & Radke, 2013), 장치의 교합력 분포 균형을 잡기 위한 시도로 조정 부위를 선택한다.

최근, 위에 언급한 전통적 보조기 조정 기술이 TENS와 T-Scan 컴퓨터 교합 분석 시스템(T-Scan 8, Tekscan, Inc., S. Boston, MA, USA)을 조합하여 현대화되었다. 지속 시간을 측정하는 T-Scan 기술의 연구 능력은 치아 접촉 시간-순서를 설명하고(Kerstein, Chapman, & Klein, 1997; Koos, Holler, Schille, & Godt, 2012), 상대적인 교합력을 재현하고(Kerstein, Lowe, Harty, & Radke, 2006; Koos, Godt, Schille, & Göz, 2010), 과다하게 강력한 교합력을 위치화함으로써(Maness, 1988; Maness, 1991), 치과의사가 일상적으로 사용하는 전통적인 비-디지털 교합 지표(교합지, 실리콘 인기, 왁스 인기, 교합된 석고 모형)와 비교해서 T-Scan 시스템을 우수한 교합 지표로 만든다.

TENS/T-Scan 디지털 접근의 조합은 보조기의 교합력 분포를 세밀하게 설명하는 펄스-유도의 상대적 교합력과 실시간 교합 접촉 순서 데이터를 획득한다. 환자는 TENS-펄스를 반복적으로 받아 보조기와 대합 치열 사이에 삽입된 T-Scan 레코딩 센서(HD Sensor, Tekscan, Inc., S. Boston, MA, USA) 위로 보조기 폐구 접촉을 형성한다. 이런 방법으로, 펄스의 불수의적인 폐구 호의 교합 접촉 타이밍 순서와 힘 분포가 터보 모드(0.003초 단위 프레임)를 사용하여 측정성으로 기록되고, 임상적 교합 분석을 위해 컴퓨터 스크린에 디스플레이된다. TENS/T-Scan 데이터를 기록한 후, 레코딩 센서를 구내에서 제거하고 교합지를 보조기와 대합 치열 사이에 삽입하여, 보조기의 교합 접촉을 잉크로 펄스-표시한다. 보조기의 정확한 교합 조정을 T-Scan 데이터로 유도하여, 임상의가 강력하다고 판단한 (그러나 측정되지 않은) 접촉을 선택하기보다는 치료가 필요한 접촉 선택을 컴퓨터 데이터로 결정한다. 이렇게 TENS/T-Scan 방법은 교합지 자국 표시에 대한 임상의의 주관적 해석을 배제하여, 보조 장치의 전체적인 교합력 디자인을 향상시킨다. 이 기술은 보조기의 교합 접촉 타이밍과 힘 분포의 균형을 생리적이고 측정성으로 맞추어 TENS와 교합지만을 사용했을 때보다 더 정교한 교합 종말점을 획득한다.

이번 장의 특별한 목표는 TENS를 TMD에 대한 치료 양식으로 논의하고, TENS를 이용하여 근신경적 상하악 관계를 구축하는 방법을 설명하고, 임상 증례 보고를 통해 TENS와 T-Scan 시스템을 조합하여 사용한 가철성 피개해부학적 레진 보조 장치 삽입을 설명하는 것이다.

배경

TMD 증상 치료의 TENS 효과

여기에서는 TENS를 이용하여 근 활성 크기를 변경하고 기능 장애 TMD 증상을 치료하는 시도나 기능 장애 TMD 증상 치료에 교합 스플린트(OS)와 조합하여 사용하는 연구에 관해 설명한다. 철저한 문헌 조사는 아니지만, TMD 환자의 치료에서 TENS의 유용한 역할을 이해하기 위한 과학적 이론을 제공할 것이다.

TENS 단독 사용

편측성 TMD로 고통받는 60명의 여성을 대상으로 표면 EMG 크기와 운동 그래프 하악 동작 변화에 대한 TENS 단독의 효과를 평가하였다. 대상자는 60분형 TENS를 1회 받은 TENS 그룹, 60분형 위장 TENS를 받은 Placebo 그룹, 아무런 처치를 받지 않은 Control 그룹으로 분류하였다. 치료 전후의 전측두근, 교근, 흉쇄유돌근, 이복근의 표면 EMG 크기를 비교하고, 치료 전후의 교합간 거리 차이도 비교하였다. 치료 전후의 상당한 차이는 TENS 그룹에서만 관찰되었고, 양쪽의 양측성 저작근의 표면 EMG 크기가 Placebo나 Control 그룹에 비해 현저하게 감소하였다. 운동 그래프 결과는 교합간 거리의 수직적 요소 또한 TENS 그룹에서 현저하게 증가한 것을 보여주었다. TENS가 저작근의 표면 EMG 활성을 감소시키는데 효과적이고, TMD 환자의 교합간 거리를 증가시킬 수 있다고 결론지었다. 특히, TENS를 사용한 이번 연구에서 위약 효과는 나타나지 않았다(Monaco, Sgolastra, Ciarrocchi, & Cattaneo, 2012).

TENS와 근신경 하악 위치 확보

TENS 단독 치료법 및 치료를 위한 근신경 위치 결정에 사용된 OS와 조합하여 TMD 환자의 과활성 저작근의 근 활성 크기를 감소시키는 것에 대해 광범위하게 연구되었다. TENS로 근신경 위치를 파악하면 이로 인한 근이완 효과로 인해 일부 TMD 합병 증상에 대해 긍정적인 치료적 개입이 될 수 있다고 몇몇 저자들은 연구를 발표하였다(Coy, Richard, Flocken, John, Adib, & Fray, 1991; Lynn, Jack, Mazzocco, Miloser, Zullo, & Thomas, 1992; Cooper, 1997; Cooper & Kleinberg, 2008). 이에 반하여, TENS가 일부 TMD 증상을 감소시키는 데 스플린트 치료법보다 덜 효과적이라는 발표도 있었기 때문에, 많은 저자들은 TENS를 보조기/스플린트 치료법과 조합하여 기능 장애 증상을 치료할 것을 권유하였다(Linde, Isacsson, & Jonsson, 1995; Alvarez-Arenal, Junquera, Fernandez, Gonzalez, & Olay, 2002; Wang, Wang, & Yang, 1998).

1991년 재미있는 분석 연구가 발표되었는데(Coy, Richard, John, Adib, & Fray, 1991), 근신경 재위치의 치료 효과 성공을 판단하기 위해 두개하악 통증과 기능 장애를 특별히 TENS와 근신경 재위치를 이용하여 치료한 임상의들이 설문지와 환자의 증례 내력에 대해 대답하였다. 전기적으로-유도된 측정 데이터로 근경직성 구축(拘縮, 수축 고정) 및 골격성 관계이상의 존재와 범위를 진단한 20명의 술자로부터 68개 증례 내력이 수집되었다. 상하악 관계 치료를 구축한 위치적 측정 데이터도 제공되었다. 어떤 골격적 관계이상의 정형적 수정 뒤에, 환자의 절반 이상에서 증상이 완벽하게 완화되었고 나머지 환자는 증상 개수의 상당한 감소를 경험하였다(Coy, Richard, Flocken, John, Adib, & Fray, 1991).

또 다른 연구는 안면 근육 내 과긴장성이 만성 두통 환자의 원인적 요소가 될 수 있다는 전제를 테스트하였다(Lynn, Jack, Mazzocco, Miloser, Zullo, & Thomas, 1992). 203명을 대상으로, 역전성 근경련 상태에의 EMG-기반 보조 장치의 효과를 보고하면서 EMG-측정 기능 장애와 보고된 두경부 통증 사이에 연관성이 존재하는지 확인하고자 시도하였다. 그 결과 EMG-기반 보조기 치료 후, 휴식 상태에서 근육성 근경련에 유의한 감소가 있었고($p < 0.0001$), 기능 동안의 근활성에 유의한 증가를 보였다(($p < 0.0001$). 저자들은 이 연구의 결과가 생리적 근신경적 두경부 운동 범위(motion envelope) 구축이 종종 근육성 과긴장 및 통증을 감소시킨다는 이론을 지지하는 것이라고 제안하였다(Lynn, Jack, Mazzocco, Miloser, Zullo, & Thomas, 1992).

교합 스플린트(OS)와 TENS 조합

TMD 증상에 대한 치료로서의 TENS에 관하여, TENS와 OS의 조합을 평가하는 많은 연구가 있었다. 일부 연구는 TMD 증상 감소에 있어서 TENS가 효과적이라고 보고하였지만, 일부는 OS보다 덜 효과적이라고 하였다. 이런 모순된 보고는 일반적으로 TENS로 근신경 재위치를 잡고 스플린트 치료를 시행하면 TMD 증상을 보이는 환자에게 잠재적인 경감을 제공한다는 것을 암시한다.

1995년 비정복성 TMJ 디스크 변위 치료에서 평평한 OS와 TENS의 효과를 비교한 연구가 있었다(Linde, Isacsson, & Jonsson, 1995). TENS(90Hz, 30분간, 하루 3회)나 견치 유도의 평평한 OS(하루 24시간 착용)로 치료받은 31명의 환자를 무작위로 선택하였다. 증상 및 징후는 치료 전후 시각 통증 척도(VAS)와 통증-추적 기록기(pain-tracking recorder)를 이용하여 기록하였다. VAS에서, OS로 치료받은 환자들은 TMJ 통증 소멸이나 50% 개선이 있었고, TENS로 치료받은 환자는 6%만이 개선되었다. 저자들은 비정복성 TMJ 디스크 변위 감소에는 TENS보다 평평한 OS가 더 효과적이라고 결론지었다(Linde, Isacsson, & Jonsson, 1995). 이같이 치료에 있어서 TENS와 OS를 비교한 다른 연구에서도 유사하게, 이갈이 조절에 있어서 TENS가 OS보다 덜 효과적이라고 보고하였다(Wang, Wang, & Yang, 1998).

이같이, 관절잡음, 외측 익돌근 통증을 가진 TMD 환자에게 TENS와 OS 사용의 치료 작용을 평가하기 위해, 치료 그룹에 익명의 짝 데이터와 무작위 대상 배치를 응용한 교차-설계 실험을 하였다. 그 결과 OS와 TENS의 조합으로는 이갈이 환자의 TMD 증상 및 징후를 현저하게 향상시키지 않았다(Alvarez-Arenal, Junquera, Fernandez, Gonzalez, & Olay, 2002).

대신 1182명의 치료된 환자를 포함하는 3681명 TMD 환자의 대규모 연구에서, EMG로 저작근의 휴식 상태를 분석하고 TENS 자극 치료 제안-시 및 치료-후 교합 기능으로 치료적 교합 위치를 결정하였는데, 보조기와 TENS를 같이 사용한 경우에 환자의 증상이 향상되었다는 것을 발견하였다. 저자는 TENS와 정확한 보조 장치를 이용하여 근신경적으로 획득한 치료적 상하악 위치 변화와 치료-후 첫 한 달부터 3개월 동안 상당히 완화된 증상 사이에 강력한 양의 관계가 존재하는 것으로 나타났다고 보고하였다

(Cooper, 1997).

또 다른 제법 큰 연구는 TMD로 고통받는 313명 환자의 교합을 근신경적으로 획득한 위치(해부학적으로 기반한 위치에 대항하여)로 재위치시킴으로써 TMD 증상이 감소되거나 해결됨을 연구하였다. 치료 결과 개선은 치료 전후 전기 기기 장치를 사용하여 판단하였다. 삼차신경의 하악지의 ULF-TENS는 저작근을 이완시켜 생리적 하악 안정위의 위치화를 촉진하였다. 저자는 TENS로 가장 이완된 하악 위치를 선택하는 것이 가능하여, 나중에 가철성 하악 보조 장치를 제작하는 데 사용할 수 있다고 하였다. 보조 장치는 새로이 발견된 생리적 하악 위치의 유지와 안정을 가능하게 하였다. 3개월 동안 하루 종일 장치를 사용하여, 휴식 및 기능 시 향상된 저작근 활성 수준과 위치적 안정을 얻었다. 부수적으로, 대부분의 환자는 두통과 다른 통증 증상의 뚜렷한 감소를 포함하는 상당한 증상 완화를 보고하였다(Cooper & Kleinberg, 2008).

위에 언급된 연구들이 종종 대조군을 포함하지 않았고, TMD의 증상 감소에 효과적인 것으로 보이는 비-TENS-펄스 하악 재위치 치료의 다른 형태와 비교 분석하지 않았다는 것에 주의해야 한다.

근-모니터(Myo-Monitor)

근신경 위치를 구축하기 위해 TENS 펄스를 환자에게 제공할 때, 임상의는 Myo-Monitor 기술(모델 J5, Myotronics, Inc., Seattle, WA, USA)(그림 2)로 펄스 속도와 펄스 진폭을 선택할 수 있다. 이것은 TENS로 유도된 불수의적 폐구 호를 반복적으로 유도할 수 있을 뿐만 아니라 TENS 없이 사람 근육 기능 수준을 측정하는 능력을 발휘하여 앞에서 언급된 연구에서 성공적으로 사용되었다.

요약하면, TMD 환자 치료에서 TENS의 유용한 역할은 다음과 같다:

- 5, 7, 9번 뇌신경이 분포하는 근육에 대한 정상적 근 생리와 정상적 안정 시 근육 길이의 회복을 돕는다.
- 과활성된 저작근을 일시적으로 이완시킨다.
- 과활성된 저작근의 통증을 완화시킨다.
- 근신경 위치 구축을 돕는다.
- 근신경 보조기 장착을 돕는다.

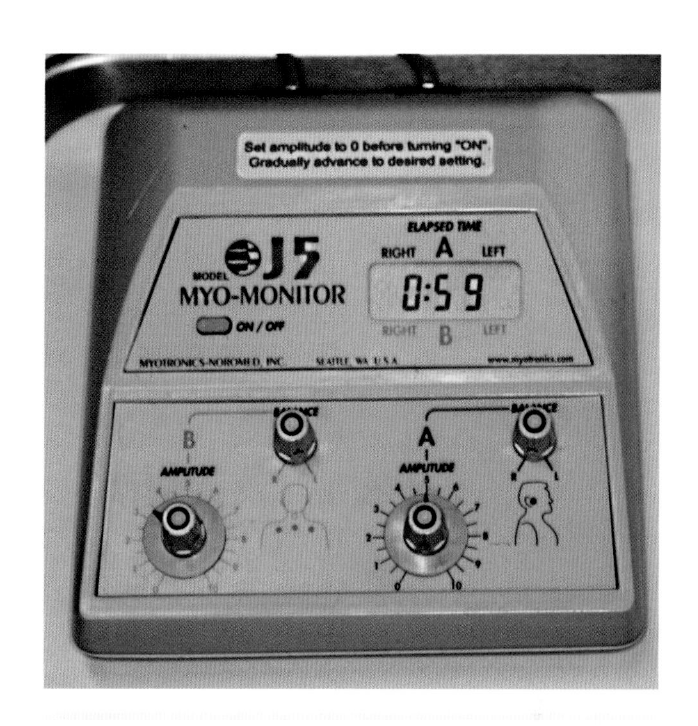

그림 2 1.5초 당 1 펄스의 빈도로 펄스를 제공하는 J5 Myo-monitor의 제어판을 이용하여 술자는 TENS 치료 동안 펄스 진폭을 조절할 수 있다

T-Scan 시스템과 TENS를 조합한 임상 증례 보고

이번 증례 보고는 선택된 근신경적 위치를 재현하는 가철성 피개형 해부학적 레진 보조기 상의 교합 접촉력 분포를 최적화하는데 사용되는 TENS-펄스 교합 접촉력과 타이밍 데이터 기록을 설명한다. T-Scan 교합 분석 시스템이 TENS와 연동되면, 매우 균형잡히고 생리적인 교합력 분포 확보를 도와 보조기 삽입 과정을 향상시킨다.

제시된 증례에서, TENS 펄스 부여는 Myo-monitor를 사용하여 이루어졌다(그림 2).

생리적 근신경성 위치 확보

근신경성 악골 위치는 하악이 가장 이완되는 위치의 하나로, 하악의 개구, 폐구, 저작 운동 동안 TMJ가 기능할 때 균형된 저작근 활성을 보인다. 이 위치는 생리적인 하악 위치를 유지하고 안정시키는 가철성 하악 보조 장치를 제작하기 위한 상하악 관계가 된다.

많은 술식들이 치료 보조기를 제작하는 근신경 위치를 구축하기 위해 이용된다:

- 치아가 가벼운 MIP 접촉 상태에서 안정 상태의 저작근 기능을 EMG로 평가(그림 3).

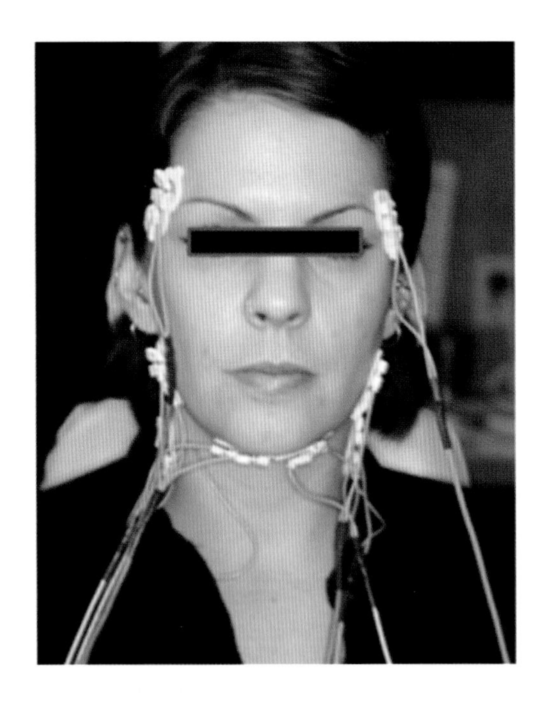

그림 3 TENS-전 EMG 기록을 사용하여 치아가 분리된 휴식 상태, 하악의 MIP에서 가벼운 접촉 상태, 치아가 접촉에서 막 벗어난 freeway space 위치의 하악 상태, 및/혹은 end-to-end 전방 접촉 상태를 평가한다

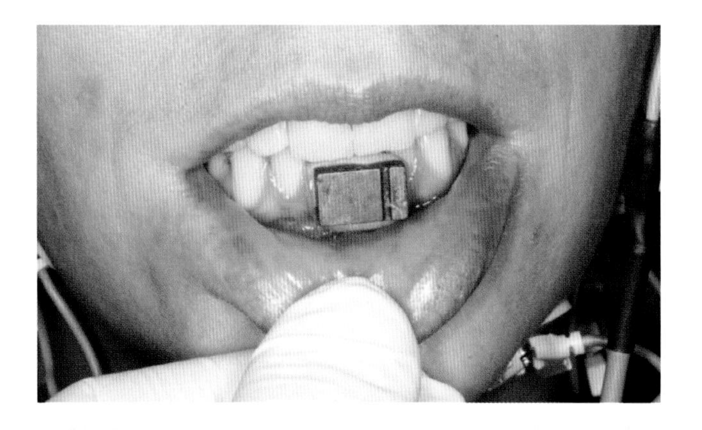

그림 5a 절치점 자석의 적절한 위치로 하악 절치에 접착형 왁스로 위치를 유지한다. 환자가 MIP로 교합할 때 상악 중절치와 접촉하지 않아야 한다

- 환자의 기존 Freeway space와 CO 안정성 결정(그림 4).
- TMJ의 기능적 한계능력를 확인하기 위해 치료-전 MIP 위치 밖으로의 하악 운동 범위 관찰.

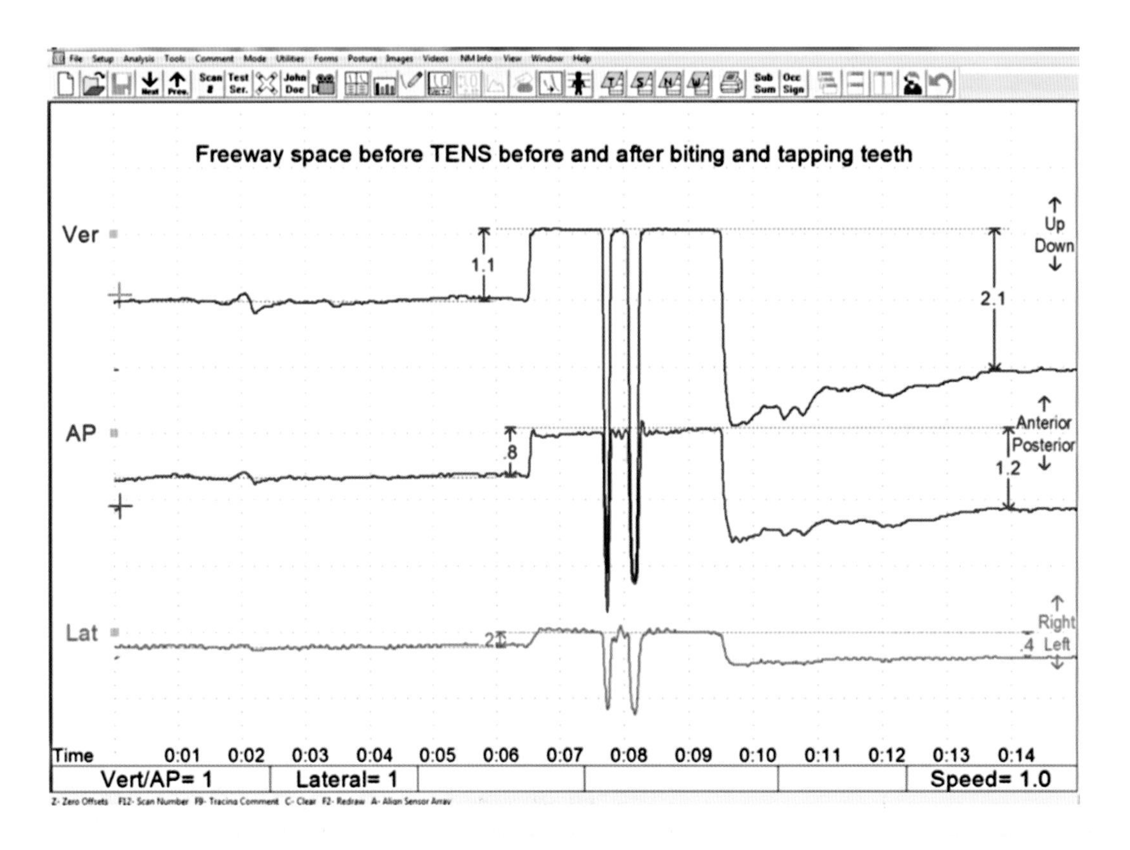

그림 4 조절적 휴식부터 CO까지 하악의 운동을 TENS-전에 기록한다. 치아의 교합과 저작 동안 근활성 크기를 관찰하여, 환자의 CO 안정성을 평가할 수 있다. 교합 및 저작의 전과 후에 포착한 안정적인 수직적 개구는, 환자가 조절 위치로 들어가거나 나오면서 운동할 때 존재하는 freeway space의 변화를 나타낼 수 있다

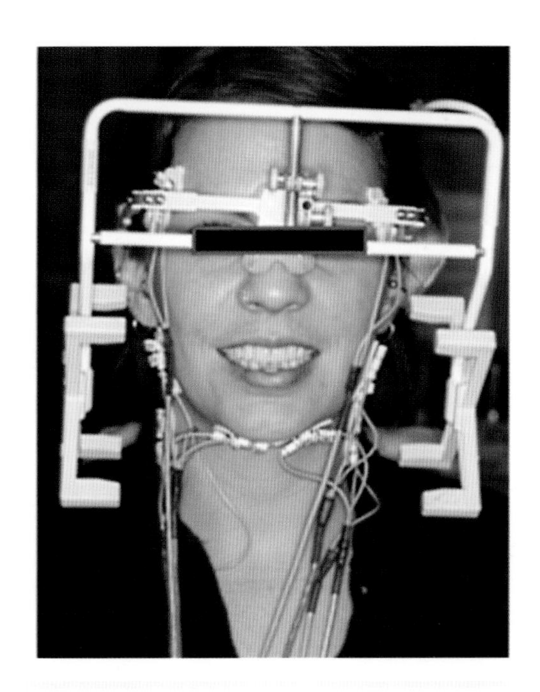

그림 5b 3D 하악 추적기를 사용하여 하악의 실시간 동작을 관찰한다. 센서 배열은 3차원적으로 하악 운동의 속도와 타이밍에 맞추어져야 한다. 이것으로 하악 기능의 미묘한 변화를 시각화하고 환자의 기능적 운동에 존재하는 잠재적인 병리에 관한 가치있는 정보를 제공한다

- 환자가 MIP로 자가-폐구할 때 개폐구 싸이클의 속도를 판단하면서 하악의 개구 및 폐구 호를 시상면 및 정면에서 관찰.

이런 판단은 절치점 자석을 이용하는 3D 하악 추적기로 성취된다(그림 5a-5c). 불완전한 하악 운동 양상은, 개폐구 싸이클 동안 만들어지는 하악 경로에 불리한 영향을 미치는 치료-전 TMJ 내부의 구조적 기능 장애를 암시한다.

- 절치점 자석을 이용한 3D 하악 추적기로 환자의 저작 싸이클 관찰(그림 6).
- 환자의 연하 양상 관찰(그림 7).
- TMJ의 병리와 인대 구조물의 기능 장애를 판단하기 위해, 개폐구 싸이클 동안 초음파 검사로 TMJ 진동 기록(그림 8a, 8b).
- 좌우 관상 절흔, Nuccal Line 하방 목 중앙, 좌우 흉쇄유돌근과 견갑거근 사이의 사각근, Nuccal Line 하방 목 중앙에 TENS 전극을 위치시킨다. 이런 배열은 5, 7, 9번 뇌신경을 자극한다(그림 9a, 9b).

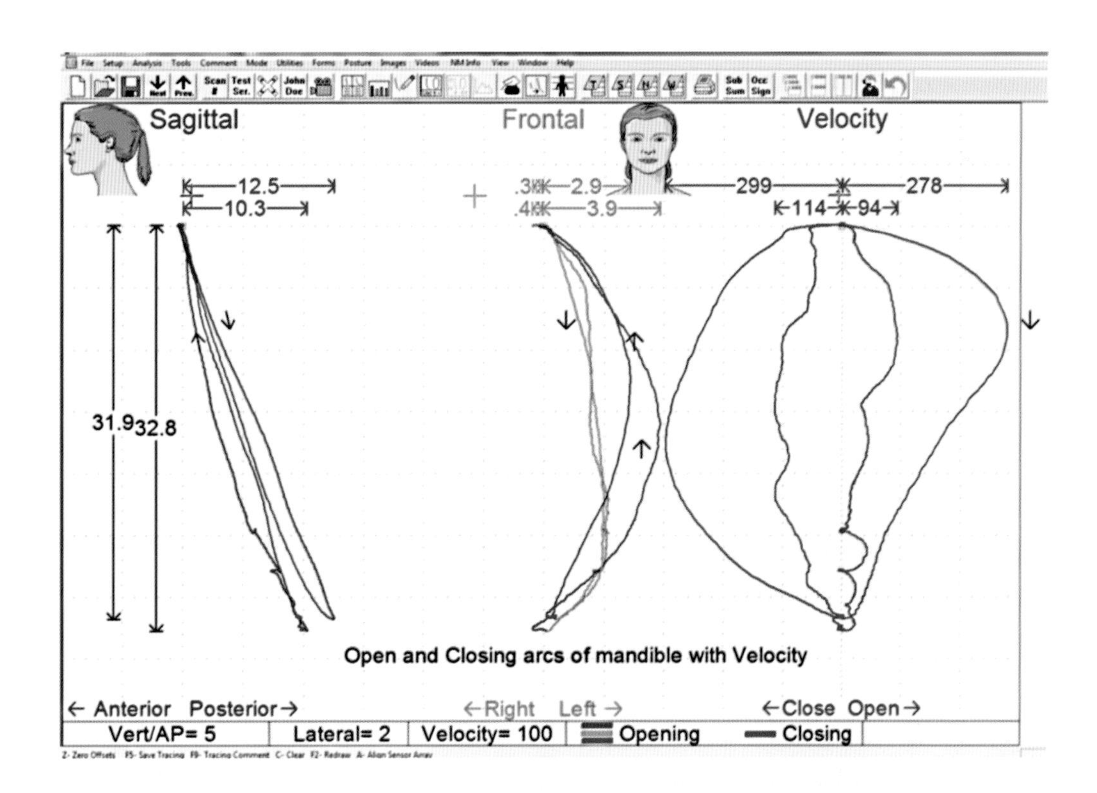

그림 5c 개폐구 싸이클의 속도와 하악의 개폐구 호를 기록한 정면과 시상면 모습. 개구 시 좌측으로의 하악 편위가 보이고, MIP의 우측으로 최종 굴절이 있다. 이것은 초기에 좌측 TMJ 조직이 연관되고 후에 우측 TMJ 조직이 연관됨을 나타낸다. 개폐구 호의 변화와 일치하는 속도 변화를 관찰하기 위해, 개폐구의 속도를 정상 속도와 빠른 동작 모두에서 포착하였다. 속도 변화는 TMJ 연조직의 병적 활동과 조화된 것일 수 있다. 개구나 폐구 시 하악 속도 저하는 TMJ 디스크의 정복이나 변위가 개폐구 싸이클의 어떤 수직적 위치에서 발생함을 암시하는 것일 수 있다

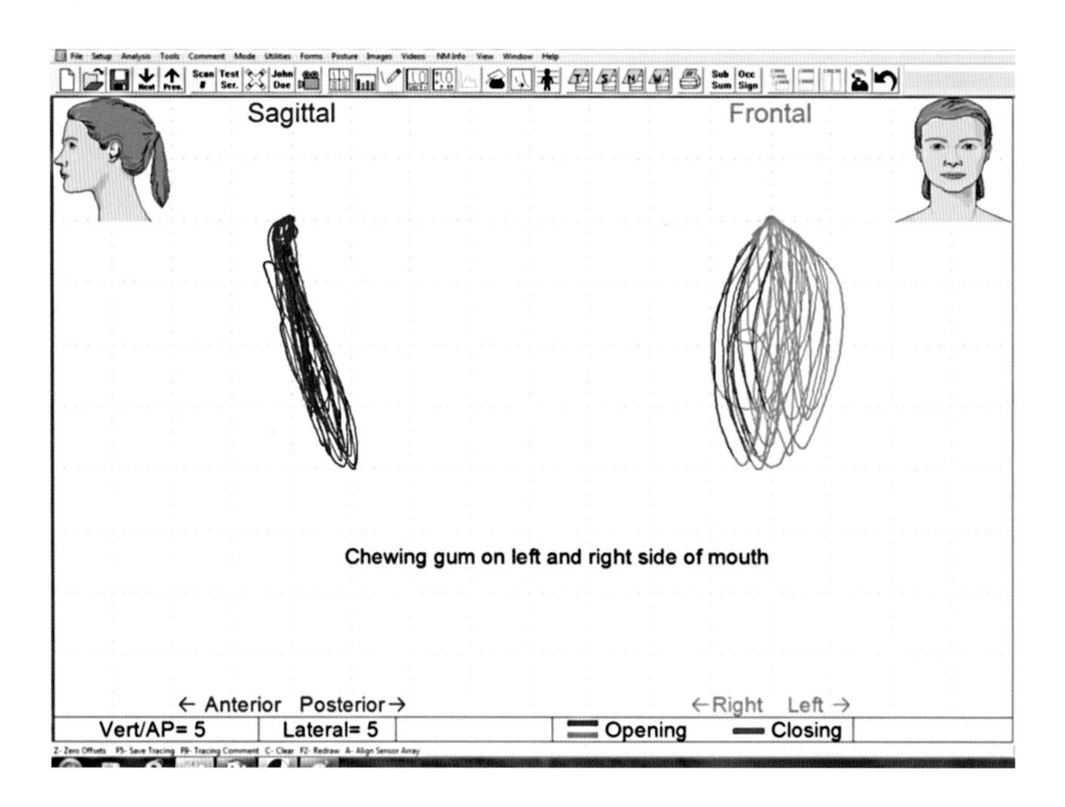

그림 6 환자의 좌우측 저작 싸이클. 이 기록은 환자의 안정적인 MIP 전후의 운동 능력을 평가하고, 정면에서 저작 싸이클의 경사를 보여준다. 유도에 의한 좋지 않은 교합은 폐구 시 뚜렷한 활주와 미끄러짐을 포함할 것이다. 저작 스트로크의 경사는 치아 형태를 계획하는 데에도 사용될 수 있다

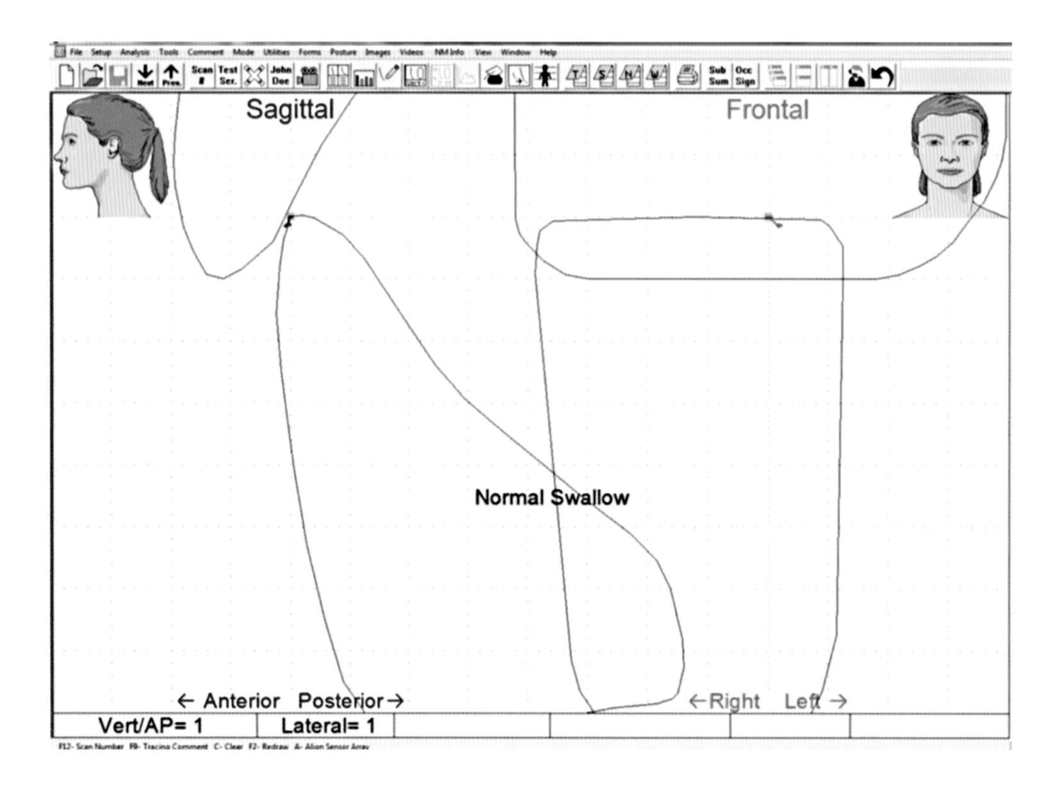

그림 7 환자가 연하할 때, 치아를 접촉하는지 아니면 구치부 사이에서 혀와 뺨을 이용하는지에 대한 환자의 연하 양상을 보여줄 것이다. 이 환자는 치아를 접촉하여 연하한다

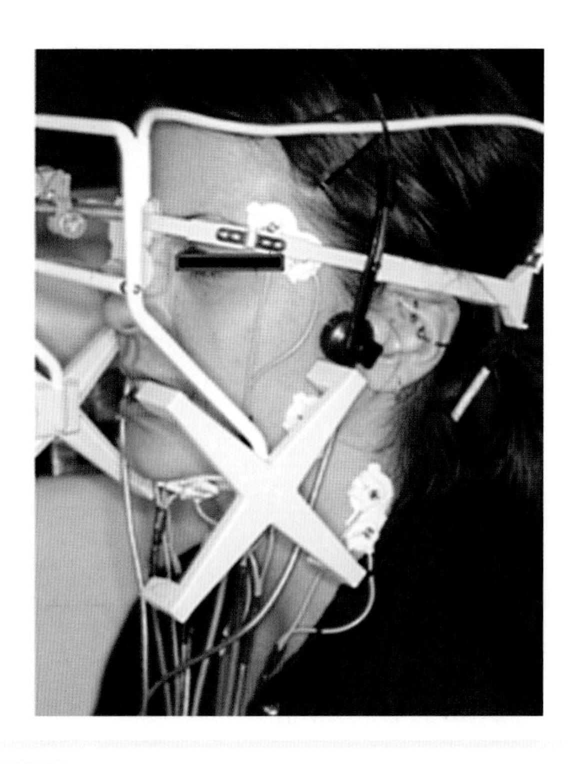

그림 8a 초음파 검사를 사용하여 환자의 TMJ 내의 병적인 진동을 포착한다

환자는 근신경 교합-간 기록을 채득하기 전에 1시간 동안 TENS-펄스를 받았다. 이것은 Myobite 채득 과정에 사용되는 가벼운 TENS-펄스로 불수의적 폐구 호를 유도하기 전에, ULF-TENS로 환자의 근육을 가능한 이완되게 해준다(그림 10).

Blu Mousse Classic(Parkell, Inc., Edgewood, NY, USA)을 이용한 구내 인기 형성은(그림 11a, 11b) EMG 판독으로 결정된 근신경적 위치를 포착하는데, 이 위치는 K7 소프트웨어 프로그램(K7 Evaluation Software, Myo-tronics, Inc., Seattle, WA, USA) 및 TENS-펄스 폐구 호의 3D 하악 추적으로도 관찰된다. 이를 통해 각 환자마다 가지고 있는 상악과 하악의 향상된 기능 부위를 결정하는 데 도움을 얻게 된다(그림 12a-12d).

Myobite를 성공적으로 채득하면, 피개형 보조기를 제작하기 위한 기공실 단계를 시작하여 구강내 장치를 준비한다.

- 근신경성 위치의 Myobite 인기를 사용하여 석고 모형을 교합기에 마운팅한다(그림 13a, 13b).

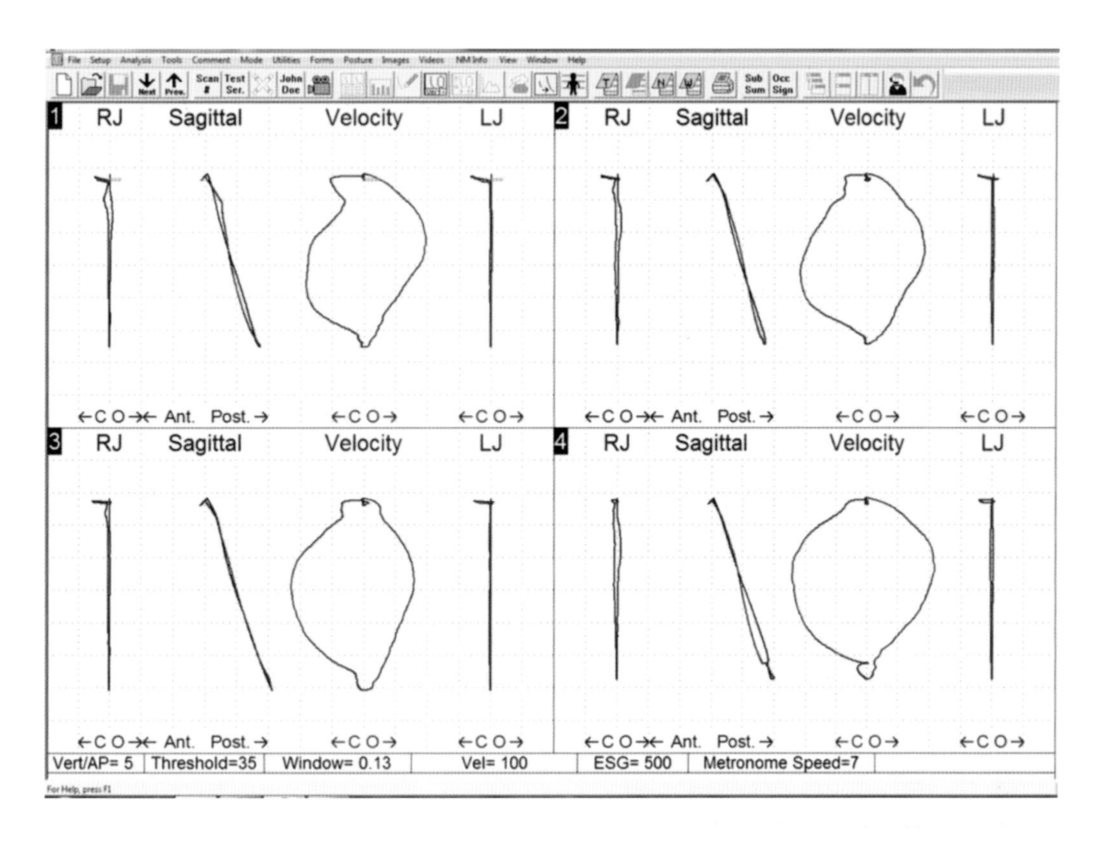

그림 8b 초음파 TMJ 기록은 하악의 개폐구 싸이클 내에서 TMJ 진동이 발생하는 타이밍을 보여준다. TMJ가 방출하는 소리의 진동수와 진폭에서의 진동을 관찰하여, 임상의는 환자의 좌우 TMJ 관절낭 조직의 건강을 판단할 수 있다. 소프트웨어는 데이터를 처리하여 TMJ 소리, 연조직 변위, 관절 공간 유착, 퇴행성 TMJ 질환의 존재를 암시하는 진동의 다양한 진동수를 보여준다

그림 9a TENS(큰 전극) 및 EMG(작은 전극) 전극이 환자의 머리에 위치하고 있다. 3개의 TENS 전극 세트가 2개이다. TENS 전극의 첫 번째 세트는 좌우 관상절흔과 목 중앙 Nuccal line 하방에 위치시킨다. 두 번째 세트는 좌우 삼각근군(흉쇄유돌근과 견갑거근 사이)과 목 중앙에 위치시킨다. 이 배열은 5, 7, 9번 뇌신경의 운동 신경 분포를 자극한다

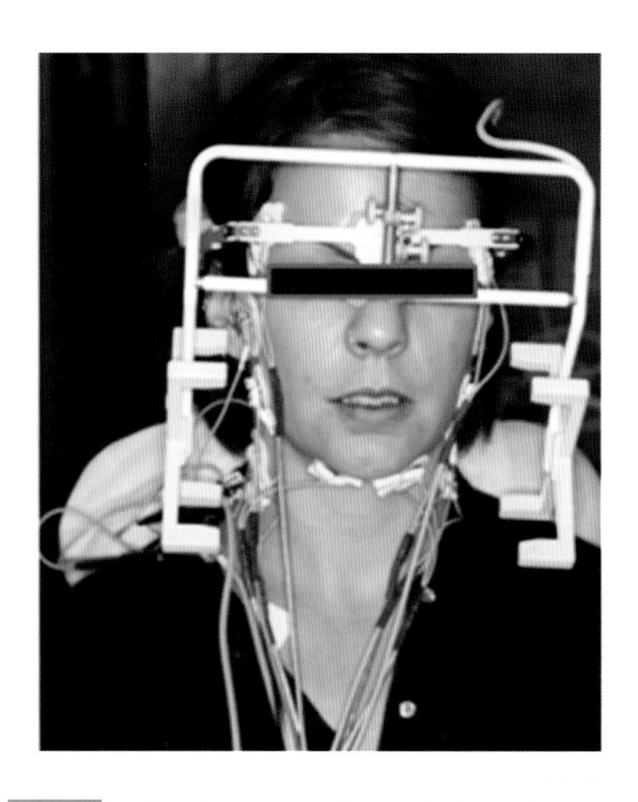

그림 10 1시간 동안 ULF-TENS로 저작근에 펄스를 가한 후, 임상의가 환자의 편안한 위치를 찾는 것을 돕기 위해, 스캔 5는 표면 EMG 데이터와 하악 추적 기록 정보를 조합할 수 있다. 이것으로 하악의 해부학적 보조기 제작에 사용되는 교합간 인기를 포착할 수 있다

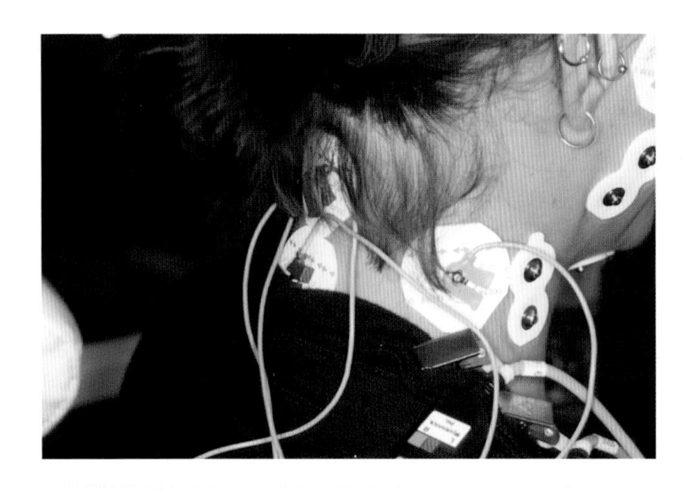

그림 9b TENS 전극이 흉쇄유돌근과 견갑거근 사이의 우측 삼각근에 위치되었고, Nuccal Line 하방의 목 중앙에도 전극이 놓여있다

- 기공실에서 마운팅된 모형에 해부학적 가철성 피개 레진 보조기를 왁스업하고 제작한다(그림 14, 15).
- 근신경성 보조기를 장착하기 전에 환자에게 낮은 수준의 TENS-펄스를 1시간 동안 적용한다.
- 환자에게 최종 보조 장치를 장착한다(그림 16, 17).

가철성 피개 해부학적 레진 보조기

삽입 초기에, 가철성 피개 레진 보조기의 적합성과 안착을 평가하고 필요에 따라 수정하여, 하부 치아에 보조기를 완

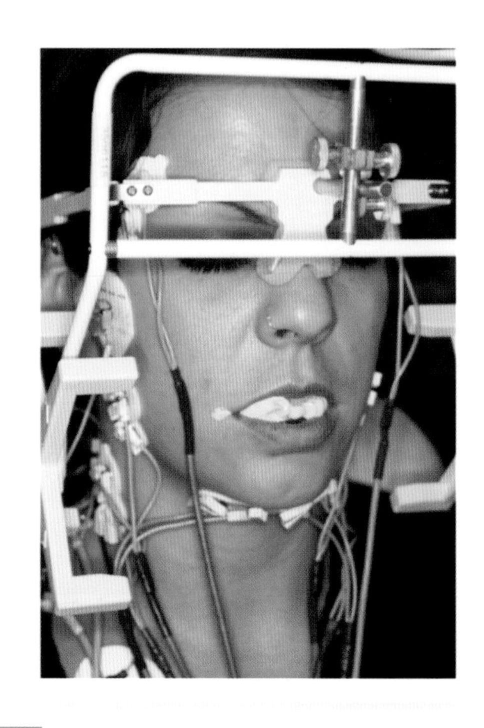

그림 11a K7 소프트웨어 프로그램의 데이터에 의해 유도된 근신경성 위치를 포착하기 위해 Blu Mousse Classic으로 구내 Myobite를 인기하였다

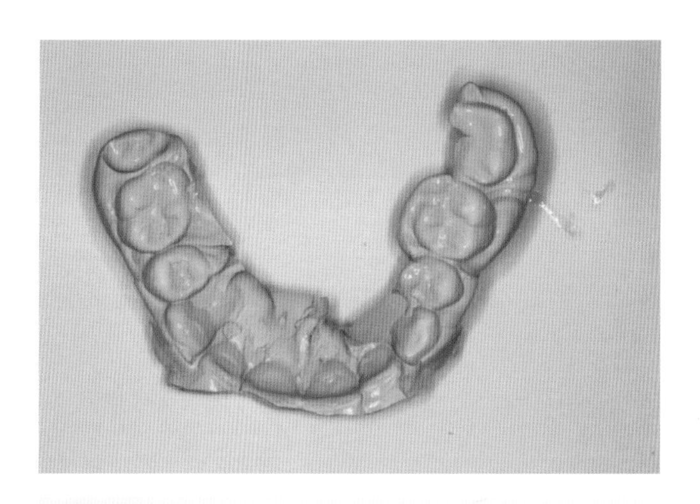

그림 11b Blu Mousse Classic Myobite가 인기된 교합면 자국을 보여준다

전하게 안착시킨다(그림 16, 17). 보조기가 완전히 안착되면, TENS/T-Scan 임상 적용을 통해 보조기의 교합면 디자인을 최적화할 수 있다.

T-Scan을 이용한 보조기의 교합 타이밍과 힘 분포 기록 및 TENS-유도 불수의적 폐구 호를 이용한 가철성 피개 해부학적 레진 보조기 균형화

TENS/T-Scan 보조기 장착 술식을 수행하기 전에, 1시간 동안 전-TENS를 환자에게 처치하는 것이 중요하다. 보조기 삽입 교합 조정 과정 동안, 대합하는 상악 치열에 보조기를 교합시키는 불수의적 폐구 호를 유도하기 위한 펄스 진폭을 높이기 전에 환자의 근육을 TENS로 충분히 이완시켜야 한다.

보철물의 기공실-구축 교합 체계에 대한 최적의 컴퓨터-유도 교합력 및 타이밍 향상을 지속적으로 달성하기 위해, T-Scan 기술을 사용한 전악궁 치아 보철물 균형 확보는 하나의 기록부터 차후 다음 기록까지의 작업을 포함한다. TENS/T-Scan 근신경성 보조기 장착 교합 조정 술식으로 같은 과정을 시행한다.

TENS/T-Scan 진단 영상을 적절하게 기록하기 위해:

- 허리 지지대와 팔걸이를 이용하여 환자를 체어에 완전

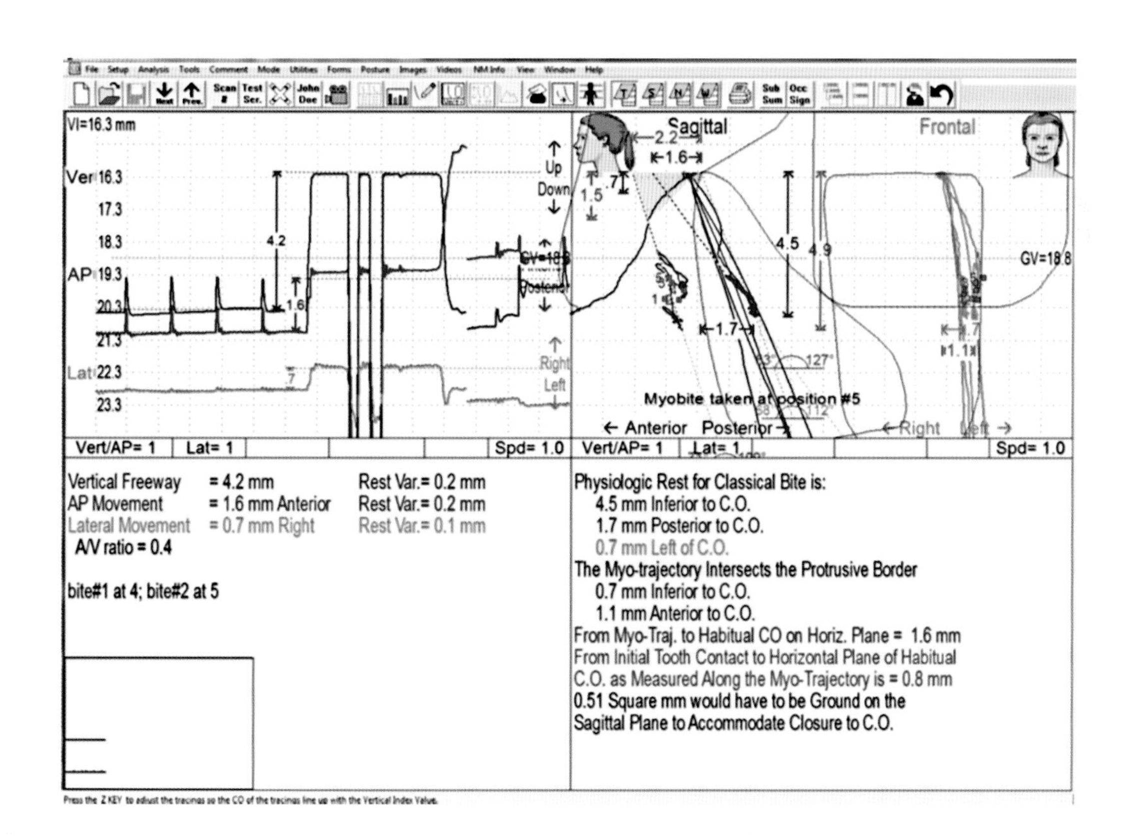

그림 12a 스캔 5는 TENS-펄스 폐구 호의 하악 추적을 보여준다. 이 데이터는 향상된 기능의 위치를 결정하는데 도움이 되고, 이것은 환자마다 개별적으로 결정된다. 휴식기 EMG 판독을 관찰하고 개폐구 동안의 하악을 추적하면, 개선된 교합간 위치가 관찰된다. 이 정보로부터, 가철식 해부학적 하악 보조기 제작을 위한 교합간 인기나 "Myobite"를 확보할 수 있다

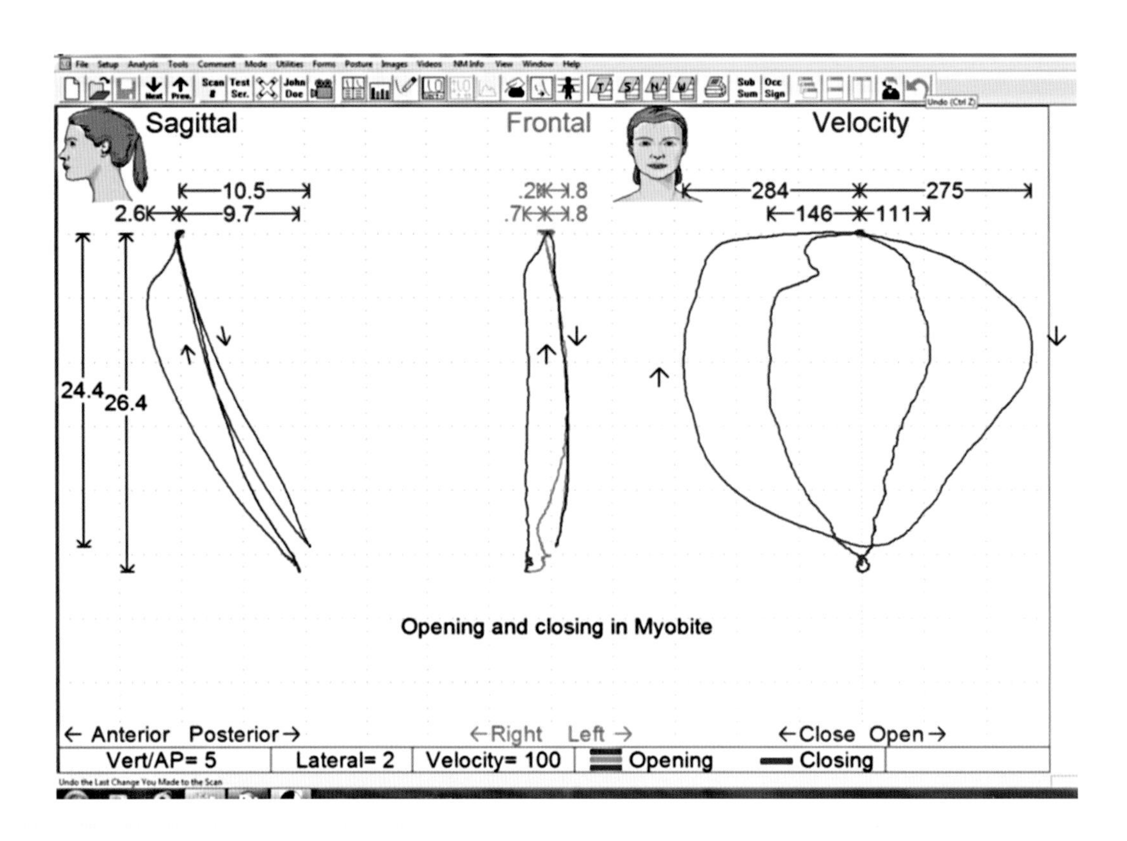

그림 12b 환자의 기능을 회복하기 위해 포착된 근신경성 위치가 최적인지 결정하기 위해서, 다양한 K-7 스캔을 사용하여 Myobite가 제위치되었을 때의 환자 기능을 관찰할 수 있다. 환자의 개폐구 호의 시상면 및 정면에서의 변화를 관찰하기 위해서, Myobite가 제위치되지 않았을 때 미리 포착된 동일한 하악 운동과 비교하여 스캔 2에서 Myobite를 평가한다(그림 5c). Myobite를 장착한 스캔은 정면 호에서 굴절 및 편위가 개선된 것과 부드러운 개폐구 속도를 볼 수 있는데, Myobite 장착으로 TMJ 내에서 조직 기능이 향상되었음을 시사한다

하게 똑바로 앉히고, sensor support에 장착한 T-Scan 레코딩 핸들을 환자의 구강내 상악 중절치 순측 치간공극 삽입한다(그림 18). TENS-펄스는 보조기 삽입-전 1시간 동안 제공한 TENS와 동일한 낮은 수준으로 유지해야 한다.

- T-Scan 모니터를 관찰하여 센서가 어떤 치아와도 접촉하지 않는지 확인한다.
- 보조기를 T-Scan 센서 및 대합하는 상악 치열과 확정적인 교합 접촉을 이루게 하는 불수의적 폐구 호를 유도하기 위해, Myo-monitor 제어판에서 TENS 펄스 강도를 증가시킨다.
- 연속적인 교합 조정 과정에 적절한 T-Scan 기록 감도를 찾기 위해, 환자가 반복적으로 펄스에 의해 교합 접촉하는 동안 T-Scan 모니터를 지켜본다. 펄스 T-Scan 데이터 내에서 핑크색 센셀이 한두 개 정도 보이도록 테스트 감도를 올리거나 내린다.
- T-Scan 레코딩 핸들의 녹화 버튼(record button)을 눌러 반복적인 펄스 기록을 시작한다. 분석을 위해 4-7개의 교합력 및 타이밍 데이터 펄스를 모은 후 정지한다.

이후의 모든 TENS/T-Scan 기록에서, 레코딩 센서나 기록 감도를 처음 선택한 감도 크기에서 바꾸지 않는 것이 추천된다. 과다한 교합력을 중심으로 조정하여, 연이은 기록으로 치료-전 과다하게 강력한 접촉이 조정 치료로 성공적으로 감소되었는지 확인한다. 조정이 시작된 후 기록 감도(혹은 레코딩 센서)가 바뀐다면, 임상의가 앞서 수행된 조정으로 더 높은 힘이 적절하게 감소되었는지 판단하기 어려울 것이다.

각 TENS/T-Scan 기록에 이어, TENS 정점에 존재하는 힘과 타이밍 이상을 포착하기 위해 T-Scan 데이터를 분석하고(그림 19a, 19b), 그 후 보조기의 힘과 타이밍의 문제성 교합 접촉을 목표로 조정한다. 그 다음, 교합지를 보조기와

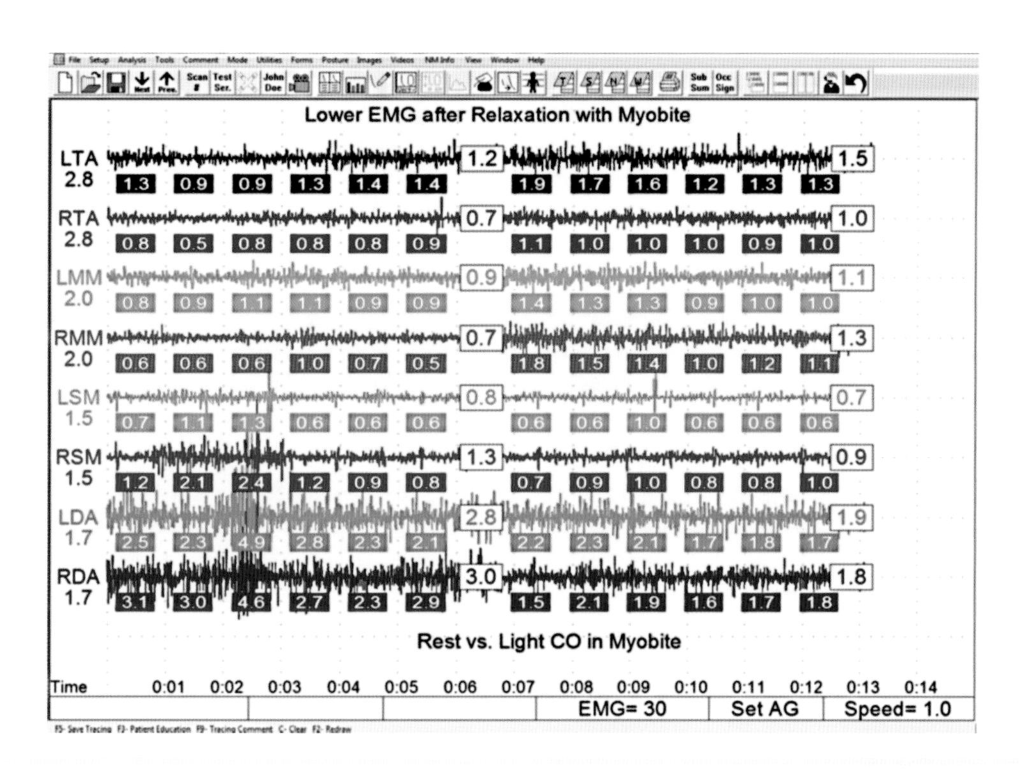

그림 12c Myobite를 장착한 환자의 저작근 EMG 수준. Myobite를 장착한 상태로 좌우 전측두근, 교근, 이복근, 흉쇄유돌근 그룹이 개구 위치, 안정 위치, 가벼운 MIP 접촉에서 모두 인기되었다. 안정위와 Myobite 상으로 가벼운 MIP 접촉을 한 상태 사이에서 근 활성 크기에 변화가 없다. 이것은 환자가 Myobite-결정 MIP로 이동하면서 향상되고 좀 더 균형잡힌 근육 회복이 발생한다는 것을 암시한다

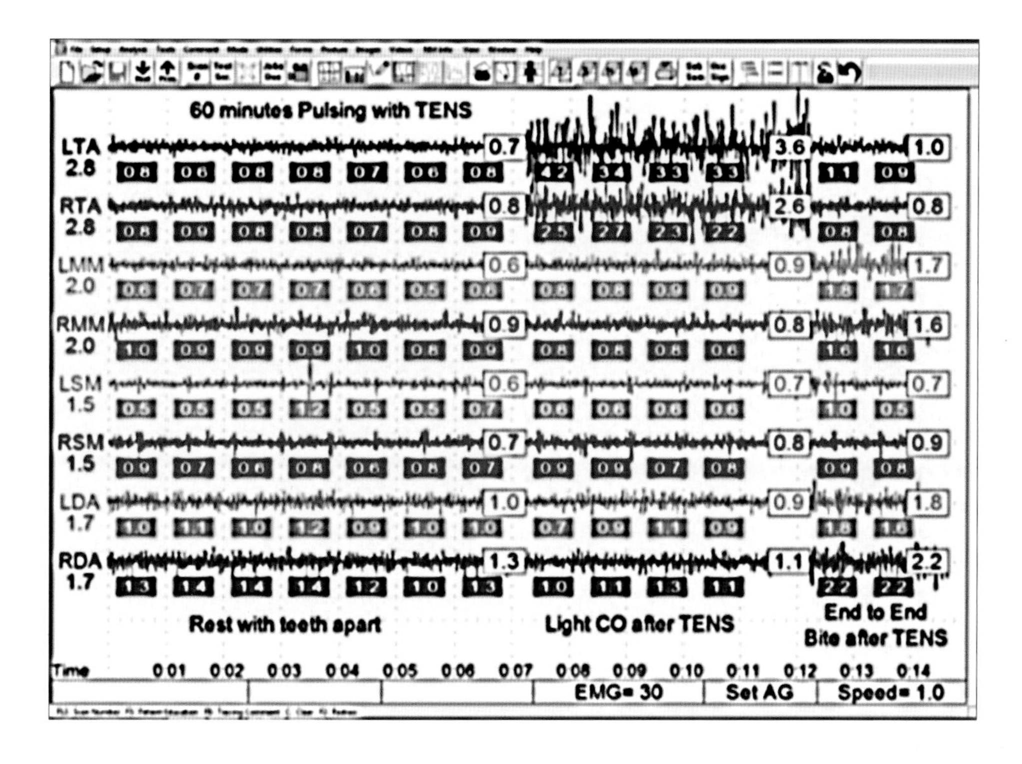

그림 12d 이 데이터는 환자의 개구 위치, 안정 위치, 습관성 CO(MIP)로의 가벼운 MIP 접촉에서 좌우 측두근(RTA, LTA)의 근활성 크기를 비교한다. 측두근의 활성 크기가 Myobite 상에서 가벼운 MIP로 접촉할 때와 비교해서 CO에서 현저하게 높다

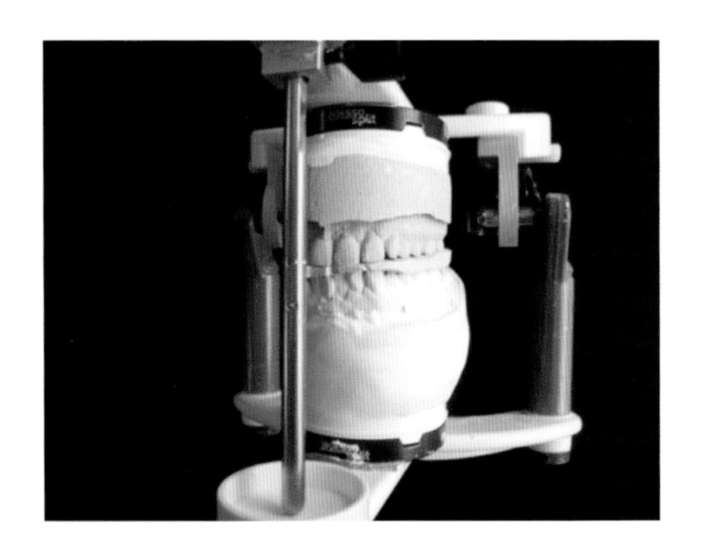

그림 13a Myobite 인기를 이용하여 석고 모형을 교합기에 마운팅하였다

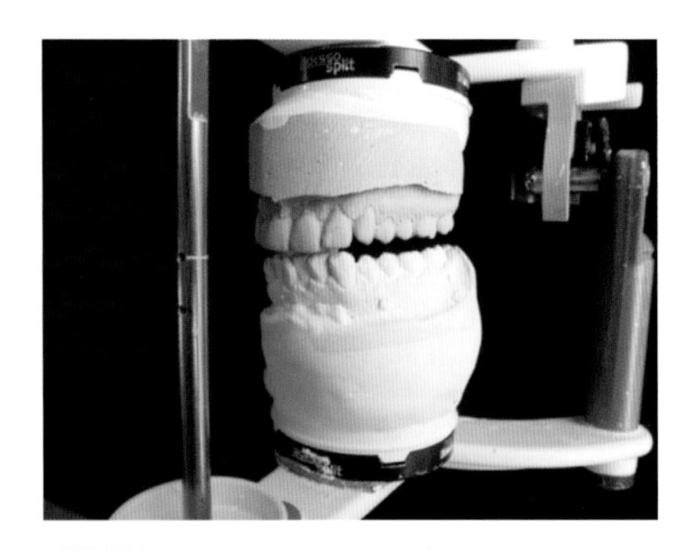

그림 13b Myobite를 제거한 교합된 석고 모형. 보조기로 채울 악궁간 후방 공간이 상당히 존재함을 확인하라. 부가적으로, 전치가 교합되지 않는 Class III edge-to-edge 악궁간 관계가 전방 유도 접촉을 제작할 때 구축해야 할 수직적 피개 정도를 최소화한다. 이것으로 하악 측방 운동에서 보조기의 후방 이개가 이상적으로 되지 않을 것이다

대합 치열 사이에 개재하여, 보조기의 펄스-교합 접촉을 잉크로 표기한다. 보조기의 T-Scan-만으로-결정한 문제성 접촉을 수정적 교합 조정한다. T-Scan 데이터가 조기접촉 및/혹은 과다하게 강력한 접촉이라고 구분하지 않은 다른 모든 교합지 자국은 건드리지 않고 그대로 남겨 놓는다.

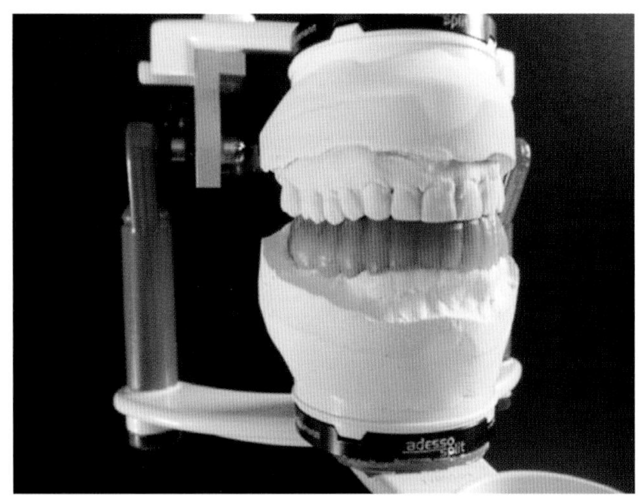

그림 14 생리적 Class III 관계로 상악 치아에 대하여 덮이는 하악 치아를 재교합한 다른 환자의 보조기 왁스업으로, 매우 적은 전방 overbite이 있다. 보조기의 정밀한 교합면 형태로 환자가 견고하고 보조기-기반 MIP를 찾는 자기 수용 시스템을 가능하게 하여, 환자가 자신의 치아-대-치아 접촉, MIP로 교합할 때 나타나는 긴장감이 없는 상태로 저작근 그룹이 기능하는 것을 돕는다. 하악 악궁과 상악이 보조기로 재-교합하기 위해서 증가된 치아 높이가 필요하고, 매우 얕은 전방 유도 접촉이 모든 6전치에 존재함을 확인하라. 이런 교합 디자인은 하악 측방 운동 시 약간의 후방 보조기/상악의 연장된 마찰성 접촉으로, 보조기-유도의 어떠한 TMD 증상 해소도 제한하지 않을 것이다. 이것은 보조기의 교합 디자인이 선택된 생리적 근신경성 위치를 적절하게 유지하기 때문에 가능한 것이다

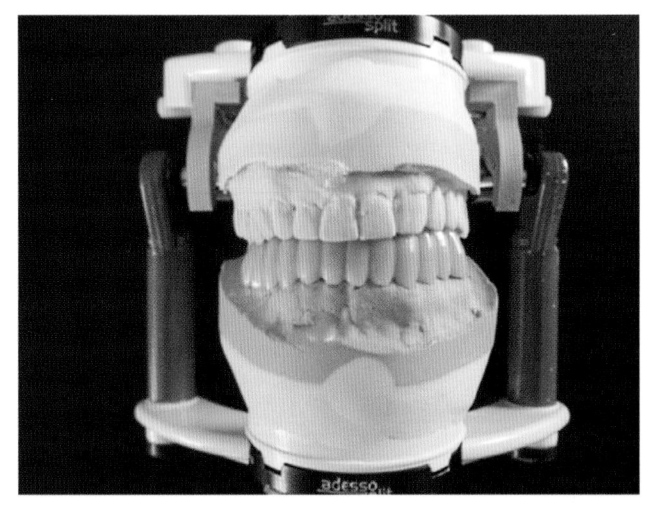

그림 15 그림 14에서 왁스업으로 제시되었던 제작된 보조기가 환자 삽입을 위해 준비된 상태로 모형에 장착되어 있다. 보조기의 교합 평면은 불균등한 상악 좌측 전후방 교합 평면을 모방한다

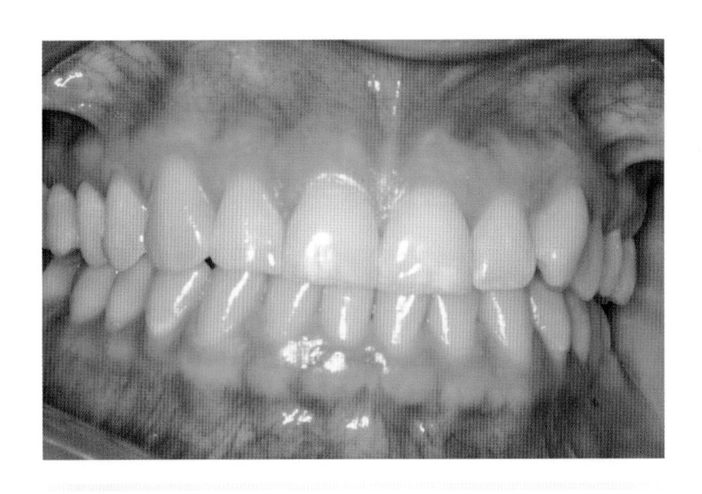

그림 16 (그림 3-15에서 보여진 것과 다른) 환자의 MIP로 가철성 레진 보조기를 장착하지 않았다

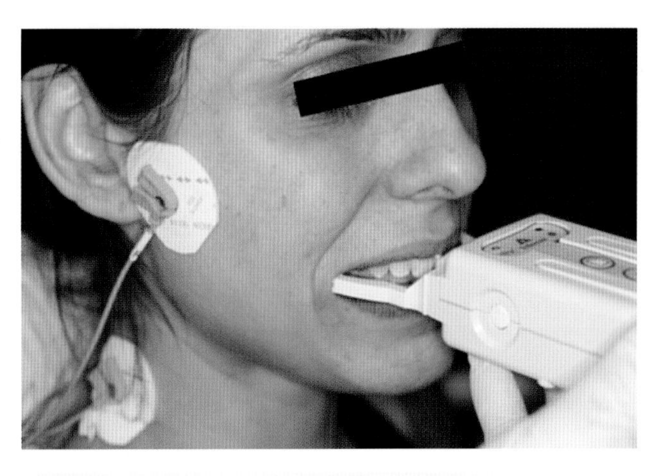

그림 18 TENS/T-Scan이 함께 사용되고 있다

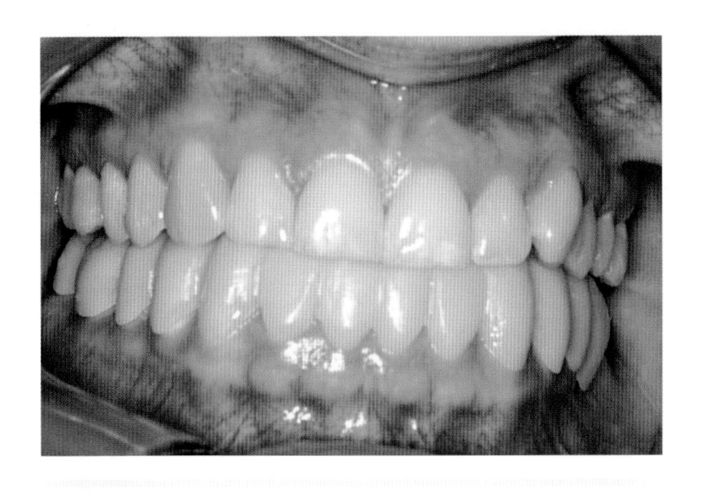

그림 17 그림 16의 환자로 가철성 피개 레진 보조기를 구내에 장착하여 근신경성 위치를 유지하고 있다

겨냥된 조정의 첫 번째 조정 시행 후 일련의 TENS/T-Scan 기록을 만들고 또 다시 컴퓨터-유도 조정을 시행함으로써 보조기의 전달-전 교합력 및 타이밍 양상을 개조하여, 측정성의 매우 균형잡힌 교합 접촉력 분포를 나타내도록 상악 치아들이 신속하고 동시적으로 교합하게 한다.

보조기 당 매우-정교한 교합력 및 타이밍 종말점을 얻기 위해 필요한 기록의 수는 증례마다 다르다.

뒤의 임상 증례는 임상 이미지, 교합지를 이용한 보조기 펄스-표시 교합 사진, TENS/T-Scan 조합 데이터로 묘사될 것이다. 보조기 조정 술식은 독자를 위해 연속적인 그림 캡션으로 상세히 설명할 것이다. 모든 T-Scan 그림은 T-Scan의 힘 vs. 시간 그래프 소프트웨어 내에서 보이는 짧은-지속 시간의 "정점"으로 나타나는 TENS 유도 펄스 데이터를 보여준다(그림 19a, 19b). 교합 수정을 위해 겨냥된 교합지 자국에 의해 안내되는 정점 데이터를 보조기에 적용함으로써 힘과 타이밍 향상이 연속적으로 이루어지고, 보조기의 교합 균형과 힘 분포가 측정성으로 향상된다.

환자 임상 증례 보고

• 환자 설명

Class I 전방 관계를 가진 28세의 여성으로, 중증의 두통(종종 편두통으로 분류되는)과 하악의 긴장 및 사용 피로

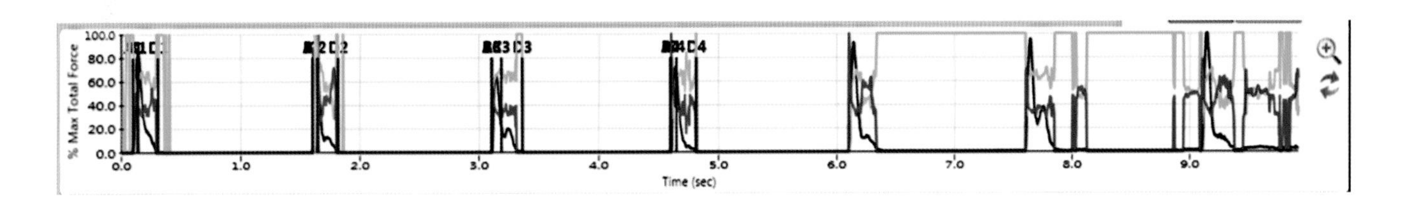

그림 19a TENS/T-Scan 힘 vs. 시간 그래프 데이터가 7개의 짧은 지속시간 교합 접촉 데이터 펄스를 보여준다

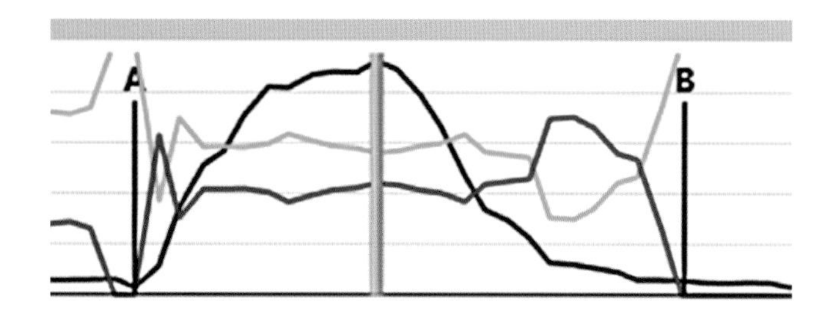

그림 19b 전형적으로 약 0.14초 동안 지속되는 단일 펄스. T-Scan 힘 vs. 시간 그래프 내의 확대 모드에서 크게 펼치면, 단일 펄스의 형태를 분명하게 보는 것이 가능하다

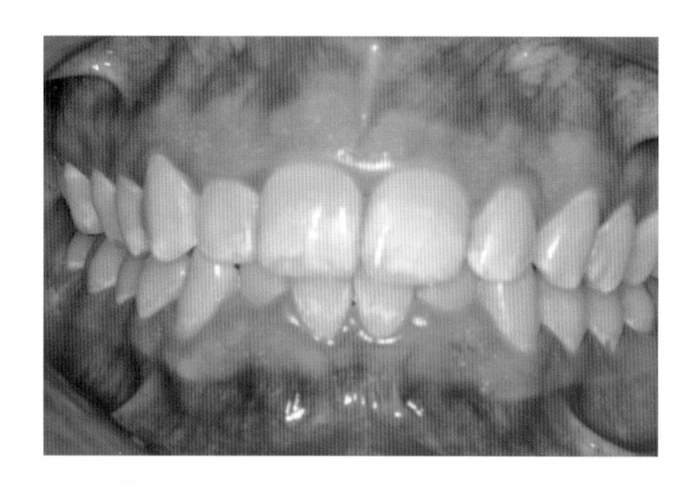

그림 20 근신경성 보조기 치료를 받게 될 Class I 전방 관계를 가진 28세 여성 환자의 견인된 정면 모습

를 치료하기 위해 근신경 보조기를 받았다. 또한 한 쪽 어깨가 다른 쪽보다 낮은 자세성 문제도 있었다(그림 20, 21a, 21b).

• TMD의 병력과 현재

환자는 매일 편두통으로 표현되는 두통을 경험하는데, 이것이 어떤 시각적인 광원에 대한 광선공포증(photophobia)과 동반된다고 하였다. 환자는 보통 짙은 바가지형(wraparound) 선글라스를 끼고 초진 시 한 손을 눈썹 위에 대고 있었다. 완벽한 환자 검사를 수행하기 위해서, 2x2 코튼 패드로 환자의 눈을 가려 진료실 불빛을 차단하였다. 환

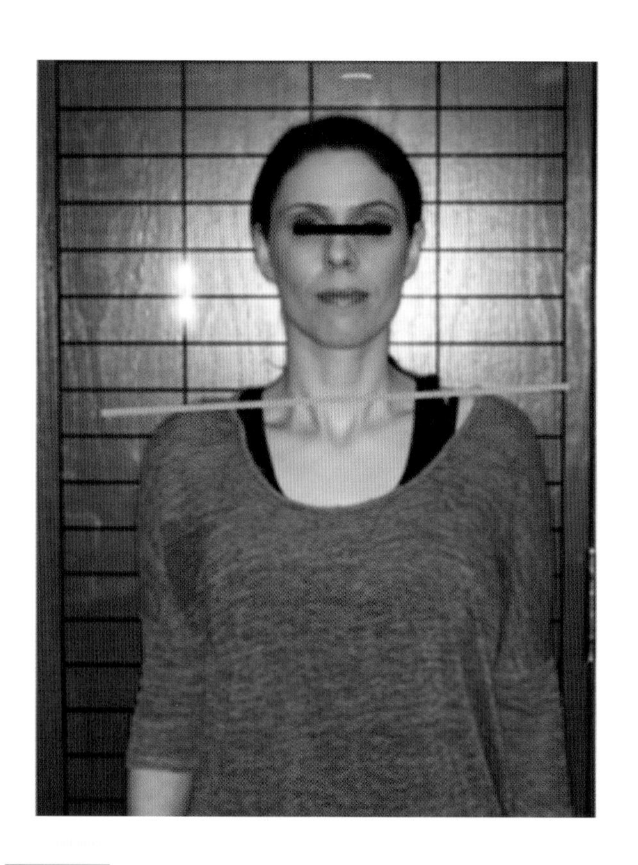

그림 21a 보조기-전 자세성 어깨 불균형의 정면 모습

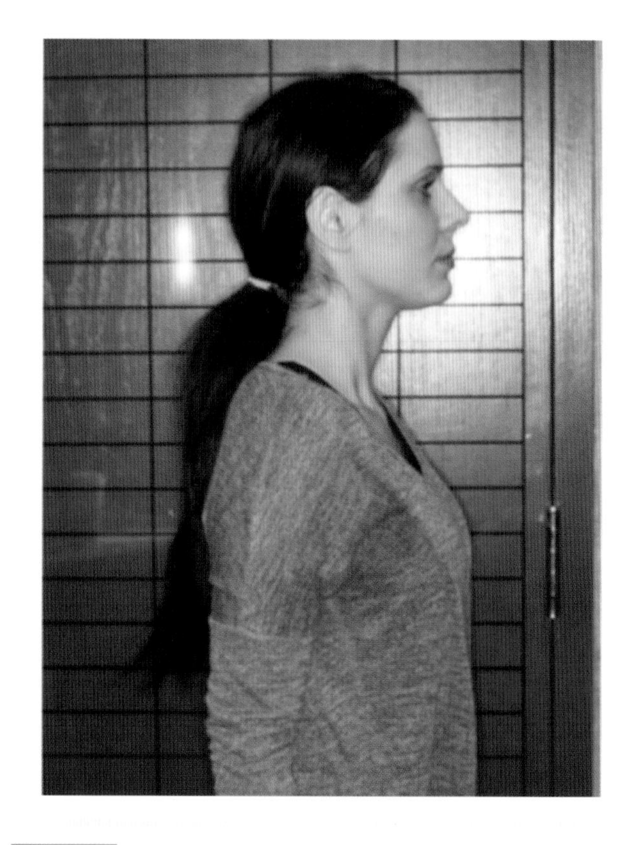

그림 21b 보조기-전 자세성 어깨 불균형의 측면 모습

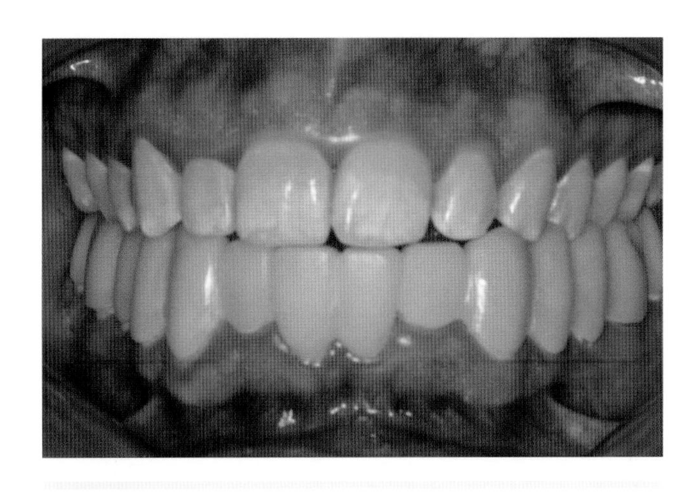

그림 22 피개 보조기가 완전하게 안착된 견인된 안면 모습으로 교합의 수직 고경 향상과 Class III 관계의 하악 전치부가 보인다

자는 두통이나 편두통을 경험하지 않은 마지막 날이 언제였는지 기억할 수 없다고 하였다. 또한, 양쪽 목과 어깨 통증, 양측성 이마 통증, 왼쪽 귀의 울리는 소리, 양쪽 TMJ의 clicking과 popping, 메스꺼움을 동반하는 현기증이 있었다. 환자는 통증으로 자녀의 야간 학교나 행사 참석에 제한을 받고 진행 중인 상태로 인해 종종 출근하지 못했다고 하였다. 그러나, 예전의 두경부쪽 외상 병력은 없다고 하였다.

• 앞선 실패한 치료들

환자는 수많은 의사에게 진료를 받았는데, 모두들 일관되게 여러 약물 요법으로 통증을 완화시키는 것 외에는 다른 치료법이 없다고 하였다. 치과의사들은 환자가 설명하는 두통과 통증 증상의 강도와 빈도 때문에 환자 치료를 꺼려하였다.

• TMJ 상태

환자는 개폐구 시 소리가 난다고 하였다. 종종 과두 걸림이 입을 벌리고 교합 안된 위치에서 발생하였다. 개구 시 하악이 약 4mm 좌측으로 편위되고 굴절되었다. 최대 수직 개구량은 43mm였다.

TENS/T-Scan으로 가철성 피개 레진 근신경성 보조기 장착

피개 보조기가 완전히 안착되는 것을 확인한 후(그림 22), 교합 수직 고경을 상당히 증가시키는 근신경 보조기로 환자의 하악이 전하방으로 이동하게 된다. 보조기의 하악 전치는, 견치 경사가 접촉은 하지만 겹쳐지는 절치 접촉이 없는 Class Ⅲ, end-to-end 관계를 이룬다. 대합하는 상악 구치부와 보조기는 좋은 양측성 상호감합을 보인다.

이 시점에서, 초기 TENS/T-Scan 데이터를 기록한다. 첫 번째 기록에서 상악 #17, 15, 26번 치아에 과다한 힘이 존재하고, COF가 우측으로 치우쳐 우측 71.5%-좌측 28.5%의 불균형을 보인다(그림 23a).

T-Scan 상악 치아 지정으로 End-to-End 상하악 관계가 하악 보조기 치아 형태를 조정

T-Scan의 치열궁 내에서 보여지는 교합 접촉력 막대와 하악 보조기 접촉의 윤곽 위치는 T-Scan 모니터에서 상악 치아 번호 지정으로 매우 잘 조정된다는 것에 주목하는 것이 중요하다. 이것은 T-Scan 유도 겨냥된 조정을 수행할 때 임상의가 적절한 보조기 접촉을 선택하기 쉽게 한다. End-to-end 상하악 관계 보조기를 구축하고 하악 보조기 치아 형태를 직접적으로 대합하는 상악 치아 하방에 위치시켜, 상악 제1대구치를 나타내는 T-Scan의 근심이 하악 보조기 제1대구치의 근심과 같은 위치를 보여준다.

겨냥된 교합 조정은 T-Scan 힘 막대와 힘 윤곽을 보조기에 표시된 일치하는 교합지 자국과 연결하여 성취된다. 정확한 접촉 표적화로 T-Scan에 의해 문제성이라고 구분된 접촉만 처치하고 다른 모든 비-문제성 접촉은 그대로 둔다.

그 다음, 교합지를 개재한 보조기를 장착한 상태로 환자에게 TENS 펄스를 부여한다(그림 1). TENS/T-Scan 데이터가 기록한 동일한 불수의적 호로 보조기의 교합 접촉을 표시하기 위해, 수회의 펄스 동안 악궁의 양쪽에 양측성으로 처치한다(그림 23b).

다음에 기록된 TENS/T-Scan 데이터는 부적절하게 기록되어 폐기하였다. 그래서 겨냥된 조정의 첫 번째 세트로 인한 접촉력 특징 변화를 설명하는 또 다른 TENS/T-Scan 기록을 만들었다(그림 24a-24c).

몇 차례의 TENS/T-Scan 데이터와 보조기의 TENS 교합지 자국을 기록하고 T-Scan 유도 겨냥된 수정 치료를 시행한 후, 보조기는 개선된 개별 접촉 위치와 양측성으로 유사한 강도를 보였으나 전체적인 균형은 여전히 우측 반-악궁으로 치우쳐 있다(그림 25a, 25b).

9차례 조정 반복 후에, 여전히 매우 높은 힘 접촉을 보이는 #16번 부위를 제외하고 교합력 강도의 대부분이 보조기

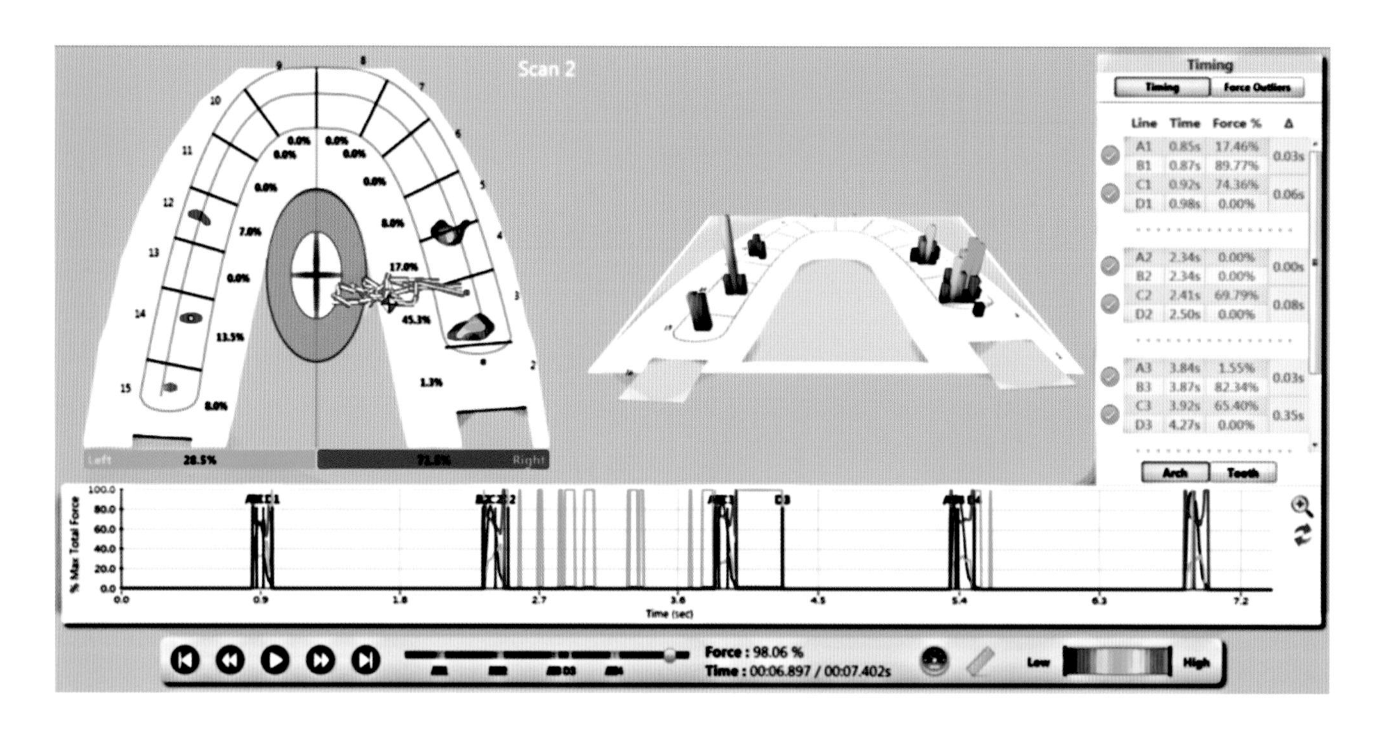

그림 23a 초기 TENS/T-Scan 데이터는 #17, 15, 26번 치아에 과다한 힘이 존재하고 우측 71.5%-좌측 28.5%의 심한 좌우 불균형을 보여준다

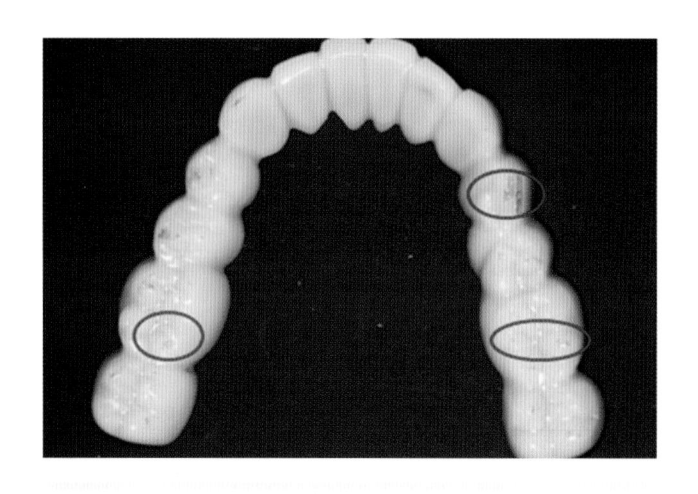

그림 23b 그림 24a의 TENS/T-Scan 데이터에 부합하는 보조기 교합지 자국. 다양한 교합지 자국 색상 강도에도 불구하고, T-Scan 데이터는 실제적인 교합력 수정이 필요한 접촉만을 구분한다(#47, 45, 36번의 빨간 원). T-Scan 데이터(그림 23a)를 봤을 때 실제적으로 포함되지 않았던 힘이 교합지 자국에서 많은 위양성 접촉으로 나타나는 것을 볼 수 있다. 수정이 필요한 3개의 접촉 중에서, #44번의 가장 큰 교합지 자국은 가장 강한 힘이 아니고, #36번 원심설측이 가장 강력하다

전체에 걸쳐 비슷해졌다. 이 접촉은 #14번 치아에 나타나는 24%의 힘 집중과 합해져 COF가 우측 반-악궁에 머무르게 하여 불균형한 교합력 분포가 여전히 존재함을 보여준다(그림 26a, 26b).

보조기 삽입 시 많은 TENS/T-Scan 조정 반복을 수행했음에도 불구하고, T-Scan 데이터는 지속적으로 우측에 치우친 불균형한 힘 분포가 있는 것으로 나타났다. 보조기(혹은 보철물) 삽입을 유도하기 위해 T-Scan 데이터를 사용하는 가치는 임상의에게 균형잡힌 힘 감소가 실제적으로 이루어졌는지 시각화하는 능력을 제공한다는 것이다. 보조기가 측정적으로 균형잡히기 시작하면, T-Scan 데이터는 향상을 반영하게 될 것이다. 그러므로, T-Scan 데이터는 최적의 교합 종말점이 측정적으로 성취될 때까지 임상의가 삽입 과정을 지속적으로 향상시키는지 확인하게 해준다.

TENS/T-Scan 데이터 기록, 보조기 TENS 교합지 자국 표시, T-Scan 유도 겨냥된 수정 조정을 몇 차례 더 실시하고 한 후, 보조기에서 최종적으로 전체적인 힘 균형 및 COF 위치가 향상됨을 보여주었다. 수정된 불균형은 이제 우측 56.4%-좌측 43.6% 밖에 되지 않는다(그림 27a). 모든 접촉의 힘이 낮고, #16번 치아의 힘 크기가 이전 T-Scan 기록보다 감소한 연두색으로 보인다(그림 28a). 부합하는 교합지 자국을 그림 28b에서 볼 수 있다.

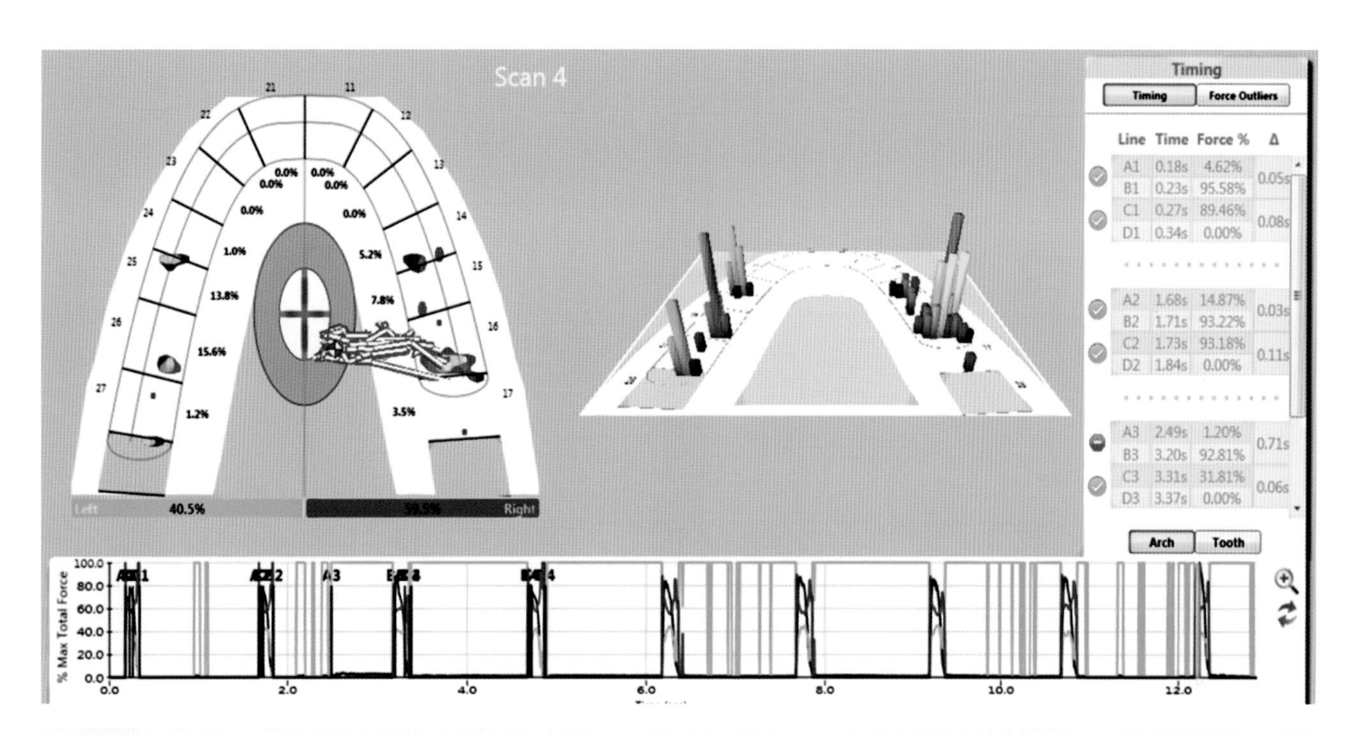

그림 24a 첫 조정 세트 후, TENS/T-Scan 데이터에서 과다한 힘이 #16, 25, 26, 27번 치아에 집중되는 것을 볼 수 있다. 초기에 수행한 조정에도 불구하고, 좌우 힘 불균형은 충분하게 수정되지 않았지만, 우측 59.5%-좌측 40.5%로 감소하였다. 또한, COF 궤도는 좌측 접촉이 증가하기 전에 #16번 접촉력이 높게 상승함을 반영하며 #16번 원심 가까이에서 출발한다

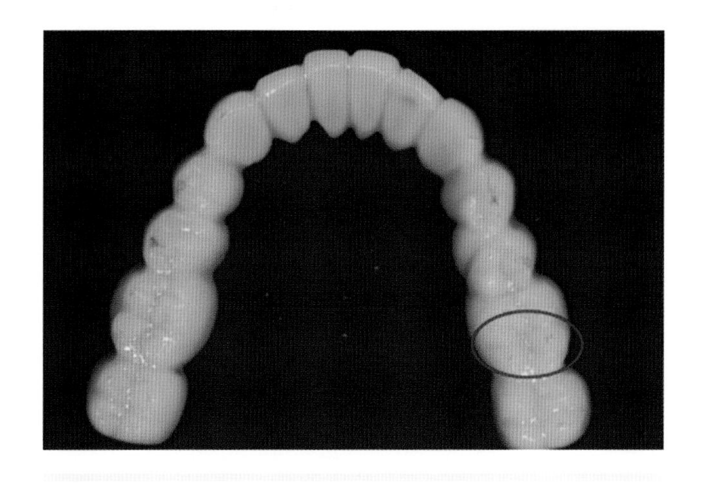

그림 24b TENS/T-Scan 데이터의 두 번째 세트(그림 24a)와 일치하는 보조기의 교합지 자국. 적색으로 표시되어 있는 "가벼운" 접촉은(#46번 치아) #46번 부위의 문제성 힘 특성을 정확하게 설명하지 않는다

환자 자가-폐구 보조기 교합 정제

보조기의 교합력 분포가 TENS에 의한 불수의적 폐구 호를 따라 최적화된 후, 삽입의 최종 단계는 환자가 TENS-펄스 없이 조정된 보조기로 자가-교합하는 것이다. 이것으로 보조기의 최종 교합 디자인이 환자의 폐구 호 내에서 적절하

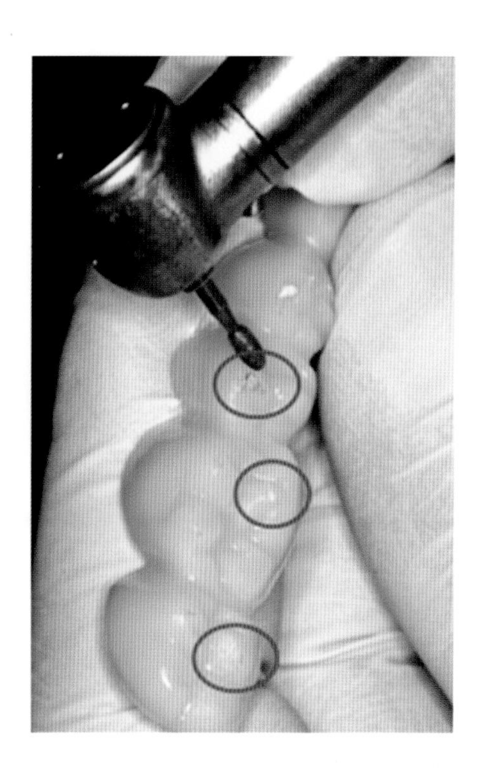

그림 24c T-Scan 데이터 내에 강력한 접촉으로 나타난 것과 일치하는 좌측 보조기의 세 부위를 선택적으로 조정한다

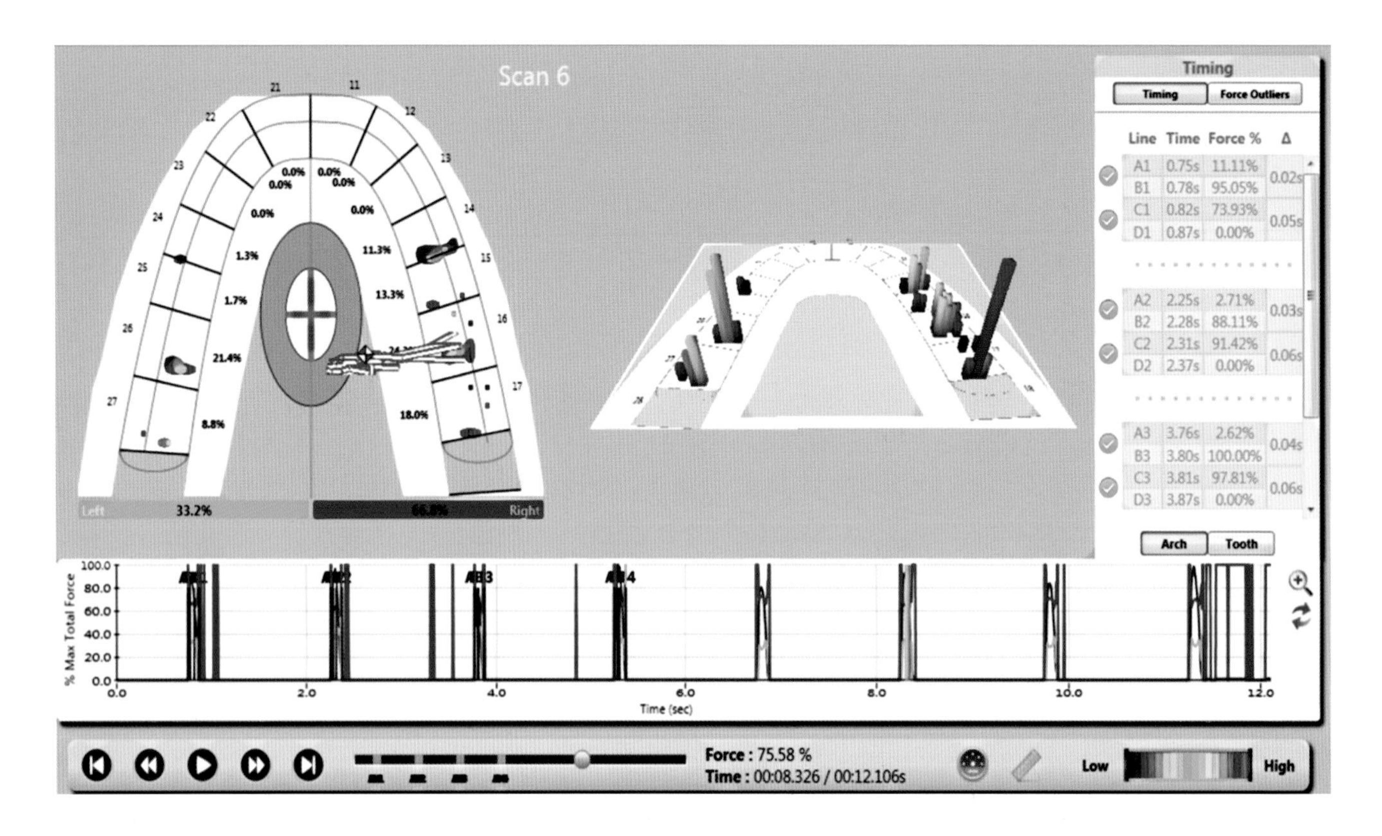

그림 25a 제 7 펄스의 T-Scan 데이터로 뚜렷하게 증가한 교합력이 보이나, 전체적인 교합 균형은 여전히 우측으로 기울어진다(우측 66.8%-좌측 33.2%)

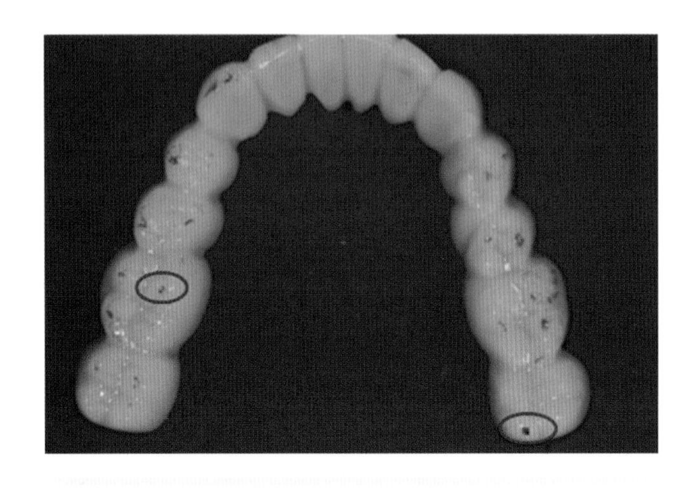

그림 25b 5번 조정 반복 후 교합지 자국. 2개의 교합 접촉만이 겨냥된 수정이 필요하다; #47번 원심 변연융선, #36 근심설측. 그림 25a의 T-Scan 데이터에 부합하는 교합지 자국만이 조정이 필요한 것으로 판정되었다

게 균형 잡혔는지 확인한다.

자가-폐구 반복-저작 데이터를 기록하기 전에, 펄스 교합 강도보다 큰 환자의 자가-폐구 교합 강도와 맞추기 위해 감도 수준을 낮추어 조정해야 한다. 다시 한번, 환자가 보조기로 굳건하게 교합하고 상호감합을 유지할 때, 핑크색 센셀 갯수를 최대 1-2개로 제한한다.

부수적으로, 건강한 반복-저작 폐구 진행이 지속 시간 약 0.25초로 나타난다. 이것은 전형적인 TENS 펄스 정점(지속시간 약 0.14초)보다 0.11초 더 긴 것이다. 이와 같이, 수정 과정을 위해 접촉 진행 타이밍 순서가 좀 더 쉽게 관찰되고 분석되어, 어떤 포착된 높은 힘 접촉에 더하여 조기 접촉도 치료할 수 있다. 종종 조정이 필요한 낮은 힘의 조기 접촉이 발견될 것이다. T-Scan 터보 모드 기록 능력이 없다면, 보조기의 교합 최적화 과정 동안 많은 조기 과다 힘 상승을 발견할 수 없을 것이다.

그림 28a, 28b는 첫 번째 환자의 자가-폐구 데이터의 두 프레임을 보여주는데, 보조기가 막 완성된 TENS/T-Scan 유도 조정 과정으로 균형된 것을 보여준다. 거의 이상적인 교합 균형을 보이고(우측 49.8%-좌측 50.2%), COF 아이콘이 악궁 정중선의 왼쪽으로 살짝 위치한 치아 분포의 중앙에 위치한다. 힘 막대는 거의 연두색과 파란색으로 대부

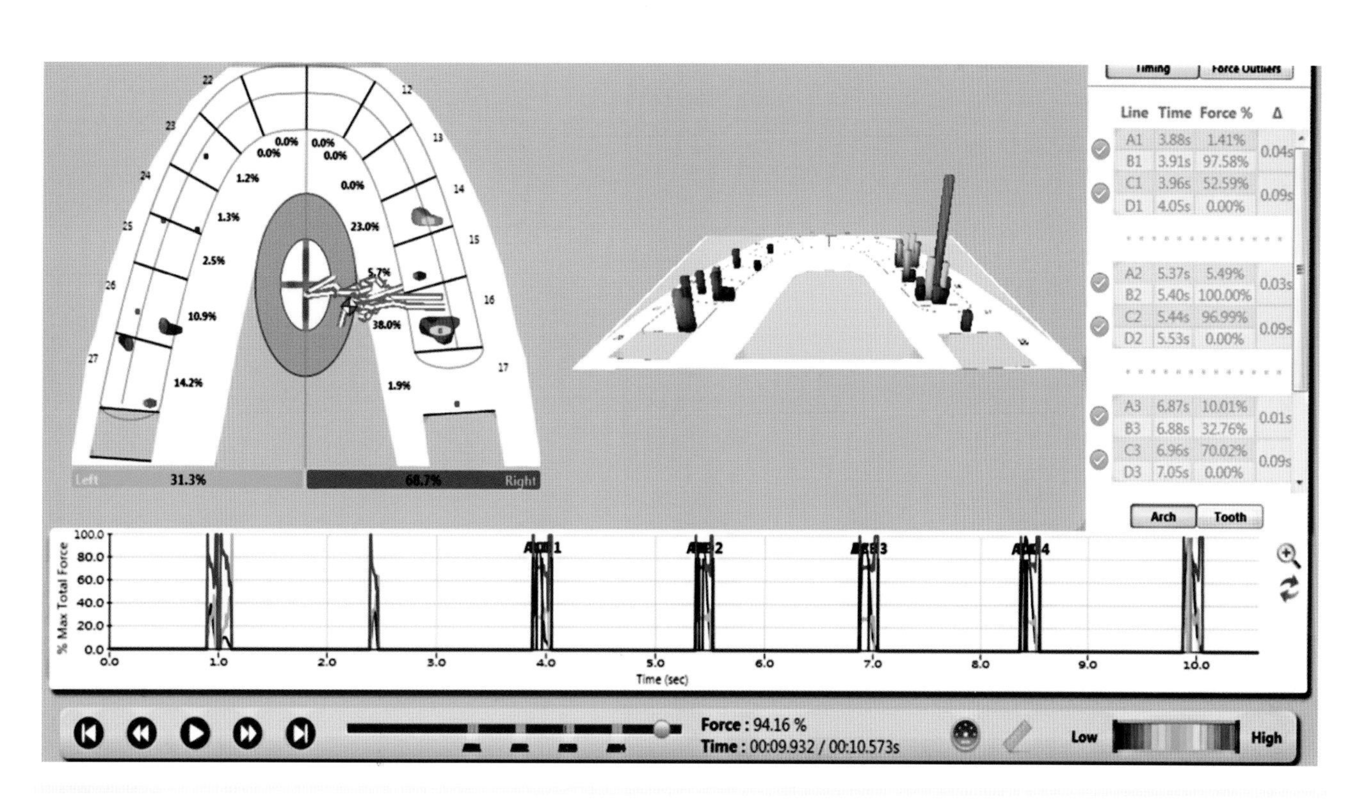

그림 26a 9번의 반복 조정 후 펄스 T-Scan 데이터로 #16번 부위에서 여전히 매우 높은 힘 접촉이 있고 #14번 치아는 집중된 힘의 높은 크기(24%)를 보인다. 이 두 치아가 같이 COF를 우측에 머무르게 한다. 다른 교합 접촉은 모두 유사한 중간 수준의 힘 크기를 보인다

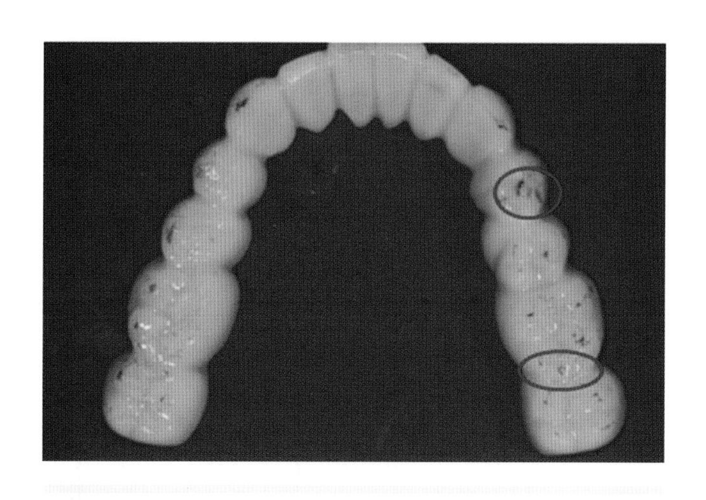

그림 26b 9번 반복 조정 후 보조기 펄스 교합지 자국. #46 원심과 #44 원심협측만이 겨냥된 수정이 필요하다

분 중간 수준의 교합력이 악궁 전체에 존재한다는 것을 보여준다.

그림 28a에서, 총 힘의 63%일 때, #14, 26번 치아의 힘이 다른 치아가 접촉하기 전에 증가한다. 이런 접촉은 조기 힘 특이값 접촉이다. 조정이 필요한 첫 번째 2접촉이 된다.

그 후 총 힘의 90% 접촉에서(그림 28b), #17, 27번 치아가 다른 교합 접촉보다 높은 힘을 보여준다(#14, 26번 치아 제외). 이런 2개의 다른 접촉 또한 힘과 타이밍 수정이 필요할 것이다. 부합하는 교합지 자국을 그림 28c에서 볼 수 있다.

T-Scan으로 조기의 과다한 힘으로 결정된 4개의 접촉을 수정한 후, 최종 환자 보조기 자가-폐구 기록으로 보조기 조정 과정을 완성한다. 그림 29a와 29b는 보조기에 중간 수준의 교합력만이 있음을 보여준다. 우측이 좌측보다 약간 많은 총 힘과 약간 높은 강도를 보인다(몇 개의 연두색 막대가 우측에 존재하나 좌측의 힘은 파란색 막대가 대부분이다). 교합 균형은 우측 56.1%-좌측 43.9%이고, COF 아이콘은 모든 교합 접촉 분포의 중앙에 위치한다. 최종 환자 자가-폐구 교합지 자국을 그림 29c에서 볼 수 있다.

그림 29a, 29b는 총 힘의 90%에서 환자가 보조기로 치아를 견고하게 물었음에도 불구하고 명백한 높은 힘이 없기 때문에, 바람직한 착용 교합력 종말점을 묘사한다. COF 아이콘이 중앙선에서 약간 우측으로 중앙화되어 있고, 전체적인 힘 균형이 약간 우측으로 치우쳐 있다(우측 56.1%-

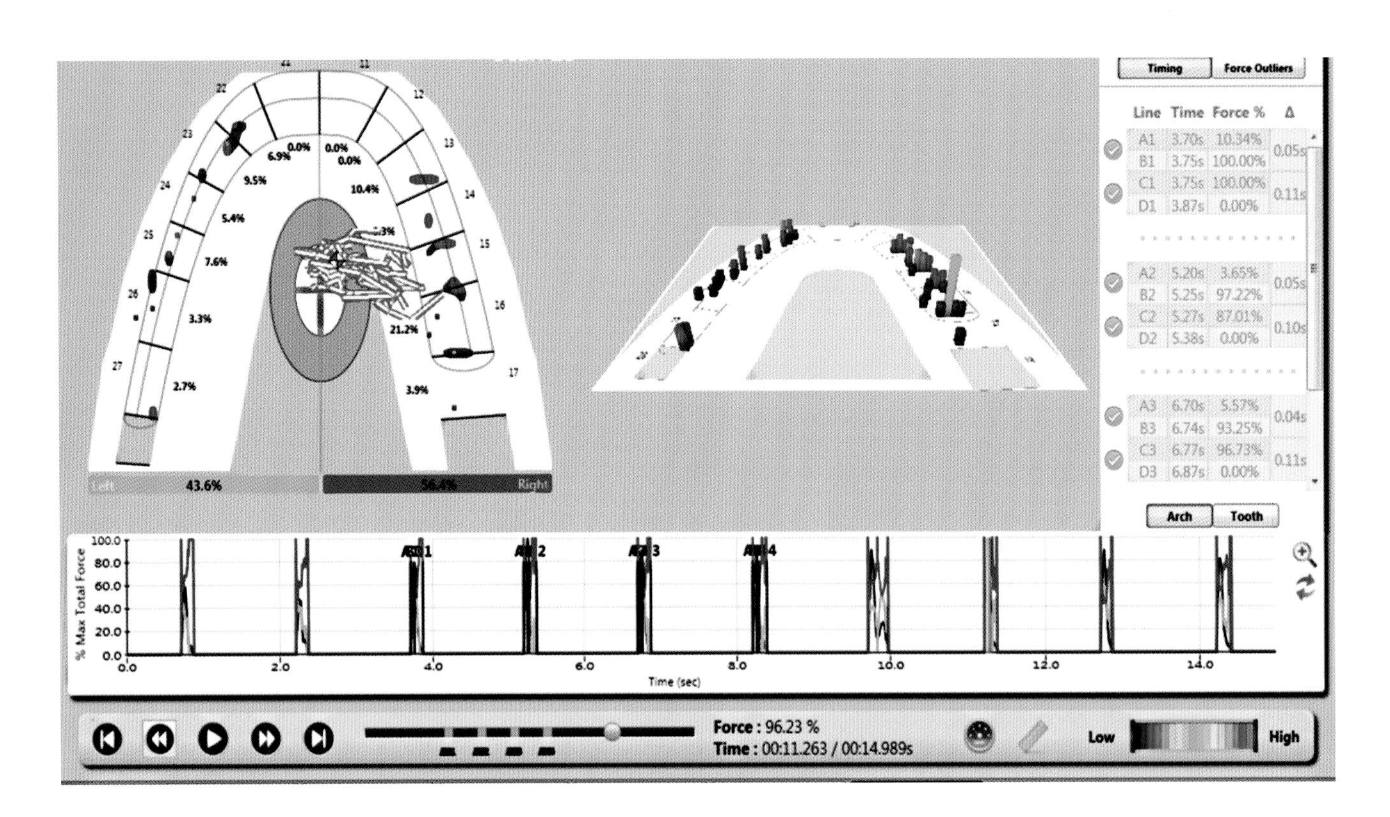

그림 27a 12번 반복 조정 후 최종 TENS/T-Scan 데이터. 보조기는 우측 56.4%-좌측 43.6%의 향상된 전체적 힘 균형을 보인다. 모든 접촉이 낮은 힘의 파란색 막대로 나타나고 #16번 부위는 중등도의 강도를 보인다

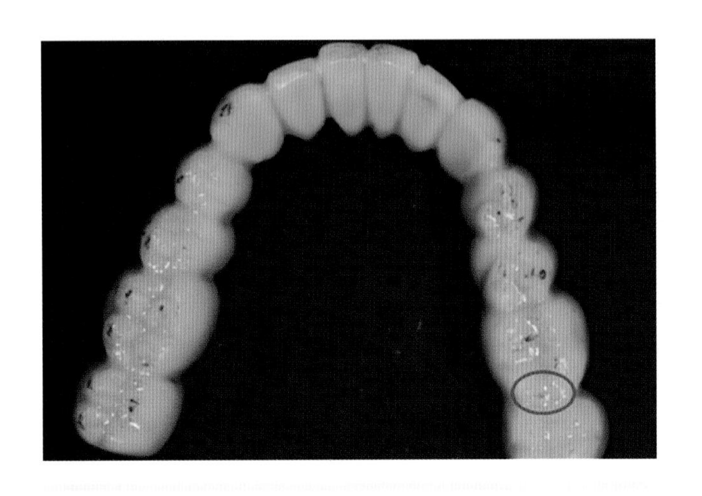

그림 27b 12번 반복 조정 후 보조기의 최종 펄스 교합지 자국. T-Scan 데이터가 보조기 전체에 걸쳐 낮은 힘이 존재하기 때문에, 오직 #46번 원심만 약간의 힘 수정이 필요하다

좌측 43.9%).

그림 29c에서 흥미로운 것은 #44-46번 치아에 형성된 것보다 #36번의 교합지 자국이 "더 진하고 더 크게" 나타나, #36번 치아 교합지 자국의 "크기"와 "진하기"가 #44-46번 부위보다 더 강력하게 나타나기 때문에 주관적 해석 원리는 #36번 치아를 높은 힘으로 지적할 것이다. 그러나, 그림 29a, 29b의 T-Scan 데이터는 #44-46 부위가 #36번보다 교합력 강도가 더 크다고 분명하게 보여준다.

그림 29c는 강력한 교합 접촉을 선택하기 위해 주관적인 해석을 사용하는 임상의를 위한 수수께끼이다(Kerstein & Radke, 2013). #36번 치아가 치료된다면, 보조기 좌측의 바람직한 낮은 힘 접촉이 제거될 것이고, 우측의 다소 더 높은 힘은 그대로 남게 될 것이다. 이것으로 보조기에 형성된 전체적인 힘 분포를 덜 불균등하게 하기보다는 더 불균등하게 악화시키기 때문에, 역효과적인 교합 조정이 될 것이다.

보조기 착용 후 Follow-up 관리

보조기 착용 후 몇 주 내에, 환자를 리콜하여 근신경적 위치와 보조기 교합 디자인에 대한 환자의 증상 반응을 평가해야 한다. 지속적인 증상 개선을 촉진하기 위해 환자를 TENS/T-Scan으로 재-기록하고, 환자가 장치를 사용하기 시작하면서 발생했을지도 모르는 보조기 교합 접촉력 분포

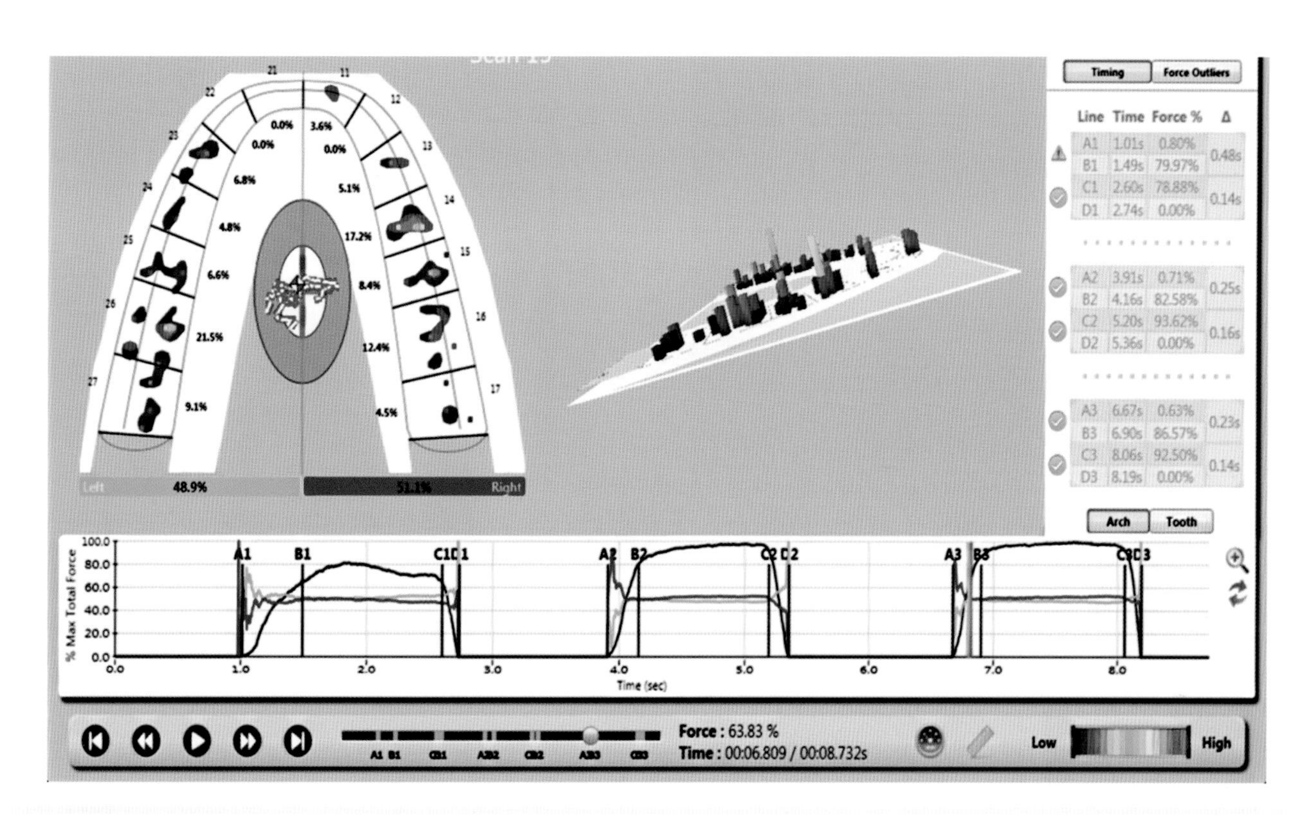

그림 28a 1번째부터 3번째 상호감합까지 연속적으로 3회 교합하는 반복-저작 기록으로, 증가하는 자가-폐구 총 힘을 보인다. 3번째 교합 63.83%에서, #14, 26번 치아의 힘이 다른 교합 접촉력이 증가하기 전에 증가한다

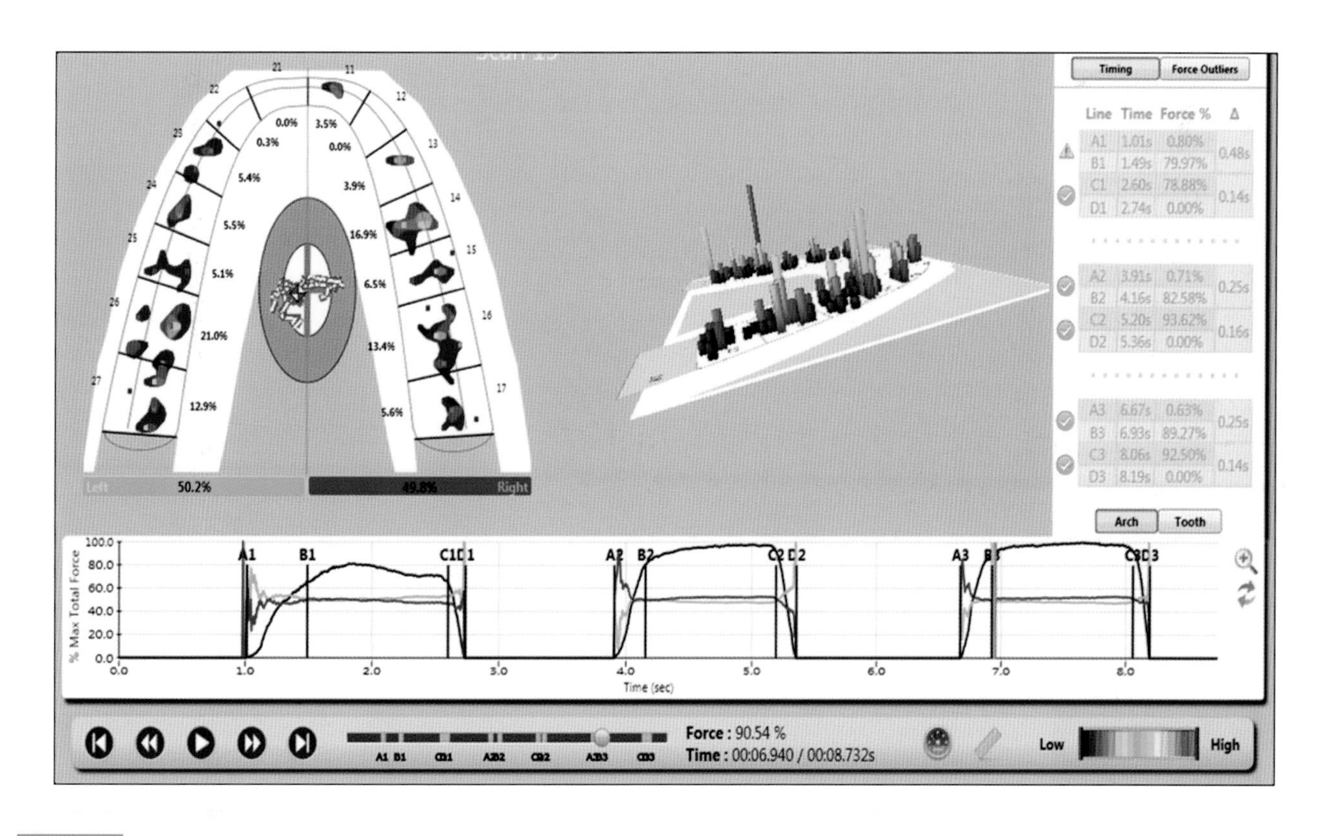

그림 28b 총 힘의 90%에서, #17, 27번 치아가 다른 교합 접촉(#14, 26번 제외)보다 더 높은 힘으로 나타나, 힘과 타이밍 수정이 필요할 것이다

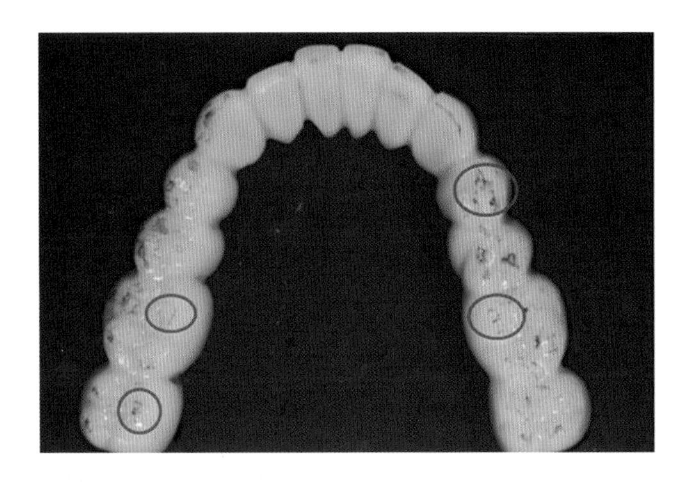

그림 28c 환자 자가-폐구 보조기 교합지 자국. 보조기의 협측을 향한 커다란 교합지 자국 대부분은 T-Scan 데이터에서 중간 수준의 힘 접촉으로 나타나 치료가 필요없다

의 변화를 평가할 수 있다. 어떠한 원치않는 교합력 변화라도, 포착된 교합력 변화를 정제하기 위해 TENS/T-Scan 펄스 힘 데이터를 사용하여, 보조기를 장착하던 때와 같은 방법으로 수정할 수 있다. 불수의적 폐구 호가 다듬어지면, TENS를 끄고 환자가 자가-폐구 보조기 상호감합을 만들게 하고 T-Scan으로 기록한다. 필요하다면 한층 더 자가-폐구 접촉 최적화를 성취할 수 있다. 이런 유형의 보조기 교합 정제는 "잔손질(touch-up) 수정"으로 연이은 보조기 재평가 내원 시에도, 물론, 시행될 수 있다.

쟁점 및 논란

이번 장은 근신경성 보조기의 교합면에 문제성 교합 접촉을 찾아 내기 위해 T-Scan 기술을 TENS와 조합하여 사용하면 TENS와 교합지만을 사용하여 획득할 수 있는 것 이상으로 교합력 분포를 측정성으로 향상시킬 수 있다는 것을 설명하였다. TENS/T-Scan 기술은 치과계에서 널리 받아들여지고 있는 주관적으로 시행하는 전통적인 교합 조정 기술에 관한 상당한 질문을 제기한다.

- 교합지 자국의 임상적 주관적 해석이 믿을 수 있게 다양한 교합 접촉력 크기를 임상의에게 설명할 것이다.

문제성 접촉을 결정하고 T-Scan으로 분리한 문제성 교합 접촉만을 조정하는 것을 목표로 하는 TENS/T-Scan 이

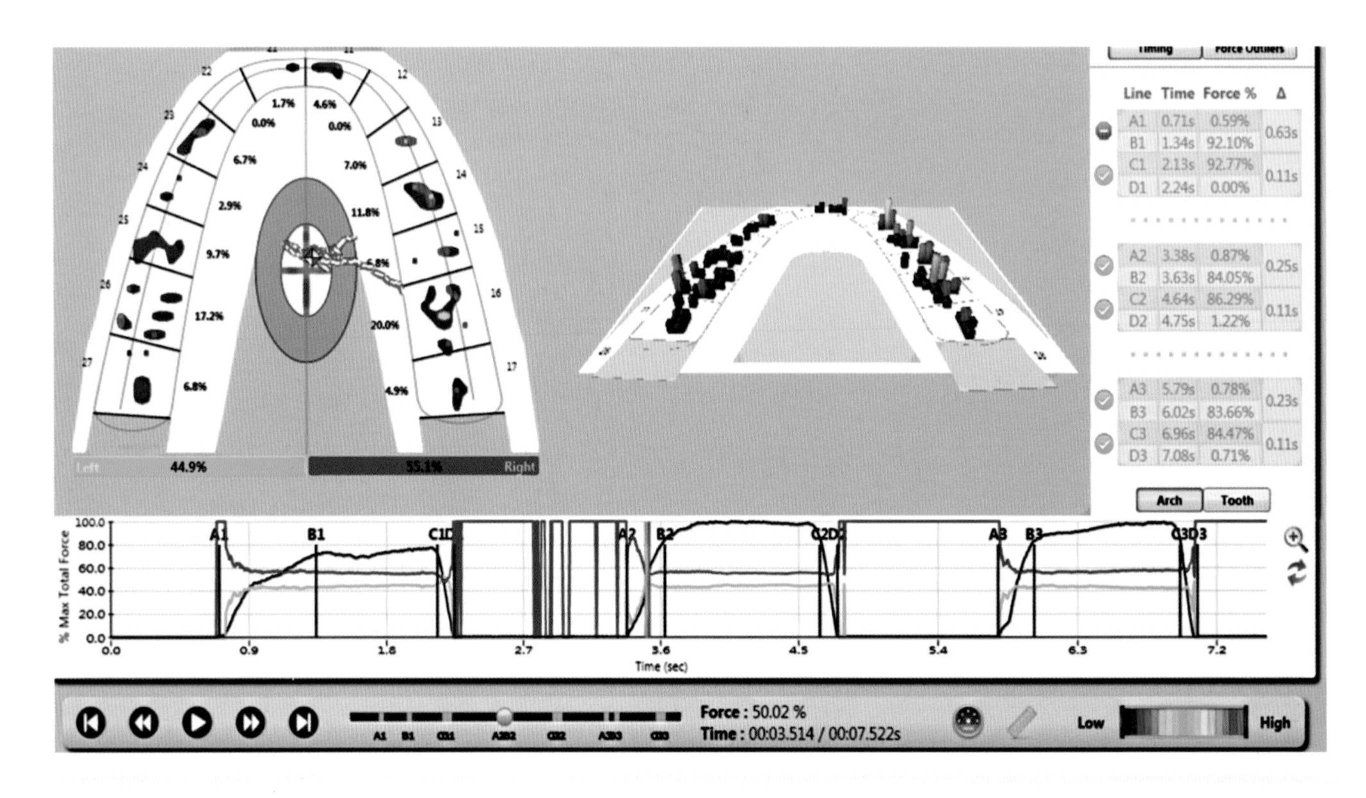

그림 29a 총 힘의 50.02%에서 환자 자가-폐구 T-Scan. 완전 교두감합으로 가는 중간 과정으로, 넓게 퍼진 중간 수준의 힘이 모든 접촉 치아에서 보인다. 그림 29c에서 보이는 접촉에 겨냥된 수정을 시행한 후, COF 아이콘이 중앙선의 약간 우측에 머무른다

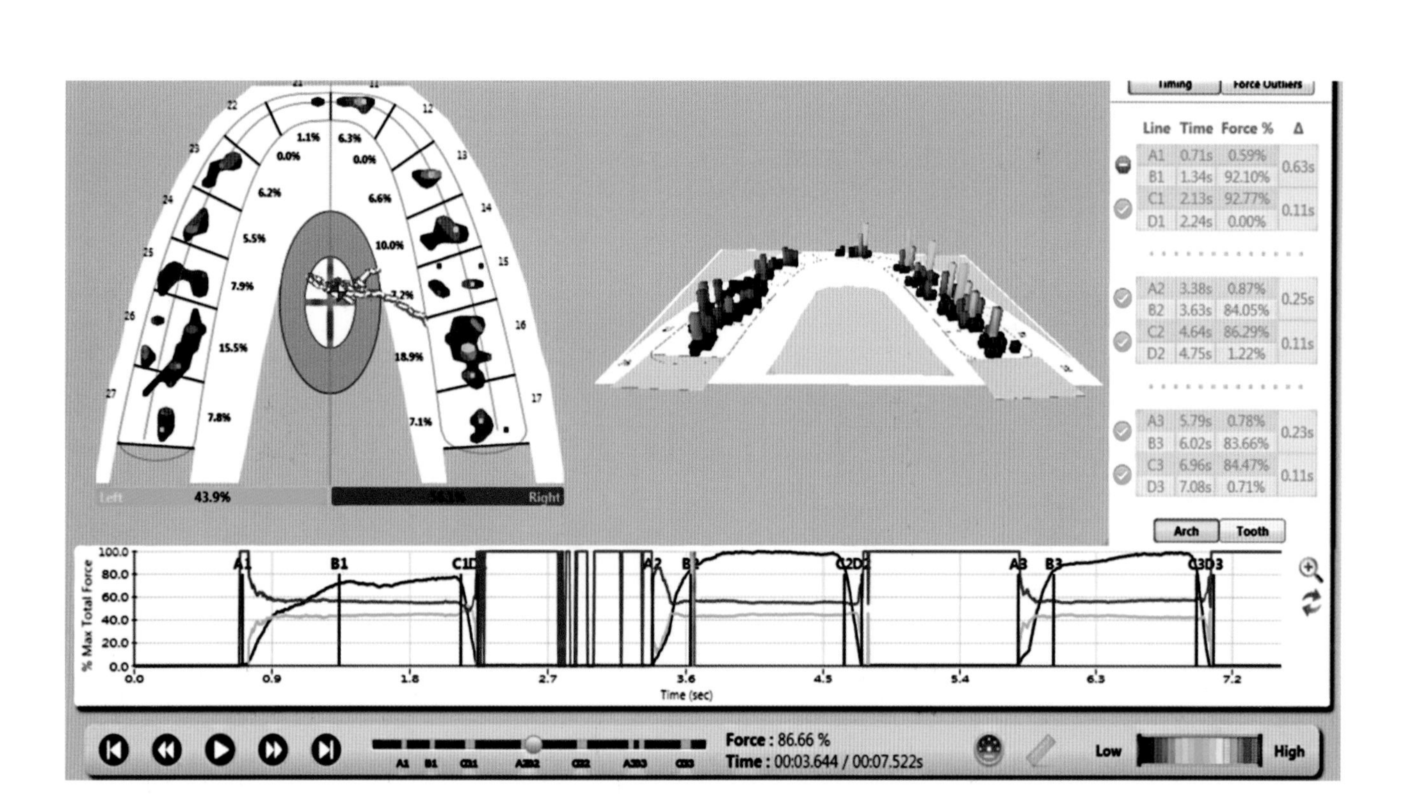

그림 29b 총 힘의 86.66%에서 환자 자가-폐구 T-Scan. 환자가 완전 교두감합에 가까워지면서, 좌측 접촉이 약간 더 강해지고 좀 더 치밀하게 보조기 교합면에 모이게 된다. 동시에, #14-16번 부위의 우측 치아가 중증도지만 일정하게 우측에 치우친 힘 증가를 보여준다. T-Scan 데이터는 우측 반악궁이 좌측보다 약간 강한 힘 밑에 놓임을 설명한다

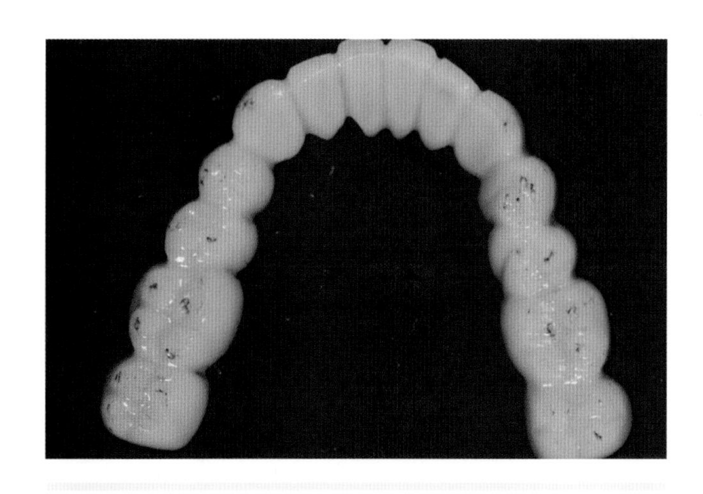

그림 29c 환자 최종 자가-폐구 보조기 교합지 자국. 보조기의 #36번 치아 부위 교합지 자국을#44-46번 부위와 "크기"와 "진하기"로 비교하기 때문에, 주관적 해석 원리는 #36번 치아 부위를 높은 힘으로 지적할 것이다. 그러나, T-Scan 데이터(그림 29a, 29b)는 보조기의 #44-46 부위가 #36번 부위보다 더 강력한 교합 접촉을 가짐을 보여준다

중 기술 접근은 교합지 자국을 관찰하여 보조기의 교합면에 존재하는 강력한 교합 접촉을 위치화할 때 임상의가 전형적으로 사용하는 전통적인 교합 조정의 주관성을 배제하여, 최종 하악 위치에서 생리적인 폐구 호를 유지한다. 임상의가 교합지 자국의 외형적 특성을 관찰하여 "인지된 높은 힘 접촉"을 결정하는 전통적 과정은 강력한 힘 선택에 있어서 큰 결함이 있는 방법이다. 최근에 발표된 한 연구에서, 295명의 임상의가 치아 교합지 자국의 사진 6장을 관찰한 후, 12.8%만이 정확하게 높고 낮은 힘 접촉을 선택하였고 87.2%는 잘못된 접촉을 선택하였다(Kerstein & Radke, 2013). 이것은 임상의 대규모 그룹의 좋지 않은 수행 성적이, 교합지 자국의 크기와 색상 심도 외형이 상대적인 교합력의 다양한 크기를 설명하는 것이 아니라는 입증된 사실과 연관된다고 보고하였다(Schelb, Kaiser, & Brukl, 1985; Halperin, Halperin, & Norling, 1982; Millstein & Maya, 2001; Carey, Craig, Kerstein, & Radke, 2007; Saad, Weiner, Ehrenberg, & Weiner, 2008; Qadeer, Kerstein, Yung Kim, Huh, & Shin, 2012).

어떤 과학적 분석에서 테스트된 적이 없었음에도 불구하고, 주관적 해석 원리(크고 짙은 교합지 자국이 강력한 접

축이고; 가벼운 자극은 낮은 힘이며; 악궁에 널리 퍼져있는 많은 균등한-크기의 자극은 접촉하는 모든 치아의 교합력 균형과 양측성 시간 동시성을 의미한다)(Okeson, 2003)가 믿을 수 있는 과정으로 항상 널리 받아들여진다. 그럼에도 불구하고, 교합지 자극 외형의 주관적 해석 원리가 높거나 낮은 힘 부하에 대한 적절한 접촉을 임상의가 선택하도록 이끌지 못한다는 것이 최근의 발표로 분명해졌다. T-Scan 기술로 측정할 수 없는 상태에서는, 대부분의 임상의는 교합력 크기를 정확하게 포착할 수 없을 것이고 따라서 환자의 교합 체계 내에서 교합력 문제를 확인하는 것이 적절하게 진단되거나 파악되거나 예견성있게 테스트될 수 없을 것이다. 교합지 자극의 전통적인 주관적 해석이 믿을 수 있는 방법으로 믿어지고 일상적으로 사용되고 있는 치의학의 모든 분야 내에서(보철, 치주, 임플란트 보철, 교정, 교합, TMJ 장애, 일반 치과), 이 내용이 주요한 논쟁이 되고 있다.

해결 방안 및 권고 사항

근신경성 보조기 혹은 보조기를 수반한 근신경성 위치 구축에 뒤따르는 근신경성 보철물 상의 교합의 질을 향상시키기 위해, 저자는 근신경성 교합 조정 술식을 수행할 때 T-Scan 기술을 TENS와 연동하여 사용할 것을 권고한다. 저자의 경험으로, 교합지 자극 해석의 주관성을 제거하고 문제성 교합 접촉을 선택하기 위해 T-Scan을 사용하는 것은, 보조기의 전체적인 교합 디자인을 크게 향상시키고 근신경성 보조기로 인한 환자의 생리적 증상 개선을 촉진한다. 그러므로, 생리적 근신경성 위치를 성공적으로 구축하고 유지하는 중요한 구성 요소로서 T-Scan 기술을 취하는 것이 임상의의 의무이다.

미래 연구 방향

T-Scan 교합력 및 타이밍 데이터가 보조기 치료 효과와 위치화 치료 결과에 대한 더 나은 교합 마무리를 돕는 근신경성 위치, TENS, 보조기를 포함하는 연구 영역은 수많은 잠재력을 가지고 있다.

- TENS-보조기로 근신경성 위치에 반응하는 환자의 증상 감소에 대해, T-Scan을 사용한 경우와 그렇지 않은 경우를 비교한다. T-Scan 포함 여부에 따른 중요한 치료 효과를 확보하기 위해 보조기 그룹간 개선된 증상을 평가하고, T-Scan 지원이 긍정적인 치료 효과의 속도에 영향을 미치는지 판단하며, 보조기 그룹간 삽입 후 필요한 치료 내원 횟수를 비교한다.
- CR 위치와 TENS로 구축한 근신경성(NM) 위치에의 보조기를 사용하여 하악 재위치에 반응하는 환자의 증상 감소를 비교한다. CR 그룹과 NM 그룹을 2개의 그룹으로 나눌 수 있다; 하나는 T-Scan으로 조정된 보조기 그룹, 다른 하나는 T-Scan없이 장착한 그룹. 앞에 설명한 연구처럼, 증상 반응 속도 및 상당한 증상 감소를 얻기 위해 필요한 보조기 장착 후 내원 횟수를 평가할 수 있다. 잠재적으로 이 연구의 중요한 결과는 2개의 다른 위치 사이의 치료적 성공 비율의 유사성 여부가 될 수 있다.
- 세 번째 중요한 분석은 K-7, Scan 12-기반 문제성 교합 접촉 파악 능력을 T-Scan-기반 문제성 교합 접촉 파악 능력과 비교하는 것이다. 이 연구는 T-Scan 시스템의 예견 가능성처럼, Scan 12가 강력하고 이른 교합 접촉을 정확하게 분리하는지를 평가할 것이다. 현재, 견고한 환자 자가-폐구 최대 상호감합 동안 교근과 측두근의 동반 상승 효과와 대칭성을 관찰함으로써 특별한 교합 접촉 위치를 결정하는 것이 가능하다는 것을 증명하는 연구가 없다. 이런 잠재적인 연구는 문제성 교합 접촉을 위치화할 때 고-저 차트(High-Low Chart)에만 의존하는 것에 대해 근신경성 치료를 하는 임상의에게 분명하게 해줄 것이다.

결론

이번 장에서는 근신경성 치과 치료의 새로운 응용으로써 TENS(경피 전기 신경 자극)와 T-Scan 시스템을 조합하는 것에 대해 논의하였다. 근육을 이완시키고 근 통증을 감소시키며 근중심 교합(Myocentric Occlusion)으로 알려진 생리적 근신경성 상하악 관계의 구축을 돕는 TENS가, TMD의 치료 방식으로 사용되는 방법에 관한 문헌을 상세히 설명하였다. 근신경성 위치화의 과정은 임상 증례 보고로 묘사하였고, 근신경성 치료 위치에서 균형잡힌 교합력 분포를 발달시키기 위해 가철성 피개 해부학적 레진 보조기를 사용한 TENS/T-Scan 교합 조정 술식을 설명하였다. 이런 접근은 TENS가 교합지와 단독으로 조합되어 강력한 문제성 접촉 선택에 대한 임상의의 주관적인 해석 기술 역할을 남기는 전통적인 보조기 장착 방법을 크게 향상시킨다. T-Scan이 근신경성 치료에 제공하는 정확한 교합 향상 때문에, 임상의가 교합 조정을 수행할 때 T-Scan 기술의 필요성에 대해 인지하고, 문제성 교합 접촉을 파악하고 수정하기 위한 교합지 자극의 주관적 해석을 T-Scan 데이터가 대신해야 한다고 권고하는 바이다.

참고문헌

- Allgood, J.P. (1986). Transcutaneous electrical neurâl stimulation (TENS) in dental practice. *Compendium of Continuing Education in Dentistry*, *7*(9), 640, 642-644.
- Alvarez-Arenal, A., Junquera, L.M., Fernandez, J.P., Gonzalez, I., & Olay, S. (2002). Effect of occlusal splint and transcutaneous electric nerve stimulation on the signs and symptoms of temporomandibular disorders in patients with bruxism. *Journal of Oral Rehabilitation*, *29*(9), 858-863.
- Black, R.R. (1986). Use of transcutaneous electrical nerve stimulation in dentistry. *Journal of the American Dental Association*, *113*(4), 649–652.
- Carey, J.P., Craig, M., Kerstein, R.B., & Radke, J. (2007). Determining a relationship between applied occlusal load and articulating paper mark area. *The Open Dentistry Journal, 1*, 1-7
- Carr, A.B., Christensen, L.V., Donegan, S.J., & Ziebert, G.J. (1991). Postural contractile activities of human jaw muscles following use of an occlusal splint. *Journal of Oral Rehabilitation*, *18*(2), 185-191.
- Cooper, B.C. (1997). The role of bioelectric instrumentation in the documentation of management of temporomandibular disorders. *Oral Surgery, Oral Medicine, Oral Pathology, Oral Radiology and Endodontics*, *83*(1), 91-100.
- Cooper, B.C., & Kleinberg, I, (2008). Establishment of a temporomandibular physiological state with neuromuscular orthosis treatment affects reduction of TMD symptoms in 313 patients. *Journal of Craniomandibular Practice*, *26*(2), 104-115.
- Coy, R. E., Flocken, J. E., & Fray, A. (1991) Musculoskeletal etiology and therapy of craniomandibular pain and dysfunction. *Cranio Clinics International*, Baltimore , MD: Williams and Wilkens, , pp 163-173.
- Dalen, K., Ellertsen, B., Espelid, I., & Gronningsaeter, A.G. (1986). EMG feedback in the treatment of myofascial pain dysfunction syndrome. *Acta Odontologica Scandinavica*, *44*(5), 279-284.
- Dionne, R.A. (1997). Pharmacologic treatments for temporomandibular disorders. *Oral Surgery, Oral Medicine, Oral Pathology, Oral Radiology and Endodontics*, *83*(l), 134-142.
- Eble, O.S., Jonas, I.E. &, Kappert, H.F. (2000). Transcutaneous electrical nerve stimulation (TENS): its short-term and long-term effects on the masticatory muscles, *Journal of Orofacial Orthopedics*, *61*(2), 100-111.
- Gomez, C.E., & Christensen, L.V. (1991). Stimulus-response latencies of two instruments delivering transcutaneous electrical neuromuscular stimulation (TENS). *Journal of Oral Rehabilitation*, *18*(1), 87-94.
- Halperin, G.C., Halperin, A.R., & Norling, B.K. (1982). Thickness, strength, and plastic deformation of occlusal registration strips. *Journal of Prosthetic Dentistry, 48*, 575-578.
- Hansson, P., & Ekblom, A, (1983). Transcutaneous electrical nerve stimulation (TENS) as compared to placebo TENS for the relief of acute oro-facial pain. *Pain*, *15*(2), 157-165.
- Hickman, D. M., Cramer, R., & Stauber, W. T. (1993) The effect of four jaw relations on electromyographic activity in human masticatory muscles. *Archives of Oral Biology, 38*(3), 261-264.
- Hirano, S., Okuma, K., & Hayakawa, I. (2002). In vitro study on the accuracy and repeatability of the T-Scan II system. *Kokubyo Gakkai Zasshi, 69*(3), 194-201.
- Holt, C.R., Finney, J.W., & Wall, C.L. (1995). The use of transcutaneous electrical nerve stimulation (TENS) in the treatment of facial pain. *Annals of the Academy of in Medicine in Singapore*, *24*(1), 17-22.

- Horiuchi, H., Suda, H., Hanada, T., & Suzuki, K. (1978). Anodal electrotonus using a separate electrode to suppress pain during cavity preparation in labiocervical cavities. *Bulletin of the Tokyo Medical and Dental University, 25*(2), 101-103.
- Jankelson, R. (1990). Analysis of maximal electromyographic activity of the masseter and anterior temporalis muscles in Myocentric and Habitual Centric in temporomandibular joint and musculoskeletal dysfunction. *Frontiers in Oral Physiology, 7*, 83-97.
- Katch, E.M. (1986). Application of transcutaneous electrical nerve stimulation in dentistry. *Anesthesia Progress, 33*(3), 156-160.
- Kamyszek, G., Ketcham, R., Garcia, R., & Radke, J. (2001). The electromyographic evidence of reduced muscle activity when ULF-TENS is applied to the Vth and VIIth cranial nerves. *Journal of Craniomandibular Practice, 19*(3), 162-168.
- Kerstein, R.B., Chapman R., & Klein, M. (1997) A comparison of ICAGD (Immediate Complete Anterior Guidance Development) to "mock ICAGD" for symptom reductions in chronic myofascial pain dysfunction patients. *Journal of Craniomandibular Practice, 15*(1), 21-37.
- Kerstein, R.B., Lowe, M., Harty, M., & Radke, J. (2006). A Force reproduction analysis of two recording sensors of a computerized occlusal analysis system. *Journal of Craniomandibular Practice, 24*(1), 15-24.
- Kerstein, R.B., & Radke, J. (2013). Clinician accuracy when subjectively interpreting articulating paper markings. *Journal of Craniomandibular Practice & Sleep Practice, 32*(1), 3-23.
- Kerstein, R.B., & Wright, N. (1991). An electromyographic and computer analysis of patients suffering from chronic myofascial pain dysfunction syndrome, pre and post - treatment with immediate complete anterior guidance development. *Journal of Prosthetic Dentistry, 66*(5), 677- 686.
- Koos, B., Godt, A., Schille, C., & Göz, G. (2010). Precision of an instrumentation-based method of analyzing occlusion and its resulting distribution of forces in the dental arch. *Journal of Orofacial Orthopedics, 71*(6), 403-410.
- Koos, B., Holler, J., Schille, C., & Godt, A. (2012). Time-dependent analysis and representation of force distribution and occlusion contact in the masticatory cycle. *Journal of Orofacial Orthopedics*, 73, 204-214.
- Linde, C., Isacsson, G., & Jonsson, B.G. (1995). Outcome of 6-week treatment with transcutaneous electric nerve stimulation compared with splint on symptomatic temporomandibular joint disk displacement without reduction. *Acta Odontologica Scandinavica, 53*(2), 92-98.
- Lynn, J. M., Mazzocco, M. W., Miloser, S. J., & Zullo, T. (1992). Diagnosis and teatment of craniocervical pain and headache based on Neuromuscular Parameters. *American Journal of Pain Management, 2*(3), 143-151.
- Maness, W.L. (1988). Force Movie, A time and force view of occlusal contacts. *Compendium of Continuing Education in Dentistry, 10*(7), 404-408.
- Maness, WL. (1991). Laboratory comparison of three occlusal registration methods for identification of induced interceptive contacts. *Journal of Prosthetic Dentistry, 65*94), 483-487.
- Millstein, P., & Maya, A. (2001) . A. An evaluation of occlusal contact marking indicators. A descriptive quantitative method. *Journal of the American Dental Association, 132*, 1280-1286.
- Monaco, A., Sgolastra, F., Ciarrocchi, I., & Cattaneo, R. (2012). Effects of transcutaneous electrical nervous stimulation on electromyographic and kinesiographic activity of patients with temporomandibular disorders: a placebo-controlled study. Journal of Electromyography Kinesiology, 22(3), 463-468. doi: 10.1016/j.jelekin.2011.12.008. Epub 2012 Jan 14.
- Okeson, J. (2003). Management of temporomandibular disorders and occlusion. 5th ed. St. Louis, MO: CV Mosby, pp.416, 418, 605.
- Qadeer, S., Kerstein, R.B., Yung Kim, J.R., Huh, J.B., & Shin, S.W. (2012). Relationship between articulation paper mark size and percentage of force measured with computerized occlusal analysis. Journal of Advanced Prosthodontics, 4, 7-12.
- Rodrigues, D., Siriani, A.O., & Bérzin, F. (2004). Effect of conventional TENS on pain and electromyographic activity of masticatory muscles in TMD patients. Brazilian Oral Research, 18(4), 290-295.
- Saad, M.N., Weiner, G., Ehrenberg, D., & Weiner, S. (2008). Ef-

fects of load and indicator type upon occlusal contact markings. Journal of Biomedical Material Research, 85(1), 18-23.

- Shane, S.M., & Kessler, S. (1967). Electricity for sedation in dentistry. Journal of the American Dental Association 75(6), 1369-1375.
- Schelb, E., Kaiser, D.A., & Brukl, C.E. (1985). Thickness and marking characteristics of occlusal registration strips. Journal of Prosthetic Dentistry, 54, 122-126.
- Schumann, N.P., Zwiener, U. &, Nebrich, A. (1988). Personality and quantified neuromuscular activity of the masticatory system in patients with Temporomandibular joint dysfuncton. Journal of Oral Rehabilitation, 15(1), 35-47.
- Wang, K., Wang, Y., & Yang, Z. (1998). Evaluation of the treatment effect for bruxism by using the Myo-monitor and occlusal splints. Zhonghua Kou Qiang Yi Xue Za Zhi, 33(5), 300-302.
- Wright, E.F., & Schiffman, E.L. (1995). Treatment alternatives for patients with masticatory myofascial pain. Journal of the American Dental Association 126(7), 1030-1039.

추가문헌

- Burdette, B.H., & Gale, E.N. (1990), Reliability of surface electrornyography of the rnasseteric and anterior temporal areas. Archives of Oral Biology, 35(9), 747-751.
- Ciancaglini, R., Sorini, M., Brodoloni, F., & Weinstein, R. (1985). Principles and technics of transcutaneous electrical stimulation (TENS), for the treatment of disorders of the masticatory system. Dental Cadmos, 15(53, 19), 45-52.
- Cooper, B.C., Cooper, D.L., & Lucente, F.E. (1991). Electromyography of masticatory muscles in craniomandibular disorders. Laryngoscope, 101(2), 150-157.
- Council on Dental Materials, Instruments, and Equipment. (1988). Status report: transcutaneous electrical nerve stimulation (TENS) units in pain control. Journal of the American Dental Association, 116(4), 540.
- Curcio, F.B., Tackney, V.M., & Berweger, R. (1987). Transcutaneous electrical nerve stimulation in dentistry: a report of a double-blind study. *Journal of Prosthetic Dentistry, 58*(3), 379-383.
- George, J.P., & Boone, M.E. (1979). A clinical study of rest position using the Kinesiograph and Myomonitor. *Journal of Prosthetic Dentistry*, 41, 4, 456-62.
- Ferrrio, V.F., Sforza, C., D'Addona, A., & Miani, A., Jr. (1991). Reproducibility of electromyographic measures: a statistical analysis. *Journal of Oral Rehabilitation 18*(6), 5 13-521.
- Gervais, R.O., Fitzsimons, G.W., & Thomas, N.R. (1989). Masseter and temporalis electromyographic activity in asymptomatic, subclinical, and Temporomandibular joint dysfunction patients. *Journal of Craniomandibular Practice*, *7*(1), 2-57.
- Glaros, A.G., Glass, E.G., & Brockman, D. (1997). Electromyographic data from TMD patients with myofascial pain and from matched control subjects: evidence for statistical, not clinical, significance. *Journal of Orofacial Pain, 11*(2), 125-129.
- Jankelson, B. (1980). Measurement accuracy of the mandibular kinesiograph--a computerized study. *Journal of Prosthetic Dentistry, 44*(6), 656-666.
- Jankelson, B. Sparks, S., Crane, P. & Radke, J. (1975). Neural Conduction of the Myo-Montor stimulus; a quantitative analysis. *Journal of Prosthetic Dentistry*, *34*, 3, 146-153.
- Jankelson, B., Sparks, S., Crane, P. & Radke, J. (1975). Knesiometrics Instrumentation; a new technology. *Journal of the American Dental Association*, *90*, 138-144.
- Jankelson, B., & Radke, J. (1978). The Myo-monitor: its use and abuse (I). *Quintessence International*, *2*, 1-6.
- Jankelson, B,. & Radke, J. (1978). The Myo-monitor: its use and abuse (II). *Quintessence International*, *2*, 7-11.
- Miller, B.F., Gruben, K.G., & Morgan, B.J. (2000). Circulatory responses to voluntary and electrically induced muscle contractions in humans. *Physical Therapy*, *80*(l), 53-60.
- Monaco, A., Sgolastra, F., Pietropaoli, D., Giannoni, M., & Cattaneo, R. (2013). Comparison between sensory and motor transcutaneous electrical nervous stimulation on electromyographic and kinesiographic activity of patients with temporomandibular disorder: a controlled clinical trial. *BMC Musculoskeletal Disordors*, *15*(14), 168. doi: 10.1186/1471-2474-14-168.

- Núñez, S.C., Garcez, A.S., Suzuki, S.S., & Ribeiro, M.S. (2006). Management of mouth opening in patients with temporomandibular disorders through low-level laser therapy and transcutaneous electrical neural stimulatio. *Photomedical Laser Surgery, 24*(1), 45-49.
- Quarnstrom, F.C., & Milgrom, P. (1989). Clinical experience with TENS and TENS combined with nitrous oxide-oxygen. Report of 371 patients. *Anesthesia Progress, 36*(2), 66-69.
- Rajpurohit, B., Khatri, S.M., Metgud, D., & Bagewadi, A. (2010). Effectiveness of transcutaneous electrical nerve stimulation and microcurrent electrical nerve stimulation in bruxism associated with masticatory muscle pain--a comparative study. *Indian Journal of Dental Research, 21*(1), 104-106. doi: 10.4103/0970-9290.62816.
- Treacy, K. (1999). Awareness/relaxation training and transcutaneous electrical neural stimulation in the treatment of bruxism. *Journal of Oral Rehabilitation, 26*94), 280-287.
- Wieselmann-Penkner, K., Janda, M., Lorenzoni, M., & Polansky R. (2001). A comparison of the muscular relaxation effect of TENS and EMG-biofeedback in patients with bruxism. Journal of Oral Rehabilitation, 28(9), 849-853.

주요 용어 및 정의

- **Myobite:** 근신경성 위치를 포착한 구내 인기 형성으로, TENS-펄스 하악 폐구 호의 하악 추적을 관찰하면서 만든 EMG 판독에 의해 유도된다. Myobite는 상악과 하악 사이에 개인마다 다르게 놓이는 향상된 기능 부위를 인기한다.
- **Myo-Monitor:** Myo-monitor 기술은 근신경성 위치를 구축하기 위해 환자에게 TENS 펄스를 부여할 때 임상의에게 펄스 속도와 진폭을 선택할 수 있게 한다. TENS 없이 근 기능 크기를 측정하고 TENS로 불수의적 폐구 호를 반복적으로 유도하기 위해, 발표된 논문들은 Myo-monitor를 사용하였다.
- **TENS/T-Scan:** 불수의적 폐구 호를 얻기 위해, TENS 펄스-유도와 교합력 분포를 기록하고 설명하는 상대적 교합력 및 실시간 접촉 순서의 조합. 환자는 T-Scan 레코딩 센서를 보조기와 대합치 사이에 삽입한 상태로 반복적으로 보조기로 TENS-펄스를 받아, 터보 모드에서 보조기의 교합 접촉력을 측정성으로 기록한다. T-Scan 데이터로 임상의의 주관적 해석을 배제하고 연이은 수정 교합 조정을 안내받는다.
- **ULF-TENS:** 초저주파수 경피 전기 신경 자극. 환자의 두부 근육에 놓은 전극이 근육계 내에 간결하고 리드미컬한 경련성 수축을 유도하여, 순환을 증가시키고 자세성 전기 활성을 감소시킨다. ULF-TENS는 통증 완화 및 환자 진정을 제공하기 위해 사용된다.
- **가철성 피개 해부학적 레진 보조기 보철물:** 해부학적 치아 형태로 모든 하악 치아를 덮는 가철성 근신경성 보조기로, 생리적 근신경성 위치를 유지하고 대합하는 상악 치열과 교합간 접촉을 형성한다.
- **교합지 자국의 주관적 해석:** 교합지 자국의 외형에 근거하는, 교합력 감소를 위한 접촉을 선택하는 장기간 동안 사용된 비과학적인 방법. 주관적 해석 원리는 크고 진한 교합지 자국이 강력한 접촉이고; 가벼운 접촉은 낮은 힘 접촉이며; 악궁 전반에 퍼져있는 많은 같은-크기의 교합지 자국은 교합력 균형과 양측성 시간 동시성을 시사한다. 이런 원리는 과학적인 연구에서 테스트된 적이 없었음에도 불구하고 믿을 수 있는 것으로 널리 믿어지고 있다. 최근 발표된 연구에 의하면, 주관적 해석의 원리는 입증되지 않았고, 환자는 정확하게 술식을 수행할 수 없다고 하였다.
- **근신경성 생리적 위치:** TENS-유도 불수의적 폐구 호로 결정되는 상하악 관계. 근신경성 생리적 위치는 근중심 교합과 유사하다.
- **근중심 교합(Myocentric Occlusion):** 환자의 MIP로의 습관성 폐구 호 및 CR로의 양수 조작 호와는 다른 TENS-유도 불수의적 폐구 호로 구축한 상하악 관계.
- **불수의적 폐구 호:** 환자의 습관성 폐구 호와는 상당히 다른 TENS 펄스-유도 근육 폐구 운동. 보통, 불수의적 폐구 호는 관절와 밖으로 하악을 전하방으로 이동시켜 좀 더 edge-to-edge 한 상하악 관계를 구축한다.
- **환자 자가-폐구:** 환자가 근신경성 보조기를 장착한 상태로 환자가 대합하는 치열로 형성하는 비-TENS-유도 폐구 호. 환자 자가-폐구는 또한 TENS 없이 습관성 MIP로 교합하는 하악 폐구 운동이기도 하다.

치주 치료 및 컴퓨터 교합 분석

Nicolas Cohen, DDS, MS, PhD
개인 의원, France & University of Paris, France

초록

이번 장은 치주 질환 진행에서의 교합 역할에 관하여 진행 중인 논쟁을 다룬다. 교합력은 치주 부착 소실의 개시에 대한 인자가 아닌 것으로 간주되고 있다. 그러나, 교합 분석을 위해 입증된 측정 장치나 수량화 방법이 없었기 때문에, 치주 질환과 교합 사이의 관계에 관한 혼동이 과학적 공동체 내에 여전히 존재한다. T-Scan 교합 측정 기술의 발달로 치주 질환의 교합 역할에 대한 과학적 의견이 변할 수 있다. 이번 장에서는 T-Scan 8 시스템이 조직 소실과 교합 문제를 가지는 환자의 치료를 돕는 방법을 설명한다. 특히, 치주 질환의 주요 위험 인자가 조절된 후에, T-Scan으로 교합을 조정하면 염증 감소, probing depth 감소, 골 높이 안정의 치료 결과가 향상된다.

도입

치주조직은 몇 개의 조직으로 특성화되어 있다:

- 각화 치은과 같은 연조직,
- 유리 치은(free gingiva),
- 치주 인대(PDL),
- 골과 백악질과 같은 치아 주위 경조직.

치주 질환은 다인성이고 숙주 결핍 기원으로 간주되어, 치주낭과 점진적인 부착 소실 발생, 치아 주변에 발생하는 골 흡수로 특징지어진다. 치주낭을 얕게 유지하면 환자의 치주 건강을 확실하게 하는 것이 가능하다. 따라서 임상의는 발견되는 치주낭의 깊이를 탐침할 필요성에 끊임없이 직면하게 된다.

또한 임상의는 다음의 잠재적인 치주 질환 위험 인자의 두 그룹을 확인한다:

- 선천적 인적 인자(Innate human factors, 나이, 성별, 인종, 유전적 인자).
- 후천적 인자(세균성 인자, 흡연, 다른 전신적 질환 상태).

교합과 약화된 치주 건강 사이의 연관성은 항상 큰 논쟁을 일으키는 문제이다(Green & Levine, 1996). 그러나, 일반적으로 교합은 치주질환에 대한 위험 인자로 간주되지 않고, 흡연처럼 악화시키는 인자로 보는 경향이 있다. 매일의 진료에서 임상의는 교합과 치주 질환의 모호한 연관성을 관찰함에도 불구하고, "증거 바탕" 교합력 분석의 부재는 이런 상호 연관성의 설명을 더 어렵게 만든다. T-Scan 8 시스템(Tekscan, Inc., S. Boston, MA, USA)은 이러한 정답이 없는 질문을 다루는데 도움이 된다. 이번 장의 목표는 컴퓨터 교합 분석을 치주 치료에 접목하는 방법과 치주 질환 치료에 도움이 되는 방법에 대해 검토한다.

배경

치주 질환과 교합력 사이의 상호관계는 보통 *교합성 외상*(*Occlusal Trauma*)이라는 용어로 규정되었다. Stillman은 폐구 위치를 향한 악골의 움직임으로 야기된 치아 주변 조직의 외상성 상태로 교합성 외상을 처음으로 정의하였다(Stillman, 1917). 1978년, 세계 보건 기구(WHO)는 교합성 외상을 다른 악궁에 존재하는 치아와 접촉하면서 직접 혹은 간접적으로 야기된 치아에 대한 스트레스에 의해 유발되는 치주 외상성 상해라고 정의하였다(Lindhe, Karring, & Lang, 2008). 미국 치주학회(AAP)는 교합성 외상을 과다한 교합 부하에 의해 야기되는 치아 지지 조직의 손상으로 정의하였다(Gher, 1996).

외상성 교합에 의한 치주 손상의 2가지 분류는:

- **1차성**: 정상적인 치주 조직 높이를 보이는 치아에 영향을 미치는 1차적 외상(그림 1).
- **2차성**: 감소된 치주 조직 높이를 보이는 치아에 영향을 미치는 2차적 외상(그림 2).

다양한 치주 위험 인자를 보이는 환자에서, 약화된 치아가 종종 손상된 치주조직 내로 침하되기 때문에 2차성 교합성 외상의 치료를 어렵게 만든다. 힘이 치아의 치관부에 적용되면, 치아의 회전 중심이 좀 더 치근쪽으로 이동하여, 교합 부하로 인한 주요 레버암(lever-arm)이 형성된다(그림 2).

교합성 외상의 정의

교합성 외상은 저작근의 적용된 힘으로 인한 치주 상태의 변화를 설명하는데 사용되는 용어다(Sanz, 2005).

환자에 대한 교합성 외상을 평가할 때, 수많은 임상적 및 방사선적 증상과 징후가 존재할 것이다(Hallmon, 1999; Parameter on occlusal traumatism in patients with chronic periodontitis. American Academy of Periodontology, 2000).

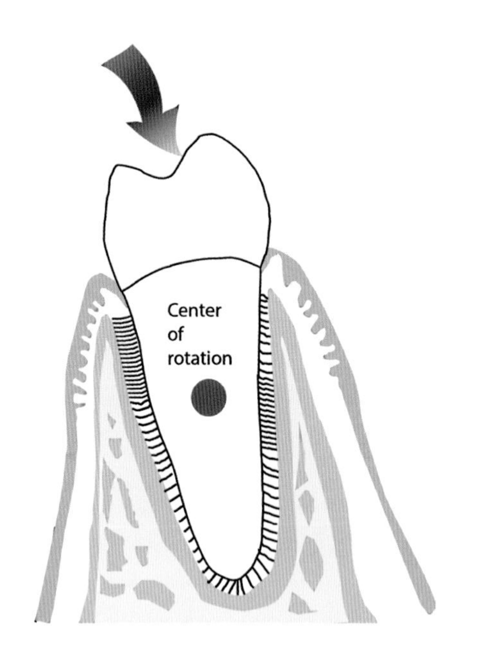

그림 1 정상적 지지의 과다한 교합력으로 인한 1차성 교합성 외상. 회전 중심이 치아의 중앙부 근처에 있다

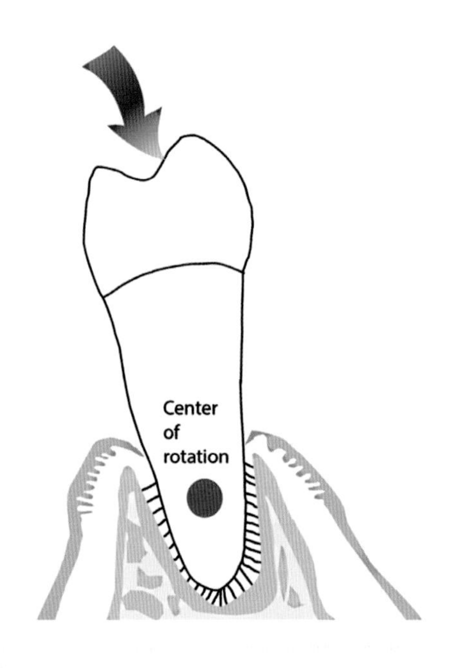

그림 2 감소된 지지를 가진 치아에 적용된 과다한 교합력으로 야기된 2차성 교합성 외상. 회전 중심이 치근의 치근첨 1/3로 내려간다

교합성 외상의 임상적 증상 및 징후

- 교합 조기접촉 및 치아 접촉 부조화.
- 타진 시 통증.
- 마모와 형성.
- 파절된 교두 및/혹은 깨진 치아.

- 진탕음.
- 치아 동요.
- 온도 민감성.
- 치아 이동.

방사선적 결과

- 수평적 및/혹은 수직적 치조골 소실.
- 확장된 PDL lamina dura space.
- 치근 흡수.

교정적 외상

교정 치료에서, 교정 장치(브라켓 같은)에 의해서 치아에 특정한 힘이 지속적으로 적용되면서 치아 이동이 이루어지고 조절된다. 지속적인 힘이 치아에 적용되면, 두 구역으로 설명되는 PDL에서의 반응이 관찰된다; 인장 구역(zone of tension), 압박 구역(zone of pressure). 압박 구역 내에서 혈관 신생과 혈관 투과성이 증가하여 혈전이 생기고 세포와 교원질(collagen)이 분해된다. 파골세포가 활성화되어, 흡수 구역으로부터 혹은 Howship 열공으로부터 직접적으로, 아니면 골 흡수에 연루되는 매개물질 생산으로 인해 간접적으로 골 흡수를 유발한다. 동시에, 인장 구역은 골 침착을 유도한다. 인장 구역과 압박 구역 사이의 온전한 치유 과정이 수주간에 걸쳐 발생하고, 그 후 인대와 골은 흡수의 소견을 보이지 않게 되고 정상적인 치아 동요와 방사선적 모습을 보인다(그림 3).

그림 3a–3c는 대구치의 근심화 및 uprighting을 보여주고, 수직 치아 이동 반응을 구축한다. 대합하는 치아는 상당한 힘으로 바람직한 수직적 정출 이동에 반대되는 방향으로 교합하기 때문에, 대합 치아의 존재는 uprighting을 제한하게 된다. 파노라마 사진 내에서(그림 3d), uprighting 대구치 근심 치근 근처에 선명한 치조골–내 방사선 투과성이 있다. 치근 이개부에서 치근첨까지 확장되었다. 그러나, 교정 치료가 완성된 후(그림 3e), 골 침착이 발생하여 하악 제2대구치에 교정 치료 시작 전(그림 3b)보다 치조골 소실이 증가하지 않았다. 이것은 지속적인 교정성 외상을 예방하기 위해 잘–조절된 교정 이동의 증례이다.

교정치료는 주어진 방향으로 치아 이동을 한정하므로, 교정 장치에 의해 지속적인 단방향의 힘이 전달된다. 이런 종류의 이동은 치주적으로 약화된 치아가 보이는 여러 방

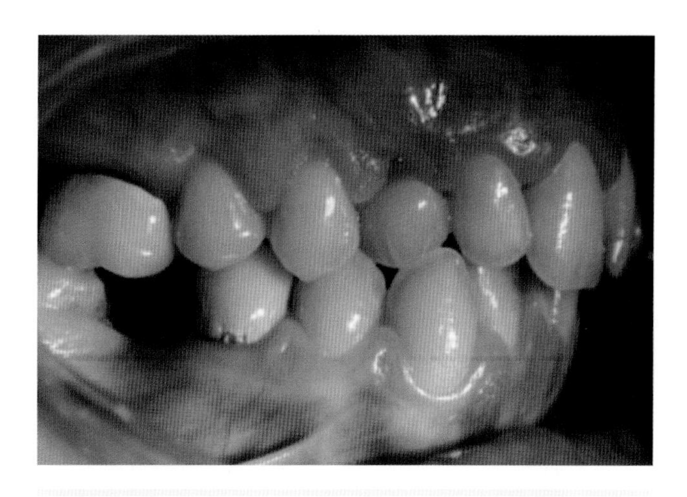

그림 3a 교정 치료에 앞서, 함입된 상악 견치와 근심으로 기울어진 하악 제2대구치를 보여주는 구내 사진

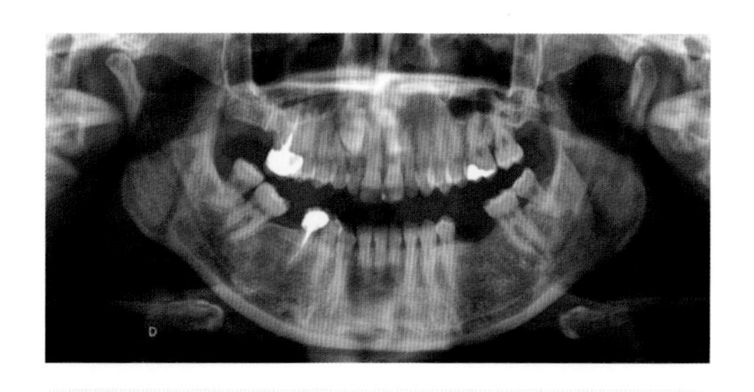

그림 3b 치아를 이동시키기 전에, 치료-전 파노라마 사진으로 외상성 골 소실이 없다

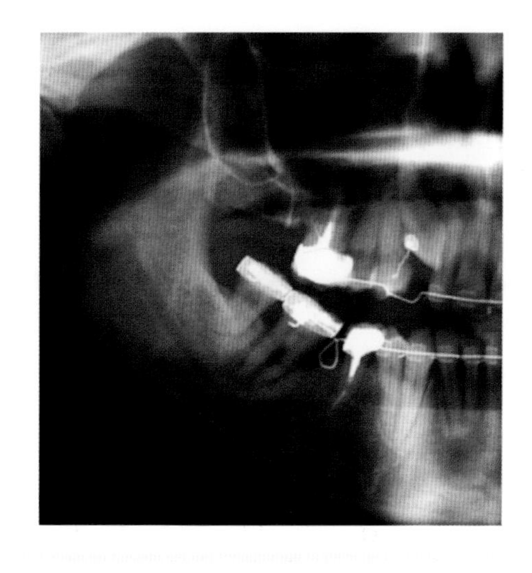

그림 3c 하악 대구치 uprighting, 상악 견치 견인을 사용하는 교정 치료 과정

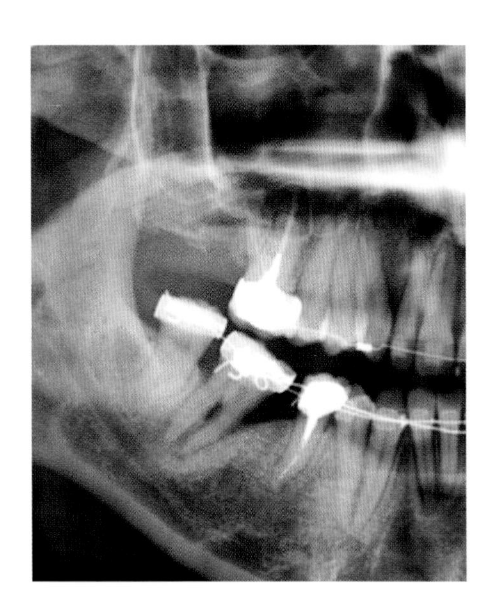

그림 3d 교정 치료-중 파노라마 사진으로 대구치 치근 근심측에 방사선 투과성이 보인다

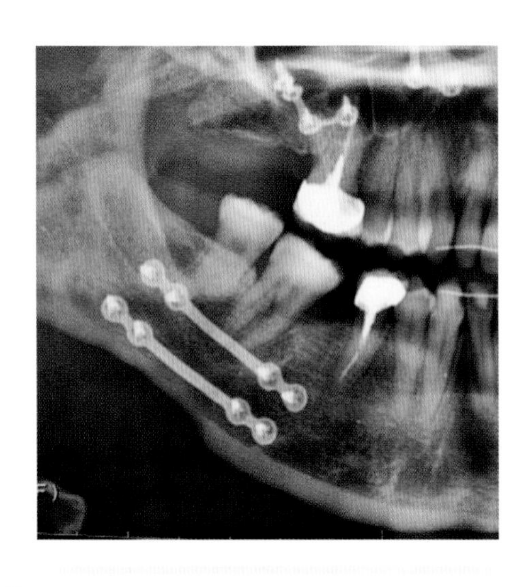

그림 3e 악안면 수술 이후 치료-후 파노라마 사진으로, 교정용 브라켓이 제거되고 고정식 유지 장치가 구내에 위치한 상태이다

향으로의 동요와는 매우 다르다. 그러므로, 어느 정도 조절되는 교정적으로 유발된 동요와 비교했을 때, 비조절성 기능적 동요는 연루된 지지 조직에 더 강하고 해로운 영향력을 행사한다.

조절된 교정적 이동은 Jiggling이라는 용어로 적절하게 설명될 수 있다:

- **Jiggling의 정의**: 치아 Jiggling은 2개의 반대 방향(협-설, 절단-치은, 근-원심)으로만 교대 이동을 허락하는 적용된 제약으로 야기된다.

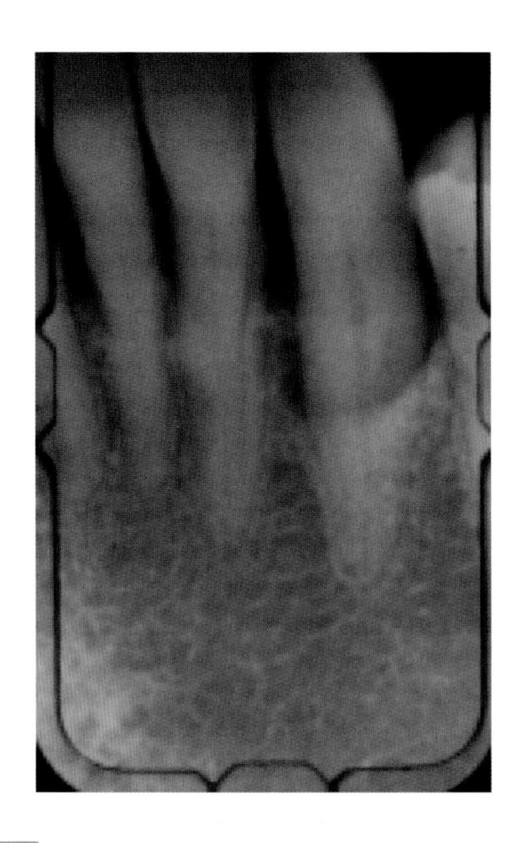

그림 4 치주 질환을 가진 하악 견치에 대한 외상의 결과를 보여주는 방사선 사진. 특징적인 골성 병소가 대합치에 위치한 과교합된 레진 수복으로 유발되었다. 치간중격의 높이가 감소된 것을 확인하라

치주 질환을 보이는 치아의 외상

치주 조직 소실에서 교합의 역할을 다루는 많은 연구들은 교합성 외상이 치아 지지 조직 파괴를 유발하는 것으로 보이지 않는다고 결론지었다. 그러나, 교합을 치주 질환 발달의 잠재적인 기여 인자로 고려하는 것이 중요하다. 교합성 외상은 치아가 일시적 혹은 영구적으로 흔들리게 되는 파괴 과정을 촉진하는 것으로 생각된다(Lindhe & Svanberg, 1974; Nyman, 1978; Meitner, 1975)(그림 4).

치주 상태

치주 건강은 안정적인 상태로 존재하는 치아나 임플란트 주변의 골과 연조직의 존재로 규정된다. 치주 부착의 본질이 건강과 질환을 평가하는데 필수적이어서, 대부분의 연구는 3가지 부착 매개 변수에 초점을 맞추었다(그림 5):

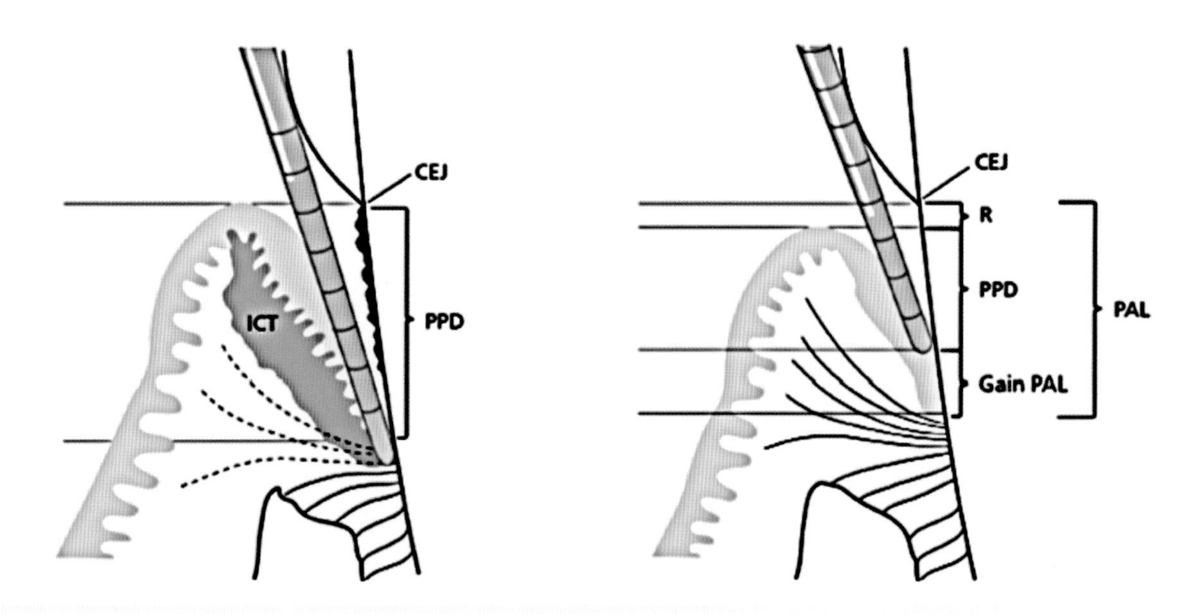

그림 5 임상의는 임상적 부착 수준(CAL)을 평가하기 위해서 관례대로 치주 탐침을 사용한다

- 임상적 부착 수준(Clinical Attachment Level, CAL).
- 치아 동요.
- 치주낭 깊이(Pocket Depth, PD).

치주 건강을 평가하기 위해 다른 임상의와 연구가들은 다른 매개 변수를 사용하였다. 이런 변수의 장기간 유지가 치주 치료의 주요한 목적이 되었다:

- ICT: 감염된 결합 조직.
- PPD: 탐침 치주낭 깊이.
- PAL: 치주 부착 수준.
- CEJ: 백악-상아질 경계.
- R: 퇴축.

임상적 부착 수준(CAL)은 눈금있는 탐침(probe)으로 평가될 것이다. CEJ부터 그럴듯한 치주낭 바닥까지의 거리를 mm 단위로 표현된다. 치주 질환을 보이는 환자에서, 보통 4mm를 초과하는 깊은 치주낭 깊이가 관찰된다.

최근 몇 년 동안, 치주낭 깊이를 평가할 때 치주 탐침 과정이 디지털 측정을 사용하여 다소 표준화되었다. 가장 뚜렷하게, Florida Probe™(Florida Prove Corp., Gainsville, FL, USA)가 자동 탐침으로의 길을 안내하고 있다(Karpinia, Magnusson, Gibbs, & Yang, 2004). 임상의의 지속적인 압력 측정 어려움 때문에, 자동 탐침 사용은 논란이 되고 있다. 만약 임상의가 탐침 시 높은 압력을 적용하면, 탐침으로 환자는 통증을 느낄 것이다. 적용된 힘이 너무 낮다면, 특히 치은연하 플라그가 치주낭 내에 존재할 때 시스템은 정확한 탐침 깊이를 평가하기 어려울 것이다(Oringer 등, 1997). 대안적으로, charting software(Florida Probe software version 9, Florida Probe Corp., Gainesville, FL, USA)를 사용하여 수동 탐침 깊이를 기록하면 정확하고 임상의에게 효과적이다.

치주 질환 발달에 대한 교합의 효과를 분명하게 설명하는 높은 수준의 증거를 제공하는 연구는 거의 없다. 치주 치료 부분으로 교합 조정을 수행하여 얻을 수 있는 결과적 이익을 설명하는 기존의 연구도 거의 없다(Foz, Artese, Horliana, Pannuti, & Romito, 2012). 일반적으로, 교합이 일상적인 치주 치료의 중요한 구성 요소로 여겨지지 않기 때문에, 임상의는 교합 조정을 모든 치주 증례에서 체계적으로 시행하지 않는다. 교합은 환자가 자신의 교합 접촉에 대해 불편감을 경험할 때에만 치료된다.

치주 질환과 교합 인자 사이의 상호관계에 대한 근거

Karolyi가 1901년 교합성 외상과 "치조 농루" 사이의 가능한 연관성 존재를 처음으로 제안한 이후(Karolyi, 1901), 몇 가지의 이론이 설명되었다. 1930년대에, Stones는 치주 질환의 다양한 측면과 교합 문제 사이에 상호관계가 있다고 주장하였다(Stones, 1938). 그러나, 원숭이 실험은 어떤 대조도 포함하지 않았고, 도출된 결론은 결과의 중요성이 결핍되고 일관적이지 않았다. 교합과 치주 질환의 관계를 설명하는 초기 발표의 대부분은 임상적 관찰에 근거하였다.

다른 연구들은 부검 동안 얻은 조직 샘플을 평가하여 치주 질환의 교합 역할에 관한 상반되는 결과를 형성하였다. Weinmann은 염증이 치조골 내의 혈관을 따라 진행되고, 이런 염증은 교합 접촉과 연관성이 없다고 하였다(Orban & Weinmann, 1933; Weinmann, 1941). 카데바 연구가 수행되면서, 치주 질환 발달에 영향을 미치는 인자로서 교합의 잠재적 역할에 대한 철저한 분석이 이루어졌다(Glickman, 1967; Waerhaug, 1979). Glickman은 강력한 교합 제약에 종속된 치아는 교합 제약이 없는 치아보다 치주 조직 소실이 더 크게 나타남을 관찰하였다. 이와 대조적으로, Waerhaug는 매우 유사한 샘플의 연구에서, 치아 주변의 변연 조직 소실과 교합성 외상 존재 사이에 상호관계를 볼 수 없다고 하였다.

사람을 대상으로 한 연구의 황금 기준은 무작위-블라인드-조절된 임상 시험(randomized-blinded-controlled clinical trial, RCT)이다. 불행하게도 1996년 세계 치주학회는, 실제 및 모의 교합 조정을 수행하지 않고 교합성 외상에 관한 연구를 시행하는 것이 윤리적으로 정당하지 않다고 발표하였다(Gher, 1996). 이 발표로 RCT 디자인을 이용하여 교합력과 치주 질환에 관한 연관성을 연구하는 것이 불가능해졌다.

동물 연구

많은 동물 연구가 다람쥐원숭이(Kantor, Polson, & Zander, 1976; Polson, 1974; Polson, Kennedy, & Zander, 1972, 1974; Polson, Meitner, & Zander, 1976)와 비글독(Ericsson & Lindhe, 1977, 1982; Lindhe & Ericsson, 1976, 1982; Lindhe & Svanberg, 1974)을 이용하여 수행되어, 유도된 치주질환에의 과다한 교합력의 영향을 평가하였다. 다람쥐원숭이에서는 교정력을 적용한 것과 유사한 근원심 압박력을 적용하였고, 비글독에게는 높은 교합 접촉을 사용하여 협설측 힘을 적용하였다. 두 그룹 모두 미생물막(biofilm)의 유무 상태 모두에서 존재하는 과다한 교합력이 관찰되었다.

다른 동물 모델과 다른 교합력이 사용되었음에도 불구하고, 이 연구들은 유사한 결과를 도출하였다. 플라그가 없는 상태에서 과다한 교합력은 골 밀도의 소실을 유발하고 해당 치아의 동요도를 증가시켰으나, 교합력 단독으로 부착 소실을 유발한다는 증거는 찾을 수 없었다. 과다한 교합력이 제거되면, 골 밀도 소실은 반전되었다. 미생물막이 있는 상태에서는 치은과 치주 지지 조직의 염증이 관찰되었고, 과다한 교합력과 플라그가 함께 존재하는 경우의 골밀도는 양쪽 동물에서 더 많이 소실되었다. 게다가, 비글독 모델에서, 플라그와 과다한 교합력이 같이 존재할 때 부착 소실의 증거가 발견되었다(Ericsson & Lindhe, 1977, 1982; Lindhe & Ericsson, 1976, 1982; Lindhe & Svanberg, 1974). 그러나, 이런 결과들은 다람쥐원숭이 모델에서는 관찰되지 않았다(Kantor, Polson, & Zander, 1976; Polson, 1974; Polson, Kennedy, & Zander, 1972, 1974; Polson, Meitner, & Zander, 1976). 두 연구는 플라그를 제거하고 염증을 조절하면 과다한 교합력 존재 여부에 상관없이 치주 질환 진행이 정지되는 것에 동의하였다.

이 두 가지 동물 모델 연구 시리즈가 교합력과 미생물막의 관계를 평가하기 위해 시도되었으나, 구축된 교합 연구 상태로부터 취합된 특정 힘 크기와 힘 지도화 데이터는 없었다. "과다한" 부하는 교합 접촉 생리의 사실성과 동떨어진 모형화된 외상에 의해 경험적으로 구축되었다. 두 연구들은 과다한 교합력이 단독으로 부착 소실을 유발할 것으로 보이는 증거가 없다고 결론지었다. 마지막으로, 이런 연구가 매우 흥미로움에도 불구하고, 인간 치주 질환과 일치하는 자연스러운 치주 질환 발달을 보여주지는 않았다.

생물학적 경로

교합에 의한 외상은 조직 항상성을 방해하는 것으로 고려되고, 치아에 기계적으로 유도된 과다한 힘은 조직 내에 생존하는 세포에 스트레스를 주게 된다. 그 후 조직 반응이 숙주 반응을 활성화하고 많은 cytokine 염증 매개 물질을 유도하여 (Cytokine Network 내에 조직화되면서) 파골세포 형성을 활성화하고 골 형성을 방해함으로써 치주가 붕괴되게 된다. 세포핵 인자 kappa B ligand의 수용기 활성체(receptor activator of nuclear kappa ligand, RANKL으로 알려진)가 등장하여, 파골세포 분화, 활성, 성숙, 존속에 대한 중요한 구성 요소가 된다.

어떤 연구자는 교합성 외상이 있거나 없는 상태의 쥐의 치주 조직에서 lipopolysaccharide-유도 염증 반응 동안

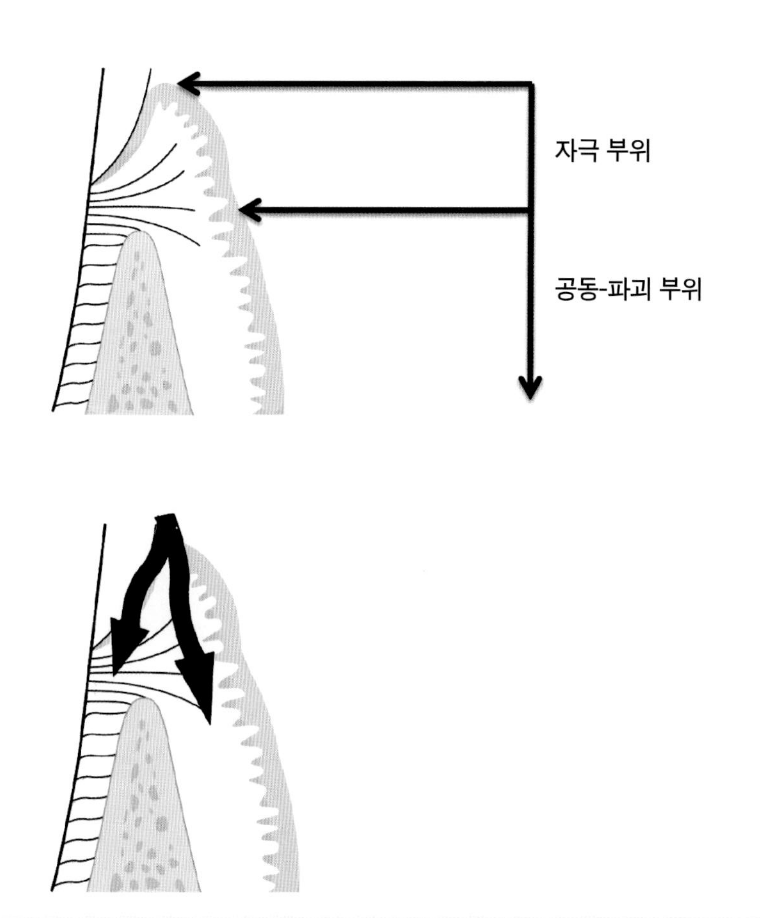

그림 6 Glickman에 의해 묘사된 자극 부위와 공동-파괴 부위를 표현한 도해. 자극 부위의 감염 병소는 치조골로 전파되고, 교합성 외상에 종속된 치아에서는 염증 침투가 PDL로 직접적으로 퍼질 수 있다. Carranza, F. A., Jr.(1987)에서 인용. Glickman's Periodontology, Philadelphia, W. B. Saunders, Co., pp. 285, 그림 19-20

RANKL-표현 세포의 분포를 관찰하였다(Yoshinaga, Ukai, Abe, & Hara, 2007). 그 결과, 내피 세포, 염증 세포, PDL 세포에서의 RANKL 발현이 염증성 골 흡수를 포함하는데, 이것이 외상성 교합에 의해 촉진된다고 하였다. 이들 세포의 RANKL 발현이 교합성 외상에 의해 유도되는 파골세포 증가와 밀접하게 관련된다고 제안하였다(Yoshinaga 등, 2007).

Osteopontin은 세포 부착에 중요하다고 알려진 세포외 기질 단백질로 기계적 부하 하에 생산된다. Osteopontin은 파골세포가 흡수 부위로 이동하도록 유도하고, 그 후 그곳에서 osteopontin은 CD-44(세포-표면 당단백질)와 상호작용하여 hyaluronic acid, type Ⅰ 교원질, fibronectin과 결합하는 것으로 생각된다. 그러나, RANKL 분포와 파골세포 내에서 osteopontin 생산 사이의 상호연관성은 발견되지 않았다(Kaku, Uoshima, Yamashita, & Miura, 2005).

인간 카데바 연구

Glickman의 분석

- **Glickman의 개념**: Glickman은 교합이 플라그에 의해 유발된 치주 질환을 변경할 능력이 있는 인자라는 가능성을 옹호하였다. 교합성 외상에 종속된 치아는 교합성 외상이 없는 치아와는 다른 질환 진행을 거치는 것으로 보인다. 이와 같이 Glickman은 2가지 부위를 설명하였다 (Glickman, 1967)(그림 6):
  - 자극 부위(zone of irritation).
  - 공동-파괴 부위(zone of co-destruction).

카데바 연구를 통해, Glickman은 자극 부위는 점막 조직으로 구성되어 있기 때문에 교합 문제로 약해지기 쉽지 않다고 판단하였다. 이 부위는 어떠한 염증이라도 순수하게 세균성 플라그의 존재에 의존하여, 자극 부위에 적용된 힘은 점막 내에서 전적으로 사라지는 것으로 나타났다. 대조적으로, 공동-파괴 부위는 교합성 외상에 약한 PDL과 치조골로 구성되어 있다. 공동-파괴 부위에 적용된 힘은 각진 골 병소의 발달을 초래하는 것으로 생각되었다. Glickman은 교합성 외상과 각진 골 병소의 존재 사이에 원인적 관계가 있다고 결론지었다.

Waerhaug의 분석

- **Waerhaug의 개념**: Waerhaug는 Glickman과 같은 유형의 카데바 연구를 시행하였는데, 교합성 외상이 있어도 각진 골 병소가 없는 부위를 많이 발견하였다(Waerhaug, 1979). 그는 이와 같이, 가능성있는 원인적 영향과 관련된 Glickman의 확언을 반박했다.

이 연구들은 수년간 논쟁이 되었고, 수많은 저자들이 자신의 선택을 정당화하는 높은 수준의 과학적 증거를 실제적으로 제공하지 못한 채 어느 한쪽을 옹호하였다.

위에-언급한 기술적 연구 모두는 관찰자의 편견에 종속되어 있다. 살아있는 환자에서, 치주 상태 관찰은 수 년에 걸쳐 활동한 많은 인자의 작용 결과이다. 부검 표본은 활동적인 사람 생리를 보여주지 않기 때문에, 이를 통해 발견한 것을 판독하기가 더 어렵다. 종종, 카데바의 내과 병력, 생활 습관 및 다른 요소에 대한 지식이 제한되거나 없다. 사망 후에, 원래 존재하였던 교합 관계를 정확하게 평가하기 어렵다. 더욱이, 교합성 외상은 정적인 현상이 아니고, 정의에 의한 "교합성 외상"은 저작 기능과 근력에 의존하기 때문에, 카데바에서는 이것을 평가할 수 없다.

교합 조정과 치주 질환을 포함하는 임상 연구

첫 번째 임상 연구는 1976년에 수행되었는데, 교합 조정을 수행한 후 angular lesions 유무에 관계없이 유사한 치유양상을 보였다(Rosling, Nyman, Lindhe, & Jern, 1976). 1980년, 다른 연구에서는 안정적인 치아와 과동요 치아에서 서로 다른 치유를 나타내었다. 이 저자는 두 양상의 치아에서 치유 능력이 다르다고 결론지었다(Fleszar 등, 1980).

치주 질환 치료에 대한 교합 조정의 효과가 1992년에 연구되었다. 50명의 환자를 분석하였는데, 22명의 대상자는 교합 조정으로 치료되었다. 수술 2년 후, 탐침 결과가 교합 조정을 받은 환자에서 더 좋았다(평균 0.5mm 적은 치주낭)(Burgett 등, 1992).

백인 인구를 대표하는 2,980명의 대상자를 포함한 횡적 역학 연구를 통해 치주낭의 깊이에 대한 역동적 교합 간섭의 영향이 평가되었다(Bernhardt 등, 2006). 기존의 교합 인자에 추가하여, 그들의 내과 및 치과 병력과 알려진 다양한 치주 위험 인자가 조사되었다. 비-작업측 간섭이 치주낭 및 부착 소실과 유의성있는 연관성을 보였다($p〈0.0001$). 게다가, 치아가 작업측 및 비-작업측 접촉을 보일 때 치주낭 깊이의 상당한 증가가 관찰되었고($p=0.004$), 적용된 힘의 진폭이 결과에 약간의 영향을 미쳤다. 이런 다른 관계가, 분명하게 입증되었다 해도 특별하지는 않았고, 환자 나이, 흡연 내력, 대상자의 치태 지수(plaque index)와 비교한 중요성은 거의 없었다.

2008년, 치료-후 3년의 치주 유지 단계 동안 교합력과 치주 치유 사이의 연관성을 분석한 연구가 있었다. 조직-기반의 치료가 시행되었음에도 불구하고 교합력이 존재할 때, 7mm를 초과하는 부착 소실과 치주 질환 진행 사이에 상관관계가 존재함이 발견되었다(Takeuchi & Yamamoto, 2008).

2009년, Nunn과 Harrel은 교합 변동성과 치주 건강 혹은 질환 변수의 관계를 분석하였다. 교합 분석은 조기 접촉의 결정, 후퇴 위치(CR)에서의 초기 접촉과 최대 교두감합(CO)에서의 접촉 사이에 존재하는 CR-CO 부조화, 편심위 운동 시 작업측, 균형측, 전방 운동 접촉의 존재를 포함하였다. 교합 분석은 초기 (CR) 접촉을 결정하기 위한 후퇴 위치로 환자를 부드럽게 손으로 조작하여 이루어졌다. 모든 다른 접촉은 CO 교두감합 상하악 관계로부터 평가되었다. 교합 접촉 분석을 2번 수행하고 교합지 자국으로 교합 접촉을 명시하여 확인하였다. 동일한 시험자가 모든 검사를 수행하였다. 여러 번의 분석으로 CR-CO 부조화와 비-작업측(균형측) 접촉은 모두 보다 깊은 치주낭 깊이와 연관성이 있음을 밝혀냈다. 전방 편심위 구치부 간섭 접촉 또한 보다 깊은 치주낭 깊이와 연관성이 있음을 지적하였다(Harrel & Nunn, 2009).

Branschofsky 등은 2011년, 다양한 정도의 만성 치주질환을 가진 288명의 대상자와 93명의 건강한 대상자를 분석하여, 2차성 교합성 외상(조기접촉 및 균형측 접촉)이 치주적으로 약화된 환자에서 종종 보이는 것을 발견하였다. 저자는 2차성 교합성 외상이 부착 소실의 심도와 양(+)의 관계를 가진다고 발표하였다(Branschofsky, Beikler, Schafer, Flemming, & Lang, 2011).

이 연구로 도출할 수 있는 결론은:

- 교합성 외상은 치은 염증을 개시하지 않는다.
- 염증이 없는 상태에서, 외상성 교합은 증가된 동요도, 확장된 PDL, 변연골 높이 및 골 부피 소실을 야기하지만, 부착 소실은 발생되지 않는다.
- 치은 염증이 있는 상태에서, 과다한 jiggling force는 촉발된 부착 소실을 야기하지 않는다(다람쥐원숭이에서). 증가된 교합력은 부착 소실을 촉진할 수도 있다(비글독에서).
- 지속적인 동요나 jiggling 외상이 존재하는 경우 치은 염증을 치료하면, 동요도 감소, 골 밀도 증가가 야기될 수 있으나, 부착 소실이나 치조골 높이의 변화는 일어나지 않는다.
- 유지 단계 동안 교합력과 치유 정도 사이에 상관관계가 있다.

첫 치주 내원 동안 컴퓨터 교합 분석 사용

치주 검사는 전신적 내과 상태의 평가를 포함하고, 구외 및 구내 분석이 이어진다. 종종, 환자의 전신 질환 상태가 치주 질환에 대한 힌트를 제공할 수 있다. 당뇨와 같은 일부 질환은 치주 건강 변수 변화에 상당한 영향을 미치고, 시행된 치료로부터의 조직 치유 능력에도 영향을 미친다(Kardesler, Buduneli, Cetinkalp, & Kinane, 2010).

구외 검사는 종종 상당히 기본적이지만, 근 긴장이나 경련, 안면 통증, 골격성 부조화로 야기된 안면 비대칭과 같은 교합 문제의 존재를 드러낼 수도 있다.

구내 검사 동안, 치주 상태의 분석은 다음의 임상적 매개 변수 기록을 포함한다:

- 구강 위생 수준,
- 치주 탐침 깊이,
- 출혈,
- 화농,
- 각화 치은의 높이,
- 동요, 동요도 분류로 기술:
  - 정상 동요도.
  - **1도**: 정상보다 약간 심한 정도(정상 범주는 수평 동요 0.2mm 미만).
  - **2도**: 중등도의 동요도(수평 동요 1-2mm).
  - **3도**: 중증의 동요도(수평으로 2mm 초과, 혹은 수직적 동요 포함).

정확한 치주 진단을 내리기 위해, 첫 번째 치주 평가에서 위의 치주 변수의 목록을 해당 소프트웨어로 생성한다(그림 7).

그림 7은 전형적인 치주 검사의 소프트웨어 차트를 보여준다. 탐침으로 퇴축이나 치근 이개부가 연루된 치아를 파악한다. 또한 하악 전치부 설면의 플라그의 존재를 보여준다. 치유 기간 동안 치료에 따른 검사가 반복되면, 소프트웨어는 탐침 깊이의 증가 혹은 감소와 같은 치료-전후의 차이를 자동적으로 보여준다.

교합지로 수행된 교합 분석이 종종 구내 검사의 부분이 된다. 분석에 있어서 교합지는 교합지의 두께, 침으로 인한 교합지 표기의 어려움, 역동적인 접촉 타이밍 측정 불가능, 교합 접촉력 측정 불가능과 같은 몇 가지의 단점을 가지고 있다(Carey 등, 2007; Saad 등, 2008; Qadeer 등, 2012).

그러나, T-Scan 8 시스템은 접촉력, 타이밍, 역동적인 운동 평가에 관한 좀 더 빠르고 자세한 교합력 분석을 제공할 수 있다. 사실, 디지털 기술을 이용한 접촉 간섭의 확인은 매우 간단하고 신속하다. 예를 들어, 임상적으로 파악되는 흔들리는 치아와 개별 치아의 힘 비율 상관관계를 입증하기 위해 "치아 당 힘 비율" T-Scan 소프트웨어를 사용하면(그림 8; 2D, 3D ForceView 창), 존재하는 교합성 외상을 진단하는데 임상의의 주관성을 배제할 수 있다.

그림 8a는 #25, 26, 27, 28번 치아뿐만 아니라 #14, 15, 17번 치아에 깊은 치주낭을 보이는 치주적으로 약화된 환자를 보여준다. 치료-전 T-Scan 기록은 과다한 힘이 #25, 26, 27, 28번 치아에 위치함을 보여준다(MIP에서). COF 아이콘은 악궁의 왼쪽에 위치하여 우측과 좌측 반악궁 사이에 힘 불균형이 존재함을 말해준다. 약간의 제세동이 힘 vs. 시간 그래프의 총 힘 선에서 확인되어, 환자의 근육이 견고한 교두감합을 시도하는 동안 힘 크기를 유지하기 어려운 것을 알 수 있다. 치주 치료 효과를 감소시킬 수 있는 교합력 위험 인자의 영향력을 감소시키기 위해, 치주 치료 시행 전에 치료적 교합 조정이 필요하다.

T-Scan 유도 교합 조정 시행 9주 후, 힘 지도가 좀 더 양측성으로 균등화되어, COF가 악궁 내에서 좀 더 중앙화

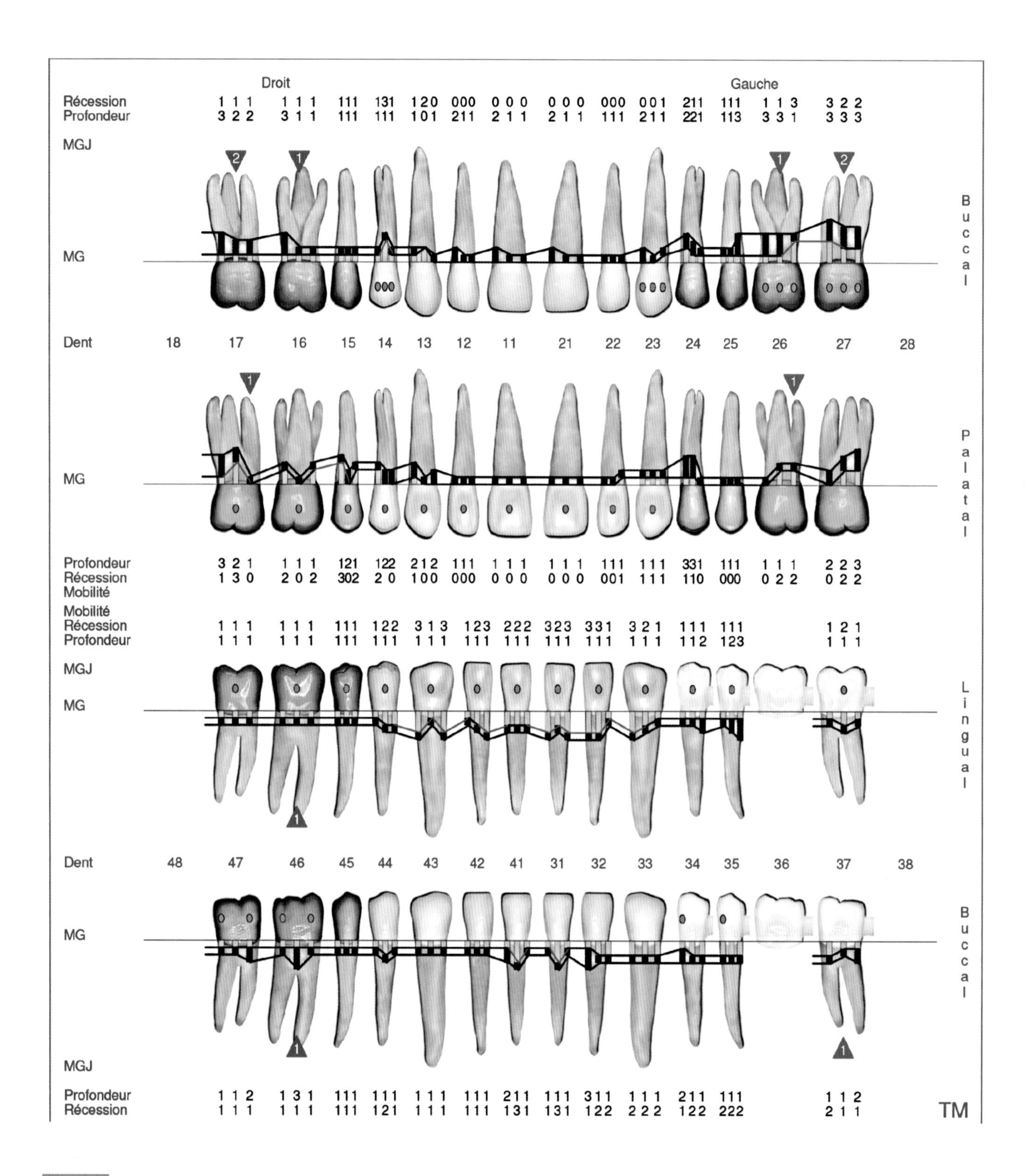

그림 7 전형적인 치주 차트. 모든 임상적 변수가 해당 소프트웨어(Florida software version 9, Florida Probe Corporation, Gainesville, FL, USA)에 의해 치주 차트로 기록되고 합성된다. 탐침 깊이(치아 마다 6개), 퇴축, 치근 이개부 연루, 치아 동요, 출혈, 화농, 플라그 양 모두가 치주 차트에 기록될 수 있다. 적색 삼각형은 이개부 탐침을 의미한다

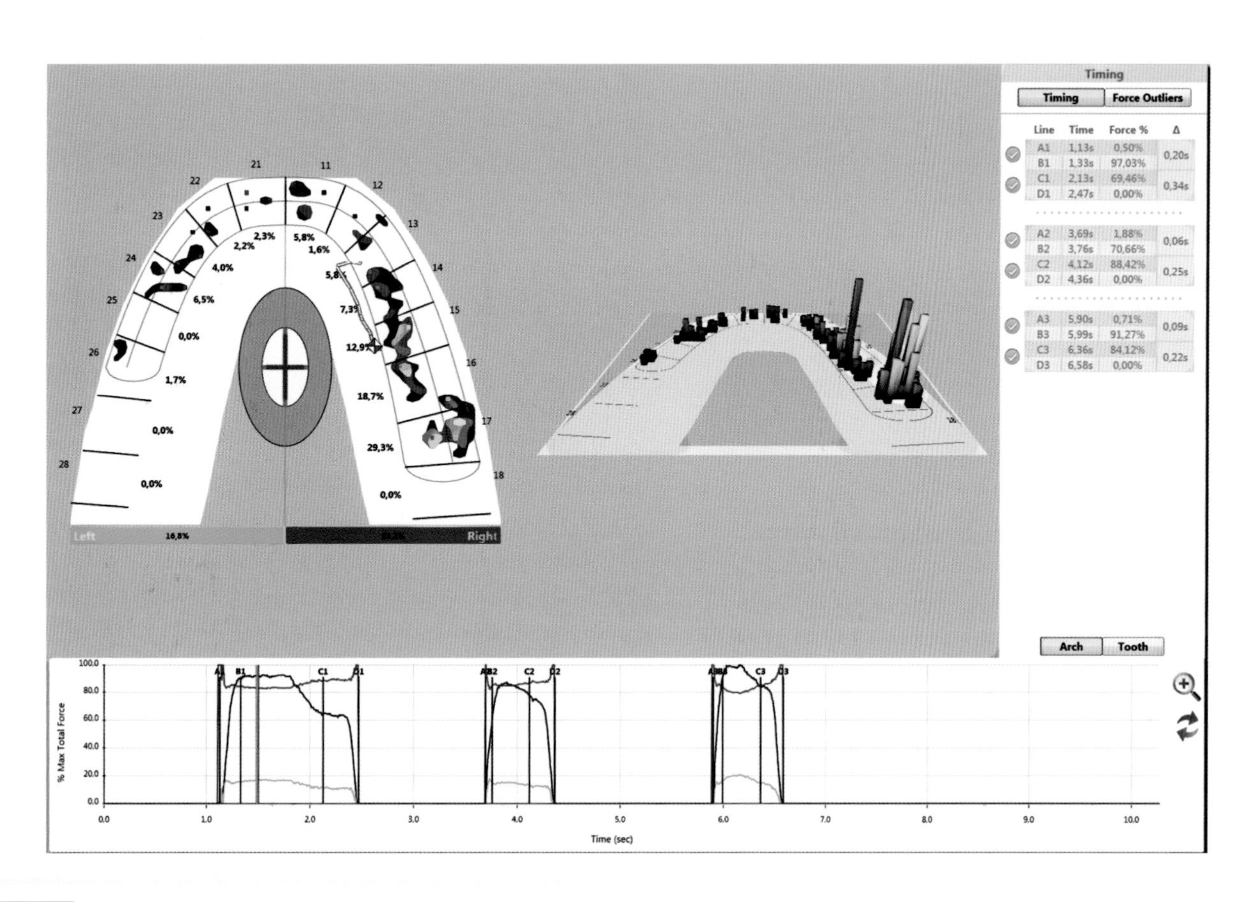

그림 8a #25, 26, 27, 28번 치아에 과다한 힘이 존재하는 치주적으로 약화된 환자의 T-Scan 8 기록. 2D ForceView 창은 COF 궤도가 좌측에 치우치고 중앙화되어 있지 않음으로 교합력 불균형이 존재함을 보여준다

되었다(그림 8b). 이것은 상대적 힘이 좌우 반악궁 사이에서 좀 더 평등해졌다는 것을 설명한다. 추가적으로, 제세동이 치료-후 힘 vs. 시간 그래프 내의 총 힘 선에서 사라져 견고한 교두감합 동안 힘 크기를 유지할 때 환자가 더 이상 근육의 어려움을 보이지 않음을 시사한다.

CR 조기 접촉: MIP 활주

환자가 후퇴한 초기 접촉(CR 조기접촉)과 최대 치아 접촉(CO) 위치 사이에서 하악이 운동하는 거리를 CR과 CO 사이의 활주(slide)라고 한다. 이 활주는 종종 CR-CO 부조화(Celenza, 1984) 혹은 CR-CO 활주라고 한다. 이 활주는 전방, 수직, 측방 평면에서 길이(mm 단위)로 측정되어 수량화된다. 초기 접촉을 확인하고, 환자에게 MIP가 될 때까지 치아를 더 다물도록 한다. CO 위치(MIP로 알려진)는 환자가 자연스럽게 이동하는 위치로, 치아가 가장 편안하게 맞는 상태이다.

그림 9a-9c는 상당한 치주 질환이 있는 환자이다. 차트를 보면, 6-8mm까지의 깊은 치주낭이 있고, 몇 개 치아는 동요를 보인다. #17, 16번 치아는 명백한 이유는 없으나, 가장 깊은 치주낭이 관찰되었다. 좀 더 심각한 치주 질환 지표가 우측에 기록되어 있다(그림 9a). 구내 사진에서 환자의 좋지 않은 구강위생과 조직이 퇴축된 부위를 볼 수 있다(그림 9b-9d). 그림 9e는 Lang과 Tonetti에 의해 설명된 spider graph로(Lang & Tonetti, 1996), 임상의는 존재하는 다양한 치주 위험 인자를 확인할 수 있다. 환자의 spider graph에 의하면, 이 환자는 치주 질환 상태에 기여하는 추가적인 위험 인자에 대한 저-위험 상태에 속한다.

그림 10a는 치주염을 가진 그림 9a-9e 환자의 T-Scan 데이터의 치료-전을 보여준다. 우측 후방 4분악에 과부하되는 교합력과 몇 개의 교합력 불균형이 우측으로 치우쳐 비-중앙화된 COF 궤도와 아이콘으로 확인된다.

그림 10b는 치주 치료 및 컴퓨터-유도 교합 치료에 이은 치료 1년 후 차트이다. follow-up 차트에서 치주낭 깊이 증가 없이 조직 치유는 잘 진행되었다(그림 10b). 치주 변수는

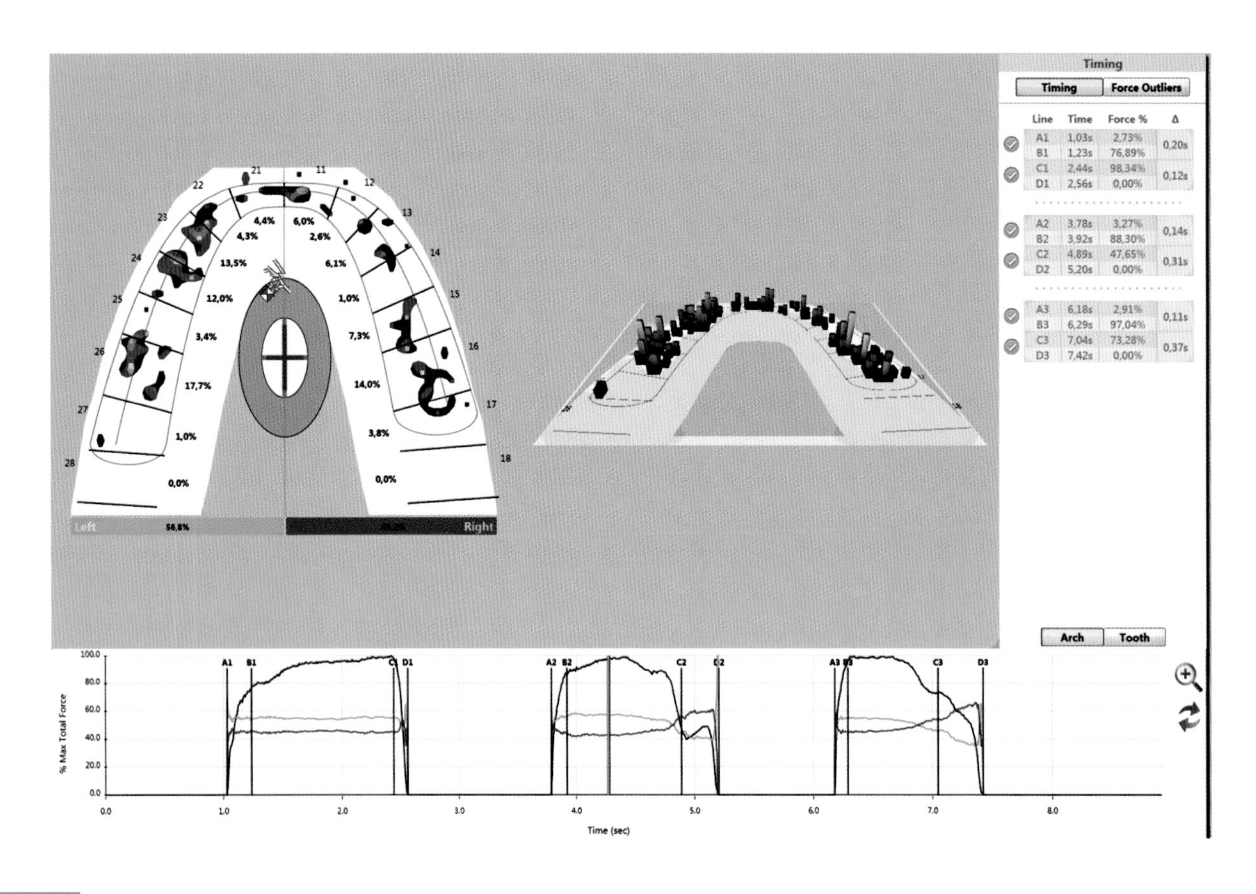

그림 8b T-Scan 유도 교합 조정 수행 9주 후, 힘 지도가 양측성으로 좀 더 균형화되고, COF가 더 중앙화되었으며, 치료-전 총 힘 선의 제세동이 존재하지 않는다

안정적인 것으로 보이고, 추가적인 위험 인자도 조절되고 있다. 치료 1년 후 follow-up T-Scan 데이터(그림 10c)는 낮은-힘의 교합 접촉이 모든 치아에 골고루 분포하는 상당한 교합 균형이 존재함을 보여준다. 현재의 COF 위치는 그림 10a의 치료-전 COF 위치에 비해 중앙화되었다.

측방 간섭과 치주 질환

교합 간섭은 전방 혹은 측방 편심위에서 그리고, 하악이 CR로 조작되었을 때 후퇴된 접촉 위치에서 초기 접촉으로 발생할 수 있다. 또한 치열의 작업측 및/혹은 비-작업측에서 발생될 수 있다. 다른 저자들은 비-작업측 접촉을 치아 교두, 지지 조직, 골격근 기관에 파괴적인 것으로 간주하였다(Lee, Kwon, Chai, Lucas, Thompson, & Lawn, 2009; Keown, Bush, Ford, Lee, Constantino, & Lawn, 2012; Keown, Lee, & Bush, 2012). 그러나, 1985년 전에 수행된 장기간 연구를 토대로 한 문헌고찰에서는 비-작업측 간섭 제거가 교합 기능에 유익하다는 근거가 부족하다고 보고되었다(Bush, 1984). 임상의는 종종 측방 간섭이 없는 환자에서 치주 건강 지표의 안정성이 더 좋은 것을 관찰하지만, 일반적으로 측방 간섭과 치주 질환 진행과의 상관성에 대해서는 여전히 논란 중이다.

지금까지는, 교합력과 연관된 치주 질환 진행을 설명하는 분명한 메커니즘이 수립되지 않았다. 그럼에도 불구하고, 2006년 Ishigaki 등은 교합 간섭이 치아 동요를 야기할 수 있다는 것을 보여주기 위해 Periotest™(Periotest classic, Medizintechnik Gulden, Modautal, Germany)를 사용하였다. 그들은 저작 운동이 약화된 특정 치아에서 동요도를 증가시킨다고 결론내렸다. 그 대신, Kerstein과 Radke는 EMG 기록과 연동한 T-Scan 8으로 시행하는 법랑질성형술인 즉시 완전 전방 유도 발생(ICAGD) 치관성형술을 사용하여 이개 시간을 감소시키면, 측방 간섭의 교합 치료와 동시에 근육 과활성도 감소된다고 하였다(Kerstein & Radke, 2012). 증가된 측방 기계적 스트레스가 PDL에 반복적으로 적용되면 조직 파괴 요인이 될 수 있다고 강조하였다. 측방

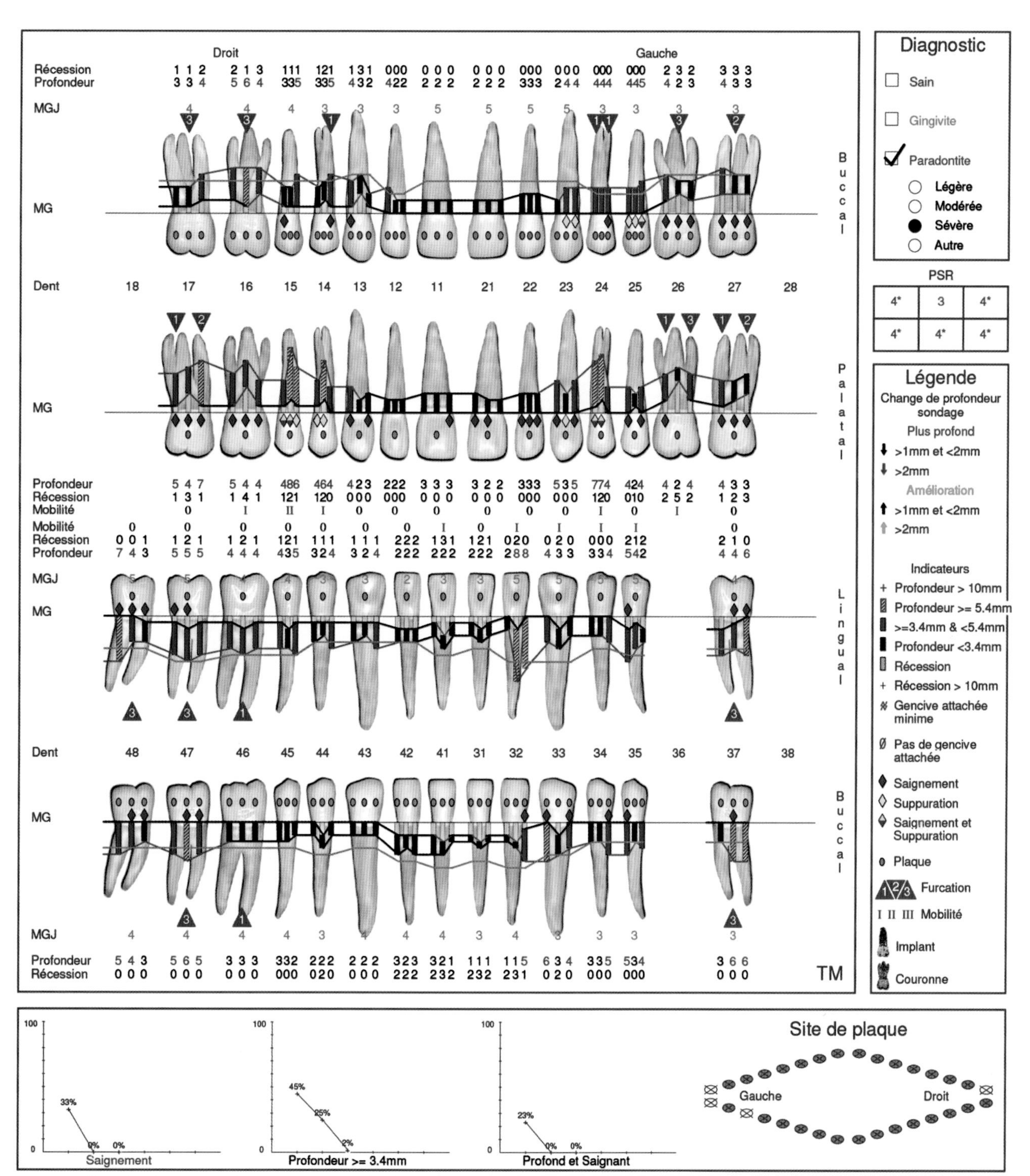

그림 9a 임상 증례 치주 차트로 몇 개 치아의 동요도와 6-8mm에 이르는 치주낭이 보인다

편심위 힘은 폐구 시 최대 교두 간 힘과 양적으로 다르다. 구치부가 접촉하는 측방 운동은 전단력(치아 장축과 연관된 비스듬한 벡터 힘)을 발생시키지만, 중심 교합력은 치아의 장축에 좀 더 평행하다(Rees, 2001).

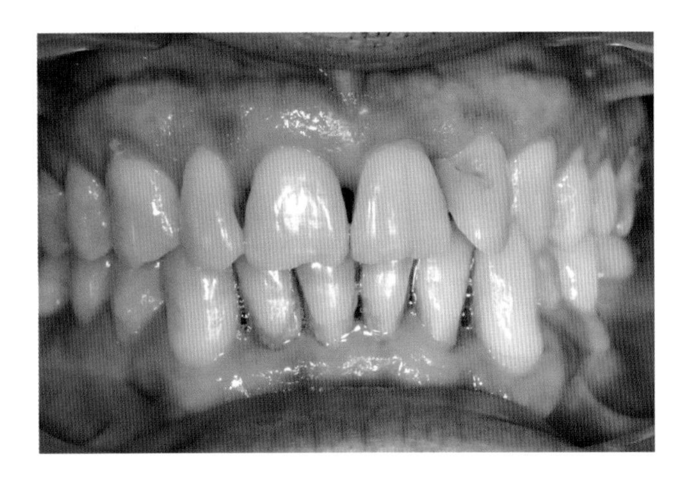

그림 9b 그림 9a 환자의 초진 시 안면 모습으로, 좋지 않은 위생 상태와 치은 퇴축이 보인다

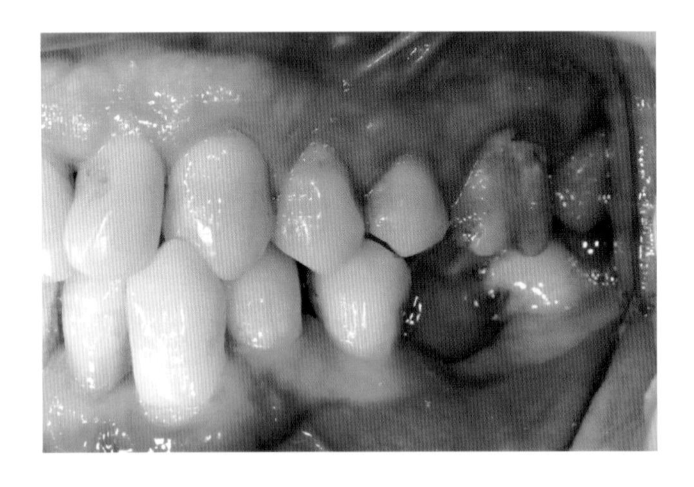

그림 9c 그림 9a 환자의 초진 시 좌측 모습

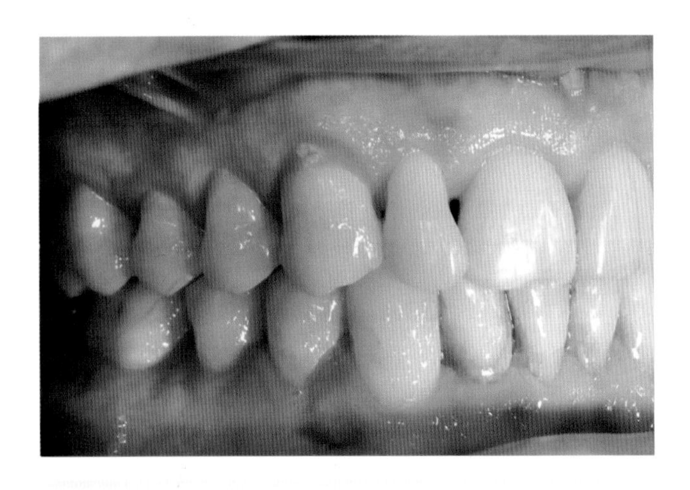

그림 9d 그림 9a 환자의 초진 시 우측 모습

T-Scan 기술의 발달 이전에는 측방 간섭을 지도화(mapping)하는 것이 어려웠기 때문에, 다양한 교합 변수에 대한 치주 질환 진행과 연관된 임상 연구를 수립하기 어려웠다. T-Scan 8 기록으로, 데이터가 보다 쉽게 확보되고 수량화되어 교합력과 편심위 간섭이 치주 조직 소실에 영향을 미치는 방법을 분명하게 이해할 수 있게 되었다.

치주 치료에서 교합 조정

앞서 설명한 것처럼, 모든 연구가 치주 치료와 외상성 교합 간의 관련성에 동의하는 것은 아니다. 그러나, 치주과 의사들은 일상적으로 초기 치주 치료에 교합 조정 술식을 포함한다. 일부 치주과 의사는 스스로 조정을 시행한다. 아니면 일반 치과의사에게 술식을 부탁하기도 한다. 정적이고 역동적인 교합력 평형을 달성하기 위한 시도로, 보통 치주 치료를 시작하기 전에 교합 조정을 시행한다. 일부 저자들은 치주 조직의 재생을 시도할 때 여전히 교합 조정이 중요한 구성 요소라고 주장한다(Branschofsky 등, 2011; Harrel & Nunn, 2001; Nunn & Harrel, 2001; Sanz, 2005).

그림 11a-11c의 비-흡연 환자는 깊은 치주낭(4mm 초과)을 가지고 있다. 치주 차트에 의하면 치주낭, 출혈, 화농이 우측에 더 많아, 우측 반-악궁의 치주 질환이 더 심한 것을 알 수 있다. 또한, 상악 절치 부착 소실이 하악 절치보다 훨씬 심하다(그림 11d). 모든 상악 전치 설측 치은 열구가 치은연하의 갈색 치석 다량 침착으로 넓어져서 상당한 만성 염증과 치은 점막의 부종이 발생하였다. 치주 차트(그림 11e)에서 치태 지수, 치주낭 깊이, 출혈 위치, 치은 퇴축 부위를 볼 수 있다.

중요한 것은, 환자의 좌우 악궁의 교합력이 2배 이상 차이가 난다는 것이다(우측 30.6%-좌측 69.4%). 그림 11f에서 치료-전 좌측에 치우친 COF 위치가 치료-전 T-Scan 데이터 내에서 관찰된다.

치주 치료를 시작하기 전에, T-Scan 8 컴퓨터-유도 교합 조정을 시행하여 MIP의 폐구 교합력 균형을 향상시키고 CR과 CO 사이의 부조화를 제거하였다(그림 11g). 이런 교합 수정으로 악궁 전체에 걸친 3D ForceView 막대 높이가 균등화되었고, COF 아이콘도 악궁의 중앙으로 재위치하였다. 2개의 T-Scan 데이터 개선은 수행된 교합 조정으로 전체적인 교합력 불균형이 우측 30.6%-좌측 69.4%(그림 11f)에서 우측 43.4%-좌측 56.6%(그림 11g)로 감소하였음을 시

Periodontal Risk Assessment

Test 1

Numéro du dossier:
Nom:
Date:
Age:
Notes:

Periodontal Exam Date: November 09, 2012, 18:20

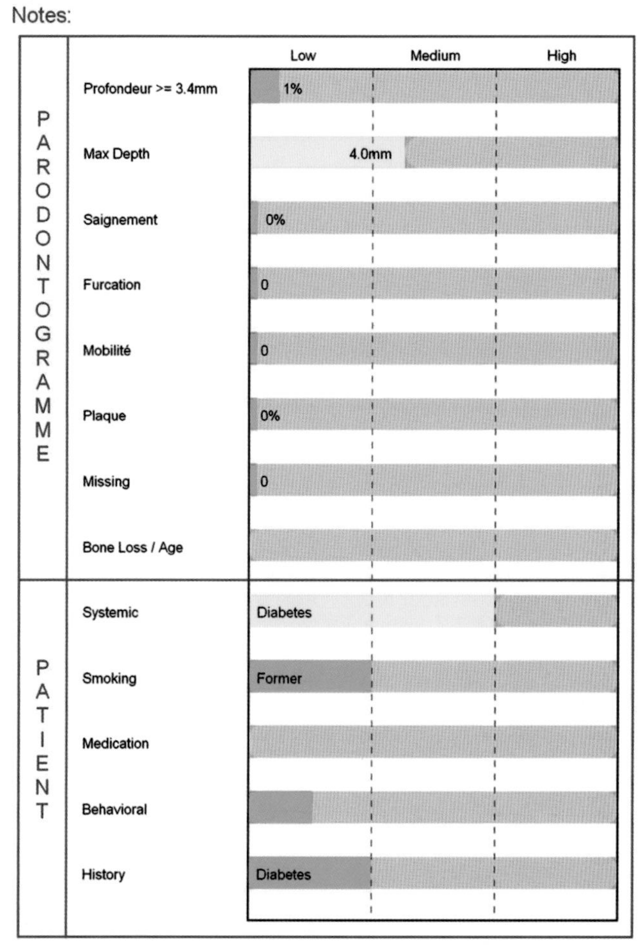

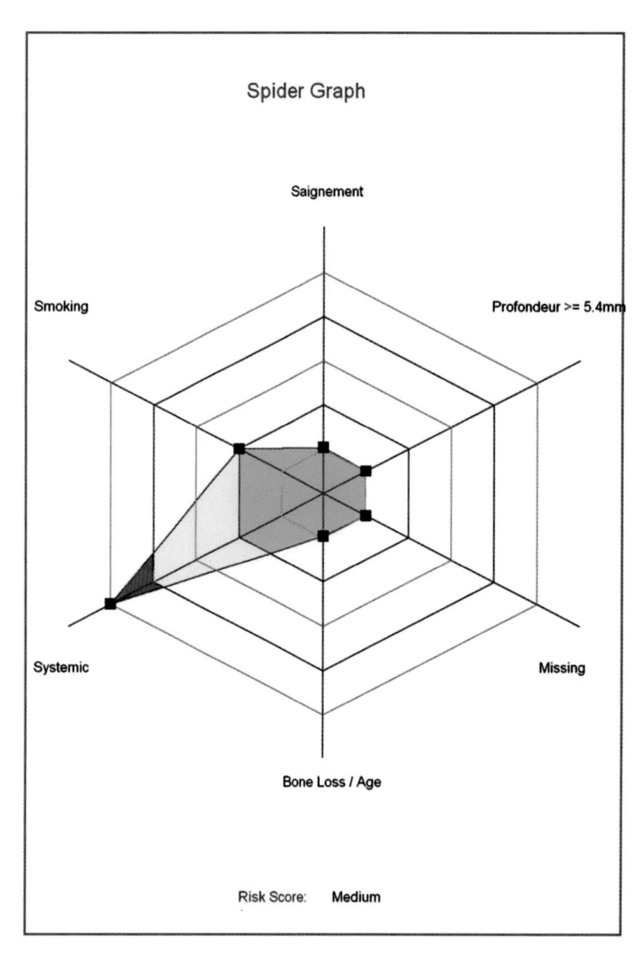

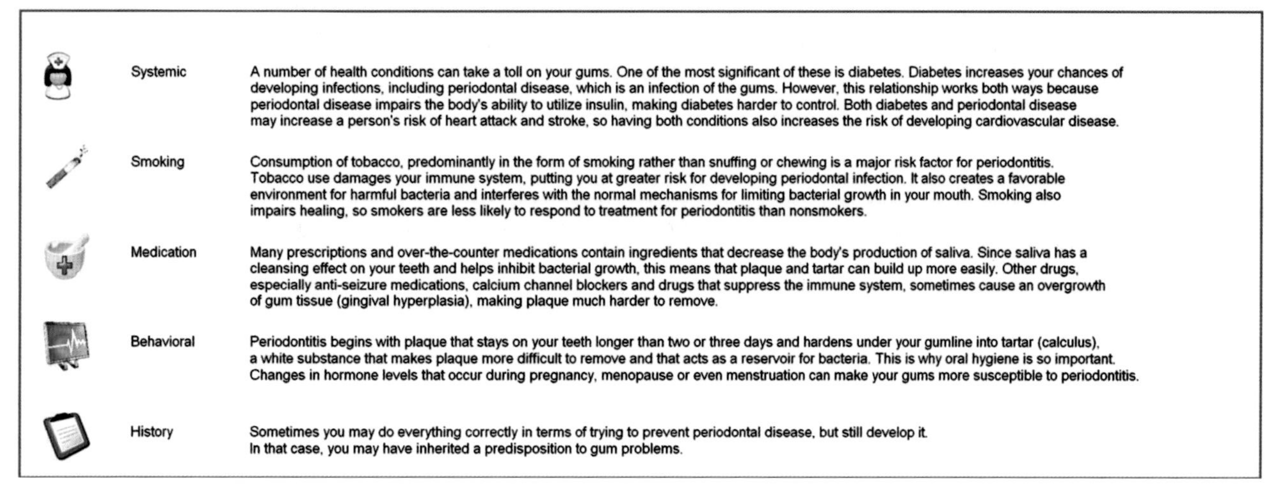

	Systemic	A number of health conditions can take a toll on your gums. One of the most significant of these is diabetes. Diabetes increases your chances of developing infections, including periodontal disease, which is an infection of the gums. However, this relationship works both ways because periodontal disease impairs the body's ability to utilize insulin, making diabetes harder to control. Both diabetes and periodontal disease may increase a person's risk of heart attack and stroke, so having both conditions also increases the risk of developing cardiovascular disease.
	Smoking	Consumption of tobacco, predominantly in the form of smoking rather than snuffing or chewing is a major risk factor for periodontitis. Tobacco use damages your immune system, putting you at greater risk for developing periodontal infection. It also creates a favorable environment for harmful bacteria and interferes with the normal mechanisms for limiting bacterial growth in your mouth. Smoking also impairs healing, so smokers are less likely to respond to treatment for periodontitis than nonsmokers.
	Medication	Many prescriptions and over-the-counter medications contain ingredients that decrease the body's production of saliva. Since saliva has a cleansing effect on your teeth and helps inhibit bacterial growth, this means that plaque and tartar can build up more easily. Other drugs, especially anti-seizure medications, calcium channel blockers and drugs that suppress the immune system, sometimes cause an overgrowth of gum tissue (gingival hyperplasia), making plaque much harder to remove.
	Behavioral	Periodontitis begins with plaque that stays on your teeth longer than two or three days and hardens under your gumline into tartar (calculus), a white substance that makes plaque more difficult to remove and that acts as a reservoir for bacteria. This is why oral hygiene is so important. Changes in hormone levels that occur during pregnancy, menopause or even menstruation can make your gums more susceptible to periodontitis.
	History	Sometimes you may do everything correctly in terms of trying to prevent periodontal disease, but still develop it. In that case, you may have inherited a predisposition to gum problems.

그림 9e spider graph는 이 환자의 추가적인 치주 질환 기여 인자가 낮은 위험도를 보여준다

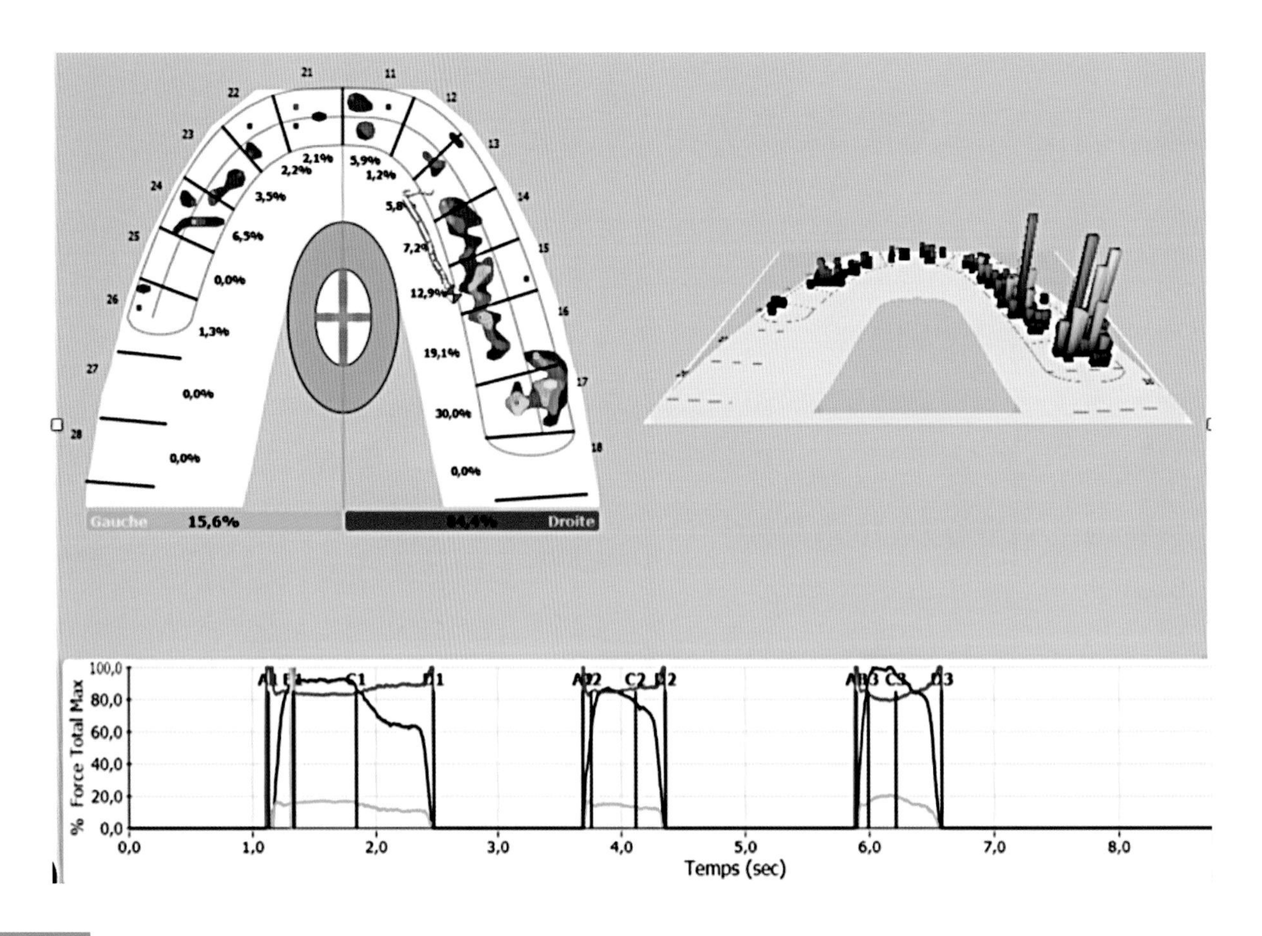

그림 10a 치주 치료와 교합 조정 치료를 수행하기 전 치주염을 보였던 환자의 T-Scan 분석. 악궁의 우측으로 현저하게 치우친 COF 궤도와 아이콘이 심한 교합력 불균형을 설명한다

사한다.

그 후 full-mouth disinfection 프로토콜(Quirynen 등, 1996)을 이용하여 치주 질환을 다루었다. 1년 후, 치주낭, 출혈, 화농의 감소로 상당한 치유가 관찰되었다(그림 11h-11l). 치료 1년 후 조직 건강이 T-Scan 유도 교합 조정을 수반한 치주 치료로 얻어졌다.

균형된 교합력의 조절이 교합력 과부하를 좌측에서 제거하여 재분포시키고 치주 위험 인자로서의 과다한 교합력을 최소화함으로써 조직 건강을 향상시키는데 기여하였을 것이다. 이것은 높은 임상 부착 소실과 낮은 교합력의 치아가 하나 이상 존재하면 치주 치료의 유지 단계에서 치주 질환의 진행에 대한 가능한 위험 인자가 될 수 있다는 Takeuchi의 결론과 일치한다(Takeuchi 등, 2010).

Takeuchi의 가설은 명백한 임상 부착 소실을 수반하는 활동성의 치주 병소 존재가 각각의 "저작 능력 수준"(각각의 교합력 능력, 교합 압력 생성 능력, 교합 접촉 부위의 양)을 감소시킬 수 있다고 제안한다. 또한 유지 단계 동안 "저작 능력" 감소가 치주 질환의 진행에 대한 위험 인자가 될 수 있다고 제안하였다.

예전에 치주 치료를 받았던 223명을 대상으로 정적인 교합력을 수량화하기 위해 색상이 변하는 압력-감작성 시트(교합 타이밍 측정 능력은 없는)(Dental Prescale, Type-R 50H; Fuji Film, Tokyo, Japan)를 적용하고, 연이어 교합된 시트를 각 교합 접촉 부위와 교합 압력을 측정하는 이미지 스캐너(Occluzer, FPD-707; Fuji Film, Tokyo, Japan)로 분석하여, 3년 간의 cohort 연구를 시행하였다(Miyaura 등, 1999). 예전에 만성 치주염으로 진단받고 치주 치료의 유지 단계에 있는 모든 대상자들은, 구강 위생 교육, 치석 제거, 치면 세마, 치근면 활택술을 포함하는 포괄적인 치주 치료를 받았었다. 대상자 당 교합력 크기(N)를 스캔한 Prescale 시트로 결정하여, 대상자의 저작 능력을 수량화하기 위해 알려진 사람 교합력 표준과 비교하였다(남성에서 500N 이

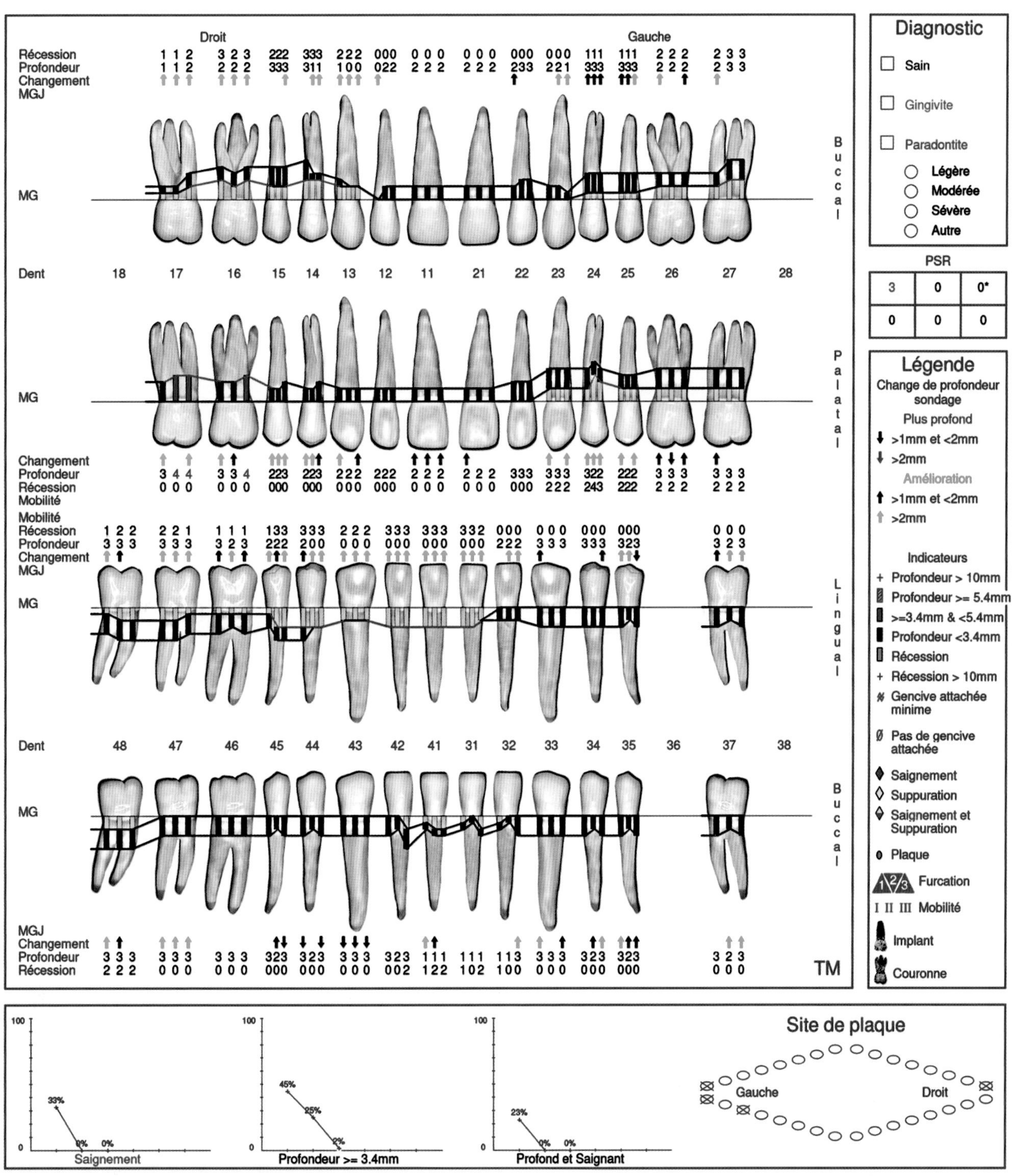

그림 10b 치주 및 교합 치료 1년 후 follow-up 치주 차트. 탐침으로 발견되는 치주낭 깊이 증가는 없다

상, 여성에서 370N 이상이 강한 저작 능력으로 간주된다).

저자들은 유지 치료 동안 높은 교합력을 보이는 대상자 그룹이 낮은 교합력을 보이는 그룹보다 치주염이 진행되지 않는 더 좋은 예후(치주 질환 진행이나 악화가 적게 발생하

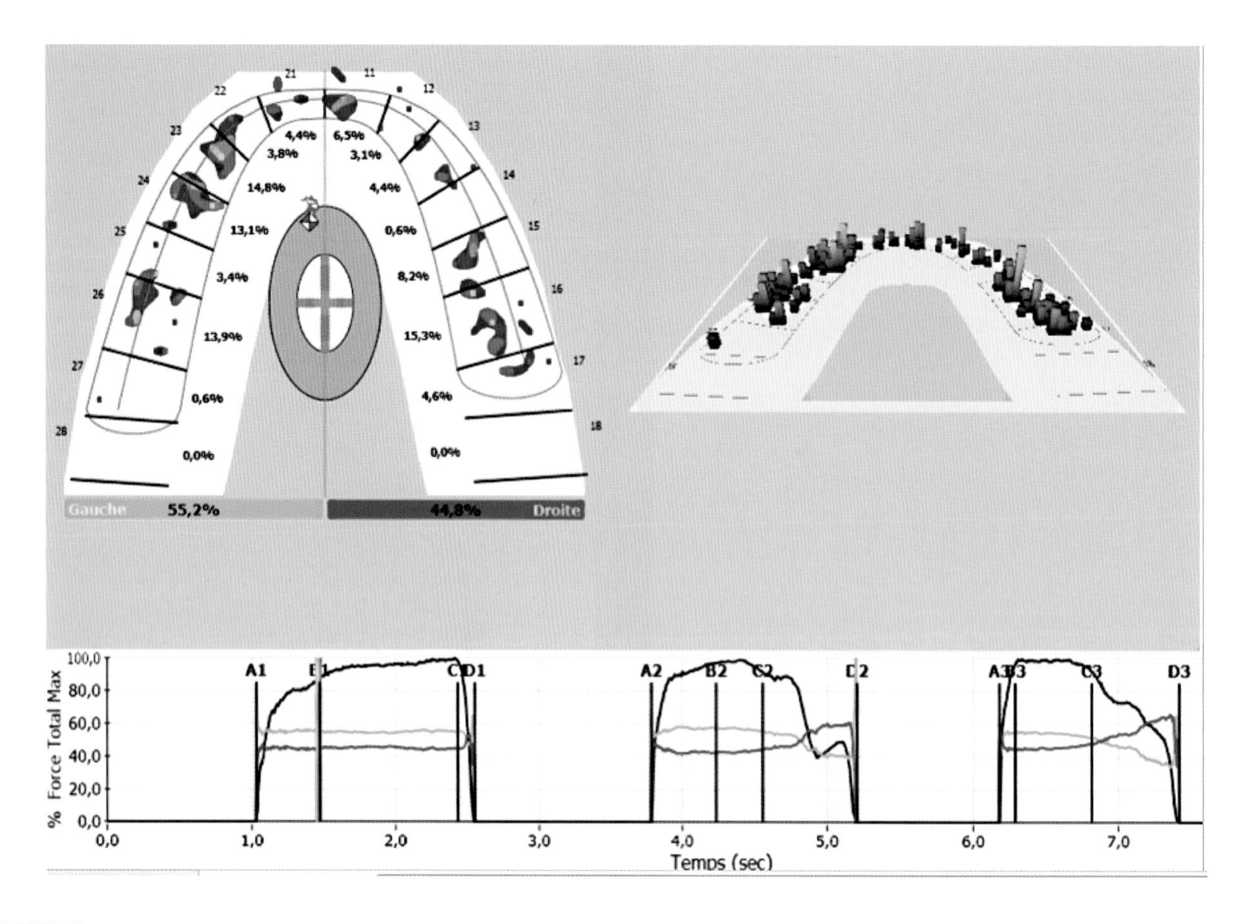

그림 10c 치료 1년 후 재-평가 시 T-Scan 8 분석. 상당하게 증가된 교합 균형, 모든 치아에 분포하는 낮은-힘 교합 접촉이 존재한다. COF 위치도 중앙화되었다

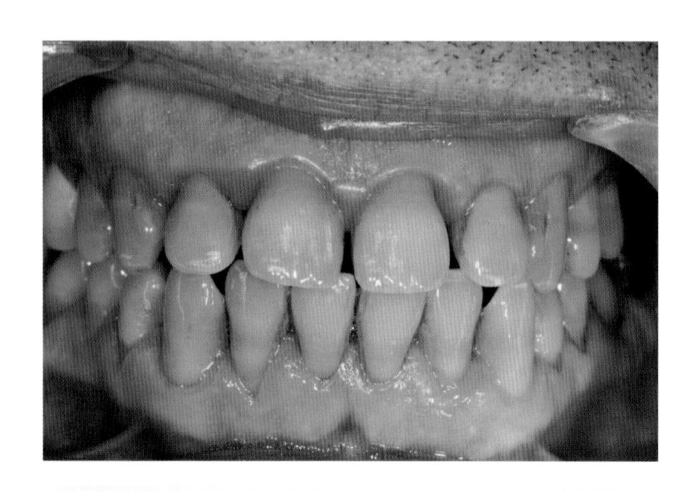

그림 11a MIP에서 견인된 정면 모습. 환자는 4mm 이상의 치주낭을 가지고 있다. 치조골 소실로 야기된 전방 공간(병적 이동으로 알려진)에 주목하라

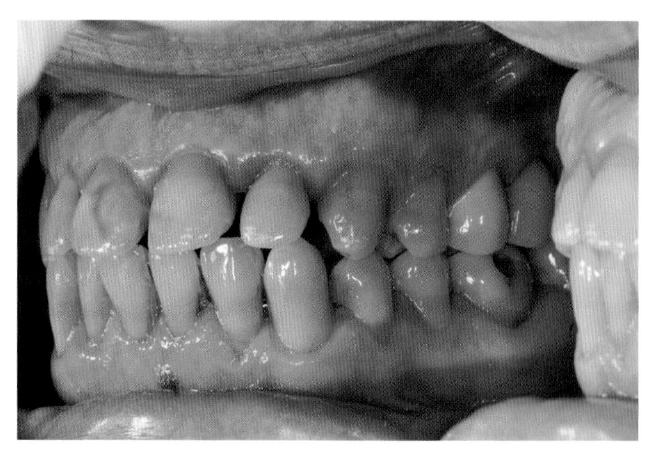

그림 11b 그림 11a 환자의 좌측 모습으로 치주낭, 출혈, 화농의 소견이 보인다

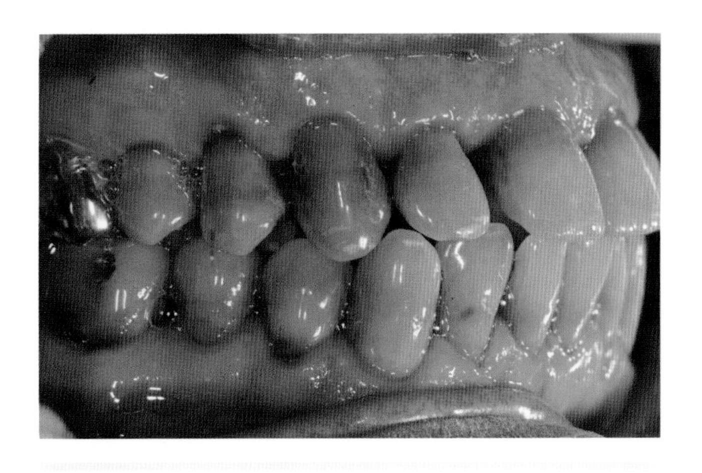

그림 11c 그림 11a 환자의 우측 모습

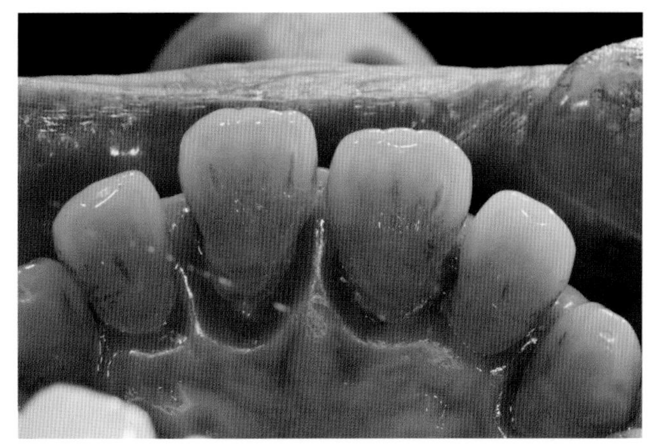

그림 11d 치료-전 상악 설측 교합면 모습으로 치은연하 갈색 치석으로 확대된 치은 열구와 부종을 수반한 상당한 조직 염증이 보인다

는)를 보인다는 것을 발견하였다(Takeuchi 등, 2010). 이 연구 결과도 치주 파괴가 대상자의 감소된 저작 능력과 상당히 연관된다는 예전 횡단(cross-sectional) 연구의 결과를 입증하는 것이다(Takeuchi & Yamamoto, 2008).

제안된 만성 치주염 증례에서(그림 11a-11l), 만성 치주염의 진행이 높은 임상 부착 소실이 존재하는 전방 및 우측 반악궁에 존재하는 상당히 낮은 교합력과 연관될 것 같다. 좌측 치아가 견고하게 교합되고(증가된 교합력 형성) 우측 치아가 훨씬 약한 힘을 형성하기 때문에 환자의 "저작 능력"은 좋지 않은 교합력 분포에 의해 약화될 것이다. 이런 힘의 불균형은, 최적화된 음식물 저작과 연하로부터 환자의 저작계를 감소시킬 것 같은 견고한 교두간 위치로 좌측 치아에 의해 상악이 완전히 연루되면서 하악이 떠받쳐진다는 것을 의미한다. 만성적으로 적용된 과다한 교합력이 직접적인 교합력 외상을 유발하고 만성적으로 적용된 과다한 교합력에 반응하는 국소화된 골 개조(remodeling)를 유도할 때와 비교해서, 여기에서 보이는 낮은 교합력 치주 상태는 다른 생리적 상태와 매우 다르다. 이런 임상 시나리오(편측성 교합력 감소 혹은 반대로 국소화된 교합력 과다) 모두는 T-Scan 시스템을 사용하여 진단할 수 있고 두 상태는 치주 치료 동안 그에 맞춰 치료되어야 한다.

교합 치료는 일반적으로 스플린트 유형으로 구성된 가역적 접근이나 좀 더 확정적인 교합면 선택적 재성형을 포함한다. 교정 치료 또한 교합 관계를 변경하고 대합치 사이의 교합력을 최소화하는 효과적인 방법이다. 장치 치료는 완전히 가역적이라는 장점이 있다. 선택적 재성형은 교합면 형태의 비-가역적 변경을 포함하지만, 교정 치료와 비교해서 이런 접근의 장점은 선택적 재성형으로 깨지기 쉬운 치아에 적용된 과부하를 감소시키는 것이 가능하다는 것이다.

비측정성 교합 치료로 인한 결과는 평가하기 어렵다. 환자가 교합 접촉으로 불편감을 경험하는 증례에서, 선택적 조정에 의한 과도한 교합 압력의 경감은 즉각적으로 환자의 증상 완화를 이끌어낼 것이다. 그러나, 대부분의 치주 질환 증례에서, 교합 치료로 인해 변화된 결과는 감소된 동요도 및 수행된 치주 치료로 얻은 장기간의 호의적인 결과로만 측정될 수 있을 것이다. 치주 질환은 위험 인자와 기여 인자의 조합으로 야기되기 때문에, 장기간의 좋은 결과는 모든 위험 인자 제거해야 얻어짐을 이해하는 것이 중요하다. 치주 질환 치료는 플라그와 세균의 저장 부위인 깊은 치주낭 제거를 비롯하여 교합력과 흡연 습관을 포함하는 질환에 대한 위험 인자 조절을 시도해야 한다.

치주 치료의 유지 단계 동안 교합

치주 유지 치료의 목적은 치주 질환의 진행을 조절하고 재발을 예방하는 것이다. 어떤 연구는 치주 변수와 교합 접촉의 변화 사이에 상관 관계를 보여주어(Takeuchi 등, 2010), 교합력 조절로 좋은 치료-후 치유와 연관될 수 있다고 하였다. 이 주제와 연관된 발표가 적음에도 불구하고, 임상의는 시간이 경과함에 따른 교합 접촉의 안정성을 지속적으로 확인하는 것이 추천된다. 이런 관점에서, T-Scan 시스템은 시간의 경과에 따른 동일 환자의 다른 시점 기록을 비

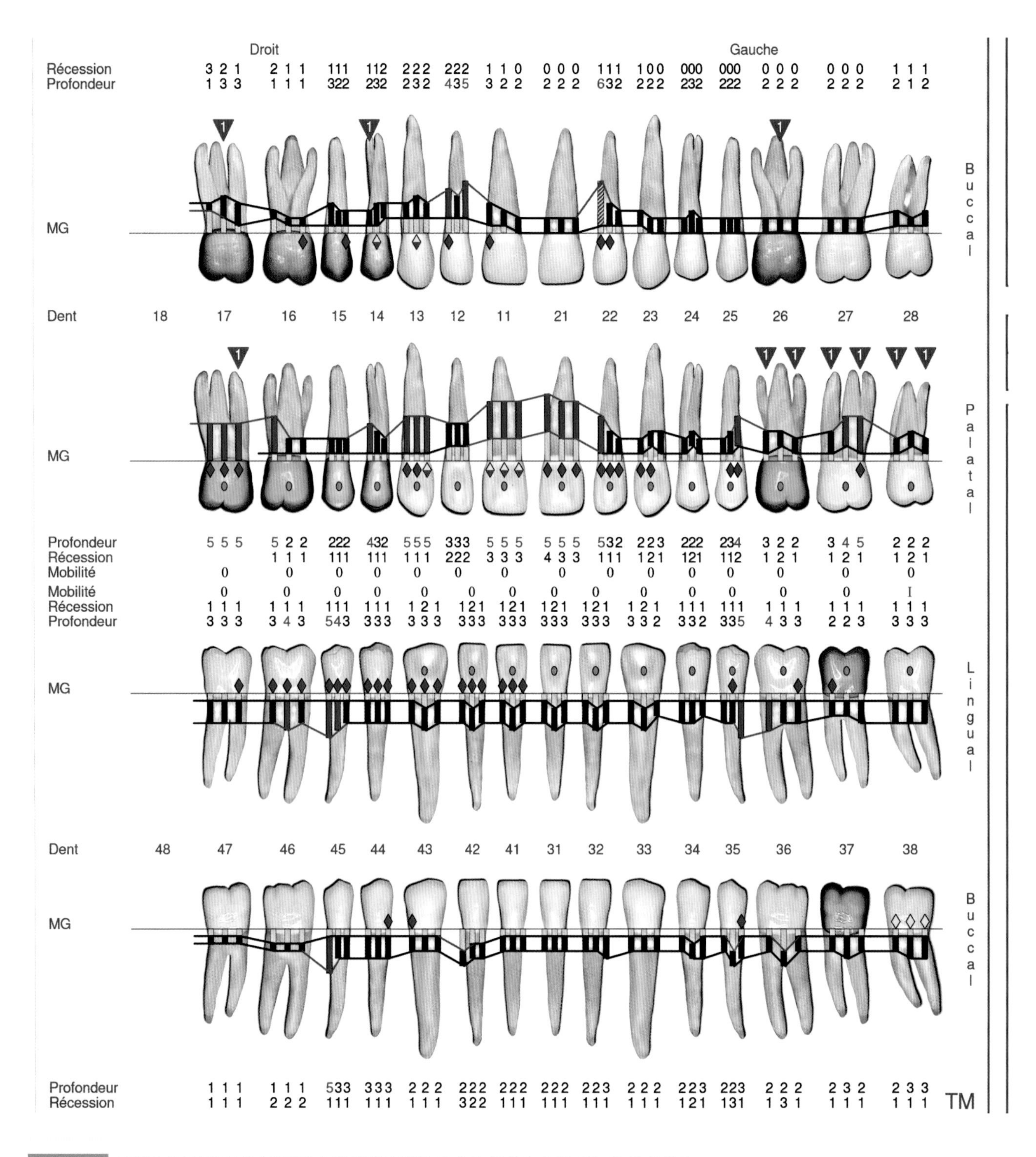

그림 11e 자세한 치주 차트 내에 정리된 초기 치주낭 탐침. 우측의 치주낭, 출혈, 화농이 더 심하다

교합 수 있기 때문에, 매우 유용한 시스템이 된다. 이것이 술자에게 진정한 역동적인 메모리를 제공하여 환자의 질병 상태의 교합 역사를 구축하게 된다.

치료-후 교합 상태는 치료로 얻어진 개선점 평가와 유지 단계 동안 진행되는 향후 비교에 대한 참고점으로 사용될 수 있다. 유지 기간뿐만 아니라 치료 동안에도, 치아 소실은 교합력 분포를 변경시킬 것이고, T-Scan 데이터는 환자의 장기간 치주 상태에서의 교합 변화의 순서를 기록하

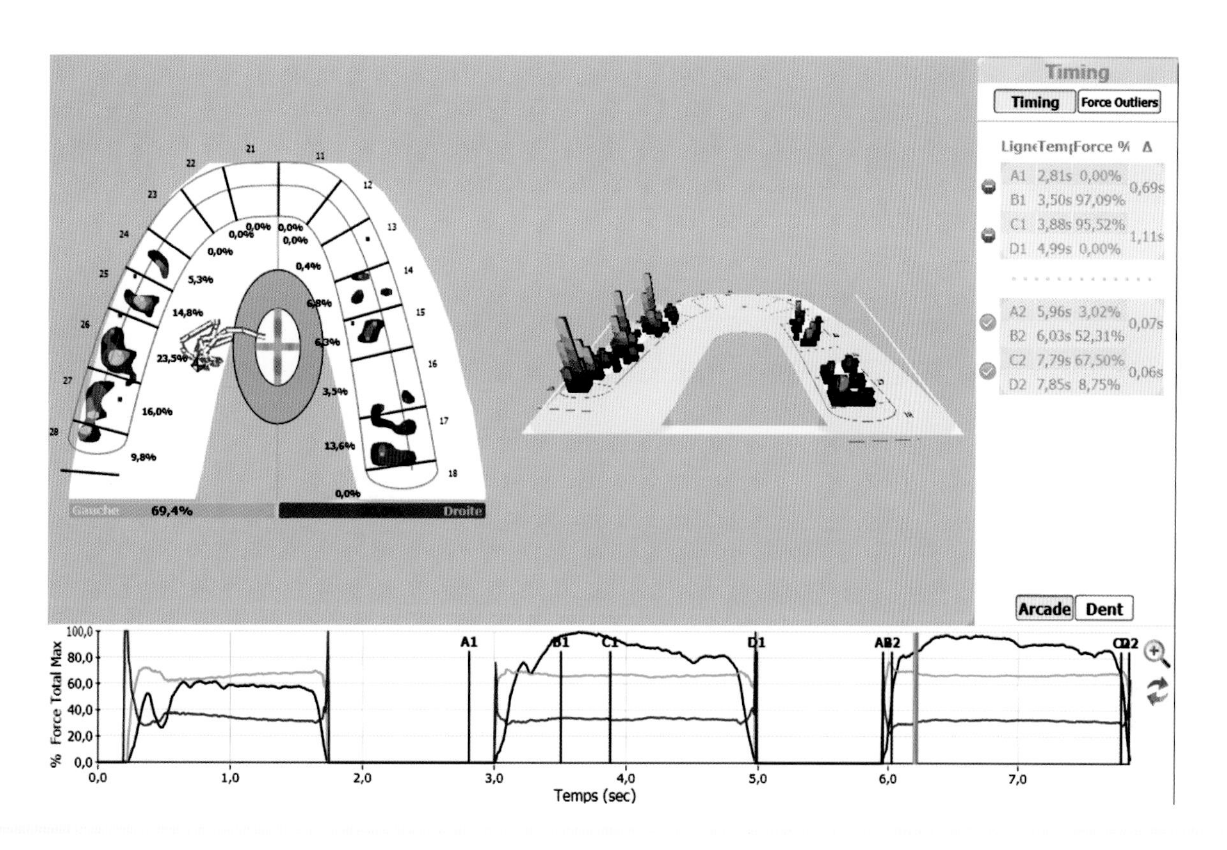

그림 11f 기준치 T-Scan 데이터로 COF의 불균형, 전방 접촉 부재를 보여준다. 좌우 교합력이 2배 이상 차이난다(좌측 69.4%-우측 30.6%)

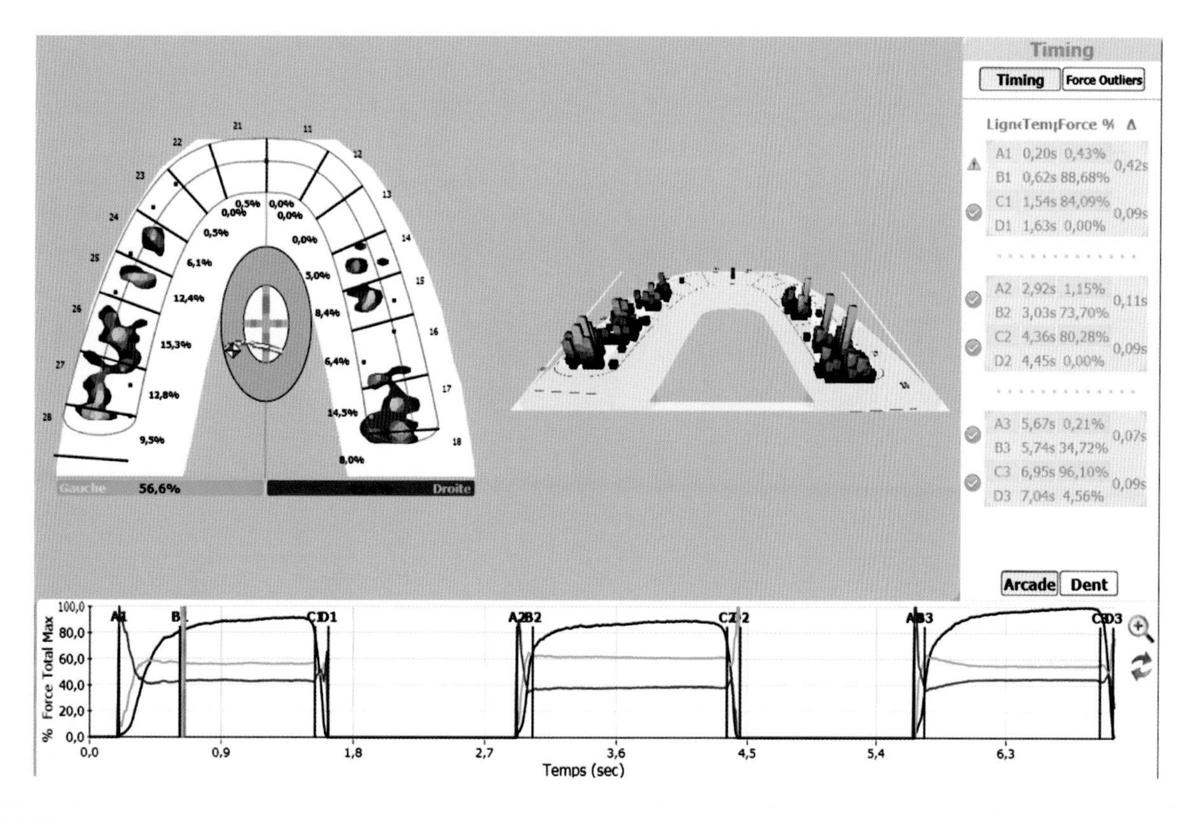

그림 11g COF의 개선된 위치와 좌측 69.4%-우측 30.6%(그림 11f)에서 좌측 56.6%-우측 43.4%으로 근-평균화된 전체적인 양측성 교합력 분포를 보여준다

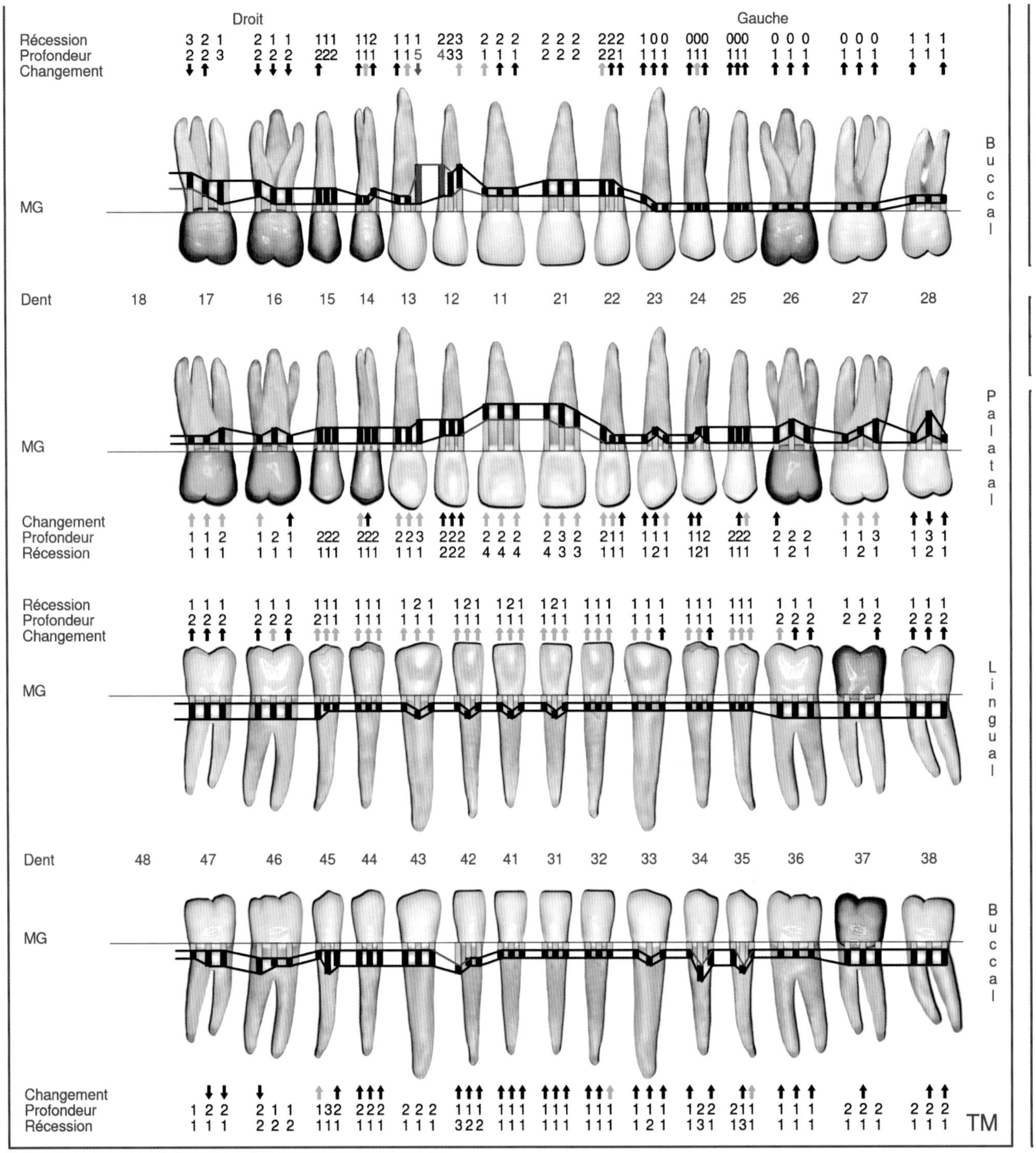

그림 11h 감소된 치주낭, 화농, 출혈을 보여주는 1년 내원 치주 차트

기 위한 믿을 수 있는 방법을 치주과 의사에게 제공할 것이다. 유해한 교합력 분포를 야기하는 변화는 최근에 기록된 T-Scan 데이터에 의해 유도되어 쉽게 수정될 수 있다.

해결 방안 및 권고 사항

치주 질환의 성공적 치료는 모든 기여 위험 인자의 조절을

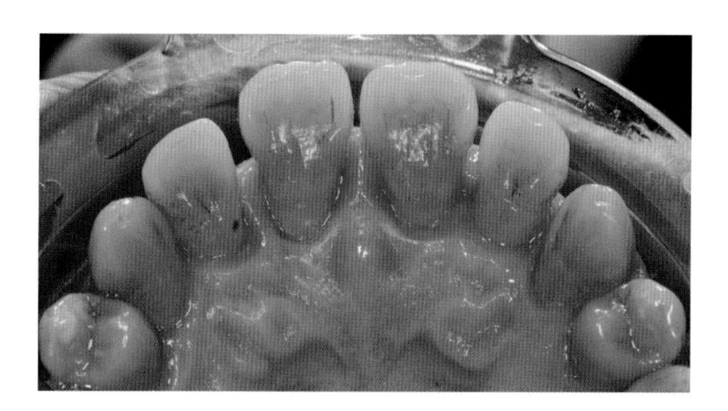

그림 11i 치료 후 상악 전치부 설측 교합면 모습. 개선된 조직 색상과 부종 완화가 보이고 조직 붕괴를 야기하는 치은 연하 치석이 보이지 않는다

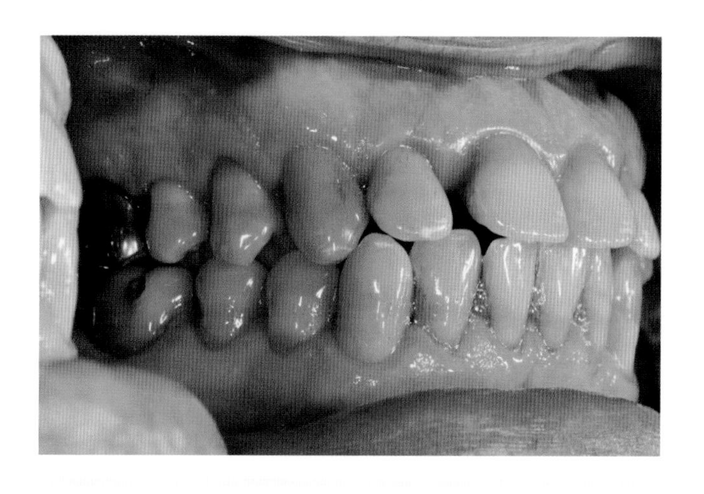

그림 11j 그림 11c 환자의 치료 1년 후 우측 모습

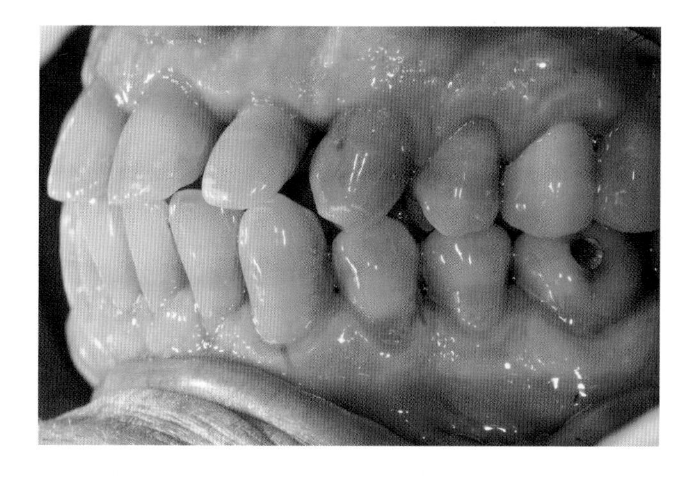

그림 11k 그림 11b 환자의 치료 1년 후 좌측 모습. 치주낭, 출혈, 화농이 발견되지 않는다

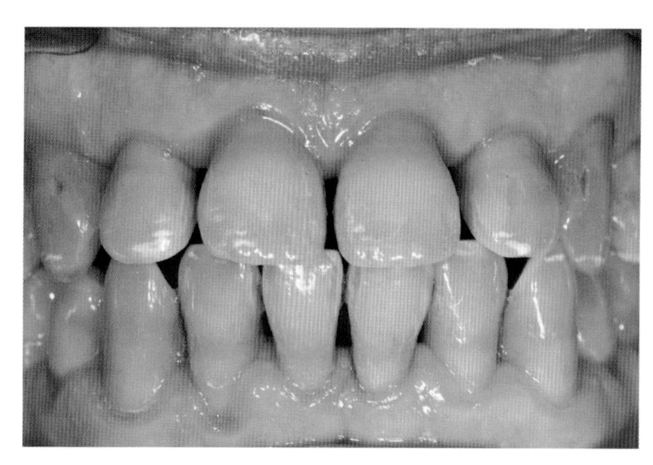

그림 11l 치료 1년 후 MIP의 견인된 정면 모습. 향상된 조직 건강을 쉽게 볼 수 있다

요구한다. 교합 부조화 치료와 외상성 교합은 치주 질환 진행에 기여하는 위험 인자 중 하나를 조절하기 위한 시도로 보여져야 한다. 교합 부조화가 활동적인 치주 질환에서 존재한다면, 약화된 치아에의 교합력과 충격을 최소화하는 교합 인자 조절이 수행되어야 한다. 치주적으로 약화된 치아에의 교합력 과부하를 감소시키기 위해, 컴퓨터-유도 교합 치료가 치주 치료 계획 내에서 수행되어야 한다. 이것은 치주 치료 결과 향상, 치아 동요도 감소, 조직 부착 수준을 약화시키는 굴곡파절 치근 결함 형성 감소를 돕게 될 것이다.

그러므로 저자는 치주과학 영역에서, 특별히 치주과 의사 스스로가 디지털 치의학 시대를 맞아 교합력-관련 치주 위험 인자 평가 시 컴퓨터-유도 T-Scan 기반 힘 조절의 사용을 진지하게 고려할 것을 권고한다. 추가적으로 필요한 경우 상당한 치아 동요도가 없더라도 교합 치료를 기본적인 치주 치료의 일부분으로 수행할 것을 권고한다.

미래 연구 방향

장기간 동안, 컴퓨터 교합 분석을 매일의 치주 치료에 통합하여 연구하는 것은 흥미로울 것이다. 교합 인자의 측정된 조절은 활동성 치주 질환 치료 동안 치료에 대한 환자의 긍정적 혹은 부정적 반응 식별을 의심의 여지없이 가능하게 할 것이다. 교합과 치주 질환 사이에 관계에 대한 무작위적 대조 시험을 수행하는 방법을 찾기 위해 도전해야 할 것이다. T-Scan 시스템은 장기간 동안 치주적으로 약화된 환자를 안정시키기 위해 임상의를 도와 더 많은 교합 변수를 확인하도록 할 것이다.

치주 치료를 시행한 환자를 T-Scan-유도 교합력 조절 시행 여부에 따라 2개의 그룹으로 구분하는 연구를 고안하고 수행할 수 있다: 치료의 일부로 T-Scan 교합 조정을 한 그룹과 하지 않은 그룹에서, 모든 다른 위험 인자를 일치시키고, 모든 대상자를 T-Scan으로 예비 평가한다.

또한 치주 수술 후 긍정적인 치유에 기여하는 교합력을 분석하는 것도 매우 흥미로울 것이다. 사실, 치주 수술이 필요한 환자의 두 그룹을 수술 후 수일 동안 관찰하여, 동등한 시간의 틀을 가로질러 치유의 질에 미치는 영향뿐만 아니라 점막 치유 시간에 교합력의 가능한 영향에 대한 상관 관계를 찾아낼 수 있을 것이다.

T-Scan 시스템은 임플란트 치료 후 치료를 분석하는 것에도 매우 도움이 될 것이다. 임플란트 치료의 한가지 도전은 임플란트 식립 후 가능한 빨리 기능적인 보철물로 수복하는 것이다. 임플란트 식립 후 교합 접촉력을 조절하는 것이 어렵기 때문에 즉시 부하는 예견성 없는 술식이다. 환자의 두 그룹을 임상 연구로 분석할 수 있다; 즉시 부하된 교합을 T-Scan 시스템으로 조절한 그룹과 교합지만 사용한 그룹. 이런 유형의 연구 결과는 임플란트 즉시 부하 수복의 성공적인 결과를 예견성있게 증가시키는 방법을 임상의가 결정할 수 있게 도와줄 것이다.

일부 저자는 임플란트에 점진적인 부하를 권유한다(Misch 등, 2004). 그러나, 점진적 부하 기간 동안 부하의 정도와 최근에 장착한 임플란트의 안정성에 대한 교합의 진정한 충격 혹은 교합의 부재를 입증하기 위한 적절한 기술이 부족하기 때문에, 이것을 연구 환경에서 평가하기는 어렵다. 한 그룹은 초기 임플란트 식립 및 부하 후 T-Scan 유도 교합력 조절을 시행하고 다른 그룹은 T-Scan 조절을 시행하지 않은 두 개의 임플란트 보철 그룹에 대해, 이중 맹검(double blind) 무작위 대조 시험을 고안할 수 있을 것이다. 이런 유형의 연구 결과로 적용된 교합력과 점진적으로 부하된 임플란트 보철물 주변에서 획득된 임플란트-주위 골 밀도 사이에 존재하는 관계를 설명할 수 있을 것이다.

결론

치주 상태와 교합력 사이의 관계는 논쟁의 소지가 있다. 지지 조직에 적용되는 기계적인 힘인 교합력이 염증성 치주 질환으로 야기된 치주 부착 소실을 항상 개시하거나 촉진하는 것은 아니라고 간주된다. 그러나, 교합을 분석하기 위해 입증된 장치나 수량화된 방법이 없기 때문에 과학계 내에 혼동과 의문이 존재하고 있다.

T-Scan 시스템은 교합지 자국보다 확실하게 훨씬 재현성 있는 교합 측정 기술로 치주과 의사에게 많은 치아 접촉의 상대적 교합력에 대한 객관적 분석을 제공하여, 교합적으로 영향을 받을 수 있는 치주 질환 진행 설명을 가능하게 한다. 더욱이, T-Scan 데이터는 치주 질환의 진단과 치료를 안내하여 치주 유지 동안 모니터링 장치로 포함될 수 있다.

참고문헌

- Bernhardt, O., Gesch, D., Look, J. O., Hodges, J. S., Schwahn, C., Mack, F., & Kocher, T. (2006). The influence of dynamic occlusal interferences on probing depth and attachment level: results of the Study of Health in Pomerania (SHIP). *Journal of Periodontology, 77*(3), 506-516. doi: 10.1902/jop.2006.050167
- Branschofsky, M., Beikler, T., Schafer, R., Flemming, T. F., & Lang, H. (2011). Secondary trauma from occlusion and periodontitis. *Quintessence international, 42*(6), 515-522.
- Bush, F.M. (1984). Occlusal therapy in the management of chronic orofacial pain. *Anesthesia Progress, 31*(1),10 -16.
- Burgett, F. G., Ramfjord, S. P., Nissle, R. R., Morrison, E. C., Charbeneau, T. D., & Caffesse, R. G. (1992). A randomized trial of occlusal adjustment in the treatment of periodontitis patients. *Journal of Clinical Periodontology, 19*(6), 381-387.
- Carranza, F.A., Jr. (1987). *Glickman's Periodontology*, Philadelphia, PA: WB Saunders, Co., pp. 285.
- Celenza, F. V. (1984). The theory and clinical management of centric positions: II. Centric relation and centric relation occlusion. *The International Journal of Periodontics & Restorative Dentistry, 4*(6), 62-86.

- Ericsson, I., & Lindhe, J. (1977). Lack of effect of trauma from occlusion on the recurrence of experimental periodontitis. *Journal of Clinical Periodontology, 4*(2), 115-127.
- Ericsson, I., & Lindhe, J. (1982). Effect of longstanding jiggling on experimental marginal periodontitis in the beagle dog. *Journal of Clinical Periodontology, 9*(6), 497-503.
- Fleszar, T. J., Knowles, J. W., Morrison, E. C., Burgett, F. G., Nissle, R. R., & Ramfjord, S. P. (1980). Tooth mobility and periodontal therapy. *Journal of Clinical Periodontology, 7*(6), 495-505.
- Foz, A. M., Artese, H. P., Horliana, A. C., Pannuti, C. M., & Romito, G. A. (2012). Occlusal adjustment associated with periodontal therapy--a systematic review. *Journal of Dentistry, 40*(12), 1025-1035. doi: 10.1016/j.jdent.2012.09.002
- Gher, M. E. (1996). Non-surgical pocket therapy: dental occlusion. *Annals of Periodontology / The American Academy of Periodontology,* 1(1), 567-580. doi: 10.1902/annals.1996.1.1.567
- Glickman, I. (1967). Occlusion and the periodontium. *Journal of Dental Research, 46*(1), 53-59.
- Green, M. S., & Levine, D. F. (1996). Occlusion and the periodontium: a review and rationale for treatment. *Journal of the California Dental Association, 24*(10), 19-27.
- Hallmon, W. W. (1999). Occlusal trauma: effect and impact on the periodontium. *Annals of Periodontology / The American Academy of Periodontology,* 4(1), 102-108. doi: 10.1902/annals.1999.4.1.102
- Harrel, S. K., & Nunn, M. E. (2001). The effect of occlusal discrepancies on periodontitis II. Relationship of occlusal treatment to the progression of periodontal disease. *Journal of Periodontology, 72*(4), 495-505. doi: 10.1902/jop.2001.72.4.495
- Harrel, S. K., & Nunn, M. E. (2009). The association of occlusal contacts with the presence of increased periodontal probing depth. *Journal of Clinical Periodontology, 36*(1), 1035-1042. doi: 10.1111/j.1600-051X.2009.01486.x
- Kaku, M., Uoshima, K., Yamashita, Y., & Miura, H. (2005). Investigation of periodontal ligament reaction upon excessive occlusal load-osteopontin induction among periodontal ligament cells. *Journal of Periodontal Research, 40*(1), 59-66. doi: 10.1111/j.1600-0765.2004.00773.x
- Kantor, M., Polson, A. M., & Zander, H. A. (1976). Alveolar bone regeneration after removal of inflammatory and traumatic factors. *Journal of Periodontology, 47*(12), 687-695. doi: 10.1902/jop.1976.47.12.687
- Karolyi, M. (1901). Beobachtungen über pyorrhea alveolaris. *Öst. Ung. Vierteeljschr Zahnheilk, 17*, 279.
- Kardesler, L., Buduneli, N., Cetinkalp, S., & Kinane, D. F. (2010). Adipokines and inflammatory mediators after initial periodontal treatment in patients with type 2 diabetes and chronic periodontitis. *Journal of Periodontology, 81*(1), 24-33. doi: 10.1902/jop.2009.090267
- Karpinia, K., Magnusson, I., Gibbs, C., & Yang, M. C. (2004). Accuracy of probing attachment levels using a CEJ probe versus traditional probes. *Journal of Clinical Periodontology, 31*(3), 173-176. doi: 10.1111/j.0303-6979.2004.00464.x
- Keown, A.J., Bush, M.B., Ford ,C., & Lee, J.J., Constantino, P.J., & Lawn ,B.R. (2012). Fracture susceptibility of worn teeth. *Journal of Mechincs, Behavior, and Biomedical Materials, 5*, 47-256.
- Keown A.J., Lee, J.J., & Bush, M.B. (2012). Fracture behavior of human molars. *Journal of Material Science and Material Medicine, 23*, 2847-2856.
- Lang, N. P., & Tonetti, M. S. (1996). Periodontal diagnosis in treated periodontitis. Why, when and how to use clinical parameters. *Journal of Clinical Periodontology, 233*(Pt. 2), 240-250.
- Lee, J.J., Kwon, J.Y., Chai, H., Lucas, P.W., Thompson, V.P., & Lawn, B.R. (2009). Fracture modes in human teeth. *Journal of Dental Research, 88*, 224-228.
- Lindhe, J., & Ericsson, I. (1976). The influence of trauma from occlusion on reduced but healthy periodontal tissues in dogs. *Journal of Clinical Periodontology, 3*(2), 110-122.
- Lindhe, J., & Ericsson, I. (1982). The effect of elimination of jiggling forces on periodontally exposed teeth in the dog. *Journal of Periodontology, 53*(9), 562-567. doi: 10.1902/jop.1982.53.9.562
- Lindhe, J., Karring, T., & Lang, N. (2008). *Clinical Periodontology and Implant Dentistry, 5th ed.* Oxford,UK: Blackwell Publishing.

- Lindhe, J., & Svanberg, G. (1974). Influence of trauma from occlusion on progression of experimental periodontitis in the beagle dog. *Journal of Clinical Periodontology, 1*(1), 3-14.
- Misch, C. E., Wang, H. L., Misch, C. M., Sharawy, M., Lemons, J., & Judy, K. W. (2004). Rationale
- for the application of immediate load in implant dentistry: Part I. *Implant Dentistry, 13*(3), 207-217.
- Miyaura, K., Matsuka, Y., Morita, M., Yamashita, A., & Watanabe, T. (1999). Comparison of biting forces in different age and sex groups: a study of biting efficiency with mobile and non-mobile teeth. *Journal of Oral Rehabilitation, 26*, 223–227
- Nunn, M. E., & Harrel, S. K. (2001). The effect of occlusal discrepancies on periodontitis. I. Relationship of initial occlusal discrepancies to initial clinical parameters. *Journal of Periodontology, 72*(4), 485-494. doi: 10.1902/jop.2001.72.4.485
- Orban, B., & Weinmann, J. P. (1933). Signs of traumatic occlusion in average human jaws. *Journal of Dental Research, 13*, 216.
- Oringer, R. J., Fiorellini, J. P., Koch, G. G., Sharp, T. J., Nevins, M. L., Davis, G. H., & Howell, T. H. (1997). Comparison of manual and automated probing in an untreated periodontitis population. *Journal of Periodontology, 68*(12), 1156-1162. doi: 10.1902/jop.1997.68.12.1156
- Parameter on occlusal traumatism in patients with chronic periodontitis. American Academy of Periodontology. (2000). *Journal of Periodontology, 71*(5 Suppl.), 873-875. doi: 10.1902/jop.2000.71.5-S.873
- Polson, A. M. (1974). Trauma and progression of marginal periodontitis in squirrel monkeys. II. Co-destructive factors of periodontitis and mechanically-produced injury. *Journal of Periodontal Research, 9*(2), 108-113.
- Polson, A. M., Kennedy, J. E., & Zander, H. A. (1972). Effect of traumatic injury on the progression of marginal periodontitis. *Journal of Periodontal Research, 10*, 17.
- Polson, A. M., Kennedy, J. E., & Zander, H. A. (1974). Trauma and progression of marginal periodontitis in squirrel monkeys. I. Co-destructive factors of periodontitis and thermally-produced injury. *Journal of Periodontal Research, 9*(2), 100-107.
- Polson, A. M., Meitner, S. W., & Zander, H. A. (1976). Trauma and progression of marginal periodontitis in squirrel monkeys IV. Reversibility of bone loss due to trauma alone and trauma superimposed upon periodontitis. *Journal of Periodontal Research, 11*(5), 290-298.
- Quirynen, M., Bollen, C. M., Vandekerckhove, B. N., Dekeyser, C., Papaioannou, W., & Eyssen, H. (1995). Full- vs. partial-mouth disinfection in the treatment of periodontal infections: short-term clinical and microbiological observations. *Journal of Dental Research, 74*(8), 1459-1467.
- Rees, J.S. (2001). An investigation into the importance of the periodontal ligament and alveolar bone as supporting structures in finite element studies. *Journal of Oral Rehabilitation, 28*, 425-432.
- Rosling, B., Nyman, S., Lindhe, J., & Jern, B. (1976). The healing potential of the periodontal tissues following different techniques of periodontal surgery in plaque-free dentitions. A 2-year clinical study. *Journal of Clinical Periodontology, 3*(4), 233-250.
- Sanz, M. (2005). Occlusion in a periodontal context. *The International Journal of Prosthodontics, 18*(4), 309-310.
- Stillman, P. (1917). The management of pyorrhea. *Dental Cosmos, 59*, 405-414.
- Stones, H. H. (1938). An Experimental Investigation into the Association of Traumatic Occlusion with Parodontal Disease: (Section of Odontology). *Proceedings of the Royal Society of Medicine, 31*(5), 479-495.
- Takeuchi, N., & Yamamoto, T. (2008). Correlation between periodontal status and biting force in patients with chronic periodontitis during the maintenance phase of therapy. *Journal of Clinical Periodontology, 35*(3), 215-220. doi: 10.1111/j.1600-051X.2007.01186.x
- Takeuchi, N., Ekuni, D., Yamamoto, T., & Morita, M. (2010). Relationship between the prognosis of periodontitis and occlusal force during the maintenance phase – a cohort study. *Journal of Periodontal Research, 45*, 612–617.
- Waerhaug, J. (1979). The angular bone defect and its relationship to trauma from occlusion and downgrowth of subgingival plaque. *Journal of Clinical Periodontology, 6*(2), 61-82.
- Weinmann, J. (1941). Progress of gingival inflammation into

the supporting structures of the teeth. *Journal of Periodontology, 12*, 71-82.

- Yoshinaga, Y., Ukai, T., Abe, Y., & Hara, Y. (2007). Expression of receptor activator of nuclear factor kappa B ligand relates to inflammatory bone resorption, with or without occlusal trauma, in rats. *Journal of Periodontal Research, 42*(5), 402-409. doi: 10.1111/j.1600-0765.2007.00960.x

추가문헌

- Dawson, P. E. (2006). *Functional Occlusion: From TMJ to Smile Design*. Maryland Heights, MO: Elsevier Health Sciences. pp. 1-648.
- Goudot, P., Lacoste, J. P., & Fumat, C. (2013). *Guide Pratique d'Implantologie*. Paris, France: Elsevier Health Sciences , pp. 1-248.
- Lindhe, J., Lang, N. P., & Karring, T. (2009). *Clinical Periodontology and Implant Dentistry.* Oxford, UK: Wiley.
- Misch, C. E. (2008). *Contemporary Implant Dentistry*. Maryland Heights, MO: Mosby Elsevier, pp. 1-1102.
- Newman, M. G., Takei, H. H., Klokkevold, P. R., & Carranza, F. A. (2011). *Carranza's Clinical Periodontology*: Maryland Heights, MO: Elsevier Health Science Division, pp. 1-872
- Okeson, J. P. (2007). Management of Temporomandibular Disorders and Occlusion. St. Louis, MO: Elsevier Health Sciences Division, pp. 1- 640

주요 용어 및 정의

- **1차성 교합성 외상:** 감소된 치조골 높이가 없는 치아에서 관찰되는 교합성 외상.
- **2차성 교합성 외상:** 감소된 치조골 높이를 가지는 치아에서 관찰되는 교합성 외상.
- **Jiggling:** 치아에 적용되는 제한이 2개의 맞은 편 방향으로(예, 협설측으로만 혹은 근원심으로만) 번갈아 발생하면, 치아는 더 이상 어떤 주어진 방향으로 움직일 수 없게 된다. Jiggling은 교정 장치에 의해 가해지는 지속적인 단일 방향의 힘으로 인한 이동과는 다르다. 어느 정도 조절되는 교정 치료에 의해 야기된 동요에 비해서 기능적 (비-제한성) 동요도가 더 강력하고 조절하기 곤란하다.
- **교합성 외상:** 교합성 외상은 저작근에 의해 적용된 힘으로 야기된 치주 상태의 변화를 설명한다.
- **전 치아 살균:** 치주염을 위한 집중 과정으로 전형적으로 치석 제거, 치근면 활택술을 포함하고 chlorhexidine과 같은 국소적 약물 사용이 조합되며 다양한 구내 방법이 병든 조직에 적용된다. 이 치료의 목표는 혀, 편도선, 치료받지 않은 치주낭과 같은 다른 구강 적소에 상주하는 병원체로부터 재-감염의 기회를 최소화하기 위해, 매우 짧은 시간(24시간) 내에 모든 치주낭 부위를 완벽하게 제거하는 것이다.
- **치주 부착 소실:** 치아의 치근과 치조골에 부착하는 결합 조직의 감소. 보통 치은 및 치주 조직의 지속적인 염증에 의해 유발되고 교합성 외상에 의해 악화될 수 있다.
- **치주 유지 치료:** 적극적 치주 치료 후, 적극적 치료 동안 달성한 결과를 보존하고 보다 심한 치주 질환 붕괴를 예방하기 위해 유지 관리가 필요하다. 유지는 적극적 치주 치료의 연장이고, 치주과 의사와 환자 모두의 노력이 필요하다.
- **치주 질환:** 치아를 지지하는 연조직 및 경조직에 영향을 미치는 염증성 질환 과정으로, 종종 다른 기여 위험 인자와 조합된 국소적 병원체가 원인이 된다.

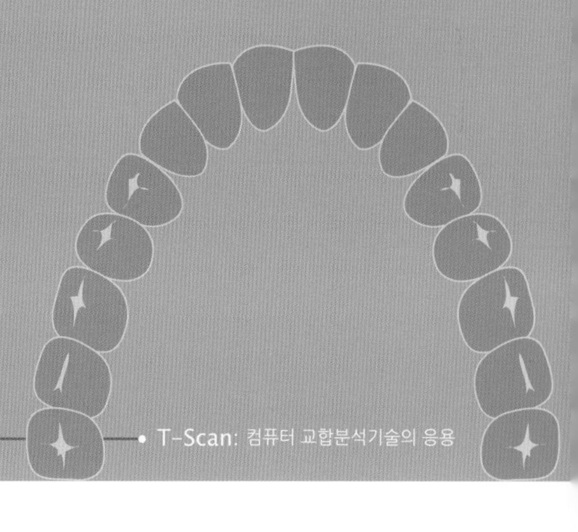

컴퓨터 교합 분석에 기반한 새로운 교합 개념

디지털 교합력 분포 양상(DOFDP): 이론 및 임상적 중요성

Robert C. Supple, DMD
개인 의원, 미국

초록

이번 장은 T-Scan 컴퓨터 교합 분석 시스템으로 기록된 디지털 교합력 분포 양상(DOFDP)의 많은 임상 적용에 대해 설명한다. 교합과 이개 동안 힘이 악궁 주변으로 진행하면서 COF 궤도에 의해 만들어지는 운동이 이 양상을 창출할 것이다. 반복적인 교합 접촉 데이터는 치아가 서로서로 교합할 때 수용하는 힘 분포 위치를 보여준다. 이런 힘 분포 양상은 방사선 사진, 임상 사진, 치아와 지지 조직에 대해 임상 검사 동안 발견되는 구내의 약화된 치아 형태와 연관성을 가진다. 더욱이, 그것은 동작 범위, 기능 범위, 머리와 목의 자세에 직접적으로 영향을 미친다. 이번 장에서는 임상 증례를 이용하여 구강악계의 구조적 손상과 비정상적인 교합력 분포의 반복적인 양상 사이의 상관 관계를 설명한다. T-Scan 기술은 과다한 미세외상 교합력의 손상 부위를 분리하여 임상의가 정확하고 조직적이며 입증된 교합 진단을 내릴 수 있게 돕는다.

도입

기술 혁신과 치의학

기술 진보가 가져온 새로운 패러다임은 오래된 문제에 대한 신선한 시각과 해결 방안을 제공한다. 예를 들어, 허블 망원경은 우주에 대한 인류의 자각을 변화시킨 기술 진보이다(그림 1). 개념은 수 년 혹은 수십 년에 거쳐 진화하고, 종종 몇 세기가 걸리기도 한다. 기술은 과거 수석 교사(master teacher)로부터 만들어진 개념을 입증할 수 있으며, 이는 기존 개념의 정의나 변수를 변화시키려는 것이 아니라, 개념에 내재된 건실성에 대하여 부인할 수 없는 증거를 제공하려 함이다.

교합학은 전통적으로 받아들여지는 정의(Glossary of Prosthodontic Terms 내에 포함된)를 사용하여 구강악계와 연관된 개념의 해석을 표준화하는 방법으로써 발전하였다. 전통적인 교합은 공간적 관계를 평가하기 위해 석고 모형, facebow transfer, 교합기와 같은 비-디지털 도구를 사용하여 공간적 관계를 연구한다. 디지털 촬영술, 방사선술과 같은 현대의 치과 기술은 전통적인 비-디지털 방법으로 얻어진 진단을 보다 강화할 수 있으며, 과학을 한층 더 발달시킨다.

치과의사가 다양한 치과 상태의 진단과 치료에 과학 기술을 결합시키는 방법을 모색하면서 디지털 적용도 지속적으로 성장하고 있다. 실행은 간단해야 하고, 환자가 납득할

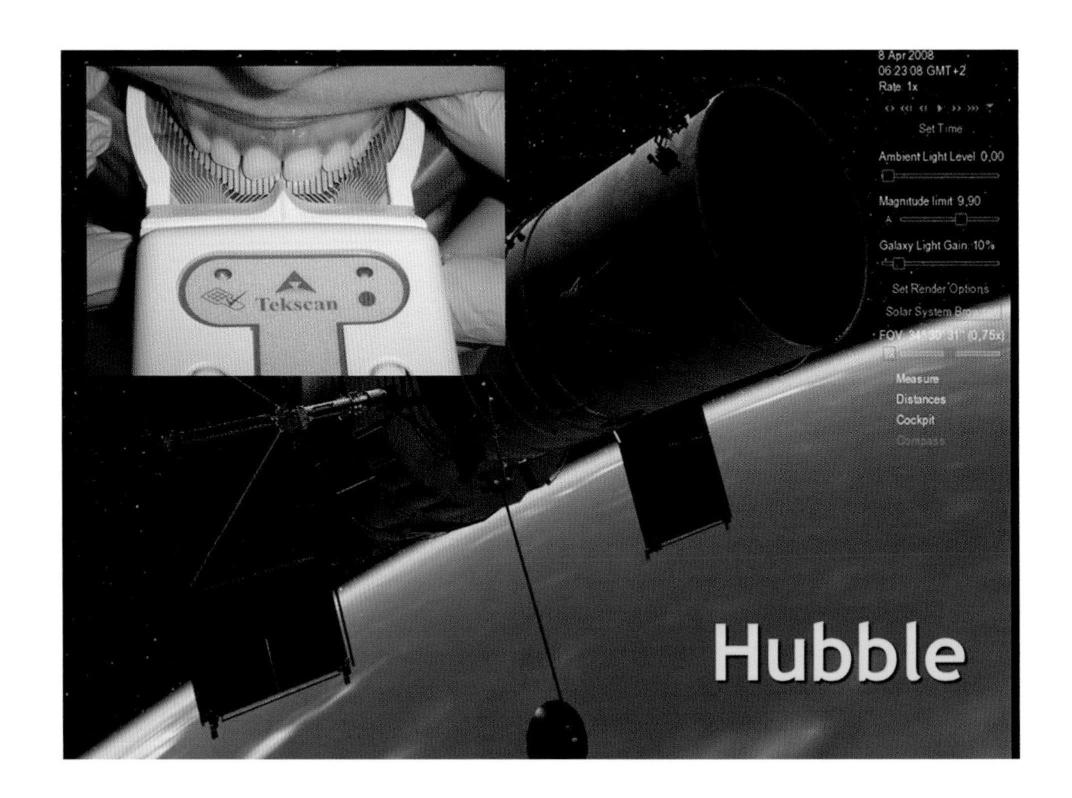

그림 1 T-Scan 기술과 허블 망원경은 각각의 분야에서 예전에 볼 수 없었던 것을 볼 수 있게 만드는 중요한 혁신이다

수 있어야 하며, 환자가 포괄적인 치료를 추구하도록 동기를 부여해야 한다. 또한 디지털 데이터는 임상의가 사용할 수 있도록 감당할 수 있어야 하고, 생산적이며, 조직화되고, 실용적이어야 한다. 최근에, 디지털 기술은 진단, 치료 순서 결정, 치료에 도움이 된다. 또한 전기적으로(electronically) 환자 진행 과정을 기록하고 교육하며 모니터링 한다. 특수화된 소프트웨어를 응용하여 수복물을 이미지화, 디자인, 제작할 수 있고, 미래의 진단 및 치료 혁신을 가능하게 한다. 치의학의 디지털 진화에서, 컴퓨터-기반 응용은 변화의 도구가 되고 있다. 궁극적으로, 환자와 술자 모두에게 유리한 상황을 제공하는 경제적 이익이 진화를 혁명으로 변형시킬 것이고, 치의학에 새롭고 혁신적인 해결 방안을 제공할 것이다.

구강에서, 교합지는 교합 접촉 압력을 "측정"하고 분석하기 위해 모든 치과 세계에서 사용되는 "측정의 기준"이다. 흥미롭게도, 교합지는 실제적으로 교합력이나 교합 접촉 압력을 측정하지 않지만(Carey 등, 2007; Saad 등, 2008; Qadeer 등, 2012), 교합지 자국의 외형적 특성에 의해 측정 가능하다고 (놀랍게도) 널리 받아들여지고 있다. 현재, 교합지 자국이 교합력을 측정할 수 있다고 발표한 논문은 없다.

대안적으로, T-Scan 시스템의 레코딩 센서(HD 센서, Tekscan Inc., S. Boston, MA, USA)는 모든 접촉하는 치아로부터 다양한 상대적 교합 접촉력 크기를 획득하고 구강 내로부터 교합 접촉력, 압력, 타이밍 정보를 분리하여, 즉각적인 시각 정보와 분석 결과를 컴퓨터 모니터로 보여줌으로써 교합 도구의 아날로그 세대를 계승한다. 같은 방법으로, 망원경과 현미경은 우리의 상상력을 자극하는 새로운 이론을 생산하기 전에 볼 수 없었던 세계에 대한 우리의 눈을 열었고, T-Scan 기술은 교합지로 교합 접촉을 표시하고 자국 외형에 대한 주관적인 해석으로 치료해야 할 접촉을 선택하는 모든 임상의에게 교합 해결 방안을 제공하면서 교합 연구에 대한 새로운 관점과 가능성을 연다(Kerstein & Radke, 2013).

환자 치료 기준을 진단하고 향상시키는 오늘날의 현실성은 여러 차원에서 볼 수 있는 위치와 수치를 정확하게 제공하는 데이터 이미지이다. 진단용 상대적 교합력 스캔은 임상 기록에서 획득한 고품질의 데이터 측정값을 기록한다. 환자를 위한 건강하고 효율적인 교합 기능을 확보하기 위해, T-Scan 기술(Version 8, Tekscan Inc., S. Boston, MA, USA)로, 동작의 형태, 기능, 구조가 전진하는 교합 지식의 가능성을 탐구하는 영상 자료로 이미지화될 수 있다.

상대적 교합력 측정은 치과 교합의 전진이다

경험과 임상 관찰은 교합이 적응되고 변화할 수 있다는 것을 가르쳐준다. 시간의 흐름에 따라 기능 범위에 의해 형성되는 교합 접촉의 힘 측정은 구강악계 내에서 발생하는 적용된 힘에 대한 적응이 언제, 어디서, 어떻게 일어나는지 보여준다. 결과적인 교합력 양상은 과거 교합에 관한 이야기를 얘기하고, 현재의 치료를 지시하며, 미래로 나아가는 교합의 생존 가능성을 예견한다. 디지털 힘 기록은 취득하기 쉽고, 완성까지 1분이 채 안 걸리며, 방사선을 방출하지 않고, 100KB의 적은 저장 공간만을 필요로 한다.

임상의에 의해 만들어진 교합지 자국의 질적인 해석이 치료의 기준으로 받아들여지고 있다. 치과의사는 교합지를 이용하여 수직적 및 수평적 방향으로 교합 접촉을 표시하지만, 임상의가 고려해야 하는 실질적인 의문은 "채색된 자국이 진정으로 의미하는 것이 무엇인가?"이다. 최근의 연구는 매우 오랜 시간 동안 옹호되고 널리 받아들여졌던 것과 반대로 교합지 자국이 힘 크기와 상관관계를 가지지 않음을 분명하게 보여주고 있다(Carey 등, 2007; Saad 등, 2008; Qadeer 등, 2012). 더욱이, 이런 방법은 최근 매우 부정확한 과학 이하의 검증으로 이루어지고 있다(Kerstein & Radke, 2013). 295명의 치과의사를 대상으로 시행한 주관적 해석 연구는, 강력한 교합 접촉을 선택하는 능력이, 나이 많고 경험 많은 숙자라고 젊고 경험 적은 임상의보다 나은 것은 아니라고 설명하였다. 더 중요한 것은, 치과의사가 접촉 선택의 기준으로 교합지 자국의 외형을 이용하여 자국을 관찰하여 높거나 낮은 교합력을 선택할 때도, 그 당시 88%가 그릇된 접촉을 선택하였다고 하였다(Kerstein & Radke, 2013).

교합지 자국에 대한 주관적 해석의 대안으로써, 디지털 힘 스캔은 교합 접촉을 상대적인 교합력의 256단계로 등급화함으로써 채색된 교합지 자국이 진정한 문제성 접촉인지를 분명하게 표현할 수 있다. 이 방법은 객관적으로 조기 접촉과 과다한 교합력을 보여준다.

과거에, 악관절과 반복적인 교합 접촉 싸이클을 측정하는 예술과 과학은 임상적으로 치아 교합면에 전달되는 채색된 자국을 해석하는 임상의의 기술과 지식에만 의존하였다. 추가적인 상대적 교합력 데이터의 임상적 시각화 덕분에, 교합지 자국의 외형에 디지털 힘 양상을 첨가하면 본래의 진단을 입증하거나 대안적인 사고 과정을 제공할 것이다. 교합지 자국은 교합 접촉을 표시하는 가치를 가지지만, 컴퓨터가 형성한 교합력 측정은 전통적인 교합지 자국에만 의존하는 임상의가 이용할 수 없는 다양한 접촉력을 정확하고 의미있는 정보로 구분하고 정비한다. 임상의에게 교합 접촉력은 3D 교합력 영상의 빌딩 구획을 형성하는 유색의 픽셀과 막대에 의해 디지털적으로 제공된다.

T-Scan I

컴퓨터 교합 분석은 Dr. William Maness가 이끄는 기술자 그룹(Maness, 1987; Maness, Benjamin, Podoloff, Bobick, & Golden, 1987; Maness & Podoloff, 1989)에 의해 1987년 4월에 소개되었다. T-Scan I 기술(Tekscan Inc., S. Boston, MA, USA)은 교합력 데이터를 전기적으로 수집하기 위해 고안되고 제작된 센서로 기록된 실증적인 증거를 제안함으로써 교합 접촉 측정에 새로운 패러다임을 구축하였다. 교합지 자국을 수량화하고 질적으로 관리하는 스캔의 1세대는 MIP 전후의 하악 연루를 설명하고, 편심위 동안 구치부 연루 지속 시간을 포착하였다(Kerstein & Wright, 1991). 기록된 데이터는 프레임으로 그래픽화된 동영상을 제작하여 2D, 3D로 재생되고 분석된다. 치의학의 역사에서 처음으로 제시되는 교합의 4번째 차원은 교합 접촉의 "지속 시간"이다.

T-Scan I 시스템의 고안자인 Maness는, 힘 스캔이 교합 진단의 수수께끼를 밝히고 전통적인 교합지 자국이 아직 풀지 못하는 치료법을 제공할 것이라고 예견하였다(Maness, 1987). 그는 교합 조정 술식, TMJ 질환, 수복 치과학, 치주과학, 교정학에의 기술 응용을 지적하였다. 또한 교합 접촉 양상 재현 가능성과 첫 번째 교합 접촉부터 습관성 교합으로 폐구하는 총 지속 시간을 교합 건강의 측정으로 사용함으로써 저작근의 기능적 건강 분석에 대한 가능성을 제공하였다(Maness, 1987).

디지털 힘 스캔은 임상의가 맨 눈으로 볼 수 없는 것을 보게 하고 존재를 의심하지 않는 교합 본질의 수준을 발견하게 하기 때문에, 교합의 새로운 영역을 향한 치의학의 문을 열었다. 이 새로운 디지털 힘 측정 기술은 임상의가 임상적 주관성을 완전히 배제한 상태로 과다한 교합 접촉력을 전문적으로 파악하고 평가하여 겨냥하는 것을 가능하게 한다. T-Scan Ⅰ을 사용하여 알려진 개념은 새로운 교합 응용과 교합 정확성 및 발명 전에 존재하지 않았던 조절을 형성하였다.

그러나, 어떤 새로운 기술이라도 제품의 가능한 임상적 적용에 관한 흥미를 수립하고 저항의 골을 가로지르면서 기술의 정확성, 신뢰도, 유효성을 입증하는 플랫폼을 구축할 어얼리 어댑터가 필요하다. 모든 것이 컴퓨터와 동반되기 때문에, 임상적 실행 능숙도(T-Scan 숙달을 얻기 위해 필요한 사용 기술의 자세한 설명은 4장에 나와있다)에 도달하기 위해 숙달해야 하는 새로운-사용자 학습 곡선이 존재하였다(또한 지금도 존재한다). 현재 T-Scan 기술 사용을 배우길 원하는 임상의와 교육자는 다음의 어댑터를 위해 학습 곡선을 상당히 감소시키는 어얼리 어댑터 경험의 장점을 취득하는 상당한 이점이 있다.

오늘날, 객관적인 교합력 데이터를 사용하는 구강악계의 역동성을 측정하고 변화시키고 모니터링하는 능력은 컴퓨터가 있는 모든 임상 치과 공간에서 잠재적으로 이용 가능하다.

T-Scan의 현재 버전은 환자의 데이터베이스를 포함하기 때문에(T-Scan Ⅰ은 환자 데이터베이스를 가지지 않았다), 오늘날 기록된 스캔은 쉽게 동일 환자의 추후 스캔과 비교될 수 있다. 이로써 임상의는 시간의 흐름에 따른 환자의 기능에 관한 장기간의 교합 진단 정보와 교합력 분포의 진행 중인 싸이클을 수용하기 위해 치아와 관련 조직의 적응 과정을 더 잘 이해할 수 있게 된다.

디지털 교합력 분포 데이터 분석으로부터 도달하는 결론은 임상의가 교육받은 치료 결과를 생산하기 위해 사용하는 지식을 제공한다. 새로운 교합력 정보는 환자로부터의 새로운 의문을 만들고, 새로운 교합 이론의 발달시키고, 오래된 철학에서 지지되는 개념을 변화시키며, 의미 있는 교합 연구를 수행하는 기회를 수립한다.

이번 장은 불균형한 교합력 분포의 기록 양상과 치아, 치주조직, TMJ 복합체의 구조상 변화 사이에 (지난 15년 동안) 관찰되는 임상적 관계를 발표한 저자들의 초기 시도를 제시한다. 상하악 기능 동안 발생하는 힘 분포의 양상이 디지털 방식으로 기록되어, 전통적인 비-디지털의 주관적 해석이 필요한 교합 지표와 비교하여, 구강악계의 기능적 역동성을 향한 향상된 진단적 통찰력을 제공할 것이다. T-Scan의 2D, 3D 객관적 힘 측정은 교합지 자국을 치의학의 디지털 시대로 이동시킨다.

포괄적 환자 검사의 부분으로써 디지털 교합력 측정

포괄적 구강 건강 평가로부터 내려진 진단은 보통 다인성이다. 포괄적 구강 검사의 3가지 구성 요소는 치아가 어떻게 교합하고, 지지 구조가 얼마나 건강하며, 기능에 대한 환자의 능력이 얼마나 효율적인지를 진단하는 것이다. 반대로, 주관적 자국 해석은 자국을 의미 있는 힘 정보로 전환하는 술자의 능력을 제한한다. 시간의 흐름에 따라 연구된 교합력 기록 데이터는 어떤 환자에서든 얻어질 수 있고, 환자의 교합이 변화하는 어느 나이에서도 채득될 수 있다. 궁극적인 목표는 포괄적인 구강 검사를 통해 구강악계의 해부학적 구조를 약화시키는 병리를 예방하고 제한하는 임상 기회로 전환하는 것이다.

디지털 교합력 스캔은 강력하고 연장된 조기 교합 간섭의 존재와 위치를 보여주고, 전방 및 과두 유도에 방해가 되는 건전한 교합력 분포가 침해된 부분을 도해한다. 이런 정보는 임상의의 진단 기술을 바꾸어 그들의 실제적 사업 모델을 업데이트하도록 동기를 부여하여, 환자에게 보다 빠르고 더 정확한 고품질의 교합 서비스를 제공한다.

포괄적 검사에 T-Scan 컴퓨터 교합 분석 시스템을 추가하면 임상의는 다음을 얻을 수 있다:

- 목표된 개입으로 예방할 수 있는 임박한 교합력 문제를 분리, 예견하는 능력이 있는 *진단* 도구.
- 문제성 교합 접촉점을 식별하는 *정밀* 도구.
- 하악 기능을 변화시킬 수도 있는, 과도한 교합력으로 스트레스 받는 악궁 내 위치를 정확하게 포착하는 *안내* 도구.
- 미래의 비교를 위한 교합력 및 타이밍 측정을 취합하고 저장하는 *기록* 도구.
- 의사, 직원, 환자를 위한 *교육* 도구.
- 치료가 필요한 교합 문제를 가지는 환자에게 동기를 부여함으로써 증례 수용을 끌어올리는 효과적인 *소통* 도구.
- 시간에 따라 변화하는 교합력을 측정하는 *모니터링* 도구.
- 즉각적이고 장기간의 교합 조정 결과를 측정하는 *치료* 도구.
- *업무-향상* 도구.
- 전통적인 아날로그 교합지 주관적 해석의 *디지털 업그*

표 1 교합지 vs. T-Scan 기술로 측정한 교합 접촉 비교

아날로그 vs. 디지털 도구의 기증 교합 접촉 범위 측정		
교합력 데이터 특징 및 측정	아날로그 (교합지)	디지털 (T-Scan)
접촉 위치	V	V
접촉 강도		V
접촉 평면/분석 프레임*	1	100-300*
접촉 순서		V
전 악궁의 접촉 모양	가능	V
반복적 접촉 양상		V
어느 방향으로의 힘 전달 운동	가능	V
교합 시간(접촉 지속 시간)		V
이개 시간(접촉 분리)		V
조기접촉 포착	가능	V
젖은 상태에서 정확한 기록		V
교합 인기 재료에 의해 영향받지 않는 접촉		V
2D, 3D로 즉각적인 역동적 재생		V
환자가 모니터로 볼 수 있는 전-악궁의 신속한 실시간 디스플레이		V
기능 범위 영상		V
CO 영상 기록(습관성 힘 양상)		V
CR 영상 기록(골격성 힘 양상)		V
치료 전, 중, 후 측정값의 저장 및 검색		V
다른 디지털 진단 기술과의 접속 능력		확실

*교합지는 단일의 정적인 접촉 이미지만 보여주지만, T-Scan은 0.01초 간격 혹은 터보-모드에서 0.003초 간격으로 교합 연루의 다수의 프레임을 재생한다

레이드.

새로운 패러다임으로써 디지털 교합

습관을 바꾸고 오래된 양식을 대체하는 새로운 패러다임을 발달시키는 것은 학습 곡선을 포함한다. 그러나, T-Scan 기술을 취하는 장점은 교합 진단과 치료를 위한 측정된 근거가 있다는 것이다. 임상의는 패턴의 인식과 과거 임상 경험에 근거하여 자신의 교합 철학을 발전시킨다. 마모와와 같은 해부학적 구조 변화, 근육 통증, 굴곡파절 형성, 치태가 없는 치주낭은 교합이 구조를 약화시킬 수 있다는 진단적 실마리가 된다.

모든 환자는 하악의 운동 범위, 기능 범위, 반복적인 습관성 힘 싸이클을 가진다. *힘 싸이클*은 하악이 MIP로 안착하고 MIP에서 반대 방향으로 멀어지면서 힘이 연루되고 풀어지는 것을 포함한다. 자기수용기는 구강 내에서 지속적으로 변화하여, 시간의 흐름에 따라 치아, CEJ, 기본 구조물이 반복적인 힘 싸이클에 점점 적응한다. 병적인 힘 싸이클은 구조적 손상을 야기하고, 반면에 생리적 힘 싸이클은 시스템 구조를 보존할 것이다.

교합 분석의 미래는 교합력 정보를 정확하게 포착하고, 생리적 혹은 병리적인 변화를 진단하는 것이다. 디지털 포맷과 교합/이개하는 과정 동안 가해진 교합력 사이의 역동적 관계를 이해하기 위한 도전이 있을 것이다.

과거로부터의 아날로그 교합지 사용과 오늘날의 디지털 교합 기술 사용 사이의 차이를 표1에 목록화하였다.

힘 스캔의 임상 사용

일상의 교합 술식에서 다양한 임상 상황에 디지털 교합력

스캔을 사용할 수 있다. 그것들은:

- 개선된 진단을 위해 교합 접촉력, 발생 시간, 위치, 강도를 구강 외부에서 정확하게 시각화한다.
- 다른 자세 방향에서 접촉하는 교합 및 이개를 측정하는 실시간의 기능적 힘 영상을 기록한다.
- 미래의 교합 병력 참조를 위한 힘 스캔을 구축, 분석, 취득한다.
- 모든 강력한 접촉점을 적절하게 확인할 수 있는 전 악궁 내의 교합 접촉력 측정. 이 방법으로 교합 기능에 영향을 미치는 교합 인기 재료 효과의 조합을 측정하면서, 위양성 교합지 자국과 타액에 대한 염려를 배제한다.
- 진단 정확성 및 교합지 자국의 정밀성을 증가시키고, 미세외상과 교합 간섭이 유발할 수 있는 구조적 손상의 위치를 더 잘 식별한다.
- 어떤 치아, 치아의 그룹, 혹은 전 악궁에 걸쳐 발생하는 힘의 강도, 방향, 순서를 분리한다.
- 교합 기능을 더 잘 이해하기 위해 힘 스캔의 결과를 다른 디지털 진단 기술과 조합한다.
- 치료 과정의 전개를 지원한다.
- 과다한 생리적 제한에의 적응을 방지하게 돕는, 교합 관리와 구강악계의 균형에 대한 질적인 조절 기준을 수립한다.
- 교육과 인지를 통한 상호-발견과 환자 수용을 증가시킨다.
- "측정, 예견, 예방" 모델을 수반한 교합의 미래 임상 치료로 진보한다.
- 교합 문제를 관찰적, 주관적이기 보다는 디지털적, 생체계측적으로 진단하고 치료하는 개념, 기술, 응용, 지식을 발달시킨다.

힘 싸이클 발달 및 힘 스캔 분석

점, 선, 프레임, 양상에 대한 소개

이 장의 이번 부분에서는 T-Scan 기술이 교합지 자국이 예전에 제공했다고 여겨졌던 정보를 향상시키는 방법을 설명한다. 앞서 설명한 것처럼, 현대 연구는 교합지 자국이 믿을 수 있는 교합 내용을 제공하지 않는다는 것을 보여준다. 대안적으로, 힘 스캔은 교합하는 치아로 전달되는 교합력을 측정성의 반복적 방법으로 기록하고 수량화한다(Kerstein, Lowe, Harty, & Radke, 2006; Koos 등, 2010). 그러므로, 새로운 T-Scan 사용자는 교합지 자국과 2D, 3D로 보여지는 실시간 교합력 영상 사이에 내재하는 차이를 완전히 파악해야 한다. 힘 영상은 분석을 위해 모든 교합 접촉을 한 번에 한 프레임씩, 전방으로, 후방으로, 혹은 텔레비젼에서 신속하게 재생되는 스포츠 경기에 맞먹는 슬로우 모션으로 검토할 수 있다.

초기에, 획득한 교합력 데이터의 양이 새로운 T-Scan 사용자를 압도하면서 등장할 수도 있다. 따라서, 새로운 사용자의 T-Scan 시행 지식을 확장시키기 위해서 훈련과 잦은 임상 실습이 필요하다. T-Scan 데이터의 단일 프레임은 교합지 자국과 다소 유사하게 나타날 수 있어서, 새로운 사용자가 이해하고 판독하기 좀 수월하게 만들 수 있다. 그러나, 교합지가 종종 편측성 혹은 국지적인 몇 개의 치아만을 종종 표기하는 반면, 각 T-Scan 기록은 전 악궁에 걸친 모든 접촉을 기록한다. 추가적으로, 디지털 힘 데이터는 종종 교합지 자국 식별을 방해하는 침이나 다양한 교합 재료에 의한 영향을 받지 않는다.

디지털 교합 데이터를 인정하고 적용하기 위해 필요한 패러다임 이동 진행을 단순화하기 위해서, 접촉 정보는 4개의 T-Scan 소프트웨어 특성으로 분석할 수 있다(표 2):

- **점**: 점 데이터는 존재하는 기본적인 교합 위치를 설명하고 상대적 힘 강도를 시각화한다.
- **선**: 하나의 접촉점부터 또 다른 점까지 연장되는 힘중심(COF) 궤도 선은 악궁 내에서 그리고 악궁을 가로지르는 힘 이동의 기본적인 방향을 규정한다.
- **프레임**: 기능 중에, 하악 평면은 상악을 연루시키고, MIP에서 정지하고, 교합 접촉으로부터 해방되어, 약 1초 정도 지속되는 힘 싸이클을 생산한다. T-Scan의 0.003-0.01초-길이 힘 영상 프레임은 작은 시간 간격으로 각 힘 싸이클을 묘사하고, 매우 자세하게 교합 접촉 순서와 다양한 교합력 강도, 그들이 어떻게 순차적으로 등장하는지를 실시간으로 보여준다.
- **양상**: 힘 양상은 접촉하는 치아에 분포하는 힘의 주기적이고 반복적인 적용을 설명한다. 힘 싸이클이 시간에 따라 변하면서, 기능 범위와 동작 범위 또한 변할 수 있다.

프레임 별 데이터 재생은 구조적으로 영향을 미칠 수 있는 단일의 강력한 접촉점을 판단하는데 도움이 된다. 과다

표 2 점, 선, 프레임, 양상에 의해 설명되는 교합 정보 요약

	점	선	프레임	양상
힘 위치	V	V	V	V
힘 강도	V	V	V	V
힘 순서	V	V	V	V
타이밍/진행순서	V	V	V	V
교합 간섭	V	V	V	V
MIP	V	V	V	V
힘 방향		V	V	V
힘 분포		V	V	V
기능 범위			V	V

한 힘 위치와 폐구 접촉 순서 시 발생 시간을 조합하여, 임상의는 질문에 더 잘 대답할 수 있게 된다.

- *과다한 힘은 어디에 위치하는가?* 연장된 연루와 분리의 기간 동안 지속되는 높은 강도 접촉의 위치는 주변 구조를 잠재적인 위험에 놓는 간섭을 의미한다.
- *무엇이 구조적으로 위험한 상태인가?* 과도하게 강력히 접촉하는 접촉군 뿐만 아니라 높은-강도의 긴 접촉 지속 시간은 포함된 구조물의 접촉력에 대한 적응과 수용을 필요로 한다. 시간이 지남에 따라, 이 구조적 적응은 연루된 구조물을 손상시킬 수 있다. 근육, 치아, CEJ, 과두-디스크 조합체에 의한 힘의 흡수는, 기능적 평형에서 지나치게 강력한 접촉의 영향을 최소화하기 위해 힘을 흡수하기 위한 시스템을 필요로 하기 때문이다.
- *어떻게 사용하는지?* 힘 스캔은 하악과 상악 사이의 기능적 균형을 방해하는 간섭의 위치를 발견하고 보여준다. 그러므로, 컴퓨터-분리 과다한 힘 포착 방법을 사용하면, 불균형한 골격성 교합 평면으로 야기되거나 좋지 않게 배열된 자연치나 보철물 대체로 형성된 간섭의 위치를 파악할 수 있게 된다. 과다한 힘으로 포착된 부위는 단일 접촉이나 단일 치아 혹은 치아의 그룹일지도 모른다. 추가적으로, 교합 중재를 고려할 때, 힘 스캔이 어떤 완화 치료를 수행하는 임상의를 안내하게 된다.
- *왜 중재하는가?* 환자가 나이를 먹으면서 생리적으로 건강한 교합을 유지하기 위해, 힘 범위와 기능 범위는 균형 잡힌 상태를 유지해야 한다. 힘 범위가 불균형하면, 기능과 시스템이 적응되도록 유도되어 병적 상태가 된다. 구조적 디자인과 조화되지 않는 동작은 기껏해야 적응하는 것이고 최악의 경우는 파괴적이 된다.
- *언제 평가하는가?* 과다한 힘이 구조적 붕괴에 기여하는 인자라고 생각되는 때라면, 나이나 시간과 상관없이 MIP의 힘 스캔을 채득할 수 있다. 그러므로, 어떤 검사라도 힘 분포 측정을 채득하는 기회가 될 수 있다. 정기적 리콜과 신환 검사 및 응급 평가 모두는, 힘 분포와 환자가 나이를 먹는 동안 관리의 질에 대해 환자와 임상의를 교육할 수 있는 잠재적인 기회가 된다.

점: 접촉력의 강도

치의학에서, "점"과 진단은 종종 연관된다. 탐침 점으로 치아나 수복물의 불규칙성을 감지하기 위해 사용하기도 하고, 치주 탐침으로 상피 부착 붕괴의 정도를 수량화하기도 하며, 손가락으로 TMJ 인대를 촉진하고, 진탕음 치아를 평가하고, 근육의 발통점을 분리하기도 하고, 교합지를 사용하여 교합 접촉점을 표시한다.

"접촉"은 물리적으로 닿아있는 상태이다. 기록된 접촉은 힘과 타이밍 정보를 시각화하는데 사용되고, 전통적인 교합지 자국에 생명과 의미를 부여한다. 작은 점의 강도, 큰 자국에 포함된 힘, 접촉 위치, 순서에 관한 모든 의문에 대한 답은 적절하게 기록된 힘 스캔으로 얻어진다. 디지털 교합력 데이터를 사용한 경험으로, 임상의는 교합지 자국에 의해 생각하게 될 "추측 요소"나 주관적 해석을 배제하는 자신감을 얻고 개선된 임상 판단을 배우게 된다.

기록된 T-Scan 데이터에 간단한 개념을 적용하는 것이

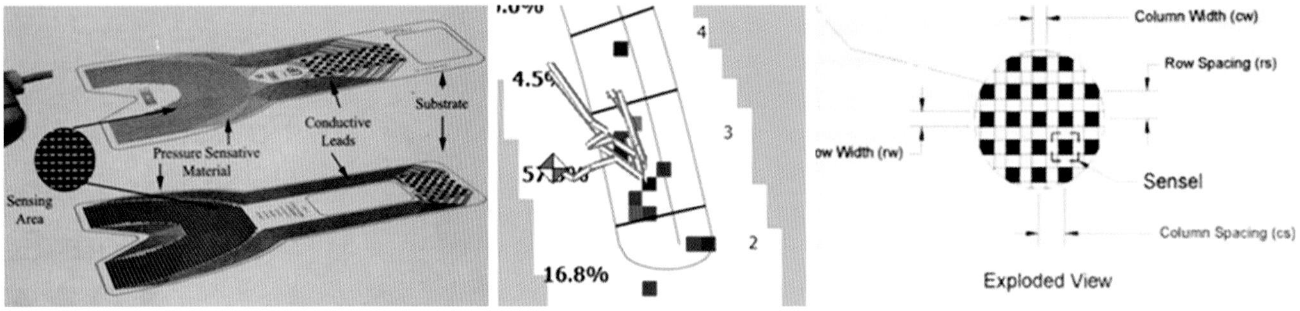

그림 2 좌측은 T-Scan 센서의 기본 설계를 보여준다. 중앙은 COF 궤도가 중첩된 T-Scan 점 접촉 데이터이다. 우측은 센서의 Mylar matrix 안에 묻혀있는 많은 센셀 격자 내의 단일 센셀(테두리 내)이다

성공적인 T-Scan 데이터 분석 기술을 배우는 새로운 사용자 전략이 된다. 정사각형-모양의 부하된 모든 센서 센셀을 보여주고 수량화하는 2D "PointView"(그림 5, 하방 구획)를 관찰하는 것으로 시작한다. 2D "PointView"에서, T-Scan 데이터는 전통적인 교합지 점과 닮아있다.

2D "PointView"는 다음을 보여준다:

- 서로 다른 교합 접촉의 다양한 강도;
- 접촉 치아의 표면을 주행하는 힘 운동에 의한 접촉 위치의 변화;
- 접촉 타이밍 순서와 접촉 순서;
- 하악이 상악과 연루되고 분리되면서 발생하는 힘 분포.

점 접촉 데이터는 Mylar matrix내에 묻혀있는 센셀을 사용하여 악궁 내에서의 접촉 위치를 보여주고 강도를 기록한다. 각 T-Scan 센서에는 1inch^2 당 400개의 센셀이 있다(그림 2). 센셀은 픽셀과 같은 것으로, 교합 접촉력 강도를 256개의 다른 단계로 포착할 수 있다.

대합하는 치아가 접촉을 형성했다가 소실되면서 점이 나타났다가 사라질 수 있다. 접촉 강도의 다양한 크기가 활성화된 센셀의 전기 디지털 출력에 근거하여 등급화된 색상-코드 형식으로 보여진다. 부하된 각 센셀은 하악 치아가 상악 치아와 연루되면서 발생하는 힘이 *교합 평면*에 전달되는 물리적 상호작용을 보여준다. 악궁에서 모든 접촉은 운동하는 동안 발생하는 순서대로 체계화되고 보여진다(그림 2). 점 접촉의 무리를 포함하는 점 접촉의 특성은(그림 3), 단일 접촉이나 그룹 접촉이 시간이 지나면서 유발될 수 있는 파괴의 양에 중요한 영향을 미친다. 만성적으로 강한 교합력을 지속적으로 받는 점은 연관된 구조물에 미세외상으로 작용할 수 있다. 이와 같이, *점*은 조직적인 구조적 적응으로 야기되는 구조적 미세외상의 위치를 예견하는 진단 데이터를 수집하게 된다.

접촉은 평생에 걸쳐 개별 치아 및 그 주위 구조에 기능적 혹은 이상 기능적으로 작용한다. 이상기능적 간섭은 교합 디자인과 조화되지 않는 침해된 운동과 기능이다. 비-작업측 교두는 파절에 훨씬 더 민감하다(Bader, Shugars, & Sturdevant, 2004). 불균형한 미세외상은 과다한 스트레스와 연관된 치아의 장축이나 전체 체계의 디자인과 조화되지 않는 힘 벡터를 생산한다. 접촉 에너지를 가장 잘 소멸시키기 위해 치아는 장축을 따라 힘을 받도록 설계되었다. 이와 같이, 힘 싸이클의 시작부터 접촉하고 하악이 상악에서 분리되어 적용된 힘을 방출할 때까지 접촉상태를 유지하는 이상기능 간섭이 오랜 기간 동안 지속되면, 주변 구조물의 온전성을 무너뜨리게 될 것이다. 연장된 강도는 저항, 간섭, 혹은 미세외상을 야기하고, 이 모두는 체계의 균형을 방해한다.

대부분의 힘 스캔은 종종 최소 혹은 가벼운 힘 부위를 지정하는 진청색 센셀이 많이 나타나고, 센서 표면을 가로질러 펼쳐진다(그림 3). 버전 I 부터 T-Scan은 큰 교합지 자국이 강하거나 높은 힘 부위를 인기할 수도 그렇지 않을 수도 있다는 것을 반복적으로 보여주었다. 게다가, 높은 강도로 인기하는 모든 점이 병적인 것은 아니다. 적색이나 분홍색으로 인기되는 더 높은 힘 접촉은 그들의 위치, 힘 사이클의 진행 동안 발생 시간, 사이클 내에서 높은 힘이 잔존하는 지속 시간에 관해 더 깊은 연구가 필요하다. 힘 사이클의 종말 근처(MIP 근처 총 힘의 90% 이상)에서 초기에 나타나는 적색이나 분홍색 접촉은, 힘 사이클의 초기(예를

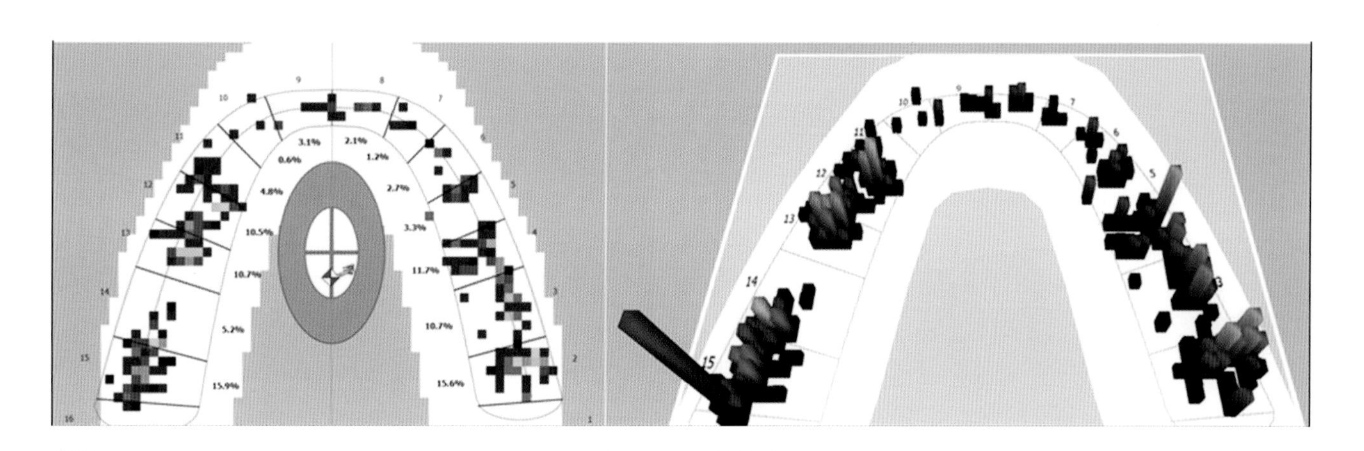

그림 3 MIP에서 보여지는 양 측면을 수반한 2D 점 접촉(좌측) 및 2D 점 접촉과 동일한 3D 막대 분포(우측). 환자가 MIP로 교합할 때 다른 모든 접촉과 비교해서 #18(37)번 치아가 #15(27)번 치아와 높은 힘으로 접촉한다. #15(27)번 치아의 원심협측 교두에 미세외상을 야기할 수 있는 하나의 접촉점을 제외하면, 전체적인 힘 균형이 좋다(COF가 중앙에 위치)

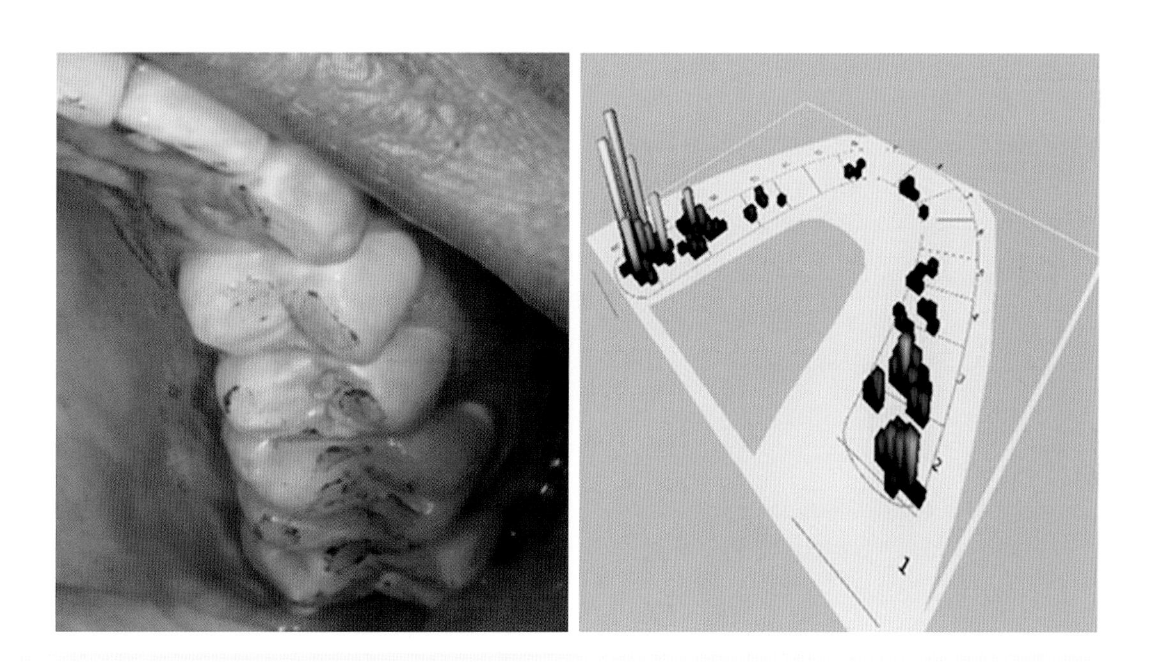

그림 4 점 무리의 증례. 좌측은 파란색 교합지가 표시된 #11-15(23-26)번 치아를 보여준다. #15(26)번 치아는 T-Scan 데이터에 나타난 교합 간섭의 가장 센 그룹을 감당하는데, 이것은 교합지 자국에 의해서는 정확하게 알 수 없다. 후방 좌측 무리의 우세성으로 체계 전체는 균형을 잡을 수 없다

들어, 총 힘의 25%에서)에 나타나서 총 힘의 90%를 지나는 MIP에 도달할 때까지 사이클 내에서 큰 힘을 유지하는 접촉처럼 유해하지는 않을 것이다.

기본적이고 간단하게 기록하는 방법은, 치과의사가 교합지를 사용할 때와 같은 방법으로 환자에게 센서를 넣은 채로 입을 다물고 치아를 꽉 물게 지도하는 것이다(그림 3).

점 무리(Cluster Points)의 정의

점 무리 접촉은 폐구(교합)시 조기에 나타나고 개구(이개)시 늦게 떠나는 접촉점의 그룹이 모인 것이다(그림 4). 이 무리는 종종 근본적인 폐구 *교합 간섭*이 되고, 편심위 운동 동안에도 나타날 수 있다. 그림 4에서, 환자가 모든 방향으로 활주할 때, 교합지는 그룹 기능 교합 체계를 암시하는 뚜렷한 마모와 내에 자국을 남긴다. 강하고 연장된 힘의 무리는 보통 강한 교합 간섭을 시사한다. 하악이 상악 교합평면으로 부드럽게 향할 때, #15(27)번 치아의 근심 변연융선과 #14(26)번 치아의 원심협측 경사면이 첫 번째 접촉점이 된다.

전 악궁을 윤곽화하는 점

점 데이터는 단일 치아에 영향을 미치지만(그림 6a 참조), 전체적 시스템으로서 하악이 선호하는 기능 경로를 진단할 수 있는 통찰력을 제공한다. 환자에게 교합지로 접촉을 인기할 때처럼 레코딩 센서 위로 "딱-딱" 씹게 한다. 교합지와 달리 점 접촉의 디스플레이는 모든 기록된 교합 접촉 주변의 전 악궁을 윤곽화하기 때문에, T-Scan은 악궁 내에서 특별히 강력한 치아 접촉의 위치를 보여주고 설명한다는 점에서 다르다. 그림 5는 센서 상으로 두 번 "저작"하여 만들어지는 기록된 힘 양상을 보여준다. MIP로 발생하는 모든 점의 온전한 분포가 분석을 위해 디스플레이되고, COF 타겟과 궤도가 타겟 위로 중첩된다. 하악이 상악을 연루할 때, 점 접촉은 그 순서와 분포를 반복한다. 반복적인 점은 균형 잡힌 교합을 간섭하는 접촉과 가까워지고 멀어지는 기능 범위를 지시하는 힘 싸이클을 규정한다.

미세외상 점은 병적 상태를 유발할 수 있다

강력한 접촉점은 하나의 접촉 부위나 전 악궁에 걸쳐 잠재적으로 존재할 수 있는 약화된 임상적 구조에 관한 우려를 불러일으킨다. 관심 부위의 힘 측정으로 임상의는 종종 구조적 손상을 조사하기 위한 진단의 필요성을 인지하게 된다. 힘 싸이클에서 일찍 도착하여 늦게 떠나는 강한 점은 종종 체계의 취약 고리를 시각화하기도 한다. 시간의 흐름에 따라, 이런 병적인 강력한 점 접촉은 결국 의문의 구조물 파괴 및/혹은 체계 자기수용기의 변경을 유발하게 될 것이다. 또한 문제성 접촉점은 방사선 사진, 임상 사진, 검사 동안 구조적 약화의 임상 관찰과 일치할 수 있고, 이들 모두는 임상의가 좀 더 정보화된 진단을 내릴 수 있게 돕는다. 디지털적으로 기록된 교합 접촉점 데이터가 교합지를 대체하지 않지만(T-Scan 센서는 연관된 치아에 '표시'를 남기지 않기 때문에), 이 데이터는 임상의가 분석할 수 있도록 문제성 접촉점을 규정하고 분명히 하며 조직화한다.

그림 6a와 6b는 장기간의 강력한 교합 간섭이 치아 표면 구조를 약화시키는 미세외상을 유발하고 이로 야기된 법랑질 결함에 세균이 침착하여 충치가 유발되는 것을 설명한다(그림 6a). 환자는 12세에 실란트 치료를 받은 이후에 처음으로 수복이 필요하게 되었다. 환자는 치아 불편감은 없지만, 우측 TMJ 통증을 호소하였고, 개구와 좌측 편심위 동안 초기 "clicking"이 수반되었다. 또한 우측의 측두통에 대한 경험도 설명하였다. 이런 증상들로 미루어보아, 진단적인 힘 스캔이 기록되어야 한다. #31(47)번 치아에 존재하는 과다한 점 접촉력이 법랑질 미세파절과 일치하고, 이로 인해 충치도 유발되었다(그림 6b).

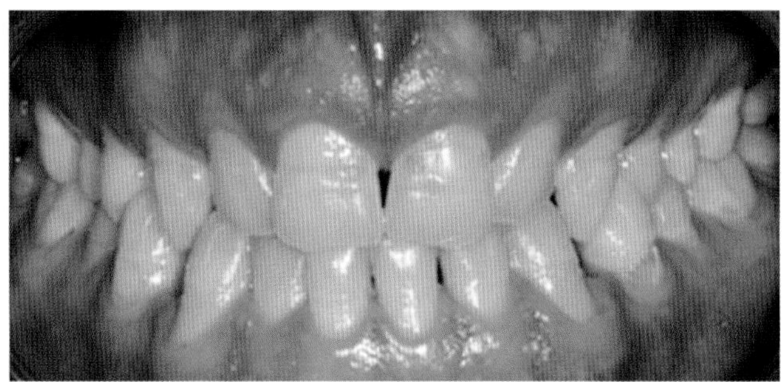

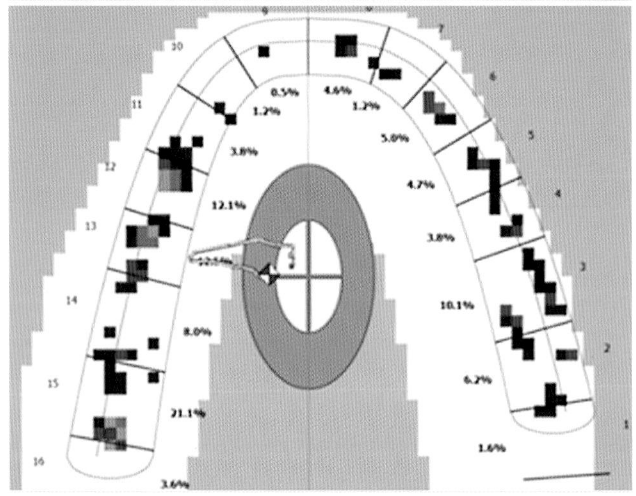

그림 5 여기 기록된 힘 양상은 T-Scan 센서로 두 번 "저작"하여 만들어진 것이다. MIP로 들어가는 경로에 발생하는 모든 접촉점이 악궁을 따라 나타난다. 좌측 점 분포가 우측과 다름을 확인하라. 회색의 COF 타겟과 적색의 COF 궤도선은 총 힘 요약이 앞서 기록된 "저작" 운동 동안의 위치 역사를 보여준다. 악궁의 좌우측은 점 접촉의 동등한 양을 가지지만, 좌측 점이 2배 강하다

요약하면, 접촉 *점* 데이터를 분석할 때 다음 인자를 고려해야 한다:

- 점은 기록된 힘 싸이클의 시작, 중간, 마지막에서 환자의 교합 접촉을 보여준다.
- 점은 단일 센셀이 교합 접촉 내에서 포함된 명백한 힘에 의해 유발됨을 시사한다.
- 점은 치아 표면 위치, 악궁 내에서의 위치, 다양한 교합력 강도로 접촉을 체계화한다.
- 접촉 강도는 유채색 막대의 측정 범위를 사용하여 3D로 보여지고, 치아 당 상대적인 교합력 비율이 2D로 정리

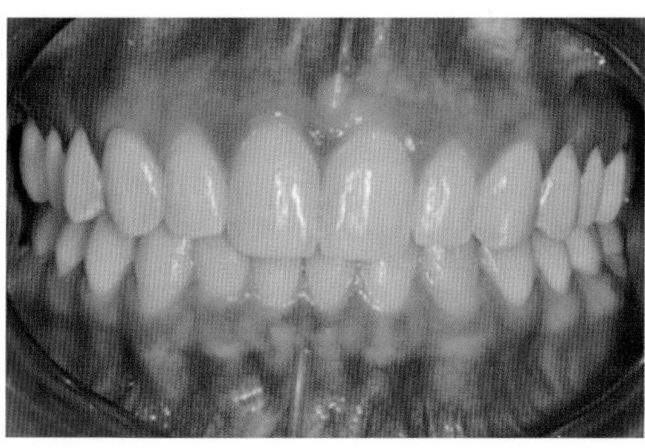
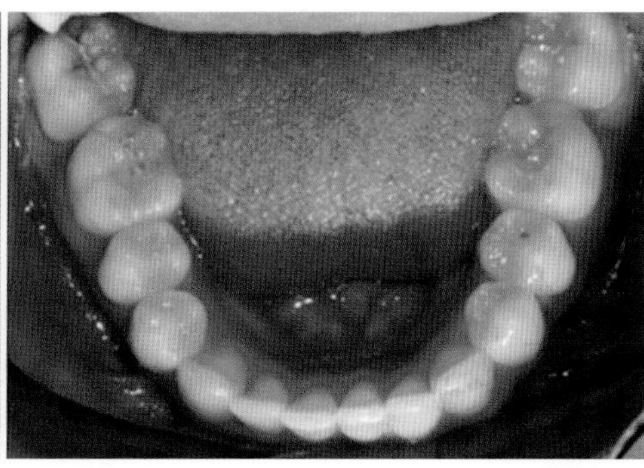
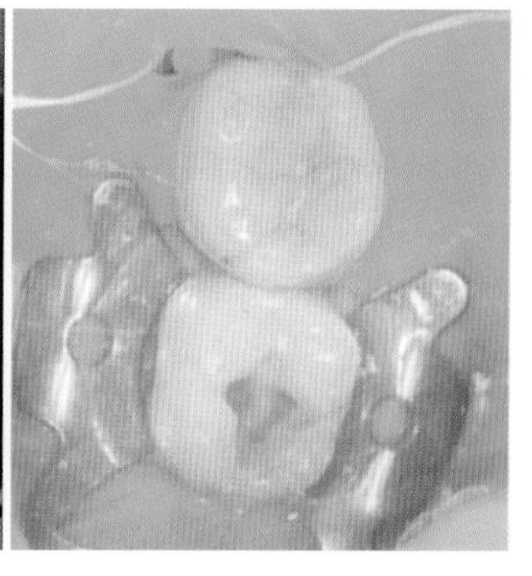

그림 6a 22세 환자의 #31(47)번 치아에 존재하는 고강도의 접촉(그림 6b)과 일치하는 위치에서 충치를 제거하였다. 장기간의 연장된 강한 접촉점으로 인한 미세외상이 법랑질을 피로하게 하고 약하게 만들어 세균성 충치 유발이 가능하였다

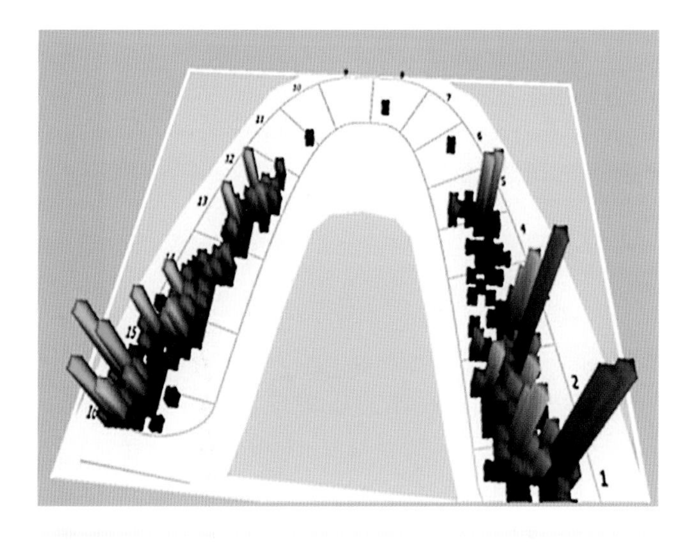

그림 6b #31번 치아를 수복하고 적은 교합력을 받도록 조정하였는데, 환자는 우측 TMJ가 부드러워지고 "clicking" 발생도 줄었다고 하였다. 수복과 최소 교합 조정 6주 후, 우측 측두통이 감소하였고 모든 하악 운동에서 clicking이 없어졌다

된다.

- 점은 각각 분리되거나 무리를 형성하여, 과다한 부하를 받는 더 큰 교합 접촉 부위를 가리킨다. 임상의는 모든 접촉점의 타이밍, 조화, 지속 시간의 힘 스캔을 재생하고 3D 막대 영상을 관찰하여 분석할 수 있다.
- 슬로우 모션으로 힘 영상을 재생하면 힘 분포 양상이 하악의 폐구(*교합*) 경로에 영향을 미치는 방법에 대해 신속하게 알 수 있다.
- 힘 점 데이터는 기능 범위 내에서 발생하는 선, 프레임, 양상의 구성 요소 정보이다.

힘 전달 방향을 보여주는 선

하악이 완전 접촉으로 폐구하는 동안 교합력 압착, 교두감합, 감압이 치아에 연속적으로 발생하고, COF 궤도는 COF 아이콘이 2D ForceView 창에서 여행하는 경로를 따라 "적색과 흰색 선"을 만들어낸다. 궤도선은, 악궁에서 발생하는 폐구 접촉 순서 및 연속적 접촉력 강도 변화에 의해 위치적으로 결정되는 총 힘 총체의 변화하는 역사를 표현한다. 하악 압착 동안 개별 치아에서 접촉력이 발달하면서, 힘 총체는 더 높은 접촉력 집중을 향해 이동하면서 힘 집중이 적은 부위에서는 멀어진다. 힘 집중의 과정은 하악이 MIP에서 나와서 치아가 연속적으로 분리되면서 역전된다. 힘 총체의 위치 변화는 2D ForceView 창에서 적색 꼬리가 따라오는 적백색의 다이아몬드-모양 아이콘으로 보여진다. 궤도선의 각 다리는 길이 0.003초(터보 모드) 혹은 0.01초(비-터보 모드) 단위로 그려진다.

선을 형성하는 교두감합의 전 과정 동안 COF 마커의 다양한 위치가 결정된다. 선의 길이가 짧을수록, COF 궤도선을 구성하는 개별 다리의 수가 적다. COF 궤도선이 2D ForceView의 중앙선을 따라 중심으로 진행될수록, 폐구와 접촉 분리의 모든 과정에 걸쳐 좌우 반 악궁 사이의 교합력 균형이 더 잘 잡힌 것이다.

하악이 운동하고 치열이 연루되면서, 디지털 힘 선은 교합력의 기시점에 위치하여 초기 접촉점부터 COF 아이콘이 MIP에서 운동을 멈출 때 최종 종착지까지의 과정을 추적한다. 이런 힘 선은 힘 총체의 방향성 운동을 조절, 유도, 조종하는 근본적인 교합력의 위치를 확실하게 하기 때문에, 임상의의 교합 진단 능력을 크게 향상시킨다. 더 많은 치아가 교합 접촉을 형성하면서 힘 집중이 변하기 때문에 선의 방향이 변한다. 궤도 선은 힘이 하나의 위치에서 다른 곳으로 전달되면서 실시간으로 진단하고, 한 번에 한 프레임씩(슬로우 모션으로) 혹은 연속적인 영상 재생으로 분석될 수 있다.

궤도 선 데이터를 생성하기 위해, 하악의 습관성 힘 접촉 분포의 순서를 기록할 수 있도록 환자의 머리를 똑바로 세운다(그림 5). 환자에게 악궁 사이에 레코딩 센서를 적절하게 삽입하고 2, 3회 치아를 "저작"하도록 지도한다. 그 후 소프트웨어는 폐구 순서 동안 힘 운동의 방향을 시사하는 이동 선을 생산하고, 선의 시작에서 보이는 접촉 위치 및 점의 수와 선의 마지막에 나타나는 접촉점의 수는 다르게 나타날 것이다. 부가적으로, 선의 시작에서 조합된 힘 비율은 대부분 선의 마지막에 위치하는 높은 힘 비율과 다를 것이다.

많은 선이 비슷하게 나타나지만, 힘 총체는 개인마다 독특하다. 높은 강도 접촉점의 타이밍과 위치는 둘 다 궤도 선에 의해 주행하는 경로 상에서 역할을 수행한다. 선의 종류, 스타일, 속도, 특징은 치아가 반복적인 "저작" 폐구 동안 연루되면서 하악이 다루어야 할 과제를 진단한다. 다양한 하악의 "저작" 폐구가 기록되는 2D ForceView 창에서 관찰되는 다른 특성과 형태를 발달시키는 선 기록이 그림 7-15에 소개되었다.

일부 관찰되는 궤도 선의 특징은 다음과 같다:

- 선은 점을 조직화한다(그림 7).
- 선은 반복될 수 있다(그림 8).
- 선은 휘고, 각지고, 불규칙한 모양으로 될 수 있다(그림 9).
- 선은 길고 직선일 수 있다(그림 10).
- 선은 폐구 교합 간섭의 존재를 설명할 수 있다(그림 11).
- 선은 MIP로의 악물기에 따르는 습관성 폐구 호에 첫 번째 접촉을 보여준다(그림 12).
- 선은 연루(교합)와 분리(이개)를 나타내는 V-모양일 수 있다(그림 13).
- 선은 좌측방(및 우측방) 편심위를 설명할 수 있다(그림 14).
- 선은 전방 편심위를 설명할 수 있다(그림 15).

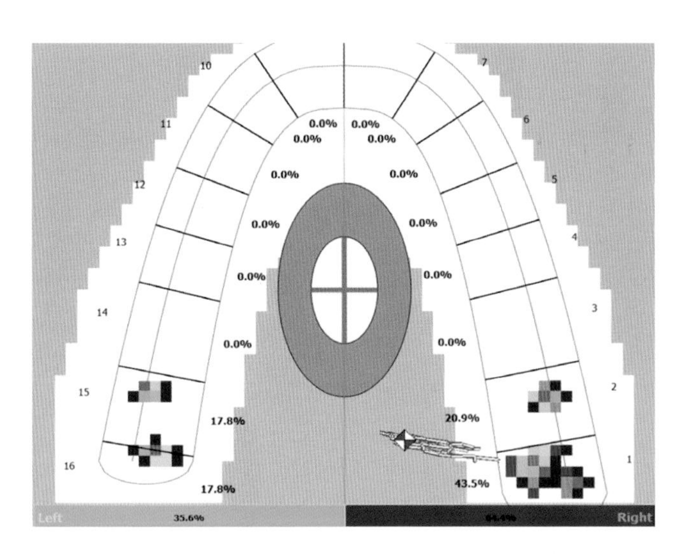

그림 7 2D ForceView 창에서 선이 접촉점을 조직화한다. 여기서, 환자는 센서 위로 폐구하여 기초선을 구축하고, 치아를 3회 "저작"하여 COF 마커의 운동에 의해 형성되는 3개의 선을 만든다. 환자가 전방 개방 교합을 보이기 때문에 MIP에서 4개의 접촉 위치만이 발생한다. 순차적인 힘 강도가 약에서 강으로 변하면서 선이 우측에서 좌측으로 이동한다. 모든 힘 전달은 악궁의 후방 우측 부분에 위치한다. 선은 반복되고 치아가 힘 전달을 지배함을 암시하는 악궁 위치를 분리한다

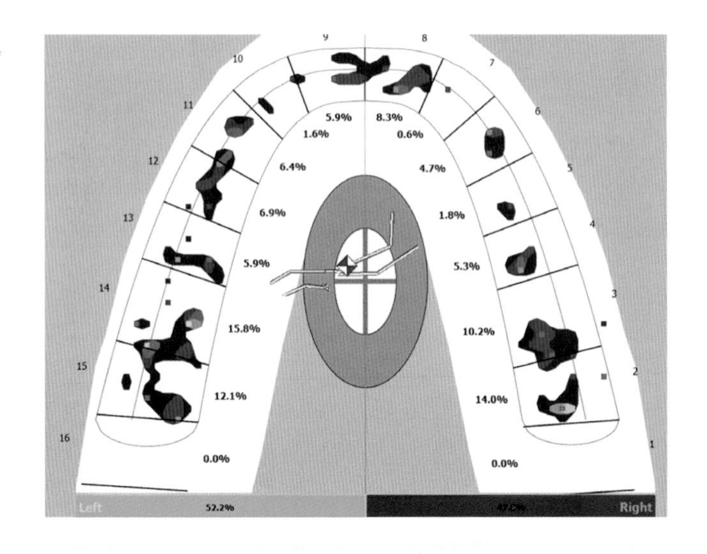

그림 8 전치가 먼저 연루된 후 교합이 MIP로 도달하면서 교합력이 후방 좌측 방향으로 향함을 보여주는 "저작" 양상의 반복적 선 증례. 잠시 후에 선이 반복된다. 2개의 각 적색 궤도 선은 휘어져있지만 동일한 운동의 동일한 특징 양상을 보여준다. 각 "저작" 선은 회색의 COF 구역에서 시작하여, 센서 상으로의 두 번째 "저작" 동안 치아가 연루와 분리를 반복하면서 선이 우측에서 좌측, 그리고 후방으로 이동한다

선은 악궁의 뒤로 후방으로 이동하거나(그림 8, 9), 악궁을 가로질러 측방으로 이동한다(그림 10-13). 선의 대부분은 정지하기 전에 약한 힘에서 강한 힘으로 이동하고(그림 7-12) 악궁의 특정 부위 내에서 운동한다. 예를 들어, 그림 7에서, 선은 악궁의 후방 우측 부위에 위치한다. 그림 11은

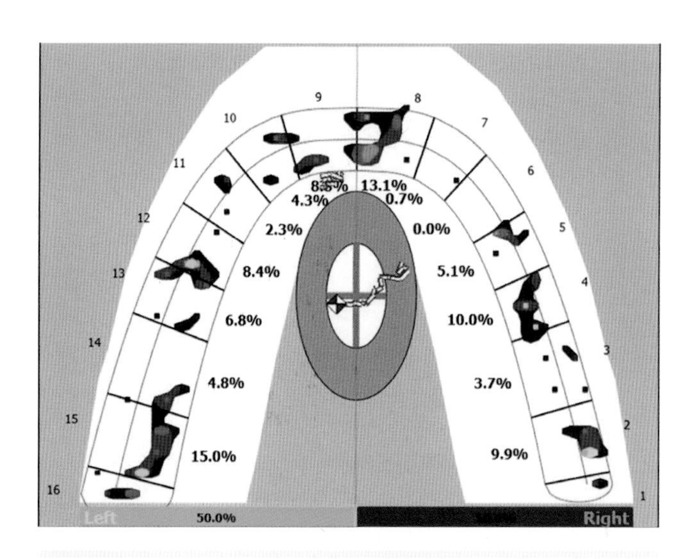

그림 9 이번 증례에서는 2세트의 선이 있다. 첫 번째 "저작"은 전치만 기록하여 폐구 경로가 전방부에서 저항이 있음을 암시하고, 종종 기능 범위가 전방 악궁 배열에 의해 제한되는 것을 시사한다. 두 번째 "저작" 선(중앙부)은 짓눌리고 압박 받거나 꾸불꾸불한 선의 예로, MIP로의 스트레스성 교합을 암시한다. 여기에서 힘은 전방 우측에서 중앙 좌측으로 주행한다. 후방으로 운동하기 위해 더 많은 접촉이 연속적으로 힘에 영향을 주면서 선의 방향이 변화한다. 선에서의 모든 커브는 악궁 내에서 약간의 교합 접촉력 변화로 야기되고, COF 아이콘이 다음에 이동할 위치에 영향을 주고 방향을 지시한다

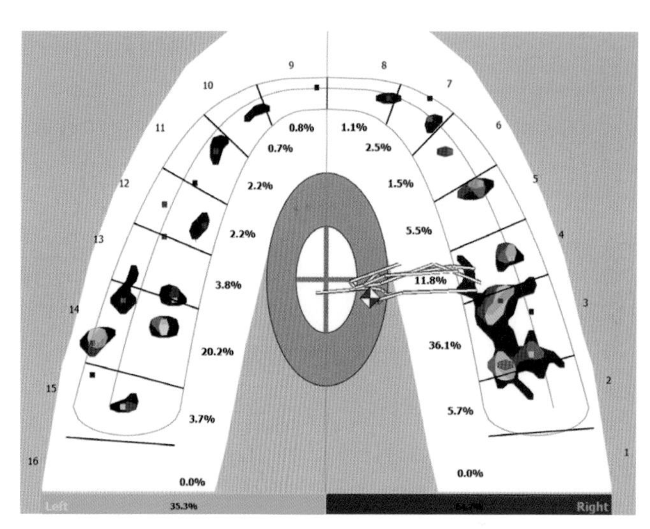

그림 11 점 무리로 구성된 교합 간섭의 존재를 보여주는 선의 증례. 여기에서, 몇 개의 선이 #3, 4(16, 15)번 치아가 총 힘의 47.9%를 받는 후방 우측 4분악에서 시작한다. 시간의 경과에 따라 미세외상은 악궁의 해당 부위에 병적 이상을 초래할 것이다. 좌측 치아 접촉에 앞서 교합 간섭이 강력하게 상승하는 곳에서 선이 시작한다. COF 궤도는 좌측을 향해 이동하지만 COF 타겟의 흰 부분의 우측에서 정지하고, 절대 중앙선을 넘지 않는다. 이 폐구 순서 내에서 후방 우측 치아가 MIP 전후의 모든 다른 교합 접촉 연루를 개시하고 지배한다

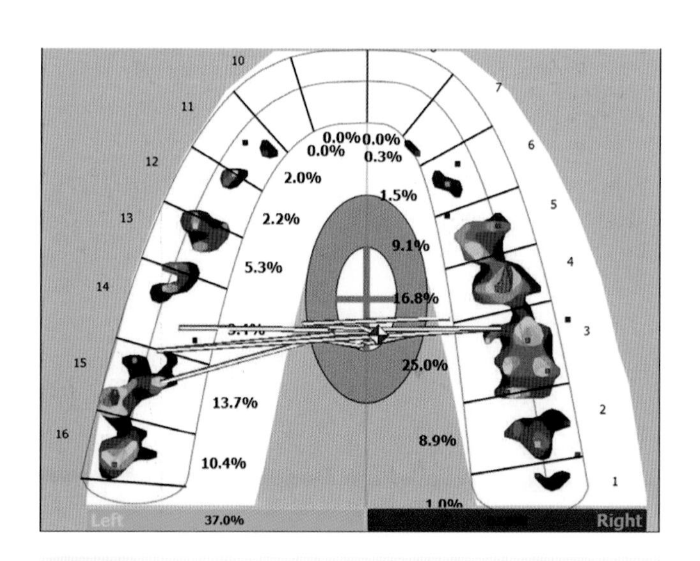

그림 10 다수의 길고, 직선적이고, 반복적인 선의 증례로, 좌우측 치아가 거의 동시에 교합하는 것을 암시한다. 그림 9에서의 궤도 선과 달리, 힘 전달이 빠르게 해방되기 때문에, 이 선은 고정되지 않았다. 우측 반악궁의 힘 강도와 모양은 좌측과 다르지만, 악궁 내에서의 총 힘이 최대 힘 프레임에서 균형 잡힌다. 이 선들은 매우 직선적이어서 폐구에서 개구까지 힘이 전달되는 동안, 짧은 시간 프레임(0.02-0.04초)이 경과됨을 가리킨다

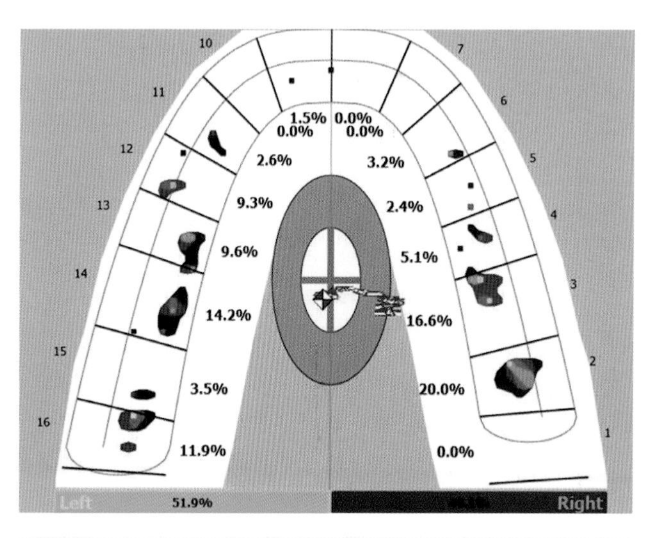

그림 12 양수 조작술(Dawson, 2007) 폐구 선 양상의 예. 이 양상은 #2, 31(17, 47)번 치아에 존재하는 교합 간섭에 의해 지배당한다. 과두가 CR 폐구 호로 조작될 때 첫 번째 우측 후방 치아가 교합되면서 발생하는 연장된 힘이 증강되기 때문에, 양수 조작 동안 선의 출발이 우측 후방 4분악에 정체되어 있다(선의 적색 동그라미). 그 후 환자가 CR 조작 위치를 떠나 습관성 호로 활주하여 최종 MIP로 악물면서 선이 COF 타겟을 향해 이동한다

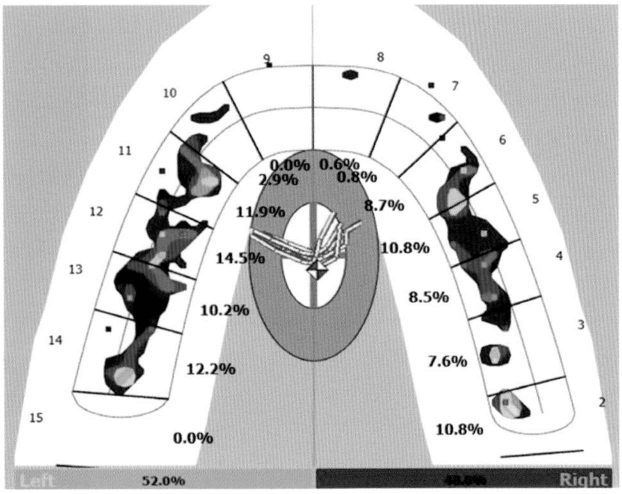

그림 13 V-모양 선의 일례. 여기서, 환자가 MIP로 자가-폐구하면서 좌측 치아 접촉 직전에 우측 전방 부위 접촉이 일어난다. 이 프레임은 총 힘의 94.16%에서 치아 대부분이 접촉할 때 힘 총체가 중앙화되었음을 의미한다. 환자가 이개하기 시작하면서, 힘이 좌측을 향해 떠난다. 이 선의 짧은 본성은 MIP 전후에 신속하고 균형 잡힌 접촉 타이밍이 있음을 시사한다. 중앙선 우측의 선은 교합을 나타내고 이개를 나타내는 중앙선의 좌측 선과는 다른 특성과 방향을 가진다

악궁의 중앙 우측에 위치한다. 그림 18은 2개의 선이 악궁의 중심으로 주행하는 것을 보여준다.

그림 13은 다르다. 이 증례에서, 힘 운동은 악궁의 우측에서 시작하여 COF 타겟 중심에서 정지하고(교합력), 개구 시 힘이 점차 해방되면서 방향이 변한다. 교합 선(전방 우측에서 중앙)과 이개 선(중앙에서 전방 좌측)은 길이가 같고 서로 대칭적이다. 이개를 나타내는 선은 교합이 강한 접촉에서 힘을 방출하는 잠재력을 가짐을 시사하고, 미세외상 부위를 분리하는 효과를 최소화한다. 그림 13은 MIP 전후의 균형 잡히고 중앙화된 힘 분포(*교합 및 이개*)의 일례이다.

마지막으로 저자의 관찰에 의하면, 대부분의 궤도 선(70% 이상)이 우측 악궁에서 좌측 악궁으로 운동한다. 이에 따라, 미래의 연구는 힘 운동이 좌측 및 우측 방향 사이에 균등하게 시작하지 않는 이유를 분리하는 것이 필요할 것이다.

선 판독 시 기억해야 할 3가지 필수적인 인자가 있다:

- 선은 교합 과정 동안 낮은 힘에서 높은 힘으로 이동한다.
- 선은 이개 동안 높은 힘에서 낮은 힘으로 이동한다.
- 선은 총 힘의 100% 혹은 0.00%에서 이동을 중지한다.

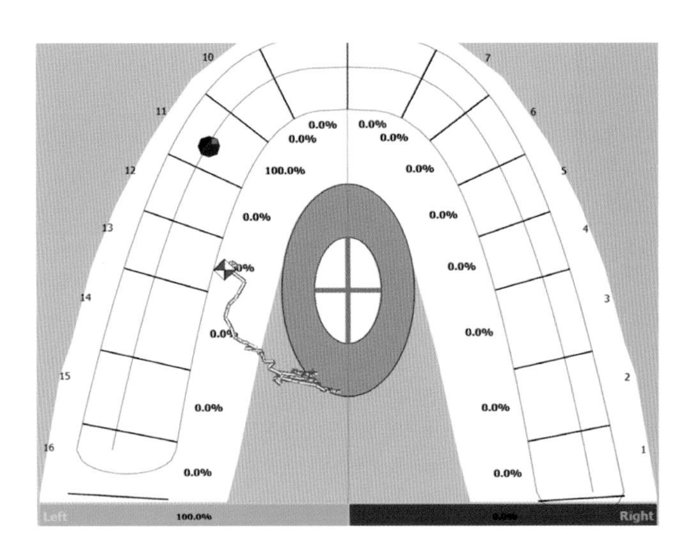

그림 14 습관성 좌측방 편심위 운동에서 제일 마지막에 기록된 프레임. 모든 치아가 MIP로 교두감합할 때 시작하는 굽은 선의 증례로, 그 후 환자 하악은 좌측으로 활주한다. 최종 접촉점이 유일한 접촉점으로 총 힘의 100%를 받는 견치 교두첨에 위치한다

좌측, 우측, 전방 편심위 선

전통적인 아날로그 교합지 자국에서는, 환자에게 모든 치열이 연루될 때까지 하악을 폐구하고, "저작"하거나 좌측, 우측, 전방으로 미끄러지게 하여 임상의가 접촉 위치와 접촉 선 전달을 시각화할 수 있게 한다. 교합된 석고 모형을 사용하여 폐구 및 측방 편심위 운동을 시각화할 수 있다. 같은 방법으로 T-Scan 센서를 사용하여 편심위 운동을 기록하고 분석할 수 있다. 그림 14는 전통적인 교합지 술식으로 획득한 정보의 디지털 표현을 보여준다. 환자에게 센서로 폐구하도록 설명하여, 모든 치아를 교두감합하게 한 후 임상의가 지시한 방향인 좌측으로 하악을 운동하게 한다.

궤도 선은 최대 접촉 수가 발생하는 COF 타겟의 기초에서 시작하고 좌측으로 이동하여 최종적인 견치-대-견치 단일 접촉점에서 정지하는 힘 전달을 묘사한다. 활주에 연관되는 모든 접촉 치아는 연속적으로 기록되고 편심위 접촉 양상의 본성을 입증하기 위해 매우 느린 슬로우 모션으로 검토되고 분석될 것이다. 제공된 프레임은 편심위의 마지막을 보여주지만, 궤도 선은 편심위가 진행되면서 전체 힘이 좌측으로 이동하는 것을 설명한다.

편심위 영상의 재생은 전통적인 교합지가 제공할 수 없는 정보를 보여준다. 좌측 운동을 책임지는 악궁 내의 모든 치아가 순서대로 기록된다. 궤도 선은 힘 총체의 방향적 운

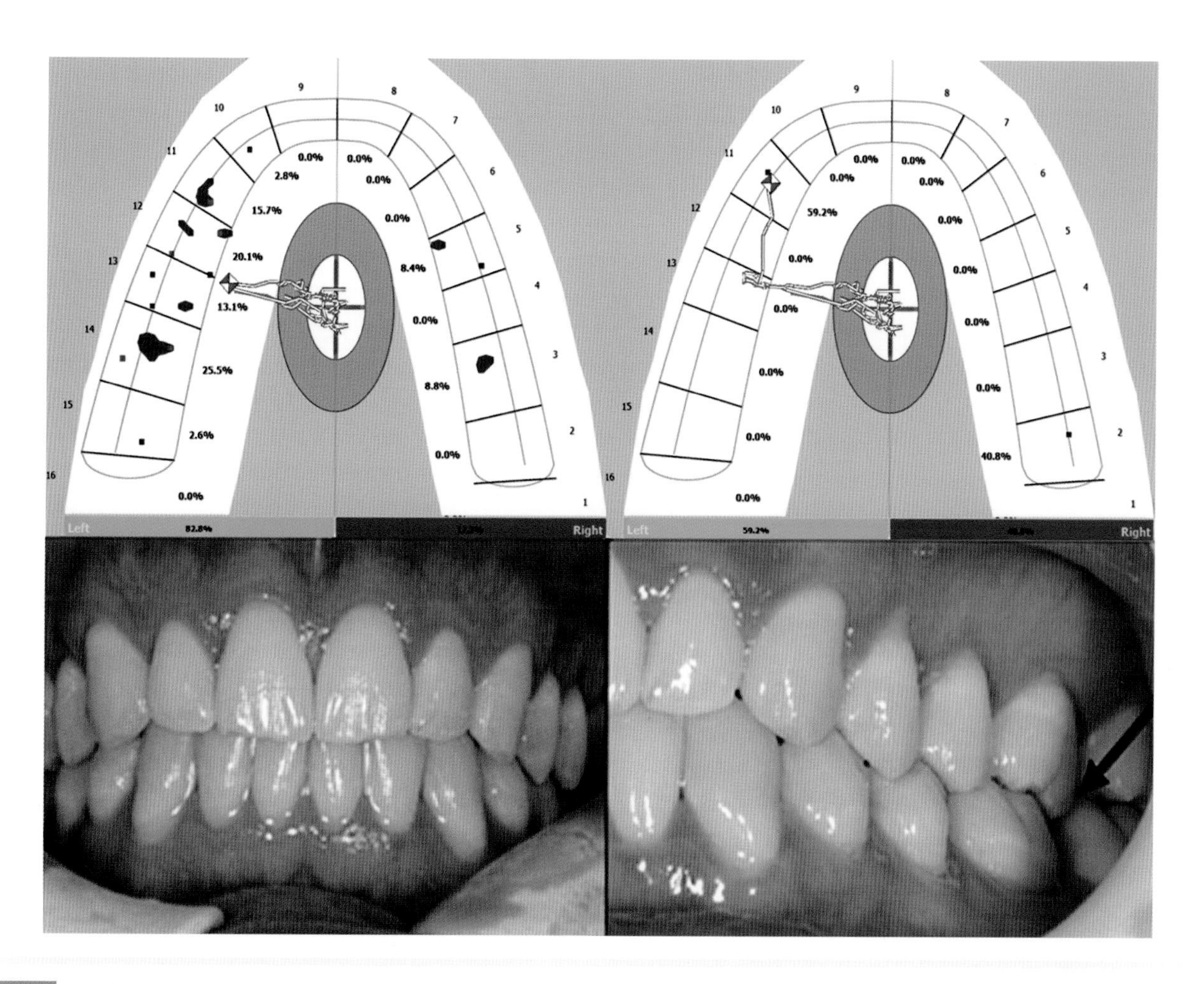

그림 15 "저작 그리고 전방 활주"는 치아의 반복적인 "저작"을 전방 편심위와 조합한 술식이다. 좌측 상방 구획은 환자가 모든 구치를 이개시키지 않고 하악을 전방 운동하기 전에 몇 번 센서 상으로 "저작"하는 것을 보여준다. 상방 우측 구획은 전방 운동 내에 후반 순서를 보여주는데, 악궁의 좌측이 전방 운동을 조절한다는 것을 시사한다. 하방 좌측 사진은 습관성 폐구 위치를 보여준다. 하방 우측 사진은 #14(26)번 치아의 돌출된 원심협측 교두(검정색 화살표)가 보이는데, 이것이 교합 간섭이 되어 하악의 한 위치에서 다른 위치로의 균형 잡힌 힘 전달을 방해한다. #14(26)번 치아의 원심협측 교두는 과다한 좌측 "저작" 폐구력을 지시하고 전방 운동의 초기 부분을 조절한다

동을 조절하고 조종하는 근본적인 교합 접촉의 위치를 확실하게 한다. 영상의 슬로우 모션 재생으로 확인할 수 있는 편심위 간섭이 존재한다면, 선 방향이 MIP에서 견치 이개로 향하지 않을 것이다.

"저작" 기록과 방향적 운동의 조합

편심위 활주를 디지털적으로 기록하기 위해, 환자에게 정적인 위치(보통 MIP)에서 활주를 시작하여 원하는 방향으로 하악을 운동하게 한다(그림 14). "저작" 기술을 원하는 운동 혹은 한 방향으로의 활주와 조합하면, 편심위 활주를 선행하는 "저작"의 결과로 형성된 선 양상이 변화한다.

그림 15의 전방 운동 선은 정지된 MIP 위치에서가 아니라(그림 14처럼), "저작" 위치에서 출발하였다. 이런 예에서, 악궁 내의 다른 치아와 비교할 때 #14(26)번 치아의 원심협측 교두가 배열에서 벗어났기 때문에, MIP 위치 밖으로의 좌측 및 전방 운동에서 기본적인 교합 간섭이 된다. 환자의 "저작" 후 형성된 전방 및 측방 편심위 활주 기록으로부터 얻어진 데이터는 진단을 위한 임상적 사진과 교합된 석고 모형과 쉽게 연관될 수 있다.

선은 교합력 총합, 방향과 특성을 규정한다

요약하면, *COF 궤도 선*은 다음의 힘 속성을 가진다:

- 하악 폐구 동안 발생하는 다수의 점 접촉에서의 연속적인 접촉 순서는 COF 궤도가 악궁을 통해 이동하는 경로를 규정한다. 이 이동은 궤도 선 경로를 구축한다.
- 선이 시작부터 끝까지 획득하는 위치와 방향은 교합력

총체가 이동하는 방법을 보여준다. 이것은 추가적인 임상 확증을 위해 교합된 석고 모형과 사진으로 어느 정도 관찰될 수 있다.

- 연속적으로 접촉하는 모든 치아의 힘 총체가 교합력 총체를 유도하여 방향적 변화를 형성하면서, 선이 휘고, 각지고, 방향이 변할 수 있다.
- 비-직선적이고 들쭉날쭉한 선은 한 접촉점에서 다른 접촉점으로 혹은 접촉점의 한 그룹에서 다른 그룹으로의 힘 크기 변화를 보여준다.
- 선은, "조기 접촉" 혹은 "과다한 힘" 교합 접촉 부위를 목표로 한 교합 조정을 통해 임상의에 의해 조작되고 조절될 수 있다.
- 선은 힘 총체 이동의 방향을 설명하고, 반복적인 힘 이동 싸이클로 야기된 디지털 교합력 분포 양상의 모양과 특성을 규정한다.

이론적 교합 평면

관례적으로, *평면*은 평평한 2차원적 표면으로 정의된다(Wikipedia, 2013). 그러나, 교합 평면은 평평하지 않고, Glossary of Prosthodontic Terms는 교합 평면을 치아의 절단면 및 교합면에 의해 수립되는 평균 평면이라고 정의하였다. 일반적으로, 이것은 하나의 평면이 아니라, 이런 표면 만곡의 평면적 평균을 대표한다(Academy of Prosthodontics, 2005). COF 궤도 선이 항상 직선은 아니라는 생각과 유사하게, 교합 평면도 실제적으로 상악 치아와 연루되는 하악 치아를 수용하는 독특하게 형성된 3차원적 공간이다. 힘 연루는 기능 운동 범위 동안 저항과 해방 모두를 만나게 된다.

*힘 싸이클*은 교합 평면 안팎으로 연루되는 경계의 성공적인 힘 영상 프레임을 윤곽화하여(그림 16), 첫 번째 접촉부터 MIP로 들어가는 모든 길의 힘 총체를 지도화한다. 그 후, 개구 운동 내내, 하악과 상악이 완전히 벌어지면서 마지막 접촉점이 이개 마지막에 사라질 때까지, 접촉 순서는 역으로 진행된다. 하악의 계속 반복적인 운동이 선택된 경로가 되는 기능 범위를 결정한다고 알려져 있다(Dawson, 2007). 따라서 치아가 이런 선택된 경로를 간섭할 때, 변형과 기능이상이 발생하여 취약 고리가 구조적 손상을 드러낼 것이라고 제안되었다(Dawson, 2007). 기록된 힘 분포 싸이클은, 하악이 직면한 균형 잡힌 착륙과 방해 받지 않는

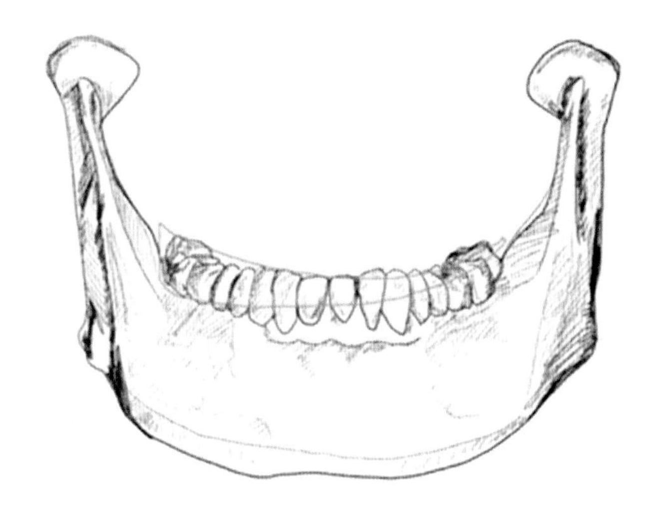

그림 16 치아 위에 그려진 청색 윤곽은 불균형한 교합력이 균일하지 않은 교합 평면에 전달될 때 수립되는 3차원적 경계를 나타낸다

MIP로부터의 이륙을 성취하는 도전을 노출시킨다.

상악의 교합 평면은 힘 싸이클을 기록하는 동안 하악이 접촉하고 떠나는 정지된 플랫폼이다. 모든 기록된 힘 프레임은 정지된 상악에 대한 하악의 강력한 연루 혹은 분리의 마찰성 시간 간격을 설명한다. 이 스캔으로 상악과 하악 교합 평면 사이에 비대칭적인 힘 전달이 있는지에 대해 예견적 진단을 형성한다. 임상의는 비-이상적인 상하악 교합 접촉 상호작용을 생산하는 침해의 근원을 더 잘 시각화하기 위해, facebow transfer, 교합된 진단 모형, 임상 사진으로부터 획득한 추가적인 정보를 필요로 한다. 이 방법으로, 디지털 교합력 분포 양상(Digital Occlusal Force Distribution Pattern, DOFDP)을 마운팅된 모형, 디지털 방사선 사진, 임상 사진과 일치시킴으로써, 교합간 접촉 전후로 하악이 항해하는 방법을 설명하게 된다.

하악이 *교합*의 경계 위치에 도달하여 MIP를 떠나기 시작하면, 개구 운동 힘 데이터는 임상의에게 매우 중요한 교합 개념을 상기시킨다. 무거운 접촉이 감소하거나 방출되는 것인가, 아니면 이개 범위가 미세외상력에 의해 가둬지는 것인가? 불균형한 *교합 평면*은 종종 힘을 가두고 기능이상을 증진시킨다.

마지막으로, 과두 위치, 전방 유도, 후방 유도, 동작 범위, 기능 범위, 두개 자세 양상 등이 상악 교합 평면 내외로의 하악 폐구 운동에 영향을 미치는 변수가 된다(그림 37 참조).

교합 간섭 및 임상적 교합 평면

T-Scan의 2D 평면 데이터를 이용하면, 악궁 내에 적용된 교합력의 방향을 측정하고 상악 교합 평면 내로, 위로, 밖으로의 움직임을 추적할 수 있다. 교합력이 불균형하면, 교합 평면이 3개의 평면(횡단면, 시상면, 수평면) 중 한 면에서 비대칭적일 것이다. 부가적으로, pitch, yaw, roll 벡터는 악궁의 형태, 전-후방 축(Spee 만곡), 내외측 축(Wilson 만곡)에 의해 영향을 받을 수 있다(Carlson, 2003).

15세쯤 되면, 전후방 부위의 힘 분포는 하악이 선호하는 MIP로의 경로에서 교합 간섭의 존재 유무를 임상의에게 상기시킨다. 후방 부위는 작업측에 능률적이어야 하고, 비-작업측과 조화를 이루어야 한다.

"전방"이라는 형용사는 "앞쪽이나 앞을 향해 위치한"이라는 의미이다. 교합에 대한 기준점으로의 용어 "전방"은 "과두의 전방"을 의미하기도 한다. 용어 *전방 유도*는 다소 혼동스러울 수 있다. 과두 전방이라면 필연적으로 모든 구치를 포함한다. 그러므로, 구치가 MIP 안팎으로의 하악 전방 유도를 조절하는 것이 가능하다. 치의학은 하악의 선택적 경로를 변경하는 구치 혹은 전치에 대한 하나의 규정만을 가져야 하는 것이 현실이다. 용어 *간섭*은 선호하는 하악의 운동에 대한 굴절이나 제한을 서술하는데 사용된다.

하악 운동에 대한 전방 자기수용성 조절을 제공하는 첫 번째 치아 접촉을 *전방 조절*이라고 정의한다. 상방 교합 테이블과 상방 교합 평면으로 하악 치아를 유도하는 과두의 전방에서 일련의 접촉이 따라온다. 대구치가 접촉을 이루는 첫 번째 치아라면, 그 후 구치부가 상하악 교합간 상호작용을 조절하고 전방 유도와 과두 유도의 효용성을 방해하게 될 것이다.

정의

- **후방 유도**: Glossary of Prosthodontic Terms에는 정의되어 있지 않다. 치의학에서는 조기접촉의 *교합 간섭*을 포함하는 구치부를 일컫지만, 이 용어는 모호하고 좀 더 완벽한 정의가 필요하다.

역사적으로 치의학은 구치부가 들어맞고 유도하고 교합하는 방법에 대한 이해를 제공하기 위해 다른 정의를 사용하였다:

- **간섭(1783)**: 조화로운 하악 운동을 제한하거나 방해하는 특정 치아 접촉.
- **교합 간섭**: 다른 치아들의 조화롭고 안정적인 접촉 달성을 방해하는 특정 치아 접촉
- **교합 조기접촉**: 교두감합의 계획된 타이밍 전에 발생하는 대합치의 어떤 접촉.
- **굴절된 교합 접촉(조기접촉이라고도 알려진)**: 치아를 이동시키고 하악을 의도된 운동으로부터 방향을 바꾸는 접촉.
- **굴절(deflection, 1605)**: 정상적인 하악 운동을 제한하는, 하악 정중선의 절치 경로의 연속적인 편심 변위.
- **교합 평면**: 치아의 절단연과 교합면에 의해 형성되는 평균적 평면.

전후방 만곡: 이론적 Spee 만곡

Spee 만곡은 정중시상면 상으로 투사될 때 치아의 교합면 배열에 의해 수립되는 해부학적 만곡으로 정의되고, 하악 견치의 교두첨에서 시작하여 소구치 및 대구치의 협측 교두첨으로 이어지고 하악지(ramus)의 전방 경계를 관통하여 하악 과두의 최전방 부분에서 끝난다(von Spee, 1890).

Spee 만곡은 전후방 축에서 대칭적인 하악 평면으로 묘사되는 해부학적 3D 형태이다. 그림 17은 대칭적인 Spee 만곡의 정의와 일치하는 하악궁을 보여준다. 그러나, 교합하는 평면은 상악궁에서 발견되는 고정된 3차원적 형태이다. 하악의 이상적인 전후방 평면은 상악 교합의 전후방 평면과 조화를 이룰 수도 있고 그렇지 않을 수도 있다.

협설측 악궁 모양(이론적 Monson 만곡)

이론적 Monson 만곡은 각 교두와 절단연이 Glabella(미간) 부위를 중심으로 하는 직경 8인치의 구 표면 부분에 접촉하고 순응하는 위치이다(Academy of Prosthodontics, 2005). 3 평면(수평, 수직, 횡단) 모두에서 후방 교합 윤곽이 조화를 이루는 3차원적 구가 이상적인 Monson 만곡을 대표한다.

상악궁 형태와 구개 천장은 상기도 저항을 가지는 환자에서 발견되는 진단적 지표이다. 어린 나이에 혀의 근기능적 습관과 연하 반사가 구개의 모양과 폭경 결정에 관여하고, 이것이 교합 평면의 협설 크기를 결정하게 된다. 구강의 골격성 및 근신경 상태의 진단적 구내 상태는 혀 크기, 아치형의 구개, 좁은 상악궁 및 하악궁, 불균형한 후방 교

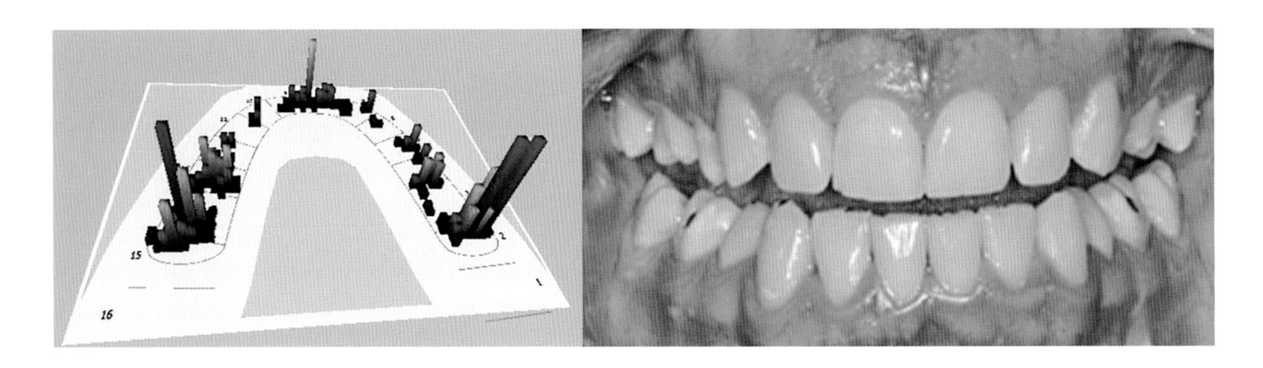

그림 17 비대칭적 상악 교합 평면과 대칭적 Spee 만곡을 가진 하악궁의 증례. 후방 우측 상악의 모양과 위치가 비대칭적이기 때문에, 하악궁의 전후방 평면은 균형 잡힌 후방력과 교합의 평면과 연루되지 않는다. MIP의 힘 스캔 기록이 두 악궁 모양 사이의 동반 상승효과를 방해하는 간섭의 중요점을 진단할 것이다

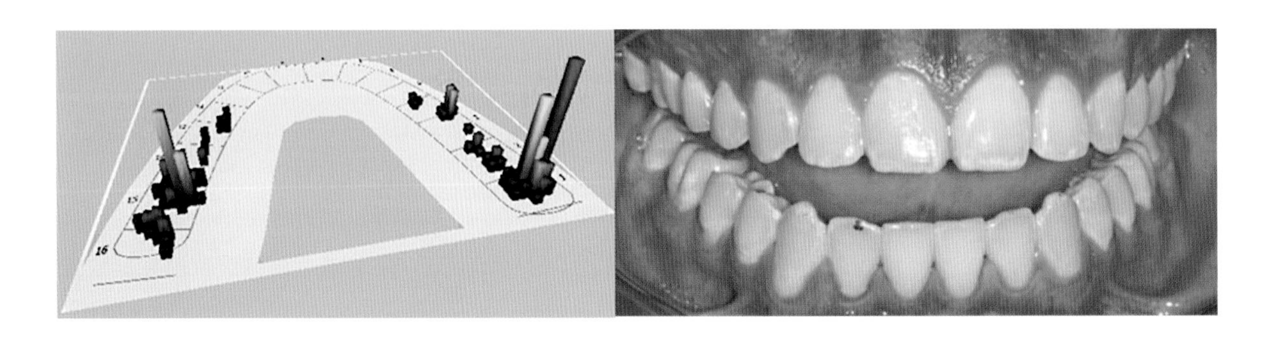

그림 18 상악궁 및 하악궁의 폭경이 협설측으로 좁다. Tongue thrust와 짝을 이루는 좁은 상악궁으로 전방 개방 교합 형성을 야기할 수 있는 골격 성장 양상이 형성될 수 있다. 3D 후방력 분포가 근본적인 교합 간섭의 위치(#2, 31(17, 47)번 치아)를 보여준다

합 평면을 포함한다(그림 18). 성인의 좁은 악궁은 하악의 측방 운동을 제한하고 위축시키고 변형시키며, 과다한 후방 교합력 분포 양상을 증진시킨다. 종종, 편측으로 좁은 상악궁이 편측성 반대교합의 원인이 된다.

내외측 만곡(이론적 Wilson 만곡)

이론적으로 교합 평면은 자연적으로 구의 형태로, 정면으로 투사된 교두의 굴곡은 상악궁의 볼록한 곡선을 수반하는 하악의 오목한 곡선으로 나타난다(Wilson, 1911). 한층 더 나아가 이런 전방 곡선의 서술은, 좌우 대구치의 동일한 설측 경사가 원의 둘레를 따라 정렬된 상응하는 교차-배열된 교두첨을 형성한다는 것을 시사한다. 부가적으로, 상악 치아의 횡적 교두 굴곡은 장축의 동일한 협측 경사에 의해 영향을 받는다. Wilson 만곡은 하악 구치부의 설측 교두보다 높은 협측 교두와 상악 구치부의 반대의 경우에 의해 특징지어진다(Wilson, 1911).

이상적인 Wilson 만곡은 기하학적으로 하악궁과 상악궁이 서로 일치하는 것이지만, 이것은 매우 드물다(그림 19). 하악의 오목한 평면은 대칭적으로 상악의 볼록한 평면과 들어맞고 모든 접촉 치아는 축의 방향으로 배열되어야 한다. 그림 19에서, 하악궁과 하악 치아의 평면은 대칭적인 Wilson 및 Spee 만곡을 가진다. 그러나, 교합의 상악 평면은 하악의 Wilson 만곡과 일치하지 않는다.

그림 20에서, 전방 우측 4분악의 좋지 않은 치아 맞물림, 비-이상적인 상악궁 모양과 전후방 및 내외측 곡선에도 불구하고, 체계의 전체적인 교합력 총체는 균형을 보인다. #18(37)번 치아 발거가 MIP에서 힘 분포의 중심화를 도왔다. 상악궁이 좁고 Wilson 및 Spee 만곡이 덜 이상적이다.

이론상, 이런 3개의 임상적 비대칭 평면은 생리적인 교합 디자인을 형성할 수 없지만, 교합 접촉 분포와 개개의 다양한 치아 접촉 강도가 조합되면서 COF 아이콘이 중앙화된다.

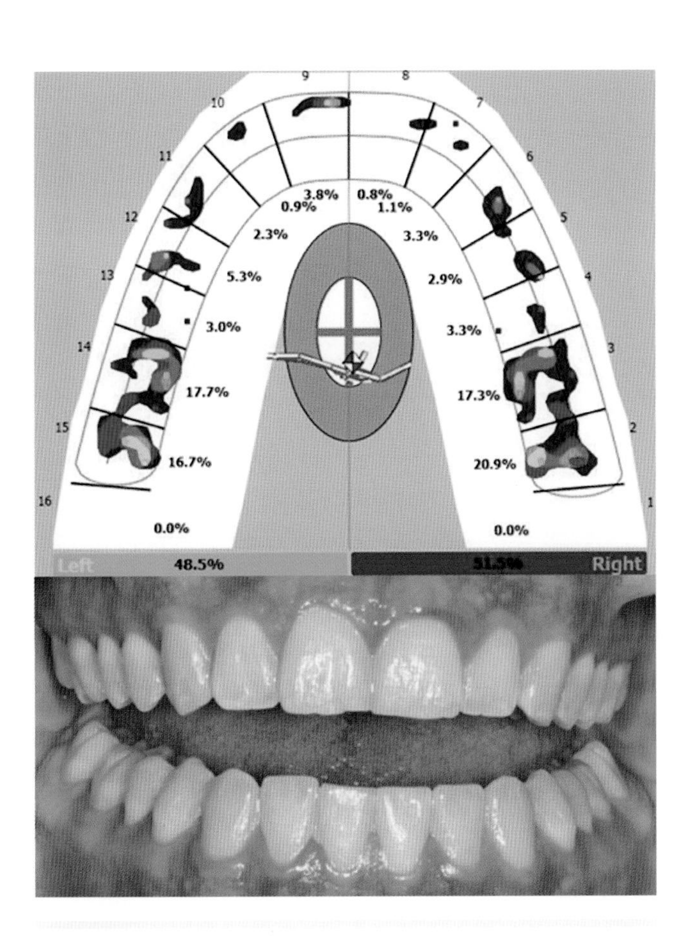

그림 19 덜 이상적인 상악 교합 평면으로 들어가고 나가는 이상적인 하악 평면의 증례. 하악 Wilson 만곡은 상악과 일치하지 않고, 이로 인해 불균형한 힘 싸이클이 만들어진다. 구치부의 설측 경사가 제2대구치에 상당한 교합력을 부하하는 것을 확인하라. 또한, 환자가 전방으로 미끄러질 때 불균등한 하악 전방 절치연이 상악 전방 절단연에 일치하여 마모된 것도 확인하라

검토하자면, 위의 *프레임* 부분의 요약은 다음을 상세히 한다:

- 프레임은 첫 번째 접촉에서 시작하여, 완전한 교두감합으로 더 많은 치아가 교두감합되면서 전개되고, 하악이 수직적으로 개구되거나 측방 편심위로 운동하면서 마지막 접촉이 분리될 때까지 지속되는 힘 싸이클을 구축한다.
- 힘 싸이클 내에서, 접촉점 순서와 상대적 힘 내용은 실시간으로 힘 분포를 설명하는 개별 프레임을 규정한다.
- 힘 싸이클 내에서 이동하는 힘의 방향과 지속시간이 과부하된 치아, 임플란트 혹은 지지 구조에 대한 향후 진단에 중요하다.
- 양질의 힘 싸이클은 최소의 교합 간섭을 가지고, 좋은 전방 유도를 나타낸다. 적용된 힘은 최소의 저항으로 치열로 빠르게 들어가고 나온다.
- 프레임 데이터는 이번 장의 후반부에 설명된 다양한 힘 양상의 특성과 질을 이해할 수 있는 토대가 된다(습관성 힘 분포 양상과 골격성 힘 분포 양상 참조).
- 머리 자세는 폐구 호에 영향을 주고 힘 분포를 변화시킬 수 있으며, 따라서 힘 싸이클의 특성과 위치를 변화시킨다(Carlson, 2003).

양상: 기능 범위와 반복적인 힘 싸이클 측정

기능 범위는 상악과 하악 사이의 근육-기원 상호작용의 특징을 대표하는 개개의 독특한 접촉 및 분리를 생산한다. "특징"이란 단어는 환자의 독특한 근육 기억 흔적 양상을 설명한다. 반복적인 힘 양상은, 환자가 초기에 가벼운 힘으로 레코딩 센서를 "저작"하고 최대 힘으로 악문 후에 놓아주는 힘으로 감소시키면서 전개된다. 실제적 교합력이 반복적인 교두감합 안팎으로 여행하면서, COF 아이콘은 교합력 싸이클의 다양한 강도를 더하고 2D ForceView 주위를 이동한다. 디지털 교합력 분포 양상(Digital Occlusal Force Distribution Pattern, DOFDP)은 교합력 싸이클이 반복적으로 접촉 치아의 교합면을 연루하는 방법을 보여주는 진단적 힘 지도이다.

힘 싸이클은 기능적이거나 이상기능적일 수 있음을 명심해야 한다. 이와 같이, 반복적인 기능 혹은 비기능적 힘에 대한 구조적 적응은 TMJ, 저작근, 치아, 기도, 골격성 자세, 치아를 지지하는 치주조직에 영향을 미칠 것이다. 그 결과는 일생에 걸친 교합에서 생리적, 병리적, 혹은 양쪽 모두로 나타날 수 있다. 힘의 패턴을 이용하면, T-Scan 임상의는 힘 싸이클에 잘 적응하지 못하는 이상기능적 힘 양상이 구조물에 손상을 어떻게 유발하는지 판단할 수 있다. 또한 T-Scan으로, 파괴적인 힘 분포를 수정하고 진행 중인 구조적 부적응 현상을 멈추기 위해 시행된 교합 치료를 모니터링할 수 있다.

기능 범위(Envelope of Function)

진단과 치료는 환자가 결과를 수용하도록 작용해야 하기 때문에, 기능은 치의학에서 매우 기본적인 개념 중 하나이다. 기능은 호흡, 연하, 저작, 자세, 편안감, 효용성, 외모, TMJ 윤활에 대해 작용해야 한다. 그러므로, 사용할 수 있

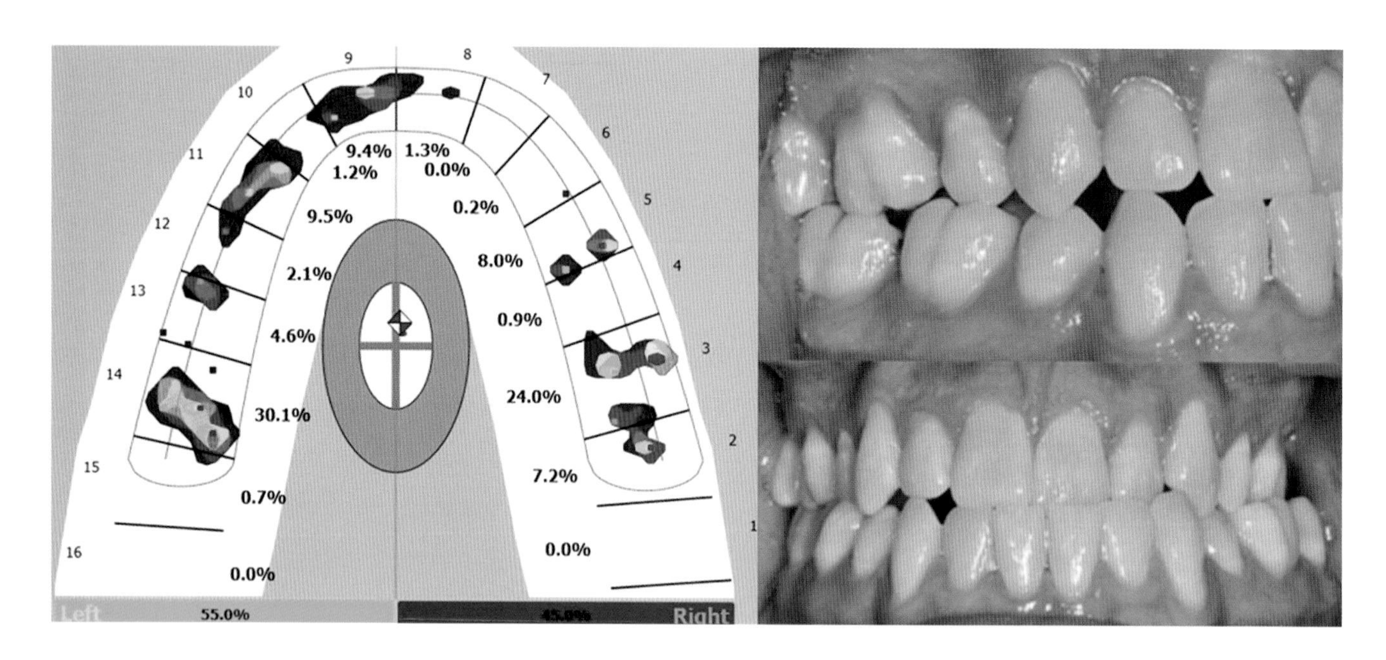

그림 20 해부학적 만곡이 비-이상적임에도 불구하고, MIP에서의 COF 배열이 중앙화되어 있다. 상악궁이 좁고 Wilson 및 Spee 만곡 모두가 비대칭적이다. 하지만, 환자는 중앙화된 COF를 가지고 있다. 악궁 좌측 상의 힘 분포가 우측과 매우 다르지만, 서로 상쇄하여 전체적인 균형이 형성된다

어야 한다.

구강 기능은 아프거나 건강한 상태에서 매일매일 수행되는 과정이다. 말 그대로 '갈아내는' 기능을 지지하는 구강과 구조물이 필요하다. 환자의 하악 위치와 교합 착륙을 진단하고 치료하는 치과의사는, 작용 중인 둘 사이의 조화와 균형을 찾아야만 성공할 수 있다. 기능 진단에서의 궁극적 의문은 "모든 구성 요소가 건강하고 안정적인 상태로 작용하는가?" 하는 것이다. 시간의 흐름에 따라 모든 것과 모든 사람이 적응하고 변하기 때문에, 교합의 기능 조화를 수복하는 건강한 임상 전략은 구조물 및/혹은 체계에 주기적으로 스트레스를 가하는 과다한 힘 위치를 최소화하는 것이다. DOFDP는 하악이 폐구의 선택적 경로에 대한 저항을 만나게 되는 위치를 임상의에게 간단하게 상기시켜 준다.

센서 상으로 "저작"하는 동안 교합과 이개의 전 과정이 매우 짧은 시간 내에 성취된다는 것을 확인하는 것이 중요하다. DOFDP는 측정으로 힘 전달을 사용하여 하악과 두개골을 연결하는 진단 도구이다. 기록은 하악 및 치열이 상악 교합 평면과 연루되는 방법을 이해하는 목적으로 사용된다. 과두를 포함하는 온전한 하악의 방향은 자기수용에 의해 결정되고 시간의 흐름에 따라 기능적 양상으로 스며든다. 하악 정지와 힘 이동이 첫 번째 접촉 형성부터 최종 정지 위치(MIP)까지 측정되면서, 힘이 이동한다. 기능의 중앙화된 경로를 찾을 때, DOFDP는 하악이 만나는 문제를 더 잘 이해하기 위한 진단 변수로써 힘 이동을 사용하여 객관적인 측정값을 기록한다. 기능 상의 조화는 모든 환자의 기본적인 목표인 이상기능을 최소화하고 수명을 증가시킨다.

데이터는 하악이 기능하는 방법을 알려주지는 않지만, 양상은 하악이 효과적인 방법으로 기능할 수 있는 가치있는 통찰력을 제공한다. 하악 치열 혹은 보철물의 균형 잡힌 착륙(교합)이 선호되는 데, 힘 분포가 효과적으로 분산, 공유, 소멸되기 때문이다. 불균형한 착륙(*교합*에의 간섭)은 하악의 방향을 변화시키고 치열이나 보철물이 덜 효율적인 방법으로 힘을 흡수하고 분산시키게 된다.

음식물 저작은 덩어리가 치아-대-치아 접촉을 제한하기 때문에, 교합과 연관된 접촉과는 다른 과정이다. 그러나, 동작 범위와 기능 범위는 TMJ와 PDL의 감각 수용기에 의해 결정되는 반복적인 근육 기억 흔적이다. 저작 동안 치열 및/혹은 보철물에 적용되는 힘은 씹히는 음식물의 밀도에 따라 달라진다. 게다가, 필요한 힘의 강도와 지속 시간은 체계의 효용성에 기초를 둔다. 껌 씹기의 단순한 반복 과정과 같은 장시간의 기능도 어떤 사람에게는 가능하나 다른 이에게는 불가능하다. 모든 환자의 식습관이 독특하지만 기능의 질과 효용성은 저작하는 환자의 능력에 따라 직접적으로 달라진다.

20세기의 전환기에 해석된 *심미성 통합의 원리*에서, 저자는 치의학이 형태가 기능을 형성하는 치과 수복물을 통합하기 위해 철학적 이행을 만들어, 역동적 평형이 견실하게 기능하는 교합을 목표로 구축해야 한다고 제안하였다(Rufenacht, 2000). 형태와 기능에 대한 인간의 적응은 시간의 흐름에 따라 생물학적으로 수용 가능한 자신의 역동적 평형을 발견하게 될 것이다. 교합 질환의 인과 관계를 이해(진단)하고 역동적 평형을 획득(치료)하는 과정은, 모든 환자 교합에의 마찰없는 기능을 창조하는 최종적 목표와 함께, 임상의의 평생 노력을 요한다.

T-Scan 교합 분석 시스템을 사용하는 디지털 교합력 분포 양상(DOFDP) 기록의 임상 술식

습관성 힘 분포 양상(Habitual Force Distribution Pattern, HFDP)은, 식사할 때의 위치와 유사하게 환자를 체어에 똑바로 앉힌 상태로 기록한다. 그 후 T-Scan sensor support와 함께 T-Scan 센서를 구강 내 상악 중절치의 협면 치간공극 사이에 삽입하고, 센서가 상악 교합 평면에 닿지 않지만 평행하게 위치시킨다. 레코딩 핸들 상의 *녹화 버튼*을 활성화한 후, 환자에게 침을 한번 삼키고 센서를 통해 견고하게 교두감합으로 물도록 부탁하고, 다시 개구하고 연속 3-4회 센서 상으로 견고하게 "저작"하게 한 후, 두 번째 견고한 교두감합으로 최종적으로 다시-악물게 한다.

기록된 각 "저작"은 힘 순서를 포착하여, 환자는 각 연속적 "저작"으로 치아와 TMJ를 더 잘 장전되게 할 것이다. 모든 "저작"의 개요는 환자 교합의 힘 분포를 규정하는 양상을 수립한다. 기록 마지막에 악물기는 완전한 습관성 교두감합의 힘 분포를 보여준다. 연하, 반복적 "저작", MIP로의 최종 이악물기로 구성되기 때문에, HFDP 영상은 일반적으로 5-7초 길이의 프레임으로 기록된다.

점진적인 재생으로 임상의는 다양한 전개 단계에서의 전형적인 힘 양상을 볼 수 있다. COF 아이콘 위치의 변화는 힘이 모든 접촉 치아에 전달되는 방법을 설명한다(그림 21-24).

양상 특성의 진단적 시각화

HFDP는 악궁 내에서 다른 위치에서 분리되는 교합력의 방향, 순서, 강도, 반복성을 보여준다. 저자의 관찰에 의하면 6가지의 다르지만 지속적으로 관찰되는 교합력 양상이 있는데, 이 장의 뒷부분에서 자세하게 다루게 될 것이다(그림 25-30, 44-49).

다양한 양상은 교합이 어떻게 증령에 따라 변화하고, 어느 치아가 유도에 관여하며, 교합력이 지지 조직에 의해 어떻게 흡수되는지를 밝힐 수 있다. 치열의 전체 수명에 걸쳐, 많은 인자가 TMJ, 근육, 치아, 치은 조직, 골, 목 자세에서 관찰되는 해부학적 변화를 촉진하기도 한다. 그러나, 반복되고 일탈된 교합력 분포가 구조적 붕괴를 촉진하는 중요한 기여 인자가 될 것이다.

그림 21 완전 폐구의 25%에서 전형적인 힘 양상. COF 아이콘이 넓게 퍼진 낮은 교합 접촉력을 보이는 후방 우측 4분악에 위치한다

그림 22 완전 폐구의 50%에서 같은 힘 양상. #14, 15(26, 27)번 치아의 힘이 증가하면서 COF 아이콘이 정중선을 가로질러 좌측 후방 4분악으로 이동하면서 우측의 교합력이 낮게 유지된다

그림 23 싸이클의 두 번째 "저작" 후에, 환자가 MIP에서 해방되어 총 힘의 44%까지 힘이 떨어진다. 첫 번째 "저작" 힘 선이 양상의 형태를 형성하는 두 번째 "저작"을 반복하면서 시작된다. 상악 교합 평면으로부터 하악이 분리되어 0.00% 힘이 되면서 두 번째 힘 싸이클이 완성된다. 첫 번째 교합 접촉점이 반복된 접촉을 시작하면서 세 번째 힘 싸이클이 시작된다

이상적인 교합에서, 과두 유도 및 전방 유도가 서로 독립적이어야 한다. 두 체계가 서로 종속되지 않을 때, 양 유도 체계가 기능 접촉 범위 내에서 기능적 조화를 이룬다(Dawson, 2007). 교합 간섭은 과두 혹은 전치를 기능적으로 의존하게 만들고, 이상기능적 힘 양상을 생산하게 된다. 이상기능적 상호관계는 환자의 해부학적 구조가 적응, 개조(remodeling), 회복의 능력보다 빠르게 나이를 먹을 때 발생한다. 단단한 중심 폐구를 간섭하거나 편심위적 하악 운동 동안 존재하는 교합력은 과두 상의 관절 디스크의 외측극 위치를 바꿀 수 있다. 일부 환자는 지속적으로 생리적으로 적응하고 구조적 붕괴나 임상적 증상을 보이지 않는 반면에, 다른 환자는 그렇지 못하다.

요약하면, *디지털 교합력 분포 양상(DFODP)*은:

- 기록된 반복적인 힘 싸이클로 얻어진다. 이런 양상은 기

그림 24 힘 분포가 폐구(교합)의 100%로 기록될 때 완성된 힘 양상의 최종 프레임. 환자가 4개의 기록된 힘 싸이클을 야기한 4회 "저작"에 이어 완전한 교두감합으로 다시-악물기를 시행하였다

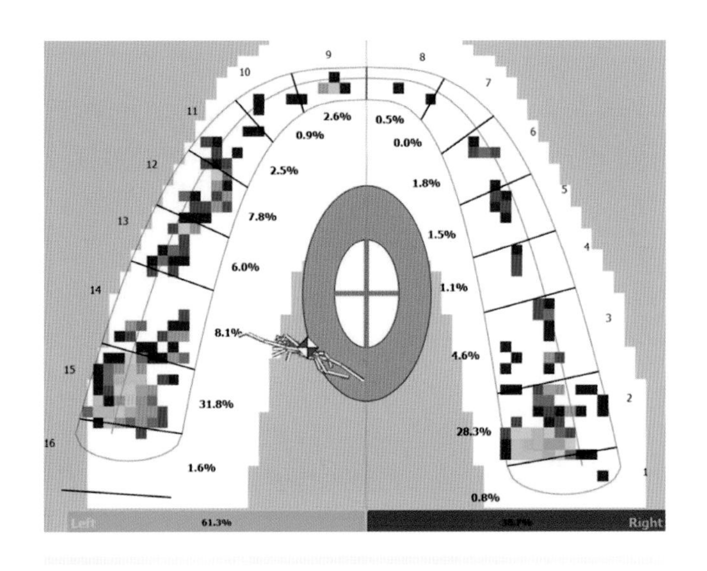

그림 25 힘 싸이클 양상 #1: 원심 후방, 좌측 혹은 우측

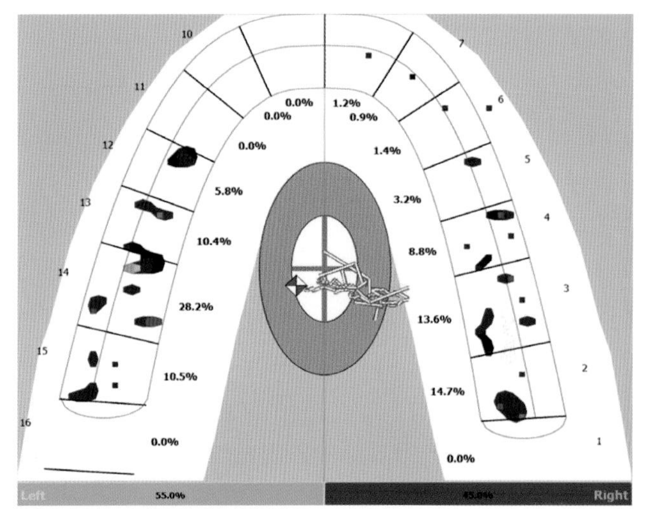

그림 26 힘 싸이클 양상 #2: 중앙 후방, 좌측 혹은 우측

능적인 치아 접촉의 교합면에 힘이 어떻게 전달되는지 설명한다.

- 시간의 흐름에 따라 예전 기록과 비교하여, 교합의 수명을 가로질러 힘 분포의 변화를 관찰할 수 있다.
- 6개의 다른 악궁 위치의 하나를 분리할 수 있다.
- 두부 자세에 의해 영향을 강하게 받기 때문에, 머리의 수직 혹은 수평 위치가 바뀌면 방향이 변할 수 있다.
- 과두 유도 및 전방 유도를 약화된 해부학적 구조와 연관시킨다.
- 교합면의 위험 요소로 작용할 수 있는, 독립된 위치의 지나치게 과도한 교합력을 분석할 수 있다.

양상 특이성

자세와 DOFDPs

저자는 지난 15년간 머리, 목, 어깨에서의 근육 발통점과 DOFDP 사이의 상호관계를 연구하였다. 그 동안 상해

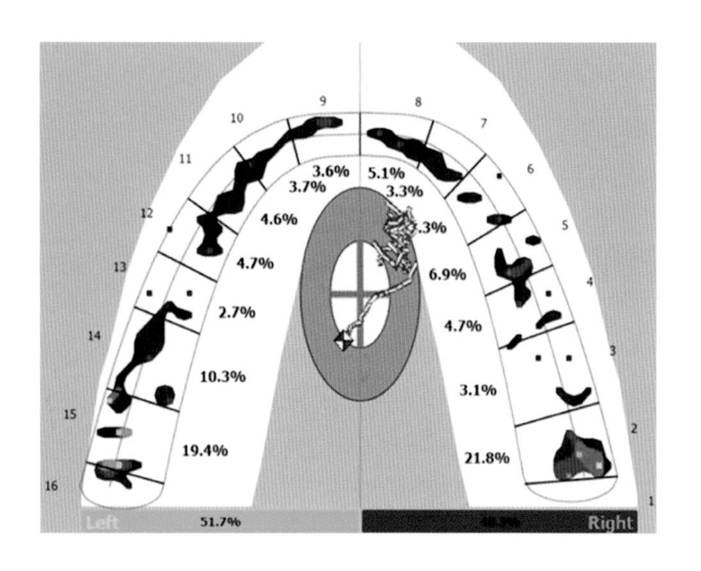

그림 27 힘 싸이클 양상 #3: 전방 우세

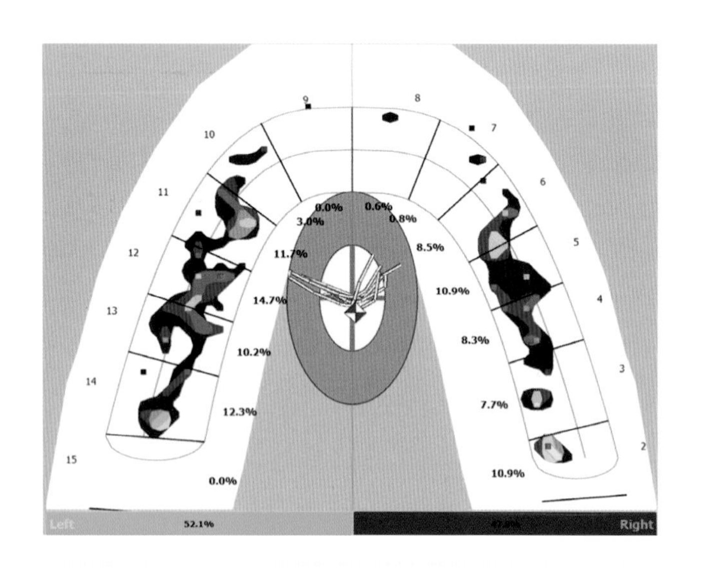

그림 28 힘 싸이클 양상 #4: COF 타켓 내로 중앙화

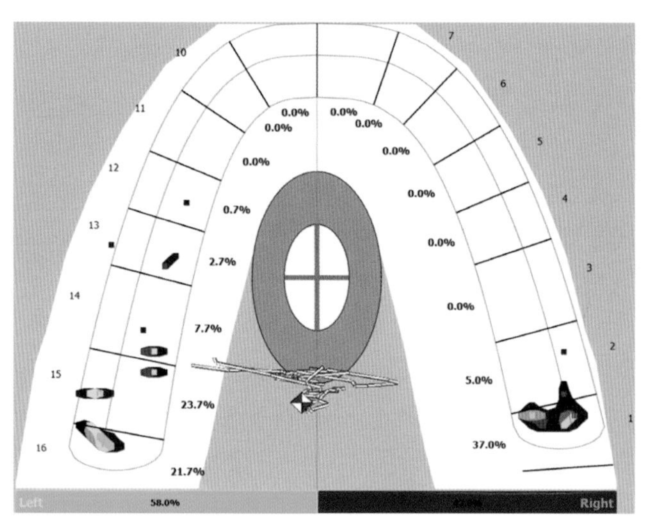

그림 29 힘 싸이클 양상 #5: 전방 개방 교합, 후방 우세

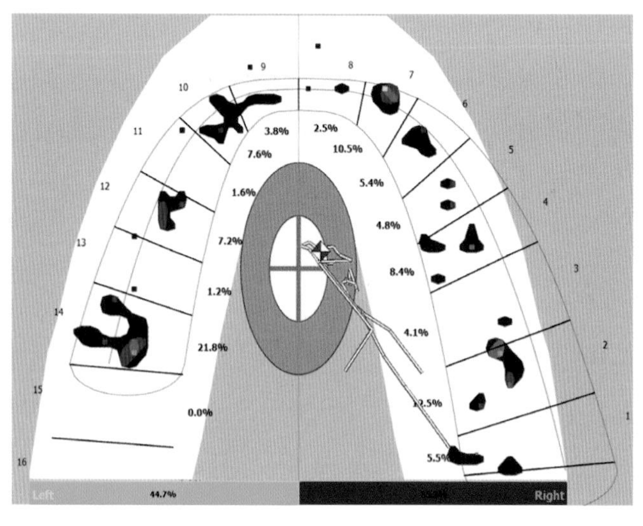

그림 30 힘 싸이클 양상 #6: 전후방 혹은 후전방, 악궁을 따라서 혹은 가로지르는

나 외상에 의해 자세가 변하거나 스트레스를 받을 때마다 힘 분포 양상이 변하는 것이 관찰되었다. 물리 치료, 마사지 치료, 척추 지압 치료, 개인 운동 처방, 요가 혹은 구조적 배열의 다른 형태로 이익을 본 환자의 기록된 힘 분포 양상은 증상이 완화되고 발통 부위가 상쇄되면서 변화하였다. 스플린트 치료, 교합 치료, TMD 치료, 수복 치료 또한 DOFDP를 변화시키고, 두경부의 자세를 잠재적으로 향상시킬 수 있을 것이다. 미래의 연구에 의해 확인된다면, 이런 고려사항이 TMJ 장애, 교합 변화, 치아 소실과 연관된 근-골격 상태에 대한 우리의 이해와 치료가 향상될 수 있다(Cuccia & Caradonna, 2009).

직접적인 치아 치료를 포함하지 않더라도 이용 가능한 TMD 치료가 많이 있다. 환자가 앉거나 똑바로 누울 때 머리가 척추의 전방으로 위치되는 것처럼 머리 자세가 바뀔 때 기록된 힘 양상에 뚜렷한 차이가 있듯이, 두개골의 자세 적응도 치아 간의 안착에 영향을 줄 것이다. 중력도 머리 자세 변화에 영향을 주어(Novak, 2006), 하악과 후두 과두 위치에 간접적으로 영향을 주게 되고 하악의 폐구호가 크게 영향을 받게 된다.

DOFDP는 다양한 머리 자세나 임상의에 의한 하악 위

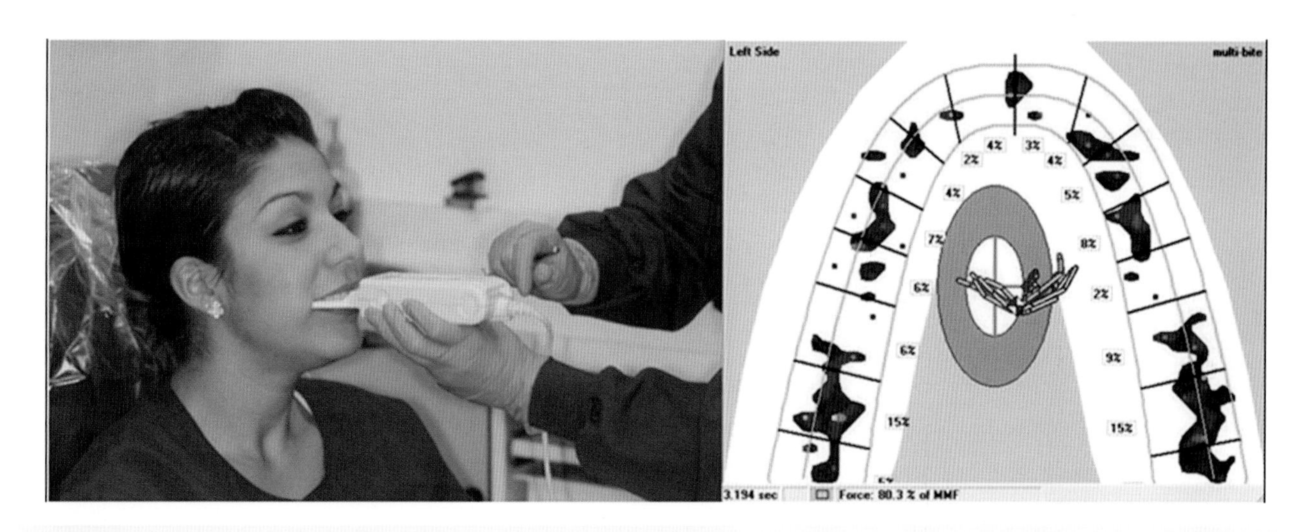

그림 31 좌측 사진은 HFDP 영상(우측) 기록을 위한 적절한 머리 자세, T-Scan 레코딩 핸들 위치, 상악 교합면과 평행한 센서 위치를 보여준다. COF 양상 결과는 적정한 양측성 힘 균등성을 수반하는 악궁의 중앙 근처로 중앙화되었다. HFDP 스캔은 하악이 상악 교합 평면으로 들어가고 나오면서 선택한 힘 경로를 진단한다

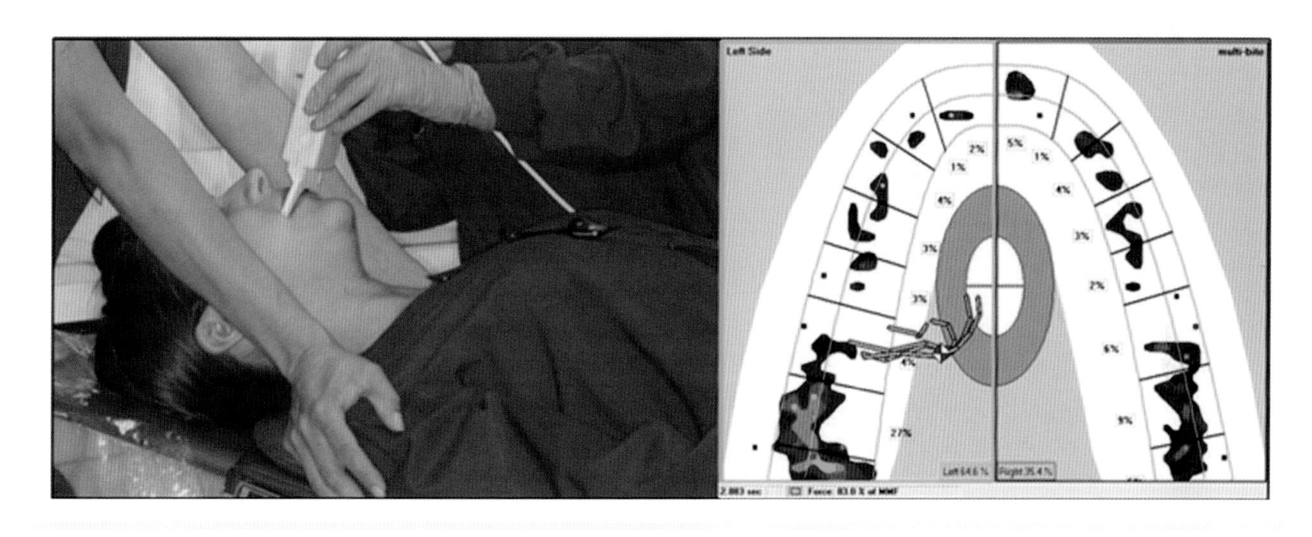

그림 32 SFDP를 기록할 때 적절하게 뒤로 기댄 머리 자세와 어깨 제한. T-Scan 레코딩 핸들과 센서가 상악 교합 평면과 평행하게 위치되어 있다. 환자는 센서를 넣은 상태로 연하하고 연속 3, 4회 저작한 후 견고하게 치아를 문다. 이 머리 자세에서, 같은 환자의 HFDP 기록과 비교해서 SFDP가 일반적으로 후방 및 외측으로 위치하기 때문에, 하악의 경로가 힘 연루 양상을 변화시킨다. 또한 노란 악궁 모양 윤곽선이 그림 31과 약간 다른 것을 확인할 수 있다

치 조작 시에 치아가 교합하는 과정을 포착한다. 각 자세는 독특한 교합력 기록을 제공한다. 다양한 진단 자세에서 DOFDP를 기록하면 반복적인 하악 운동의 변동성을 최소화하고 연구할 수 있다. 저자는 교합에 대한 미세외상력의 영향을 진단, 연구, 설명하기 위해 4가지의 다른 자세적 위치를 사용한다. 각 힘 양상은 제공하는 자세적 정보를 기준으로 명명되었다:

- **습관성 힘 분포 양상**(Habitual Force Distribution Pattern, HFDP): HFDP는 환자가 식사 시와 유사하게 똑바로 앉은 자세에서, 하악에서 상악으로 접촉이 전달될 때의 습관성 교합력 양상을 보여준다(그림 31).
- **골격성 힘 분포 양상**(Skeletal Force Distribution Pattern, SFDP): SFDP는 환자가 경부 근육 긴장이 감소된 상태에 있을 때의 교합력 분포를 설명한다. 이 상태를 유도하기 위해, 환자를 뒤로 기대게 하고 보조자가 환자의 어깨 전방부에서 중등도의 하방 압력을 가하여 경부

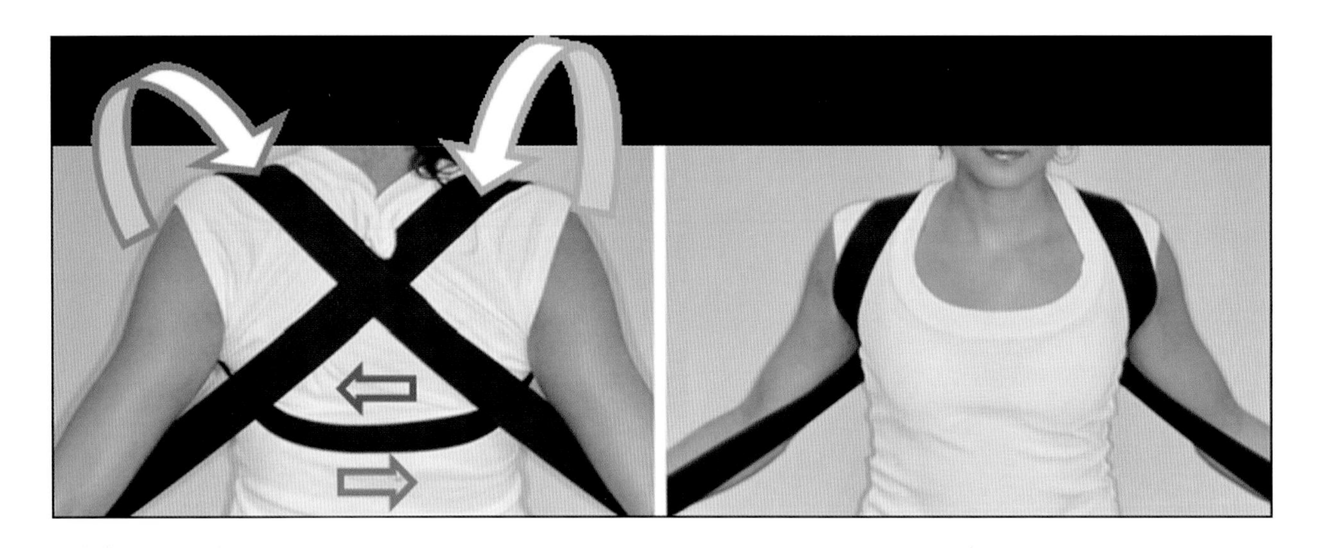

그림 33 SFDP를 기록하기 전에 도복띠 스트레칭으로 어깨를 열어준다. 이렇게 함으로써 자세가 개선되고 교합 저항을 균형 잡힌 하악 연루에 위치시키는 것을 돕는다

근육, 설골하근, 이복근이 움직이지 않게 어깨를 뒤쪽으로 신장시킨다. 스캔하기 전에 머리, 목, 어깨를 분리하고, *교합*으로 들어가고 나오는 하악의 폐구를 간결하고 좀 더 직접적이며 덜 적응되게 하여, 일반적으로 HFDP 보다 좀 더 후퇴된 힘 양상을 얻게 된다(그림 32).

- **조작된 힘 분포 양상**(Manipulated Force Distribution Pattern, MFDP): MFDP는 임상의가 폐구 호를 조절하는 과두 운동을 제한하는 위치에서 힘 싸이클을 기록하기 전에, 하악이 CR로 조작되었을 때 환자의 교합력 분포를 설명한다. 가장 흔한 조작 위치는 과두가 CR 폐구 호를 따라 부드럽게 안착되는 동안 양수 조작(Dawson, 1983)을 사용하여 얻어진다. 하악 조작의 목표는 CR 교합 접촉 안팎으로의 조절된 골격-과두 상호관계를 제공하는 것이다(그림 34).
- **수직적 힘 분포 양상**(Vertical Force Distribution Pattern, VFDP): VFDP는 환자가 서있을 때의 교합력 분포를 설명한다. 다리 길이, 둔부 위치, 상반신 정렬이 머리, 목, 하악 위치에 영향을 줄 수 있다. 정보는 교합력 분포에 대한 자세와 몸 위치의 영향을 검사한다(그림 35).

습관성 힘 분포 양상(HFDP) 기록

환자를 체어에 앉히고, 먹을 때와 씹을 때처럼 자세를 취하게 한다.

- 센서를 환자의 입에 삽입하고, sensor support를 상악 중절치 사이에 센서가 상악 교합 평면과 평행하도록 위치시킨다.
- T-Scan 기록 모니터를 관찰하면서 레코딩 핸들의 녹화 버튼을 눌러 5-7초 길이의 힘 기록을 시작한다.
- 환자에게 침을 삼키고 치아로 센서를 견고하게 물게 하여 MIP와 유사한 하악 위치 기초선을 잡는다.
- 환자에게 3, 4회 연속적으로 견고하게 "저작"하게 하고, 마지막으로 치아를 악물어 기록을 완성한다.

골격성 힘 분포 양상(SFDP) 기록

SFDP 기록은 교합력 데이터를 포착하기 위해 도와줄 2명이 보조자가 필요하다.

- 환자를 체어에 똑바로 눕힌다. 보조자가 목 지지대를 사용하여 환자의 어깨 전방으로 중등도의 하방 압력으로 누르게 하고, 환자는 숨을 깊이 들이쉬었다가 천천히 내쉰다(그림 32). 이렇게 하면, 환자의 어깨 뒤를 경부 근육, 설골하근, 이복근을 움직이지 않게 될 것이다. 도복띠를 사용하여 어깨를 뒤쪽으로 미리 늘려주면 환자가 적절한 어깨 위치를 얻는데 도움이 된다(그림 33).
- T-Scan 기록 모니터를 관찰하면서 레코딩 핸들의 녹화 버튼을 눌러 5-7초 길이의 힘 기록을 시작한다.
- 환자에게 침을 삼키고 치아로 센서를 견고하게 물게 하여 MIP와 유사한 하악 위치 기초선을 잡는다.
- 환자에게 3, 4회 연속적으로 견고하게 저작하게 하고,

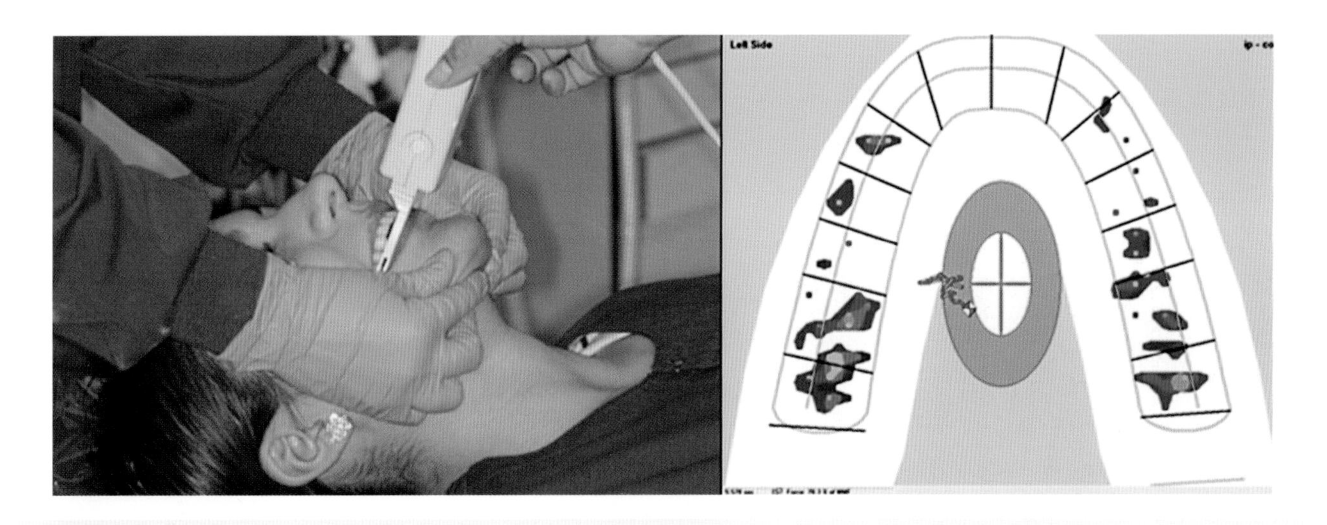

그림 34 양수 조작을 사용하여, 환자가 CR로 센서에 첫 접촉을 인기할 때까지 유도된 폐구를 시작하고, 그 후 환자가 MIP로 자가-폐구를 시행한다. 이 조작된 힘 양상은 양수 조작이 낮은 힘을 발생시키는 운동이기 때문에, 대부분 파란색에서 연두색의 힘 크기로 인기된다

마지막으로 치아를 악물어 기록을 완성한다.

경부 근육의 이완을 돕고 과신장되는 것을 예방하기 위해 환자의 목 밑에 작은 지지대나 동그랗게 말아놓은 수건을 위치시킨다. 체어에서 SFDP를 기록하기 전에, 유용한 스트레칭으로 하악 폐구 경로 위치에 영향을 미칠 수 있는 근육의 긴장을 완화한다. 환자는 이 스트레칭을 매일 혹은 주기적으로 집에서 할 수 있다. 띠를 등-중앙과 겨드랑이 밑으로 두른다. 띠의 양 끝을 어깨 앞에서 올려서 등에서 교차한다(그림 33). 띠의 양 끝을 손으로 잡고, 밑으로 당겨 어깨를 위쪽과 뒤쪽으로 신장한다.

SFDP는 환추후두관절(atlanto-occipital joint)의 자세성 적응의 변동성을 참작한다. 두개저의 환추 와는 관절와에 대해 약간 후방, 내측, 하방에 위치한다. 앙와위에서 두개골 안정은 환추의 자세성 적응을 최소화하고, 교합 평면에의 하악 경로를 측정하는 고정된 두경부 위치를 제공한다. 저자의 경험상, 골격성 및 조작된 양상을 사용하여 수행한 평형 술식은, 근본적인 교합 간섭(전방 유도)이 확인되고 식별되기 때문에, 조정이 필요한 치아의 수를 감소시킨다. 가장 강력하고 공격적인 교합 간섭을 먼저 없애고 체계에 대한 평형 회복 과정을 시작한다. 구강악계의 치료에서 안전하고 효과적인 전략은 최대로 향상된 교합 결과를 위해 최소로 조정하는 것이다.

조작된 힘 분포 양상(MFDP) 기록

술자에 의해 지시되는 어떠한 조작이라도 원하는 규제된 위치에 힘 전달 정보를 제공할 것이다. 한쪽 혹은 양쪽 과두를 안착된 위치로 분리하는 하악 조작은, 과두의 움직임을 제한하고 독특한 힘 분포 양상을 생산한다.

- CR에서 MIP로의 활주를 기록하기 위해 환자를 SFDP 기록에서 사용하였던 같은 앙와위로 눕히고, 보조자가 환자의 입 속에 교합 평면과 평행하도록 (수직적으로) 센서를 들고 있는다.
- 환자의 하악을 유지하고(그림 34) T-Scan 기록 모니터를 관찰하면서, 레코딩 핸들의 녹화 버튼을 눌러, 5-7초 길이의 힘 기록을 시작한다. 그 후 양수로 환자의 하악을 센서와 CR로 조작하여 초기 CR 접촉점이 T-Scan ForceView 창에 인기될 때까지 유도 폐구를 개시한다. 환자를 잠시 유지하고, 그 후 환자는 자가-폐구하여 MIP로 악문다.

CR에서 조작된 첫 번째 접촉점으로부터, 양쪽 과두가 부드럽게 과두와 내에 고정된 상태로, 측방이나 전방 편심위 운동, 반복된 환자 "자가-저작" 폐구 운동을 기록하는 것도 가능하다.

환자에 의해 조절되는 양수 조작 폐구는, 비유도의 습관성 기능 동안 과두의 위치에 영향을 주는 근본적인 전방(과두로의) 조절 교합간 접촉을 식별한다. 환자가 CR에서

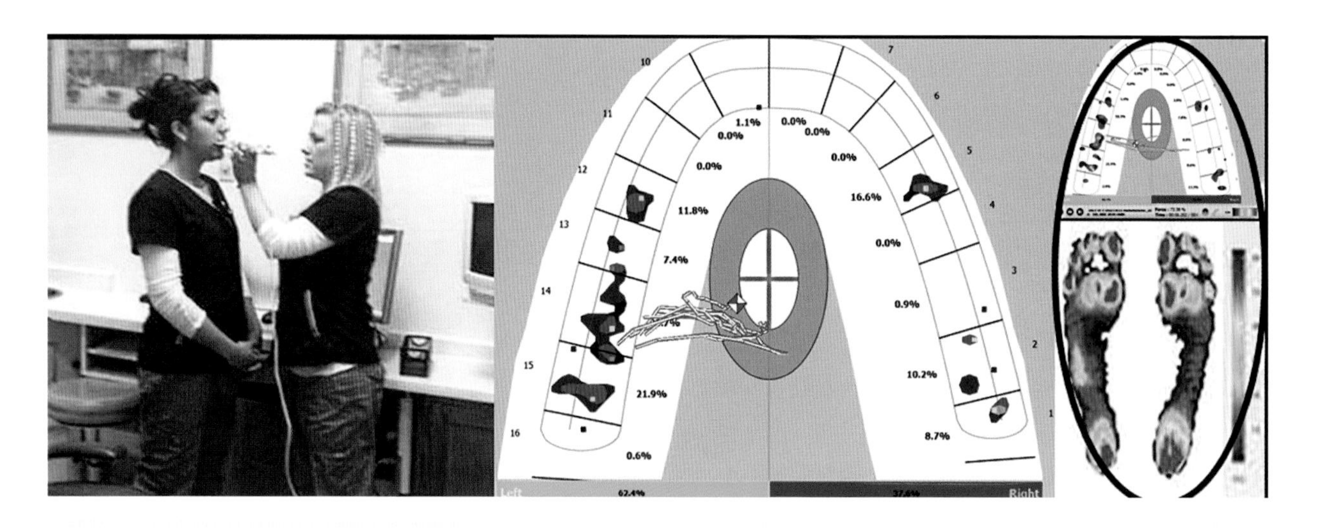

그림 35 환자가 똑바로 서서 발을 어깨 너비로 벌리고 정면을 응시한 자세에서, 센서를 넣은 상태로 연하하고 교두감합으로 문 후 3, 4회 견고하게 "저작"한다. 보여지는 힘 양상(중앙 구획)은 서 있는 동안 MIP로의 하악 연루를 나타낸다

MIP로 악물 때 MIP로의 모든 접촉점이 활성화되기 때문이다. 이 적응은 양질의 명확한 CR 접촉의 위치화와 힘 특성 수량화를 통해, 양수 조작 교합지 활주 자국의 진단적 가치를 촉진한다.

수직적 힘 분포 양상(VFDP) 기록

- 환자에게 다리를 어깨 너비로 벌리고 바닥에 평행하게 정면을 응시하면서 똑바로 서있게 한다(그림 35).
- 센서를 상악 교합 평면과 평행하게 환자의 입에 삽입한다.
- T-Scan 기록 모니터를 관찰하면서, 레코딩 핸들의 녹화 버튼을 눌러 5-7초 길이의 힘 기록을 시작한다.
- 환자에게 침을 삼키고 치아로 센서를 견고하게 물게 하여 MIP와 유사한 하악 위치 기초선을 잡는다.
- 환자에게 3, 4회 연속적으로 견고하게 "저작"하게 하고, 마지막으로 치아를 악물어 기록을 완성한다.

HFDP, SFDP, MFDP와 비교했을 때 기립 양상은 일반적으로 적은 치아 접촉, 결과적으로 적은 교합력 강도를 보여준다.

T-Scan 센서에 추가하여, Tekscan은 MatScan 기술(MatScan, Tekscan, Inc., Boston, MA, USA)도 생산하여, 역동적이고 정적인 발 압력 분포 측정값을 제공한다. 기립성 발 압력 분포가 실시간으로 EMG 활성 및 교합력(우측 구획)과 상호 연관될 수 있다. 그림 35의 우측 구획은 자세성 기능 적응을 더 잘 이해하기 위해, 다양한 근원에서 디지털 데이터의 통합 가능성을 보여준다.

HFDP, SFDP, MFDP

체어에 앉거나 누운 환자에게 기록된 3개의 힘 분포 양상(HFDP, SFDP, MFDP) 모두는, 하악이 상악과 연루될 때 다양한 자세성 위치에서 평형을 향한 하악 경로에 저항을 제공하는 첫 번째 접촉을 식별하는데 사용될 수 있다. 어떤 환자에서는, 이런 모든 힘 분포 양상이 악궁 위치 및 궤도에서 유사하게 나타난다. 다른 환자에서는, 하악 폐구 호가 전방 머리 자세, 과두 위치, 교합력 연루 사이에 진단적 상호관계가 될 수 있는 다른 힘 분포 양상(그림 31, 32, 34)을 생산한다.

그림 36은 동일한 환자에서 양 과두에 대한 3가지 다른 위치를 사용한 3개의 힘 분포 영상의 예이다. HFDP에서 과두는 동작 범위와 기능 범위 내에서 자유롭게 적응한다. SFDP는 다른 하악 경로를 측정하기 위해 머리를 고정하여 양 과두의 전방 이동을 축소한다. MFDP는 하악이 CR 과두 위치로 유지되었을 때 첫 번째 전방 조절 접촉을 측정하기 위해 고안되었다. CR로의 하악 평형 도달을 방해하는 근본적인 힘 간섭을 진단하기 위해, 과두와 머리 자세가 MFDP 내로 제한된다.

환자는 일반적으로 2가지의 다른 디지털 힘 양상을 드

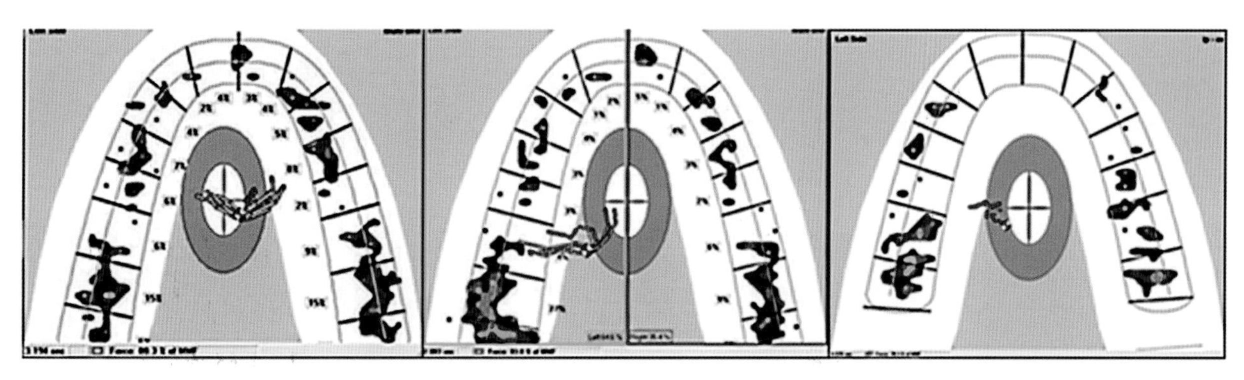

HFDP	SFDP	MFDP
환자가 앉은 자세로, 상악 교합 평면 안팎 및 평면 상으로 하악이 연루되는 적응된 경로를 보여준다.	환자가 목이 지지되고 어깨가 뒤쪽으로 단단히 유지된 상태의 앙와위 자세에서 채택된 하악 경로를 보여준다.	환자가 앙와위로 있을 때 양수 조작을 사용하여 적응된 경로 기억 흔적을 우회하여, **전방 조절**이라고 명명된 첫 번째 접촉점을 보여준다.

그림 36 같은 환자가 앉은 자세, 앙와위, 조작된 하악 폐구를 수반한 앙와위로부터 기록된 다양한 양상. 균형된 힘 분포에 대한 근본적인 저항은 CR 첫 접촉(MFDP), 골격성 기능 범위(SFDP), 적응된 기능 범위(HFDP)를 확인하여 위치화된다

러낸다; *습관성* 및 *골격성*. 습관성 양상은 "치아-결합" 교합을 채택하고, 골격성 양상은 머리, 목, 과두 적응을 최소화하는 폐구 호를 기록하기 때문에 붙여진 이름이다. 저자는 HFDP 양상을 사용하여 적응-후 교합 상태를 평가하고, SFDP 양상으로 적응-전 과두와 교합 상태를 확인하며, MFDP 양상은 CR 간섭의 실제적인 부위를 식별하기 위해 사용한다. HFDP와 SFDP가 비슷하면, 습관성 및 골격성 경로가 유사한 동작 범위와 기능 범위를 생산한다.

습관성 위치와 골격성 위치의 교합 사이에 기본적인 차이는 후자에서 양 과두가 관절와 내로 약간 제한되기 때문에 폐구 호가 변한다는 것이다. HFDP와 SFDP가 다르다는 것은(그림 36을 그림43, 44와 비교), 교합이 양측성 균형을 방해하는 근본적인 힘 저항 주변으로 기능하기 위해 교합이 적응하는 정도를 시사한다. HFDP, SFDP, MFDP에서의 COF 궤도 아이콘이 겨냥된 부위의 중앙 근처로 긴밀하게 일치하면, 동작 범위와 기능 범위 내에서 최소의 교합 간섭으로 하악이 위치한다는 것이다.

HFDP ≠ SFDP 혹은 MFDP일 때

HFDP는 대부분의 환자에서 SFDP와 다른 적응된 폐구 양상으로 나타난다. 보통 앙와위로 기록된 SFDP는 앉은 자세로 기록된 적응성 혹은 습관성 폐구 호와 비교해서 후측방으로 발견된다. 그러므로 관절와에서 각 과두의 방향(그림 40)이 약간 다르다. 그림 36에서, SFDP와 MFDP 스캔에서 발견되는 진성의 근본적 간섭이 좌측 후방 위치(#15-18(27, 28, 38, 37)번 치아)에 위치한다. 이 접촉이 균형 잡힌 양측성 접촉 연루를 방해하는 *전방 조절*이다. SFDP와 MFDP는 과두의 적응된 움직임을 제한하기 때문에, 하악 경로에 대한 저항 부위를 더 잘 보여준다. 모든 3가지 양상은 변화를 기록하기 위해 치료 전과 후에 기록되어야 한다.

HFDP = SFDP = MFDP일 때

모든 3가지 양상이 비슷하면, 하악의 선택된 경로에의 적응이 최소라는 것을 의미하고, 첫 접촉점의 위치가 3가지 스캔에서 일치하거나 매우 유사하다. 교합으로 적용된 힘 분포에 대하여 지속적인 하악 연루 위치를 입증하는 객관적인 데이터를 사용하여, 간섭의 위치를 3중으로 확인하게 해준다. 이런 호의적인 분포는 환자가 MIP로 교합할 때 COF 아이콘이 회색 및 흰색의 타원형 지역에 놓이는 부위에 의해 시사되는 양측성으로 균형 잡힌 교합 디자인을 야기한

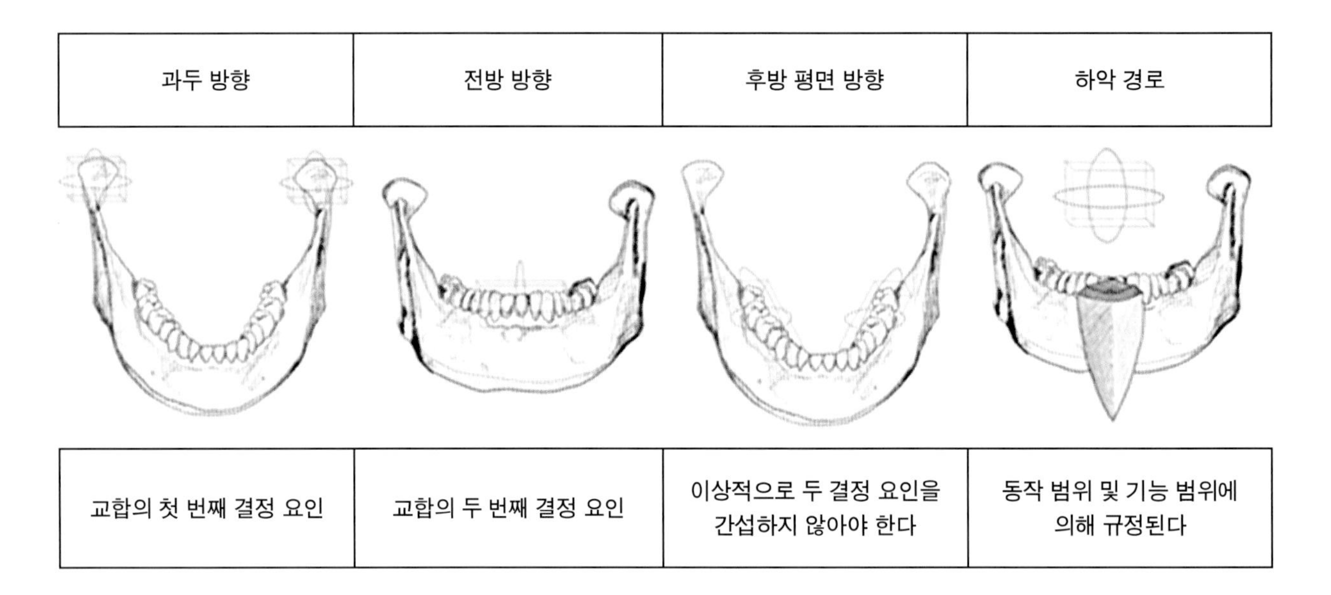

그림 37 각 힘 분포 양상은 선택된 경로의 하악 연루에 영향을 미치는 4가지 변수를 확인하는 잠재력을 가진다. 과두 방향("뒤쪽 끝"), 전방 방향("앞쪽 끝"), 후방 교합 평면(횡단 혹은 "좌우의")이 기능적으로 종속되고 하악이 상악으로 연루되는 동안 서로 불리하게 작용할 때 파괴가 발생한다

다(그림 38 참조).

양상 및 구조의 지속적인 변화

*교합한다*는 것은, 하악이 상악궁으로 폐구할 때, 접촉의 수집을 촉진하는 위치에서 같이 만나는 것을 의미한다. 교합 평면에 의해 받게 되는 각 접촉의 교합력은 구조물과 조화를 이루고 간섭이 없기도 하고 혹은 구조물과 조화를 이루지 않고 폐구 호 및/혹은 편심위 운동에 간섭이 존재하기도 한다. 구조물과 조화되지 않는 힘은 필요한 힘-소멸 구조적 적응을 촉진할 것이다.

더욱이, 변화하는 교합력 착륙 양상과 짝을 이루는 동작 범위와 기능 범위의 변화는 치아가 변화하는 적용된 교합력 크기에 반응하는 방법에 지속적으로 영향을 미칠 것이다. 하악이 종종 수면, 저작, 연하 동안 기능하고 치아 및/혹은 보철물과 연관된 어떠한 습관이 연루되기 때문에, 구조적 및 조직적 변화는 매일, 매월, 매년 발생한다. "이상적인" 교합은 일반적으로 좋은 힘 분포 양상을 보이지만(그림 38), 가장 아름다운 자연적 및/혹은 재건된 교합조차 나이가 들고 적응한다. 미세외상과 마찰은 조화로운 기능적 적응을 억제 및/혹은 방해한다(그림 39 참조).

많은 인자가 연관된 구강 구조와 하악의 구조적 양상의 변화를 촉진한다(하방 참조). 일부 인자는 감염 같은 실제

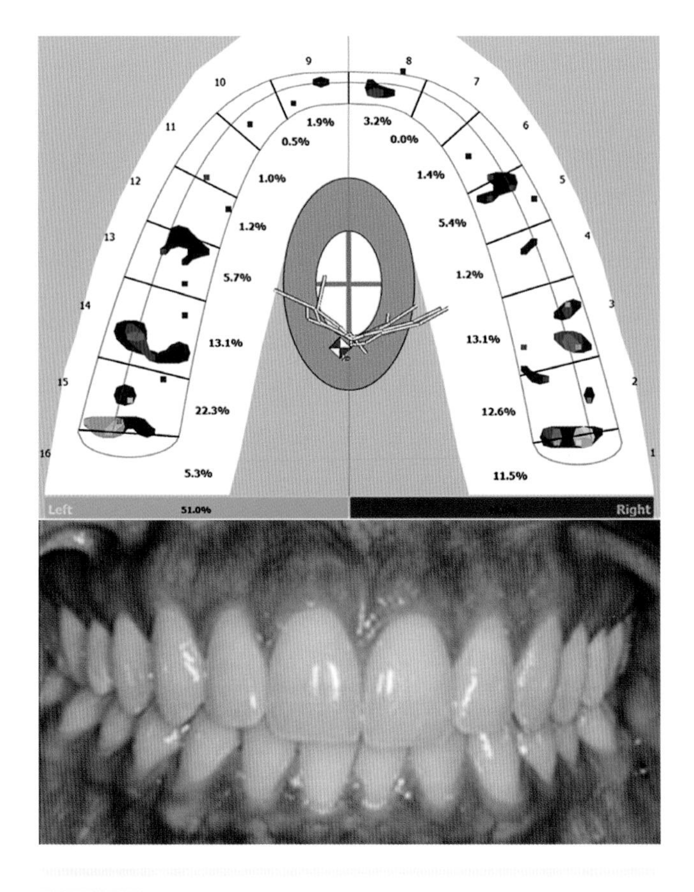

그림 38 기능적으로 조화된 HFDP가 잘 균형 잡히고, 교합 및 이개선이 COF 타겟의 중앙에 가깝다

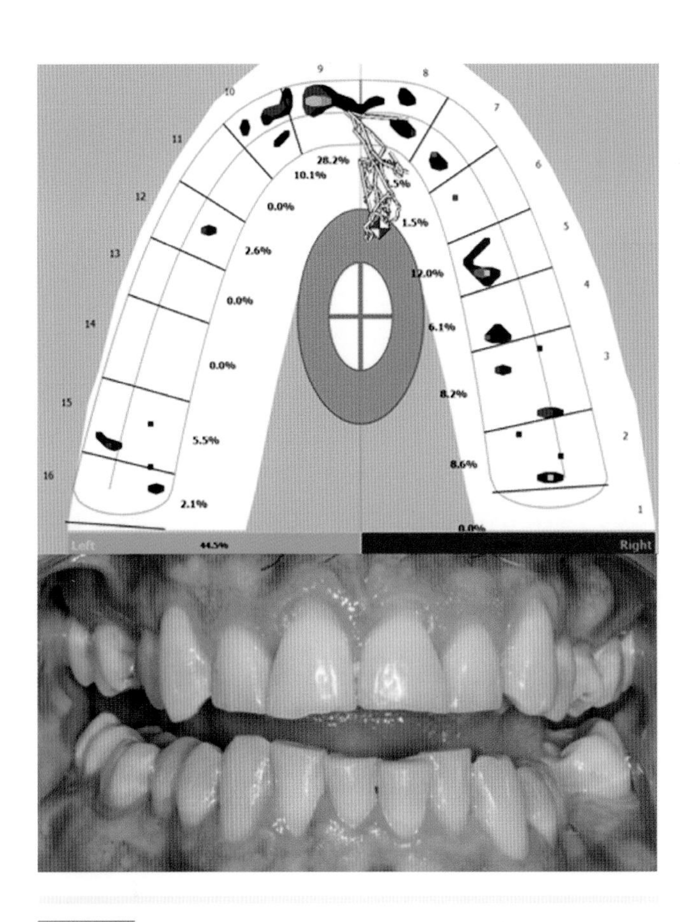

그림 39 과다한 전방 접촉력이 존재하는 비적응된 HFDP로 COF 궤도 선의 원점으로 설명된다

적인 문제이지만, 대부분의 구조적 변화는 만성적 기능장애의 결과이고 수년에 걸쳐 발달한다. 개개인의 유전, 치과 치료, 환자의 교육이 평생에 걸친 보다 건강한 치아, 치은, 치조골을 유지하는데 영향을 끼친다. 그러나, 인생의 10년마다 치아, 치은, TMJ는 장기간 교합 기능 동안 발생하는 근력에 의해 도전을 받게 된다. 다양한 힘 집중과 다양한 접촉 지속 시간으로 치아들이 서로 부딪치면서 발생하는 반복적인 미세외상이 *교합* 기능을 변화시킬 것이다. 간단히 말해서, 더 많은 치아가 함께 할수록, 일생을 통한 변화를 야기하는 힘에 적응하기 위해 구조적 지지 체계를 지시하는 자기수용 감각이 더 많이 변형될 것이다.

*힘 분포 양상*에 영향을 미치고 변화시키는 기능적 및 구조적 인자는:

- 치아와 지지골의 배열, 위치, 질, 저항.
- 치아의 선천적 소실 혹은 발거.
- 교합 접촉을 변경시키는 교정 치료, 신경 치료, 교합 조정 술식, 수복 치료.
- 치아 우식 병소(교합면, 인접면, 치근면) 및 다른 구조적 병리.
- 정상적 기능, 이상기능, 기능장애에의 적응.
- 치주적, 기능적, 환경적 질환.
- 적용된 교합력에 대한 CEJ의 적응(굴곡파절 형성 및 치주 퇴축).
- 마모와, 스트레스 파절, 치아 및/혹은 보철물 대체의 교합면 구조의 변경.
- 구강 혹은 치주 수술적 치료.
- 수행된 치과 치료의 질(재료, 타이밍, 기술).
- 환자 식이습관, 영양, 유전, 평소 관리의 질.
- 출생부터 일생에 걸친 혀와 기도 작용.
- 수면 동안, 일할 때, 놀 때, 쉴 때의 머리와 목 자세.
- 임신으로 인한 호르몬 변화, 진행 중인 질환으로 인한 만성적 약물 사용, 구강 건조증, 당뇨 등과 같이 구강 해부학의 항상성에 영향을 미치는 어떤 체계적 변화.
- 하악-대-두개의 공간적 관계를 변화시킬 수 있는 스플린트 치료, 척추 지압 치료, 물리 치료, 마사지 치료.

디지털 교합력 접촉 측정은 교합 진단 과정을 현저하게 향상시키고, 컴퓨터-유도 교합 치료를 통해, 치료되지 않은 상태로 남게 되면 미세외상을 유발하거나 적응 과정을 촉진시키는 구조적 구성 요소의 수명을 증가시킨다. 하악의 선택 경로에 대한 저항이 장기간의 구조적 약화와 경로 변경을 야기할 것 같다. 변경된 경로는 적응을 촉발하고 최종적으로 체계와 구조에 병리를 야기한다.

교합 스플린트는 구조적 손상을 최소화하고 기능적 조화를 증진시킬 수 있다. 교합 스플린트 치료는 이상기능 힘에 대한 기계적 약점을 구축하여 저작계에 근신경적 조화를 수립하는 예술이자 과학이다(Dylina, 2001). 스플린트는 전통적으로 하악과 상악의 구조적 통합을 분리하기 위해 사용되었다. 스플린트의 목표는 습관성 폐구 위치와 다른 위치로 두개골에 하악을 위치시키는 것이다. 게다가, PDL과 TMJ의 감각 수용기의 자기수용기가 스플린트가 장착되면서 변경될 것이다. 스플린트의 다양한 재료와 디자인은 하악의 경로, 양 과두의 위치, 저작근의 반사 기억 흔적을 변형하는 능력을 가진다. 이와 같이, 스플린트를 장착하여 진단적 치료적 목표를 위해 습관성 위치와 스플린트-변경 폐구 위치 사이의 변화를 관찰할 수 있다. 어떤 환자들은, 두통, TMD, 수면 무호흡 환자의 증례에서 보고되는 것처럼 간단한 치료용 스플린트로도 매일의 삶의 질을 향상시키는 잠재력을 가진다(Dylina, 2001).

만성적 미세외상은 수정이 필요하여, 좋지 않은 힘 분포는 하나 혹은 그 이상의 개입 술식으로 변화될 수 있다. 치료는 힘 분포를 변경시키고 잠재적으로 병적 적응 변동성을 지속적인 생리적 폐구 호로 변형시킬 수 있다. 교합 치료의 근본적인 목표는 구조물과 구강악계 사이에 기능적 조화를 성취하는 것이다. 이렇게, 임상의는 교합 평면 안팎으로 힘이 분포하는 양상을 변경, 조절, 혹은 완전하게 변화시킬 수 있다. 좋은 임상 판단과 객관적 데이터는 제공하는 치료의 예후와 수명을 향상시킬 수 있다.

임상의는 좋지 않게 분포된 힘 양상을 몇 가지 방법으로 변경시킬 수 있다:

- 자연스럽게 적응되는 교합을 모니터링.
- 자세성 변화 형성(물리 치료, 등).
- 스플린트 치료 적용.
- 치열의 평형화.
- 필요하다면, 치열 수복.
- 전 악궁을 재구축.
- 치아를 교정적으로 이동.
- 악교정 수술로 악궁을 재배열.

치료 옵션은 임상의의 목표에 따라 달라진다. 단일 치아 변경은 체계의 힘 분포에 영향을 미칠 수도 그렇지 않을 수도 있다. 단기간 내의 다수 치아 변경은 전 악궁에 걸친 접촉력 연루가 변할 가능성이 현저하게 증가된다. 교정, 전악 재건, 혹은 새 의치는 접촉력 분포를 완전히 바꾸고 구강악계 내에서의 하악 연루를 변화시킬 것이다. 치료 전후에 채득한 디지털 접촉 측정으로 치료를 안내하고 연관된 구조물에 만들어진 개선을 기록할 수 있다.

디지털 교합력 분포 양상의 진단적 가치

TMJ, PDL, 근육의 감각 수용기는 지속적인 피드백 기전을 제공하여 치아에 대한 힘을 조절한다. 안면골의 성장, 저작 동안의 근 수축력, 이동에 대한 치아의 자연적 성향 같은 인자들은, 교합 항상성을 유지하는데 있어서 자주 언급된 구조물보다 훨씬 더 중요할 것이다(Enlow, 1990).

기억 흔적(저작 "근육 기억")은, 이전에 생각되는 것보다 훨씬 짧은 2분 이하로 지속되는 근육 상태를 조절하는 반사로 보여진다. 모든 연하에 관여하는 저작근에 보강되고 저장된 이 반사는 저작근 활동을 조절하여, 한치의 오차도 없이 교두감합 위치(intercuspated position, ICP)로 하악궁을 유도한다. 이 근육 조정은 ICP로의 하악 입장에 영향을 미치는 지속적으로 변화하는 내부와 외부의 인자를 보상한다(Lerman, 2011).

기능 범위를 결정하는 하악의 반복적인 운동이, 단순한 설명에 의해 설명할 수 있는 것보다 훨씬 복잡하고, 정교하게 민감한 감각계에 의해 더 많은 영향을 받는 것이 확실하다고 발표되었다. 그러나, 임상 관찰에서 너무 지속적으로 무시되고 있다. 하악은 선호하는 기능 경로를 가지고, 치아가 이 선택된 경로를 방해한다면 변형 혹은 이상기능이라는 비용을 지불해야 할 것이다. 취약 고리가 손상의 주요한 초점이 될 것이다(Dawson, 2007).

DOFDP를 구축하고 하악 연루를 측정하는 힘 싸이클 기록은 다음에 의해 영향을 받는다:

- 머리와 목의 위치(SFDP).
- 과두 방향(MFDP).
- 전방 방향(HFDP).
- 교합의 후방 평면(SFDP).

하악 경로의 방향, 양 과두의 위치, 전방 조절, 교합의 후방 평면은 주기적이고 반복적인 양상으로 *교합*하고 *이개*하도록 하악을 유도, 조절, 접촉하게 한다(그림 37).

그림 38은 뛰어난 해부학적 형태와 건강한 교합을 가진 환자로, 교합이 그림 37에 제시된 4가지 교합 원칙 중 하나라도 침해하지 않는다. HFDP가 잘 균형 잡혀 있고, 교합 및 이개 선이 COF 타겟의 중앙에 가깝게 위치한다. 치아의 배열은, 약간 후방 중앙에 위치한 COF 아이콘 위치와 함께, 파괴적인 힘에의 적응이라기 보다는 보존적인 힘 소멸로 진단된다. 전방 부분은 단단하게 짝지어지고(#8(11)번 치아에서 약간의 진탕음 수반), 교합 후방 평면은 힘의 디자인과 균형 모두에서 대칭적이다. 후방 좌측 상악 평면에서 #11-22(23-27, 33-37)번 치아의 접촉이 약하여, #8번 치아에서 진탕음이 발견되어 쉽지 않은 "완벽한 교합" 보유를 방해한다.

그림 39는 비적응적 HFDP를 보여준다. COF 궤도 아이콘(상방 구획)은 과다한 전방 접촉력이 존재한다는 것을 시

사한다. 구치부의 좋지 않은 배열, 양측성으로 고르지 않은 교합 평면, 적응된 과두 방향 모두는 전방 구조물의 이상기능에 기여한다. 힘 총체(COF)의 전방 위치는 이 치열 내의 파괴적인 힘 소멸을 진단한다. 과다한 전방력이 치아 구조가 현재의 상태로 변하기 몇 년 전에 존재하였다. 힘 분포 양상에 의해 설명되는 것처럼, 이 교합은 상호의존적인 적응이 없는 4개 원칙의 조화로운 기능을 침해한다.

대부분의 양상은 기능적 및 이상기능적 요소 모두를 보여준다. 일반적으로 양상들은 연관된 치아 구조물과 환자의 평생에 걸친 저작 기구의 반복적인 기능에 의해 지시된다. 많은 HFDP가 어떤 손상을 초래하기 전에 수년간 존재하는데, 이런 양상을 근육, 인대, TMJ, 치아, 지지 치조골에 힘을 가하는 반복적인 습관성 스트레스 결과물의 속도를 늦추거나 방지할 수 있게 하는 뛰어난 진단 도구로 만들 수 있다. DOFDP는 궁극적인 파괴가 자신을 드러내기 훨씬 전에 교합 간섭을 식별하기 때문에, 치료의 "예견 및 예방" 모델이 될 수 있다.

힘 싸이클이 같은 부위에서 발생하는 환자에서, 치열궁의 부위 내에서 분리되는 힘 싸이클이 동일한 특성을 가지고 유사한 증상을 유발한다는 것을 저자는 경험하였다. 한 환자에서 다음으로 유사하게 행동하는 선과 양상은 종종 양성 혹은 음성으로, 내적 혹은 외적으로 유사한 구조적 변화를 야기한다.

과두 방향은 교합의 첫 번째 결정 요인

모든 환자 치료의 목표는 건강한 교합에서 나오는 기능적 자유를 그들에게 제공하는 것이다. *교합의 첫 번째 및/혹은 두 번째 결정 요인*(Dawson, 2007)의 침해 혹은 입증은 객관적인 힘 싸이클 측정으로 기록될 수 있다. 과두 경로는 하악 뒤쪽 끝의 운동을 지시한다. 이것이 교합의 *첫 번째 결정 요인*이다(그림 40)(Dawson, 2007). "뒤쪽 끝"은 견치 후방의 구치부와 TMJ의 배열과 연관된다. 이상적인 정렬은 좋은 동작 범위를 가지는 2개의 건강한 과두가 최소의 교합 간섭과 조화를 이루는 것이다. 두 번째 결정 요인은 전방 방향으로 하악 "앞쪽 끝"의 운동을 지시한다. 이상적으로, 안정적이고 지속적인 하악 폐구 호를 따라 악궁의 후방 1/2과 전방 1/2이 같이 조화를 이루며 작용해야 한다. 교합의 후방 평면은 모든 3차원에서 거의 대칭적이지 않기 때문에, 종종 기능 혹은 이상기능 중 하악의 행동 특성을 결정한다.

각 과두가 홀로 먼저 기능한 후 반대편 과두와 조화를 이루어 기능하기 때문에, 이중의 과두 방향은 정확하게 과두 기능을 설명한다. 각 과두는 성장 및 기능 동안 반대편에 영향을 미친다. 하악 동작 일생 동안의 과두 골격성 방향은 휴식, 기능, 수면 동안 하악의 선호 경로 안정성에 대단히 중요하다. 하나의 과두가 이상적인 위치 이하에서 기능하게 된다면, 그 결과에 의해 동측 과두가 관절와 내에서의 방향 변화를 요구하게 될 것이고, 결국 하악이 채택하는 경로를 변경하게 될 것이다. 이상적으로, 각 과두/와 단위는 서로로부터 독립적으로 행동하고 효율적이고 건강한 위치에서 스스로 기능하면서, 서로 조화를 이루어야 한다. 휴식이나 기능 중에, 스스로 혹은 반대편 과두와 연합하여, 완벽한 조화를 이루지 않고 기능하는 과두는 시간의 흐름에 따라 구조적으로 적응해야 한다. 적응은 TMJ와 구강악계 양쪽에게 생리적 혹은 병리적일 수 있다.

휴식과 기능 중에 관절와 내에 공간적으로 적절하게 위치한 과두는 중앙(center) 혹은 *중심(centric)* 위치에 있는 것으로 추정된다. 치의학에서 *중심*이라는 용어는 항상 과두와 연관된다. 이상적으로, 2개의 관절와는 모양, 크기, 부

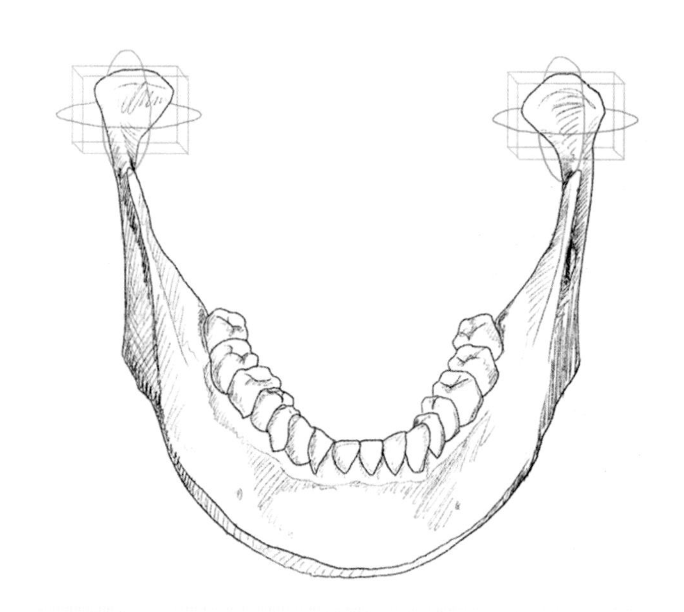

그림 40 모든 환자는 2개의 TMJ와 하나의 교합을 가진다. 각 과두머리("ball"이라고 알려진)는 생리적으로 관절와("socket")내에서 휴식하고 기능해야 한다. 방향 아이콘은 3차원적으로 관절와 내에서의 하악의 이중-경첩 위치를 보여준다. 이 아이콘은 각 과두가 어떠한 하악 운동에서도 시간의 흐름에 따라 관절와 내에서 적응된 위치를 찾을 가능성을 가진다고 제안한다

피에서 서로서로 거울 이미지이어야 한다. 그러나, 2개의 측두골이 서로 거울 이미지가 아니라면, 2개의 과두 머리는 각각의 관절와 윤곽에 다르게 적응할 것이다. 다른 와 모양과 위치는 과두 방향에 영향을 줄 것이고, TMJ가 서로에 대해 기능적으로 상호 의존하게 되어, 교합력 분포와 하악의 동작 및 기능에서의 경로를 변경하게 될 것이다.

치의학에서 사용되는 형용사로서 *중심*이라는 용어가 종종 다른 의미를 가지는 다른 용어와 결합되기 때문에, 독자들이 혼동스러울 수 있다. *중심위(Centric Relation)*, *중심교합(Centric Occlusion)*, *긴 중심(Long Centric)*, *습관성 중심(Habitual Centric)*, *근중심(Myocentric)* 모두는 치의학에서 사용되는 용어로, 다른 하악 위치를 묘사하는 다양한 해부학적 교합 개념을 설명하는데 사용된다.

과두가 하악의 후방부에 부착되고 하악은 단일 골이기 때문에, 와 내에서 적응된 과두 위치는 치아의 교합에 의해서 영향을 받고 그 역의 경우도 성립한다. 치아 접촉이 인대로-굳건한 위치보다는 근육으로-굳건한 과두 구조물을 지시하여 교합하는 치아는 이상적인 과두-대-와 관계를 수립할 수도 그렇지 않을 수도 있다. 많은 환자들은 이런 상태에 적응하여 구조적 손상없이 수년간 생활하지만, 그렇지 않은 경우도 많다.

디자인과 조화되지 않는 동작은 최고로 비효율적이고, 최악으로 파괴적이다. 동작 범위가 기능 범위와 조화를 이루지 못할 때 이런 현상이 발생한다. 과두 방향의 인과 관계는 하나 혹은 두 과두, 단일 치아 혹은 전 체계에 미약하거나 파멸적일 수 있다. 구조와 운동이 기능적인 조화를 이루지 못할 때, 조직의 적응과 파괴가 모두 초래된다.

전방 방향은 교합의 두 번째 결정 요인

전방 방향의 진단과 치료는 형태학, 생물학, 심미성, 기능의 통합에 대한 이해를 요구한다(Rufenacht, 2000). 구강악계는 머리, 과두, 목, 교합 자세 사이의 평형 구축을 추구한다. 전방 방향은 하악 선택 경로의 뛰어난 진단적 구성 요소이다(그림 41). 어느 나이라도 기록된 힘 분포 양상은, 전치부가 하악 선택 폐구 경로의 저항에 대합하는 시기와 위치, 혹은 과두의 전방에 있는 어떠한 치아가 마찰-없는 하악 폐구 경로를 언제 어디에서 방해하는지에 대한 객관적인 데이터를 제공한다.

전치부의 기본적인 기능 중 하나는 편심위 운동 교합면 마찰 상호작용으로부터 후방 치아를 보호하는 것이다. 그러나, 구치부와 과두 방향이 서로 조화되지 않는다면, 하악의 전방 경로는 변경될 것이고 전치부 구조는 변할 것이다. 후방의 과두 유도와 전방 유도 모두는 하악의 기능적 경로를 결정해야 한다. *교합의 두 번째 결정 요인*은 전방 유도가 하악 앞쪽 끝의 움직임을 결정하는 위치에서 치아에 의해 조절된다(Dawson, 2007). 교합 평면이 전방 유도가 구치부를 효과적이고 신속하게 이개시키도록 허용할 때에만 수용 가능하다는 것을 깨달아야 한다.

전방 방향의 진단적 결정 요인은:

- **전방 유도**: 치아-한정 하악 운동에 대한 전치부 접촉면의 영향.
- **견치 유도(견치-보호 교합이라고도 함)**: 하악 편심위 운동에서 견치의 수직적 및 수평적 중첩이 구치부를 이개시키는 상호-보호 교합의 한 형태.
- **절치 유도**: 하악 운동에 대한 상하악 전치부 접촉면의 영향.
- **교합 평면**: 전치 절단연과 구치부 교합면에 의해 구축되는 평균 평면.
- **머리, 목, 그리고 과두 방향**: 하악 운동에 대한 자세의 영향.

전치부는 전방 방향에 대한 위치를 수립하는 유일한 부분이다. 견치와 절치 후방의 수많은 체계 또한 구강악계와

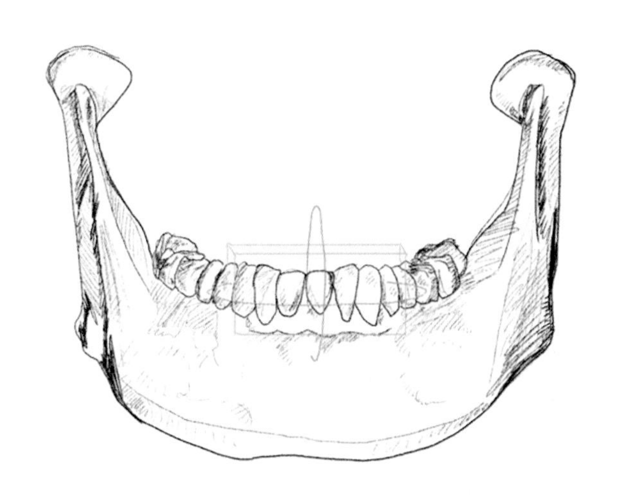

그림 41 전방 방향은 치아, 하악 운동 경로, 과두 방향과 조화를 이루어서 기능해야 한다. 전방 부위는 상하악 견치, 측절치, 중절치로 구성된다. 방향 아이콘은 하악 운동 동안 하악의 전방 부분이 상악 전치부 내로 적응된 위치를 추구할 것을 제안한다

조화를 이루기 위해 전방 방향과 균형을 이루어야 한다. 치아 교합에서, 유도는 교합 기능 및 연하 동안 하악을 상악으로 안내하는 방법을 설명한다. 기본적으로 전치는 교두감합 안팎으로 하악의 수평 운동을 지시하고, 구치부는 과두/디스크 조합물의 TMJ 관절와 내로의 수직적 운동을 지시한다.

상악 전치의 설측 및 절단면과 하악 전치의 협측 및 절단면 상의 마모와 존재는 하악 동작의 뿌리 깊은 적응 양상 및 하악 선택 경로에 대한 저항을 암시한다. 전방, 견치, 절치 유도 체계는 하악의 기능 범위와 전방 방향에 영향을 주는 인자이다. 전방 부분에서 평형을 획득하기 위해서, 두경부 방향, 과두, 후방 치열 또한 조화를 이루어야만 한다. 그림 50과 51에 보여지는 2가지 힘 양상은 2개의 다른 전방 유도 패턴을 설명한다; 보존적과 파괴적. 이 두 가지의 다른 하악-대-두개골 경로는 전치의 다른 적응 반응을 초래하고, 교합 및 체계의 수명에 각기 다른 영향을 미치게 될 것이다.

후방 평면 방향

*교합 간섭*이라는 용어는 편안한 하악 기능을 방해하는 것과 관련된다(Dawson, 1989). 교합 간섭은 교합 접촉 단독으로도 결정될 뿐만 아니라, TMJ의 구조, 인대의 제한된 영향, 교합 평면의 모양 및 방향과도 연관된다(Storey, 1979). 모든 환자가 모양 및/혹은 질적인 면에서 이상적이거나 그렇지 않을 수 있는 지지골 내에서 자신의 치아나 보철물의 독특한 3차원적 방향을 가지기 때문에, 이상적인 교합 평면은 이론적일 뿐이다. 임상의는 골의 형태가 치열의 위치를 결정하는 것을 이해해야만 한다. 균형된 하악 경로에의 간섭은 종종 골과 악궁 내에서 추정되는 치아의 위치에 의해 유발된다. 구치부 교합면의 기능적 부분을 일컫는 *교합 테이블*(Academy of Prosthodontics, 2005)이, 악궁 내 좋지 않은 치아 위치로 야기되는 간섭이 나타나는 위치이다.

*교합 부조화*는 대합하는 교합면 접촉이 다른 치아 접촉 및/혹은 두개하악 복합체의 해부학적 및 생리적 구성 요소와 조화를 이루지 못할 때 발생하는 현상이다. DOFDP는 간섭의 원인이 되는 치아나 보철물을 임상의에게 알려주어, 교합 테이블에 존재하는 교합 부조화를 진단할 수 있다. 골격적 비대칭성을 보상하기 위해 치열 및/혹은 보철물을 수정한다면, 비대칭적인 악궁 형성이라도 여전히 균형잡힌 DOFDP를 보일 수도 있다는 것을 기억하는 것이 중요하다.

2개의 후방 교합 평면은 상악과 하악이 연루되는 동안 나타나는 수직 및 횡적 힘을 조절하는 것의 3차원적 표현이다. 기능적인 상호 보완, 미세외상, 간섭, 교합 굴절을 예방하기 위해, 각 평면은 교합의 첫 번째 및 두 번째 결정 요인의 상태를 충족시켜야 한다(그림 42). 기능하는 동안 이론상으로, 정적인 상악궁 교합 평면의 x-y-z축(횡단, 시상면, 수평 후방 평면)은 하악 후방 공간 방향과 일치해야 한다.

하악의 경로

하악 위치는 자발적으로 변경할 수 있음에도 불구하고, 수많은 다른 자동 신체 활동과 마찬가지로 상당하게 반사적으로 조절된다. 반사 기억 흔적은 하악을 선호하는 경로로 유도하고, DOFDP는 하악이 *교합* 안팎의 최소 저항의 본래 선택 경로를 사용하는 것을 전환, 제한 및/혹은 방해하는 구조적 장애물에 대한 객관적인 데이터를 제공한다(그림 43). 기능 내에서, 기록된 힘(*적색* 구역 내)은 환자가 자기수용감각을 통해 하악을 교합 접촉 길의 공간(*청색*)에 위치시키는 방법에 영향을 준다. 대안적으로, MIP에서 교합의 과정이 완성되고 정지한 후, 하악이 이개되면서 반대의 과정이 진행되어 동작 범위 내로 되돌아간다.

TMJ 낭 부위의 수용기는 예전에 생각되었던 것보다 하악의 기능 및 위치의 조절과 유도에 있어서 훨씬 더 중요한 것으로 드러나고 있다. 하악 위치와 그 조절에 대한 우리 지식의 많은 부분은 성인에 대한 연구에서 얻어졌다. 개념이 성인을 위해 수정되었기 때문에, 성장하는 어린이에게 이 개념을 무심코 적용하는 것은 위험할 수 있다. 한 학자에 의하면, 발전하는 하악 신경학의 많은 측면에 대한 지식은 불완전한 것으로 간주되었다(Enlow, 1990).

교합 조화의 전 맥락은 기능 대 이상기능으로 운동하는 치아와 하악의 정밀한 관계에 근거한다. 기능 범위를 이해하는 출발점은 동작 범위를 먼저 이해하는 것이다(Dawson, 2007). 그림 43은 하악만 운동하는 개념을 보여준다. 2개의 과두는 동작 범위 내에서 따로 작용할 수 있지만, 기능 범위 내에서는 상호의존적이 된다.

치아가 분리될 때 공간내의 하악은 통합적인 구강악계에 의해 조절되는데, 구강악계는 발달을 통해 근신경계와 TMJ의 운동 행동을 지시하는 통합적인 신경계 과정에 동

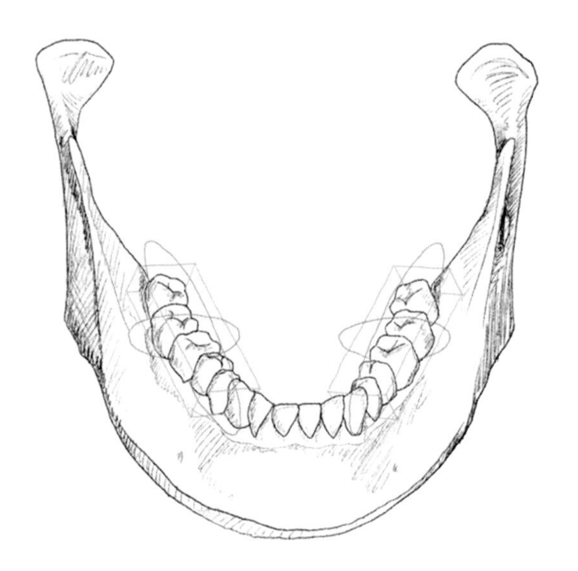

그림 42 방향 아이콘은 시간의 흐름에 따라 하악 운동의 적응 위치를 추구하는 2개의 후방 부분이 있다는 것을 제시한다. 2개의 후방 부분은 연루의 일부 기능 양상에 대해서는 서로 독립적이지만, 대부분 하악 위치 내에서 각각은 동측에 대해서 매우 의존적일 수 있다. 이것이 기능적 하악 운동으로 야기되는, 전 악궁 내에서 동시에 함께 발생하는 모든 접촉을 측정하는 것에 대한 타당한 하나의 이유이다

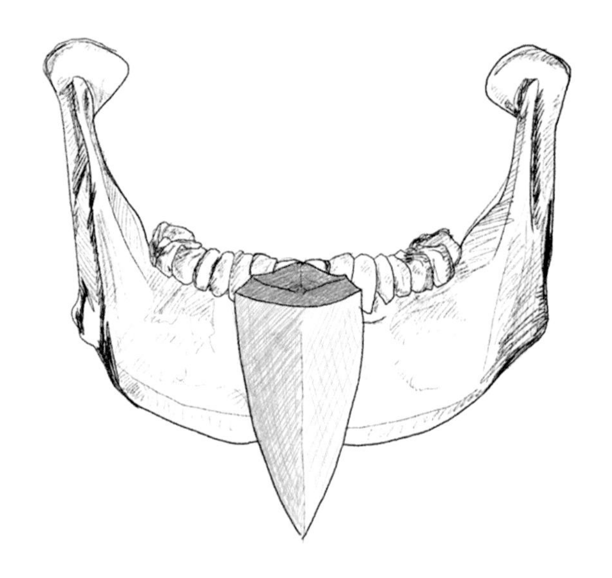

그림 43 과두 사이에 위치한 그래픽은 MIP 안팎 및 상으로의 하악 경로의 3차원적 운동을 설명하는데 사용되는 방향 아이콘이다. Posselt 도해의 확대가 공간에서 하악과 중첩되어, 모든 3가지 평면에서 동작 범위를 설명한다. 하악의 상악에 대한 3차원적 공간 방향은 기능적 경계 위치(적색) 내에서 평형을 추구하는 동작 범위(청색)에 영향을 준다

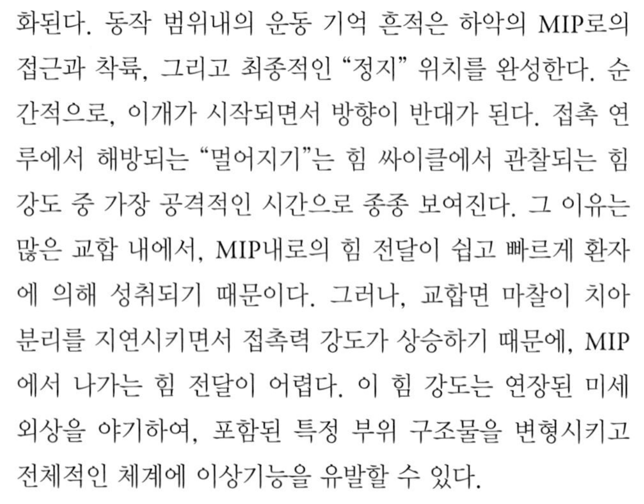

화된다. 동작 범위내의 운동 기억 흔적은 하악의 MIP로의 접근과 착륙, 그리고 최종적인 "정지" 위치를 완성한다. 순간적으로, 이개가 시작되면서 방향이 반대가 된다. 접촉 연루에서 해방되는 "멀어지기"는 힘 싸이클에서 관찰되는 힘 강도 중 가장 공격적인 시간으로 종종 보여진다. 그 이유는 많은 교합 내에서, MIP내로의 힘 전달이 쉽고 빠르게 환자에 의해 성취되기 때문이다. 그러나, 교합면 마찰이 치아 분리를 지연시키면서 접촉력 강도가 상승하기 때문에, MIP에서 나가는 힘 전달이 어렵다. 이 힘 강도는 연장된 미세외상을 야기하여, 포함된 특정 부위 구조물을 변형시키고 전체적인 체계에 이상기능을 유발할 수 있다.

성장 동안의 근기능성 습관으로 발달된 치아 및 골격성 비대칭은 동작 범위를 제한할 수 있는 적응을 생산하고 독특한 Posselt 범위를 구축한다. 연하, 호흡, 수면, 저작 동안 공간에서의 하악 인지는 진정으로 개별화된 동작 범위를 규정할 것이다. 이와 같이, 하악 운동의 근신경 기능과 두 TMJ의 기능적 해부학이 구조물과 형태 내에 적응된다. 병적인 TMJ는 좋지 않은 과두 방향과 반복적 과두 동작 양상을 만들어, 시간의 흐름에 따라 DOFDP를 변경시킬 것이다. 반대로, 악궁에 걸쳐 위치하거나 분포하는 어떤 연장된 강력한 힘이라도 양쪽 관절와 내의 과두 위치를 변화시킬 수 있다.

악궁 위치의 자세한 분석 및 디지털 교합력 분포 양상 위치

힘 싸이클 연루는 모든 교합에서 나타난다. 힘 양상 기록은 전 교합 싸이클(교합, MIP, 이개) 동안 힘이 전달되는 방법을 정리한다. 진단적 양상은 힘의 방향, 순서, 강도, 반복을 보여준다. 일부 양상은 전치부가 우세하고, 다른 경우는 좀 더 후방으로 위치하기도 한다. 일부는 작고, 국소화된 위치에 머무르고, 다른 경우는 접촉점이 악궁 내의 모든 치아나 보철물을 포함하기도 한다. 대부분의 양상은 악궁의 어느 한쪽을 선호하여, 균형 잡힌 양측성 교합이 매우 흔하지는 않다는 것을 시사한다.

교합이 나이를 먹음에 따라서, 모든 양상은 성장 및 발달의 단계, 기도 및 자세의 단계, 구강 건강의 단계, 치료 역사의 단계를 가진다. 이와 같이, 모든 개인은 시간에 따라 변하는 독특한 양상을 가진다; 일부에서는 느리게, 일부에서는 빠르게. 양상 행동 및 양상 변화 이유를 이해하는 것이 교합의 진단, 치료, 유지에 필수적이다.

디지털 교합력 양상은 6개의 악궁 위치 중 하나로 발생한다(그림 44-49 및 그림 25-30):

- **힘 싸이클 양상 #1:** 우측이나 좌측 반-악궁 중 선호하는

원심 후방(그림 44).

- **힘 싸이클 양상 #2**: 우측이나 좌측 반-악궁 중 선호하는 중앙 후방(그림 45).
- **힘 싸이클 양상 #3**: 후방 접촉이 없거나 최소인 전방력(그림 46).
- **힘 싸이클 양상 #4**: COF 타겟 내에 중앙화(그림 47).
- **힘 싸이클 양상 #5**: 전방 접촉이 없는 후방력(그림 48).
- **힘 싸이클 양상 #6**: 초기 전방에서 후방으로 이동하거나 초기 후방에서 전방으로 이동, 악궁을 따르거나 혹은 가로질러서(그림 49).

힘 싸이클 양상 #1: 원심 후방, 우측 혹은 좌측 양상

그림 50-52는 힘 싸이클 양상 #1을 자세히 보여준다. 그림 50은 원심 좌측 후방 힘 분포 양상을 형성하기 시작하는 첫 번째 "저작"을 보여준다. COF 궤도선은 첫 번째 접촉부터 MIP까지 형성되는 초기 COF 경로를 보여주어, 반복적인 "저작" 동안 환자가 재교합할 때 반복성의 미세외상 후방 힘 분포의 존재를 진단할 수 있다. 전치부는 접촉을 이루지 않아, 기능 중의 구치부 보호가 감소된다. 적색 COF 선은 후방 좌측에서 우측으로 수평적으로 이동하여, 우측 치아가 교합하기 전에 좌측 대구치가 교합하는 것을 지적한다. 각 "저작"은 힘 접촉력이 동일한 접촉 양상을 반복하면서 악궁 내에서 같은 위치에 동일한 선을 재생산할 것이다. 양상이 완성될 때까지 미세외상성 싸이클이 연속적인 "저작"으로 반복되면서 좌측이 먼저 부딪치고 우측은 운동을 지시한다(그림 51). 어린 교합의 이 증례는 기록된 힘 데이터가 교합 간섭을 발견하는 위치를 임상의에게 알려주는 방법을

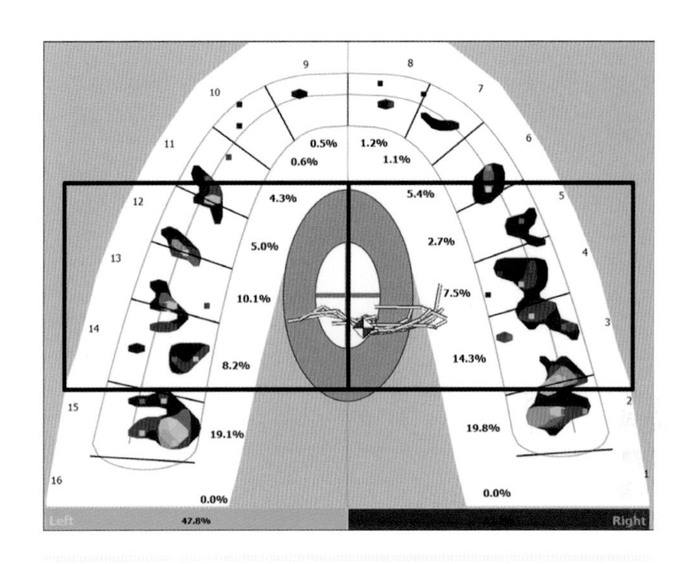

그림 45 힘 싸이클 양상 #2: 중앙 후방(우측 혹은 좌측). 이 힘 싸이클은 악궁의 한쪽에 집중된 과다한 수직력을 수반하는 수평적 운동에서 전방 유도의 한정된 양을 보여주고, 이들은 기능 범위를 변경할 수 있다. 횡단력은 존재하는 골격성 비대칭성의 정도에 따라 문제가 될 수도 그렇지 않을 수도 있다

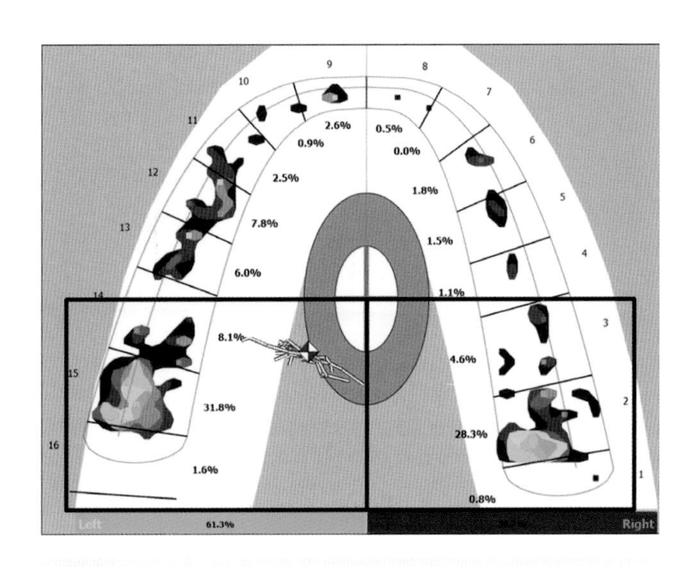

그림 44 힘 싸이클 양상 #1: 원심 후방(우측 혹은 좌측). 힘 싸이클은 전 교합을 조절하는 몇 개의 대구치에 한정되어, 수직적 및 수평적 운동 모두에서 고른 접촉 분포를 방해한다. 이것은 모든 하악 위치에서 과두 방향에 스트레스를 줄 수 있는 첫 번째 결정 요인에의 분명한 침해가 된다

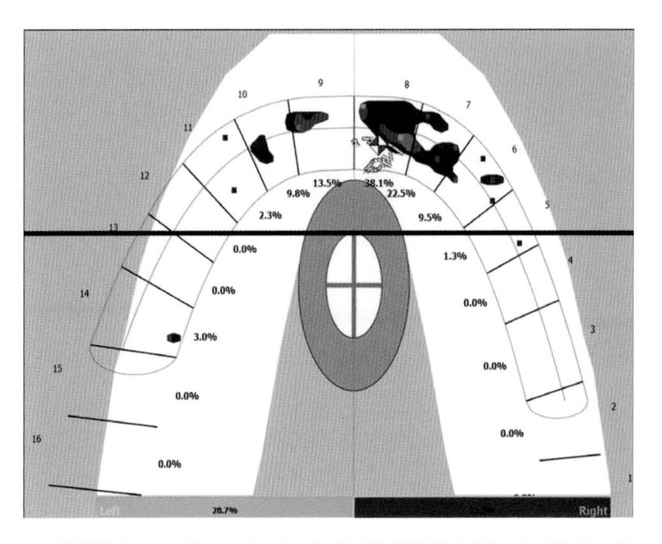

그림 46 힘 싸이클 양상 #3: 전방 우세. 후방 수직력이 부족하여 전방 부분 구조를 파괴할 수 있다. 치아, 보철물, 지지하는 기본 구조물이 스트레스를 받고, 적응을 강요 받고, 쉽게 나이들 수 있다. 전방부 독점적인 힘 분포는 구치부 소실이나 수직 정지 부족으로 발생한다

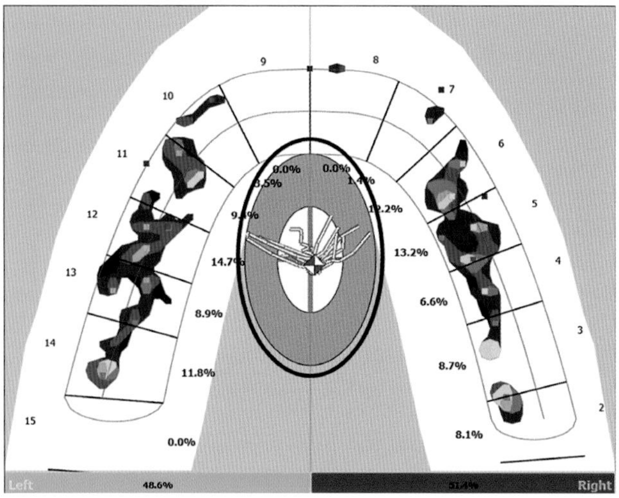

그림 47 힘 싸이클 양상 #4: COF 타켓 내에 중앙화. 운동 범위에서 교합하고 이개하는 동안 극소의 교합이 후방 교합 평면 내에 힘을 균등하게 분포시킨다. 힘 양상이 기능, 수면, 휴식에서 분명하게 중앙화될 때, 전방 방향 및 과두 방향은 서로 독립적이거나 동등하게 상호의존적이다

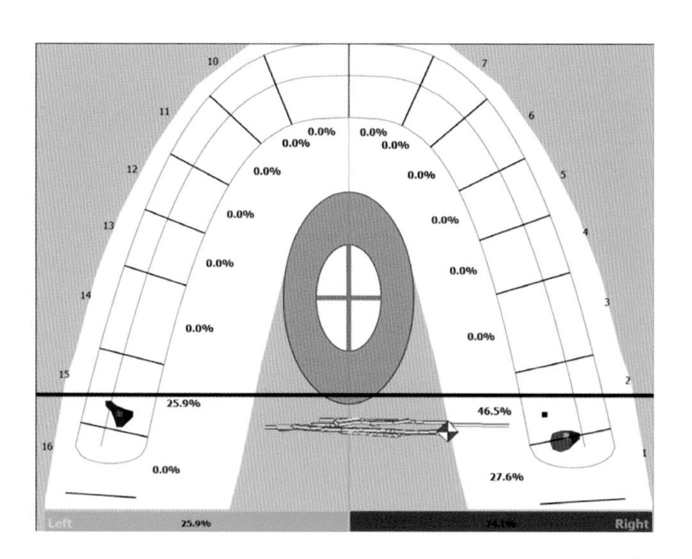

그림 48 힘 싸이클 양상 #5: 전방 개방 교합의 후방 우세. 전방 개방 교합은 일반적으로 병적 교합이다. 혀와 목 자세가 과다한 후방 수직적 힘 싸이클의 균형을 잡는다면, 생리적으로 될 수 있는 잠재력을 가지게 된다

설명한다.

힘 싸이클 양상 #1 특징

- **두경부 자세**: 두개골 기저에서 목의 발통점은 종종 후방 힘이 지배적인 쪽에 존재한다. 스트레스를 받을 때 모든 저작근은 종종 상호의존적으로 편측성 측두통을 생산한다.
- **과두 방향**: 보다 강력한 쪽의 외측극이 과두가 전방 및 힘이 무거운 쪽에서 약간 내측으로 위치하면서 더 부드러워질 수 있다.
- **전방 방향**: 견치나 소구치 접촉의 부족 때문에 전방 방향은 구치부를 보호하지 않는다.
- **후방 교합 평면**: 견치 보호없이, 모든 하악 기능 평면에서 교합 간섭이 존재한다. 고강도 편측성 횡단 힘은 구조적 및 체계적 병리를 모두 촉진할 수 있다.
- **하악 경로**: 균형 잡힌 교합 평면을 연루시키는 하악의 경로는 악궁 후방부로부터의 간섭을 만나게 된다. 그 결과 동작 범위의 적응이나 보상이 나타난다. 부위의 무거운 힘 또한 동작 범위를 변경하고 과다한 후방 힘 주변으로 하악의 선택 경로를 지시하여, 균형 잡힌 교두감합으로의 폐구를 이루기 어렵게 만든다.

임상 관찰: 지난 십 년간 모든 환자를 스캔한 경험으로

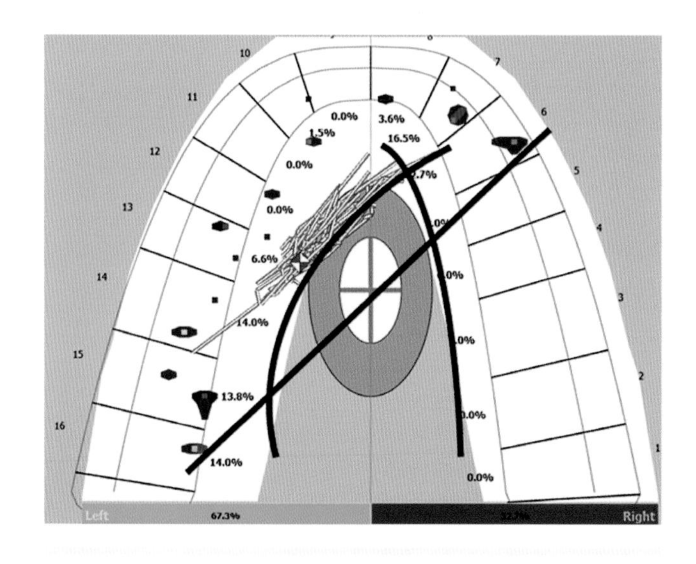

그림 49 힘 싸이클 양상 #6: 악궁을 따라 혹은 가로질러, 전후방이나 후전방으로 이동. 전방과 후방 치아가 모든 기능 위치에서 서로에게 불리하게 작용하기 때문에, 이것은 잠재적으로 손상적인 힘 싸이클 양상이 된다. 두꺼운 전방 크라운과 넓은 후방 브릿지가 종종 이런 불리한 힘 분포 양상에 기여한다

HFDP의 30%와 SFDP의 50%가 이 카테고리에 맞아 떨어짐을 알 수 있다. 후방 우세의 기능 범위는 교합의 첫 번째 결정 요인을 침해한다. 그 결과, 무거운 힘이 존재하는 쪽의 과두 외측극을 촉진하면, 강력한 목근육 발통점과 압통이 종종 발생한다. 근긴장성 두통을 경험하고 스플린트 치

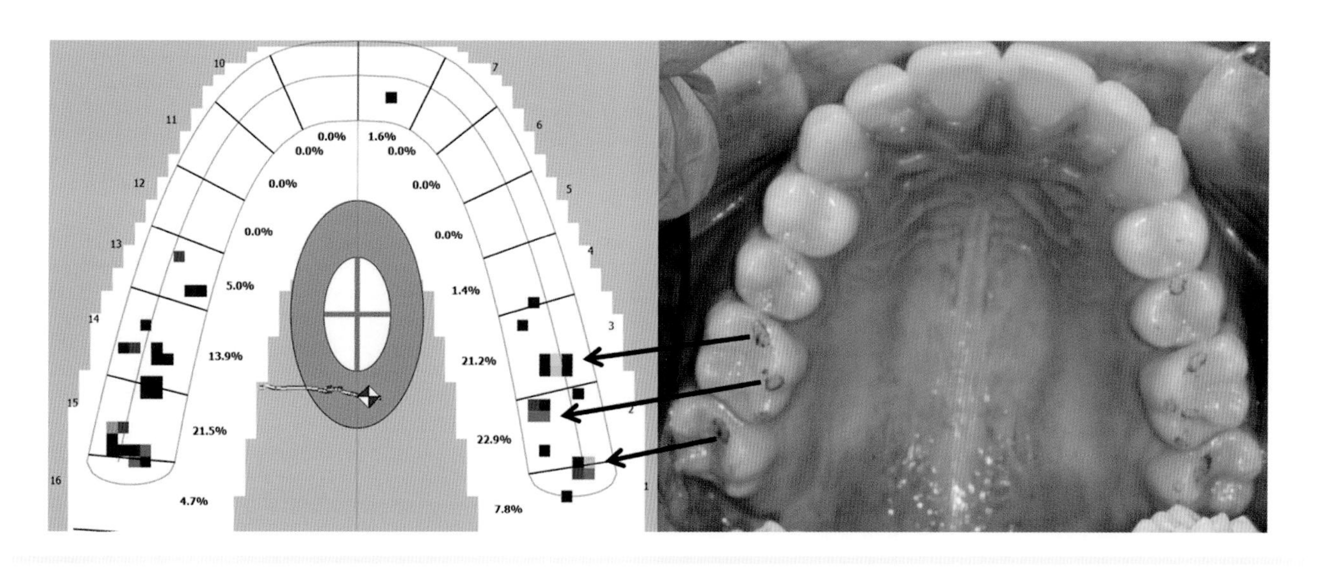

그림 50 대구치가 모든 접촉을 조절하는 위치에 보여지는 양상의 첫 번째 선의 증례는 우세적인 원심 좌측 후방 힘 양상으로 발달하는 힘 싸이클의 시작이다. 적색 COF 궤도 선이 좌측에서 우측으로 이동하여 좌측 대구치가 먼저 접촉하고 후에 우측 치아 접촉이 5개의 프레임(0.015초) 내로 따라온다. 화살표는 MIP로 쉽게 들어가는 것을 방해하는 접촉의 임상 교합지 자국과의 연관성을 보여준다

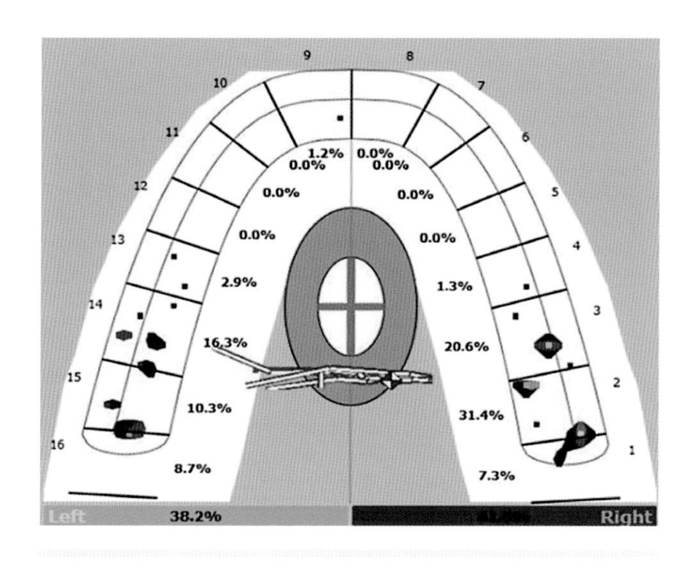

그림 51 완성된 습관성 힘 분포 양상(HFDP)으로(그림 50의), 환자가 5회 "저작"하는 동안 정확하게 같은 치아 연관을 반복한다. 힘 우세의 대부분은 후방 좌측 4분악이고, 초기 간섭부터 하악의 선택 경로까지 저항없이 하악이 상악 교합 평면으로 들어가는 것을 허락하지 않는다. 좋지 않은 전방 유도와 불균형한 편측성 후방 힘 분포 때문에, 과두 위치, 목 자세, 저작근은 기능 중에 상호의존적이 된다

료에 긍정적으로 반응하는 환자는 일반적으로 양상 #1 혹은 #2를 보인다.

힘 싸이클 양상 #2: 좌측 혹은 우측 반-악궁의 중앙 후방 양상

그림 53과 54는 힘 싸이클 양상 #2를 자세히 보여준다. 그림 53의 환자는 초기에 악궁 중앙 근처에서 힘이 부하된다. 그러나, 몇 번의 추가적인 "저작" 후에, 힘이 후방 우측 치아를 향해 이동한다. 중앙화된 습관적 양상에서 후방으로 향하는 양상으로의 변화는, 환자가 치아를 연속적으로 몇 회 더 "저작"하면서 과두의 위치가 변화하고 좀 더 충분히 안착되기 때문에 발생한다. 차례차례, 좀 더 "저작"하면, 힘이 좌측 치아보다 우측 교합 간섭에 쌓인다. HFDP에서(그림 53의 좌측 구획), 하악이 100% 힘에서 MIP로 저작하여 물면 제1소구치가 접촉한다. 그러나, 우측 상방 사진은 다른 교합을 보여주는 것으로, 제1소구치는 접촉을 형성하지 않는다.

힘 싸이클 양상 #2 특징

- **두경부 자세**: 좀 더 강력한 쪽의 목근육, 측두근, 외측 익돌근이 적응을 강요 받는다. 편측성 측두통이 이런 양상에서 흔하다.
- **과두 방향**: 과다한 교합 간섭 때문에 좀 더 강력한 쪽의 관절 디스크를 지지하는 외측 인대가 적응해야만 한다. 이런 양상에서 TMJ 통증을 종종 호소한다.
- **전방 방향**: 한 쪽이 다른 쪽보다 과부하될 때, 전치가 후

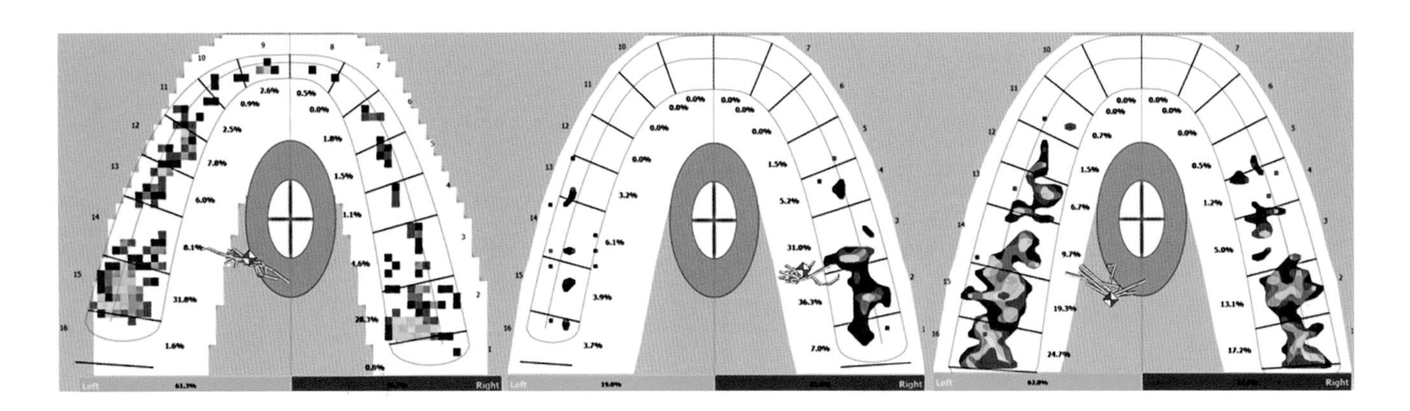

그림 52 하악 기능 범위가 교합 간섭과 만나는 원심 후방 힘 양상의 3가지 예. 좌측 구획은 대부분의 힘 분포가 후방 좌측에 위치하는 기형적 힘 스캔을 보여준다. 중앙 구획은 후방 우측에만 분리된 힘 분포를 보이는 골격성 힘 양상의 좋은 예이다. 우측은 COF 선이 교합과 이개를 따라가면서 교두감합의 힘 집중이 후방 좌측 부분에 모이는 HFDP를 보여준다.

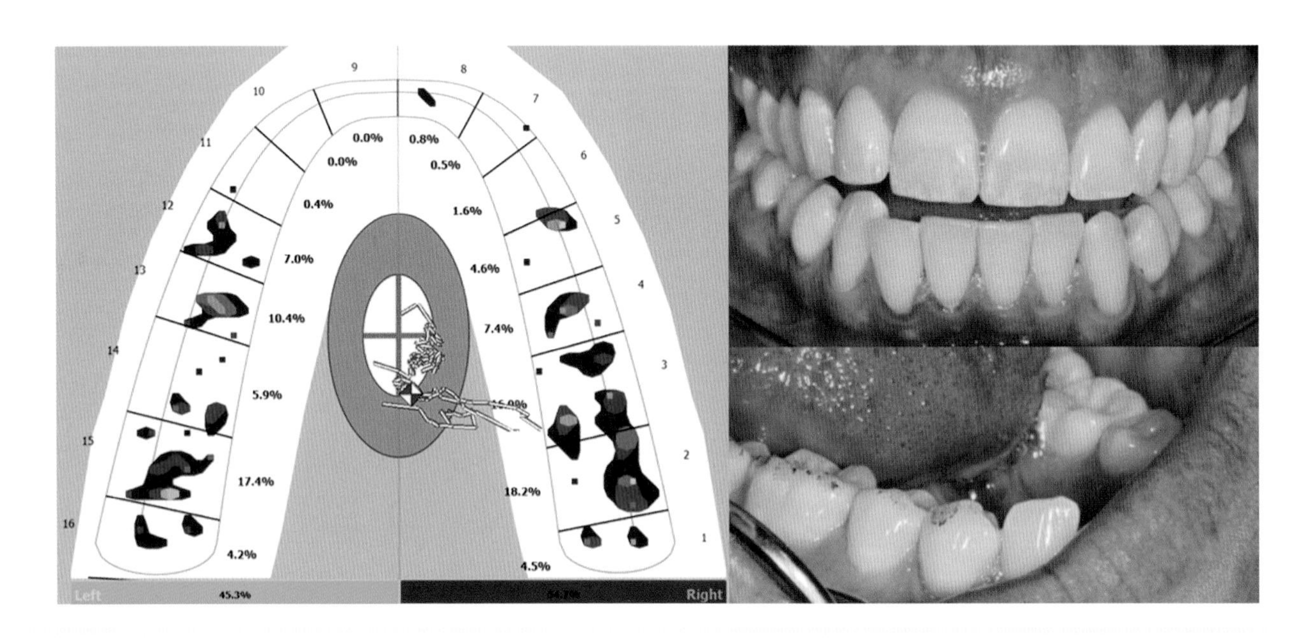

그림 53 후방 우측 HFDP로, 환자가 치아를 반복적으로 "저작"하면서 과두가 더 충분히 안착되고 힘이 우측 구치부에서 증가한다. 전방 개방 골격성 교합이 교합력을 후방과 우측으로 집중되게 한다. 우측 상방 사진은 CR 교합 위치의 하악을 보여주지만, HFDP는 환자가 MIP로 악물면서 양상을 완성할 때 견치가 접촉함을 보여준다. 우측 하방에 보이는 #28(44)번 치아의 원심-교합면에 잉크 자국이 있다. 그러나, 우측 상방 사진에서는 #28번 치아가 어떠한 교합 접촉을 만들지 않는다는 것을 보여준다. 이 증례에서, 환자의 습관성 교합과 골격성 교합이 다르다

방 부분(우측이나 좌측)을 적절하게 보호하지 않는다.

- **후방 교합 평면**: 전방 보호 없이, 교합 간섭이 폐구 동안 존재할 것 같다. 좁은 상악궁이 종종 우세적인 측방 힘 분포와 연관된다.
- **하악 경로**: 교합 간섭과 편측성 힘 불균형 때문에 하악이 상악에 쉽게 연루될 수 없기 때문에 하악 동작이 변경된다. 무거운 지역적 힘은 과다한 후방력의 주변, 안쪽, 뒤쪽으로 하악을 적응시키는 기능 범위를 제한한다. 이것으로 성취하기 어려운 균형 잡힌 교두감합 폐구가 이루어진다. 이런 환자는 종종 치경부 상아질 지각과민증을 호소한다.

임상 관찰: 후방 힘 배열은 강요 받은 적응을 통해 해부학적 구조에 영향을 미친다. 두통, TMJ 압박감, 통증성 인대, 목근육 발통점이 교합력이 우세한 방향과 같은 쪽에서 나타날 수 있다. 이런 양상에서 치주 조직과 치경부 내의 CEJ

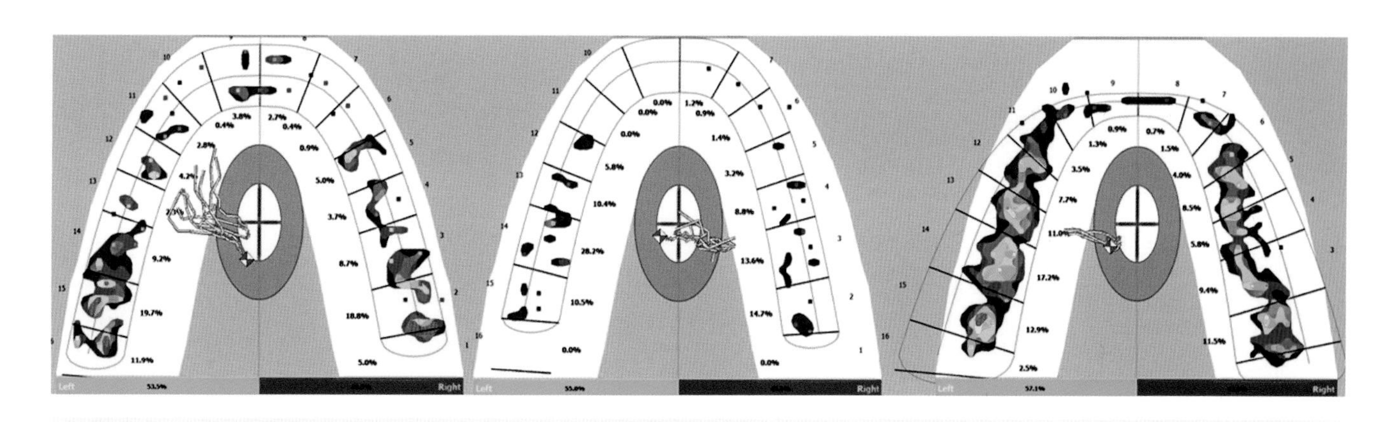

그림 54 3개의 중앙 후방 힘 양상, 2개는 힘 접촉의 좌측 우세 분포를 보이고(바깥쪽 구획), 1개는 우측 우세 힘 분포를 보인다(가운데 구획). 환자가 MIP로 악물어 하악의 평형을 추구하면서, COF 아이콘이 타겟의 흰색 구역 경계부에 가깝게 위치함을 확인하라. 그러나, "반복 저작"은 힘 분포가 동시적 양측성 폐구를 방해하는 외측 간섭에 의해 지배된다는 것을 보여준다

적응도 흔하게 관찰된다. 시간이 지나면서, 저자는 양상 #2 힘 분포를 보이는 환자의 25%에서 이런 현상을 관찰할 수 있었다.

힘 싸이클 양상 #3: 전방 우세 양상

그림 55, 56은 힘 싸이클 양상 #3을 자세히 보여준다. 그림 55는 과다한 전방력과 최소의 후방 접촉을 가지는 deep overbite 환자의 예이다. 환자가 MIP로 악물면서 COF 아이콘이 좌측 후방으로 이동하기 전에, 처음 5회 저작은 #5-8(14-11)번 치아 사이에 집중된다. 이 증례에서, 전치부가 하악 폐구를 조절하고 모든 교합 연루로 과다한 힘을 받는다. 이런 양상을 가지는 대부분의 환자는 구치부를 소실하였다. 하악 유리단(free-end) 국소 의치(Kennedy Class Ⅰ)에 대합하는 상악 의치가 종종 이런 양상을 보인다. 후방 수직적 지지의 부족은 시간의 흐름에 따라 전치부를 파괴할 수 있다.

힘 싸이클 양상 #3 특징

- **두경부 자세**: 전방 부분이 하악을 후방으로 밀고 과두를 관절와 내로 후방 위치로 밀어 넣으면서 경부 압박과 측두통이 흔하다. 그림 55는 후방 과두 전이의 좋은 예이다.
- **과두 방향**: 일부 환자에서, 상당한 후방 교합 지지 부족에도 과두가 관절와의 중앙을 찾는다. 다른 환자들은, 동작 및 기능 범위 내에서의 제한 때문에 과두가 후방으로 강요 받는다.
- **전방 방향**: 과다한 마모, 증가된 동요도, 전치부 구조물에 손상을 일으키는 모든 하악 운동에서 전방 부분이 교합 기능을 지배한다.
- **후방 교합 평면**: 구치부가 소실되거나 후방 수직 정지가 쉽게 연루되지 않기 때문에, 대부분의 전방 힘 양상 환자에서는 교합 간섭이 존재하지 않는다.
- **하악 경로**: 하악 동작이 전방-조절 교합 기능에 의해 지배된다. 전방 부분이 절단연 마모, 증가된 CEJ 스트레스, 연조직 퇴축을 증진시키는 힘의 대부분을 담당한다. MIP에서 후방 지지가 없는 교합은 전방 구조물에 매우 파괴적일 수 있다.

임상 관찰: 전방 부분의 과다한 힘은 deprogramming splint의 경우와 유사한 영향을 미친다. 후방 접촉이 없으면, 교합 간섭이 없고, 과두는 목과 TMJ의 근육 통증을 최소화하는 관절와에 견고하게 안착된다. 후방 접촉의 부족으로 전방 마모가 촉진되거나 하악을 MIP의 후퇴된 위치로 밀어 넣는다. 후퇴된 하악 경로는 근육 통증을 유발하고 동작 범위를 제한할 수 있다. 후방 수직 정지가 없을 때 과두 유도와 전방 유도는 더 잘 균형 잡혀야 한다.

힘 싸이클 양상 #4: COF-타겟-내로-중앙화된 양상

그림 57, 58은 힘 싸이클 양상 #4를 자세히 보여준다. 이 중앙화된 힘 양상은 긍정적인 힘 분포와 이상적인 교합력 특성에 대하여 이상적인 위치에 놓인다. 일생 동안 완벽한 교합/이개 양상 혹은 균형 잡힌 MIP 착륙의 교합을 유지

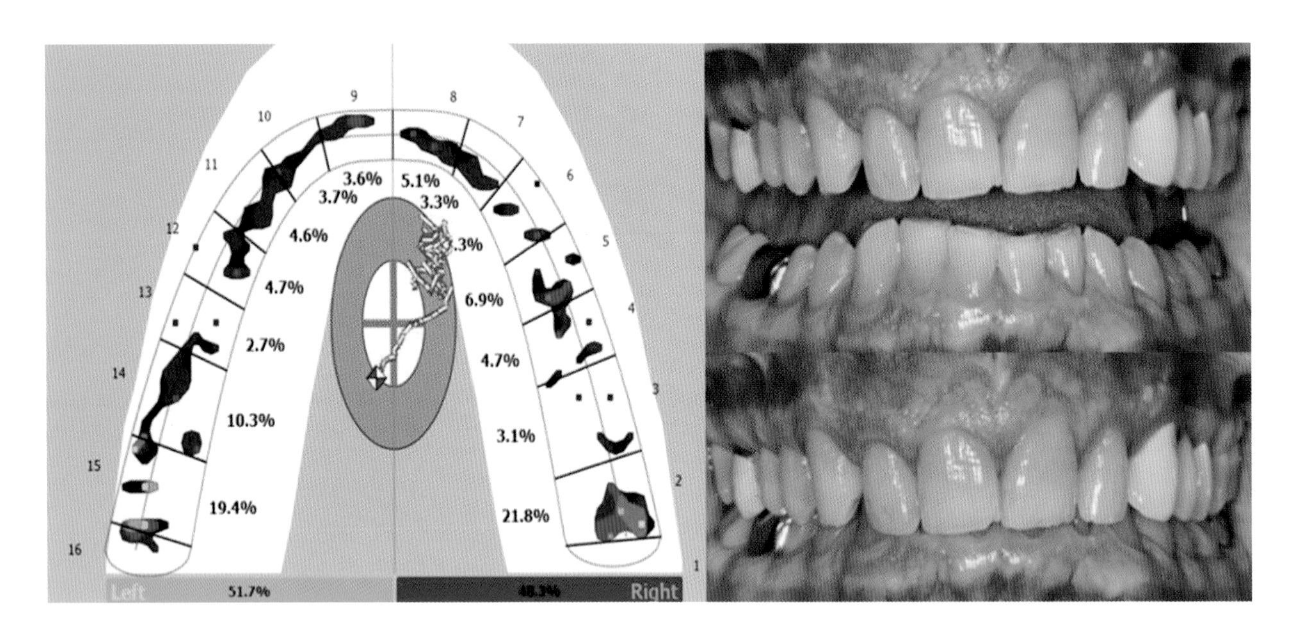

그림 55 과다한 전방력 및 최소의 후방 접촉을 보이는 deep overbite 환자의 예이다. COF가 MIP에서 좌측 후방으로 이동하기 전에 처음 5회의 “저작”이 우측 전방으로 집중된다. 전치부가 하악 폐구를 조절하고 모든 기능 범위 연루로 과다한 힘을 받는다. 후방 수직 접촉 부족이 deepbite와 조합되어 과두를 후방으로 밀고, 귀 부분의 통증을 악화시킨다

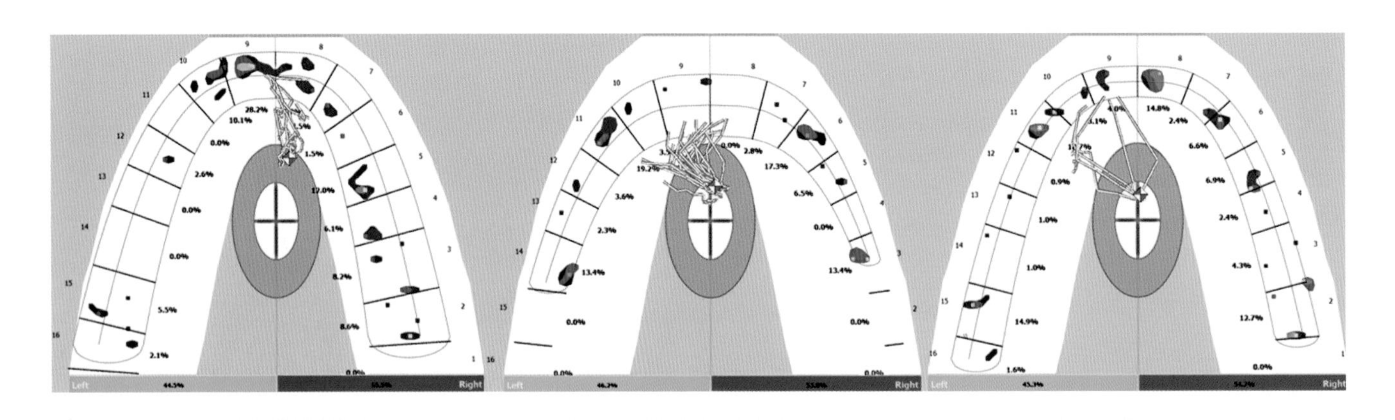

그림 56 3가지 전방 우세 힘 양상으로, COF 궤도 선이 최종 COF 위치의 전방에 머물러 전방력 집중이 전치부에서 시작하여 후방 교합 접촉보다 더 실질적임을 시사한다. 좌측 구획에서 보이는 것처럼 각 연속적인 “저작”으로 힘이 후방으로 향할 수 있고, 다른 2개의 구획에서 보이는 것처럼 전치부를 가로지를 수도 있다

하는 것은 극히 드물다. 균형 잡힌 교합, 중앙화된 HFDP, SFDP를 보이는 어린 환자는 보다 흔하지만, 성인이 되면서 일반적으로 후방 우세 힘 양상으로 변할 것이다. 어른의 대부분은 뛰어난 치과 치료나 마모 치열, 평형을 추구하는 적응된 하악 경로로 양상이 중앙화된다.

그림 57은 악궁의 좁은 부위에 과다한 힘 집중이 상쇄되고 수년간의 기능을 거쳐 많은 치아가 마모됨으로 평형을 이룬 중앙화된 힘 양상의 예이다. #20(35)번의 임플란트 크라운이 총 힘의 0.4%를 받고, 신경 치료 후 크라운으로 수복된 #14, 19(26, 36)번 치아는 총 힘의 27.7%를 담당한다. 힘 양상이 중앙화되었지만, 힘 분포는 악궁 좌우로 균형 잡혀있지 않다. 중년의 성인에서 관찰되는 중앙화된 양상의 대부분은 “새로 장착된” 치과 술식과 구강 구조에 적용된 결과이다.

힘 싸이클 양상 #4 특징

- **두경부 자세**: 기능 동안 두개골과 조화를 이루는 하악이 후두의 과두 위치를 최적화하도록 돕는다.

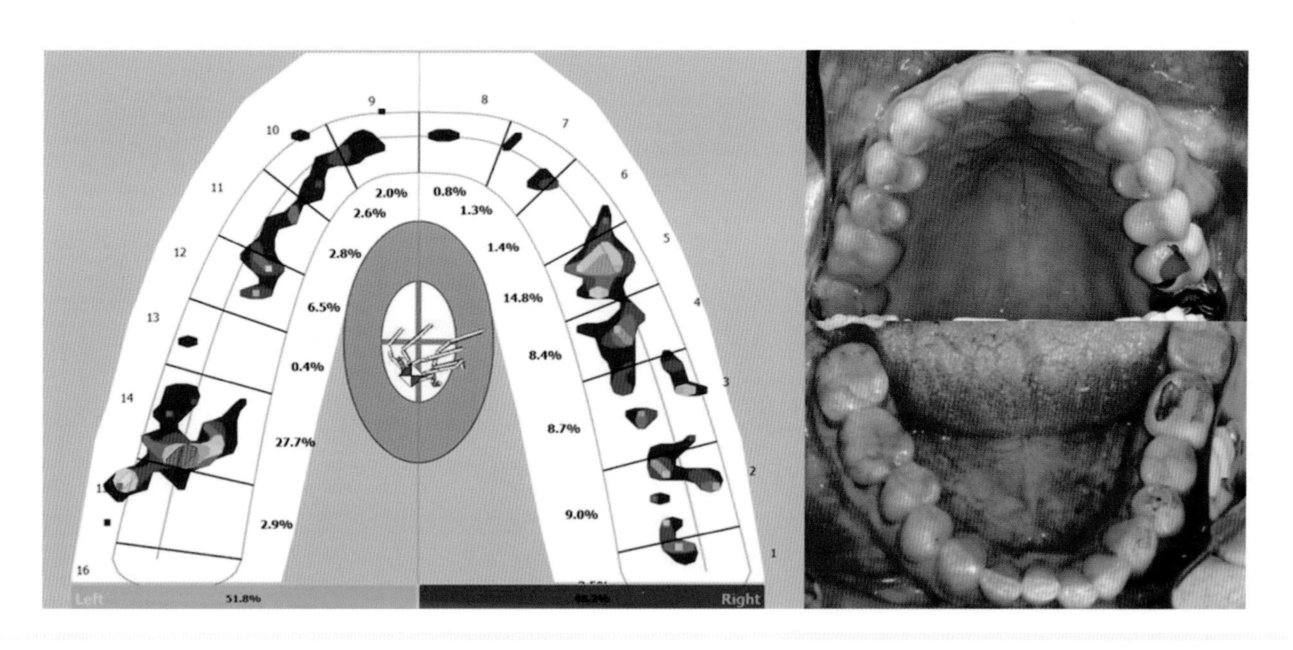

그림 57 중앙화된 양상의 증례로 불균형한 후방 힘 분포를 포함한다. #14, 19(26, 36)번의 대합하는 치아가 총 교합력의 27.7%을 감당하고, #20(35)번의 임플란트 크라운은 부하되지 않는다. 중앙화된 힘 양상은 과다한 힘 집중이 악궁의 좁은 부위(#14, 19번 치아) 내에 존재할 때 발생할 수 있고, 대합하는 악궁의 치아 모두 혹은 대부분에 의해 상쇄되거나 동등해진다. 사진의 자연적인 치열은 전방 및 후방으로 마모되지만, 적응된 교합은 중앙화된 힘 분포 양상을 생산한다

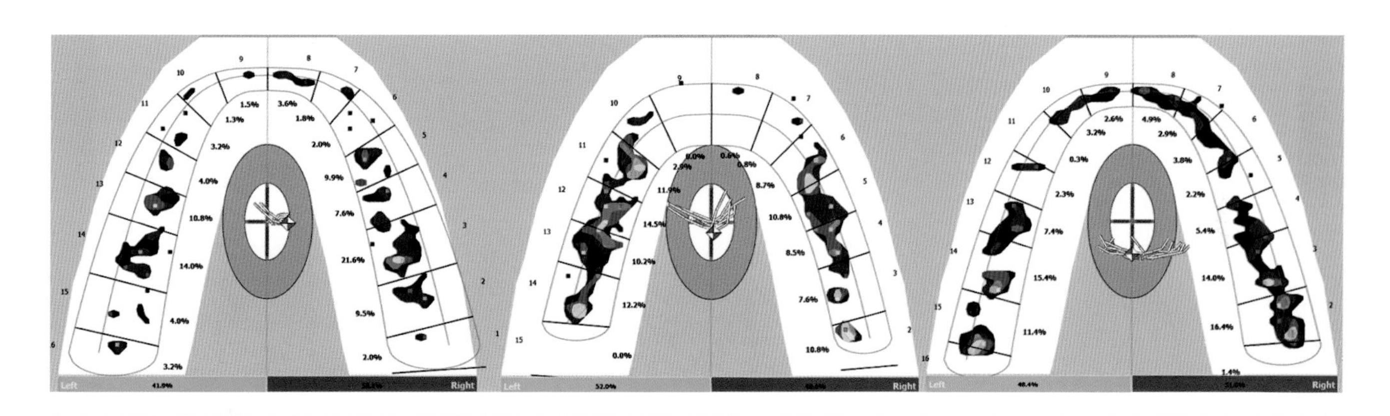

그림 58 3개의 COF-타겟-내에-중앙화된 양상; 2개는 확정적인 전방 접촉(바깥쪽 구획), 1개는 약간의 전방 접촉 및 상당한 양측성 후방 교합 접촉력(중앙 구획). COF 아이콘은 COF 타겟 내에 머무르지만, 항상 정확하게 중앙에 있는 것은 아니다

- **과두 방향**: HFDP와 SFDP 양상의 이런 타입은 보통 건강한 과두와 좋은 동작 범위를 나타낸다. 그러나, 적응성 중앙화 양상을 가진 환자는 스트레스성 과두와 제한된 동작 범위를 보일 수 있다.
- **전방 방향**: 많은 중앙화 양상은 후방 마모 및 과다한 전치 마모를 밝혀낸다. 그러나, 중앙화 COF를 가진 대부분의 환자에서, 전방 유도가 구치부와 과두 방향 모두를 보호한다.
- **후방 교합 평면**: 후방 교합 부분은 일반적으로 서로 조화를 이루고, 특히 치아의 교합력 지도가 형태에서 대칭적이고 악궁에 걸쳐 유사한 접촉 강도를 설명할 때 그러하다. 적응적 중앙화 양상의 잠재적인 문제는 자세, 과두 위치, 후방 교합 상 전방 마모의 종속적인 관계이다.
- **하악 경로**: 중앙화된 HFDP 및/혹은 SFDP를 가진 환자 대부분은 제한없는 동작 범위를 보여준다. 기능 범위는 균형 잡히고 중앙화된 HFDP 및/혹은 SFDP를 수반하는

환자에서 대칭적으로 힘을 분산한다.

임상 관찰: 자연스러운 노화 과정은 이 양상으로 야기된 다수의 결과물을 형성한다. 구강 구조물의 일부 혹은 전부가 과다한 힘 집중의 독립된 지역으로부터 스트레스를 받는다고 할지라도, 하악은 시간이 흐르면서 평형을 추구할 것이고 중앙화된 HFDP를 보일 것이다. 두경부 자세가 COF 아이콘을 COF 타겟 밖으로 이동시킬 수 있기 때문에, 중앙화된 HFDP가 중앙화된 SFDP까지 내포하는 것은 아니라는 것을 잊지 말아야 한다. 힘 분포의 "이상적인" 중앙은, 저자가 중앙화된 양상을 가진 환자를 관찰한 결과 20% 정도로 (거의 어린 환자) 드물게 나타났다. 중앙화된 양상의 환자들은 최소의 구조적 적응을 보이는 건강한 교합을 가질 수 있다.

힘 싸이클 양상 #5: 전방 개방 교합 양상

그림 59-61은 힘 싸이클 양상 #5를 자세히 보여준다. 그림 59는 자연적인 전방 개방 교합의 성장 양상을 보여준다. 근기능적으로, 악궁과 전치부 교두감합 모두를 골격적으로 방해하고 전방 개방 공간을 채우는 혀가 개방 교합 환자의 전방부를 조절한다. 기능에서, 전방 부분이 구치부를 보호할 수 없고, 불균형한 과다한 후방 힘 집중이 과두 위치를 바꾸어, 디스크 조합물의 구조적 적응을 유도한다. 이것은 포착 가능한 관절의 진동 발달을 초래할 수 있다.

모든 ant. deprogramming splint는 구치부가 분리될 때 관절와 내에서 과두 위치가 변경되기 때문에, 하악의 경로를 바꿀 가능성이 있다. 그림 60에서 보는 것처럼, 두통의 빈도와 강도를 감소시키는 NTI 장치를 사용하면 교합 변화가 발생할 수 있다. DOFDP는 상악에 대한 하악의 위치를 바꾸는 어떤 교합 스플린트의 "전-후" 힘 모양을 남길 수 있다.

힘 싸이클 양상 #5 특징

- **두경부 자세**: 이 양상은 항상 골격성 문제를 동반한다. 만성 전방 머리 자세는 목에 스트레스를 주고 환추(제1 경추)의 측방 운동을 제한한다.
- **과두 방향**: 양쪽 과두 머리에 가해지는 힘은 위쪽과 뒤쪽을 향한다. 성장 동안, 조기 근기능적 습관은 관절와, 과두, 하악지 높이, 상하악 방향 사이에 비대칭을 만들 수 있다.
- **전방 방향**: 유일한 전방 조절은 혀에 의해 이루어지고, 휴식과 연하 중에 발생한다. 개방 교합 공간 내의 존재

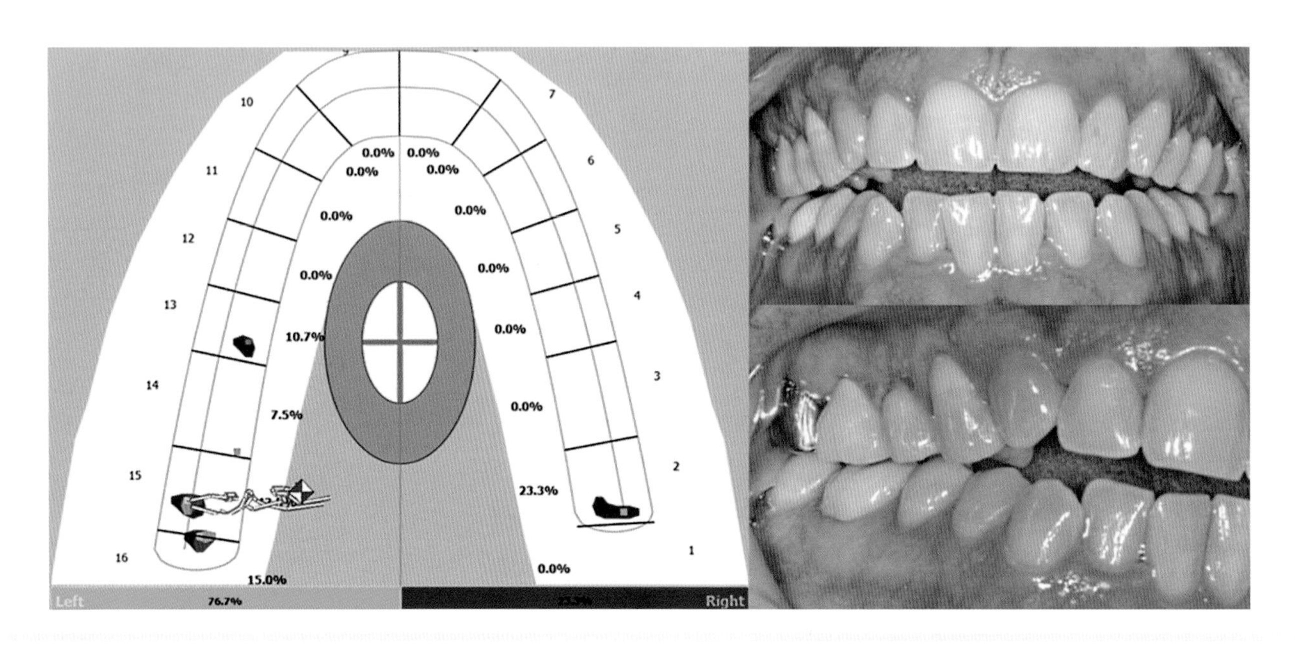

그림 59 자연 발생적인 전방 개방 교합으로 악궁이 좁고, 구개가 둥글며, 제한된 혀 공간이 전치의 교합을 방해한다. 악궁과 전치부 교두감합 모두를 골격적으로 방해하는 혀가 전방 개방 공간을 채운다. 전방 보호 없이, 좌측의 과다한 힘 집중이 과두 위치를 바꾼다. T-Scan 데이터에서 원심 후방 양상 #1로 판독될 수 있지만, 자연 발생적 개방 교합이 #5 골격성 교합 양상으로 만든다

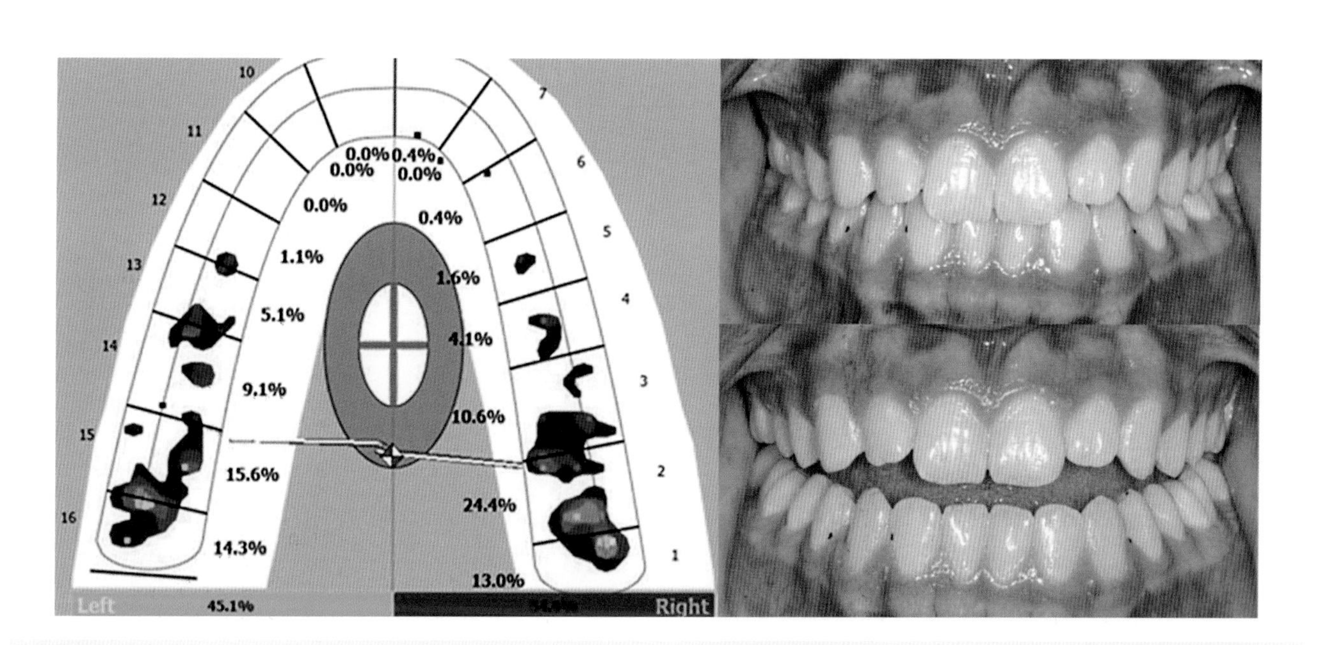

그림 60 2개의 교합을 가지는 환자의 증례이다. 우측 상방 사진은 "치아가 함께하는" 위치에서의 습관성 교합이다. 우측 상방 사진에 대한 좌측의 힘 스캔은 HFDP로 나타난다. 우측 하방 사진은 과두 위치로 놓인 하악의 교합 위치를 보여준다. T-Scan은 치아 대부분이 접촉했을 때 습관성 교합의 힘 분포를 설명한다. 그러나, 골격성 힘 양상은 2개의 제2대구치만 접촉하면서 매우 다르게 나타난다. 이것은 환자가 골격성 비대칭을 가지고 있을 가능성을 제시한다

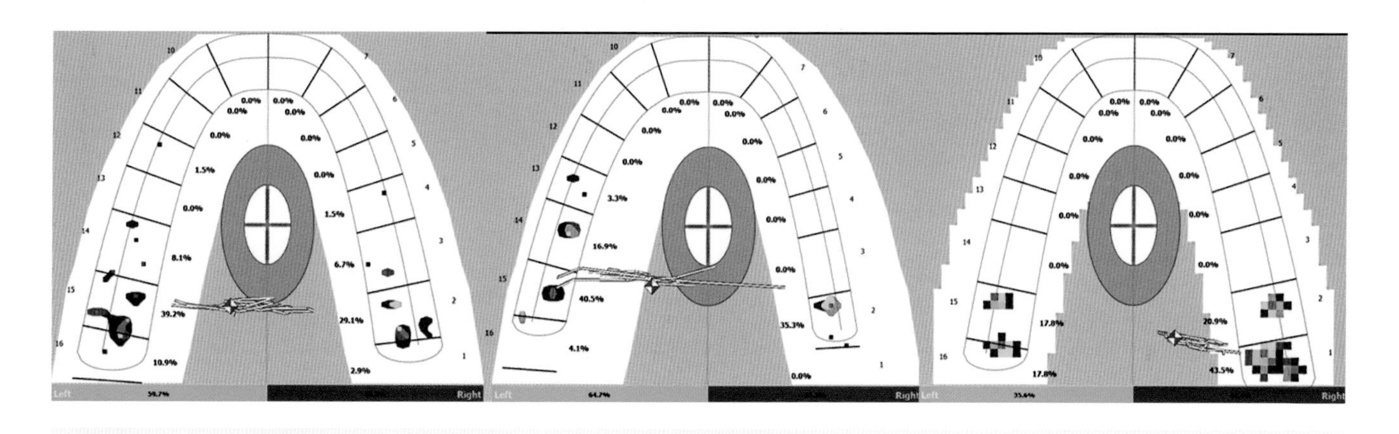

그림 61 전방 개방 교합 양상. 모든 양상에서 COF가 훨씬 더 후방으로 위치하고, 궤도 선이 힘 전송의 수평적 본질을 드러낸다

는 치아의 맹출을 방해한다.

- **후방 교합 평면**: 모든 운동이 제2대구치에 의해 지배된다. 하악각의 모양은 둔각으로 전치부 접촉을 방해한다.
- **하악 경로**: 환자 대부분은 수직적 하악 동작을 보인다. 양측성 후방 그룹 기능과 전방 유도 결여 때문에 하악의 측방 운동이 제한된다. 목 자세는 Posselt 범위를 제한하고 좁힌다. 전방 교합 접촉의 결여에도 불구하고 일부 환자는 비대칭적으로 기능하지만, 많은 개방 교합 환자는 상당한 근육성 합병 증상으로 고통받는다.

임상 관찰: 이런 환자는 편두통-타입 두통, 경부 스트레스, 비-생리적 적응성 과두의 구조적 변화를 경험하기 쉽다. 이전의 귀, 코, 목구멍 컨디션을 가진 환자들은 종종 근기능성 혀 습관을 보일 수 있고, 전방 머리 자세를 나타낼 수 있다. 기능과 전방 조절 동안 힘을 받는 단 몇 개의 치아는 항상 구치부이고, 여기에서 혀는 치아 너머로 위치하지 않는다.

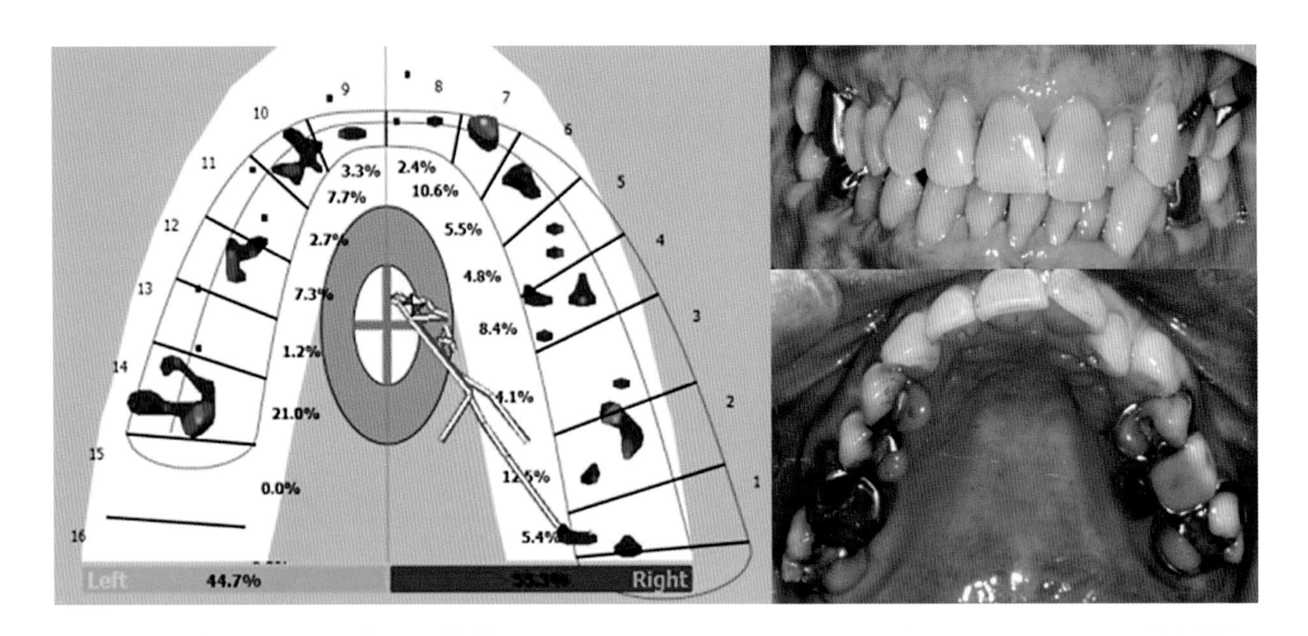

그림 62 #3(16)번 골드 크라운에서 나타나는 조기 접촉으로 인해, 폐구 COF가 후방 우측 4분악에서 시작하는 후전방 양상. 후에 전치부와 좌측 보철물이 교합 접촉을 이루기 시작하면서, #3번 치아의 간섭에서 멀어져 COF가 좌측-전방으로 이동한다. #13(25)번 치아의 보철물이 마모되어 접촉되지 않고, 총 힘의 1.2%만 받고 있다. 대신에, 이웃하는 #14(26)번 치아가 좌측의 힘 비율의 거의 반을 차지한다(총 좌측 교합력 44.7% 중 21.0%)

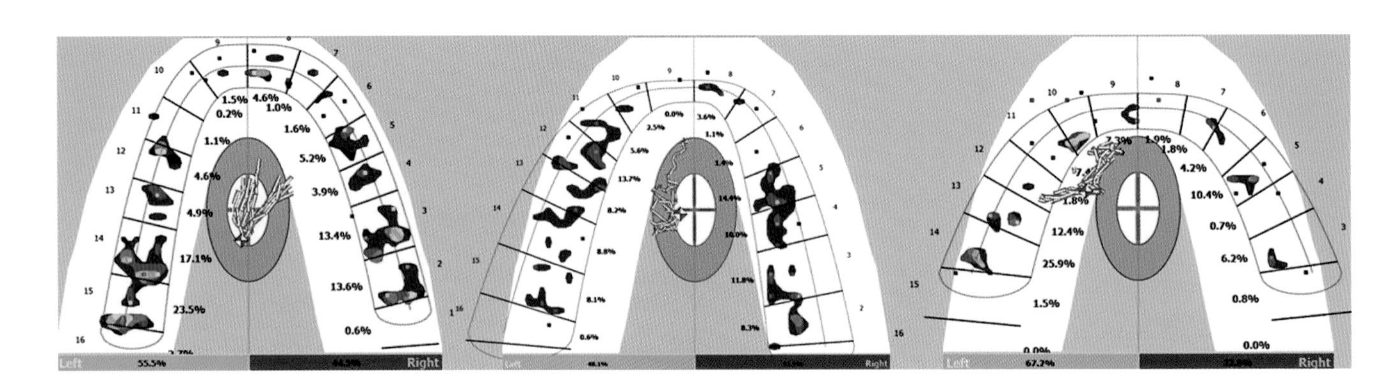

그림 63 3개의 전후방 양상. 처음 2개의 양상(좌측 및 중간 구획)은 꽤 적당하게 균형 잡히고 좋은 COF 궤도와 아이콘 위치를 보인다. 세 번째 양상(우측 구획)은, 좌측 견치 및 제1대구치 대합 관계로 인해 좌측에 존재하는 심한 교합력 불균형으로 야기된 매우 좋지 않은 COF 궤도와 아이콘 위치를 보여준다

힘 싸이클 양상 #6: 전후방 혹은 후전방 양상

그림 62, 63은 힘 싸이클 양상 #6을 자세히 보여준다. 전후방 양상은 전방 우세 힘 양상처럼 행동한다. 반면, 후전방 양상은 후방 우세 힘 양상처럼 행동한다. 그림 62는 중년 환자의 후전방 양상의 증례이다. 교두감합으로 폐구하는 동안, COF가 후방 우측 4분악에서 출발하여 하악이 MIP로 악물기를 하면서 전방으로 이동한다. 모든 치아 수복물이 균형 잡힌 힘 착륙을 제공하지 않기 때문에, 이 하악 경로는 교합 평면으로 쐐기 모양이 된다.

힘 싸이클 양상 #6 특징

- **두경부 자세**: 시간의 흐름에 따라, 전후방 혹은 후전방 힘 전송을 수용하기 위해 TMJ 과두와 후두과(occipital condyle)의 위치가 변할 것이다.
- **과두 방향**: 전후방 힘은 일반적으로 관절와 내의 과두 위치에 스트레스를 가할 수 있다. 후방 간섭은 과두가 기능 중에 위치로 완전하게 안착되는 것을 방해한다.
- **전방 방향**: 전후방 힘 전달에서, 후방 교합 지지가 다소 약화되었기 때문에 전방 유도는 스트레스의 징후를 보

일 수 있다.

- **후방 교합 평면**: 구치부가 폐구 싸이클에서 지속적으로 조기에 접촉하기 때문에, 후전방 힘은 구치부 내 및 주변에 장기간의 스트레스를 생산한다.
- **하악 경로**: 환자는 종종 후방 교합 간섭에서 벗어난 전방 교합을 획득하기 위해 전방으로의 적응이나 혹은 그 반대를 시도할 것이다. 이런 환자의 상당수가 단단한 근육, 연약한 과두, 중앙에서-벗어난 머리 자세를 보인다.

그림 63은 3개의 추가적인 전후방 양상을 보인다.

임상 관찰: 전방 부분과 후방 부분이 서로에게 불리하게 작용할 때마다, 힘 우세 부위에 따라 하나의 구성 요소는 소실될 것이다. 그러나, 많은 평형화된 증례는 중앙화된 양상을 보이고(그림 63, 좌측 구획), MIP로의 긴 교합 선과 MIP에서 벗어나는 동등하게 긴 이개 선을 그린다.

해결 방안 및 권고 사항

해답은 측정이다

짧은 치료 시간에 좀 더 정확한 진단을 이끌어내는 기술은 치과 전문가에 의해 쉽게 수용되어야 한다. 교합지도 가치가 있으나, 디지털 교합 접촉력 영상은 동작의 교합력 순서를 역동적으로 측정한다. 패러다임 전환으로 임상의는 T-Scan 레코딩 센서를, 임상의에게 힘과 타이밍의 디지털 데이터를 제공하는 "스마트한" 교합지로 인식하는 것이 필요하다. 교합 연루의 어떠한 과두-지향, 근육-지향, 습관성 경로라도 힘 싸이클로 기록될 수 있다. 이 데이터는 전통적인 교합 지표로는 획득할 수 없는 교합력 분포에 대한 통찰력을 제공한다. 그러므로, 교합 기능이상의 진단과 치료에 필수적이다.

환자 교육, 진단 결정, 교합 치료 수행에서 T-Scan 기술을 사용하는 것은 매우 실용적이다. 임상 검사 단계에서 수행하는 관례적인 방사선 촬영과 진단 과정에 힘 스캔 기록을 추가하는 것이 임상적으로 현명하다. 굴곡파절 형성, 치은 퇴축, 교합 마모처럼 해부학적인 교합력 구조적 적응을 보여주는 임상 사진과 힘 스캔 데이터를 조합하면, 구조적 적응 및/혹은 손상이 발생하는 이유를 종종 알 수 있다.

*교합 혼란(Occlusion Confusion)*의 개념은, 많은 다양한 교합 철학이 주장되고 따라서 "교합"이라는 용어가 실제적으로 설명하는 의미에 대한 많은 다양한 해석이 존재하기 때문에 발생하였다. 이것은 치의학이 교합 발달, 기능장애, 적응의 원인이라는 수수께끼를 풀기 위해 지속적으로 고군분투함을 암시하기 때문에, 혼란은 치과의사에게 중요한 의미를 가져야 한다.

매일의 진료에서 T-Scan 기술을 사용하는 임상의에게는 교합 혼란을 명백하게 하는 것이 가능하다. 디지털 데이터에 의해서 임상의는, 교합이라는 것을 저작근이 에너지를 자연치(보철적 변경 여부와 무관하게)와 지지 조직에 전달하는 위치에서 발생하는 "단순한 활동 혹은 과정"으로 볼 수 있게 된다. 두 물체가 연루될 때 발생하는 에너지 전도는, 환자가 만드는 각각의 연하와 기능적 하악 운동으로 반복적으로 발생한다. 대안적으로, 이개는 교두감합 접촉 위치에서 빠져 나와 치아가 분리되는 것으로 에너지 전도가 뒤바뀌어 치아와 지지 조직에서 해방된다. 힘 싸이클 전도와 해방은 전통적인 교합지로 측정할 수 없다. 사실, 교합지 자국의 주관적 해석은 힘 정보에 대한 임상의의 추측에 지나지 않는다(Kerstein & Radke, 2013). 그러므로, 저자는 교합 기능이 T-Scan 기술로 측정되어 교합의 영역이 최근에 수용하는 환자의 치료 기준을 향상시킬 것을 권고하는 바이다.

디지털 교합의 미래는 현재이다

- 컴퓨터는 거의 모든 임상의의 진료실에서 이용할 수 있다.
- 요즘 세계에서 디지털 앱은 흔하다. 사용자에게 전적으로 친근하다.
- 환자는 시각적인 기술을 즐기고, 임상의가 정확한 진단을 내리게 도와주는 객관적인 측정을 사용할 때의 이점을 이해할 수 있다.
- 치의학의 디지털 시대는 이미 충분히 탐구되고 이해되어 임상적으로 통합된 많은 다양한 분야에서 전례 없는 양의 데이터를 형성하였다.
- 교합지는 확실한 가치를 가지고 있지만, "교합 혼란" 퍼즐을 풀어야 한다.
- T-Scan 센서는 모든 접촉력의 순서와 지속 시간에 대한 객관적인 힘 및 타이밍 데이터를 포함하는 새로운 패러다임을 제공한다.

- 현재의 T-Scan은, 좋지 않은 교합력 분포가 장기간에 걸쳐 전 연령의 인구에 미치는 영향에 대한 측정, 기록, 연구, 보다 나은 치료를 시행할 수 있는 능력을 임상의에게 제공한다. 이런 통찰력은 구강악계의 다양한 구성요소의 중요한 적응성 구조물이 붕괴되지 않도록 도울 것이다.

미래의 연구 방향

힘 측정은 하악 연루를 객관적인 힘과 타이밍 데이터로 번역하는 상대적으로 새로운 측정 기준이다. 교합 체계를 계측하는 측정 기준으로 힘 강도, 지속 시간, 분포를 사용하는 치의학의 새로운 패러다임이다. T-Scan 시스템의 힘 재생산이 매우 재현성있는 것으로 발표되었고(Kerstein, Lowe, Harty, & Radke, 2006; Koos, Godt, Schille, & Goz, 2010), 따라서 이 기술의 유용성이 증명되었다. 그러나, DOFDP가 시간 경과에 따라 반복적으로 평가될 수 있는 정확한 교합력 데이터를 제공한다는 것을 지난 15년간 관찰했음에도 불구하고, 과학적으로 유용한 임상 측정으로써 힘 분포 양상을 입증하는 정식 연구가 부족하다.

DOFDP 데이터를 잠재적으로 연구할 수 있는 가능한 미래의 3가지 연구 방향은:

- DOFDP 진화와 연관된 성장 및 발달.
- 1번 경추(atlas) 직교 관절과 상악-대-하악 사이의 관계.
- "측정된" 불균형성 교합과 연관된 두통의 원인.

성장, 발달, 그리고 DOFDP의 진화

힘 양상은 유치열에서 영구치열로 전이되면서 진화한다. 이런 진화는 연구되지 않았다. 1989년 Van der Linden은 구치부의 교합면 형태가 더 좋은 저작을 얻는 것이 아니라, 안면 성장에서 긍정적인 유도 역할을 보장하는 것이라고 발표하였다(Van der Linden, 1989). 근기능성 습관, 기도 발달, 두개저의 성장 방향이 하악 경로에 영향을 미치기 때문에, 어린 나이에 획득된 힘 분포 양상이 미래 두개 골격 성장의 부족이나 대칭성을 예견하는지 판단하기 위한 연구가 계획될 수 있을 것이다.

두개 자세 및 하악 연루

저작근은 설골상근과 설골하근의 길항근으로 작용하고 두개골의 균형을 증진시킨다. 저작근의 긴장이 설골근보다 크면, 머리가 후방으로 위치될 것이다. 더욱이, 머리의 한 쪽과 다른 쪽의 저작근 긴장이 같지 않다면, 축이 회전할 것이고, 한쪽 과두의 다른 쪽에 대한 수평적 높이의 차이로 머리를 적절하게 지지하기 위해 몸 자세의 적응을 유도하게 될 것이다.

근육성 불균형으로 인한 이런 자세적 변경은 모든 환자가 표현하는 2개의 "저작"(습관성 교합과 골격성 교합)에 영향을 줄 수 있다. 어떤 사람들에게는 하악의 골격성 접근(SFDP로 결정되는)이 처음 선택되는 경로일 수 있고, 다른 이들에게는 습관성 연루(HFDP로 결정되는)가 더 나을 수 있다. 축 복합체에 대한 HFDP와 SFDP를 비교하여 두개 자세가 교합 기능장애의 발달에 기여하는 역할을 평가하는 연구를 진행할 수 있다. 이런 종류의 연구 결과는 환추 직교 관절 문제를 진단하는 임상의를 위해 잠재적인 치료 결과를 시사하게 된다.

DOFDP와 두통

TMD와 연관된 두통은 국제 두통 협회에 의해 2급, "긴장성 두통"으로 목록화되어 있다. 이런 종류의 두통은 이상기능 활동, 간헐적 TMJ clicking, 저작근 민감성, 감소된 동작 범위를 보이고, 힘 싸이클 양상이 과다한 후방 교합력 분포를 나타낸다. 하악 기능과 긴장성 두통 사이에 관찰되는 연관성은 추가적인 연구로 원인을 규정할 필요가 있다. 연구는, 긴장성 두통 환자에게서 일정한 DOFDP가 지속적으로 관찰되는지 판단하기 위해 고안될 수 있다. 그 결과는, 하나 혹은 그 이상의 DOFDP가 하악 기능과 원인적으로 연관된 두통의 진단적 예측 변수로 작용할 수 있는지에 대해 설명할 수 있을 것이다.

위에 제안한 연구의 결과는 이 책의 다른 장에 실린 다른 많은 연구의 결과와 조합되어, 디지털 교합 기술의 사용 증가가 보편화되고 있는 치의학의 시대에 그것이 술자를 도울 수 있는지에 대한 임상적 연관성을 증명해야 한다.

결론

교합 개념은 형태학적 및 기술적 원리에 근거하지만, 하악 연루의 통합된 정지 위치를 설명하기 위한 교합지 사용은 진정한 측정이 부족하다. 교합의 모든 철학은 치아의 해부학, TMJ, 신경학적 회로망, 연관된 인대, 저작근, 골격성 아치의 체계가 건강하게 기능하고 조화를 이루도록 발달하게 노력한다. 이런 구조물은 항상성과 기능을 유지하는 구강악계 내의 자기수용기 감각에 의해 모두 지배당한다. 이와 같이, 교합 부하로부터 적용된 압력에 대한 적응은 체계 내에 생물학적인 모든 것에 영향을 미친다.

1980년대 초기, 교합 접촉력과 타이밍을 기록하고 영상 스크린에 보여주는 아이디어는 혁명적이었다. T-Scan 시스템의 발달은 오늘날 모든 치과의사가 최신의 T-Scan 버전을 사용하는 것을 가능하게 만들었다. 교합지 자국의 임상 판독이 치과 대학 교과서와 전문 교육 프로그램에서 설명되고 있음에도 불구하고, 현대의 연구는 교합지 자국의 임상 정확성이 부족한 매우 약화된 술식이라는 것을 보여준다. 자국의 질은 건조 정도에 따라, 자연치, 금, 비귀금속, 플라스틱, 포셀린, 레진, 지르코니아 등이 같은 힘에 정확하게 인기 되는지에 대한 부정확한 추정에 따라 달라진다. 부가적으로, 어둡고 축축한 구강 환경은 주관적 교합지 자국 해석은 시각적으로 어려운 임상 과제가 된다.

고안된 방법으로의 체계적 기능이나 기능장애는 많은 방법으로 체계에 스트레스를 줄 수 있다. 구강악계에 대한 기능 조화 제공을 희망하는 치과의사는 디지털 진단 과정을 이용할 수 있다. 교합 평면과의 하악 연루는 반복적인 현상으로, 문제성 교합 접촉은 수면, 저작, 연하, 운동 동안 발생할 수 있다. DOFDP는 존재하는 미세외상을 예견성 있게 발견한다. DOFDP는 교합 진단의 신뢰성을 촉진하기 위한 결정적인 정보를 제공함으로써 이런 미세외상성 힘 연루를 조절하게 하고, 또한 적용된 치료의 장기간 성공을 확신하고 모니터링 하도록 돕는다. 어떤 체계는 반복적인 미세외상에 적응할 수 있음에도 불구하고, 대부분의 환자는 병적이고 반복적인 힘 분포를 변경하는 개선을 통한 기능적 조화를 찾도록 도움을 받아야 할 것이다.

힘 스캔은 치의학이 전에 보지 못한 것을 분리하여 아날로그 교합지로 가능하지 않은 진단 및 치료의 기회를 창조한다. 궁극적으로, 어떤 술식의 효용성은 측정하고 결과를 확인하기 위해 사용되는 도구의 가치만 있어도 좋다. 치의학의 디지털 영역에서, T-Scan 시스템은 교합지와 비교하여 임상의가 사용할 수 있는 훨씬 우월한 도구이다. 이와 같이, DOFDP를 T-Scan 기술과 같이 공부하는 것은 현대 치과 환자에게 이용할 수 있는 교합 치료의 질에 중요한 전진을 제공한다.

참고문헌

- Academy of Prosthodontics (2005). The Glossary of Prosthodontic Terms. *Journal of Prosthetic Dentistry*, *94* (1), 10-92
- Bader, J.D., Shugars, D.A., & Sturdevant, J.R. (2004). Consequences of posterior cusp fracture. *General Dentistry*, *52*(2), 128-131
- Carey, J., Craig, M., Kerstein, R.B., & Radke, J. (2007). Determining a relationship between applied occlusal load and articulation paper mark area. *Open Dentistry Journal*, *1*, 1-7
- Carlson, J.E. (2003). *Orthocranial Occlusion*. Woodinville, WA: Blue Pine Unlimited, pp. 85-89.
- Cuccia, A., & Caradonna, C. (2009). The relationship between the Stomatognathic system and body posture. *Clinics*, *64*(1), 61-66.
- Dawson, P.E. (1989). *Evaluation, Diagnosis, and Treatment of Occlusal Problems*. *2nd Ed.,* St. Louis, MO: CV Mosby Co., pp. 17.
- Dawson, P.E. (2007). *Functional Occlusion: From TMJ to Smile Design*. St. Louis, MO: Mosby Elsevier, Inc., pp. 76-80, 142-145.
- Droter, J.R. (2005). An orthopaedic approach to the diagnosis and treatment of disorders of the Temporomandibular joint. *Dentistry Today*, *31*(10), 82-88.
- Dylina, T.J. (2001). A common sense approach to splint therapy. *Journal of Prosthetic Dentistry, 86*,539-545.
- Dylina, T.J. (2001). The basics of occlusal splint therapy. *Dentistry Today*, *21*(7), 82-87.
- Enlow, D.H. (1990). *Facial Growth. 3rd Ed.* Philadelphia, PA: W B Saunders Co., pp. 270, 277.
- Kerstein, R.B. & Wright, N. (1991). An electromyographic and computer analysis of patients suffering from chronic myofas-

cial pain-dysfunction syndrome; pre and post-treatment with Immediate Complete Anterior Guidance Development. *Journal of Prosthetic Dentistry*, *66*(5), 677-686.

- Kerstein, R.B. (1994). Disclusion Time measurement studies: stability of Disclusion Time. A one-year follow-up study. *Journal of Prosthetic Dentistry*, *72*(2), 164-168.
- Kerstein, R.B. (2004). Combining technologies: a computerized occlusal analysis system synchronized with a computerized electromyography system. *The Journal of Craniomandibular Practice*, *22*(2), 96-109.
- Kerstein, R.B., Lowe, M., Harty, M.,& Radke J. (2006). A force reproduction analysis of two
- recording sensors of a computerized occlusal analysis system. *The Journal of Craniomandibular Practice*, *24*(1), 15-24
- Kerstein, R.B. (2010). Reducing chronic masseter and temporalis muscular hyperactivity with computer-guided occlusal adjustments. *Compendium of Continuing Education*, *31*(7), 530-543.
- Kerstein, R.B. and Radke, J. (2013). Clinician accuracy when subjectively interpreting articulating paper markings. *The Journal of Craniomandibular & Sleep Practice*, *32*(1), 13-23.
- Koos, B., Godt, A., Schille, C., & Göz, G. (2010). Precision of an instrumentation-based method of analyzing occlusion and its resulting distribution of forces in the dental arch. *Journal of Orofacial Orthopedics*, *71*(6), 403-410.
- Lerman, M. (2011). The muscle engram: the reflex that limits conventional occlusal treatment. *The Journal of Craniomandibular Practice*, *29*(4), 297-303.
- Maness, W.L., Benjamin, M., Podoloff, R., Bobick, A. & Golden, R.F. (1987). Computerized occlusal analysis: a new technology. *The Journal of Practical Dentistry, 18*(4), 287-292
- Maness, W.L., & Podoloff, R. (1989). Distribution of occlusal contacts in maximum intercuspation. *The Journal of Prosthetic Dentistry*, *62*(2), 238-242
- Novak, J. (2006). *Posture, Get it Straight! 2nd Ed.* Andover, MN: Expert Publishing, Inc., pp. 23.
- Qadeer, S., Kerstein, R., Kim, R.J., Huh, J.B., & Shin, S.W. (2012). Relationship between articulation paper mark size and percentage of force measured with computerized occlusal analysis. *Journal of Advanced Prosthodontics*, *4*(1), 7-12.
- Rufenacht, C.R. (2000). Principles of Esthetic Integration. Carol Stream, IL: Quintessence Publishing Co., Inc., pp. 173.
- Saad, M.N., Weiner, G., Ehrenberg, D., & Weiner, S. (2008). Effects oflLoad and indicator type upon occlusal contact markings. Journal of Biomedical Materials Research. Part B, Applied Biomaterials, 85(1), 18-22.
- Spee, F.G. (1890). Die Verschiebrangsbahn des Unterkiefers am Schadell. Leipzig, Germany, Archiv für Anatomie und Physiologie, 16, 285-294.
- Storey, A.T. (1979). Controversies related to temporomandibular joint function and dysfunction. In P. Dawson, Evaluation, Diagnosis, and Treatment of Occlusal Problems. 2nd Ed., (pp. 15). St. Louis, MO: The C.V. Mosby Company.
- Van der Linden, F. P.G.M. (1986). Facial Growth and Facial Orthopedics. Chicago, IL: Quintessence Publishing Co., Ltd., pp. 76.
- Wikipedia, the Free Encyclopedia. Retrieved 04:01 MST, April 22, 2014, from http://en.wikipedia.org/wiki/Plane (geometry)
- Wilson, G.H. (1911). A Manual of Dental Prosthetics. In The Glossary of Prosthodontic Terms, Journal of Prosthetic Dentistry, 94(1), 28-29. Philadelphia, PA: Lea & Febiger.

추가문헌

- Carlson, J.E. (2004). Occlusal Diagnosis. Wiltshire, UK: Midwest Publications.
- Dos Santos Jr., J. (2007). Occlusion: Principles & Treatment. Hanover Park, IL: Quintessence Publishing Co., Inc.
- Egoscue, P., & Gittines, R. (1993). The Egoscue Method of Health Through Motion: Revolutionary Program That Lets You Rediscover the Body's Power to Rejuvenate It. New York, NY: Harper Collins Publishers, Inc.
- Lundeen, H.C., & Gibbs, C.H. (2005). The Function of Teeth: the Physiology of Mandibular Function Related to Occlusal Form and Esthetics. Gainesville, FL: L and G Publishers, LLC.
- McCoy, G. (2001). On the Demise of Occlusion. San Francisco,

CA: Self-published

- McCoy, G. (2007). Dental Compression Syndrome and TMD: Examining the Relationship. Dentistry Today, 26(7), 118-123.
- McNeill, C. (Ed.) (1997). Science and Practice of Occlusion. Carol Stream, IL: Quintessence Publishing Co., Inc.
- Miles, T. S., Nauntofte, B., & Svensson, P. (2004). *Clinical oral physiology*. Copenhagen, DK: Quintessence Publishing Co., Inc.
- Racich, M. (2010). *The Basic Rules of Oral Rehabilitation*. Markham, ON: Palmeri Publishing, Inc.
- Racich, M. (2012). *The Basic Rules of Occlusion*. Markham, ON: Palmeri Publishing, Inc.
- Racich, M. (2013). *The Basic Rules of Facially Generated Treatment Planning*. Markham, ON: Palmeri Publishing, Inc.
- Rocabado, M., Johnston, B.E. Jr., & Blakney, M.G. (1982). Physical Therapy and Dentistry: An Overview. The Journal of Craniomandibular Practice, 1, 46-49.
- Sakaguchi, K., Mehta, N.R., Abdallah, E.F., Forgione, A.G., Hirayama, H., Kawasaki, T., & Yokoyama, A. (2007). Examination of the relationship between mandibular position and body posture. The Journal of Craniomandibular Practice, 25(4), 237-249.
- Sperber, G.H. (2001). Craniofacial Development. Hamilton, ON: BC Decker, Inc.

주요 용어 및 정의

- **과두 방향(교합의 첫 번째 결정 요인):** 건강한 과두 기능과 후방 힘 분포가 수직적, 수평적, 횡적으로 균형을 이룬다.
- **교합 간섭:** 아날로그 치의학에서는 간섭을 규정하지 않는다. 디지털 치의학에서, 데이터는 모든 접촉점의 강도, 지속시간, 순서를 규정한다. 효과적인 기능 범위와 조화되지 않는 교두와 구(groove)는 현재 식별되고, 연구되고, 수정될 수 있다.
- **교합 평면:** 모든 개인은 독특한 파도-모양의 3차원적 교합 평면을 가진다. 힘 싸이클 양상은 상악 교합 평면에 효과적으로 연루되는 하악의 도전을 강조한다.
- **교합, 폐쇄, 이개:** 연루(교합), 정지 시간(폐쇄), 분리(이개) 동안 하악의 기능 범위 내에 힘 분포 싸이클의 3단계. 모든 환자가 센서 위로 "저작"하는 동안 3단계를 모두 기록한다.
- **디지털 교합:** 동작 범위와 기능 범위를 진단하고 치료하기 위해 디지털 기술을 이용하는 응용 개념.
- **선택 경로:** 하악은 최소의 저항 경로를 선호하는 뿌리 깊은 해부학적 동작 범위를 가진다. 기능의 불균형한 힘 분포는 체계의 선호하는 하악 경로를 변경한다. 하악 선택 경로의 방향은 기여하는 해부학적 인자에 의해 결정된다; 두경부 자세, 과두 위치, 후방 교합 평면, 전방 교합 평면.
- **전방 방향(교합의 두 번째 결정 요인):** 악궁의 전방 절반에서 교합 간섭이 없고 동작 범위와 조화롭게 기능해야 한다.
- **전방 조절:** 하악이 교합 평면에 연루될 때 과두 전방에서 발생하는 첫 번째 접촉(치아, 치아들, 보철물).
- **측정, 예견, 그리고 예방:** 성인의 힘 분포 양상은 기능 범위 내에서 하악의 선택 경로에 대한 저항을 측정한다. 상승되고 연장된 힘 강도는 종종 체계와 구조에의 병리를 유발할 것 같은 위치를 종종 예견할 수 있다. 예방의 개념은 파괴가 발생하기 전에 병적인 힘을 식별하고 수정하는 것이다.
- **평형:** 구강악계는 평생의 기능에 걸쳐서 평형을 추구한다. 디자인과 조화된 동작은 생리적 기능을 유지하기 위한 최고의 기회를 체계에 제공한다. 시간의 흐름에 따른 동작, 기능, 디자인 사이의 균형을 유지하고 재수립하는 것이 구강악 치료의 평형을 추구할 때의 궁극적인 목표가 된다.
- **힘 싸이클:** 온전한 교합-폐쇄-이개 과정 동안 교합력이 하악에서 상악으로 전달되고, 모든 교합 접촉의 강도, 방향, 순서를 포착하여 환자의 독특한 힘 분포 양상을 구축한다. 또한, 첫 번째 교합 접촉부터 MIP를 거쳐 MIP에서 나오는 마지막 접촉까지 전개되는 교합력의 모든 프레임의 총체로 설명될 수 있다. 힘 싸이클은 기능 범위 내에서 발생하는 기록된 힘 범위를 규정한다.

치의학에서 힘 마무리:
조화로운 교합을 위한 단순화된 접근

Sushil Koirala
Thammasat University, Thailand & Vedic Institute of Smile Aesthetics (VISA), Nepal

초록

이번 장은 T-Scan 기술에 근거한 힘 마무리 개념을 소개한다. 증례 마무리 동안, 심미적인 구성 요소는 임상적으로 평가되며, 환자와 임상의의 주관적 분석에 의해 결정된다. 대신에, 증례의 교합력 구성 요소는 볼 수 없고 부작용이 만성적으로 되기 전까지 드러나지 않는다. 힘 구성 요소가 적절하게 다루어지지 않으면, 임상의는 교합력 장애(Occlusal Force Disorder, OFD) 합병 증상을 직면할 수 있다. 종종, 임상의는 심미적 마무리에 집중하고 교합력 마무리에는 비중을 낮게 두어, 교합 조정을 주관적인 교합지 자국 해석과 환자의 주관적인 "느낌"에 의존한다. 교합지는 교합력과 타이밍의 좋지 않은 지표이기 때문에, T-Scan 기술은 교합 증례 마무리를 현저하게 향상시킬 수 있다. 이번 장에서는 모든 증례에서 교합력 조화의 성취를 간소화하기 위해, 힘 마무리 개념을 전통적인 증례 마무리와 통합하는 방법을 상세히 한다.

도입

100년 이상, 치과의사와 연구가들은 진단 및 치료의 상황에 실제적으로 응용할 수 있는 치과 교합의 개념을 알아내고 정의하기 위해서 논쟁을 벌였다. 과학적 확실성으로 아직 대답되지 않은 교합 특징과 연관된 수많은 의문이 있기 때문에, 교합은 논란이 많은 영역이었고, 아직도 다소 그러하다. 이갈이의 원인론, TMD에서 교합의 역할, 교정 치료와 TMD 통증에 대한 효과, 치료의 기준점으로 올바른 하악 위치를 결정하는 것과 같은, 현재의 과학적 근거에 거의 기초하지 않은 이 주제에 관해 다양하고 양극화된 많은 의견이 있다.

전 세계의 임상의들은 교합을 포함하는 다양한 진단 및 치료 술식(충전, 크라운, 브릿지, 가철성 의치, 임플란트 지지 수복, 풀 마우스 재건, 교정)을 일상적으로 수행한다. 그러나, 수복학적으로 그리고 교합 치료 동안 사용되는 서로 다른 교합 개념의 성공을 확증하는 과학적인 연구가 부족하다. 또한 각 임상의의 지식, 임상 기술의 다양성, 교합 문제의 성공적인 치료를 수반하는 편안한 영역을 입증할 방법도 부족하다. 일반적으로, 대학 교육 동안 치과 대학 학생들은 치과 교합에 대해 충분하게 훈련되지 못한다. 이런 새로운 졸업생들이 임상 실전으로 들어가고 치료해야 할 복잡한 임상 증례를 받아들이기 시작할 때, 많은 이들이 학문적 및 임상적 치의학 내에서 배운 치과 교합에 관한 다른 이론적 권고 사항과 다양한 개념으로 인해 혼동을 겪게 된다.

이번 장은 먼저 많은 하악 위치 이론과 각각을 둘러싼 논란에 대해, 이용 가능한 임상 증거에 기반하여 논의한다. 그 다음, 기능과 이상기능 동안 구강악계에 작용하는 교합 및 다른 구내 힘(적용된 스트레스)에 관해 간단히 논의한다. 마지막으로, 임상 치료 시 교합력 장애를 진단, 예방, 관리하기 위한 *힘 마무리* 개념과 그 프로토콜을 소개한다.

치의학에서 교합은 과학과 예술의 혼합체이다

치의학에서 교합 연구는 2개의 구성 요소를 가진다; 과학과 예술. 교합의 과학적 구성요소는 치아가 같이 맞물리는 방법과 저작계 내에서 발생한 힘이 치아와 지지 조직에 영향을 미치는 방법을 다룬다. 그러나, 자신의 교합 "느낌"에 대한 환자의 주관적 반응과 임상의에 의한 맞춤형 관리는 과학이라기 보다는 오히려 예술이라고 할 수 있다.

인간은 뛰어난 적응 능력으로 축복받은 존재이고, 따라서, 상이한 임상의에 의해 전달되는, 임상의의 지식, 교합 기술, 수행된 교합 치료의 편안감에 근거하는 다양한 교합 체계를 많은 환자가 취하는 것을 관찰하는 것은 놀라운 일이 아니다. 그러므로, 교합의 임상 치료에서, 임상의는 일부 과학적 기초를 따르고, 환자의 생리적인 적응 능력을 존중하며 자신의 기술을 사용해야 한다.

치과 교합의 역사에 관한 문헌 고찰은 교합이 3가지 생리적 단계로 나뉘어질 수 있다는 것을 제안한다(Dawson, 1989; Moffett, Johnson, & McCabe 등, 1964; Okeson, 1993; Ramfjord & Ash, 1983):

- **정상 교합**: 흔하게 "생리적" 교합으로 알려진 것으로, 치료가 필요하지 않음을 암시한다.
- **병적 교합**: "비-생리적"이라고도 알려진 교합으로, 치료가 필요함을 암시한다.
- **치료적 교합**: 종종 "이상적" 혹은 처치 교합이라고도 인용된다.

부가적으로, 교합 치료에서 일상적으로 사용되는 3가지 치료 범주가 있다:

- **교합 유지**: 이 범주에서는, 제한된 개수의 수복물이 생리적으로 받아들일만한 원래의 교합 체계로 귀속된다.
- **교합 변형**: 이 범주에서는, 생리적으로 수용 가능하거나 비-생리적이고 수용 불가한 원래의 교합 체계에, 최소에서 중등도의 변화 혹은 개선이 이루어진다(최소의 교합 조정, 치아 이동, 대합 치아 수복물 혹은 대체).
- **교합 재-구축**: 이 범주에서는, 비-생리적, 수용 불가한 교합 체계를 향상시키기 위해 큰 변화가 필요하다. 종종 새로운 교두감합 위치 및/혹은 새로운 수직 고경 구축이 필요하다.

임상적으로, 유지 및 변형 범주는 기존의 교두간 위치와 교합의 치료-전 수직 고경에 기초하기 때문에, 유지 및 변형 범주가 재-구축 범주와 비교해서 성취되기 더 쉬운 것으로 간주된다. 그러나, 교합 체계가 새로운 교두간 위치 및/혹은 수직 고경의 재-구축이 필요한 경우, 임상의가 원래의 교두간 위치를 더 이상 기준점으로 사용할 수 없기 때문에 새로운 기준점이 필요하다. 이것은 치의학에서 중요한 임상 영역이지만, 많은 임상의들이 새로운 교합 체계를 디자인하는 방법에 대해 혼란스러워하기도 한다.

하악 위치 이론

새로이-결정되는 적절한 하악 위치에 대한 기준점의 선택에 관한 혼동은 일반적으로 이용 가능한 다양한 이론으로부터 발생한다. *하악 위치 이론*으로 알려진 이런 이론들은, 진단 및 치료 동안 TMJ의 관절와 내에 하악 과두의 위치에 관하여, 하악 위치가 놓이는 곳에 따라 다르다. 과두와 치아가 각각 단단한 하악의 양 끝을 점유하기 때문에, 선택된 과두 위치는 직접적으로 교합에 영향을 미친다.

상이한 하악 위치 이론들은:

- **교두간 위치(치아 접촉 전용 위치; ICP)**: 하악 위치를 유도하는 이 치아 접촉은 가장 재현성있는 기준 위치이다.

이 치아 접촉 위치는 하악 폐구근이 최대 수축 활성으로 수축하는 위치이다(Miller, 1966). 생리적으로 수용된 하악 위치에서, ICP는 매일의 수복 치료에서 가장 많이 사용되는 기준 위치이다. PDL 감각 기계적 수용기 및 기존의 근육 기억에서 들어오는 감각 입력으로, 하악이 신속하고 반복적으로 열리고 닫히며 같은 하악 위치로 모든 교합하는 치아가 교두감합된다.

대상자의 적은 비율에서(10-14%), CR 위치와 동일한 ICP(자연 발생적으로 CR=ICP)를 보인다(Beyron, 1969; Rieder, 1978). 그러나, 많은 비율에서 0.1-1.5mm의 ICP-

CR 차이(retruded centric position(RCP)과 ICP의 간격)를 보인다. 이 1.5mm의 위치적 변위는 중심 활주(Centric Slide)로 알려져 있는데, 3가지 평면 모두에서 나타난다. 한 연구에서, ICP-CR 활주는 수직적으로 0.1-1.5mm, 수평적으로 0.1-1.0mm, 횡적으로 1mm 이하로 측정된다고 하였다(Rieder, 1978).

ICP에 대한 대안적인 하악 위치 이론

임상의는 환자 검사에서 수용할 수 없는 ICP를 만날 수 있고, 여기에 상대적으로 반복적인 기초 위에 두개골에 대한 하악의 연관성에 사용될 수 있는 3가지 대안적 개념이 있다. 이 3가지 개념은:

- **중심위(CR)**: TMJ-인대성 위치에 기반한다.
- **근신경성**: 근육에 의해 결정된 위치에 기반한다.
- **전방 전돌**: 관절 융기에 위치한 과두의 방사선학적 평가에 기반한다.

추가적으로 임상 문헌에서 하악 관계를 구축하기 위해 사용되는 다양한 다른 근육을 설명하고 있다. 이런 기술은 혀, 가장 근접한 말하는 공간(Pound, 1976), 휴식 위치(Thompson, 1964), 혹은 환자의 자발적으로 반복되는 하악 폐구에 의존한다. 그러나, 이 방법은 신빙성 있어 보이지 않고 쉽게 표준화되지 않을 것이다.

- **CR 이론(TMJ-인대 전용 위치)**: 이 개념은 1935년에 처음 설명되었다(Schuyler, 1935). 하악 조작 기술 향상 및 과두의 해부학 및 생리적 위치에 관한 새로운 지식으로 인해, CR의 정의가 문헌 내에서 변경되었다.
  초기에는 CR을 과두의 최상방 후퇴 위치로 정의하였다(Boucher, 1963; Posselt, 1952; Boucher, 1970). 이 위치가 주로 TMJ의 인대에 의해 결정되기 때문에, 인대성 위치라고 표현된다. CR은 완전 의치 구성을 가능하게 하는 재현성있는 하악 위치이기 때문에, 보철과 의사 사이에서는 보편적이다(Boucher, 1970). 수직 고경이나 치아 위치와 상관없이, 과두가 융기에 대한 최후상방 위치가 되어야 한다고 제안되었다(Dawson, 1989). 그러나, 보다 최근의 생체 역학과 TMJ의 기능에 대한 이해와 함께, 최상방 후퇴 위치에 의문을 제기하게 되었고, 최근에 과두의 *최전*상방 위치(Dawson의 위치)가 와 내에서 과두의 가장 정형외과적으로 안정된 위치로 간주된다. Glossary of Prosthodontic Term의 7판에서, 복합체가 관절 융기 경사에 대해 전상방에 위치하면서 과두가 각 디스크의 가장 얇은 무혈관성 부위에 관절을 형성하는 것으로 CR을 정의하였다(Van Blarcom, 1999). 후방력이 하악에 가해질 때, 측두하악 인대의 내측 섬유에 의해 TMJ 안에서 저항을 받는다. 인대가 탄탄하다면, 최상방 후퇴 위치, 최후상방 위치(Dawson의 위치), 그리고 최전상방 위치 사이에 차이가 거의 존재하지 않을 것이다(Okeson, 2013). 그러나, 인대가 느슨하거나 늘어졌다면, 과두가 최상방 위치에 남아있는 동안 운동의 전후방 범위가 발생할 수 있다(Okeson, 2013).
  CR의 위치 파악은 때때로 임상적으로 획득하기 어려울 수 있다. CR 위치를 예견성있게 재현하기 위해, CR 위치 파악에 임상의가 일상적으로 사용할 수 있는 2가지 기술이 있다:
  - *양수 조작*: 가장 재현성있는 사용 가능한 조작 기술의 하나이다(Dawson, 1989). 이 기술에서, 환자는 뒤로 기대고 턱을 위쪽으로 향한다. 임상의는 4개의 손가락을 하악 하연을 따라 놓으면서 새끼 손가락을 하악각 뒤에 위치시킨 후, 손가락이 목의 연조직이 아닌 골 위에 놓였는지 확인한다. 양 엄지를 턱 근처의 하악 정중 결합선 너머로 만나게 한다. 그 후 임상의는 엄지로 턱에 하방력을, 네 손가락으로 하악각에 상방력을 적용하여, 과두를 관절와의 전상방에 안착되도록 한다.
  - *기능적 조작*: 이 기술은 환자의 근육을 사용하여 과두를 안착시킨다. 입의 전방부에 교합 정지(occlusal stop) 장치를 놓고 환자에게 어금니로 물게 하여 획득한다. Lucia jig(Lucia, 1960), leaf gauge(Downs, 1988; Long, 1973; McHorris, 1985), ant. deprogrammer(Solow, 2013)를 이용하여 성취할 수 있다. 이 기술 배후의 개념은 전치부만 교합했을 때(구치부는 분리), 거상근(측두근, 교근, 내측 익돌근)에 의해 제공되는 직접적인 힘이 관절 디스크가 개재된 상태로 과두를 관절와 내의 전상방 위치(CR 위치)로 안착시킨다는 것이다. CR 개념에 대한 자세한 설명과 T-Scan으로 CR 조기접촉을 평가하는 방법은 14장에 서술되어 있다.

- **근신경성 이론; 근중심으로 알려진 근육 전용 위치**: 근신경성 개념(Jankelson, 1969)은 가장 적절한 위치가 거상근의 전기-유도 이완을 유발하는 경피 전기 신경 자극(TENS)을 사용하여 얻어질 수 있다고 주장한다. 거상근은 전기적으로 펄스를 받거나 주기적인 간격으로 자극을 받아, EMG 활성이 가능한 최저 크기로 근육이 이완된다. 이런 전기적으로-감소된 새로운 이완 근육 길이와 하악 위치가 적절한 근신경성 위치로 간주된다.
  TENS는 하악을 지지하는 거상근과 인대의 탄성(점탄성)과 동등하게 중력의 힘이 하악을 밑으로 잡아 당기는 지점을 의미하는 휴식 위치를 결정한다. 최저 EMG 활성의 하악 위치가 8-9mm의 교두간 위치에서 나타날 수 있기 때문에, 하악이 기능으로부터 적절한 휴식 위치를 항상 수립하지는 않는다는 것을 기억해야 한다. 자세성 휴식 위치는 교두간 위치 하방 2-4mm에 위치한다(Rugh & Drago, 1981; Manns, Zuazola, & Sirhan, 1990). 연구에 의하면, 이 술식으로 얻어진 교두간 위치(ICP)는 원래의 ICP보다 항상 전방으로 위치한다(Bessette & Quinlivan, 1973; Remien & Ash, 1974).
  임상의는 근신경성 술식을 사용할 때 3가지 임상 상황이 발생할 수 있다는 것을 인지해야 한다:
  - 새로운 하악 위치는 항상 안착된 과두 위치의 전하방에서 발견된다.
  - 새로운 하악 위치는 항상 증가된 수직 고경의 상태에서 발견된다.
  - 환자의 머리 자세는 획득된 상-하악 관계를 변화시킬 수 있다.
  - 근신경 위치는 최소 보조기를 이용하여 유지되어야 하고, 필요하다면 상당한 보철 재건으로 28개의 모든 치아를 재-교합시켜야 한다.

  근신경성 개념과 T-Scan, TENS를 이용한 자세한 방법은 17장을 참조하기 바란다.

- **Gelb 4/7 위치로 알려진, 전방 전돌 위치 이론**: 이 접근에서, 근육이 관절 융기에 대해 TMJ의 구성 요소를 유지하는 방법에 의해 교합이 결정된다.
  Gelb 4/7 하악 위치(Gelb & Gelb, 1991)는 교합을 벌리고 하악을 관절와 진성 중앙의 전하방에 재위치시키기 위한 장치를 사용하여 방사선적 평가에 의해 결정될 수 있다. TMJ의 Gelb 방사선 평가는 (MRI 없이는) 연조직이 이미지화 되지 않기 때문에, 항상 과두 위치가 적절하게 결정되지는 않는다. 추가적으로, 비-증상 대상자의 다양한 표면 정밀 사진(topograph) 검사는 과두 위치에 상당한 변동성이 있음을 보여준다(Blaschke & Blaschke, 1981; Pullinger, Hollender, & Solberg, 1985). 관절 디스크 두께와 모양의 다양성으로 과두/디스크/와 조합물의 생리적인 과두 안착을 가능하게 하고, 진성 과두 위치 결정을 위한 표준화된 측정값 사용을 방해한다.

제안된 교합 치료에 대한 적절한 기준 하악 위치 결정 개념을 선택할 때, 균등하게 분포된 구치부 교합을 수립하기 위해 어떤 전돌된 하악 위치는 광범위한 교정치료, 악교정 수술, 수복을 필요로 할 수 있다는 것을 인지해야 한다. 한층 더 나아가, 전돌된 위치로 교합을 구축하는 것은, 구치부 접촉으로 자연발생적 하악 폐구 호에 대한 간섭 발달을 야기할 수 있는 위험성에 환자를 노출시키게 된다. 이런 현상은 과두가 생리적으로 관절와 내에 위치하지 않기 때문에, 하악이 구축된 전돌 위치에 머무르지 않을 때 발생한다.

교합의 외측방 개념

CO로부터 만들어진 외측방 운동에 근거하여, 기능성 교합의 다양한 개념이 인지되고 생리적으로 주장되었다:

- 균형 교합(Balanced occlusion, McLean, 1938; Woda, Vigneron, & Kay, 1979);
- 견치-보호 교합(Canine-protected occlusion, D'Amico, 1958; Gysi, 1915; Kaplan, 1963; Stuart & Stallard, 1963; Reynolds, 1971; McAdam, 1976; Lucia, 1983; Schwartz, 1986);
- 그룹 기능 교합(Group function occlusion, MacMillan, 1930; Schuyler, 1961; Alexander, 1963; Mann & Pankey, 1954; Beyron, 1969);
- 견치-보호와 그룹 기능 혼합(Rinchuse & Sassouni, 1982);
- 평평한 평면 (교모) 교합(Flat plane (attrition) occlusion, Begg, 1954; DeShields, 1978);
- 후방 이개 지속 시간 동안 측정가능한 즉시 (시간-바탕) 전방 유도 조절(Kerstein, 1993).

그러나, 이런 외측방 운동-바탕 교합 개념 중에, 균형과 평평한 평면 교합은 현재 의치 환자들에게 사용되고 있고, 특별히 힘-연관 이유로 자연치 교합에서는 더 이상 사용되지 않는다. 자연 치열에서는, 그룹 기능이 꽤 일반적이다. 그러나 대구치와 소구치 측방 편심위 접촉이 견치 보호 교합보다 근육 긴장을 증가시키기 때문에, 그룹 기능 교합이 치아에 더 큰 교합력을 적용하게 되므로, 그룹 기능은 치료적 교합의 부분으로 고려되지 않아야 한다(Kerstein & Radke, 2012). 따라서, 외측방 운동 교합 체계에 적용 가능한 모든 개념 중에, 견치 보호 교합이 저작계에 대한 영향력과 관련하여 보호적이고 낮은 근 활성 성질을 가지기 때문에 가장 적절하다.

많은 핵심적인 교합 개념을 설명하기 위해, 7장뿐만 아니라 이번 장 내의 힘 마무리에 관해서, 측정성 즉시 (시간-바탕) 전방 유도에 관한 개념을 참조한다.

다양한 하악 위치 이론에서 공유되고 받아들여지는 보편적인 교합 개념

이런 이론적 하악 위치 차이에도 불구하고, 하악 위치 이론 모두는 교합 접촉과 교합력에 관한 다음의 4가지 개념에 동의한다(Dawson, 2007; Glickman, 1979; McNeil, 1997; Okeson, 2003):

- **하악 폐구 동안 어떻게 치아가 만나야 하는가:** 모든 치아는 모든 하악 폐구 운동 동안 동시적으로 양측에서 만나야 한다.
- **교합 부하가 치열궁 내에서 어떻게 분포해야 하는가:** 교합력의 동등한 비율이 좌우 반-악궁에서 공유되어야 한다.
- **교합 부하가 치아 위에 어떻게 분포해야 하는가:** 교합력의 동등한 비율이 각 치아의 악궁 반대편 치아에도 분포해야 한다.
- **외측방 편심위 간섭 접촉의 지속 시간:** 전치부가 편심위 운동 동안 즉시 구치부를 이개시켜야 한다.

임상 치료에 적용되는 하악 위치 이론(기준 위치)이 무엇이든 간에, 임상의는 교합 기능의 모든 작용 (기능 혹은 이상기능 모두) 동안 다양한 힘(스트레스)이 저작계에 발생한다는 것을 항상 이해해야만 한다. 적용된 교합력과 구강악계의 장기간 건강, 기능, 심미를 유지하기 위한 지지 조직(치아, 치주조직, 저작근, 하악골, TMJ, 그리고 연관된 지지 구조물)의 적응 능력 사이에, 진행 중인 생리적 균형이 필요하다.

따라서, 치료를 위한 하악 위치를 선택할 때, 최종 교합과 관계가 있는 선택된 하악 위치의 임상적 영향과 치료 목표를 달성하기 위해 요구되는 치료 범위를 고려해야 한다. 가장 보존적인 교합 치료 접근을 선택하는 것은 항상 권고될 가치가 있다. 이것은 치료의 생물학적 및 경제적인 비용에 대한 환자 부담을 축소시킨다.

교합력은 교합 조화의 열쇠이다

환자의 심리, 건강, 기능, 그리고 심미는, 건강, 조화, 아름다운 미소를 성취하기 위해 고안되는 예방적이고 치료적이며 심미적인 모든 치과 치료의 4가지 기본 구성 요소이다. 이런 중심 구성 요소가 실제적으로 수복 치료 계획 내에서 연관되는 임상 순서를 Smile Design Wheel에 정리하였는데(그림 1)(Koirala, 2009), 이것으로 임상의는 치아 구조물을 보존하고, 치아 수명을 연장하고, 치료 비용을 줄이고, 일생 동안의 수복물 교체 주기 횟수를 감소시키고, 치과 치료 동안 치과의사의 이미지를 향상시켜 환자의 임상의에 대한 믿

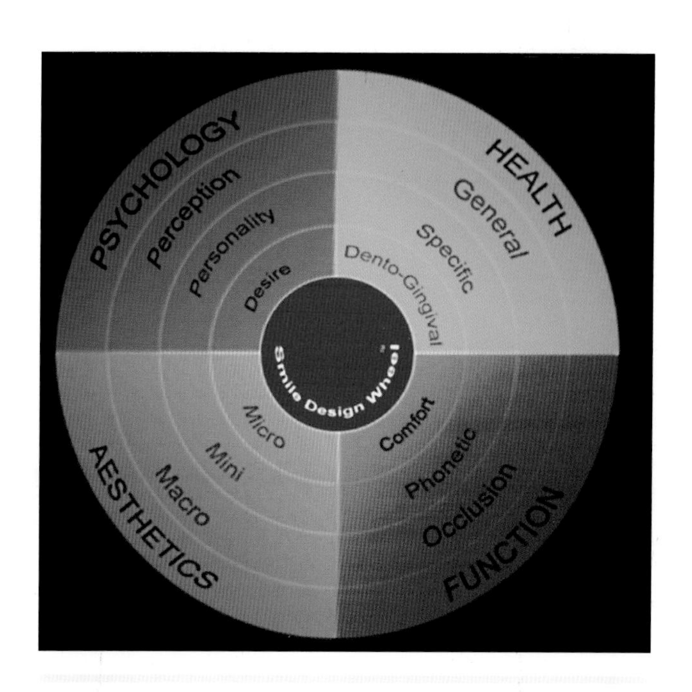

그림 1 Smile Design Wheel. 포괄적인 치과 치료 동안 고려되어야 할 심리, 건강, 기능, 심미의 구성 요소를 포함한다. Kiorala, S.(2009)에서 발췌. Smile Design Wheel: A practice approach to smile design. Cosmetic Dentistry Science and Beauty, 3, 24-28. © [2006] [Nepal Dental Association의 호의]. 허락 하 인용.

음과 신뢰를 증가시킨다. 기능이 환자의 저작계 내에서 발생하는 다양한 힘과 스트레스를 생산하는 교합과 직접적으로 연관되기 때문에, 이 바뀌는 장기간의 임상 성공을 위한 절대적인 인자의 하나로써 기능에 특별히 초점을 맞춘다.

환자의 구강 건강, 적절한 기능, 미소 심미성 구축은 환자의 치아, 근육, TMJ, 기도(TMJA 시스템으로 알려진)의 전체적인 조화와 직접적으로 연관된다. 모든 교합 변경 및/혹은 고려된 기능 회복 술식은 장기간의 임상 증례 성공을 위해, 내재적인 기능적 혹은 이상기능적 힘을 분리하고 치료해야 한다는 것을 항상 고려한다. 이런 힘이 적절하게 분석되지 않거나 치료 마무리 과정 동안 적절하게 감소되지 않는다면, 임상의는 다양한 임상적 합병증을 만나게 될 것이다:

- 수복물 손상(veneer, 온레이, 크라운, 브릿지),
- 치아 파절,
- 치아 동요,
- 비정상적 치아 마모 및 치아 민감성,
- 치아, 근육, TMJ의 통증,
- 교합력 장애(Occlusal Force Disorder, OFD)의 다른 증상 및 징후.

저작 및 치아 접촉력

구강악계는 3가지 주요 기능을 담당하도록 고안된 복잡한 단위이다:

- 저작,
- 연하,
- 발음.

이런 기능은 생활의 기본이지만, 호흡과 감정 표현을 돕는 2차적인 기능도 가진다.

근육 수축은 하악 동작과 두개하악 힘을 형성하는 수단이고, 치열의 기능과 긴밀하게 연관된다. 근육이 부착된 두개안면 골격의 기하학적 구조는, 하악과 두개골 사이에 교합력을 형성하는 하악 동작이 이루어질 때 발생하는 치아 압박과 모두 연관된다. 이런 이유로, 저작과 그 결과로 형성된 힘을 여기서 간단하게 이야기할 것이다:

저작은 음식을 씹는 작용이고(Anderson, 1988), 소화의 초기 단계를 나타낸다. 이것은 저작근, 치아, 치주 지지 조직뿐만 아니라, 입술, 뺨, 혀, 침샘을 사용하는 복합적 기능이다. 저작은 율동적이고 잘-조절된 상악 및 하악 치아의 접촉과 분리로 구성된다. 하악이 만드는 각 개구 및 폐구 운동은 저작 스트로크를 나타내고, 음식이 분쇄되면서 유사한 저작 스트로크가 여러 번 반복된다. 연구에 의하면, 저작 작용 동안 치아 접촉이 발생하는데, 음식이 입 안으로 들어오는 초기에는 소수의 접촉만이 발생하지만, 덩어리가 분쇄되면서 치아 접촉 빈도가 증가한다(Anderson & Picton, 1957; Ahlgren, 1966). 연하 직전의 저작 마지막 단계에는, 치아 접촉이 모든 스트로크 동안 발생하지만 치아에 대한 힘은 최소인 것으로 보인다(Adams & Zander, 1964).

저작 동안 치아에 놓이는 힘의 양은 개인마다 크게 다르다. 남성이 여성보다 더 센 힘으로 교합하는 것이 일반적이다. 한 연구에서 여성의 최대 교합 부하 범위는 79–99lbs(35.8–44.9kg)이고, 남성의 교합 부하는 118–142lbs(53.6–64.6kg)이라고 보고하였다(Brekhus, 1941). 보고된 가장 센 최대 교합력은 975lbs(443kg)이었다(Gibbs, Mahan, & Mauderli, 1986). 대구치에 가해진 힘의 최대양은 보통 절치에 가해지는 힘보다 몇 배 더 높다. 한 연구에서는 제1대구치에 적용되는 최대 힘의 범위는 91–198lbs(41.3–89.8kg)인 반면, 중절치에 가해지는 최대 힘은 29–51lbs(13.2–23.1kg)이라고 보고하였다(Howell & Manly, 1948). 청소년기를 거쳐 나이가 증가하면서 최대 교합력이 증가한다(Garner & Kotwal, 1973; Worner & Anderson, 1944). 더욱이, 개인은 실전과 연습으로 시간의 흐름에 따라 자신의 최대 교합력을 증가시킬 수 있다는 보고가 있었다(Brekhus, 1941; Worner, 1939; Worner & Anderson, 1944; Kiliardus, Tzakis, & Carlsson, 1995; Waugh, 1939).

안면 골격 관계는 증가된 교합 강도에서도 역할을 한다. 음식의 종류와 그 밀도 또한 저작 동안 발생하는 적용된 힘에 영향을 미친다. 한 연구는, 당근을 씹을 때 약 30lbs(14kg)의 힘이 치아에 가해지지만, 고기는 단지 16lbs(7kg)의 힘을 발생시킨다고 보고하였다(Anderson, 1981). 치아 통증(Goldreich, Gazit, Lieberman, & Rugh, 1994)이나 근육 통증(Bakke & Michler, 1991)은 저작 동안 발생되는 힘의 양을 감소시켰다. 음식이 거칠어지면, 저작이 제1대구치와 소구치 부위에 두드러지게 발생하지만(Brudevold, 1951; Lungren & Laurell, 1986; Michael, Javid, Colaizzi, & Gibbs, 1990), 보통의 저작 싸이클 동안 최대 힘은 제1대구치 부위에 적용된다(Howell & Brudevold, 1950). 각 저작 스트로크 동안, 치아에 평균 58.7lbs(26.6kg)의 힘이 115millisecond

동안 적용되는 것으로 추정된다(Gibbs, Mahan, Lundeen, Brehnan, & Walsh, 1981). 이것은 6.75lb./sec./저작(저작 당 초 당 파운드)의 부하가 적용되는 것으로 산출된다(Lundeen & Gibbs, 1982). 사람이 1일 평균 1800회의 저작을 한다면, 교합력은 12,150lb./day를 저작 기능 활동 동안 적용하는 것과 같다. 그러나, 완전 의치를 장착한 환자의 교합력은 자연치로 저작하는 환자의 1/4 힘을 가진다(Michael, Javid, Colaizzi, & Gibbs, 1990).

연하와 치아 접촉력

연하 작용은 음식 덩어리를 구강에서 식도를 거쳐 위로 이동시키는 일련의 조직화된 근육 수축을 필요로 한다. 이것은 수의적, 불수의적, 그리고 반사적 근육 활동으로 구성된다. 연하 동안 치아들이 MIP로 이동하여, 상악 위치에 맞추어 하악을 적절하게 안정화함으로써 설골상근과 설골하근의 수축이 연하 동안의 설골을 조절할 수 있게 된다.

연하에는 2가지 유형이 있다:

- 신체형(성인); 그리고
- 내장형(유아).

신체형 연하에서, 치아를 사용하여 하악을 안정화하지만, 유아의 연하 동안, 혀가 악궁이나 치은대(gum pad) 사이 전방으로 위치하여 하악을 굳건히 한다(Cleall, 1965). 이런 유형의 연하는 구치부가 맹출할 때까지 소아에서 유지된다.

무증상의 성인에서 연하 동안 적용된 힘의 영향은 연하-중 치아 접촉 지속 시간과 빈도에 따라 달라진다. 연하 동안 평균 치아 접촉 지속 시간은 약 683millisecond이다(Suit, Gibbs, & Benz, 1975). 단일 연하에 나타나는 치아 접촉 지속 시간이 단일 저작 스트로크보다 3배 더 길다는 사실은 흥미롭다. 또한, 연하 동안 치아에 적용된 힘은 약 66.5lbs(30.2kg)으로, 저작 동안 적용된 힘보다 7.8lbs(3.5kg) 더 크다(Suit 등, 1975).

몇 연구에서는 24시간 동안 연하 싸이클이 590회 발생한다고 하였다(Schneyer, Pigman, Hanahan, & Gilmore, 1956; Flanagan, 1963):

- 식사 동안 146 연하 싸이클,
- 깨어있는 동안, 식사 사이에 349 연하 싸이클,
- 수면 동안 50 연하 싸이클.

수면 동안은 타액 분비가 적어서 연하의 필요성이 적어진다.

발음과 치아 접촉력

발음은 저작계의 세 번째 중요한 기능이다. 다량의 공기가 횡격막에 의해 폐에서 나와 후두와 구강을 통해 힘을 받을 때 말하게 된다. 후두 밴드와 성대의 조절된 수축 및 이완이 바람직한 정도로 소리를 만든다(Jenkins, 1974). 구개 및 치아에 대한 입술 및 혀의 다양한 상관관계에 의해, 사람은 여러 가지 소리를 생산할 수 있다(Jenkins, 1974). 그러나, 일반적으로 말하는 동안 치아 접촉이 발생하지 않고, 치아 접촉력은 발음하는 동안에는 형성되지 않는다.

이상기능적 습관과 힘

저작, 연하, 발음은 저작계의 생체 기능으로 간주된다. 활동의 나머지는 "비-기능적"이거나 이상기능적으로 간주된다. 이상기능은 환자 자신의 몸을 향한 자기-공격의 원인 유형으로 감지되기 때문에, 이상기능은 자기-파괴적인 구강 습관으로 보편적으로 생각된다. 다음은 소위 이상기능적 습관이다:

- 이악물기의 긴 지속 시간,
- Bruxism으로 보이는 수면 시간 이갈이,
- 저작근의 (치아접촉 없는) 지속적인 수축, 입술, 뺨, 혀 씹기,
- 혀내밀기,
- 손톱 물기, 단단히 피부 씹기,
- 다른 물체 씹기,
- 환자 자신의 하악 자세의 자기-변형.

이런 모든 이상기능적 습관은 저작계 내에 어떤 종류의 힘을 생산한다. 그들의 해로운 영향력은, 힘이 체계에 적용되는 규모, 방향, 지속 시간, 빈도에 따라 달라진다.

교합력에 대한 이상기능적 이갈이와 이악물기의 영향

흔하게 관찰되는 구강 이상기능 습관 가운데, 이갈이와 이악물기는 저작계 내에 무거운 교합력을 생산한다. 이 작용은 무의식적으로 발생할 수 있어서, 환자는 자신이 활동적인 이상기능을 가지고 있다는 것을 종종 인지하지 못한다.

교합력 분포 장애(Occlusal Force Disorder, OFD)의 발달

에 대한 이상기능 활동의 영향을 이해하기 위해, 이갈이와 이악물기의 이상기능 작용을 정상 기능 작용과 비교하는 것이 중요하다.

- **치아 접촉의 강도**: 치아 접촉의 강도가 높을수록, 저작계에 영향을 미치는 힘이 더 커진다.
  사람은 일상적으로 정상 저작 동안 20.7–26.6kg의 힘을, 연하에서 25.0–30.2kg의 힘을 생산한다(Gibbs, Mahan, & Lundeen, 1981). 그러나, 이상기능(수면과 연관된 이악물기) 동안, 사람은 15.6–81.2kg 범위의 평균 42.3kg의 힘을 보이는데(Nishigawa, Bando, & Nakano, 2001), 이것은 정상 저작과 연하에서의 거의 2배에 달한다.

- **치아 접촉의 빈도**: 치아 접촉이 없으면 현저하게 적은 힘이 만들어지기 때문에, 교합 접촉의 빈도는 교합력 생산을 유도하는 중요한 인자의 하나이다.
  정상 기능에서, 교합력은 24시간 동안 17.5분 정도 발생한다(Graf, 1969; Glickman, 1972). 그러나, 이상기능 동안 접촉의 빈도가 증가하면서, 8시간의 수면에서 30–170분 동안(Brewer & Hudson, 1961), 수면의 전체 밤마다 38.7–162분(Trenouth, 1976)의 교합 접촉이 이루어진다.

- **이갈이 현상의 지속 시간**: 만성 이갈이 환자에서, 이갈이 현상이 비-이갈이 환자의 지속시간(7.4sec/hour)보다 더 긴 지속시간(27sec/hour)을 보인다(Baba, Clark, Watanabe, & Ohiyama, 2003).

- **교합력의 방향**: 편심위 운동 동안 치아에 수평적 및 측방으로 발달하는 힘은 보다 수직적으로 배열된 힘과 비교하여, 지지 구조물을 손상시킬 가능성이 증가한다.
  정상 저작과 연하 기능에서, 저작 동안 하악이 회전 경로를 채택함에도 불구하고, 수직적 하악 운동이 우세가 존재한다. 수직적 교합력은 치아-치주조직 복합체에 의해 측방 스트레스보다 더 잘 지지된다. 이상기능 작용 동안, 편심적 하악 운동이 주로 발생한다는 사실에 주목해야 한다.

- **하악 위치**: 대부분 기능적 작용은 교두간 위치로 전달되어, 기능적 힘의 분포가 다수의 치아로 퍼지기 때문에 교합 안정성이 향상된다. 이것은 모든 개별 치아에 대한 잠재적인 손상을 최소화한다(Okeson, 2003).
  대조적으로, 이상기능 작용은 편심적 하악 위치에서 주로 발생하고, 단지 몇 개의 치아 접촉만이 역할을 감당하고 과두가 안정적인 CR로부터 이동하였다(Schulte, 1983). 하악이 불안정한 과두 위치에서 강력한 이상기능 힘이 소수의 치아에 부하될 때, 치아, 근육, TMJ에 대한 지속적인 병리적 효과가 형성될 가능성이 높아진다.

- **보호 반사의 영향력 감소**: 기능적 작용 동안 존재하는 근신경 반사는 잠재적인 해로운 힘으로부터 구강악계 구조물을 보호한다. 그러나, 이상기능적 작용 동안, 보호적인 근신경성 반사가 감소되는 것으로 보인다.
  이갈이는 일부 수용기의 흥분 역치를 상승시키는 것으로 보이고, 이렇게 적응하여 하악 근육 활성 억제에 대한 생리적 조절이 줄어들게 된다(Miralles, Carvajal, Manns, & Rossi, 1980; Muhlbrat, Jenz, & Luks, 1976). 이로써 이상기능 작용 동안 더 큰 교합력 발달이 가능하게 되고, 구강악계 구조물을 손상시킬 가능성이 증가한다. 따라서, 이상기능 작용 동안 치아 접촉 연루의 지속시간과 힘의 크기가, 정상 기능 작용으로 야기되는 것보다 저작계에 훨씬 더 심각한 결과를 초래한다.

마지막으로, 구강외 힘을 야기하는 습관 또한 저작계 내에 존재하는 기능적 힘 분포의 중요한 원인이다. 턱과 어깨 사이에 전화기를 끼고 있거나, 테이블에 앉아서 턱을 괴거나, 일정 악기를 연주하는 등의 행동 또한 구강악 구조물에 힘을 행사한다(Howard, 1991; Bryant, 1989). 구강 외나 구강 내 모두, 하악에 가해지는 모든 힘은 저작계에서 관찰되는 기능적 방해의 잠재적인 기여 인자로서 식별되어야 한다.

교합력 장애(Occlusal Force Disorder, OFD)의 정의, 분류, 원인, 및 증상

교합 안정성은 저작계의 다양한 구성 요소가 통합되고 조화로운 방법으로 작용할 때 존재한다. 환자의 생리적 역치 수준(저항 및 적응 능력)이 교합력 조화 유지에서 결정적인 역할을 담당한다. 교합력이 환자의 생리적 역치 수준을 초과하면 체계가 붕괴될 수 있는데, 항상 개인의 구강악 기구

내의 "취약 고리"에서 시작된다. 따라서, OFD는 다음과 같이 정의될 수 있다:

- 개인의 적응 능력보다 큰 과다한 교합력으로 야기된 치아, 근육, TMJ, 기도의 장애.

교합력 장애의 원인

사람이 자신의 구강악계를 기능적으로 및 이상기능적으로 사용할 때, 저작계 내에서 힘이 지속적으로 발생하고 이는 일련의 복잡한 생리적 및 생물학적 과정을 거쳐 체내로 전파된다. 생리적 부하와 함께, 조직 내에서 합성과 분해(동화 및 작용) 사이에 균형이 존재한다. 교합 부하가 이런 생리적 한계를 초과하면, 손상을 최소화하거나 손상에서 회복시키기 위하여, 보호적이고 보상적인 메커니즘이 작동된다. 예를 들어, 대구치 일부가 장기간 동안 수복 없이 소실된 상태라면, 이웃하는 치아가 이동하기 시작하여 과맹출되거나 기울어진다. 이렇게 하여 무치악 공간의 크기를 줄이고 다른 치아가 변경된 교합력 양상을 흡수하여, 전체적인 교합 부하의 균형을 맞추기 위해 치아 위치 변화에 대한 보상을 시도한다(Seligman & Pulinger, 1991; Tallents, Macher, Kyranides, Katzberg, & Moss, 2002; Kahn, Tallents, Katzberg, Moss, & Murphy, 1999; Kahn, Tallents, Katzberg, Moss, & Murphy, 1998; Roberts, Tallents, & Kartzberg, 1987; Ishimaru, Handa, Kurita, & Goss, 1994; Kawata, Niida, & Kawasoko, 1994; Kawata, Niida, & Kawasoko, 1997).

감소된 부하를 경험하는 조직은 동화 작용이 감소되어, 불충분한 세포간질이 생산된다. 접촉 시에는, 과부화된 조직이 초기에 이상비대 및 과형성과 같은 적응 반응을 유도하는데, 적응 능력을 초과해서까지 지속된다면 세포 손상 및 어쩌면 세포 괴사(apoptosis, 세포자멸)까지 야기될 수 있다. 그러므로, 구강악계의 복합적 부하-흡수 체계의 능력이 과하거나 부족하면, 섬유연골, 윤활막, 연골하골, 관절낭인대, 저작근 조직이 모두 손상될 지도 모른다(Stegenga, 2001; De Bont, Dijkgraaf, & Stegenga, 1997). 이로 인해, OFD가 저작계 내에서 기능력의 진행중인 부조화로 야기된다.

저작계의 힘 구성 요소에 직접적 혹은 간접적으로 영향을 미치는 4개의 주요 인자가 있다:

- **형태적 인자**: 구강악계의 형태적 구성 요소는 성장 및 발달의 유형과 양상에 의해 수립되는데, 일반적으로 유전적 및 환경적 인자에 의해 유도된다.
  힘 결과에 연관된 형태적 인자는 더 세분화 될 수 있다:
  - *치아 유형*: 교두간 위치 접촉(ICP), 치아 접촉 각도, 편심위 운동 시에 존재하는 치아 접촉의 유형, 전-후방 접촉 위치.
  - *관절 유형*: 과두 위치.
  - *두개-안면 유형*: 유전적으로 다른 교합 상태의 골격성 수직 크기를 설명하는 장안모, 중안모, 단안모는 직접적으로 힘 크기의 생성에 영향을 미친다.
- **병태생리적 인자**: 치아 우식증과 치주 질환은 치아와 치주 지지 조직의 소실로, 교합력 균형에 영향을 미친다. 힘 부조화는 외상(미세 및 거대)이나 상기도 폐쇄에 의해 만들어질 수 있고, 이로 인해 전방 개방 교합, 구호흡, 코골이 및 폐색성 수면 무호흡이 형성될 수 있다. 수면 호흡 장애는, 저작계 내에서 높은 교합력을 생산하는 이악물기나 이갈이 같은 이상기능 습관을 증진시킬 수 있다.
- **이상기능 습관 및 심리적 인자**: 이상기능적 습관의 원인은 여전히 충분히 이해되지 않고 있지만, 긴 이개 시간으로 인한 부분적인 원인을 가질 수 있다(Kerstein, 1995). 저자를 비롯한 대부분의 임상의는 이상기능 습관이 우울증, 불안, 스트레스, 정서적 민감성, 과활동, 성격 유형과 같은 다양한 심리적 인자와 긴밀하게 연관된다고 생각한다. 이악물기 및 이갈이 같은 이상기능 습관이 저작계 내에서 높은 교합력을 생성시키기 때문에, OFD의 근본적인 원인이 될 수 있다.

OFD의 포괄적인 관리를 위해, 환자의 구강악계 내의 취약 고리(치아-치주조직, 근육, TMJ, 기도 복합체)를 인식하기 위한 자세한 임상 병력, 임상 검사, 적합한 진단 테스트가 필요하다. 일단 취약 고리가 확인되면, 치료 계획은 교합력 분포를 최적화하기 위해 적절한 최소한의 침습적인 접근을 포함해야 하고, 이것으로 교합력 장애 후유증을 제한하고 예방해야 한다(그림 2a-2i).

임상의가 OFD의 적절한 진단을 내리도록 안내하기 위해, OFD의 증상 및 징후는 4개의 임상 범주로 분류될 수 있다.

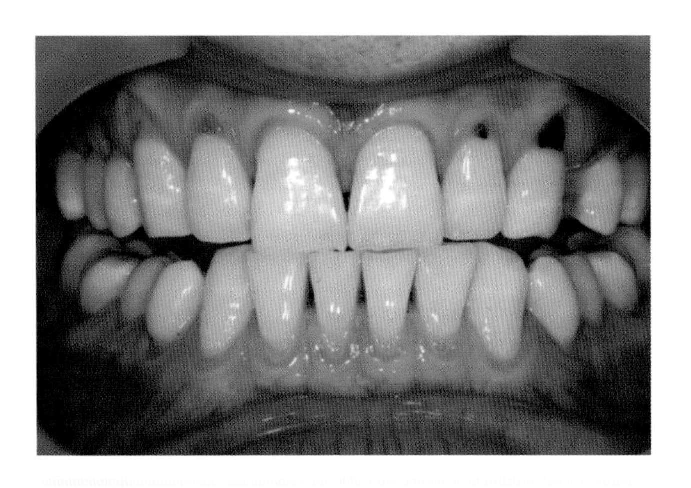

그림 2a 교합력 장애(OFD)의 증례: 다발성 굴곡파절. 전방 운동 동안 존재하는 상당한 마찰로 인해 하악 전치부에 굴곡파절이 있다

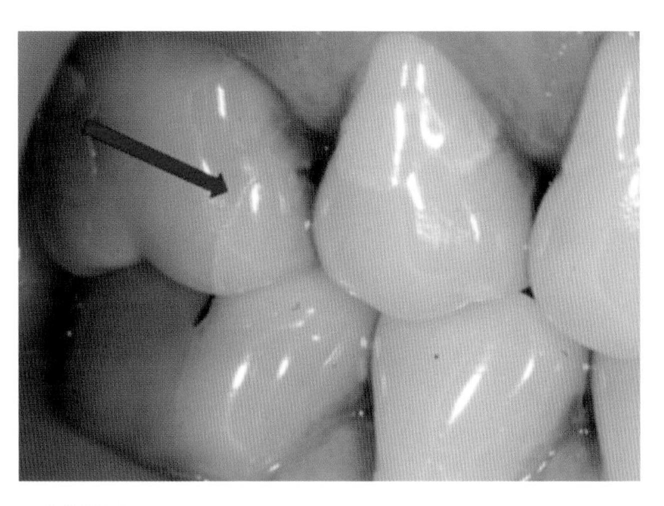

그림 2d OFD의 증례: 과다한 교합 부하로 인한 법랑질 균열

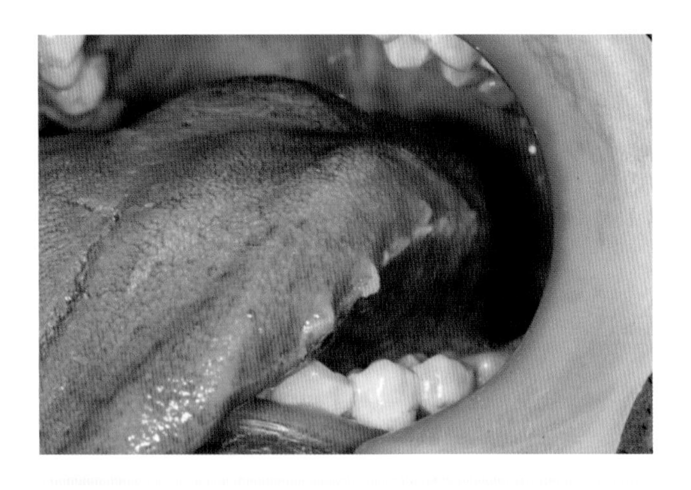

그림 2b OFD의 증례: 이악물기가 심한 환자의 혀 자국

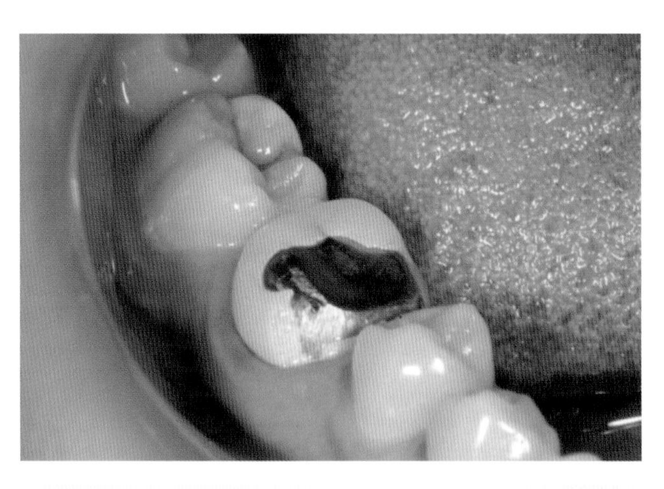

그림 2e OFD의 증례: 수복물에 가해지는 교합력의 높은 집중으로 인한, PFM 크라운의 세라믹 층 파절

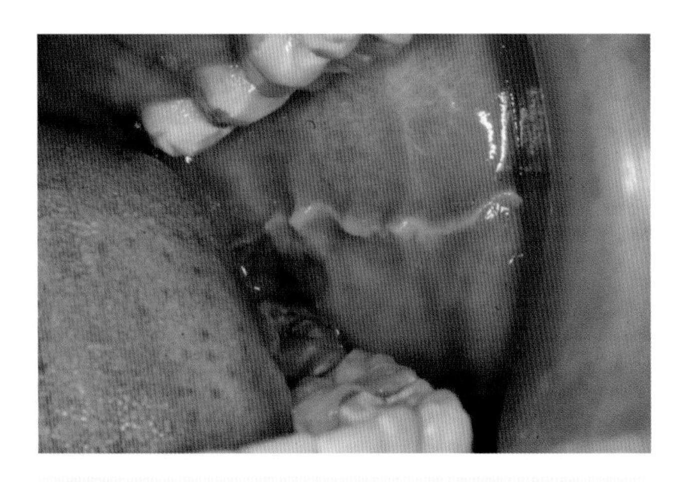

그림 2c OFD의 증례: 심한 이악물기로 인한 뺨 자국(Linea Alba)

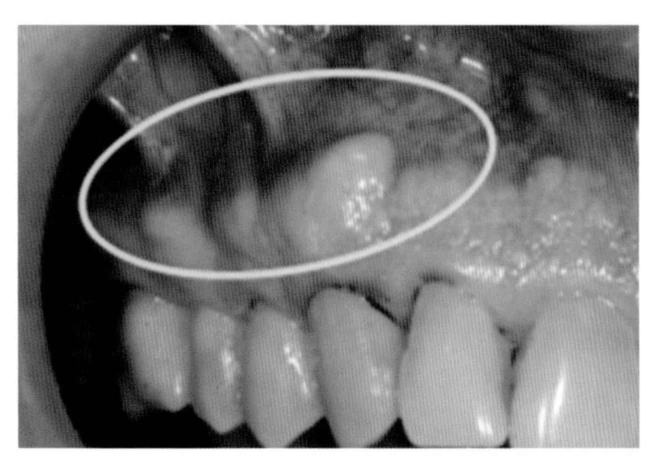

그림 2f OFD의 증례: 무거운 교합력으로 형성된 외골증(exostosis)

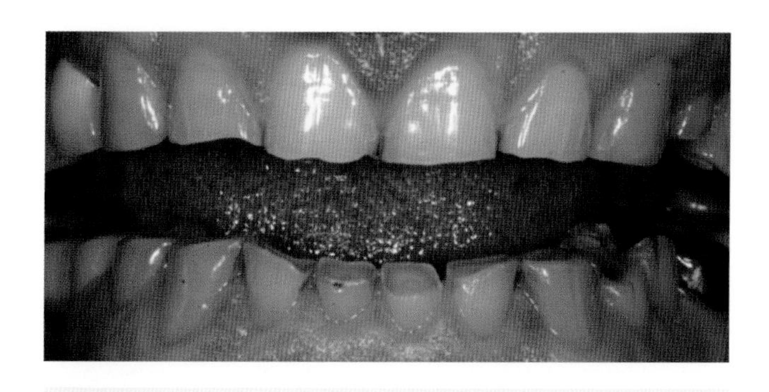

그림 2g OFD의 증례: 심한 이갈이로 인한 중증의 교모

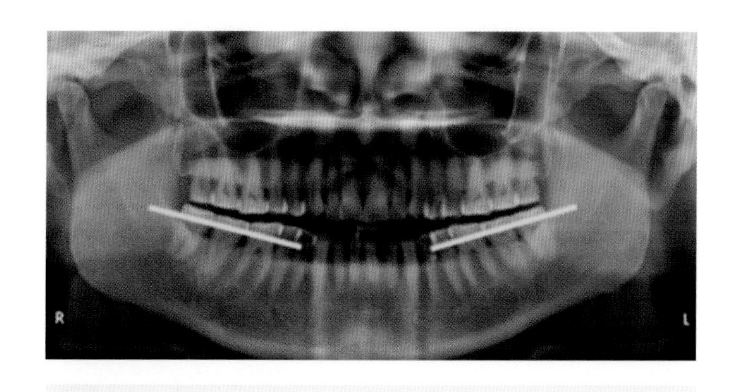

그림 2h OFD 징후: 심한 이갈이 환자의 파노라마 사진. 방사선 사진으로도 구치부에 존재하는 평평한 교두와 최소의 법랑질을 확인할 수 있다

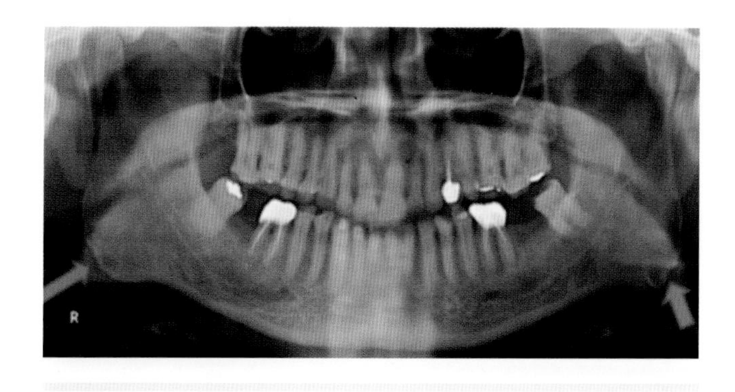

그림 2i OFD 징후: 비대성 교근을 가진 파노라마 사진. 양측성으로 현저한 하악각이 보인다

Type I 교합력 장애: 치아 및 치주 복합체

- **치아**: 과다한 치아 마모(교모), 굴곡파절 형성, 치아 파절, 법랑질 균열, 치아 동요도, 잦은 수복물 실패, 임플란트 보철물 나사 풀림, 상아질 지각과민증, 치수 위축, 치수 이영양성 석회화, 교합 시 치아 통증.
- **치주조직**: 치아 과동요, 치은 퇴축, lamina dura 비후, 치아 이동.
- **치조골**: 각진 골 소실, 토러스나 외골증, 열개(dehiscence).

Type II 교합력 장애: 근육 복합체

- **저작근**: 촉진에 통증, 저작근 비대, 근육 불균형, 근피로, 근과활성, 통증, 불편감, 하악 운동 범위 감소, 측두통, 이통.
- **입술, 뺨, 혀**: 뺨 자국(Linea Alba), 외상성 궤양, 혀 자국.

Type III 교합력 장애: 하악 및 TMJ 복합체

- **하악 및 TMJ**: 운동 편위, 디스크 내장증, clicking sound, 구조적 변형, 상하악 TMJ 비대칭성, TMJ 불편감 및 통증, TMJ 퇴행성 변화, 과두 걸림 및 전이.

Type IV 교합력 장애: 기도 복합체

구강 호흡의 폐쇄는 혀, 뺨, 상악궁 상의 입술에 의해 가해지는 힘을 인후 근육으로부터 전환시킨다.

- **상악 기도**: 약화된 기도 복합체(상기도 폐쇄와 호흡 방식)의 주요 특징은 비대된 편도와 아데노이드, 구호흡, 전방 개방 교합, 반대교합, 과도한 전안면 높이, 다물어지지 않는 입술, 상악전치부의 과노출, 좁은 외비공, “V-shape”의 상악궁을 들 수 있다.

이런 특징들은 일반적으로 구강악계 내에서 존재하는 교합력 불균형과 연관되고, 장기간에 걸쳐 OFD로 위에 기록된 어떤 것의 발달을 증진시킨다.

다양한 연구와 실험이 기도, 호흡 방식, 부정교합, 두개안면 성장 양상 사이의 상호연관성을 보여준다. 이런 연구들은 “형태는 기능을 따른다”라는 관계를 주장한다. 인간 기도와 호흡의 기능장애는 부정교합과 골격 변형을 유발할 수 있고, 이로 인해 전체 전안면 높이가 증가하고, 대부분 전하방 얼굴의 수직적 발달에 더 기여하게 된다(Linder-Aronson, 1970; Hannukseal, 1981; Bresolin, Shapiro, Dhapito, Chapko, & Dessel, 1983; Trask, Shipiro, & Shapiro, 1987; Hannuksael, 1981; Sassuni, Shnorhokain, Beery, Zullo, & Friday, 1982; Woodside, Linder-Aronson, 1979). 부수적으로, 하악 평면, gonial angle, 구개 경사의

증가도 발견된다. 이런 경우, 안면 전돌증이 감소한다고 보고되었다(Linder-Aronson, 1970; Hannukseal, 1981; Sassuni 등, 1982; Bresolin 등, 1983; Trask 등, 1987; Bresolin 등, 1983; Linder-Aronson, 1970; Hannukseal, 1981; Subtelny, 1980; Tarvonen & Kosko, 1987; Freng, 1979).

문헌 내에서, 상악과 다른 골격성 구조물의 발달에 작용하는 여러 가지 메커니즘이 제안되었는데, 손상된 비호흡 동안, 비활성으로 인한 비강 위축과 구개 형성에 영향을 미치는 기류의 상승 방향(Michel, Lippen, Wangen, & Zungendruk, 1908), 비강 내의 음압 상승(Kantorowicz, 1916; Wustrow, 1915) 등이 그것이다. 현대의 믿음은 자세성 근활성 변화가 치아의 위치와 두개안면 일부 구조물의 성장 행동에 영향을 미친다는 것이다(Linder-Aronson, 1970; Linder-Aronson, 1974; Harvold, Tormer, Vangervik, & Chierici, 1981). 대안적인 하나의 가설은, 연조직 신장 메커니즘이 같은 구조적 결과물을 야기하는 형태적 반응을 이끌어낸다고 제안하였다(Solow & Kreiberg, 1977).

일반 치과의사는, 코골이 및 폐쇄성 수면 무호흡을 포함하는 환자의 기도 복합체 문제를 인식할 수 있는 증상이나 징후를 관찰할 수 있는 특별한 위치에 있다. 조기 진단과 개입이 미래의 기도 질환 복잡성을 예방하기 위해 필수적이고, 잠재적인 광범위하고 침습적인 치료 방법을 제한한다. 그러나, 기도 개통성과 호흡 방식에 따라 치료 반응의 개인적인 차이가 있기 때문에, 임상의는 치료 계획을 고안하고 치료 방법을 선택할 때 항상 주의해야 한다. 결과적으로, "형태-기능 상호관계"에 관해서 문헌 내에 상당한 논쟁이 여전히 존재한다(Whitaker, 1911; Emslie, Massler, & Zwemer, 1952; Kingsley, 1888; McKenzie, 1909; James & Hastings, 1932; Gwynne-Evans & Ballard, 1957).

다른 OFD 유형의 증상과 징후가 상호 배타적이 아니라는 사실을 간과해서는 안 된다. 다양한 불균형한 구강악적 힘이 OFD의 원인 인자이고 위에 목록화한 OFD의 증상 및 징후의 상당 부분 혹은 전부가 동시에 발생할 수 있기 때문에, 각각의 OFD 범주의 증상과 징후 사이에는 연관관계가 있다. 이와 같이, 존재하는 OFD의 특별한 증상과 징후를 입증하기 위해, OFD의 치료 계획 수립은 자세한 구강 병력 수집, 철저한 임상 검사 수행, 적절한 진단 테스트 실시가 필요하다.

주요 핵심 내용

치의학에서 힘 마무리(Force Finishing): 교합력 조화를 위한 간소화된 접근

치의학에서 교합 조화를 이루기 위해, 환자의 교합력 구성 성분을 TMJA 복합체의 저항 및 적응 능력과 균형을 맞추는 것이 필수적이다. 임상의가 적용하는 교합 개념과 관계없이, 치료 완성에서 교합력이 조화를 이루지 못한다면, 치료 결과의 성공에 부정적인 영향을 미치게 되어, 장기간의 건강, 기능, 두개안면 심미가 약화된다.

힘 마무리 개념은 이 저자에 의해 2011년 인도 방갈로르에서, South Asian Academy of Aesthetic Dentistry(SAAAD)에 의해 2년마다 열리는 제2회 과학 컨퍼런스 중 "*컴퓨터 교합을 이용한 최소 침습 심미 치과*"에서 소개되었다. 힘 마무리 개념을 제안한 목표는 심미 치과 증례에서 교합 조화를 달성하는 임상 접근을 간소화하는 것이었다(그림 3).

심미적 구성 요소는 임상의와 환자 모두가 볼 수 있고 그 결과를 즉각적으로 인식하기 때문에, 임상의는 심미적 최종-결과를 얻기 위해 상당한 진료 시간과 노력을 소비한다. 그러나, 힘 구성 요소는 보이지 않고, 부정적인 영향이 만성적이 될 때까지 임상적으로 쉽게 인식되지 않는다. 증례 마무리에서 힘 구성 요소의 역할이 묻히는 또 다른 이유는, 임상의가 교합 조정을 시행할 때 교합지 자국의 모양과 색상-심도로 교합력을 볼 수 있다고 (부정확하게) 믿으며 교합지 자국에만 의존하기 때문이다. 따라서, 힘 마무리 개념을 처음 심미 치과에 도입하여, 장착된 심미 수복물의 장기간 임상 성공에 미치는 저작력의 역할을 더 잘 이해하도록 돕고자 하였다.

형태학적, 병태생리학적, 이상기능 습관 및 심리적 문제가 저작계의 힘 구성 요소에 직간접적으로 영향을 미치는 4가지 주요 기여 인자이다. 기능 및/혹은 이상기능 동안 형성되는 교합력이 불균형하게 되면, 교합력 부조화가 발생할 것이다. 조기 발견과 예방적 힘 마무리 프로토콜의 시기 적절한 적용이 저작계의 생리적 적응(회로도 내에서 녹색 등)을 성취할 수 있고, 이에 따라 OFD의 증상이나 징후가 시각화되지 않고 환자도 경험하지 않게 된다. 그러나, 교합력 불균형이 무시되고 신속하게 해소되지 않는다면, 2가지 결과가 가능할 것이다:

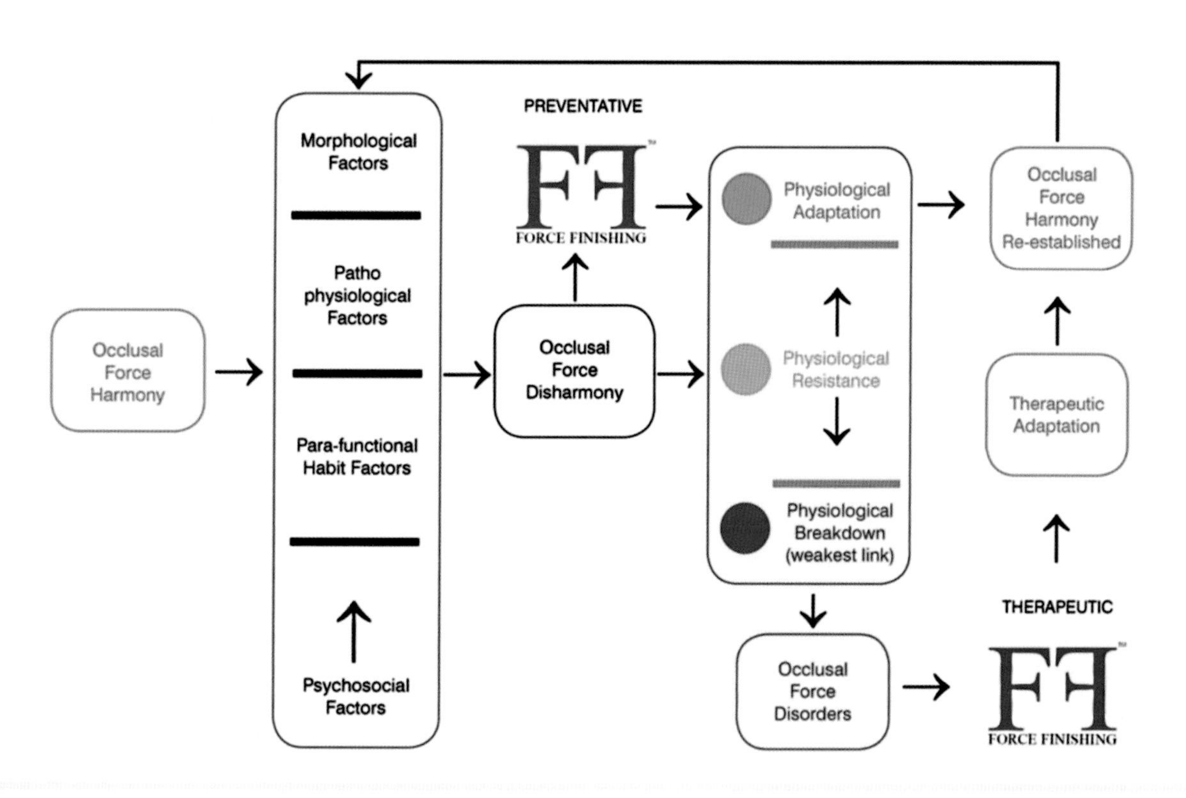

그림 3 교합력 조화 회로. 이 회로도는 교합력 조화와 부조화 및 OFD의 흐름과 재-구축된 교합력 조화에서 힘 마무리의 역할을 보여준다

- **생리적 저항(회로도 내에서 노란등)**: 이것은 생리적 적응(회로도 내에서 녹색등)을 얻는 방향으로 이동한다. 환자의 자기-적응 능력이 충분히 강할 때 발생할 것이다.
- **생리적 붕괴(회로도 내에서 적색등)**: TMJA 복합체의 취약 고리에서 발생하는 것으로, OFD의 증상과 징후가 드러난다. 일단 OFD 증상 및 징후가 포착되면, 적절한 치료적 처치가 필요하고, 이것은 균형 잡힌 교합력으로 저작계를 지지하는 치료적 힘 마무리 술식을 포함할 수 있다. 이것으로 구강악계 내에서 교합력 조화의 재-구축을 유도하는 더 빠른 치료 적응을 돕게 될 것이다.

힘 마무리를 전통적 교합 평형(Dawson, 2008)이나, 비측정성 교합 조정 술식(Koirala, 2011; Kerstein, 2010; Kerstein, 1993)과 혼동하지 않아야 한다. 힘 마무리는 인간의 정상 저작 생리와 다양한 과학적 연구(하단의 Force Finishing Clinical Facts에서 언급됨)로부터 얻어진 교합력에 대한 특성과 실제에 근거한다. 힘 마무리는 수복 증례, 치주 치료, 보철 재건, 교정 치아 이동 후, 치료적 구강 장치 사용 등 모든 치과 치료 동안 교합력 분포를 최적화함으로써, 구조적 안정성을 구축하는데 중요한 역할을 수행한다.

임상의가 교합 체계를 갖추기 위해 교합력 구성 요소를 조절할 수 있는 5가지 기본 영역이 있다(McNeil, 1997):

- **교두간 위치(ICP) 접촉**: ICP 폐구 동안 완전한 접촉으로 들어가는 치아와 치아 접촉의 수를 조절할 수 있다.
- **편심위 접촉**: 편심위에서의 치아 접촉 수 유형과 지속 시간을 변경함으로써, 근수축 크기와 힘 분포를 변화시킬 수 있다.
- **치아 접촉 각도**: 수직피개의 깊이, 전방 유도의 경사가 힘이 분포하는 방법에 충격을 가할 것이다(Katona, 1989; Weinberg & Kruger, 1995). 충격의 각도는 힘의 분포에 영향을 미칠 뿐만 아니라, 저작근의 수축 능력에도 영향을 미칠 것이다.
- **과두 위치**: 결정된 과두 위치는 어느 치아가 언제 접촉하는지를 조절하는 임상의의 능력에 극적인 영향을 미칠 것이다.
- **교합 수직 고경**(Vertical Dimension of Occlusion, VDO): VDO는 최소 하나의 악궁이 수복될 때 열리거나 닫힐 수 있다. VD 감소는 교합력을 증가시킬 수 있지만, 폐구 동안 상하악의 접에만 해당되고, 그 후 환자의 수축 강도 능력을 약화시킨다.

힘 마무리 유형

환자의 심리적 구성, 건강, 기능적 및 심미적 요구, 개개 환자의 교합력에 대한 민감성, 교합 접촉 비-동시성에 기반하여, 힘 마무리는 2가지 유형으로 구분할 수 있다:

- **예방적 힘 마무리**(Preventive Force Finishing, PFF): PFF의 기본 목표는 구강악계의 교합력 구성 요소를 최적화함으로써, 환자의 생리적으로 수용되는 원래의 교합 체계를 보호하고 유지하여 존재하는 수복물의 실패를 예방하는 것이다.
- **치료적 힘 마무리**(Therapeutic Force Finishing, TFF): TFF의 목표는 OFD의 특별한 증상과 징후를 치료하기 위해 교합력 구성 요소를 개인에게 맞추는 것이다. 환자의 건강과 기능적 요구에 근거하여, TFF의 직접적인 방법을 사용하여 교합력 구성 요소를 최적화하고, 통증성 및 과민한 치아 및 저작근 과활성과 연관된 통증을 관리한다. 그러나, 균형을 증가시키거나 불균형을 감소시키고 TMD와 코골이 조절을 위한 치료적 스플린트를 사용함으로써 교합력 구성 요소를 최적화할 때도, TFF의 간접적인 접근을 사용할 수 있다.

힘 마무리 핵심 원리

힘 마무리 원리는 최소 침습적 포괄적인 치료 접근을 명심한 상태로 넓게 관찰되어야 한다. 장기간의 임상 성공을 위한 조화된 교합력을 성취하기 위해 교합 치료를 완성하는 동안, 임상의가 따라야 하는 힘 마무리의 3가지 핵심 원리가 있다:

- 존재하는 OFD 증상과 징후에 기반하여, 환자의 구강악계에서 "취약 고리"를 인식한다.
- 환자의 필요와 요구로써 기존의 교합을 유지할 것인지, 변형할 것인지, 재-구축할 것인지를 결정한다.
- 환자 저작계의 생리적 저항 및 적응 능력을 향상시키기 위해, 교합력 구성 요소(치아 접촉 위치, 치아 접촉 부위, 치아 접촉 상대적 힘, 치아 접촉 순서, 교합력 분포, 교합 및 이개 시간)를 최적화한다.

힘 마무리의 임상 실제

여기의 힘 마무리 임상 실제는 여러 가지 임상 발표에 대한 저자의 검토에 기반한다. 기능하는 교합의 조절에 대한 교합력의 역할을 임상의가 이해하고 인지하도록 돕기 위해 체계적으로 정리하였다.

- 편측성 치아 접촉은 반대편 TMJ에 힘을 증가시킨다.
- ICP에서의 양측성으로 균등한 치아 접촉은 치아, 근육, TMJ에 더 나은 안정성을 제공한다.
- 교합하는 치아의 개수가 증가할 때, 각 치아의 힘 비율은 감소한다.
- 치아 사이에 발생할 수 있는 힘의 양은 치아와 TMJ 사이의 거리에 따라 달라지고, 적용된 근력 벡터와 조합된다(지렛대 원리로 알려진). 전치부보다 구치부에 더 큰 힘이 적용될 수 있다(Howell & Manly, 1948; Manns, Miralles, Valdivia, & Bull, 1982).
- 치아 접촉에 의해 창출되는 수직력은 PDL에 의해 잘 수용되나, 수평력은 효과적으로 소멸될 수 없다(Glickman, 1963). 이런 힘은, 기울어진 평면 접촉을 피하거나 보호하기 위한 시도로써, 병적인 힘 반응을 유발하거나 근신경 반사 작용을 야기할 것이다(Guichet, 1977). 따라서, 교합력이 치아의 장축으로 향하게 하는 것이(축방향 하중), 구치부 힘 마무리의 목표가 되어야 한다. 축방향 하중은 교두첨-대-평평면 접촉을 구축하거나 상호간의 경사 접촉을 창조(3점접촉 교합이라고 알려진)함으로써 달성될 수 있다.
- 교두간 자가-폐구 동안 수용적인 축방향 힘(축방향 하중)이 적용될 때 구치부가 효과적으로 기능한다. 적용된 교합력이 구치부의 장축을 통해 전달되어 효과적으로 소멸될 수 있고, 또한 그들의 악궁 내에서의 위치 때문에, 구치부가 이런 힘을 잘 수용하게 된다(Okeson, 2003).
- 전치부는 무거운 축방향 힘을 받아들이기에 악궁 내에서의 위치가 좋지 않다. 전치부는 정상적으로 폐구 방향에 대해 협측 각도로 위치하기 때문에, 축방향으로 부하하는 것이 거의 불가능하다(Kraua, Jordon, & Abrahams, 1973).
- 구치부와 다르게 전치부는 편심적 하악 운동의 수평적 힘을 적절하게 수용하는 위치에 놓인다(Lee, 1982; Standlee, 1979; Korioth & Hannam, 1990).
- 편심위 운동에서 전치부는 즉각적으로 구치부를 이개하여(Dawson, 2007; Glickman, 1979; Okeson, 2003), 치아의 마모를 제한하고 편심위 근육 기능의 활성 수준을 낮추는 마찰력-없는 편심위 운동을 가능하게 한다(Ker-

stein, 2010; Kerstein & Radke, 2012).

- 견치는 가장 길고 커다란 뿌리를 가지고 최고의 치관/치근 비율을 가지기 때문에(Kraua, Jordon, & Abrahams, 1973; Lucia, 1961), 편심위 운동 동안 발생하는 수평력을 수용하는데 가장 적합한 것으로 간주된다(Guichet, 1977; Standlee, 1979). 견치는 단단한 치밀골에 둘러싸여, 구치부를 둘러싸는 수질골보다 교합력을 더 잘 견딘다. 게다가, 견치는 대부분의 감각 입력을 제공하여, 편심 운동 동안 견치 접촉이 구치부 접촉보다 더 적은 근육을 활성화한다(Ash & Nelson, 2003; Williamson & Lundquist, 1983; Kerstein & Radke, 2012).
- 근 활성의 낮은 크기는 치아 구조물과 TMJ 구조에 적용되는 힘을 감소시켜 병적 상태를 최소화할 것이다. 그러므로, 우측 및/혹은 좌측 외측방 편심위 운동의 힘 마무리 동안, 손상받은 수평력을 가장 잘 소멸시키기 위해 "견치 유도"가 편심위 조절로 선호된다. 증례 마무리 동안 견치 유도를 달성할 수 없을 때, 가장 바람직한 대안은 견치와 제1소구치만을 포함하는 그룹 기능이다. 이개 시간 연구에서, 작업측 대구치 편심위 접촉이 근육을 가장 많이 활성화하는 것으로 밝혀졌다(Kerstein & Radke, 2012). 제1소구치 유도면은, 필요하다면, 연장된 이개에의 대구치 기여를 성공적으로 제한할 것이다.
- 제1소구치보다 후방에 있는 어떠한 외측방 접촉이라도 바람직하지 않다. 대구치는 TMJ 지렛대에 근접하게 위치하기 때문에, 소구치와 전치부보다 근력의 양을 증가시킨다.

힘 마무리 도구와 재료

힘 마무리 프로토콜에는 3가지의 기본 단계가 있다; 힘 마무리, 심미적 마무리, 마무리 평가. 각 단계에는 특정 도구와 재료가 필요하다.

- **힘 마무리 단계**: 치아 접촉 위치와 접촉 크기를 결정하기 위해, 얇은(두께 20μm 이하) 교합지(적청색)와 Miller 교합지 포셉이 필요하다(그림 4).

  교합력 위치와 부위, 상대적 교합력 분포, 교합 및 이개 시간, 치아 접촉 순서를 디지털적으로 기록하기 위해, T-Scan 8 컴퓨터 교합 분석 기술(T-Scan 8, Tekscan, Inc., S. Boston, MA, USA)과 고해상도(HD) 레코딩 센서가 필요하다. 현재 이것은, 256 단계의 상대적 교합력 크기와 0.003초-간격 접촉 타이밍 순서를 기록하고 보여줄 수 있는, 세계 시장에서 이용 가능한 유일한 장치이다(그림 5).

  Dure green stone, diamond point, Dura white stone과 같은 품목들이 힘 마무리 동안 가압된 교합 접촉점을 선택적으로 조정하기 위해서 필요하다(그림 6a).

그림 4 Miller 교합지 포셉과 적청색 얇은 교합지

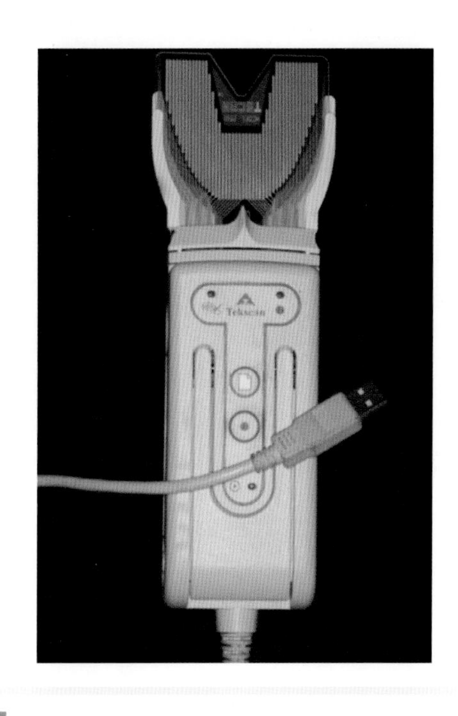

그림 5 T-Scan 8 디지털 교합력 스캐닝 기술

- **심미적 마무리 단계**: 힘 마무리 술식을 완성한 후에 부

드럽고 윤이 나는 표면을 달성하기 위해 수행된다. 힘 마무리를 위해 조정된 법랑질과 수복물 표면을 꼼꼼하게 연마하여, 표면을 매우 부드럽게 고도의 광을 낸다. 연마의 이 두 번째 단계를 위해, 처음에는 미세 다이아몬드 입자가 코팅된 point를 사용하고 그 후 super silicone point를 사용한다(그림 6b).

최종적으로, diamond paste와 Robinson bristle brush로 재연마한다. 이렇게 모든 조정된 치아와 수복물은 법랑질-같은 광택을 가지는 초-고질의 연마면 마무리를 얻게 된다(그림 6c).

- **마무리 평가 단계**: 힘 마무리 질을 평가하는 안내 도구로 확대용 치과 루페(MiCD Loupes, Shofu, Inc., Kyoto, Japan)(그림 7a)와 같은 품목, 디지털 치과 카메라(Eye Special Ⅱ, Shofu, Inc., Kyoto, Japan)(그림 7b), T-Scan 8 시스템을 사용할 수 있다.

  모든 치아 술식의 심미적 결과는 환자와 임상의에게 보여진다. 그러나, 힘 구성 요소는 육안으로 확인할 수 없기 때문에, 전통적인 교합지 자국과 함께 적절한 디지털 교합 기술을 사용하는 것이 필요하다. T-Scan 시스템에 의해 진성 문제성이라고 분리된 문제성 치아 접촉을 표시하고 위치화하기 위해, 교합지 자국이 필요하다. 힘 마무리 과정을 완성한 후, 앞서 설명한 심미적 마무리 프로토콜을 사용하여 모든 조정된 치아와 수복물 표면을 부드럽게 연마해야 한다.

예방적 힘 마무리(Preventative Force Finishing, PFF) 임상 프로토콜

예방적 힘 마무리(PFF) 프로토콜을 이용하여 환자의 생리적으로 수용되는 원래의 교합 체계를 보호하고 유지하여, 새로이 장착된 수복물뿐만 아니라 기존의 치과 수복물과 보철물을 교합력 부조화에 의한 실패로부터 보호한다.

단계 I: 중심 폐구 운동 동안 힘 마무리

1. 대합치나 수복물에 합착 재료나 위에 언급한 힘 마무리 키트를 사용하여 선택적인 첨가(합착)나 삭감(조정)을 시행하고, 필요하다면 T-Scan과 얇은 교합지를 사용하여 모든 치아를 교합 접촉하게 한다.
2. T-Scan으로 획득한 디지털 힘 데이터를 이용하여 상대

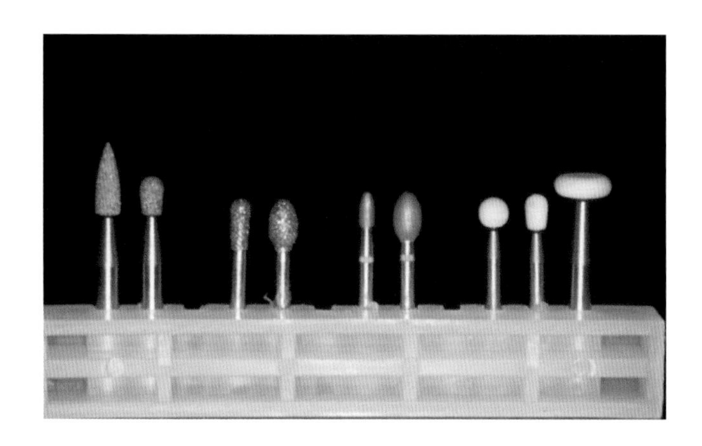

그림 6a 윤곽 조정의 힘 마무리 키트로, 거칠고 부드러운 diamond point, Dura green stone, Dura white stone으로 구성되어 있다(Shofu, Inc., Kyoto, Japan)

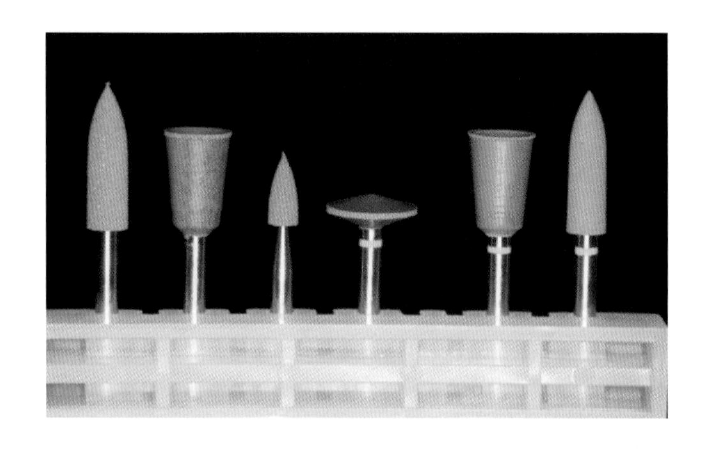

그림 6b 끝손질의 힘 마무리 키트로, 다이아몬드가 코팅된 fine silicone point로 구성되어 있다(Shofu, Inc., Kyoto, Japan)

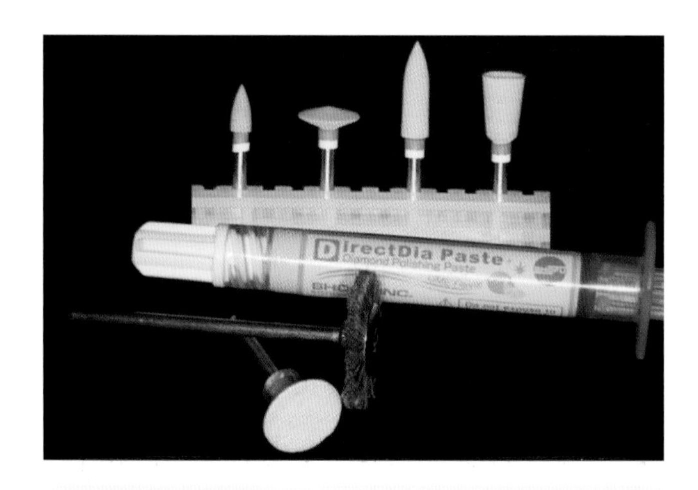

그림 6c 연마의 힘 마무리 키트로, 초미세 다이아몬드가 코팅된 silicone point, diamond paste, polishing buff, Robinson brush로 구성되어 있다(Shofu, Inc., Kyoto, Japan)

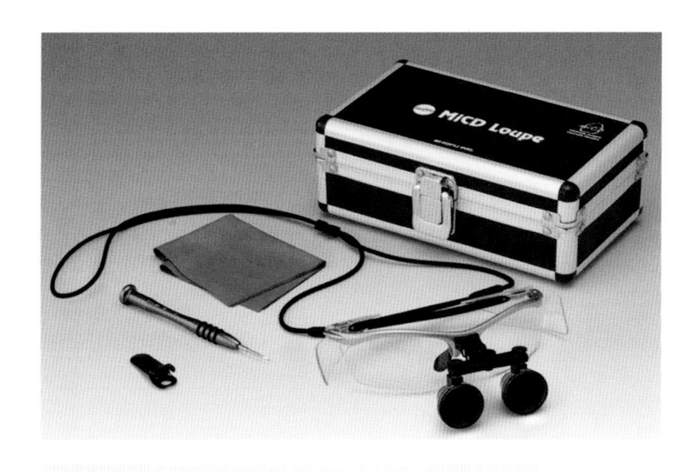

그림 7a MICD 치과 루페(Shofu, Inc., Kyoto, Japan)

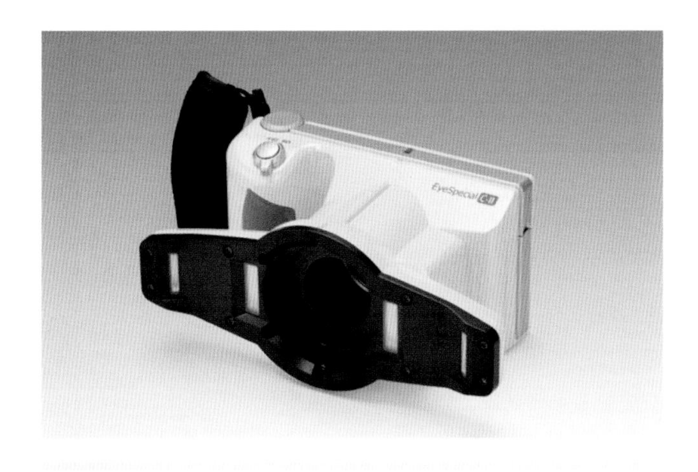

그림 7b Eye Special C-II 디지털 치과 카메라(Shofu, Inc., Kyoto, Japan)

적인 치아 접촉력과 치아 접촉 타이밍 순서를 측정한다.

3. 기록된 힘 영상을 프레임마다 재생하여 구내 교합지 자국과 디지털 힘 및 타이밍 데이터의 상관관계를 파악하고, T-Scan 교합 접촉 타이밍 순서 데이터에 근거하여 높은 조기 교합력 접촉점을 하나씩 조정한다.
4. 좌우측 반-악궁의 힘 비율을 균등하게 한다.
5. 다시 한 쌍씩 각 구치부 대응치를 거의 동등한 힘 비율로 분포시킨다(예, 좌측 제1대구치는 우측 제1대구치 부위의 힘 비율과 거의 균등해야 한다).
6. 전치부에는 가벼운 치아 접촉(적은 힘 비율)을 유지하면서도 가능하다면 확고한 전방 접촉이 있어야 하고, 그렇지 않으면 연장된 측방 및 전방 편심위 마찰성 접촉이 발생할 잠재력이 증가하게 될 것이다.
7. COF의 위치를 확인하고 수정하여, 2D ForceView 창의 중앙에서 여행하게 한다. 이 수정으로 모든 접촉 치아의 중앙 내에 모든 개별 접촉력의 분포가 중앙화된다.
8. 임플란트 수복물의 경우, 자연치 접촉 타이밍과 임플란트 지지 보철물 접촉 타이밍을 선택적으로 조정하여, 임플란트 근처 치아가 중등도의 교합 접촉력에 도달할 때까지 임플란트 보철물의 접촉을 지연시킨다. 이렇게 하여 임플란트 보철물이 초기 교합 접촉을 형성하기 전에 치아가 견고하게 접촉하도록 만든다.

편심위 및 전방 운동 동안

1. T-Scan 8을 이용하여 좌우측 편심위 운동과 전방 운동을 기록하여 편심위 마찰성 접촉을 평가한다. 재생하여 연장된 편심위 마찰성 접촉이 존재하는 위치를 결정한다. 그 후 중심 교합 평가에 사용한 것과 다른 색상의 교합지를 사용하여, 연장된 편심위 접촉의 부위를 표기한다.
2. 수복물 및/혹은 치아의 모든 연장된 마찰성 접촉을 제거하여, 이개 시간을 편심위 당 0.5초 이하로 감소시키고 편심위 운동이 부드럽고 신속하게 이루어지게 한다(Kerstein & Wright, 1991; Kerstein, 1993).
3. 가능하다면 보존적으로 적은 양의 선택적 치관성형술이나 상악 견치의 설측면에 레진을 합착하여 견치 보호 유도를 달성한다.

단계 II: 심미적 마무리

심미적 손질

1. 수복물에 질감, 구, 와, 다른 특별한 표면 효과 형성을 위해 필요한 작은 표면 조절로 자연스러운 표면 정밀성을 획득한다.

연마 순서

1. **선(pre)-연마**: 심미성 손질 과정으로 야기된 남아있는 표면 스크래치를 제거한다.
2. **연마**: 수복물에 눈에 보이는 스크래치가 없도록 티없이 부드러운 표면을 형성한다.
3. **초(super)연마**: 법랑질-같은 광택으로 수복물을 연마한다.

단계 III: 마무리 평가

1. 심미성, 치아와 치은의 건강, 전체적인 환자의 편안한 상태를 평가한다.
2. T-Scan 디지털 교합력 및 타이밍 분석을 통해 재평가하여 힘 마무리 최종 결과를 확인한다. 필요하면 개선한다.
3. 디지털 힘 스캔과 사진 촬영으로 마지막 증례 마무리를 기록한다.

치료적 힘 마무리(Therapeutic Force Finishing, TFF) 임상 프로토콜

OFD의 특별한 증상 및 징후 치료에 필요한 교합력 구성요소를 개인 맞춤화할 필요가 있다면, 치아와 수복물 혹은 선택한 치료 구내 장치나 장착된 치아 보철물에 TFF를 시행할 수 있다. 모든 TFF 증례에서, 환자의 OFD 증상 및 징후, 치아 접촉 수, 치주 건강, 치관/치근 비율, 치아 각도, 치아 위치, 안모 유형과 교합 수직 고경을 세밀하게 분석하여, 반드시 환자 저작계 내의 "취약 고리"를 확인해야 한다. 그 후, 직접적인 힘 마무리를 치아나 수복물에 시행하여, 교합력 균형을 맞추고 교합 및 이개 시간을 향상시킴으로써, 모든 것이 환자의 저작계의 치유와 적응 과정을 지지하게 한다. 대안적으로, 필요에 따라, 자연치 변경이나 기존의 수복물의 변화를 포함하지 않는 치료적 구내 스플린트나 보철물을 사용하여, 간접적 힘 마무리로 (균형 증가 혹은 불균형 감소를 위한) 교합력 구성 요소를 개별 맞춤화할 수 있다.

임상의는 TFF를 시행할 때 다음의 사항을 숙지해야 한다:

1. 치주 건강, 치근, 이용 가능한 교합면 부위, 이용 가능한 하중 지탱 치아마다 힘 비율을 분산시킨다.
2. 약화된 치조골 지지가 있거나 흔들리는 치아 및/혹은 통증이나 지각과민이 있는 치아가 있는 약한 부위에는, 교합 하중 비율을 낮추어 자연스러운 치유 과정을 지지하도록 한다.
3. 통증, 동요, 지각과민이 있는 치아의 편심위 마찰성 힘을 제거한다.
4. 저작근 통증 증상의 경우, 이개 시간을 감소시키고, 보존적인 치아성형법(합착 및 치관성형술 조합)을 사용하여 교합력의 균형을 잡는다. 그러나, 보존적 방법으로 필요한 교합 변화를 안전하게 달성할 수 없다면, 치료적 구내 장치를 사용하여 폐구 교합력의 균형을 잡을 뿐만 아니라 교합 테이블의 이개 시간을 감소시킨다.
5. OFD의 증상과 징후가 치료로 완화되면, 장기간의 기능적 교합 건강 유지를 돕기 위해 예방적 힘 마무리를 시행할 수 있다.

힘 마무리 임상 증례 보고

힘 마무리는 교합이 연관되는 치의학의 모든 분야에 적용될 수 있다. 전악 기능 회복 제작, smile makeover 수행, 다수 수복물의 동시 장착, 임플란트 지지 보철물 제작, 교합조정으로 TMD 치료를 꾸준하게 수행하는 임상의처럼, 교정의사도 교합과 항상 연관되는 사람이다. 이런 술식을 진행하는 임상의는 T-Scan 기술로 힘 마무리를 임상 치료에 사용하면 상당한 이점을 얻을 것이다.

앞서 언급한 것처럼, 힘 마무리는 2개의 구성요소를 가진다; 예방적(PFF) 및 치료적(TFF). 매일의 임상 진료에서 힘 마무리 사용에 대한 간소화 및 임상적 이점의 이해를 돕기 위해, 다음 3개의 힘 마무리 증례를 통해 PFF와 TFF를 설명하고자 한다.

증례 I: 중증 마모 증례의 전악 재건에서 예방적 힘 마무리(PFF)

55세 남성 환자로 장기간의 만성적 수면 이갈이 습관으로 야기된 중증의 마모를 주소로 내원하였다. 수년에 걸쳐, 환자는 다수의 크라운과 브릿지 치료로 치아를 유지하고 보호하려고 시도하였다. 그러나, 만성적 이갈이 습관 때문에, 환자의 모든 자연치와 메탈 크라운 및 브릿지가 혼재하는 보철물이 마모로 소실되었다(그림 8a-8e).

철저한 임상 증례 분석 후, T-Scan으로 교합 분석을 수행하였다. 대구치가 대부분의 교합 하중을 감당하는 매우 불균형한 교합력 양상이 포착되었다. 이와 같이, COF 아이콘이 후방으로 멀리 이동하여 전후방 교합력 균형을 시사하고, 힘이 우측 반악궁에 살짝 증가함을 보여준다(그림 9).

좌우 측방 편심위 운동의 스캔 데이터는 작업측 그룹 기능이 있음을 보여준다. 기존의 후방 편심위 마찰성 접촉으로 발생된 근력을 최소화하기 위한 견치 유도가 없다(그림

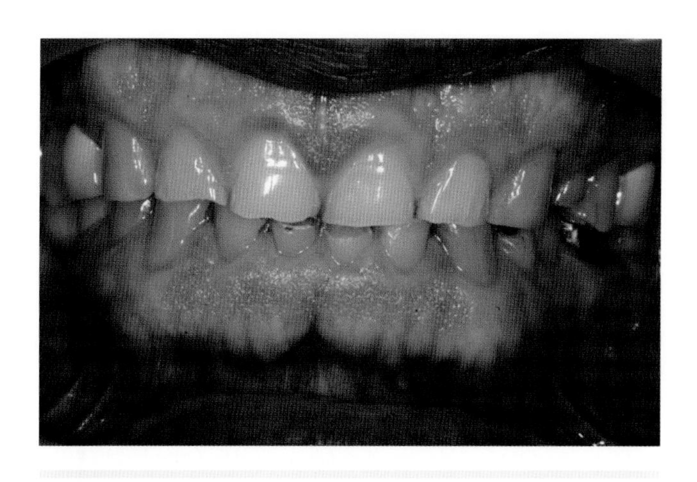

그림 8a 중증의 마모 스마일을 보이는 정면 사진. 높은 저작력 때문에, 상악 및 하악 치아가 뚜렷한 교모를 보인다. © [2013] [Vedic Institute of Smile Aesthetic의 호의]. 허락 하 발췌

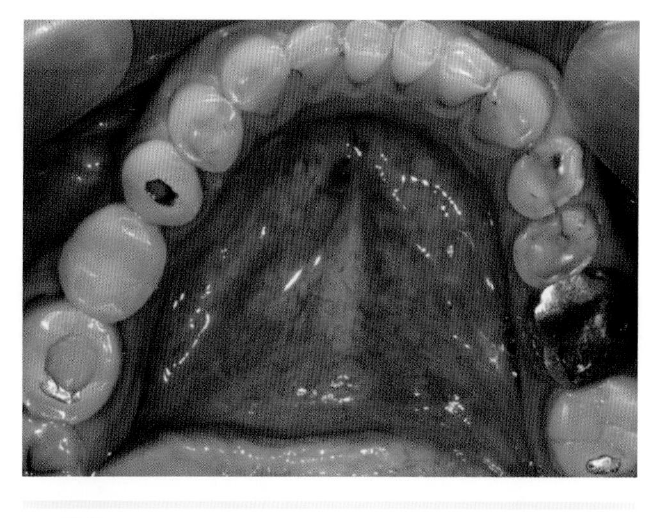

그림 8c 중증의 마모 스마일의 하악 교합면. 마모된 세라믹 메탈 크라운을 따라 하악 전치부가 심하게 마모되어 상아질이 노출되었다. © [2013] [Vedic Institute of Smile Aesthetic의 호의]. 허락 하 발췌

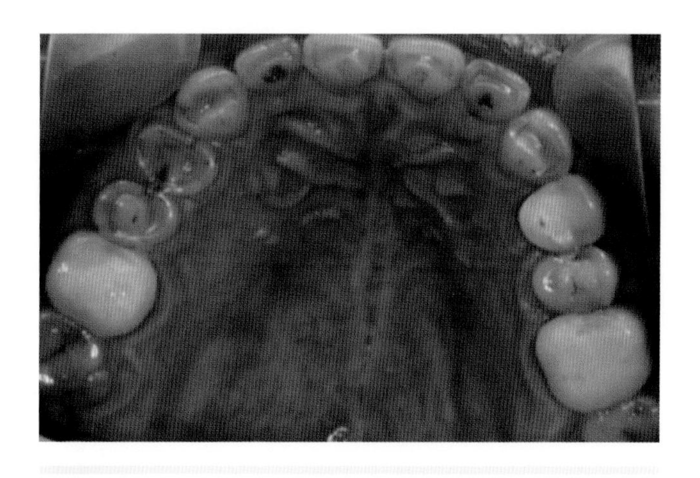

그림 8b 중증의 마모 스마일의 상악 교합면. 세라믹 크라운에 뚜렷한 교모가 보이고 2차 부식이 조합된 교모로 상아질이 노출되었다. © [2013] [Vedic Institute of Smile Aesthetic의 호의]. 허락 하 발췌

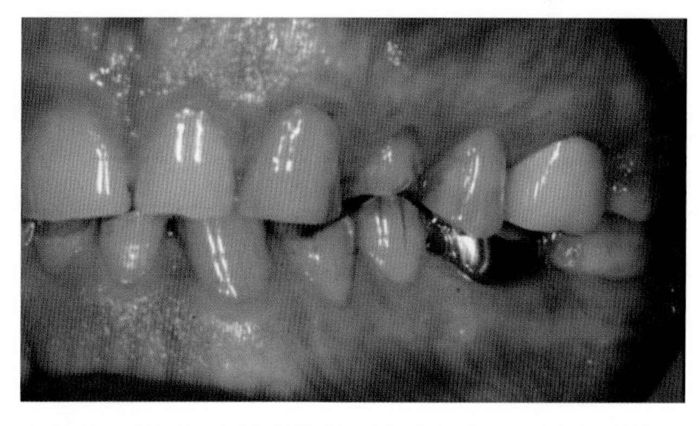

그림 8d 중증의 마모 스마일의 좌측 모습으로 견치와 소구치 교두의 심한 교모가 보인다. © [2013] [Vedic Institute of Smile Aesthetic의 호의]. 허락 하 발췌

10a–10d).

힘 마무리로 장착하는 간접적 레진 수복물을 사용한 최소-침습적 전악 재건을 환자에게 제안하였다. 치료의 기본 목표는 교합 조화(힘 균형)를 구축하고 전방 유도 기능을 개선하여, 마모된 치아의 수명을 유지하면서 치아 구조물의 희생 없이 잃어버린 심미성을 회복하는 것이다. 이 증례에서는 Ceramage indirect composite(Ceramage, Shofu, Inc., Kyoto, Japan)(그림 11a–11c) 수복물을 사용하여, 수복재료의 화학적 결합에 필요한 산부식 외의 침습적인 치아 프렙이 필요없는 overlay로 마모된 치아를 완벽하게 수복하였다(그림 12a–12d).

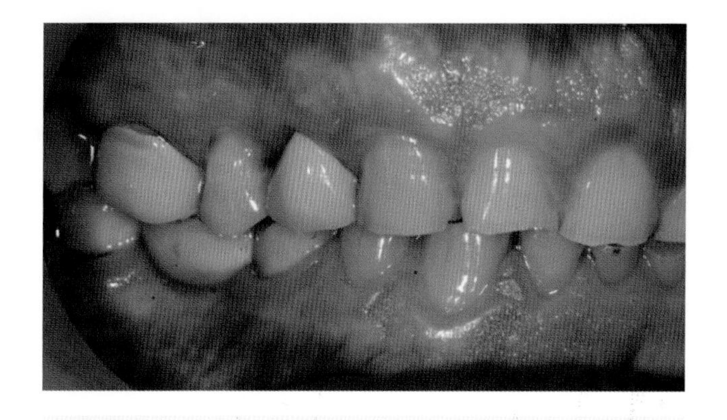

그림 8e 중증의 마모 스마일의 우측 모습으로 견치와 측절치의 심한 교모가 보인다. © [2013] [Vedic Institute of Smile Aesthetic의 호의]. 허락 하 발췌

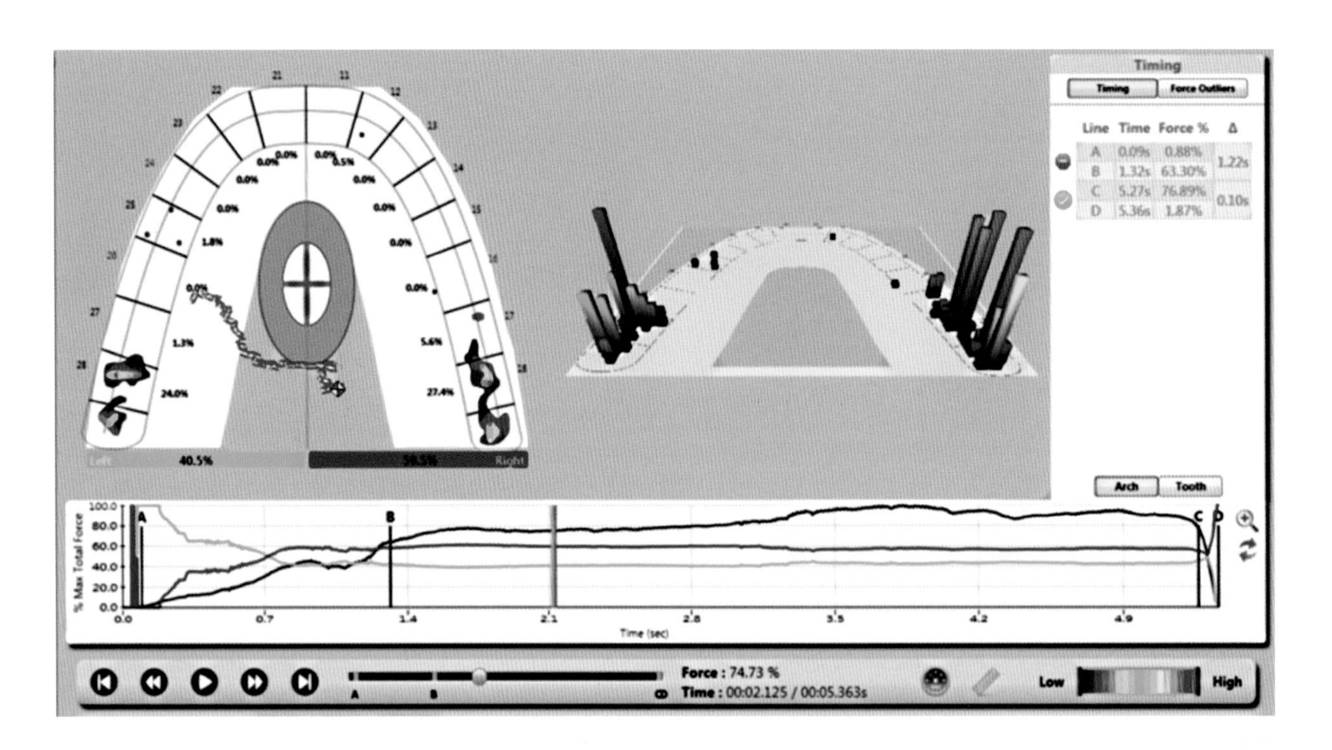

그림 9 MIP에서의 힘 스캔. 좌우측 반악궁은 거의 균형 잡혀 있지만, 대구치가 교합 하중의 대부분을 감당하고 있다. COF 아이콘이 우측 후방으로 치우쳐 있고, 대부분의 전치부에 보이는 교합 접촉은 없다

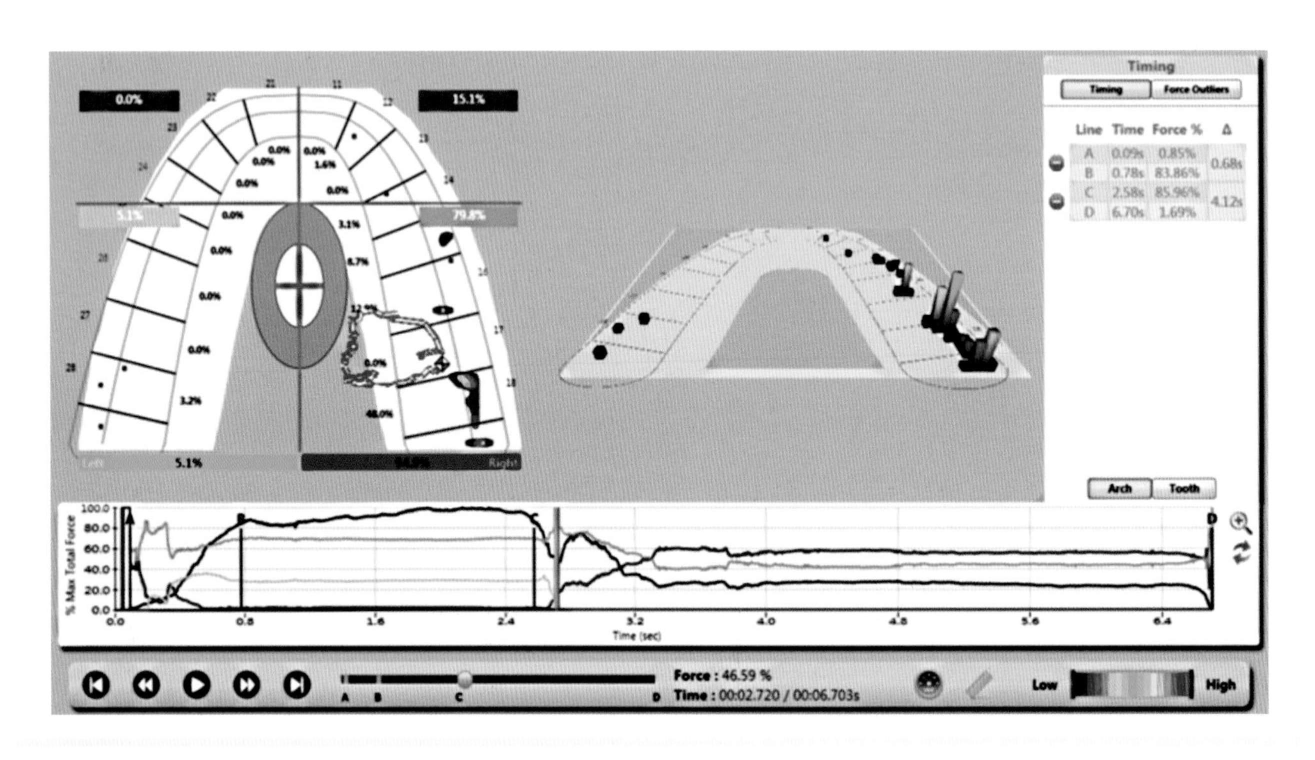

그림 10a 우측방 편심위 운동의 힘 스캔에서, 선 C를 지나 0.14초에서 편심위가 시작된다. 견치 유도 부족으로 모든 우측 구치부가 편심위에서 접촉한다. 후방을 들어올리는 전치부에 존재하는 유도 접촉이 없다. © [2013] [Vedic Institute of Smile Aesthetic의 호의]. 허락 하 발췌

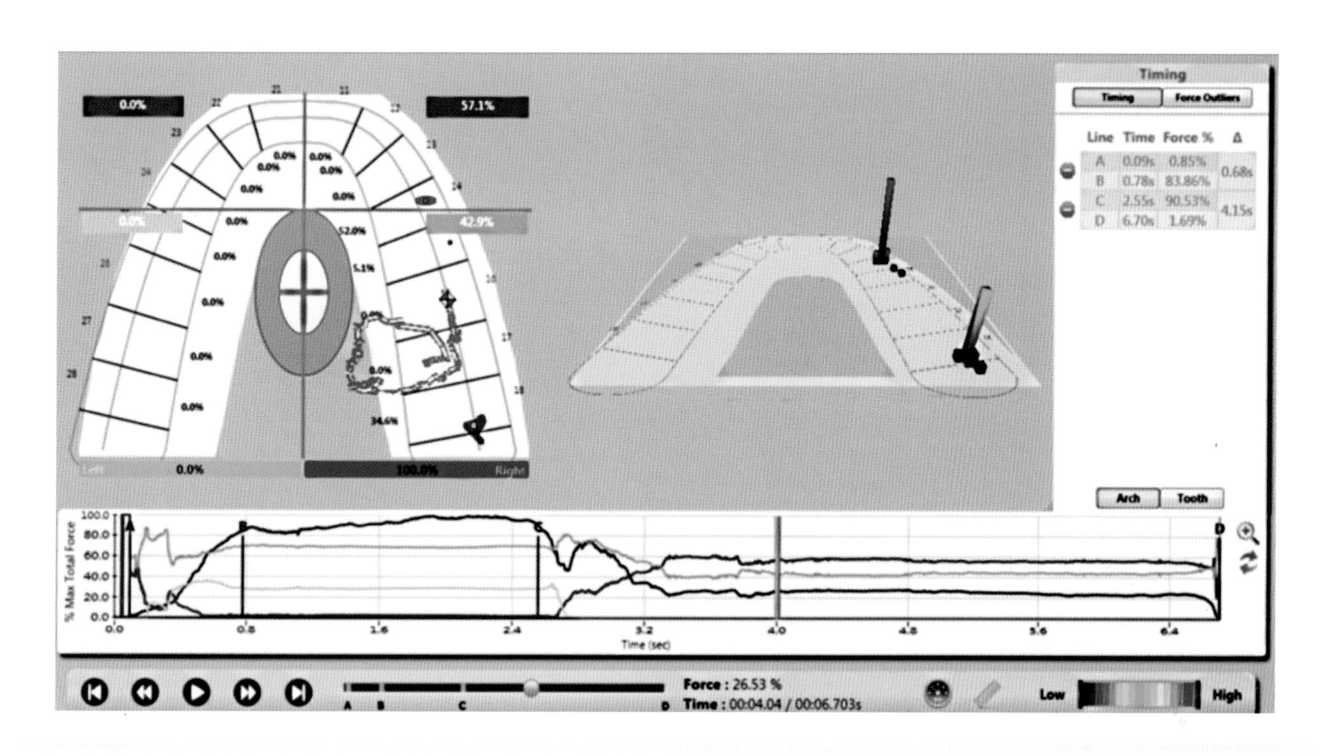

그림 10b 우측방 편심위 운동의 힘 스캔. 우측 제2대구치가 우측방 운동으로의 1.46초 후에도 접촉을 유지하고 견치 유도가 없다. © [2013] [Vedic Institute of Smile Aesthetic의 호의]. 허락 하 발췌

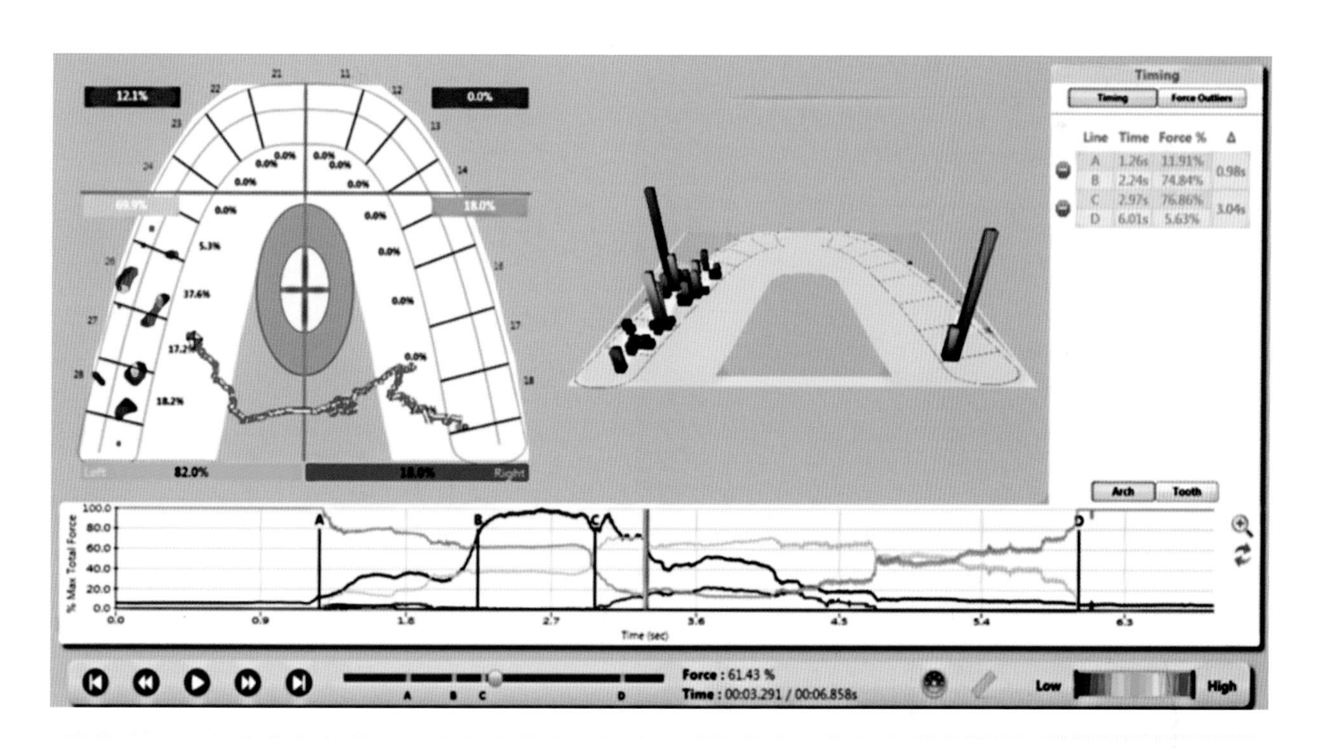

그림 10c 편심위가 시작되는 선 C를 지나 0.321초의 좌측방 편심위 힘 스캔. 견치 유도 결손으로, 좌측 작업측 구치부가 그룹 기능으로 모두 접촉한다. 뿐만 아니라, 우측 제2대구치에 균형측 접촉이 존재한다. © [2013] [Vedic Institute of Smile Aesthetic의 호의]. 허락 하 발췌

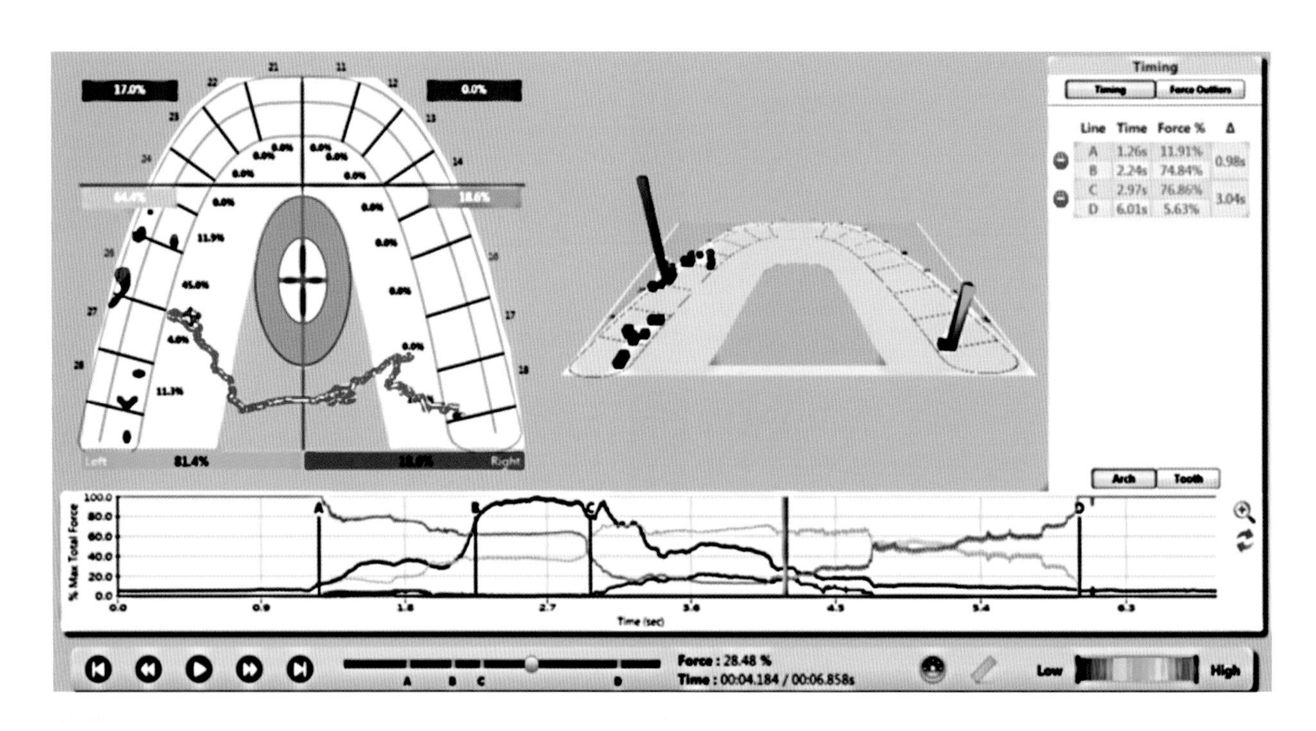

그림 10d 편심위 시작 후 1.214초의 좌측 편심위 운동 후반의 힘 스캔. 그룹 기능의 좌측 작업측 접촉과 우측 제2대구치에 강력한 균형측 접촉이 유지된다. © [2013] [Vedic Institute of Smile Aesthetic의 호의]. 허락 하 발췌

그림 11a Ceramage indirect composite system(Shofu, Inc., Kyoto, Japan). © [2013] [Vedic Institute of Smile Aesthetic의 호의]. 허락 하 발췌

이런 기공실-제작 간접 composite overlay를 시적하고 합착하면, 앞서 설명한 PFF로 힘 마무리 프로토콜을 사용하여 케이스를 완성한다.

그림 11b Ceramage indirect composite light curing system(Shofu, Inc., Kyoto, Japan). © [2013] [Vedic Institute of Smile Aesthetic의 호의]. 허락 하 발췌

장착-후 힘 마무리 후에, MIP에서 교합력이 균형 잡혔고, 각 치아와 양 반-악궁(우측 50.2%-좌측 49.8%)에 적절한 힘 분포를 보인다(그림 13). 이전에 우측 후방에 위치했던(그림 9) COF 아이콘이 이제는 악궁 중앙에 위치하여 교합력 분포가 향상된 균형을 보여준다(그림 13).

이 증례에서 치아 마모의 주요 원인이 이갈이이기 때문에, 적절한 견치 유도에 의한 견치-보호 교합 체계를 구축

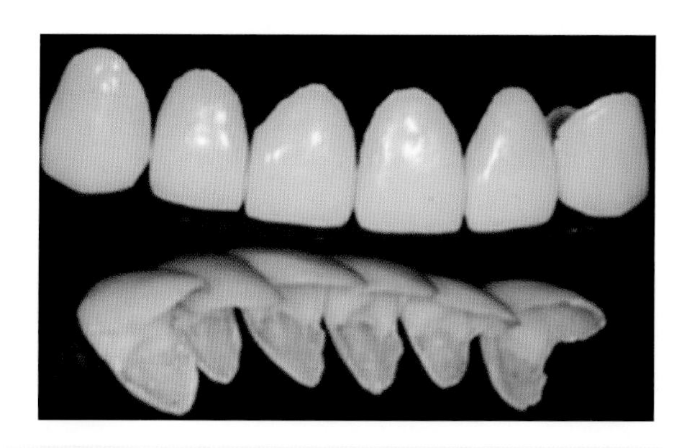

그림 11c Ceramage system을 이용하여 제작한 상악 전치 overlay. © [2013] [Vedic Institute of Smile Aesthetic의 호의]. 허락 하 발췌

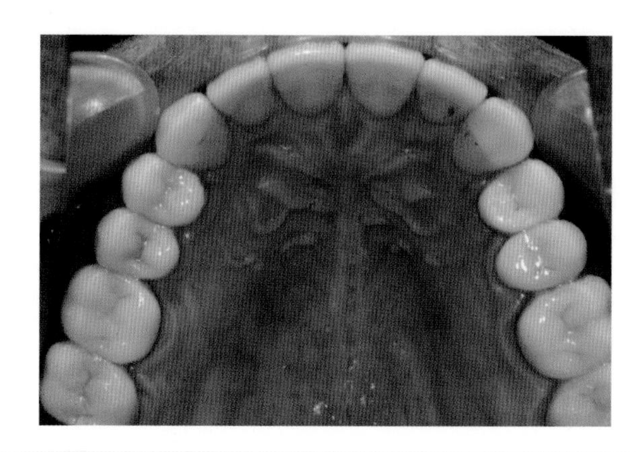

그림 12a indirect composite Ceramage overlay로 전체 수복한 상악궁 교합면. 교합지와 T-Scan 8을 이용하여 교합면 힘 마무리를 진행하였다. © [2013] [Vedic Institute of Smile Aesthetic의 호의]. 허락 하 발췌

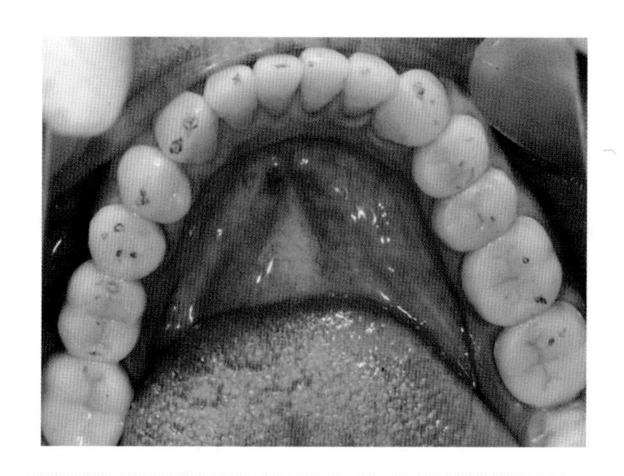

그림 12b indirect composite Ceramage overlay로 전체 수복한 하악궁 교합면. 교합지와 T-Scan 8을 이용하여 교합면 힘 마무리를 진행하였다. © [2013] [Vedic Institute of Smile Aesthetic의 호의]. 허락 하 발췌

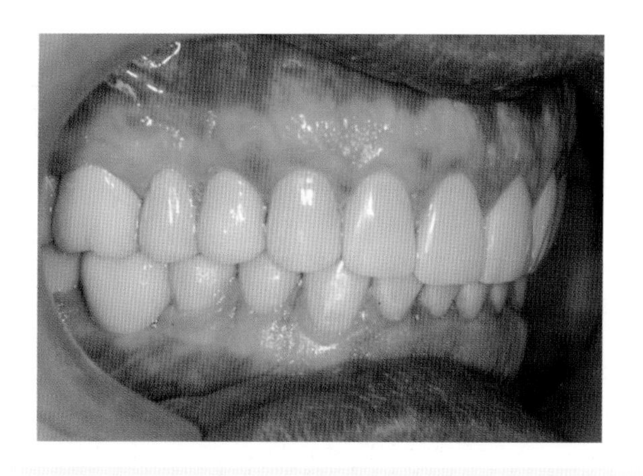

그림 12c Ceramage indirect composite overlay로 전체 수복한 우측면 모습. © [2013] [Vedic Institute of Smile Aesthetic의 호의]. 허락 하 발췌

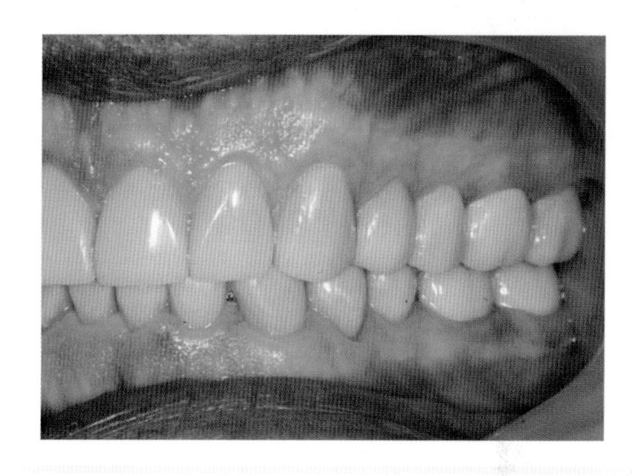

그림 12d Ceramage indirect composite overlay로 전체 수복한 좌측면 모습. © [2013] [Vedic Institute of Smile Aesthetic의 호의]. 허락 하 발췌

하여, 좌우 편심위 운동 동안 구치부를 이개하였다. 힘 스캔 데이터(그림 14a–14d)에서, 편심위 운동 동안 100% 견치 유도가 구축되었음이 확인된다. 이것으로 수복된 편심위 기능 동안 발생하는 마찰성 힘을 예방할 것이다. 이런 유형의 증례는, 시간의 흐름에 따라 기록된 힘 측정의 장기간 follow-up으로 마모된 재료나 약간의 상하악 관계 변화에 의한 교합력 분포 변화를 모니터링 한다.

12개월 후 증례를 임상적으로 재-평가하여, 파절 및/혹은 수복물 실패의 가시적인 조짐이 없는 온전한 교합면이 여전히 존재함을 확인하였다(그림 15a–15f). 수복물 표면의 광택이 탁할 뿐, 사용한 수복 재료는 정상 외형을 가진다. Follow-up 방문 동안, 연마용 힘 마무리 키트를 이용하여

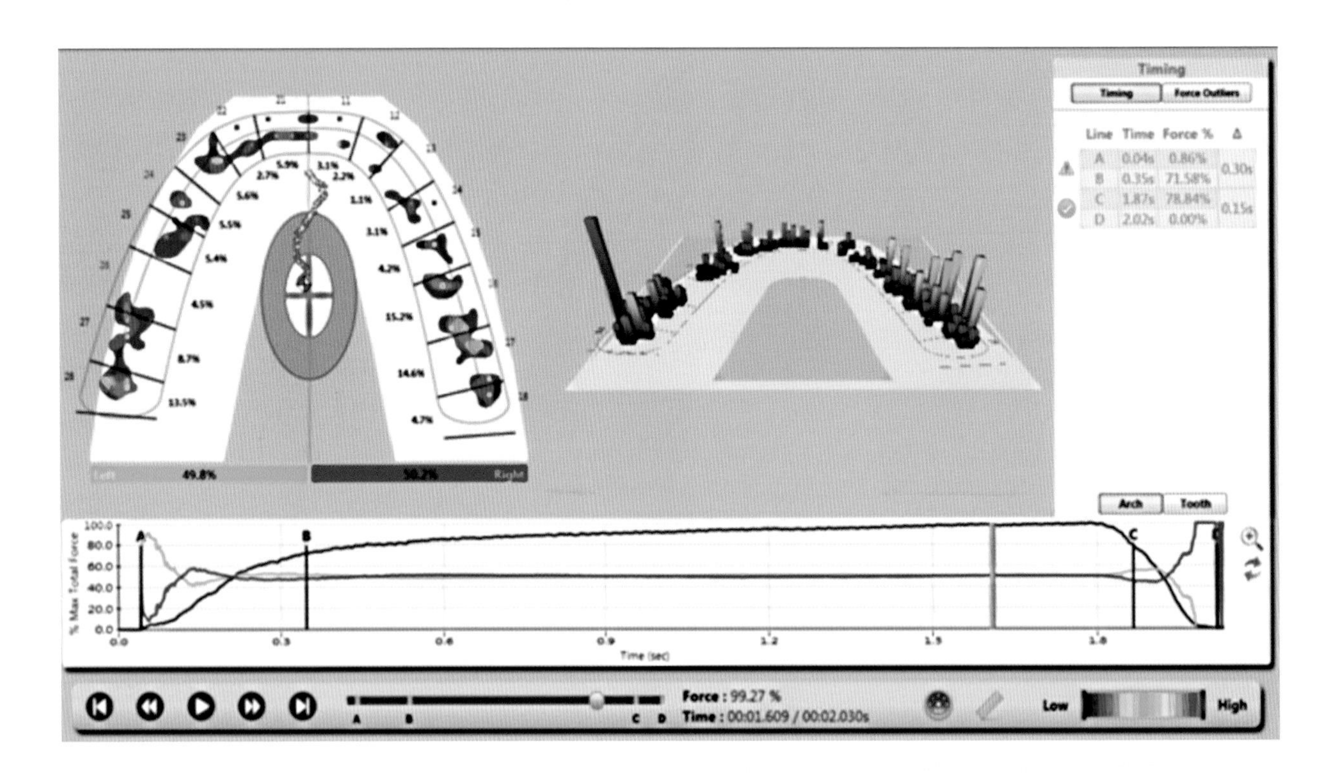

그림 13 적절한 힘 마무리 후에 교합력 양상 변화를 주목하라. MIP에서 좌우 반악궁 사이의 힘 비율은 우측 50.2%-좌측 49.8%이다. COF 아이콘은 악궁의 중앙 근처에 있고, 각 치아의 힘이 적절하게 분포되어있다. 폐구의 COF 경로는 #11, 21번 치아 근처에서 시작하여 그 후 약간 좌측을 향해 중앙화한다. © [2013] [Vedic Institute of Smile Aesthetic의 호의]. 허락 하 발췌

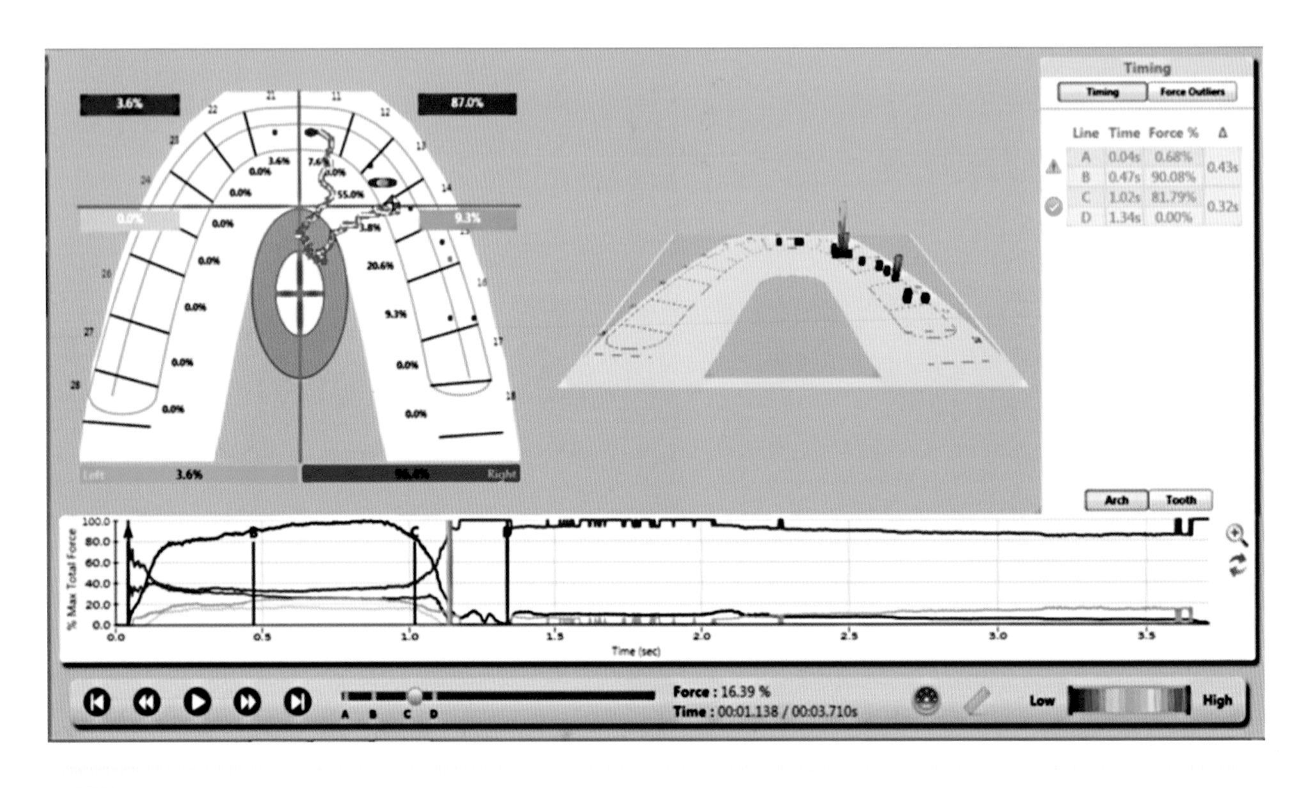

그림 14a 편심위 시작 후(선 C를 지나), 0.118초 편심위 힘의 55%를 우측 견치가 수용함을 보여주는 우측방 편심위 운동의 힘 스캔 데이터. © [2013] [Vedic Institute of Smile Aesthetic의 호의]. 허락 하 발췌

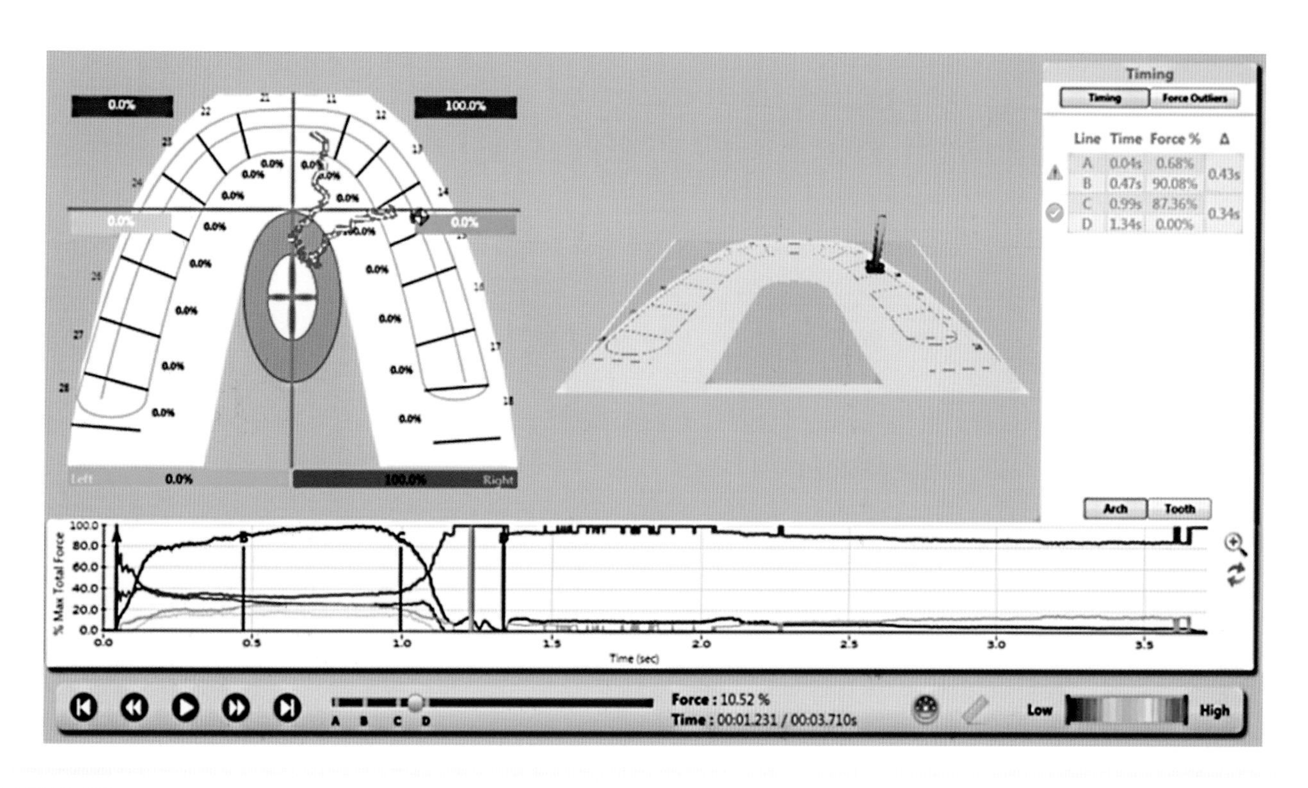

그림 14b 편심위 시작 후(선 C를 지나), 0.241초 편심위 힘의 100%를 우측 견치가 수용함을 보여주는 우측방 편심위 운동의 힘 스캔 데이터. © [2013] [Vedic Institute of Smile Aesthetic의 호의]. 허락 하 발췌

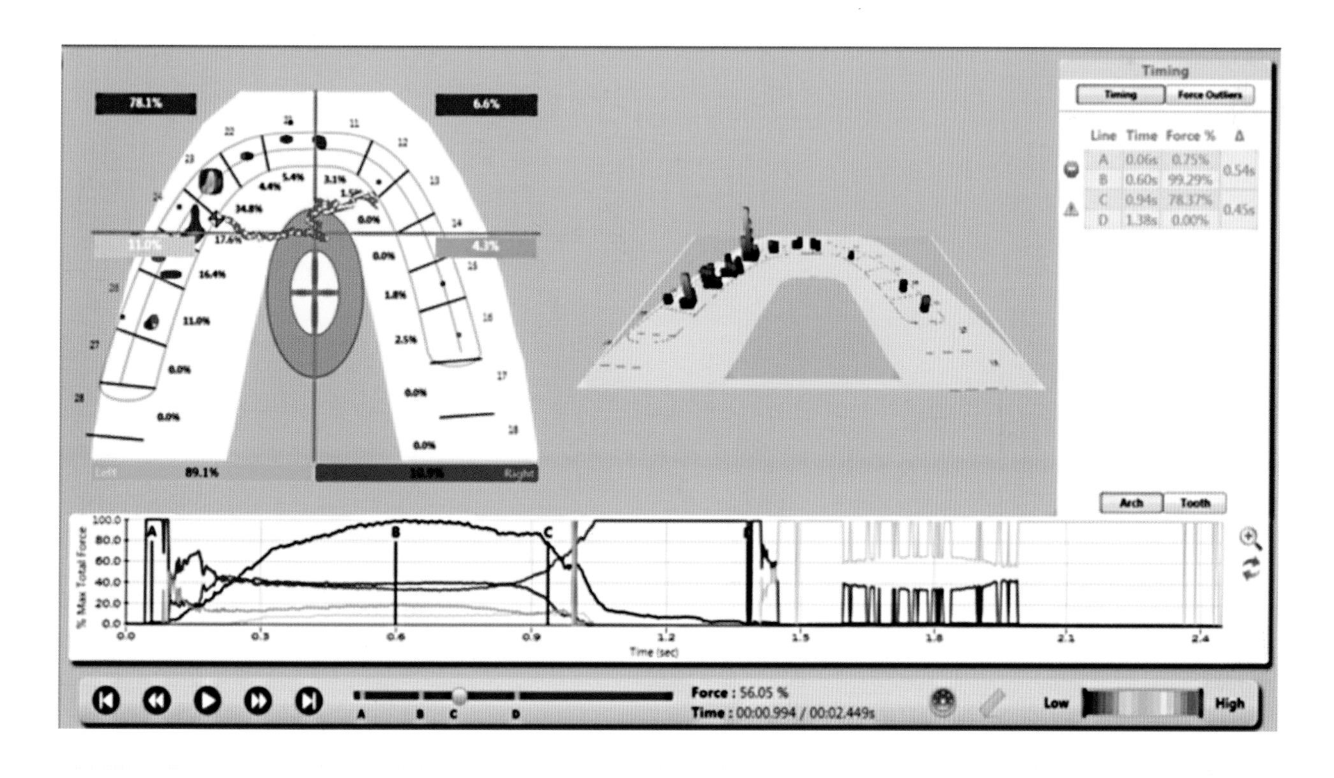

그림 14c 편심위 시작 후 0.914초의 좌측 편심위 운동의 힘 스캔 데이터. © [2013] [Vedic Institute of Smile Aesthetic의 호의]. 허락 하 발췌

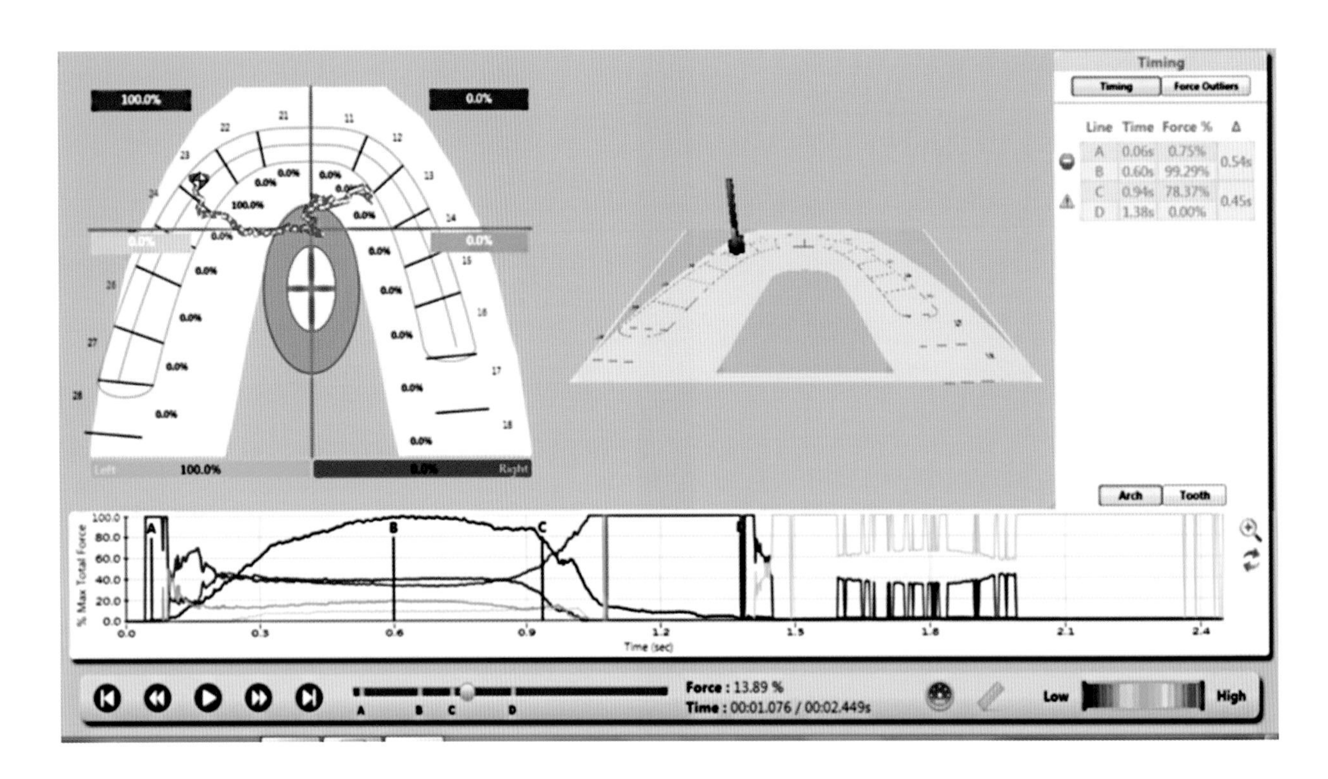

그림 14d 편심위 시작으로부터 0.276초 편심위 힘의 100%를 좌측 견치가 받고 있음을 보여주는 좌측방 편심위 운동의 힘 스캔 데이터. © [2013] [Vedic Institute of Smile Aesthetic의 호의]. 허락 하 발췌

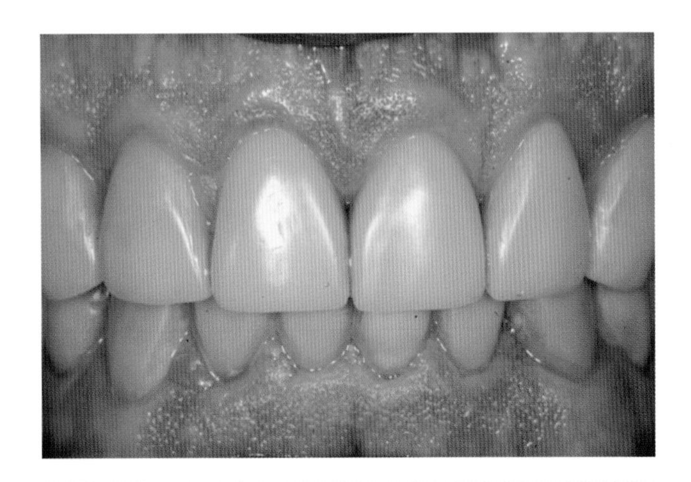

그림 15a 수복 12개월 후 정면 사진. 수복물은 파절이나 깨진 징후 없이 온전하다. 그러나, 1년 후 수복물은 심미적 광택을 잃어버렸고, 재-연마가 필요하다. © [2013] [Vedic Institute of Smile Aesthetic의 호의]. 허락 하 발췌

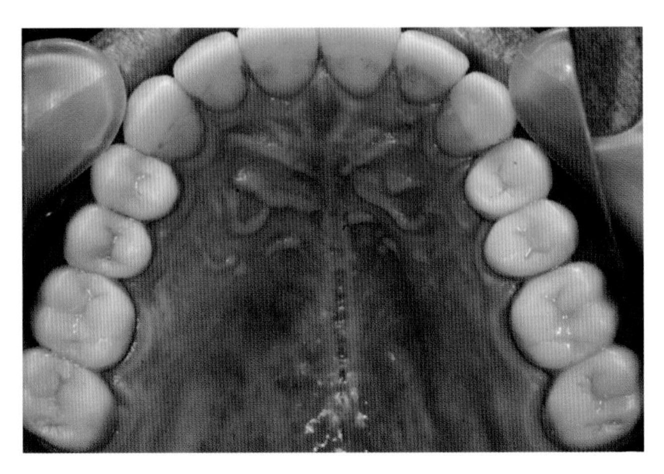

그림 15b 장착 12개월 후 상악궁의 교합면 모습. 환자는 night guard를 사용하지 않았지만, 수복물이 파절의 징후없이 온전하다. © [2013] [Vedic Institute of Smile Aesthetic의 호의]. 허락 하 발췌

초(super)연마를 다시 시행하였다.

장착 12개월 후, 힘 스캔 데이터는 우측 58.1%-좌측 41.9%으로 교합력 균형이 살짝 변화한 것을 보여준다(그림 16a). COF 아이콘은 악궁 중앙 근처에 위치한다. 그러나, 하악 폐구 경로가 장착 직후와 비교하여 다소 변하였다.

수복물이 (포셀린 보다) 약한 합성 재료로 만들어졌음에도 불구하고 수복물 실패의 징후가 없었다. 하지만, 하룻밤 동안 Brux-Checker(Scheu-Dental, Germany)로 테스트한

그림 15c 장착 12개월 후 하악궁 교합면. 모든 수복물이 파절없이 온전하다. © [2013] [Vedic Institute of Smile Aesthetic의 호의]. 허락 하 발췌

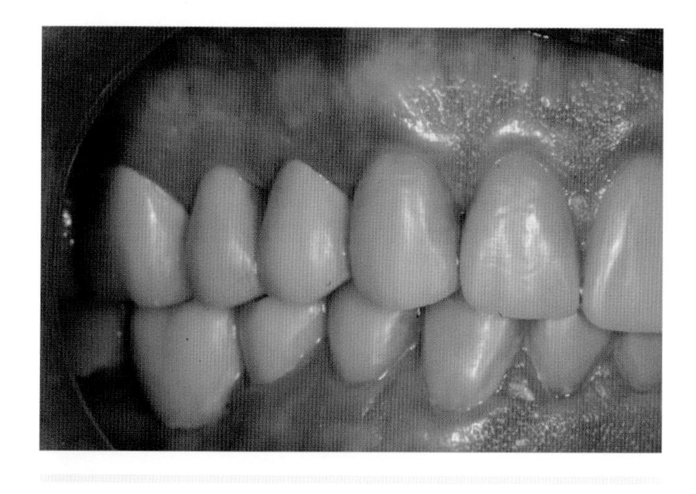

그림 15d 장착 12개월 후 우측방 모습. 수복물의 모든 협측 교두가 여전히 온전하다. © [2013] [Vedic Institute of Smile Aesthetic의 호의]. 허락 하 발췌

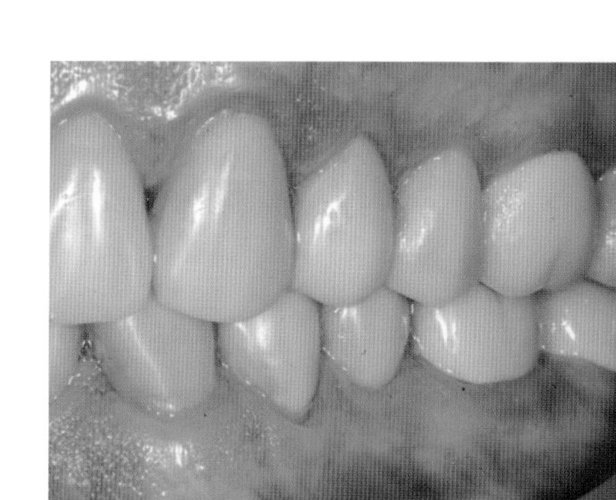

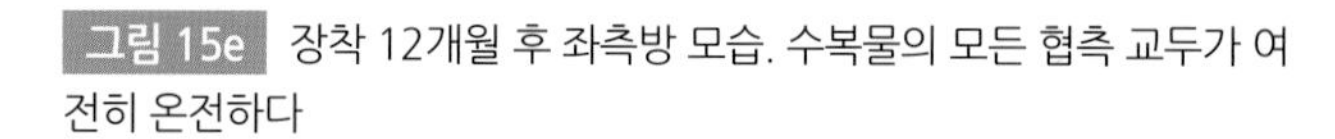

그림 15e 장착 12개월 후 좌측방 모습. 수복물의 모든 협측 교두가 여전히 온전하다

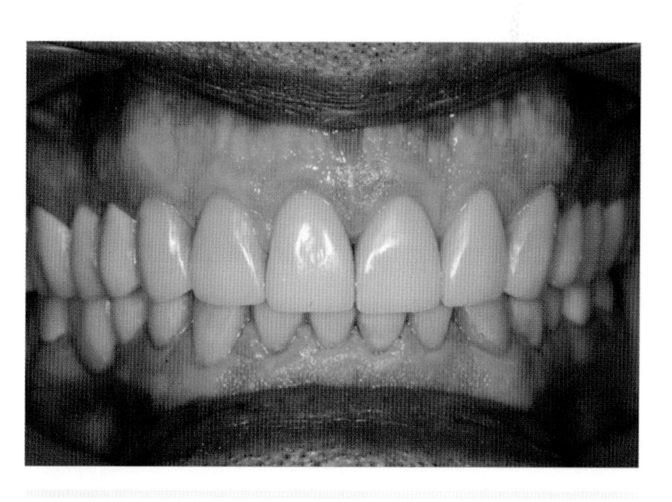

그림 15f 심미적 손질 연마 후 수복물

결과 환자가 새로워진 이상기능을 드러내기 시작하였다(그림 16b).

그러나 26개월 후, 환자 follow-up에서 재평가한 결과, 현재의 교합 체계의 질에도 불구하고 이상기능적 습관이 천천히 증가함을 보였다(그림 17-20b). Brux-Checker를 하룻밤 동안 다시 사용한 결과, 강력한 수면 이상기능이 환원되고 있음이 드러났다(그림 21).

전악 재건이 포셀린보다 연한 간접적 합성 수복 재료를 사용하는 비-침습적 부착 기술로 완성되었기 때문에, 환자가 치료 1년 후 이상기능적 습관을 보였음에도 불구하고 수복물이 법랑질, 저작근, TMJ에 호의적이다. 26개월 후 부드러운 합성 수복물의 교합 교두가 다소 마모된 것으로 보이나 파절은 발생되지 않았다.

전악 재건에 포셀린, 금속, 지르코니아와 같이 단단한 수복 재료를 사용하면, 이상기능 교합력의 효과가 저작계나 TMJ 기능 내에 가시화되었을 것이다. 중증 마모 치열의 이런 유형에 합성 수복 재료를 사용하면, 임상의가 선택적 조정이나 마모 부위를 합착하여 완전 기능으로 교합을 쉽게 조절할 수 있다는 장점이 있다. 이런 조정 술식은 적절한 힘 마무리 평가로 follow-up될 수 있다. 환자가 지속적인 이갈이를 가지고 있기 때문에, night guard를 장착하여

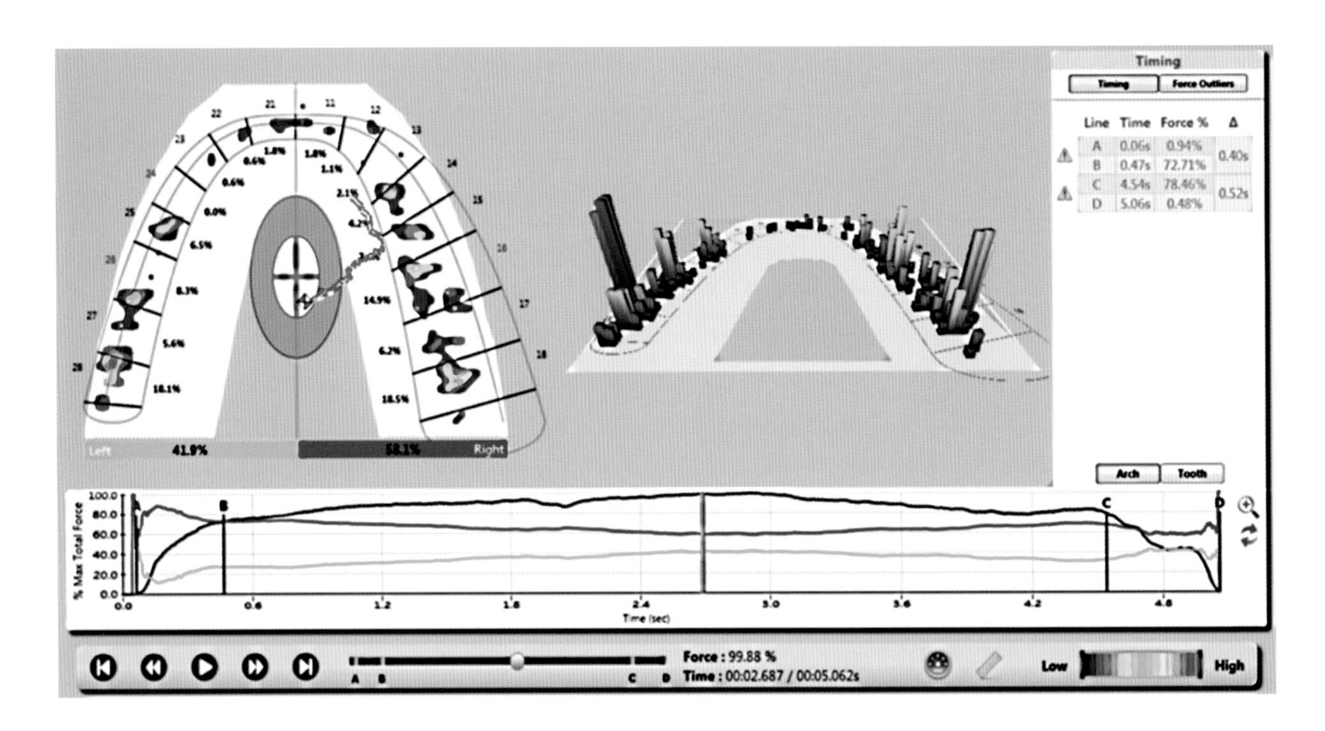

그림 16a 장착 12개월 후, 힘 스캔 데이터는 교합력 균형이 우측 58.1%-좌측 41.9%로 변했음을 보여준다. COF 아이콘은 여전히 악궁 중앙 근처에 머무른다. 그러나, 폐구 하악 경로가 장착 직후와 비교해서 변하였다. 12개월 후 COF 궤도는 좌측보다 우측에서 훨씬 먼저 힘이 상승함을 시사한다. © [2013] [Vedic Institute of Smile Aesthetic의 호의]. 허락 하 발췌

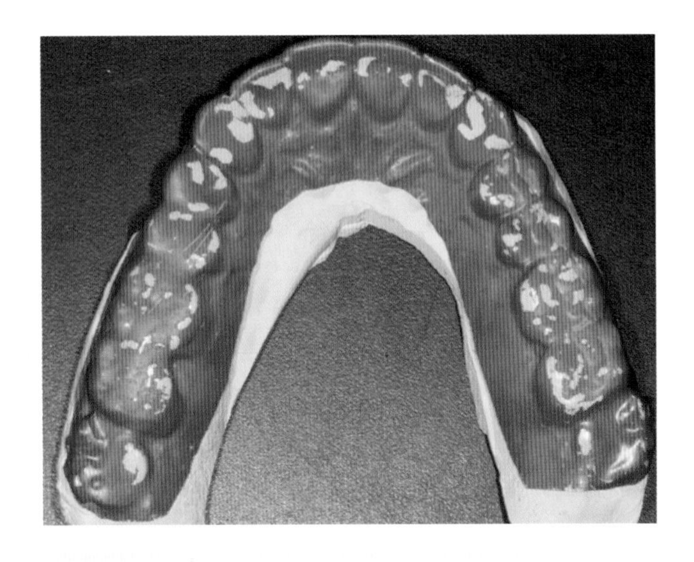

그림 16b 환자가 사용한 Brux-Checker로, 이악물기가 새로 시작되었음을 보여준다(유사한 접촉 자국이 양측성으로 보인다). 남아 있는 교합력이 균형 잡혀 있고, 장착 힘 마무리로 인해 하중이 적절하게 분포하여, 임상적으로 수복물 파절이 발견되지 않는다. © [2013] [Vedic Institute of Smile Aesthetic의 호의]. 허락 하 발췌

재-수복된 교합 균형이 성취될 때까지 수복물을 보호하도록 하였다.

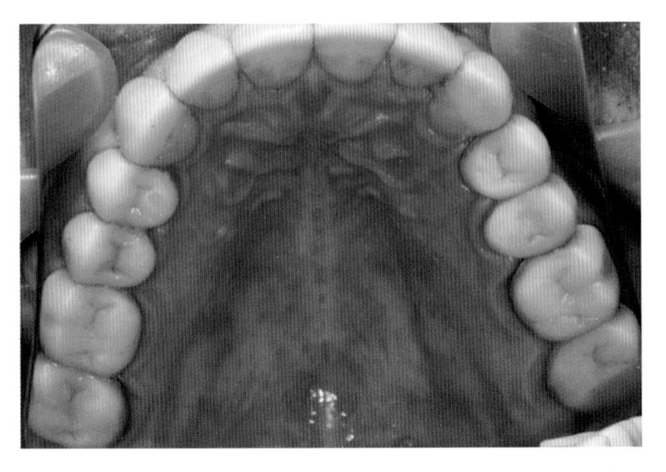

그림 17 장착 26개월 후, 상악 교합면 follow-up 사진. 모든 수복물이 온전하다. © [2013] [Vedic Institute of Smile Aesthetic의 호의]. 허락 하 발췌

증례 II: 완전 의치에서 예방적 힘 마무리(PFF) - 전통적 접근 vs. 디지털 접근

76세의 티베트 쉐르파로 새로운 상악 총의치 제작을 원하였다. 상악 총의치와 하악 부분의치를 새로 제작하였다(그림 24).

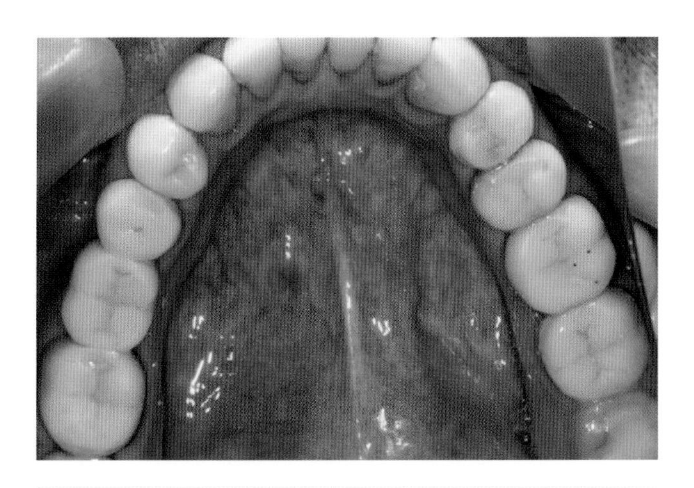

그림 18 장착 26개월 후 하악 교합면 follow-up 사진. 수복물 파절이 보이지 않는다. © [2013] [Vedic Institute of Smile Aesthetic의 호의]. 허락 하 발췌

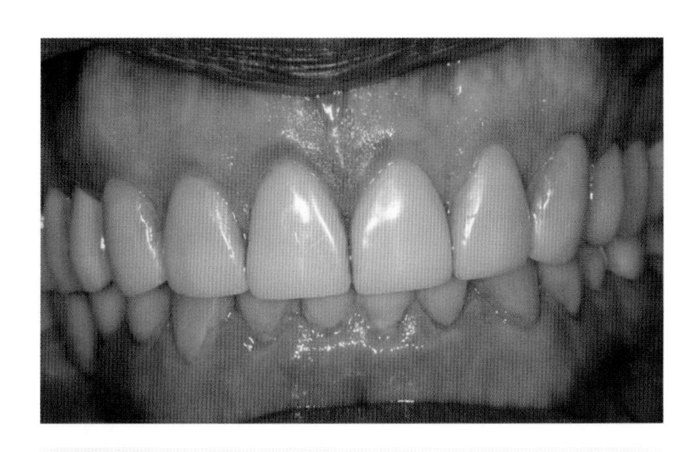

그림 19 장착 26개월 후 정면 사진. © [2013] [Vedic Institute of Smile Aesthetic의 호의]. 허락 하 발췌

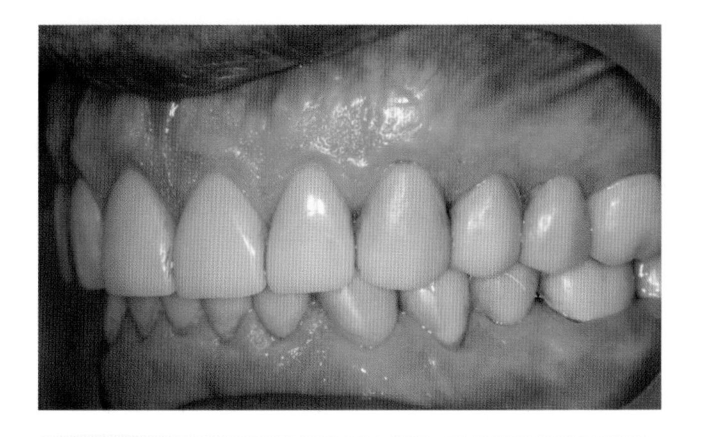

그림 20a 장착 26개월 후 좌측 모습. 수복물의 모든 협측 교두가 여전히 온전하고, 수복물 파절의 조짐이 없다. © [2013] [Vedic Institute of Smile Aesthetic의 호의]. 허락 하 발췌

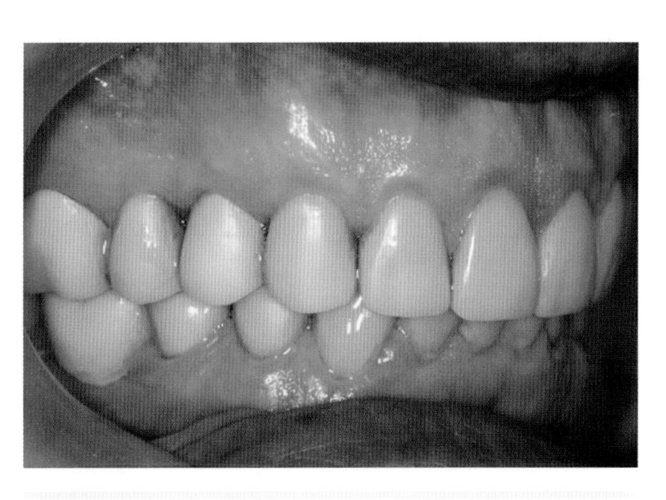

그림 20b 장착 26개월 후 우측 모습. 수복물의 모든 협측 교두가 여전히 온전하고, 수복물 파절의 조짐이 없다. © [2013] [Vedic Institute of Smile Aesthetic의 호의]. 허락 하 발췌

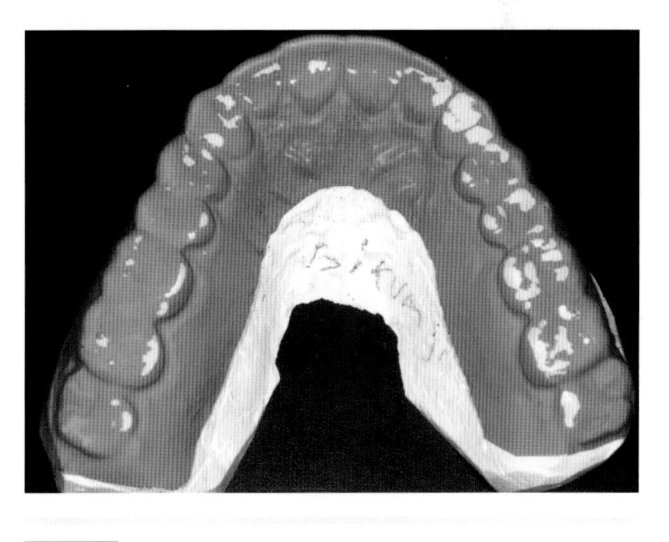

그림 21 장착 26개월 후 Brux-Checker로 포착한 수면 이악물기. 치아 접촉 자국이 Brux-Checker의 좌측에서 더 뚜렷하고, 이것은 그림 22(그림 22-23b)에서 보이는 T-Scan이 포착한 힘 불균형과 일치한다. © [2013] [Vedic Institute of Smile Aesthetic의 호의]. 허락 하 발췌

틀니 착용 시, 우선 교합지와 환자의 구강 "느낌" 피드백을 조합하여 전통적으로 마무리하였다. 그 후, T-Scan 8 시스템으로 디지털 교합력 스캔을 사용하여 재-평가하였다. 교합지 자국만을 단독 사용하였을 때 좌우 반악궁의 힘이 적절하게 균형 잡힌 것으로 보임에도 불구하고, 견치와 소구치 부위에 과다한 힘 축적이 있는 것으로 나타났다(그림 25). 하나의 치아나 수복물에만 높은 교합력 집중이 위치하면 OFD의 발달이 야기될 수 있다는 것을 인식해야 한

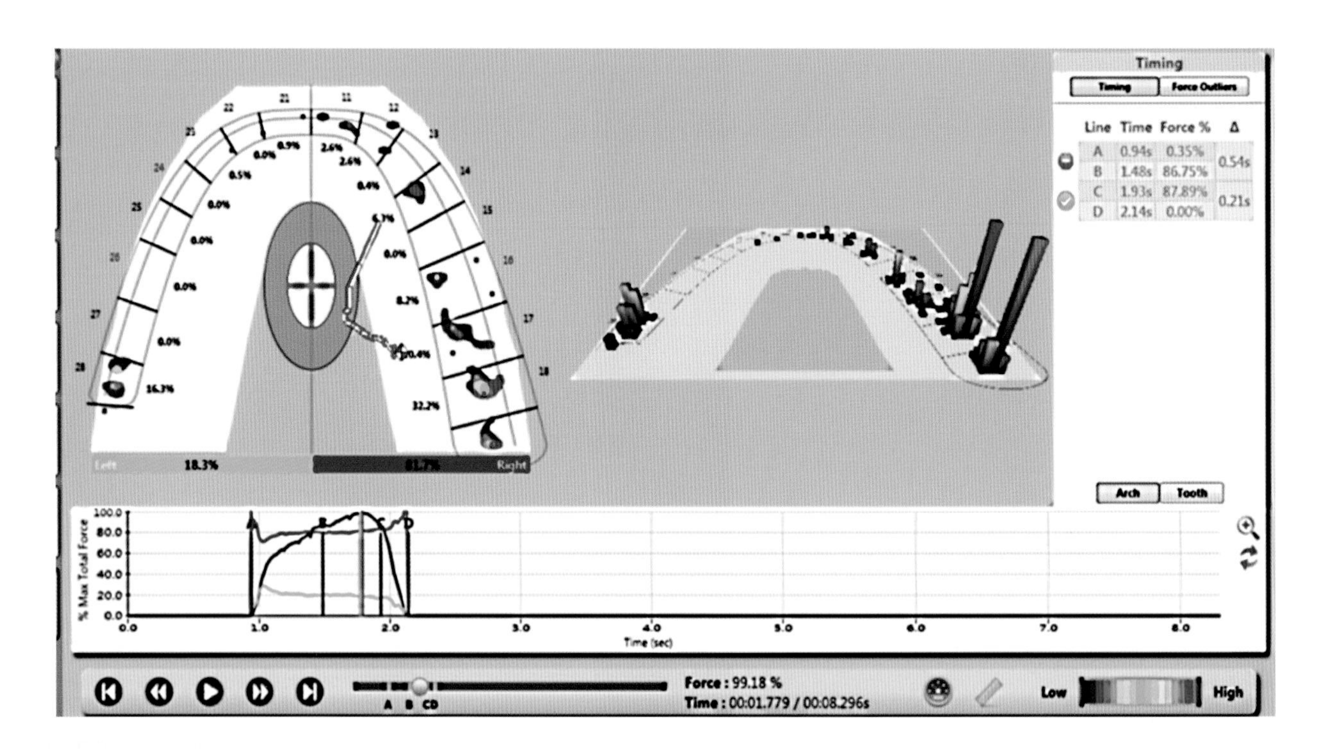

그림 22 장착 26개월 후 힘 스캔. 교합력 균형이 우측 81.7%-좌측 18.3%으로 급격하게 변하였다. COF 아이콘이 우측 후방부에 위치한다. 이런 힘 불균형은 환자 이갈이 습관의 재발로 인한 것이다. 그림 21의 Brux-Checker에 나타난 마모된 자국을 주목하라. © [2013] [Vedic Institute of Smile Aesthetic의 호의]. 허락 하 발췌

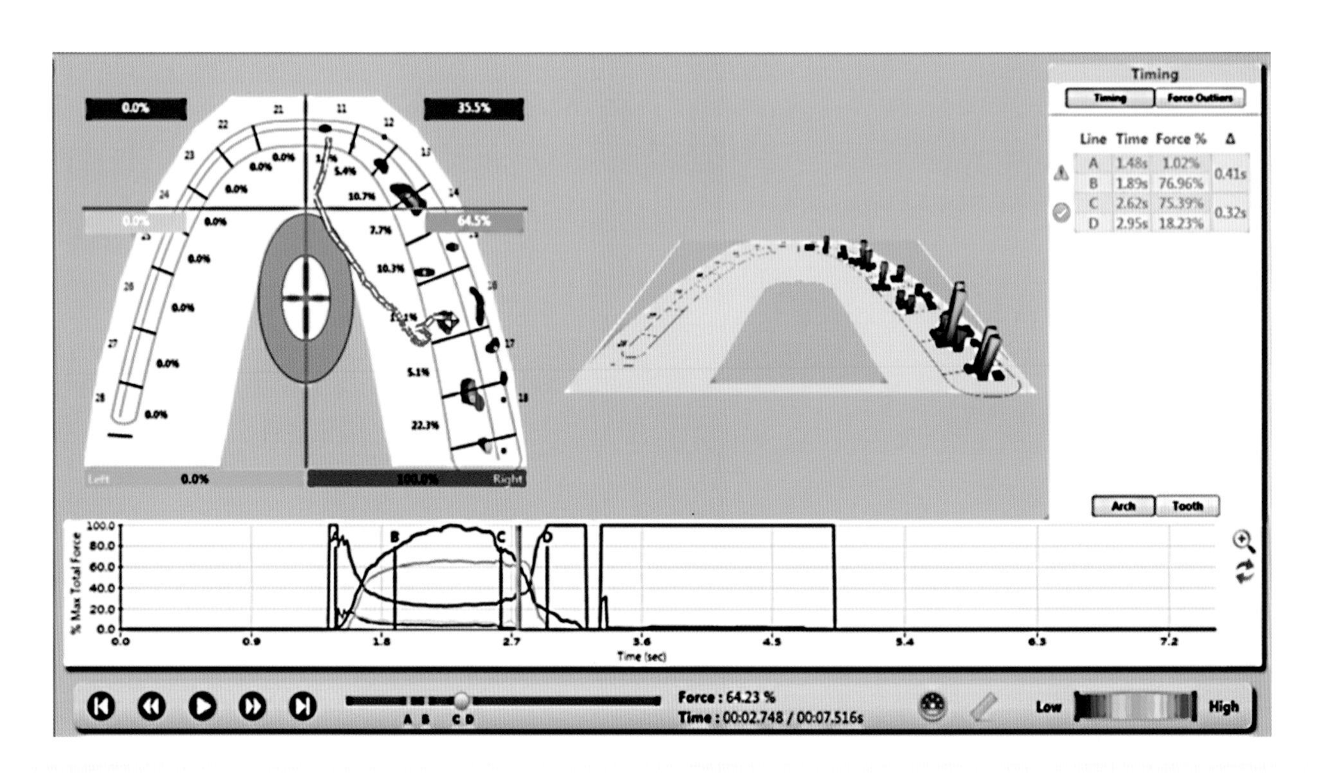

그림 23a 장착 26개월 후, 편심위 시작(선 C) 후 0.128초, 우측 편심위 운동의 힘 스캔 데이터. © [2013] [Vedic Institute of Smile Aesthetic의 호의]. 허락 하 발췌

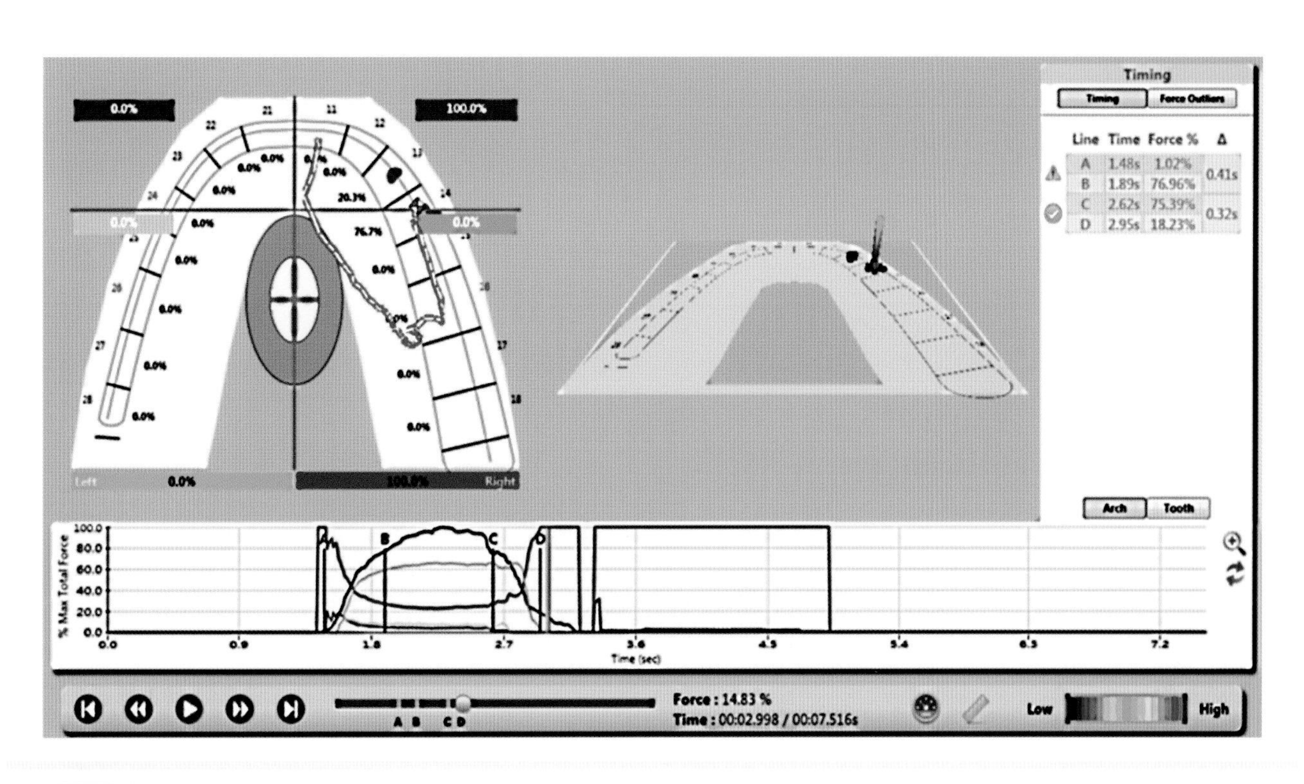

그림 23b 장착 26개월 후, 편심위 시작(선 C) 후 0.378초, 우측 편심위 운동의 힘 스캔 데이터. © [2013] [Vedic Institute of Smile Aesthetic의 호의]. 허락 하 발췌

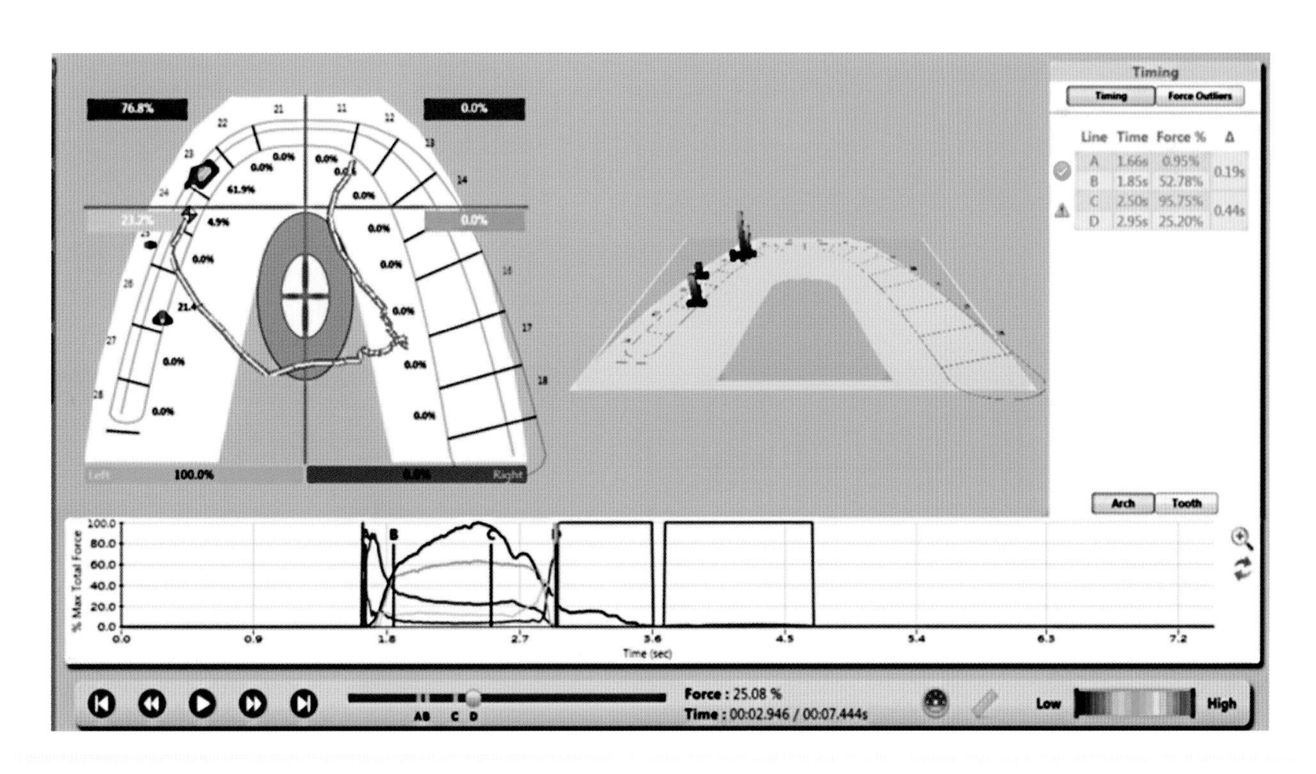

그림 23c 장착 26개월 후, 편심위 시작(선 C) 후 0.446초, 좌측 편심위 운동의 힘 스캔 데이터. © [2013] [Vedic Institute of Smile Aesthetic의 호의]. 허락 하 발췌

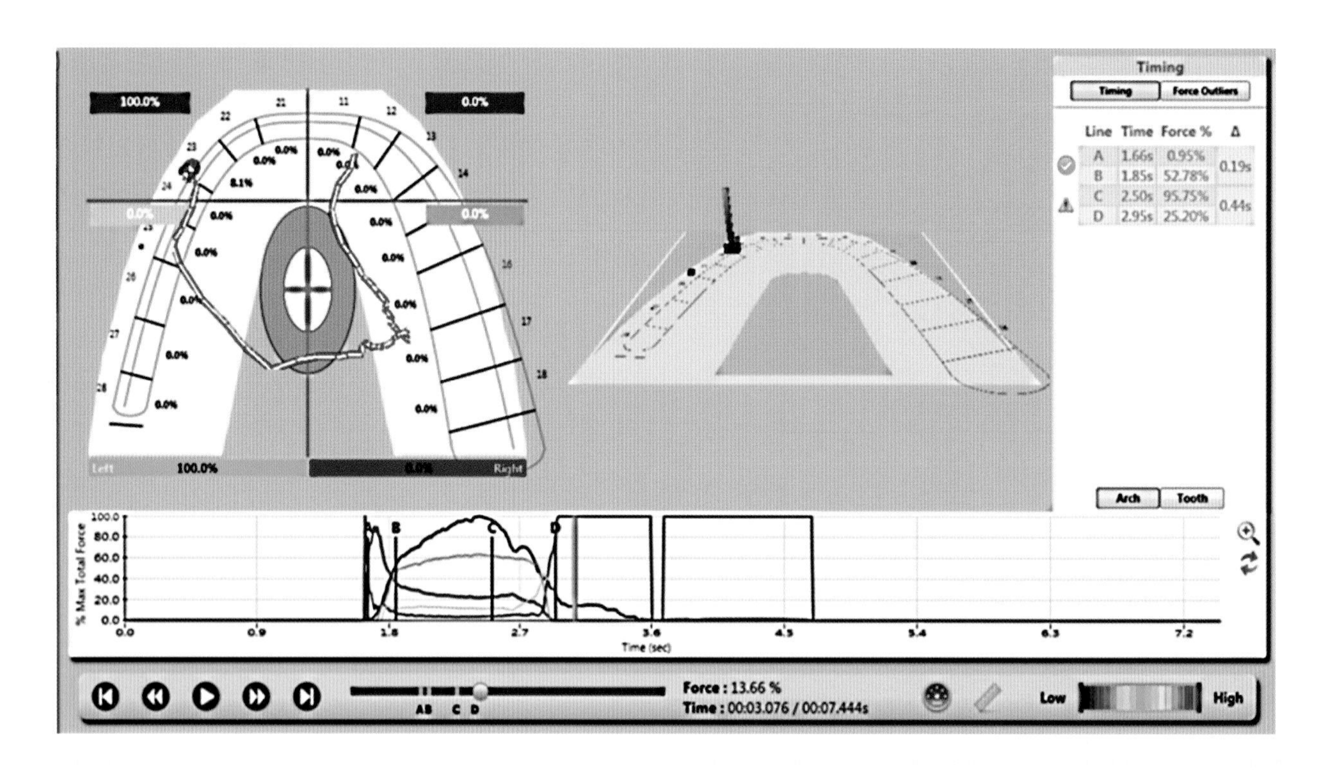

그림 23d 장착 26개월 후, 편심위 시작(선 C) 후 0.576초, 좌측 편심위 운동의 힘 스캔 데이터. © [2013] [Vedic Institute of Smile Aesthetic의 호의]. 허락 하 발췌

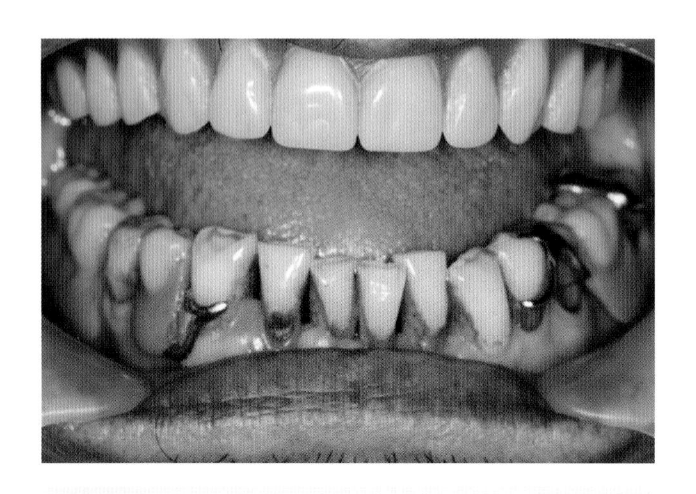

그림 24 하악 RPD에 대합하는 상악 CD 장착

다. 따라서, 소구치 부위의 높은 힘을 감소시키기 위해, T-Scan을 안내 도구로 힘 마무리를 사용하여 재-균형을 잡는다(그림 26). 추가적으로, 총 힘이 치아-방향 및 반악궁-방향으로 균형 잡혀있고 COF 아이콘이 치아 분포의 중앙에 재위치하여, 페구 경로가 반악궁 중앙으로 다시 향하면서 모든 치아가 동시에 접촉함을 시사한다.

증례 III: TMD 관리에서 치료적 힘 마무리(TFF)

교합력 부조화는 TMD 원인의 근본적인 인자로 간주된다(Glaros, Glass, & McLaughlin, 1994; Arbree, Campbell, Renner, & Goldstein, 1995; Dawson, 1999). 그러므로, 모든 TMD 치료의 주요 목표는 포착된 교합력 불균형을 바로 잡기 위해, 선택적으로 건강한 TMJA 복합체를 가지는 환자에게 하중을 증가시키거나 약화된 환자에게는 하중을 감소시킨다. TMJA 복합체에의 하중 변화를 달성하기 위해, TMJA 부조화 구강 장치의 4가지 주요 범주가 설명되었다(Koirala, 2013):

- **유형** Ⅰ: 치아와 지지 악궁을 보호하는 보호 장치.
- **유형** Ⅱ: 치아 및 골격 성장 양상을 유도하는 성장 장치.
- **유형** Ⅲ: 저작근과 TMJ 건강을 지지하는 TMD 장치:
  - 근육형.
  - TMJ형.
- **유형** Ⅳ: 기도 폐쇄를 개선하는 수면 장치.

기능과 이상기능에서 발생하는 교합 하중의 변화를 유도하는 이런 구강 장치를 확실하게 하기 위해서, 장치 장착

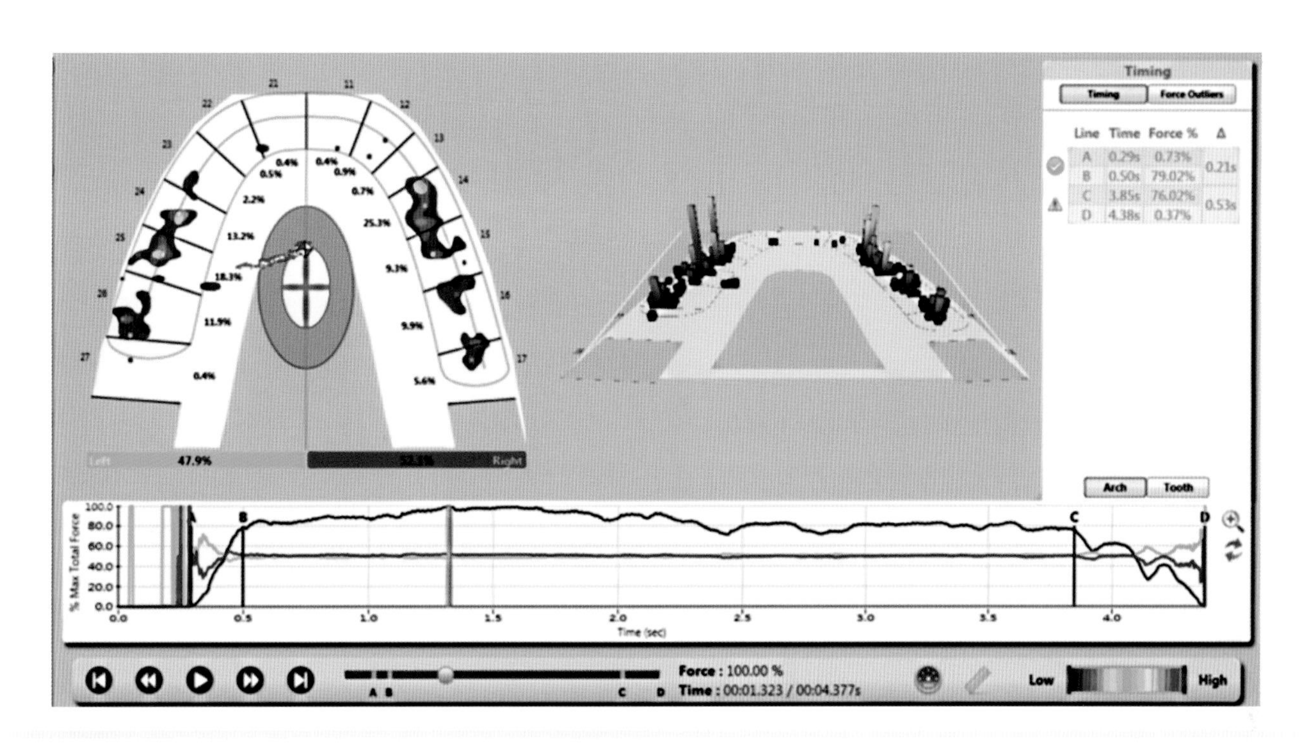

그림 25 교합지 자국과 주관적인 환자 "느낌"을 사용하여 힘이 양측성으로 균형 잡혀 보이나, 과다한 힘이 견치와 소구치 부위(25%)에 집중되었다. COF 궤도가 #25번 치아 근처에서 시작하고, 그 후 악궁 중앙을 향해 이동한다

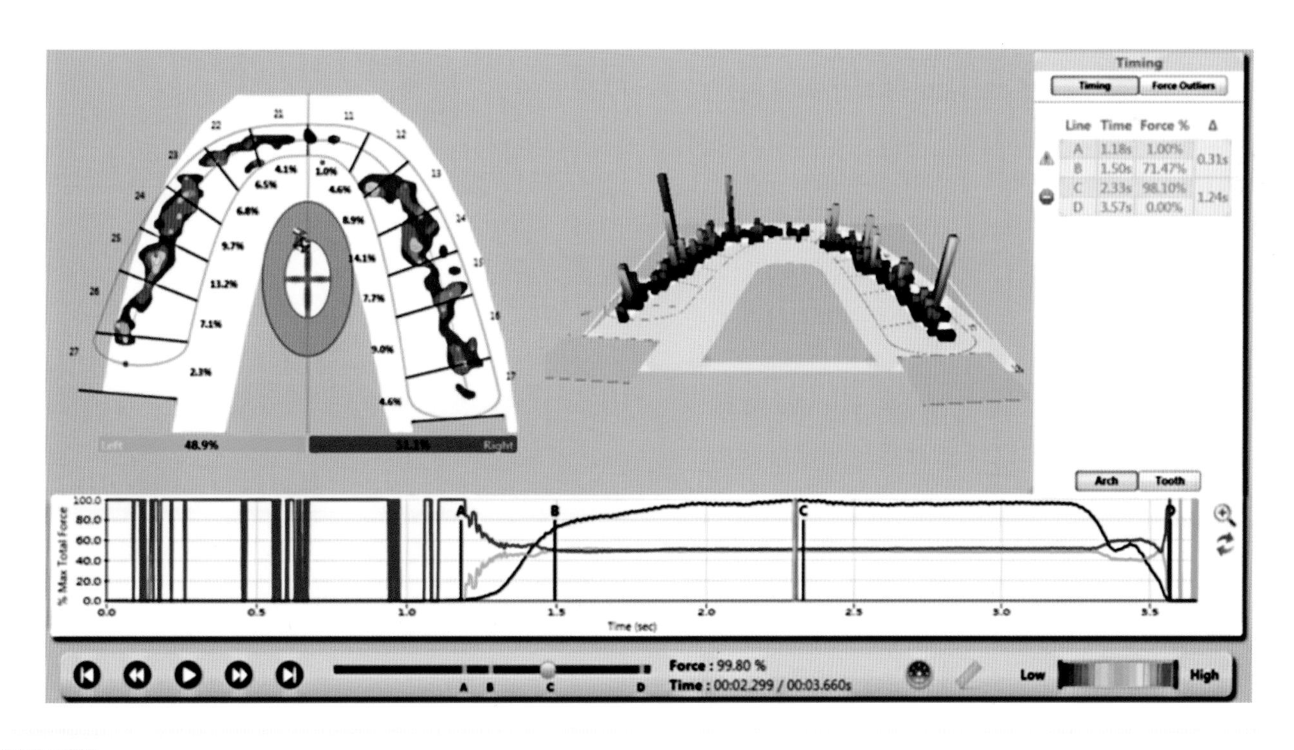

그림 26 T-Scan 8을 이용한 디지털 힘 마무리 후, 소구치 부위의 높은 힘이 감소하고 총체적인 힘 분포가 균형 잡혀, COF 아이콘이 접촉 치아의 중앙에 위치하고, 궤도 경로가 모든 치아의 동시 접촉을 시사한다

동안 힘 마무리 과정을 사용하는 것이 항상 권고된다.

일반적으로, 임상의는 2개의 다른 유형 Ⅲ-TMD 장치를 사용한다:

- **근육형**: 안정화 장치.
- **TMJ형**: 재-위치화 장치.

안정화 장치(근육형 장치)는 이번 장의 앞에 설명된 근육 복합성 장애의 증상과 징후를 조절하기 위해 사용된다. 이 장치는 CR과 CO 부조화(CR-CO)를 최소화하고, 정상 기능 동안 교합력을 조화시키며, 기능 및 이상기능 동안 편심위 마찰력을 감소시키는 견치 유도를 수립하기 위해 제작된다(Chu, 1996; Segu, Sandrini, Lanfranchi, & Collesano, 1999; Pettengill, Growney, Jr., Schoff, & Kenworthy, 1998; Wassell, Adams, & Kelly, 2006).

대안적으로, TMJ 재위치 장치를 사용하여 TMJ 복합성 장애의 증상과 징후를 조절한다. 이 장치는 치유와 지지 장치로 간주되어 TMJ 내에서 과두의 위치를 변화시켜 디스크의 재위치를 시도하고, 디스크 후방조직의 치유 과정을 촉진하고, 과두 내의 긍정적인 골성 변화(개조)를 유도한다(Farrar, 1972; Williamson, 2005; Williamson & Rosenzweig, 1998; Niemann, 1999; Gelb & Gelb, 1991).

이름이 암시하는 것처럼 이 장치의 목표는 원하는 위치로의 하악 폐구 경로를 유도하는 특별한 아크릴 진입로를 만들어서 하악 과두 위치를 변형하는 것이기 때문에, 종종 견치 유도가 장치로 수립되지 않는다. 그러나, 장치 삽입으로 힘 마무리와 최적화된 교합력 분포를 구축함으로써 새로운 하악 위치로 교합력 조화가 유지된다.

이런 장치를 사용하는 목표는, 임상의가 선택한 TMJ 위치에서 환자 치아 접촉 특징(접촉 위치, 접촉 시간-순서, 교합 및 이개 시간, 교합력)을 변형함으로써 저작력을 조화롭게 하는 것이다. 장치에 구축된 교합력 조화의 정확성은 예견성 있는 신체적 개선을 달성하는데 중요한 역할을 한다. 따라서, 빠른 치료 회복을 얻기 위해 장치 전달 시 힘 마무리 프로토콜을 사용하는 것이 언제나 현명하다.

29세 여성으로 교정적 심미 치료 후, 교정-후 안면 및 저작근 통증과 두통을 호소하였다. 환자는 자신의 이상기능 습관을 인지하고 있었고, 매일 밤마다 수면 중 교정 유지 장치를 강하게 물어서 몇 부위가 천공되었다고 한다. 환자에게 하룻밤 동안 잠자기 직전에 Brux-Checker를 사용하

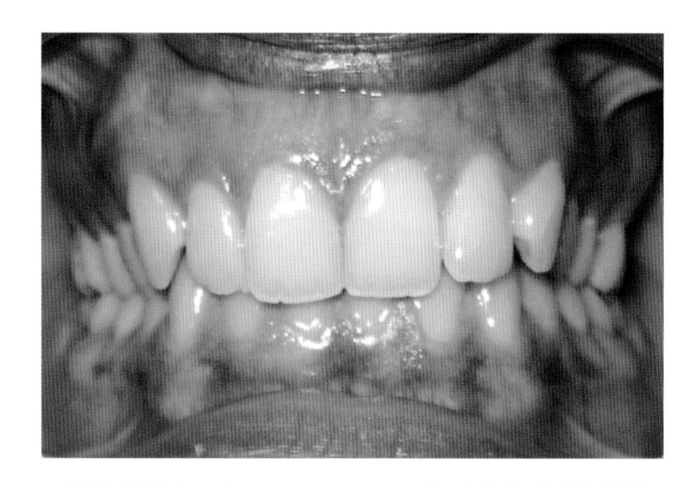

그림 27a 교정 치료 전. Deep bite와 Class Ⅱ Div. 2 상하악 관계가 있다. 사진은 Dr. Situlal Pradhan(교정의사)가 제공하였다

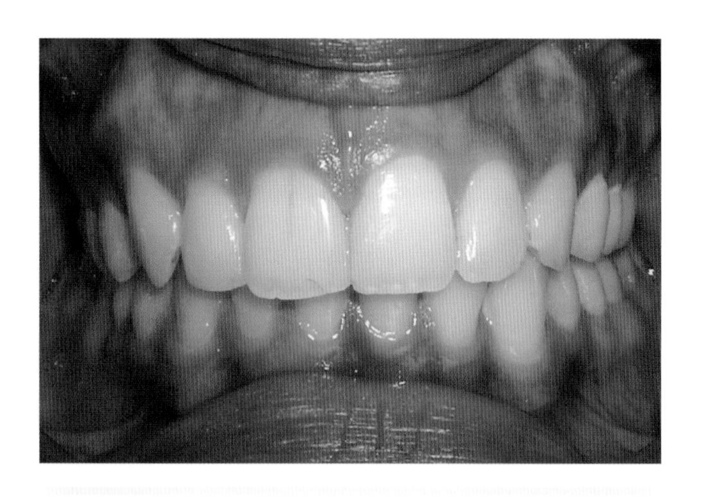

그림 27b 비발치, 대구치 원심 이동 교정 치료 완성(Dr. Situlal Pradhan) 후, 심미적 증례 마무리를 시행하였다

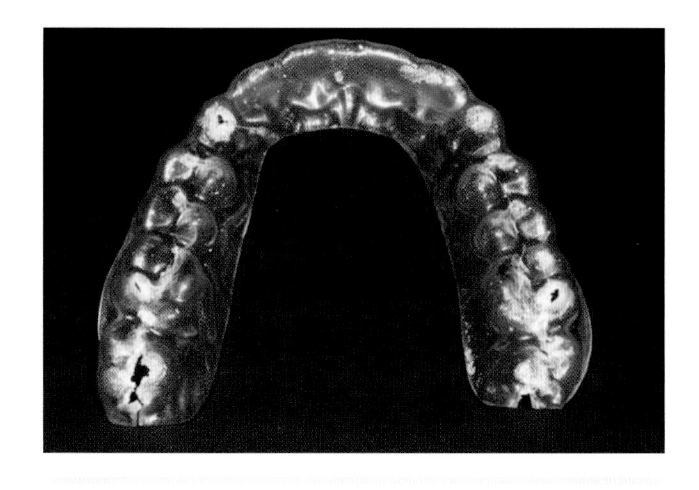

그림 27c 두께 2mm의 교정 유지 장치. 수면 중 이갈이로 유지장치의 대구치와 견치 부위가 천공되었다

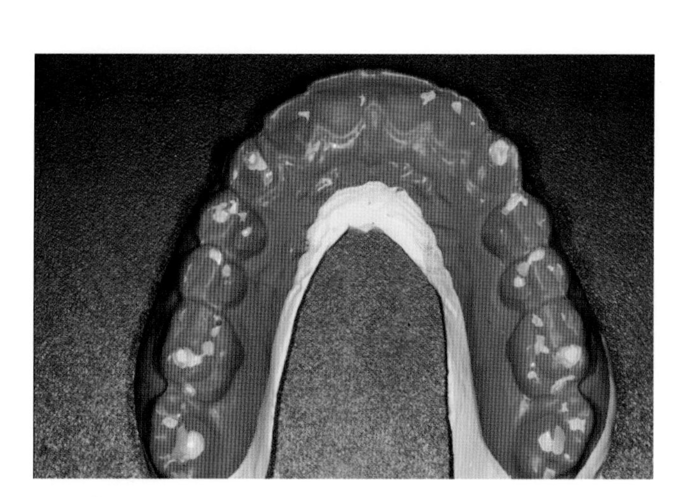

그림 27d 환자의 이갈이 습관을 다시 확인하기 위해, 색을 입힌 아주 얇은 Brux-Checker(두께 0.1mm)를 잠자기 직전에 착용하도록 하였다. 이갈이의 징후가 뚜렷하고(하얀 자국), 교정 유지 장치의 천공된 부위와 동일한 치아에 발생한 것을 확인할 수 있다

게 하여 이갈이 습관의 증거를 확인하였다(그림 27a–27d).

철저한 임상 검사에서, 환자는 2.5mm의 CR–CO 부조화를 보였다(그림 28, 29). 환자의 T–Scan 시스템 검사 결과, 구치부는 양측성의 긴 이개 시간을 동반한 강력한 측방 편심위 접촉을 보였다(그림 30a, 30b).

환자가 치과의사였기 때문에 자신의 문제를 인식하고 있었고, 자연치를 치관성형술식으로 개조하는 것에 대한 (심리적) 저항감을 가지고 있어서 교합 조정(Dawson, 2008)이나 즉시 완전 전방 유도 발달(ICAGD)(Kerstein, 1992)을 선택하지 않았다. 대신에, 교합의 균형을 잡고 대구치 편심위 운동 마찰을 축소하기 위해, 견치 유도를 수립하는 안정화 장치를 사용하여 이개 시간을 감소시키는 방법으로 치료하기로 하였다(그림 31a).

진공판(vaccum plate)을 이용하여 장치를 제작하고, 저온 경화 아크릴을 교합면에 첨가하여 모든 치아가 CR에서 접촉하게 하였다(그림 31b). 교합지 자국과 환자의 주관적인 "느낌"에 의존하는 전통적인 기술로 교합을 조정하였다(그림 31c). 후에, T–Scan 8을 사용하여 장치 상의 힘 분포를 재평가한 결과, 교합지와 환자의 "느낌"으로 장치를 조정했음에도 불구하고 교합력은 적절하게 분포하지 않았다. 우측에 더 큰 힘이 존재하고(우측 56.8%–좌측 43.2%), COF 궤도가 정중선의 우측에 대부분 머물면서 전방에서 후방으로 이동하였다(그림 31c).

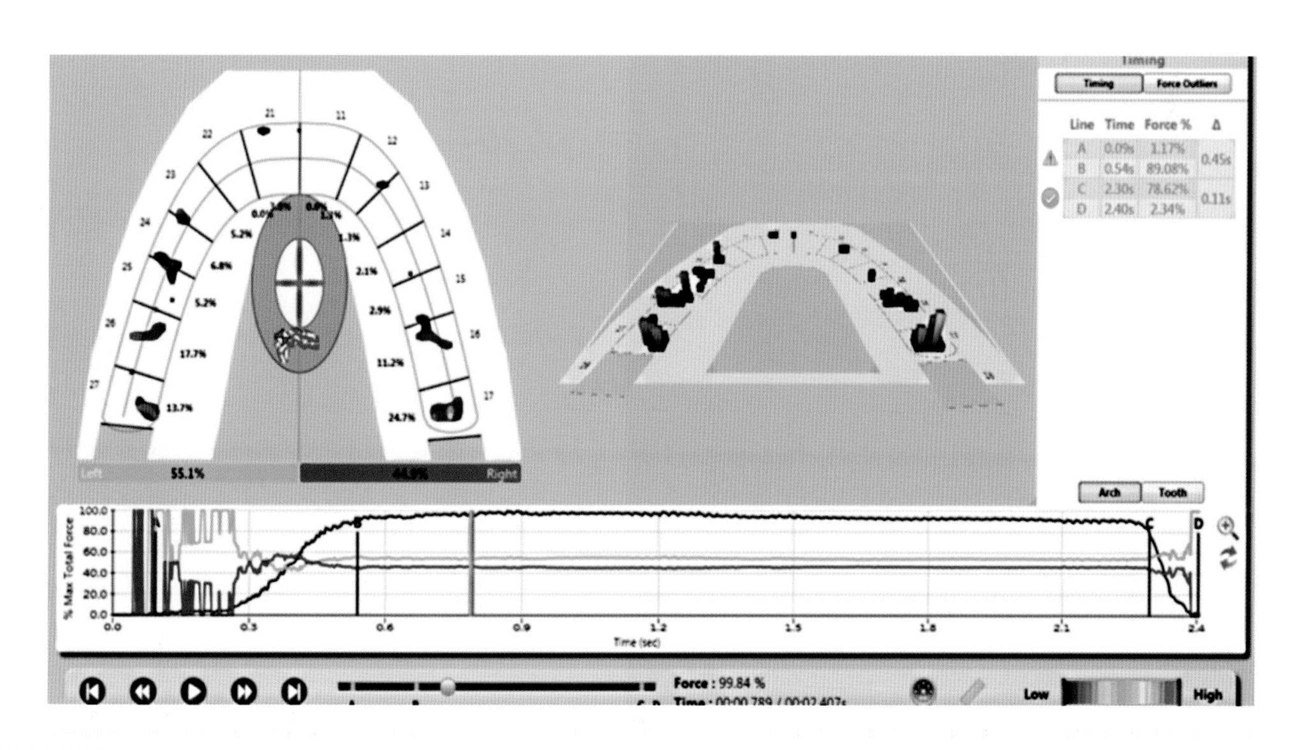

그림 28 조작에 의한 CR 폐구의 힘 스캔 데이터로, CR-CO 부조화가 거의 2.5mm에 달한다. COF 아이콘이 약간 중앙 우측 후방에 위치하고, CR에서 교합 균형이 균등하지 않다(우측 44.9%-좌측 55.1%). 우측 반악궁은 좌측보다 더 많은 총 치아 접촉을 가지고, 대부분의 치아 힘이 우측 제2대구치에 집중되어 있다(24.7%)

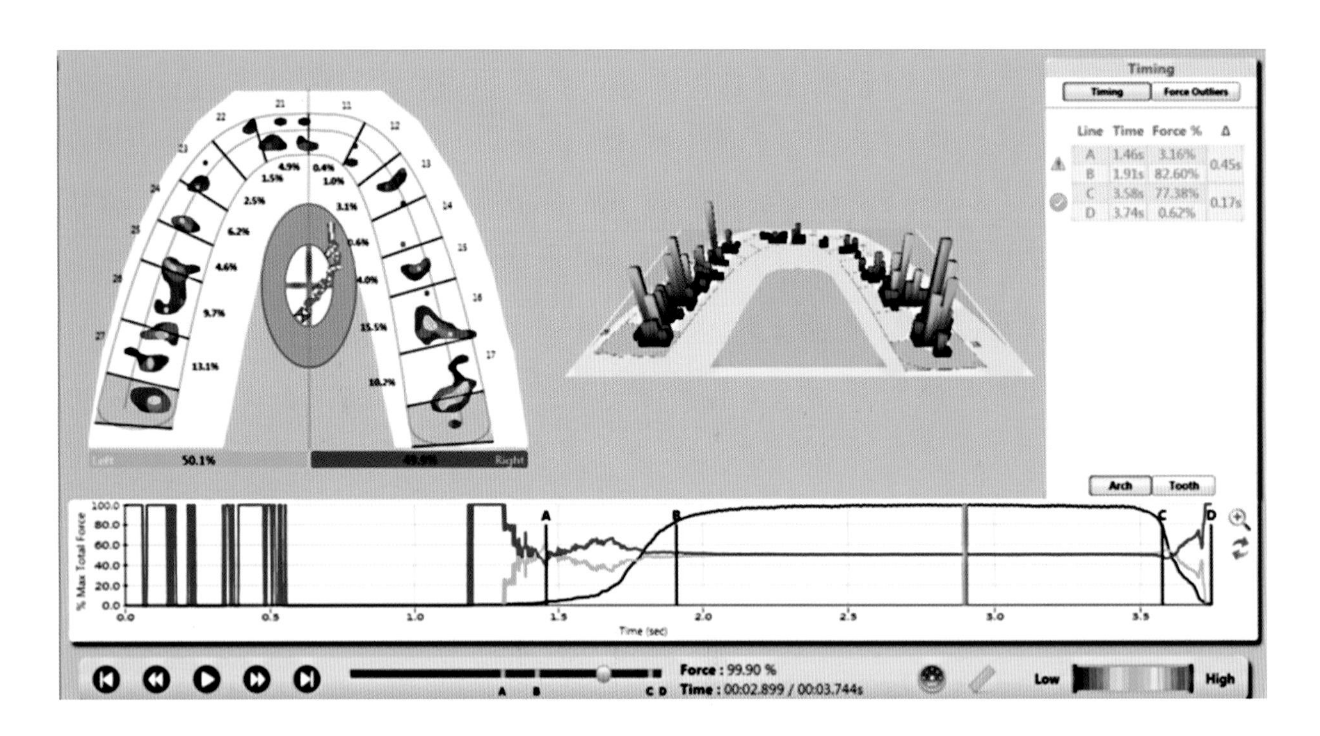

그림 29 MIP의 힘 스캔 데이터. 교합력 균형이 거의 동등하다(우측 49.9%-좌측 50.1%). COF 궤도가 우측 정중선에 위치하고, 모든 치아가 최종적으로 접촉하면서 악궁의 중앙 근처에서 끝난다

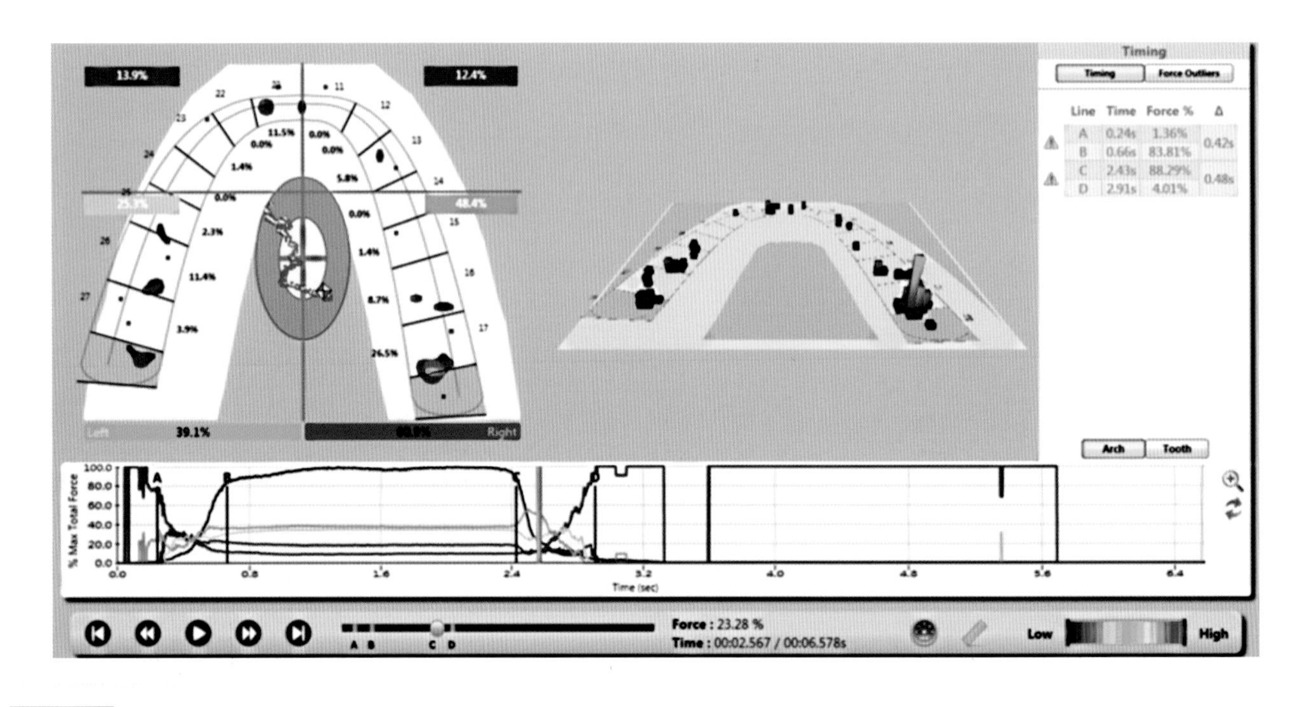

그림 30a 편심위 시작(선 C) 후 0.137초 우측방 편심위 운동의 힘 스캔 데이터

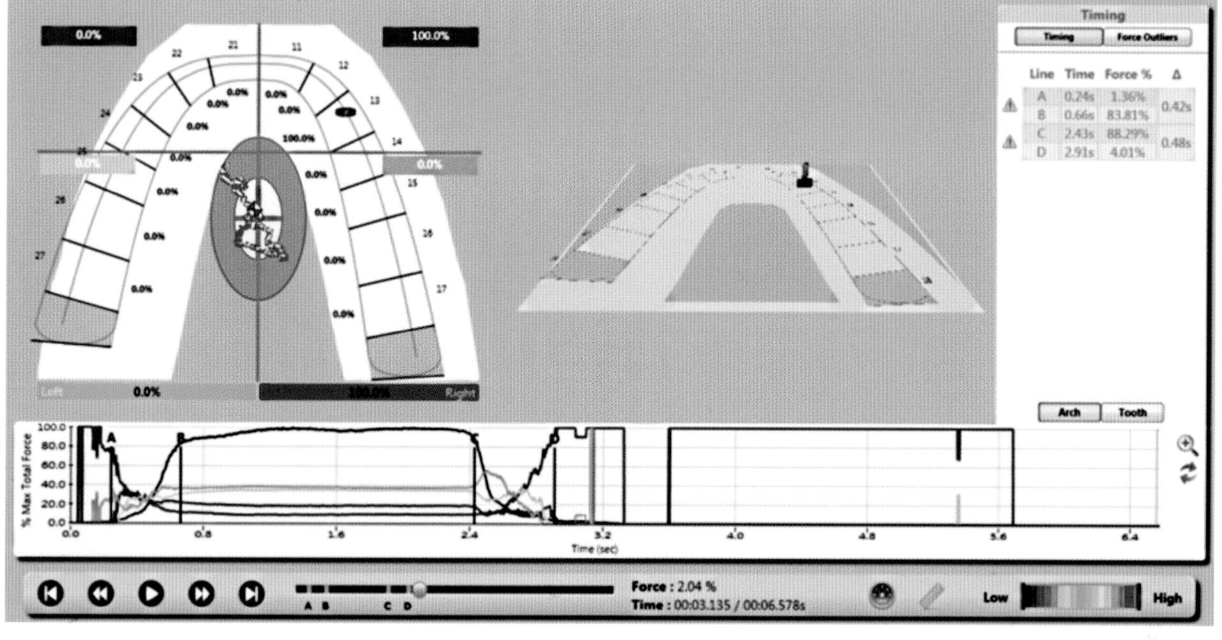

그림 30b 편심위 시작(선 C) 후 0.705초 우측방 편심위 운동의 힘 스캔으로, 편심력의 100%를 우측 견치가 감당하고 있다

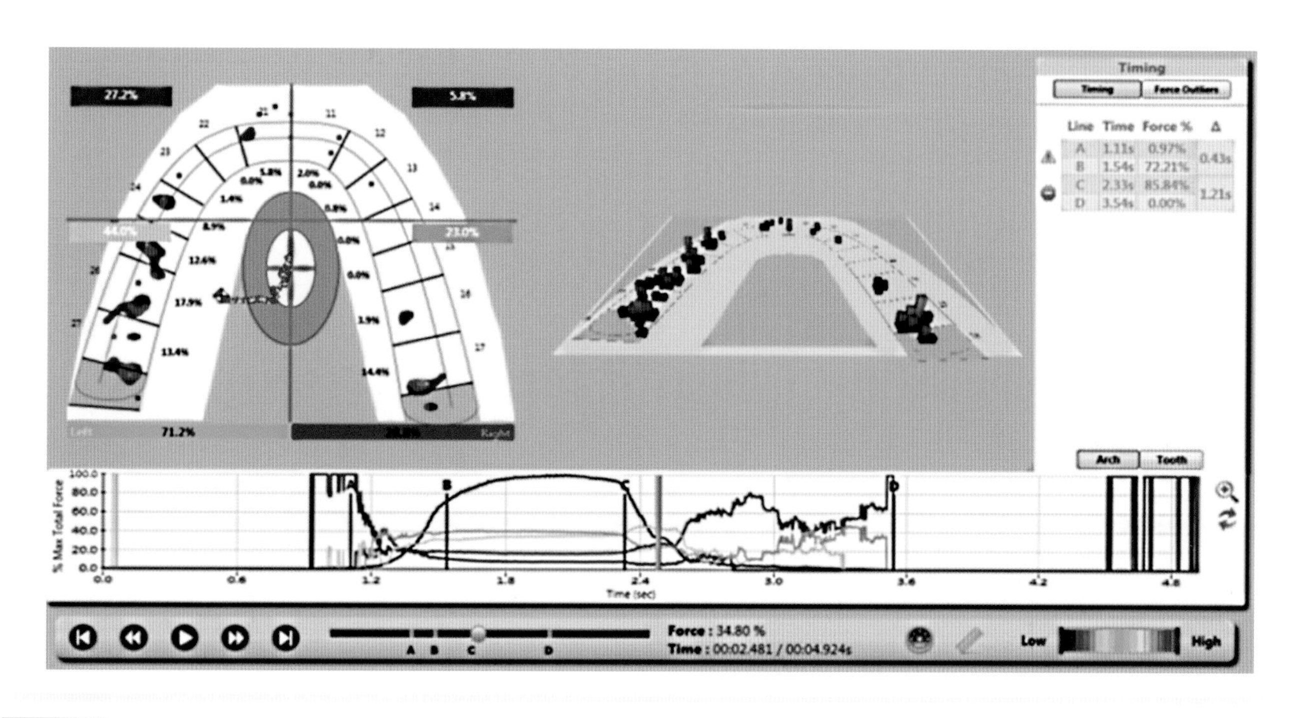

그림 30c 편심위 시작(선 C) 후 0.151초 좌측방 편심위 운동의 힘 스캔으로, 초기 편심위 내에서 후방 접촉을 보인다

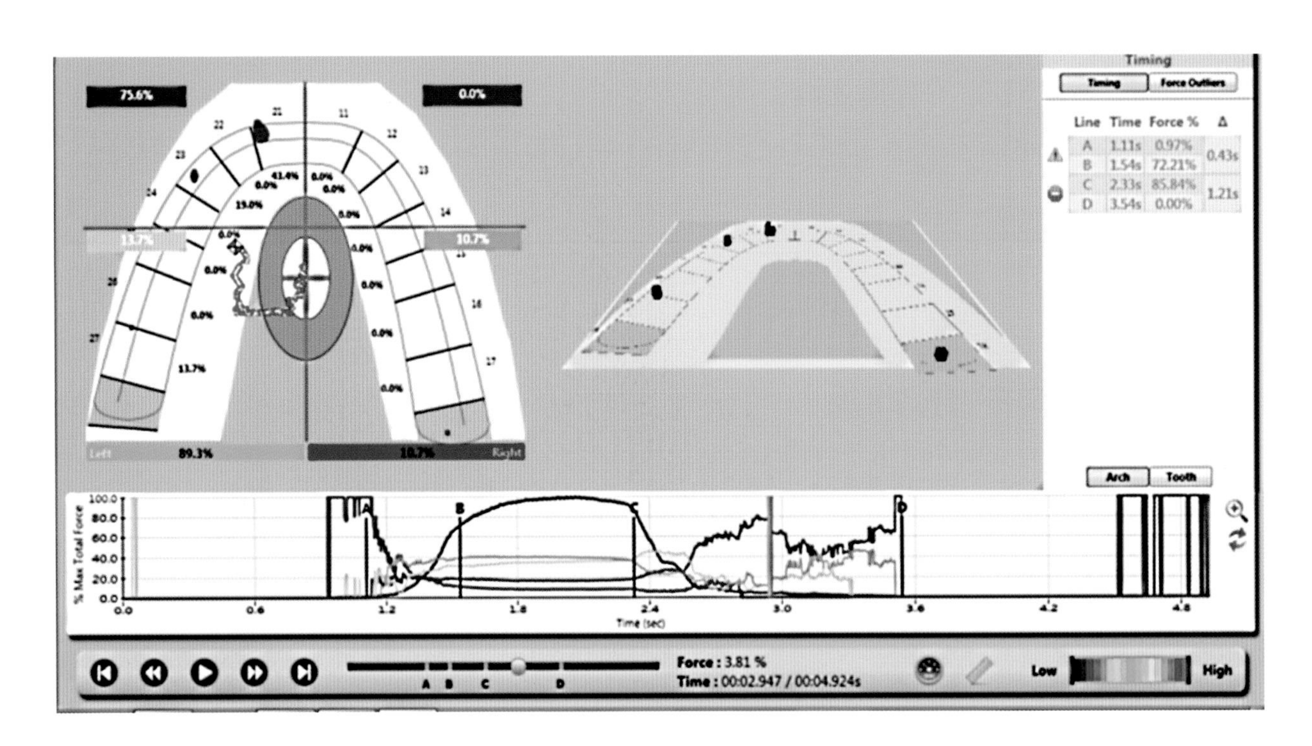

그림 30d 편심위 시작(선 C) 후 0.617초 좌측방 편심위 운동의 힘 스캔으로, 좌측 전방 유도 접촉에도 불구하고 편심위 시 후방 접촉이 여전히 연루된다

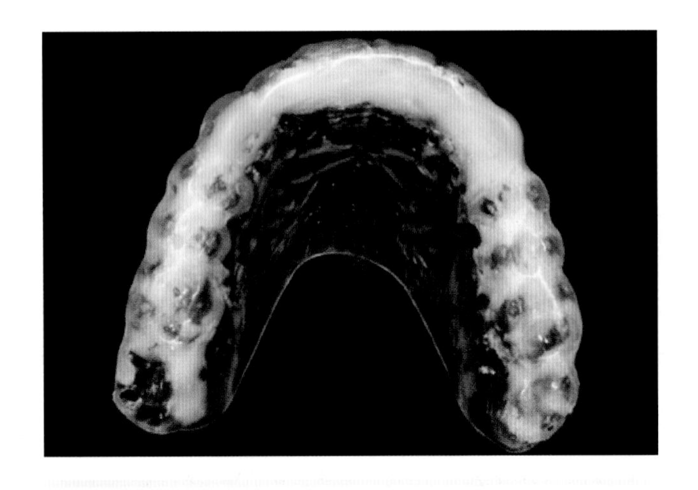

그림 31a 견치 유도의 TMJA 유형 III 안정화 장치. 이 장치는 저작근 통증과 불편감을 치료한다. 또한 이갈이 동안 위험한 상태의 치아 구조물을 보호하도록 돕는다

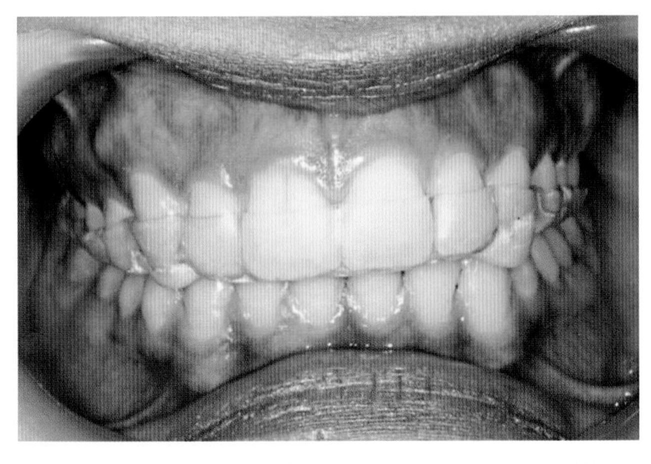

그림 31b 안정화 장치를 착용하고 있는 환자의 정면

그 후 치료 힘 마무리 프로토콜을 사용하여 장치를 정리하였고(그림 31d), 양측성으로 교합력이 측정성으로 균형잡혔다. COF 궤도가 정중선에 놓이고 길이가 매우 짧아 동시적인 MIP접촉이 전체적인 힘 균형을 보임을 시사한다.

그 후, 소량의 아크릴을 구내에서 첨가하여 견치 유도와 편심위 운동 조절을 구축하고(그림 32a, 32b), 짧은 이개 시간의 존재를 기록한다. 양측성의 부드러운 견치 유도 접촉을 달성하여, 연장된 후방 편심위 간섭은 없었다.

스플린트 장착 2주 후, 환자는 장치를 착용하면 통증이 완화된다고 하였다. 환자가 CR−CO 부조화를 보이기 때

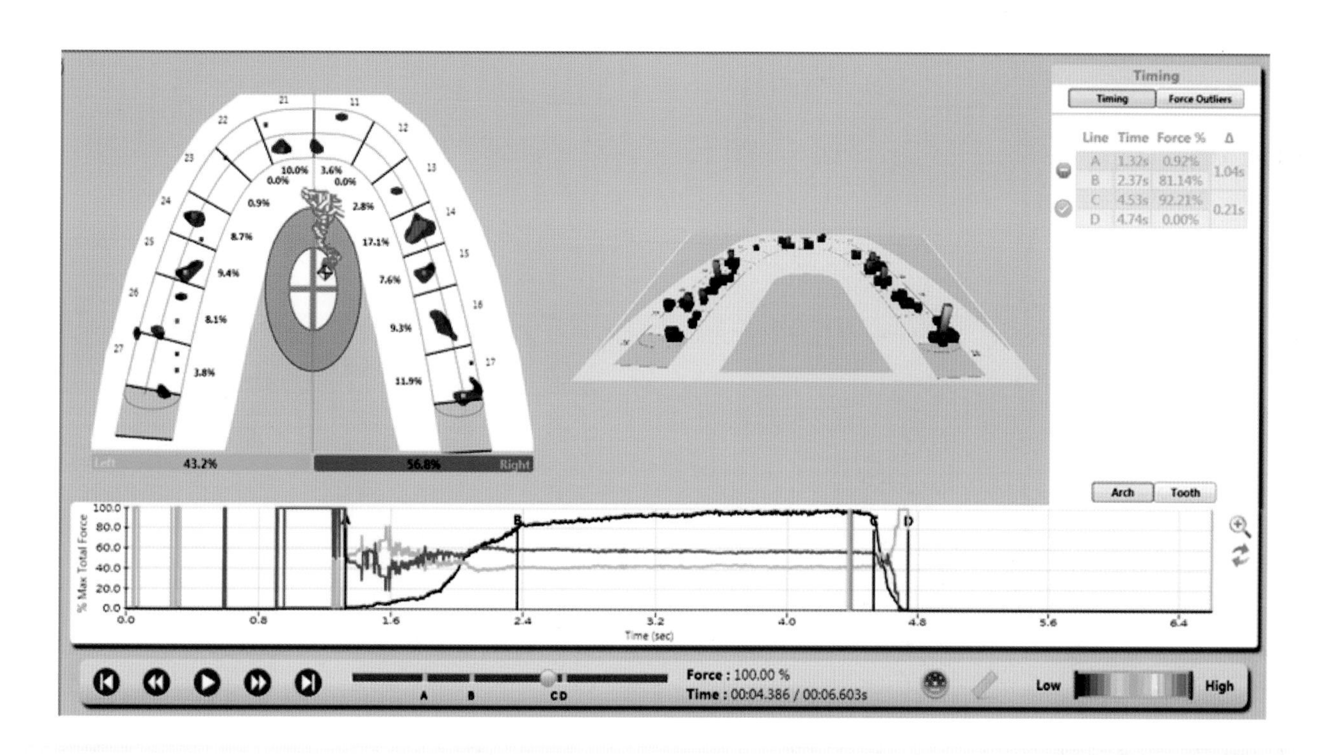

그림 31c CR 장치를 착용한 힘 스캔. 교합을 교합지 자국과 환자의 주관적 "느낌"에만 의존하여 조정하였다. 힘이 우측으로 더 치우쳐(우측 56.8%-좌측 43.2%) 부적절하게 분포한다. COF 궤도가 정중선의 우측 전후방으로 이동한다

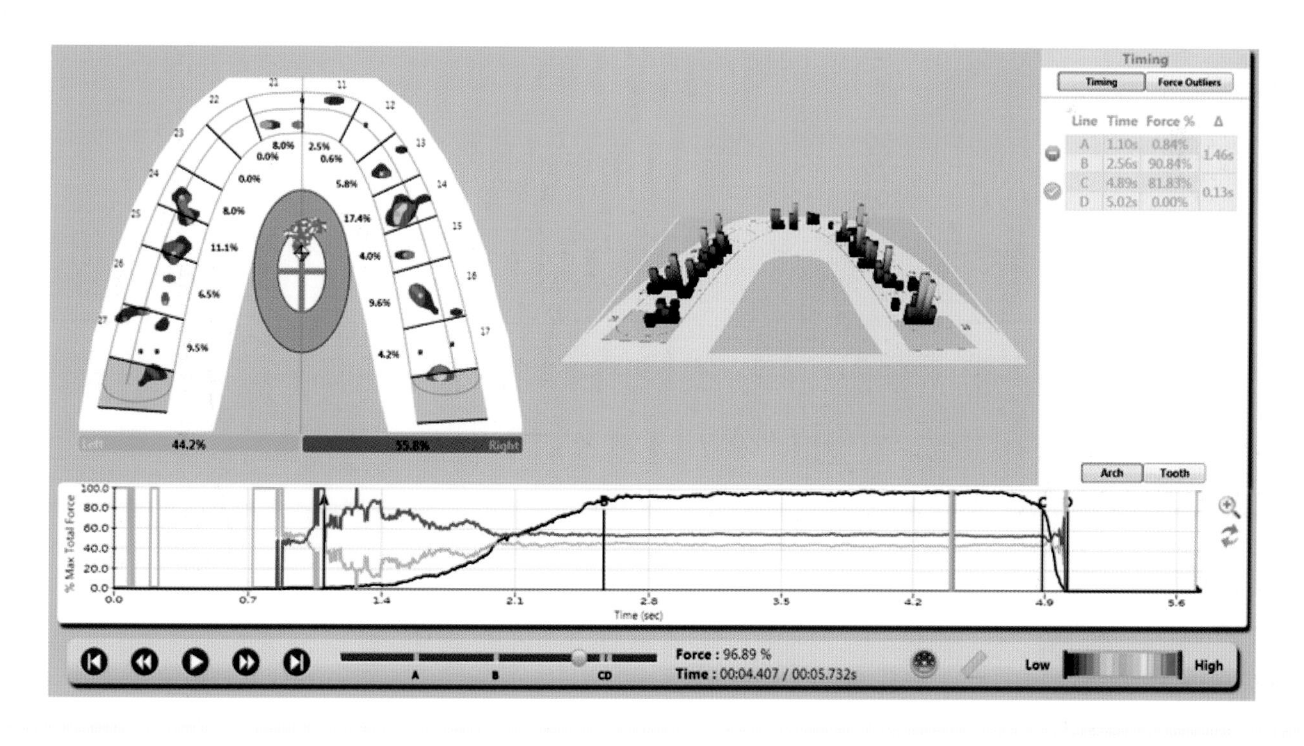

그림 31d CR에서 힘 마무리된 장치. COF 궤도가 정중선에 매우 근접하고 길이가 짧아, 동시 접촉으로 교합력 균형이 향상되었음을 암시한다

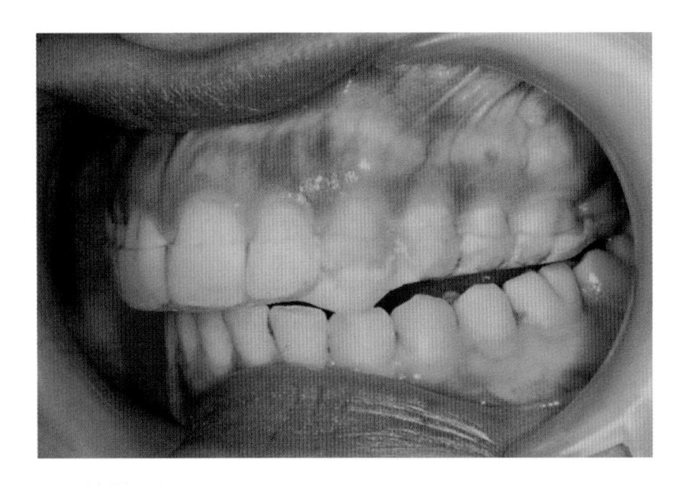

그림 32a 이개 시간 감소를 위해 장치에 수립한 견치 유도를 보여주는 좌측방 사진

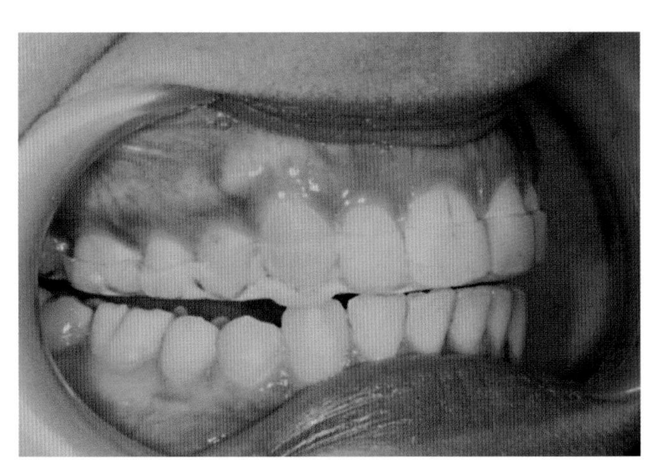

그림 32b 이개 시간 감소를 위해 장치에 수립한 견치 유도를 보여주는 우측방 사진

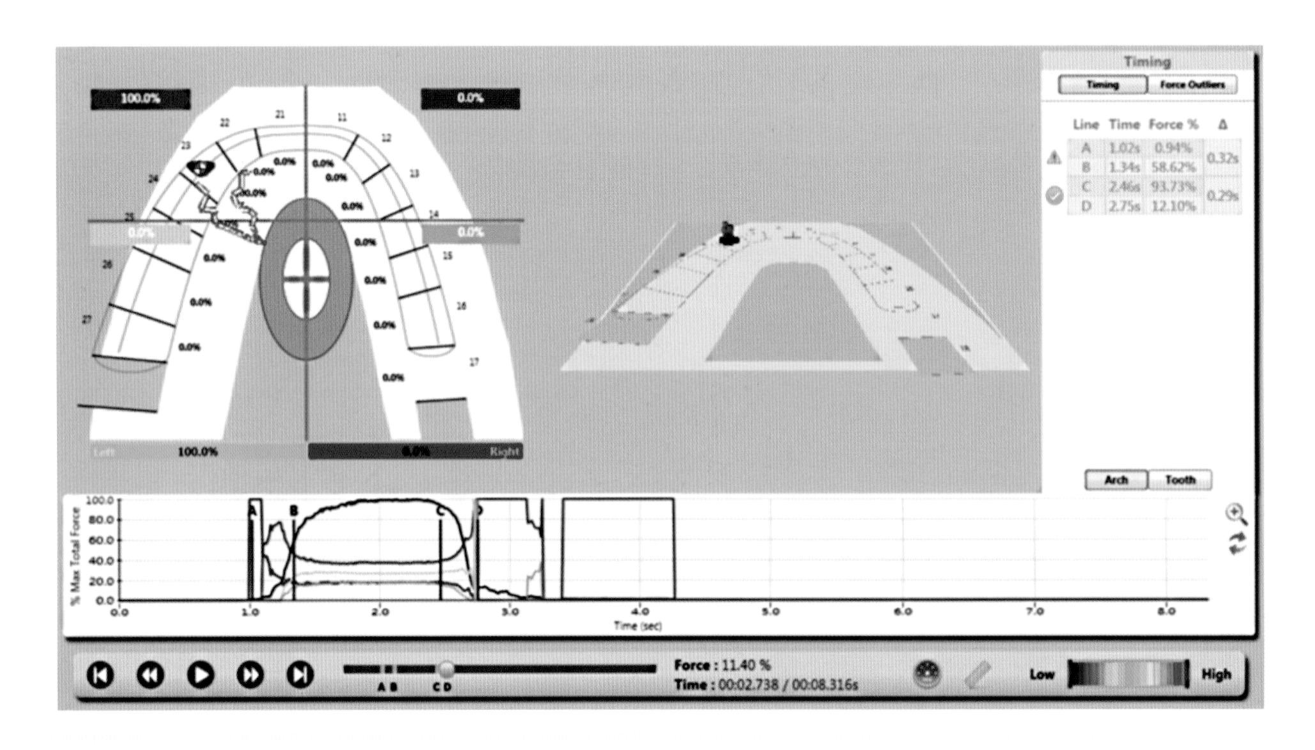

그림 32c 장치의 좌측방 편심위 기록. 이개 시간은 0.29초이다(0.5초 이하가 생리적)

문에, 진공형 유지 장치를 wrap-around형 유지장치로 바꿔 최근 교정적으로 이동한 치아의 자연스러운 정착을 허용하기로 하였다(그림 33). CR, CO의 follow-up 힘 스캔을 정착 5개월 후 시행하였고(그림 34a, 34b), 그리고 6개월에 다시 시행하였다(그림 35a, 35b). 이 증례는 교정 증례 마무리에서 힘 마무리의 가치를 보여준다.

장치 장착 2주 내에 근육통이 완화된 것이 흥미롭다. 그러나, 6개월 후, Brux-Checker는 환자가 여전히 밤에 심하게 이갈이를 한다는 것을 보여주지만(그림 36), 환자는 심각한 통증이나 불편감이 없다고 하였다. 이 증례는 TMD가 복합적 문제이고, 임상의는 교합력 부조화를 유발하는 모든 인자를 설명할 필요가 있으며, 각 환자의 특별한 TMD를 치료하기 위해 최소 침습적인 치료를 선택해야 함을 실증한다.

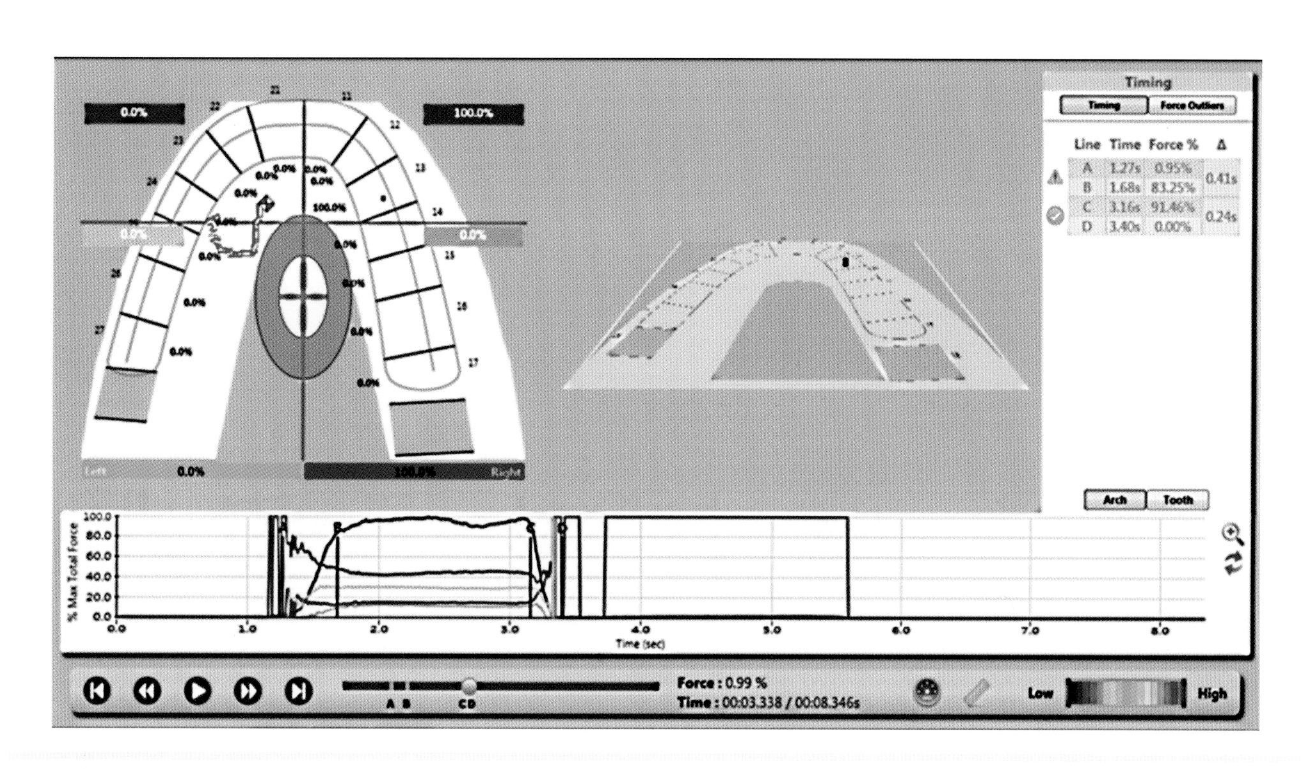

그림 32d 장치의 우측방 편심위 기록. 이개 시간은 0.24초이다(0.5초 이하가 생리적)

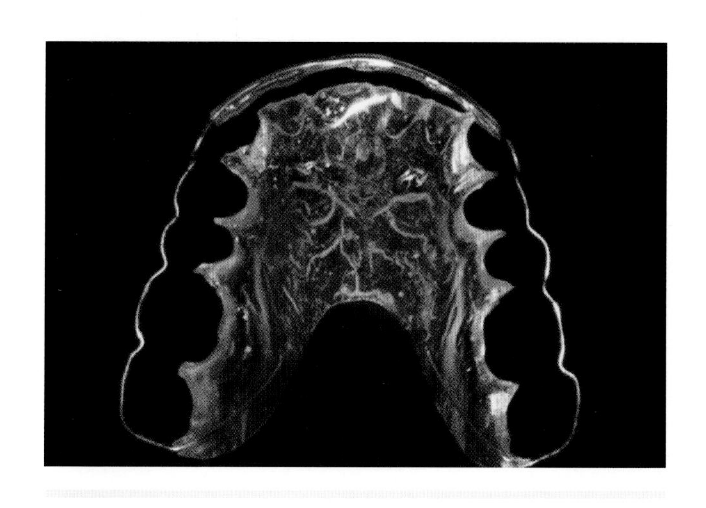

그림 33 장치 치료 후, wrap-around 유지장치로 교정 후 자연치 정착을 향상시킨다

해결 방안 및 권고 사항

치의학의 추세가 객관적인 교합 데이터에 근거하는 디지털적 접근으로 이동하고 있다. 정확하고 비-주관적인 방법으로 객관적인 데이터와 측정성 신체적 정보를 제공하는 디지털 기술을 사용하는 진단 모니터링은, 환자의 상태를 설명해주고 많은 치의학 분야의 넓은 범위에 걸쳐 사용된다. 교합 문제를 진단하고 치료 계획을 수립하는 전통적인 주관적 및 아날로그식 접근이, 진단 과정 내에 컴퓨터-기반 장치가 포함되면서 서서히 대체되고 있다. 더욱이, 치의학에서 교합 및 재건 치료 과정 동안 임상의가 일상적으로 예견성 있게 양질의 정교한 교합 치료 증례의 최종-결과를 성취하는 것이 대단히 유용할 것이다. 이것은 임상의가 *되든 안되든* 지속적으로 석고 모형, 왁스 와이퍼, 실리콘 인기, 치과 교합지를 포함하는 주관적 방법을 계속 사용하지 말고, 환자의 구강악계의 평가에 측정을 포함할 때만 가능하다. 치의학은 매일의 임상적이고 실제에 기반한 조사 연구로의 문을 열기 위해, 임상의에게 디지털 진단 기록과 증례 모니터링 장치를 임상 실제에 포함할 것을 요구한다.

PFF와 TFF 힘 마무리 프로토콜 내에서, 임상의는 증례 마무리 전, 중, 후에 필요한 디지털 교합 데이터를 기록한다. 교합 문제를 진단할 때, 지속적인 교합 질환의 파괴적인 영향을 예방할 때, 교합 질환의 잠재적인 점진적 효과를 감소시키기 위한 치료 계획을 수립할 때, 교합 질환 재발의 가능성을 줄이기 위해 장기간에 걸쳐 치료 최종-결과를 모니터링할 때, T-Scan의 객관적 교합 데이터는 OFD 스크

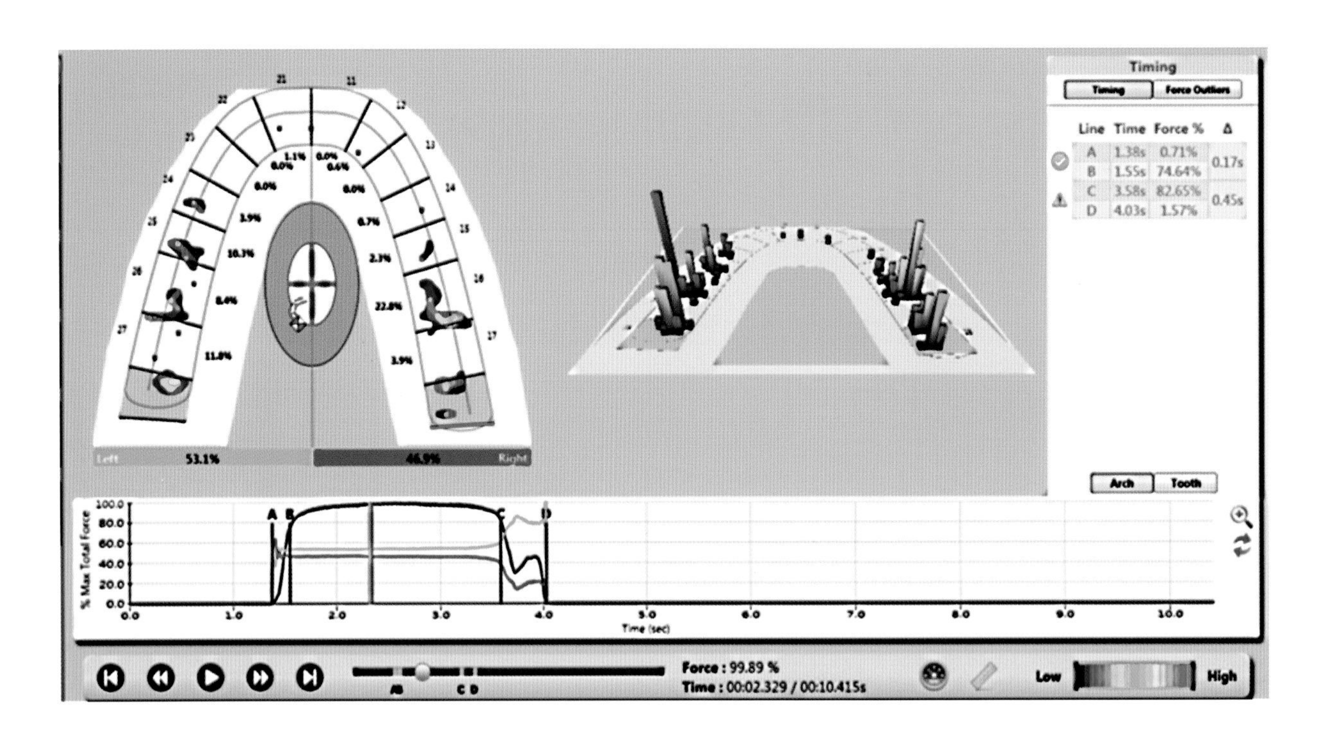

그림 34a 그림 31c에서보다 구치부가 더 큰 하중을 감당하는 위치에 치아가 정착한 3개월 후 CO 힘 스캔. 반악궁 힘 균형이 향상되고 공유된다

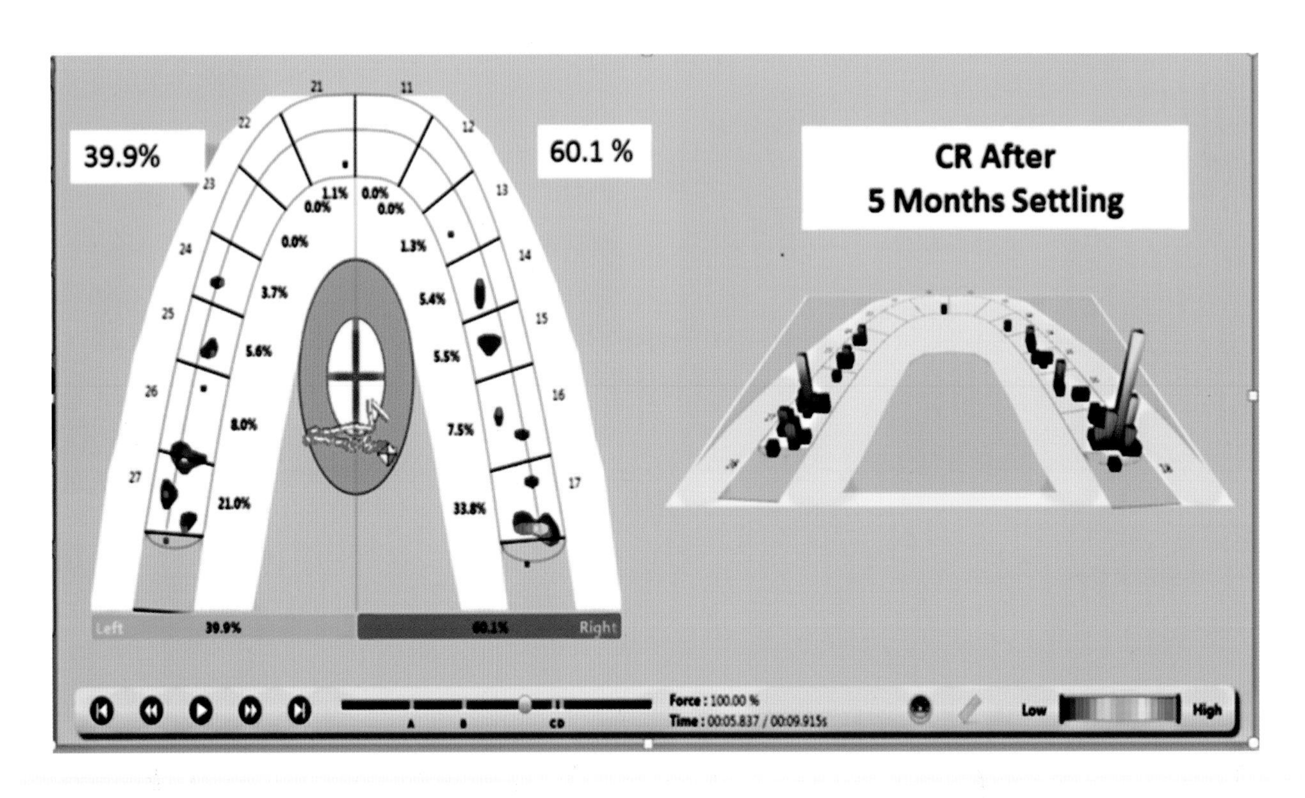

그림 34b 5개월 정착 후 CR 힘 스캔으로 구치부에 증가된 하중이 보인다. 이 변화는 CO에서 보이는 것과 유사하다(그림 34a). 그러나, CR에서 악궁의 우측이 좌측보다 더 강력하다(우측 60.1%-좌측 39.9%)

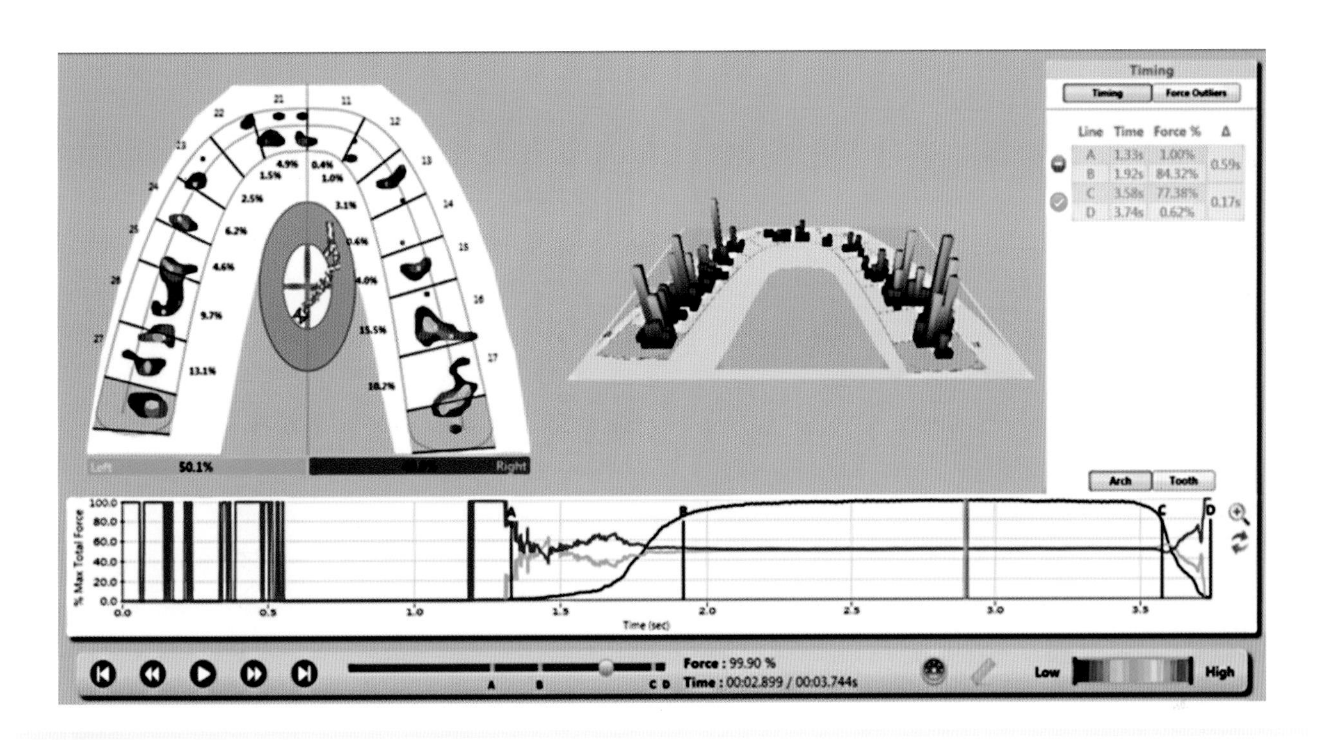

그림 35a 6개월 정착 후 CO 힘 스캔. 그림 34a와 비교하여, 구치부가 더 나은 힘 균형을 보이고 좌우 균형(우측 49.9%-좌측 50.1%)이 동등하게 공유됨을 보여준다

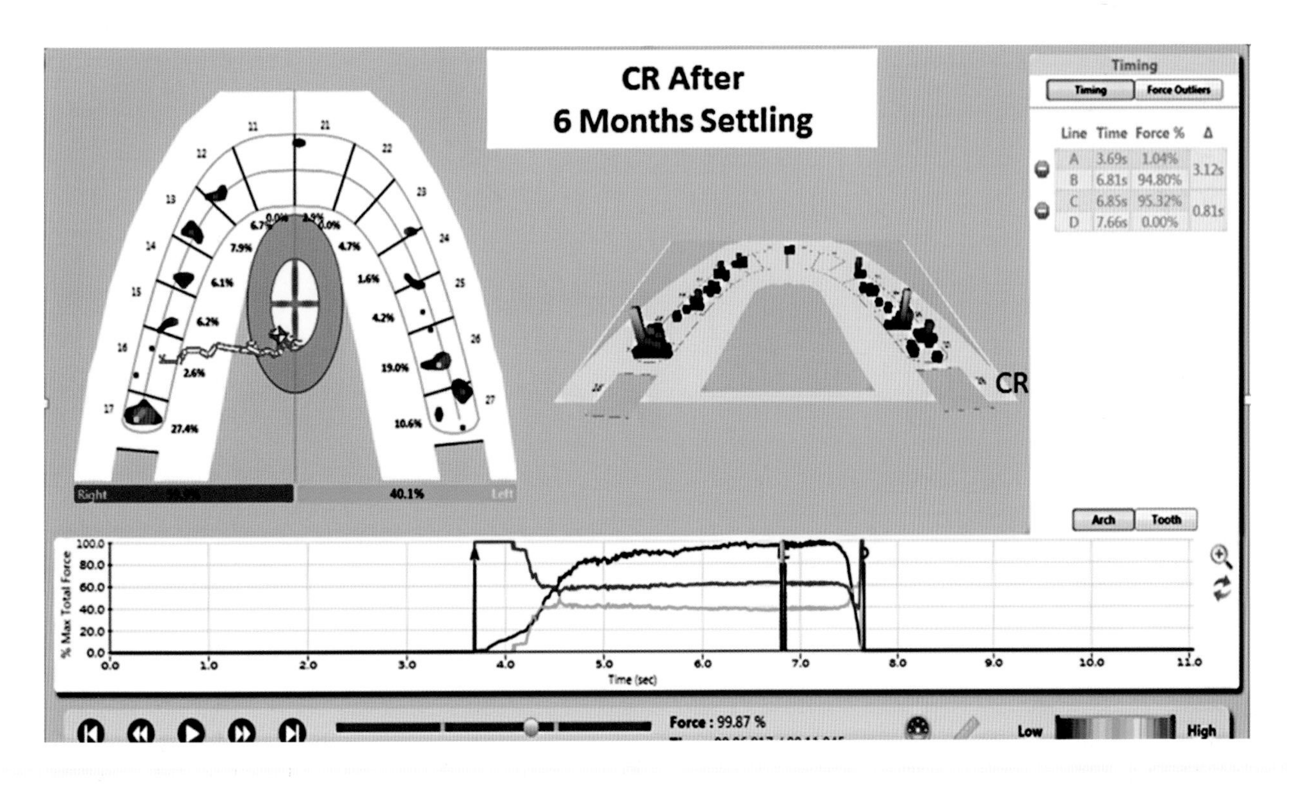

그림 35b 6개월 정착 후 CR 힘 스캔. CR에서의 COF 궤도가 아직 일관되지 않는다. 따라서, 치아 정착 1년 후 필요한 교합력 스캔 follow-up으로 T-Scan 유도 교합 조정을 계획하였다

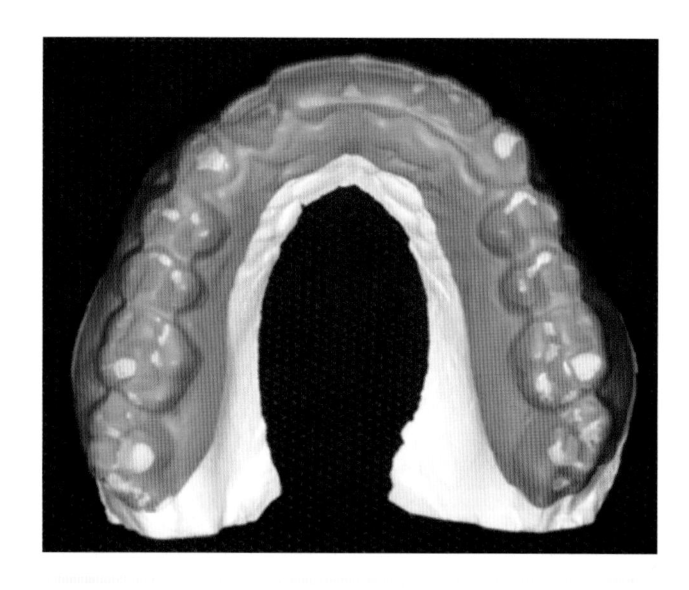

그림 36 환자의 이갈이 습관을 재확인하기 위해, 아주 얇은 Brux-Checker(0.1mm 두께)를 6개월 후에 사용하였다. 이갈이의 징후(하얀색 자국)가 그림 27d에서와 마찬가지로 여전히 보인다

리닝에 대한 믿을 만한 근원과 기준이 된다. 이 저자는, 풀 마우스 재건, 임플란트 보철 재건, smile makeover, 교정 증례-마무리, 복합적 다수 수복물 증례를 포함하는 교합적으로 힘 민감성 증례에서 PFF를 사용할 것을 권고한다.

마지막으로, T-Scan 기술과 힘 마무리 접근을 교육자와 임상의가 적용하여, 객관적으로 교합력을 조절할 수 있게 되는 것이 이 저자의 소망이다. 이것으로 건강, 기능, 미소의 심미성이 장기간 동안 보존되게 하고, 교합력 과부하로 야기된 원하지 않는 조기 접촉에 의한 증례 실패 결과를 예방하고 급격하게 감소시킬 것이다.

미래의 연구 방향

고령 환자의 단순한 교합 데이터 분석은 치의학이 장기간의 임상 수복 성공과 실패를 평가하는 새로운 임상 증거의 획득을 도울 수 있다.

특별히, 장기간 치료-바탕 연구는 T-Scan 8 시스템과 힘 마무리 개념을 다음에 적용할 수 있다:

- 교정-후 얻어진 교합력 분포의 차이에 대한 T-Scan 유도 유지(retention) vs. 전통적인 비-디지털 유지 술식을 연구한다.
- 치주 질환과 임플란트 주위 질환에서 치조정 골 소실에 대한 교합력의 역할을 연구한다.
- TMD 환자에서 교합력 부조화의 유병률을 결정한다.
- 무증상의 집단에서 나타나는 교합력의 질을 판단한다.

결론

이번 장에서는 힘 마무리의 개념과 포괄적인 치의학에서의 임상적 역할에 대해 설명하였다. 보철 치료, 접착 치료, 교정 장치, 임플란트 보철, 교정 후 브라켓과 와이어 제거 후 정착 기간 동안의 힘 마무리는 양질의 정교한 치료 결과를 달성하도록 돕는다.

싱글 크라운부터 임플란트를 포함하는 풀 마우스 재건 같은 복잡한 케이스 조절까지 임상 치과 치료의 수행에서, 증례의 최종 교합력 구성 요소가 종종 무시되고 곡해된다. 또한, 수복 재료의 물리적 강도도 여전히 중요한 주제이다. 수복 치과에서, 임상의는 선택 재료가 어떤 잠재적인 수복물 파절을 극복할 것을 기대하며 자연치보다 훨씬 강한 수복 재료를 선택하려고 시도한다. 이런 "희망"이 전세계 임상의 다수에서 깊이 뿌리내리고 있어서, 객관적으로 힘 마무리를 하지 않고 완전히 교합지 자국의 주관적 해석과 환자의 자기 수용 피드백에 의존한다. 재료 선택을 통해서 수복물 파절을 극복하려는 것은, 내재적 힘 인자를 무시함으로써 교합력 과부하의 영향을 수복물에서 치주 조직, 저작근, TMJ 같은 다른 구조물로 이동시키게 된다는 것을 이해해야 한다. 흥미로운 것은, 치료 과정 동안 환자의 교합이 꾸준하게 변화하는 교정 술식에서 힘 마무리가 우선 사항이 아니지만, 종종 교정 증례는 저작력 부조화에 직접적으로 반응하는 치료 재발을 만난다.

치과 치료로부터 최대 치료 효과를 얻기 위해서, 임상의가 환자의 저작계에 포함된 힘 구성 요소를 이해하는 것이 필요하다. 접착 수복 재료의 과학과 기술 발달을 수반하는 상대적 교합력을 실시간으로 정교하게 측정할 수 있는 T-Scan 교합 분석 시스템의 이용 가능성으로, 현대 임상의는 보존적인 방법으로 복잡한 증례를 예견성 있게 간단하게 치료할 수 있고, 치료의 생물학적 비용이 현저하게 감소하며, 수행된 교합 치료의 질이 크게 상승하게 된다.

참고문헌

- Adams, S.H., & Zander, H.A. (1964). Functional tooth contacts in lateral and centric occlusion. *Journal of American Dental Association*, *69*,465-743
- Ahlgren, J. (1966).Mechanism of mastication, Acta Odontologica Scandinavica, 24(Suppl. 44), 100-109.
- Alexander, P.C. (1963). Analysis of the cuspid protected occlusion. *Journal of Prosthetic Dentistry*, *66*, 309-317.
- Anderson, D.J. (1981). Measurement of stress in mastication. *Journal of Dental Research*, *35*, 671-674
- Anderson, D.J., & Picton, D.C.A. (1957). Tooth contact during chewing. *Journal of Dental Research, 36*, 21- 26.
- Anderson, D.M. (1988). *Dorland's Illustrated Medical Dictionary*, *Ed. 28*, Philadelphia, PA: W.B. Saunders, pp. 1104.
- Ash, M.M., & Nelson, S.J. (2003). *Wheeler's dental anatomy, physiology, and occlusion*. 8th Ed., St. Louis: CV Mosby, pp.106-108.
- Baba, K., Clark, G.T., Watanabe, T., & Ohiyama, T. (2003). Bruxism forces detection by a piezoelectric film-based recording device in sleeping humans. *Journal of Orofacial Pain*, *17*, 58-64.
- Bakke, M., & Michler, L. (1991). Temporalis and masseter muscle activity in patients with anterior open bite and craniomandibular disorders. Scandinavian Journal of Dental Research, *99*(3), 219-228.
- Begg, P.R. (1954). Stone Age man's dentition. *American Journal of Orthodontics*, *40*, 298-312.
- Bessette, R.W., & Quinlivan, J.T. (1973). Electromyographic evaluation for the Myo-monitor. *Journal of Prosthetic Dentistry*, *30*(1), 91-24
- Byron, H. (1964). Occlusal relations and mastication in Australian Aborigines. Acta Odontologica Scandinavica , 22, 597.
- Beyron, H. (1969). Optimal Occlusion. In: Ramfjord, S.P. and Ash, M.M. (Editors). *Symposium on occlusion*. *Dental Clinics of North America*, *13*, 537-554.
- Blaschke, D.D., & Blaschke, T.J. (1981). Normal TMJ bone relationships in centric occlusion. *Journal of Dental Research, 60*, 98-104.
- Boucher, C.O. (1963). *Current Clinical Dental Terminology*, St. Louis, MO: C.V. Mosby, pp.16.
- Boucher, C.O. (1970). *Swenson's Complete Dentures*, Ed. 6, St. Louis, MO: C.V. Mosby, pp. 68.
- Brekhus, P.H. (1941). Stimulation of the muscles of mastication, *Journal of Dental Research*, *20*, 87-92.
- Bresolin, D., Shapiro, P.A., Dhapito, E.E., Chapko, M.K., & Dessel, S. (1983). Mouth breathing in allergic children: Its relationship to dentofacial development. *American Journal of Orthodontics*, *83*, 334.
- Brewer, A.A., & Hudson, P.C. (1961). Application of miniature electronic devices for the study of tooth contact in complete dentures. *Journal of Prosthetic Dentistry*, *11*, 62-68.
- Brudevold, F. (1951). A basic study of the chewing forces of a denture wearer. *Journal of the American Dental Association, 43*, 45-51.
- Bryant, G.W. (1989). Myofascial pain dysfunction and viola playing. *British Dental Journal*, *166*(9), 335-336.
- Chun, D.S., & Koskinen-Moffett, L. (1990). Distress, mandibular habits, and connective tissue laxity as predisposing factors to TMJ sounds in adolescents. *Journal of Craniomandibular Disorders*, *4*(30),165-176.
- Cleall, J.F. (1965). Study of form and function. *American Journal of Orthodontics*, *51*, 566-594.
- D'Amico, A. (1958). The canine teeth - normal functional relations of the natural teeth of man, Journal of the Californian Dental Association, 26, 6–23
- Dawson, P.E. (1989). *The evaluation, diagnosis, and treatment of occlusal problems*, *Ed. 2*, St. Louis, MO: C.V. Mosby, pp. 41-55.
- Dawson, P.E. (2007). Functional occlusion: from TMJ to smile design. Volume 1, St. Louis,MO: C.V. Mosby, pp. 420-423.
- De, Bont, L., Dijkgraaf, L., & Stegenga, B. (1997). Epidemiology and natural progression of articular Temporomandibular disorders. *Oral Surgery, Oral Medicine, Oral Pathology, Oral Radiology, and Endodontics*, *83*, 72-76.
- DeShields, R.W. (1978). Gnathological considerations of a controversial nature. *Dental Survey*, *54*, 12-18.
- Downs, D.H. (1988). An investigation into condylar position with leaf gauge and bimanual manipulation. *Journal of Gna-*

thology, *7*, 75-81.

- Emslie, R.D., Massler, M., & Zwemer, J.D. (1952). Mouth breathing: Etiology and effects. *Journal of the American Dental Association*, *44*, 506-521.
- Flangan, J.B. (1963). The 24 hour pattern of swallowing in man, *Journal of Dental Research*, *43*(Abstract 165), 1072.
- Freng, A. (1979). Restricted nasal respiration, influence on facial growth. *International Journal of Pediatric Otolaryngology*, *1*(3), 249-254.
- Garner, L.D., & Kotwal, N.S. (1973). Correlation study of incisive biting forces with age, sex and anterior occlusion. *Journal of Dental Research*, *52*, 698-702.
- Gelb, M.L., & Gelb, H. (1991). Mandibular orthopedic repositioning therapy. *Cranio Clinics International*, *1*(2), 81-98.
- Gibbs, C.H., Mahan, P.E., & Lundeen, H.C. (1981). Occlusal forces during chewing and swallowing as measured by sound transmission. *Journal of Prosthetic Dentistry*, *46*, 443-449.
- Gibbs, C.H., Mahan, P.E., & Mauderli, A. (1986). Limits of human bite strength. *Journal of Prosthetic Dentistry*,*56*(2), 226-229.
- Glickman, I. (1972). *Clinical Periodontology*, *Ed. 4*, Philadelphia, PA: W.B. Saunders and Co., pp. 78.
- Glickman, I. (1963). Inflammation and trauma from occlusion, *Journal of Periodontology*, *34*(5), 15-39.
- Glickman, I. (1979). *Clinical Periodontology, Ed. 5*, Philadelphia, PA: W.B. Saunders and Co., pp.103.
- Goldreich. H., Gazit, E., Lieberman, M.A., & Rugh, J.D. (1994). The effect of pain from orthodontic arch wire adjustment on masseter muscle electromyographic activity. American Journal of Orthodontics and Dentofacial Orthopedics, *106*(40), 365-370.
- Graf. H., (1969). Bruxism. *Dental Clinics North America*, *13*, 659-665.
- Guichet, N.E. (2010). Occlusion: a teaching manual, Anaheim, California, 1977, The Denar Corporation. guided occlusal adjustments. *Compendium of Continuing Education*, *31*(7), 530-543.
- Gwynne- Evans, E., & Ballard, C.F. (1957). Discussion on the mouth breather. Proceedings of the Royal Society of Medicine, *51*, 279-285.
- Gysi, A. (1915). Masticating efficiency in natural and artificial teeth. *Dental Digest*, *21*, 74-78.
- Hannukseal, A. (1981). The effect of moderate and severe atrophy on the facial skeletal. *European Journal of Orthodontics*, *3*,187-193.
- Harvold, E.P., Tormer, B.S.,Vangervik, K., & Chierici, G.(1981). Primate experiments on oral respiration. *American Journal of Orthodontics*, *79*, 359-372.
- Howard, J.A. (1989). Temporomandibular joint disorders, facial pain and dental problems of performing artists. Journal of Craniomandibular Disorders: Facial & Oral Pain, *3*, 71-74.
- Howell, A.H., & Brudevold, F. (1950). Vertical forces used during chewing of food . *Journal of Dental Research, 29*(2), 133-136.
- Howell, A.H., & Manly, R.S. (1948). An electrical strain gauge for measuring oral forces, *Journal of Dental Research*, *27*, 705-712.
- Ishimaru, J.,Handa, Y., Kurita, K., & Goss, A.N. (1994) .The effects of occlusal loss on normal and pathological temporomandibular joints: an animal study. *Journal of Craniomaxillofacial Surgery*, *2*, 95-102.
- James, W.W., & Hastings, S. (1932). Discussion on mouth breathing and nasal obstruction. *Proceedings of the Royal Society of Medicine*, *25*, 1343.
- Jankelson, B. (1969). Electronic control of muscle contraction: a new clinical era in occlusion and prosthodontics. *Science Education Bulletin*, *2*, 29-31.
- Jenkins, G.N. (1974). *The physiology and biochemistry of the mouth*, *Ed. 4*, Oxford, UK: Blackwell Scientific Publications, pp. 34-74.
- Kahn. J., Tallents, R.H., Katzberg, R.W., Moss, M.E., & Murphy, W.C. (1998). Association between Dental Occlusion variables and intraarticular temporomandibular joint disorders: horizontal and vertical overlap. *Journal of Prosthetic Dentistry*, *79*, 658-662.
- Kahn. J., Tallents, R.H., Katzberg, R.W., Moss, M.E., & Murphy, W.C. (1999). Prevalence of dental occlusal variables and intra articular temporomandibular disorders: molar relationship, lateral guidance, nonworking side contacts. *Journal of Prosthetic Dentistry*, *82*, 410-415.

- Kantorowicz, A. (1916). Uber den Mechanismus der Kiefe deformierung beibe hinderter Atmnug, *Deutsch Mschr Zahnheilk*, *34*, 225.
- Kaplan, R.L. (1963). Concepts of occlusion: gnathology as a basis for a concept of occlusion. Dental Clinics of North America, 7, 577-590.
- Katona, T.R. (1989). The effect of cusp and mandibular morphology on the forces on the teeth and the temporomandibular joint. *Journal of Oral Rehabilitation*, *16*, 211-219.
- Kawata, T., Niida, S., & Kawasoko, S. (1997). Morphology of the mandibular condyle in "toothless" osteopetrotic (op/ op) mice. *Journal of Cranofacial Genetic Developmental Biology*, *17*, 198-203.
- Kerstein, R.B., & Wright, N. (1991). An electromyographic and computer analysis of patients suffering from chronic myofascial pain dysfunction syndrome, pre and post - treatment with immediate complete anterior guidance development. *Journal of Prosthetic Dentistry*, *66*(5), 677- 686.
- Kerstein, R.B. (1993). A comparison of traditional occlusal equilibration and immediate complete anterior guidance development. *Journal of Craniomandibular Practice*, *11*, 126-140.
- Kerstein, R.B. (2010). Reducing chronic masseter and temporalis muscular hyperactivity with computer-guided occlusal adjustments. *Compendium of Continuing Education*, *31*(7), 530-543.
- Kerstein, R.B., & Radke, J. (2012). Masseter and temporalis excursive hyperactivity decreased by measured anterior guidance development. *Journal of Craniomandibular Practice*, *30*(4), 243-254.
- Kerstein, R.B., & Radke, J. (2013). Clinician accuracy when subjectively interpreting articulating paper markings. *The Journal of Craniomandibular & Sleep Practice, 32*(1), 13-23.
- Kiliardus, S., & Tzakis, M.G., & Carlsson, G.E. (1995). Effects of fatigue and chewing training on maximal bite force endurance. *American Journal of Orthodontic and Dentofacial Orthopedics, 107*, 372-379.
- Kingsley, N.W. (1888). *A treatise on oral deformities as a branch of mechanical surgery*. New York, NY: D. Appleton, Co., pp. 10, 13.
- Koirala, S. (2009). Smile Design Wheel: A practice approach to smile design. *Cosmetic Dentistry Science and Beauty*, *3*, 24-28.
- Koirala, S. (2011). MiCD -Customized case finishing concept & clinical protocol. *MiCD Clinical Journal*, *1*(1), 32-42.
- Koirala, S. (2013). TMJA Harmony Appliances in Dental Medicine. *TMJA Harmony Workshop Manual*, *1*, 1-65.
- Korioth, T.W.P., & Hannam, A.G. (1990). Effect of bilateral asymmetric tooth clenching on load distribution at the mandibular condyle. *Journal of Prosthetic Dentistry*, *64*, 62-78 .
- Kraua, B.S., Jordon, R.E., & Abrahams, L. (1973). *Dental anatomy and occlusion*, Baltimore, MD: Waverly Press, pp. 226.
- Lee, R.L. (1982). *Anterior guidance advances in occlusion*, Boston, MA: John Wright, PSG, pp. 51-80.
- Linder-Aronson, S. (1970). Adenoids: their effect on mode of breathing and nasal airflow and their relationship to characteristics of the facial skeleton and the dentition. Acta OtoLaryngologica *Supplement, 265*, 1-132.
- Linder-Aronson, S. (1974). Effects of adenoidectomy on dentition and nasopharynx. *American Journal of Orthodontics*, *65*(1), 1-15.
- Long, J.H. (1973). Locating Centric Relation with a leaf gauge. *Journal of Prosthetic Dentistry, 29*, 608-610.
- Lucia, V.O. (1960). Centric relation: theory and practice. *Journal of Prosthetic Dentistry*, *10*, 849-856.
- Lucia, V.O. (1961). *Modern gnathology concepts*, St. Louis, MO: C.V. Mosby, pp. 56-78.
- Lucia, V.O. (1983). *Modern gnathological concepts up-dated*. Chicago, Quintessence, pp. 34-35.
- Lundeen, H.C., & Gibbs, C.H. (1982). *Advances In Occlusion*, Boston, MA: John Wright, PSC, pp. 89 -107.
- Lundgren, D., & Laurell, L. (1986). Occlusal force pattern during chewing and biting in dentitions restored with fixed bridges of cross- arch extension, *Journal of Oral Rehabilitation*, *13*, 57-71.
- MacMillan, H.W. (1930). Unilateral vs bilateral balanced occlusion. *Journal of the American Dental Association, 17*,1207-1220.
- Mann, A.W., & Pankey, L.D. (1954). Concepts of occlusion. The PankeyMann philosophy of occlusal rehabilitation. *Journal of Prosthetic Dentistry*, *4*, 440-245.

- Manns. A., Zuazola, R.V., & Sirhan, R.M. (1990). Relationship between the tonic elevator mandibular activity and the vertical dimension during the stages of vigilance and hypnosis. Journal of Craniomandibular Practice, *8*(2), 163-170.
- Manns. A., Miralles. R., Valdivia. J., & Bull, R. (1989). Influence of variation in anteroposterior occlusal contacts on electromyographic activity. Journal Prosthetic Dentistry, 61, 617-623.
- McAdam, D.B. (1976). Tooth loading and cuspal guidance in canine and group -function occlusions. Journal of Prosthetic Dentistry, 35(3), 2832-90.
- McHorris, W.H. (1985). Occlusal adjustment via selective cutting of natural teeth, part 1. *International Journal of Periodontics Restorative Dentistry*, *5*, 8-25.
- McKenzie, D.(1909). Adenoids, deformities of the palate, and artificial infants feedings. An analysis of 222 cases. *British Dental Journal*, *30*, 159.
- McLean, D.W. (1938). Physiologic vs. pathologic occlusion. *Journal of the American Dental Association*, *25*, 1583-1594.
- McNeil, C. (1997). *Science and Practice of Occlusion*. Carol Stream, Ill: Quintessence Publishing, pp. 89-95.
- Michael, C.G., Javid, N.S., Colaizzi, F.A., & Gibbs, C.H. (1990). Biting strength and chewing forces in complete denture wearers. *Journal of Prosthetic Dental Medicine*, *63*, 549-553.
- Michel, A., Lippen, K., & Wangen , V. (1908). Zungendruk. Dtsch. Mschr. *Zahnheilk*, *26*, 527.
- Miralles. R., Carvajal, E., Manns, A., & Rossi, E.E. (1980). Studio comparative de umbralespresorrececeptivos en dientes con normofuncion vs. hiperfuncion o trauma occlusal. Revista Dental De Chile, 3-7.
- Muhlbrat. L., Jenz, K.P., & Luks, D. (1976). Die Beruhrungschwellebeigesunden und erkranktenParodontien. *Deutsch Zahnarztz*, *31*, 306-312.
- Nishigawa, K., Bando. E., & Nakano, M. (2001). Quantitative study of bite force during sleep-associated bruxism. *Journal of Oral Rehabilitation*, *28*, 485-491.
- Okeson, J.P. (2013). *Management of Temporomandibular Disorders and Occlusion*, *Ed. 7*. St. Louis, MO: C.V. Mosby Elsevier, Inc. pp. 73-83
- Okeson, J.P. (2003). *Management of temporomandibular disorders and occlusion*. *Ed. 5*, St. Louis, MO: C.V. Mosby and Co.
- Posselt, U. (1952). Studies in the mobility of the human mandible, Acta Odontologica Scandinavica, *10*(Suppl), 19.
- Pound. E. (1976). Controlling anomalies of vertical dimension and speech. *Journal of Prosthetic Dentistry*, *36*, 124.
- Pullinger, A.G., Hollender, L., & Solberg, W.K. (1985).A tomographic study of mandibular condyle position in an asymptomatic population. *Journal of Prosthetic Dentistry*, *53*,706-713.
- Remien, J.C., & Ash, M.M. (1974). Myo – monitor centric: an evaluation. *Journal of Prosthetic Dentistry*, *31*, 137-145.
- Reynolds, J.M. (1971). The organization of occlusion for natural teeth. *Journal of Prosthetic Dentistry*, *26*, 56-67.
- Rieder, C.E. (1978). The prevalence and magnitude of mandibular displacement in a survey population. *Journal of Prosthetic Dentistry*, *39*, 324-329.
- Rinchuse, D.J., & Sassouni, V. (1982). An evaluation of eccentric occlusal contacts in orthodontically treated subjects. American Journal of Orthodontics, *82*, 251-256.
- Roberts, C.A., Tallents, R.H.,& Katzberg. (1987).Comparison on internal derangements of the TMJ with occlusal findings. *Oral Surgery, Oral Medicine, Oral Pathology*, *63*, 645-650.
- Rugh, J.D., & Drago, C.J. (1981). Vertical dimension: A study of clinical rest position and mandibular muscle activity, *Journal of Prosthetic Dentistry*, *45*, 670-675.
- Sassuni, V., Shnorhokain, H., Beery, Q., Zullo, T., & Friday, G.A. (1982). Influence of perennial allergic rhinitis (PAR) on facial type L. Journal of Allergy and Clinical Immunology, *69*(abstract), 149(1-part), 29-64.
- Sataloff, R., Brandfonbrener, A., & Lederman, T. (1991). *Editor's Textbook of Performing Arts Medicine*, New York, NY: Raven Press, pp. 111-169.
- Schneyer, L.H., Pigman, W., Hanahan, L.,& Gilmore, R.W. (1956). Rate of flow of human parotid, sublingual, and submaxillary secretions, during sleep. *Journal of Dental Research*, *35*,109-144.
- Schulte, W. (1983). Die exzentrische okklusion. Berlin,Germany:
- Quintessenz Verlag, pp.107.
- Schuyler, C.H. (1961). Factors contributing to traumatic occlusion. *Journal of Prosthetic Dentistry*, *11*, 708-716.

- Schuyler, C. H. (1935). Fundamental principles in the correction of occlusal disharmony, natural and artificial. *Journal of American Dental Association*, *22*, 1193-1202.
- Schwartz, H. (1986). Occlusal variations for reconstructing the natural dentition. *Journal of Prosthetic Dentistry*, *55*, 101-105.
- Seligman, D.A., & Pulinger, A.G. (1991). The role of functional relationships in temporomandibular disorders. *Journal of Craniomandibular Disorders*, *5*, 265-279.
- Shipiro, G.C., & Shapiro, P.A. (1987). The effects of perennial allergic rhinitis on dental and skeletal development : a comparison of sibling pairs. *American Journal of Orthodontics and Dentofacial Orthopedics*, *92*, 286-293.
- Solow, B.,& Kreiberg, S. (1977). Soft-tissue stretching: a possible control factor in craniaofacial morphogenesis. Scandinavian Journal of Dental Research, *85*, 505-507.
- Standlee, J.P. (1979). Stress transfer to the mandible during anterior guidance and group function in centric movements, *Journal of Prosthetic Dentistry*, *34*, 35-45.
- Stegenga, B. (2001). Osteoarthritis of the temporomandibular joint organ and its relationship to disc displacement. *Journal of Orofacial Pain, 15*, 193-205.
- Stuart, C.H., & Stallard, C.E. (1982). Concepts of occlusion -what kind of occlusion should recusped teeth be subject to? *American Journal of Orthodontics*, *82*, 251-256.
- Subtelny, J.D. (1980). Oral respiration: facial maldevelopment and corrective dentofacial orthopedics. *Angle Orthodontist*, *50*, 147-164.
- Suit, S.R., Gibbs, C.H., & Benz, S.T. (1976). Study of gliding tooth contacts during mastication, *Journal of Periodontology, 47*(6), 331- 334.
- Tallents, R.H,. Macher, D.J., Kyranides, S., Katzberg, R.W., & Moss, M.E. (2002). Prevalence of missing posterior teeth and intra articular temporomandibular disorders. *Journal of Prosthetic Dentistry*, *87*, 45-50.
- Tarvonen, P.L., & Kosko, K. (1987).Craniofacial skeleton of seven year old children with enlarged adenoids. *American Journal of Orthodontics and Dentofacial Orthopedics*, *91*(4), 300-304.
- Thompson, J.R. (1964). The rest position of the mandible and its significance to dental science. *Journal of American Dental Association*, *33*, 151-180.
- Trask, G.M., Shipiro, G.C., & Shapiro, P.A.(1987). The effects of perennial allergic rhinitis on dental and skeletal development : a comparison of sibling pairs. *American Journal of Orthodontics and Dentofacial Orthopedics*, *92*, 286-293.
- Trenouth, M.J. (1979). The relationship between bruxism an temporomandibular joint dysfunction as shown by computer analysis of nocturnal tooth contact patterns. *Journal of Oral Rehabilitation*, *6*, 81-87.
- Van Blarcom, C.W. (1999). *The Glossary of Prosthodontic Terms*, *Ed. 7*, St. Louis. MO: C.V. Mosby
- Waugh, L.M. (1939). Dental observation among Eskimos *Journal of Dental Research, 16*, 355-356.
- Weinberg, L.A., & Kruger, B. (1995). A comparison of implant / prosthesis loading with four clinical variables. *International Journal of Prosthodontics*, *50*, 421-433.
- Whitaker, R.H.R. (1911). The relationship of nasal obstruction to contracted arches and dental irregularities. *Dentist's Record*, *31*, 425.
- Williamson, E.H., & Lundquist, D.O. (1983). Anterior guidance: its effect on the elecromyographic activity of temporal and masseter muscles. *Journal of Prosthetic Dentistry*, *49*(6), 816-823.
- Woda, A., Vigneron, P., & Kay, D. (1979). Non-functional and functional occlusal contacts: a review of the literature*Journal of Prosthetic Dentistry*, *42*(3), 335-341.
- Woodside, D.G., & Linder- Aronson, S. (1979). The channelization of upper and lower anterior face heights compared to population standards in mates between ages six to twenty years. *European Journal of Orthodontic*s, *1*, 24-40.
- Worner, HK., & Anderson, M.N. (1944). Biting force measurements in children, *Australian Dental Journal*, *48*, 1-5.
- Worner, H.K. (1939). Ganthodynamics: the measurement of biting forces with a new design of ganthodynamometer, *Australian Dental Journal*. *43*, 381-386.
- Wustrow, E. (1915). ZurKritik der Ursachen der kieferanomalien. *Deutsch Mschr Zahnheilk*, 34.

추가문헌

- Ash, M. M., & Ramfjord, S. P. (1995). Occlusion. Philadelphia, PA: W.B. Saunders Co., pp. 70.
- Baad-Hansen, L., Jadidi, F., Castrillon, E., Thomsen, P. B. & Svensson, P. (2007). Effect of a nociceptive trigeminal inhibitory splint on electromyographic activity in jaw closing muscles during sleep. *Journal of Oral Rehabilitation*, *34*(2), 105-111.
- Carey, J.P., Craig, M., Kerstein, R.B., & Radke, J. (2007). Determining a relationship between applied occlusal load and articulation paper mark area. *The Open Dental Journal*, *1*, 1-7.
- Ciavarella, D., Mastrovincenzo, M., Sabatucci, A., Parziale, V., Granatelli, F., Violante, F., Chimenti, C. (2010). Clinical and computerized evaluation in study of temporomandibular joint intracapsular disease. *Minerva Stomatologia*, *59*(3), 89-101.
- Coleman, T.A., Grippo, J.O., & Kinderknecht, K.E. (2003). Cervical I Dentin Hypersensitivity. Part III: resolution following occlusal equilibration. *Quintessence International*, *34*, 427-434.
- Garrido Garcia, V.C., Garcia Cartagena, A., & Gonzalez Sequeros, O. (1997). Evaluation of occlusal contacts in maximum intercuspation using the T-Scan system. *Journal of Oral Rehabilitation*, *24*, 899-903.
- Grippo, J. O., Simring, M., & Coleman, T. A. (2012). Abfraction, Abrasion, Biocorrosion, and the Enigma of Noncarious Cervical Lesions: A 20-Year Perspective. *Journal of Esthetic and Restorative Dentistry*, *24*(1), 10-23.
- Harrel, S. K., Nunn, M. E., & Hallmon, W. W. (2006). Is there an association between occlusion and periodontal destruction?: Yes- occlusal forces can contribute to periodontal destruction. *The Journal of the American Dental Association, 137*(10), 1381-1389.
- Harper, K.A., & Setchell, D.J. (2002). The use of shimstock to assess occlusal contacts: a laboratory study. *The International Journal of Prosthodontics*, *15*, 347-352.
- Kamyszek, G., Ketcham, R., Garcia, Jr., R. & Radke, J. (2001). Electromyographic evidence of reduced muscle activity when ULF-TENS is applied to the Vth and VIIth cranial nerves. *Journal of Craniomandibular Practice, 19*(3),162-168.
- Kerstein, R.B. (2011). Health and harmonized function with computer guided force management. *Cosmetic Dentistry*, *5*(2), 6-12.
- Kerstein, R.B. (2011). The new rules of occlusion to apply during MICD Cosmetic Reconstruction. *MICD Journal, 1*(1), 6-16.
- Kerstein, R.B., Lowe, M., Harty, M., & Radke, J. (2006). A Force reproduction analysis of two recording sensors of a computerized occlusal analysis system. *Journal of Craniomandibular Practice, 24*(1), 15-24.
- Khan, A., & Hargreaves, K. M. (2010). Animal models of orofacial pain. *Analgesia*, New York, NY: Humana Press, pp. 93-104.
- Koos, B., Godt, A., Schille, C., & Goz, G. (2010). Precision of an instrumentation-based method of analyzing occlusion and its resulting distribution of forces in the dental arch. *Journal of Orofacial Orthopedics*, *71*,403-410.
- Koos, B., Holler, J., Schille, C., Godt, A. (2012). Time-dependent analysis and representation of force distribution and occlusion contact in the masticatory cycle. *Journal of Orofacial Orthopedics, 73*, 204-214.
- Mahan, P. E., Wilkinson, T. M., Gibbs, C. H., Mauderli, A., & Brannon, L. S. (1983). Superior and inferior bellies of the lateral pterygoid muscle EMG activity at basic jaw positions. *The Journal of Prosthetic Dentistry*, *50*(5), 710-718.
- Qadeer, S., Kerstein, R.B., Yung-Kim, R.J., Huh, J.B., & Shin, S.W. (2012). Relationship between articulation paper mark size and percentage of force measured with computerized occlusal analysis. *Journal of Advanced Prosthodontics*, *4*, 7-12.
- Raphael, K. G., & Ciccone, D. S. (2008). Psychological aspects of chronic orofacial pain. *Orofacial pain and headache.* Edinburgh, Scotland: Elsevier, pp. 57-74.
- Saad, M.N., Weiner. G., Ehrenberg, D., & Weiner, S. (2008). Effects of load and indicator type upon occlusal contact markings. *Journal of Biomedical Materials Research, Part B*, *85*(1), 18-22.

- Sierpińska, T., Gołebiewska, M. & Długosz, J. W. (2006). The relationship between masticatory efficiency and the state of dentition at patients with non-rehabilitated partial loss of teeth. *Advances in Medical Science*, *51*(Suppl. 1), 196-199.
- Sierpinska, T., Golebiewska, M. & Lapuc, M. (2008). The effect of mastication on occlusal parameters in healthy volunteers. *Advances in Medical Science*, *53*(2), 316-320.
- Stern, K., & Kordaß, B. (2010). Comparison of the Greifswald Digital Analyzing System with the T-Scan III with respect to clinical reproducibility for displaying occlusal contacts. *Journal of Craniomandibular Function*, *2*,107-119.
- Tarantola, G., Becker, I. M., Gremiilion, H., & Pink, F. (1998). The Effectiveness of Equilibration in the Improvement of Signs and Symptoms in the Stomatognathic System. *International Journal of Periodontal and Restorative Dentistry*, *18*(6), 595-603.

주요 용어 및 정의

- **TMJA 조화:** 온전한 구강악계(치아, 근육, TMJ, 기도)의 생리적 및 기능적 조화.
- **교합 조화:** 교합의 생리적 및 기능적 균형.
- **교합:** 구강악계 내에서 교합력을 발생시키는 생리적 작용.
- **교합력 장애(OFD):** 개인의 저항 및 적응 능력보다 큰 과다한 교합력의 존재로 야기된 치아, 근육, TMJ, 기도의 장애.
- **예방적 힘 마무리(PFF):** 생리적이고 수용된 원래의 교합 체계를 보호하고 유지하기 위해서, 미래의 실패로부터 현존의 수복물을 예방하고 저작계의 교합력 구성 요소를 최적화하기 위한 술식.
- **치료적 힘 마무리(TFF):** OFD 상태의 특별한 증상 및 징후의 치료에 있어서 교합력 구성 요소를 개별화하기 위한 술식.
- **힘 마무리:** 객관적인 T-Scan 교합력 및 타이밍 측정을 사용하여 저작계의 교합력 구성 요소를 최적화하기 위해 응용하는 임상 개념 및 기술. 목표는 이상적인 교합력 및 타이밍 임상 변수를 획득하여, 장기간의 건강, 기능, 두개안면 심미를 유지하는 것이다.

도움을 주신 분들

Robert B. Kerstein은 Tufts 치과대학에서 DMD 학위를 1983년에 받았으며, 1985년에는 보철과 전문의를 획득하였다. 1985년부터 1998년 까지 Tufts 대학의 임상교수로서 수복 치과학 분야 중 고정성, 가철성 보철학에 대하여 강의하며, 활발히 진료를 하였다. 1984년, Kerstein 선생은 T-scan I 기술에 대해 연구하기 시작하였다. 그리고 그 시기 이래로 T-scan II에 대해서도 연구하였으며, Turbo recording을 포함하는 T-scan III와 현재는 T-scan 9 기술에 대해 연구를 진행하여 왔다. Kerstein 선생은 교합과 교합 이개 시간의 길이가 만성 근막 동통 부전 증후군의 병인에 기여한다는 독창적인 연구를 지금까지 지속해 왔다. 그가 지금까지 30년에 걸쳐 연구해 왔던 T-scan III 교합 분석시스템은 그를 디지털 교합 분석학 영역에서 선도적인 논문 저자이자 연구자로 이끌었다. Kerstein 선생은 총 45편의 출판물을 개제하였는데, 이는 Journal of Prosthetic Dentistry, the Journal of Craniomandibular and Sleep Practice, Quintessence International, Practical Periodontics and Aesthetic Dentistry, the Journal of Computerized, the Compendium of Continuing Education, the Journal of Implant Advanced Clinical Dentistry, Cosmetic Dentistry, and the Journal of Oral and Maxillofacial Implants 등을 포함한다. 이에 더해 Kerstein 선생은 4권의 교과서 챕터의 저자로 참여하였는데, 이는 주로 T-scan 디지털 교합 분석 기술에 대한 내용이 주였다. Kerstein 선생은 국내와 해외 모두에서 디지털 교합 분석, 보철학, 전방유도와 상대적으로 긴 이개 시간 사이의 관계, 체계적이지 않은 근육의 과활성과 근막 동통 부전 증후군에 대하여 강의를 해오고 있다, 그는 또한 Boston과 Massachusetts에서 성공적인 개인병원을 운영하고 있다. 개인병원에서는 보철치료와, 디지털 교합 분석 및 근막동통부전과 관련 된 치료만 하고 있다. Kerstein 선생은 2016년 경희치대 교정학 교실 외래 부교수에 임용되어 후학들의 관련 연구 진행에 큰 기여를 하고 있다.

Robert Anselmi는 지난 11년간 Tekscan 사의 기술전문 저술가로서 활동하였으며, 현재는 Boston, MA에 거주하고 있다. 그는 1994년 Montreal에 위치한 McGill 대학에서 영문학, 사진학, 그리고 커뮤니케이션학에 대해 학사 학위를 받았다. 이후, 그는 여러 회사에서 기술전문 저술가, 웹 디자인, 웹 기획, 품질 보증 및 코스 디자인 역량과 관련된 다양한 일을 해 오고 있다. 그는 프린트나 비디오, 그리고 다른 매체 등을 통해, 사용자들에게는 복잡하고 어려운 하드웨어나 소프트웨어 기술을 사용하고 작동시킬 수 있도록 교육하는데 노력을 기울이고 있다. 그는 몇몇 온라인 사용지침서와 기사들을 독자적으로 개제하는 저자이다. 2013년에, 그는 전자 음악 산업을 위해 음향 디자인과 컴퓨터 음악 제작과 관련된 지침서를 저술한 바 있다. 그는 사용자들이 새로운 기술을 사용할 수 있도록 가르치는데 도움이 되는 정확하고 자세한 교재를 제공하는데 열정적이다.

Ray Becker는 치과 분야에서 보다 진보된 기술의 선도자, 혁신가, 완성자로서 세계적으로 잘 알려져 있다. 그의 관심은 통합 치과학, 재건학, 심미 치과학 분야에 맞춰져 있다. Becker 박사의 치료법은 복잡하고 까다로운 케이스를 중심으로 이루어지지만, 그는 실제 임상에서 모든 환자에 대한 성공적인 진단, 치료 및 평가를 위한 프로토콜을 개발하고 이를 개인적으로 사용해 왔다. Total Biopak 기술 및 이들의 임상적 프로토콜과 함께 Becker 박사는 환자의 임상적 필요 및 목표와 잘 일치하는 공정하고도 윤리적인 틀을 제시할 수 있다. Becker 박사는 1991년부터 전미뿐 아니라 호주, 핀란드, 캐나다 등지에서 열렸던 국제 학회의 기조연설을 맡아왔다. 강의 외에도, 그는 laser나 CAD/CAM 치과학에서부터 이들의 실제 임상적 관리에 이르기까지 모든 출판물들과 여러 저널, DVDs 등에 대한 저자로서 활동해 왔다. 그는 HCC, Unident, Sirona와 Isolite System 등과 같은 몇몇 치과 분야의 회사들에 의해 만들어지고 있는 기술의 초기 개발단계에서부터 적극적으로 참여해왔다. 그는 현재 BioResearch, TekScan과 업무적으로 밀접한 관계를 가지고 있다. Ray Becker 박사는 의도적으로 인스트럭터로서 독립적으로 남아 왔는데, 이렇게 하는 것이 그의 일과 개발한 것들에 대한 편향되지 않은 시각을 가질 수 있다고 믿고 있기 때문이다. 그의 독창적인 기술, 프로토콜과 치료법을 풀타임으로 사용해 봄으로써 매일 실제 임상에서 빈번하게 마주치는 여러 이슈들에 대하여 많은 치과의사들에게 강한 울림을 갖도록 해 왔다. 이러한 다양한 지식들을 그가 개발시키고 발전시켜온 임상적인 해결책들에 적용시킴으로써, 그는 현재 다른 사람들에게 가르치는 다양한 독창적인 접근법들로부터 이익을 얻어왔다. 최종적으로, Becker 박사는 생체인식 기술분야에서 마스터쉽과 전문의 자격뿐 아니라 Academy of General Dentistry에서 펠로우쉽 지위를 획득하였다.

Nicolas Cohen은 프랑스 파리에 위치한 Pitie Salpetriere 대학 병원의 치주과에서 부교수로 재직하고 있다. 그는 또한 파리 10구 Margueritte에서 개인병원을 운영하고 있다. Cohen 박사는 2000년에 파리 7대학에서 치의학 학사 학위를 취득하였다. 그는 Institute Paris-Sud sur les Cytokines에서 연구를 수행하고 있는데 특히 구강 면역학 분야, 더 자세히는 스트레스를 야기하는 상황에서 구강 생체막의 저항력에 대해 포커스를 맞춰왔다. 그의 연구는 2004년 journal of Dental Research나 2003, 2006, 2007년에 개재된 Blood와 같은 수준 높은 저널에 개제되었고 이를 통해 그는 석사와 박사학위를 취득하였다. 현재 그는 Orthopedic Research UMR CNRS 7052의 임상 연구팀과 함께 연구를 진행하고 있으며, Saint-Louis 대학, 프랑스 파리에 위치한 Denis Diderot 대학에서 진단검사의학과 교수이며, Pitie Salpetriere 병원이 있는 파리 7, 6 대학에서 운영하고 있는 박사 후 과정인 임플란트학 임상 프로그램의 공동 책임자를 맡고 있다. Cohen 박사는 치주 질환이 일반적인 의과적 질병이나 임플란트 주위염과 관계가 있는 지에 대해 국내, 외적으로 많은 강의를 하고 있다. 그는 현재 교합이 치주질환의 진행이나 치주 치료 후 치유 과정에서 어떤 역할을 하는지에 대해 평가를 진행하고 있다.

Julia Cohen-Levy는 프랑스에 위치한 파리 7 대학으로부터 1999년에 DDS, 2003년에 MS, 그리고 2004년에 치과 교정학과 치과안모 교정학 분야에서 박사학위를 취득하였다. 2011년에 프랑스 파리 8 대학에서 의료법 분야 석사학위를 받았으며, 2012년에는 박사학위를 취득하였다. 그녀는 임상교수로 재직하고 있는 파리 7 대학 교정과의 교과 과정에 참여하고 있다. 그녀는 유럽 설측교정학회 (ESLO)의 정회원이고, 프랑스 교정학회 (FFO) 정회원, 프랑스 리케츠의 bioprogressive 모임 (SBR)의 정규 멤버로 활동하고 있다. Cohen-Levy 박사는 2003년부터 파리에서 개인병원을 운영하고 있으며, 2006년 시작과 함께 T-SCAN III의 사용자로 활동하고 있다. 그녀는 교정학, 설측 교정학과 방사선학적 기형 분야에서 컴퓨터 계산에 의한 교합의 분석에 초점이 맞춰진 몇몇 국제 저널과 과학잡지의 저자이다. 추가로 그녀는 Journal of Dento-facial Anomalies and Orthodontics의 편집인이기도 하다. Cohen-levy 박사는 프랑스 교정학회 (FFO)의 수면장애위원회의 위원장으로 활동하고 있다. 그녀는 수면무호흡증, 설측교정과 교정학에서 컴퓨터 계산에 의한 교합치료의 마무리 등과 관련된 코스를 가르치거나 이에 대해 국내, 외적으로 강연자로 이름이 알려져 있다.

Thomas A. Coleman은 Buffalo에 위치한 SUNY 치과대학에서 1976년 DDS 학위를 받았다. 이후 2년간, 그는 Navajo 인디언보호구역 내에 위치한 공공의료기관에서 임상의로 활동한 바 있다. 그는 Vermont에서 1978-2003년 동안 일반 치과의로 일하였으며, Hudson Valley 대학의 치과위생과에서 파트타임으로 강의를 하기도 하였다. 그는 또한 장애인들을 위한 Albany 센터에서 치과 과장으로 재직하였다. 그리고 나서 2005-2014 동안, Vermont, Brandon에서 개인 치과 운영을 지속하였다. 1979년 그는 치경부 과민증 (Cervical Dentin Hypersensitivity, CDH)을 진단하기 위한 Air Indexing 법을 개발하였다. 그는

Quintessence International, the Journal of Esthetic & Restorative Dentistry, Incisal Edge와 Compendium에서 총 8편의 논문을 개제하였다. Coleman 박사는 남가주 대학에 위치한 Dawson 센터, 미국 Equilibratioin 학회, Gelb 센터, 그리고 Vermont 주 치과 위생과 협회에서 전국적으로 강연을 해 왔다. Coleman 박사는 교합접촉, 굴곡파절과 CDH를 조사하기 위해 T-scan III 시스템을 이용한 연구를 진행하고 있다.

John R. Droter는 턱관절장애 (TMD)에 대한 부족한 이해와 함께 1985년 메릴랜드 치과대학을 졸업하였고, DDS 학위를 받았다. TMD에 대한 지식을 더 얻기 위해, 그는 Pankey 교육원, Dawson 아카데미와 플로리다 대학교에 있는 안면통증센터에서 수학을 하였다. Droter 박사는 컴퓨터 이미지를 통해 안면통증에 대한 진단을 해주거나, 턱관절 장애나 저작근에 대해 분석을 해주는 개인 병원을 운영하고 있다. 그는 관절의 위치가 불량한 환자들을 위해 비수술적 TMJ 재건법을 제시하고 있다. Droter 박사는 Pankey 교육원과 Spear 교육센터에서 방문 교수로 재직하고 있다. 그는 워싱턴 DC에 위치한 워싱턴병원 센터에서 교정과 대학원 프로그램을 위한 방문교수로 재직한 바 있다 그는 손상된 관절의 치료를 의학적으로는 어떤 방법으로 접근하는지 알기 위해 정형외과 의사와 함께 MD, Annapolis에 있는 Arundel 메디컬 센터에서 순환 옵져베이션을 하였다. 그는 전국적으로 강연을 하고 있으며, Dentistry Today's top 100 리스트에서 최고의 임상가로 선정되기도 하였다.

Jinhwan Kim은 서울대학교 치과대학에서 1999년 치의학 학사 학위, 2004년 석사학위, 그리고 2011년 박사학위를 취득하였다. 2002년부터 개인병원을 운영하는데, 그는 T-Scan 시스템을 2006년부터 이용해왔고, T-Scan 사용자들을 위해 한국에서 T-Scan 케이스 북을 발간하였다. 그는 한국의 치과의사들에게 T-Scan 시스템에서 타이밍 개념을 소개하고 있는데, T-Scan 시스템을 이용하여 임플란트에서의 교합에 대해 연구하고 있다. 서울대학교 치과대학의 임상교수로 재직하고 있으며, 한국의 서울에서 원데이치과라는 개인병원을 운영하고 있고, 구내스캐너를 개발하는 Theodental Ltd.라는 회사도 운영하고 있다. 그는 디지털 치과학에서 전문성을 가지고 있으며, 대한 디지털치과학회, 대한 치과 턱관절 기능교합학회, 그리고 대한 심미치과학회의 이사로 재직하고 있다. 그는 T-Scan 시스템과 구내 스캐너를 활용한 디지털 교합 분석, 임플란트 교합과 관련한 활발한 강연을 하고 있다.

Sushil Koirala는 인도에 위치한 Mysore 대학을 1992년에 졸업하였다. 그리고 심미치과학, 교정학, 교합학, 수면 치과학과 관련한 많은 임상 교육 프로그램을 이수하였다. 그는 대만의 Thammasat 대학교 치괴대학에서 방문교수로 재직하고 있으며, 네팔의 Vedic Institute of Smile Aesthetics (VISA)의 창립학회장이다. Koirala 박사는 최소 침습적 미용 치과학 (Minimally Invasive Cosmetic Dentistry, MICD)과 Teeth/muscles/Joints/Airway (TMJA) Harmony 치과학 분야에서 세계적으로 잘 알려진 강연자이자 인스트럭터, 그리고 저자로 활동하고 있다. 그는 다방면으로 강의해 왔고, 미소의 미학, 교합력 장애 (OFD), 구강 내과분야에서 모든 노력을 다함과 동시에 의식 하 구강 내과학적인 철학에 기반을 둔 최소 침습적인 기술을 사용하여 기도를 관리하는 등의 분야에서 전세계적으로 핸즈온 교육 프로그램을 시행하여 왔다. Koirala 박사는 직접 심미 치과학에 관한 종합서적인 A Clinical Guide to Direct Cosmetic Restoration with Giomer의 저자로 이는 독일에서 DTI에 의해 출간 되었다. 그는 Cosmetic Dentistry Beauty & Science Magazine (DTI, 독일)과 MICD Clinical 저널뿐 아니라 그가 개제한 다수의 임상 저널의 편집장으로 활동하고 있다. Koirala 박사는 미용치과학, 교합력 장애, TMD, 치과에서의 수면내과학과 기도 조절 등의 관리에서 최소 침습적 기술의 진보를 위해 MICD와 TMJA Harmony 글로벌 아카데미를 설립하였다.

Bernd Koos는 교정과 의사로 독일, 키엘에 위치한 Schleswig-Holstein 대학 의학 센터의 교정과에서 선임의사로 있다. 그는 독일 Tubingen 대학에서 졸업 후 레지던트 과정으로 교정과에서 전문의 과정에 대한 수련을 마쳤다. 여기서 그는 환자에 대한 임상검사와 대부분의 상담시간을 턱관절 장애의 치료와 기능적인 진단을 하는데 초점을 맞추었다. 그의 연구주제는 유년기에서 TMJ가 포함된 특발성 관절염, 기능적 교합의 진단, 턱관절 장애의 치료, 컴퓨터에 의한 교합의 진단과 분석, 구순구개열 환자의 치료와 수면 무호흡 증후군을 가진 어린이 등을 포함하고 있다. 각각 이들 분야에 대하여, Koos 박사는 다방면으로 강의해 왔고, Journal of Orofacial Orthopedics에 T-Scan 기술을 포함하여 몇몇 중요한 논문들을 저술해 왔다.

Paul Mitsch는 미주리주, 세인트루이스에 위치한 워싱턴 대학에서 1977년 DMD 학위를 취득하였다. 1979년 그는 캔자스 Augusta에 있는 Augusta Family Dentistry를 구입하였다. 2005년에 Mitsch 선생은 버틀러와 세지윅 자치주에 널리 퍼져 있는 지역 치과의사들에 의해 쓰여진 출판물인 Dental Impact를 창간하였다. 2008년 Mitsch 선생은 American Family Dentistry 교육 센터를 창립하였는데, 이는 치과 산업에 있어 지역 치과의사들의 교육과 훈련을 도와주기 위해 설립되었다. 이는 자신들이 가지고 있는 기술을 좀더 가다듬고, 진료의 수준을 보다 높이고 싶어하는 지역 치과의사들을 위해 치의학 분야의 여러 전문가들로부터 세미나와 강의를 제공하기 위한 그의 과업의 일환이었다. Mitsch 선생은 전국을 돌며 치의학 분야에서 최신 기술의 적용과 관련한 강의를 해왔다. 그는 Academy of General Dentistry, Academy of Dentistry International, International Congress of Oral Implantologists에서 펠로우 회원이며, American Academy of Craniofacial Pain에서는 특별 펠로우 회원이다. Mitsch 선생은 또한 Bioresearch Inc.으로부터 전문성을 인정받아 마스터쉽을 획득하였다.

Sarah Qadeer는 인도 Lucknow에 위치한 Sardar Patel Institute of Dental and Medical Sciences (SPIDMS)에서 치의학 학사학위를 받았으며, 한국, 서울에 있는 고려대학교 구로병원에서 보철학 분야 치의학 석사학위를 받았다. 한국에 있을 때 그녀는 T-Scan 기술에 대해 배우게 되었으며, 이를 통해 그녀가 컴퓨터를 통해 교합 분석을 하는 방법에 대해 강력한 흥미유발을 갖게 되는 전환점이 되었다. 결국 이는 그녀의 석사학위 주제가 되었다. 석사학위를 마친 이후 Sarah Qadeer 박사는 경희대학교 치과병원에서 연구교수로 일하면서 아시아-태평양과 중동 지역에서 컴퓨터를 통한 교합분석 방법에 대해 강의해 왔으며, 여러 연구 논문들을 성공적으로 개제해 왔다. Qadeer 박사는 현재 대만에 있는 Thammasat 대학에서 치의학과 교수로 일하고 있다. Thammasat에서 Qadeer 박사는 International Training Centre for Advanced Dentistry (ICAD)의 팀장으로서, 이곳에서 그녀는 T-Scan을 이용한 교합분석, Joint Vibration Analysis (JVA), Electromyography (EMG), 치과 통계학, 최소 침습적인 미용 치의학, 턱관절 장애와 수면 내과학 분야에 대한 교육 프로그램을 구성하고 기획하고 있다. 더 나은 임상 치료 결과를 위해 디지털 기술을 사용함으로써 환자의 교합상태에 대한 객관적인 정보를 얻고, 구강악안면 시스템에 대한 종합적인 이해를 증진시키는데, 이와 같은 미니 레지던시 프로그램들을 아시아 치과의사들을 교육하기 위해 고안하였다. 최근에 Qadeer 박사는 Digital Occlusion from A-Z라는 제목의 일련의 종합적인 기사를 Jordanian online dental journal에 기고해 오고 있다.

John C. Radke는 워싱턴, 시애틀에 위치한 Cornish 대학으로부터 BM 학위를 취득하였고, 일리노이주 시카고에 있는 Keller 경영대학원에서 MBS 학위를 받았다. 그는 현재 위스콘신, 밀워키에 있는 BioResearch Associates, Inc.의 사장으로 재직하고 있다. 1972년 이래 그는 치의학에서 전자식, 컴퓨터 소프트웨어 기반의 진단 기술을 활발히 개발해 왔다. 이는 전자식 jaw tracking, electromyography (EMG), TENS, temporomandibular joint vibration analysis (JVA) 등의 장비를 포함한다. Radke는 국내뿐만 아니라 해외 30개국 이상의 나라들에서 강연을 해 왔다. 그는 생리적 측정값들 예를 들면 1) 턱관절로부터 나는 진동음, 2) 저작시 활성화된 근육으로부터의 근전계 신호, 그리고 3) 기능적 혹은 부기능적 턱의 운동과 같은 데이터를 분석하기 위해 사용되는 과학적 방법들 (푸리에 시리즈, 웨이블릿 변환, 인공 신경계와 유전체 알고리즘)에 대한 수 많은 저술활동을 해 오고 있다. 그는 여러 과학저널들을 위한 리뷰어와 컨설턴트로 일하고 있다. Radke는 국제치과연구학회 (International Association of Dental Research)의 종신 회원이고 국제신경과학학회 (International Neural Network Society)와 미국과학진흥회 (American Association for the Advancement of Science)의 정회원이다. 그는 이탈리아의 Academy of Electromyography and

Kinesiography와 멕시코의 Medica Odontologia Craneo-mandibular A. C.의 명예 회원이다. 1969년부터 그는 그의 혁신적인 장치 디자인에 대해 수 많은 특허를 받아 왔다.

Teresa U. Sierpinska는 폴란드, Bialystok 의과 대학에서 1991년 학위를 취득하였다. 그리고 나서 그녀는 1997년 보철학 분야 전문의를, 2009년 임플란트학 분야의 전문의를 획득하였다. 1991년부터 2010년까지 그녀는 Bialystok 의과 대학의 보철과에서 고정성, 가철성 보철학을 가르치는 임상 교수로 재직하였다. 1999년, 그녀는 "The Relationship between Masticatory Deficiency and Pathomorphological Changes in the Gastric Mucosa"라는 학위논문 제목으로 MD 학위를 취득하였다. 2009년에는 "An Assessment of Etiological Factors in Tooth Wear Patients, and the Prosthetic Rehabilitation of the Patients Suffering from Advanced Tooth Wear."라는 제목의 연구를 통해 MD/PhD 학위를 받게 외었다. 2010년 시작과 함께 Sierpinska 박사는 Bialystok 의과 대학의 치의학 기술학과의 과장으로 임명되었는데, 여기서 그녀는 주로 구강생리학과 보철 재건학과 관련하여 강의를 하였다. Sierpinska 박사는 지속적으로 진행되고 있는 치아 마모에 관련된 연구를 수행하였을 뿐만 아니라 위장관계에 저작 과정이 영향을 미치는지에 대한 독창적인 연구를 수행해 왔다. 그녀의 연구는 저작계의 기능적인 분석에 초점이 맞춰져 있었고, 이는 모든 Bioresearch 진단 기술에 있어 2006년에 그녀가 인증 받은 사실을 포함하고 있다. 그녀는 International Journal of Prosthodontics, Journal of Clinical Densitometry, Osteoporosis International, Advances in Medical Sciences와 Polish professional journal 등에 수많은 연구 논문들을 개제하였다. 2014년 그녀는 Journal of Craniomandibular and Sleep Practice의 편집인으로 임명되었다. Sierpinska 박사는 폴란드 Bialystok에서 성공적으로 개인병원을 운영하고 있다. 여기서는 진행성 교합 마모의 재건에 초점을 맞춘 교합기능장애와 보철적 치료에 한정하여 운영되고 있다. 치의학에서의 그녀의 활동과는 별개로 Sierpinska 박사는 클래식과 재즈 그리고 그림 그리기에 취미를 가지고 있다.

Roger Solow는 UCLA에서 1975년 생물학으로 학사 학위를 취득하였고, 1978년에는 퍼시픽 치과 대학으로부터 DDS 학위를 취득하였다. 그는 일반의로서 전일제 근무를 하며, 행위별수가를 받는 형식으로 캘리포니아 Mill Valley에서 수복 치과학 분야에 한정하여 진료를 하고 있다. 그는 플로리다 Key Biscayne에 위치한 Pankey 치과대학에서 연구원과 방문교수로 재직하고 있다. Solow 박사는 수복치과학, 교합 분석과 안정화, 그리고 종합적이고 다학제적인 임플란트 수복학 분야에서 20개 이상의 저널을 발표하였다. 이는 Journal of Prosthetic Dentistry, Journal of Craniomandibular Practice, General Dentistry, 그리고 Seattle Study Club Journal 등을 포함한다. 그는 또한 Irwin Becker의 Comprehensive Occlusal Concepts in Clinical Practice라는 제목의 책에서 Occlusal Bite Splints라는 제목으로 챕터를 저술한 바 있다.

Chris Stevens는 미소의 개선, 교합의 원리, 전악 수복학, 그리고 턱관절 장애 (TMD)의 진단 및 치료에 있어서 전 세계적으로 유명한 연자이다. 그는 1990년 이래로 능동적인 강연자로서, 치과의사, 의사, 지압요법사와 물리치료사 등을 포함하는 수천명의 의료인들을 위해 전국적으로 그리고 전세계적으로 강연을 해왔다. 1990년부터 그는 치의학에서 컴퓨터의 사용으로 진보된 전자식 진단 장비의 사용에 관해 치과의사와 진료 스태프를 교육하는 일을 해오고 있다. 이러한 장비들이 널리 받아들여지고 있는 분야는 TMD의 진단과 치료, 3차원적으로 하악골을 재위치 시키는 경우, 교합의 원리, 교합조정과정과 레이저를 이용한 치의학 분야 등에서 찾을 수 있다. Stevens 박사는 위스콘신 의과대학의 다학제간 통증 클리닉의 설립 멤버 중 하나였다. 그는 또한 Dick Barnes 박사 그룹의 창립 멤버 중 하나였는데, 이곳에서 그는 8년간 교합학, 증상이 있거나 없는 환자들을 대상으로 하는 전악 수복학, 그리고 미용 분야에 대해 교육을 진행하였다. 그는 현재 Advanced Studies of Functional and Restorative Esthetics 교육 센터를 유지 운영하고 있으며, 미국과 유럽에서 강연자로 활동하고 있다.

Robert (Bobby) Supple은 1972년 Albuquerque 아카데미, 1976년 휴스턴 대학과 1980년 Tufts 치과대학을 졸업하였다.

1990년대 초반에 Supple 박사는 T-Scan 컴퓨터를 이용한 교합분석 시스템을 조기에 들여온 얼리 어답터로서 Pankey 치과대학에서 치의학 대학원 과정을 밟으며 교합과 턱관절에 관한 교육을 받았다. 그는 다음과 같은 다양한 스터디 모임(Horizon, High Desert, R. V. Tucker Gold, 그리고 뉴멕시코 심미 스터디 모임 등)에 참여하였는데, 이곳에서 그는 기능적, 비기능적인 교합과 턱관절에 대한 보다 나은 이해를 위한 그의 열정과 관련된 임상 치의학 분야에서 경험을 쌓을 수 있었고, 핸즈온 교육 역시 다년간 받을 수 있었다. 디지털 교합의 개념은 T-Scan을 활용하여 반복 가능한 교합력 분산 패턴 뿐만 아니라 환자들의 급, 만성 통증 패턴과 교합력의 분포 사이의 상관관계에 대한 인식으로부터 시작된다. 세기의 전환기에 Supple 박사의 개인병원은 턱관절장애에 대한 예방과 치료에 초점을 맞추고 있었다. Supple 박사는 현재 뉴멕시코 치과대학 수련 과정의 교수로 재직하고 있으며, International College of Dentistry, International Academy of Gnathology, American Equilibration Society와 American Dental Association의 정회원으로 활동하고 있다. 미래를 향한 치의학 발전을 위한 열정으로 Supple 박사는 디지털 시대에 맞게 교합학에서의 새로운 개념을 가지고 왔다.

Curtis Westersund는 Alberta, Edmonton에 위치한 Alberta 대학에서 1979년에 DDS 학위를 취득하였다. 그는 지난 35년간 캐나다 Alberta 지역에 있는 캘거리시에서 일반치과의로 임상에 임하고 있다. Westersund 박사의 병원은 생리학적 방법을 통한 턱관절장애의 치료에 한정되어 있다. 그는 Las Vegas Institute of Advanced Dental Studies에서 수련을 마쳤으며, Occlusal Studies 센터에서 TMD 치료를 위한 수련과정에 참여하였다. 그리고 IACA, ICCMO와 ACE 치과 그룹의 정회원으로 참여하고 있다. TMD 치료와는 별도로 Westersund 박사는 치의학 마케팅에 열정을 가지고 있다. 그는 세계적인 마케팅 회사의 이사로 4년간 재직하며, 그들이 전문성을 가지고 마케팅 기법을 개발할 수 있도록 도움을 주었다. 현재 그는 TMD 환자들을 다루는 치과의사들을 위한 마케팅 전략의 개발에 관심을 가지고 있다. 이를 통해 대중에게 그들의 서비스를 보다 많이 제공하며, 판매를 촉진시킬 수 있게 하였다. Westersund 박사는 미국, 러시아, 그리고 캐나다를 순회하며 생리적이고 근신경계적인 원리를 기반으로 한 TMD 환자들의 치료와 커뮤니케이션에 관련하여 치과의사들을 가르치는 일을 돕고 있다.

Nick Yiannios는 Arkansas, Rogers에서 일반의로 임상에 임하고 있다. 그는 1993년에 샌안토니오 치과대학이 위치한 텍사스 대학 보건과학센터에서 DDS 학위를 취득하였다. 이어 2년간 Dallas/Fort Worth에 정착하여 임상 치료를 하였으며, Branson으로 이주하기 전 미주리주에서 지난 19년간 임상의로서 진료를 하고 있다. 최근 Yiannios 박사는 그의 병원을 Arkansas, Rogers로 이주하였는데, 이는 개인적인 사정 뿐만 아니라 특별한 이유가 있어서였다. 그의 대부분의 논문화되지 않은 임상적 치료법은 교합과 턱관절 장애에 대해 강한 강조를 둔 최소 침습적 심미 치의학에 초점을 두고 있다. 그는 예후를 예측 가능하고 기능적으로 최적화되고 심미적으로 만족스러운 정밀한 수복 치료 결과를 얻기 위해 체어 사이드에서의 CAD/CAM 밀링머신, CBCT 이미지, 디지털 교합 분석과 electromyography 등과 같은 다양한 디지털 치과 기기를 사용한다. Yiannios 박사는 2010-2011년 Academy of CAD/CAM dentistry의 이사회 멤버로 재직하면서, 이 시기 동안 치과 진료 시 디지털 교합 분석에 의해 예측 가능한 정밀성을 도입하였다. 그는 이어서 수년의 시간 동안 다양한 비디오 문서화된 임상 케이스 스터디들을 편집하여 임상적으로 이러한 디지털 기법들이 도입되었을 때 치료를 받는 환자들에게 놀랄만하도록 예측 가능한 치료 결과를 제시할 수 있도록 하였다. 한 욕심 많은 어부와 야외활동을 사랑하는 사람으로서, Yiannios 박사는 Arkansas, Rogers에서 그의 아내와 가족과 함께 거주하고 있다. 그의 비디오는 유튜브 drnickdds 홈페이지에서 볼 수 있다.

찾아보기

국문

ㄱ

ㄷ

ㅁ

ㅂ

ㅅ

ㅇ

ㅈ

B

C

D

E

F

G

H, I, J

M

O

P

R

S

T

V

W

Z

기 타